S0-BDO-449

PAGE 48
SUR LA ROUTE

RÉGIONS, VILLES, VILLAGES
Visites, activités et bonnes adresses

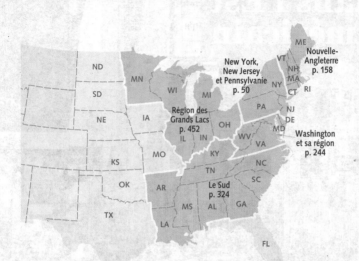

ND

MN

SD

NE

WI

MI

IA

New York,
New Jersey
et Pennsylvanie
p. 50

VT
NH
MA
NY
CT
RI

ME

Nouvelle-
Angleterre
p. 158

Région des
Grands Lacs
p. 452

OH

PA

NJ
DE
MD

Washington
et sa région
p. 244

KS

MO

IL

IN

KY

WV

VA

OK

AR

TN

Le Sud
p. 324

NC

SC

TX

MS

AL

GA

LA

FL

PAGE 585
L'EST AMÉRICAIN
PRATIQUE

TOUT POUR S'ORGANISER
Location de voiture, lignes de train,
organismes à connaître

ÉDITION ÉCRITE PAR
Karla Zimmerman
Glenda Bendure, Ned Friary, Michael Grosberg,
Emily Matchar, Kevin Raub, Regis St Louis

Bienvenue dans l'Est américain

Des métropoles imposantes

Comme le chantait si bien Sinatra, New York est la plus formidable des villes. Hébergeant quelque 8,3 millions d'habitants, cette mégalopole est le moteur de l'Est et offre une quantité incroyable d'opportunités culturelles, gastronomiques et de divertissement. Chicago et ses majestueux gratte-ciel, Washington et ses lobbyistes, que de villes uniques en leur genre ! Si vous poussez plus loin, vous découvrirez les captivants vieux quartiers de La Nouvelle-Orléans, toujours debout malgré les inondations, et Détroit, où de jeunes débrouillards unissent leurs forces pour transformer l'ancienne ville industrielle.

Plages et routes pittoresques

La côte Est offre un large éventail de plages, des dunes sauvages et des eaux peuplées de baleines de Cape Cod aux promenades de front de mer bordées de kiosques à bonbons d'Ocean City. À l'intérieur des terres, la nature est à l'honneur aux Boundary Waters à la frontière canadienne, sur les sommets brumeux des Appalaches et dans les forêts de Nouvelle-Angleterre. Vous pourrez admirer le paysage en parcourant les petites routes pittoresques qui sillonnent ces régions, découvrir les champs de bataille de la guerre de Sécession ainsi que les attractions kitch de bord de route comme ces fameux astronautes géants en fibre de verre.

Avec ses deux mégapoles que sont New York et Chicago, ses paysages de plages bordées de dunes, de montagnes embrumées et de marécages peuplés d'alligators, sans oublier ses racines musicales fortes, l'Est américain vaut vraiment le détour !

(à gauche) Times Square (p. 71), New York
(ci-dessous) Feuillage d'automne, New Hampshire (p. 220)

De riches spécialités culinaires

On mange copieusement dans la région. Vous pourrez déguster de gigantesques homards cuits à la vapeur et au beurre fondu dans les baraques de fruits de mer du Maine, des bagels au saumon fumé dans les *delis* de Manhattan, des côtes succulentes cuites au barbecue dans les restaurants routiers de Memphis, des *biscuits* riches en beurre dans les *diners* de Caroline du Nord, du gombo épicé dans les cafés de La Nouvelle-Orléans et de généreuses parts de tarte aux fruits des bois dans les *supper clubs* du Middle West. Et si tout cela vous donne soif, laissez-vous tenter par les vins blancs doux, les bières locales et le bourbon maison de la région.

Berceau culturel

La région abrite les plus prestigieux musées du pays : le Smithsonian, très complet, le Metropolitan Museum of Art, rempli de trésors, et l'Art Institute de Chicago, qui abrite nombre de peintures impressionnistes. L'Est est aussi le berceau du blues, du jazz et du rock'n'roll. Rendez-vous au Sun Studio à Memphis, qui a connu les débuts d'Elvis, au Rock and Roll Hall of Fame de Cleveland, pour admirer des objets rares comme la Stratocaster de Jimi Hendrix, et aux *juke joints* de Clarksdale, où retentirent les premiers accords de blues. En matière de gratte-ciel, les plus grands architectes de l'ère moderne ont choisi Chicago et New York comme terrains de jeu.

⟩ Est américain

⟩ Les incontournables ⟩

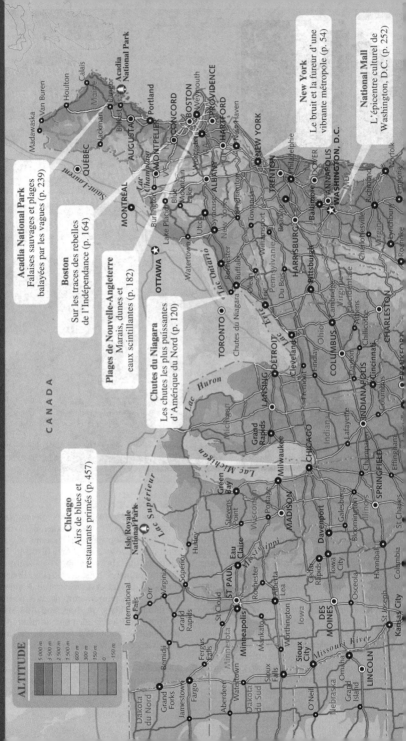

Acadia National Park
Falaises sauvages et plages
balayées par les vagues (p. 239)

Boston
Sur les traces des rebelles
de l'Indépendance (p. 164)

Plages de Nouvelle-Angleterre
Marais, dunes et
eaux scintillantes (p. 182)

Chutes du Niagara
Les chutes les plus puissantes
d'Amérique du Nord (p. 120)

New York
Le bruit et la fureur d'une
vibrante métropole (p. 54)

National Mall
L'épicentre culturel de
Washington, D.C. (p. 252)

Chicago
Airs de blues et
restaurants primés (p. 457)

ALTITUDE

5 000 m
3 500 m
2 500 m
1 500 m
600 m
300 m
150 m
0
-150 m

CANADA

Sentier des Appalaches
Une randonnée qui relie
la Géorgie au Maine (p. 313)

Blue Ridge Parkway
Une route sublime à travers
les Appalaches (p. 340)

Great Smoky Mountains
Un parc de forêts brumeuses,
le plus visité du pays (p. 377)

La Nouvelle-Orléans
Cuisine cajun arrosée
de cocktails Sazerac (p. 421)

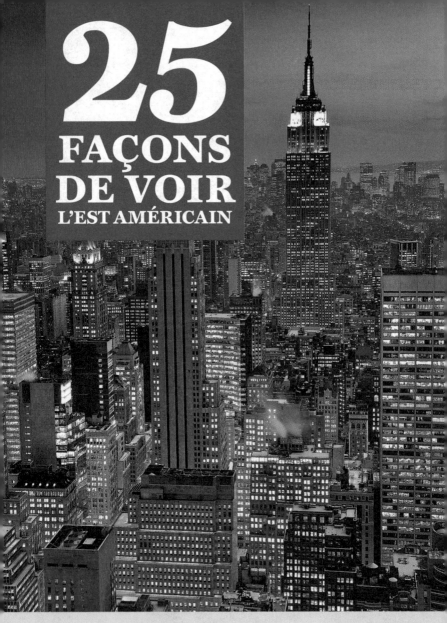

25 FAÇONS DE VOIR L'EST AMÉRICAIN

New York

1 Ville des artistes en quête de gloire, des magnats des fonds spéculatifs et des immigrants du monde entier, New York (p. 54) se réinvente perpétuellement. Haut lieu de la mode, du théâtre, de la gastronomie, de la musique, de l'édition, de la publicité et de la finance, elle recèle un nombre impressionnant de musées, de parcs et de quartiers ethniques. Faites comme n'importe quel New-Yorkais : appropriez-vous la rue. Chaque *block* reflète le tempérament et l'histoire de cet étourdissant kaléidoscope, et même une simple balade permet de changer de continent.

National Mall

2 Bordé de monuments emblématiques et d'édifices en marbre chargés de sens pour l'histoire de la nation, le National Mall (p. 252) est l'épicentre de la vie politique et culturelle de Washington, En été, il accueille d'immenses concerts et festivals gastronomiques, mais toute l'année, des visiteurs flânent dans les splendides musées qui flanquent cette esplanade verdoyante de 3 km de long. Il n'y a pas meilleur endroit pour plonger dans l'histoire américaine, que ce soit en admirant le Vietnam War Memorial ou en gravissant les marches du Lincoln Memorial (p. 256), d'où Martin Luther King Jr prononça son fameux discours "I Have a Dream". Lincoln Memorial

GLENN VAN DER KNIJFF/LONELY PLANET IMAGES ©

La région des Finger Lakes

3 Paradis naturel s'étendant dans le centre-ouest de l'État de New York, la région des Finger Lakes (p. 112) offre un paysage verdoyant composé de douces collines, de lacs étincelants et de forêts épaisses, et parsemé de villages paisibles et de vignobles. C'est en effet la première région viticole de l'État, avec plus de 65 vignobles, réputés notamment pour leurs vins de glace. Vus du ciel, ses 11 lacs à la forme allongée évoquent celle de doigts – d'où son nom. Elle se prête idéalement à la navigation, la pêche, le cyclisme, la randonnée et le ski de fond. Seneca Lake

Chicago

4 Vous serez émerveillé par l'architecture, les plages et les musées de la ville (p. 459), et plus encore par son mélange de culture élitiste et de petits plaisirs : sculptures de Picasso parées des couleurs des équipes locales, habitants prêts à attendre aussi patiemment pour manger un hot dog que pour dîner à la meilleure table de la région. Certes, les hivers sont longs, mais quand vient l'été, Chicago accueille mille festivals sur les rives du lac Michigan. *La Crown Fountain* (p. 459), de Jaume Plensa

MARK NEWMAN/LONELY PLANET IMAGES ©

Feuillage d'automne en Nouvelle-Angleterre

5 Parcourir la Nouvelle-Angleterre (p. 158) en automne est une expérience incontournable. Des Lichfield Hills du Connecticut aux Berkshires du Massachusetts en passant par Stowe dans le nord du Vermont, des collines entières étincèlent des chaudes couleurs de l'automne. Avec leurs ponts couverts en bois et leurs églises à flèche blanche, le Vermont et le New Hampshire sont des endroits idéaux où admirer ce flamboyant spectacle. *Vermont* (p. 209)

2011 FLASH PARKER/GETTY IMAGES ©

6 Route 66

Ce célèbre ruban d'asphalte fut la première route transcontinentale des États-Unis (p. 487), reliant Chicago à Los Angeles en 1926. Si l'essentiel du tracé de celle que l'on surnomme la Mother Road se déploie dans l'ouest du pays, le tronçon de 483 km qui parcourt l'Illinois offre la même possibilité de remonter le temps : régalez-vous dans les *diners* des petites bourgades, prenez en photo les curiosités jalonnant la route et déroulez les kilomètres ponctués d'enseignes au néon, de drive-in et autres emblèmes de la culture américaine.

La Nouvelle-Orléans

7 Bien sûr, il ne faut pas oublier son histoire, sa superbe architecture ou sa musique envoûtante, mais il faut bien reconnaître qu'un séjour à La Nouvelle-Orléans (p. 421) se place inévitablement sous les auspices de la nourriture. Français, Espagnols, Siciliens, Philippins, Haïtiens ou encore Allemands ont apporté leur pierre à l'édifice culinaire local. Délaissez le French Quarter pour tenir compagnie aux habitants à Riverbend, Uptown, Faubourg Marigny et dans le Bywater : le meilleur moyen de goûter à l'authentique "N'awlins". Beignets, Cafe du Monde (p. 433)

Blue Ridge Parkway

8 Dans la partie sud des Appalaches de Virginie et de Caroline du Nord, des immensités sauvages s'étendent à perte de vue autour de cette route de 758 km (p. 316). Une foule de randonnées superbes permettent de s'enfoncer plus avant dans la nature, de la simple balade au bord des lacs et petits cours d'eau à l'équipée plus exigeante jusqu'à des hauteurs vertigineuses. Vous pourrez camper ou passer la nuit dans les lodges de forêt, et surtout profiter d'excellents concerts de bluegrass et de musique folk dans les bourgades environnantes.

Chutes du Niagara

9 Trop touristiques ? Cela est vrai. En outre, les chutes du Niagara (p. 120) ne sont pas très hautes – c'est à peine si elles se hissent dans le top 500 des chutes les plus hautes du monde. Et pourtant, ces puissantes gerbes d'eau qui dessinent une arche liquide au-dessus du précipice et plongent avec fracas dans le vide sont phénoménales et impressionnantes, surtout lorsqu'on les approche en bateau. En termes de débit, ce sont les chutes les plus puissantes d'Amérique du Nord. Elles se déversent au rythme de plus de 2 800 m³/seconde.

Sites de la guerre de Sécession

10 Plongez dans l'histoire du pays en visitant ces sites disséminés dans tout l'est des États-Unis, de la Pennsylvanie à la Louisiane. Les plus connus sont les champs de bataille d'Antietam (p. 289), dans le Maryland, de Gettysburg (p. 149), en Pennsylvanie, et de Vicksburg (p. 417), dans le Mississippi (un circuit en voiture de 26 km parcourt les lieux assiégés par le général Grant durant 47 jours). En été, des reconstitutions de batailles se déroulent sur nombre de ces sites. Le National Military Park, Vicksburg

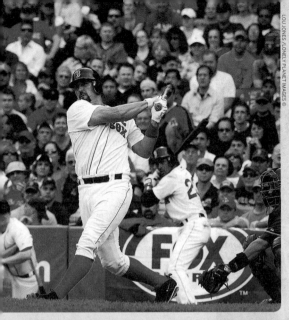

Boston

11 Ruelles pavées et supporters en folie font tout le sel de Boston (p. 164). C'est sans conteste la ville la plus historique des États-Unis – théâtre de la Boston Tea Party, de la chevauchée de Paul Revere (patriote de la révolution) et de la première bataille de la guerre d'Indépendance –, des événements que l'on peut retracer le long des 4 km du Freedom Trail (chemin de la Liberté) pavé de brique rouge. Ne manquez pas le campus de l'université d'Harvard et reprenez des forces dans les restaurants à huîtres, cafés et autres trattorias de North End. Les Boston Red Sox, Fenway Park (p. 164)

Le Sud d'avant la guerre de Sécession

12 Le Sud *antebellum* est le fief des demeures grandioses et des plantations de coton, des arbres drapés de mousse espagnole et des jardins emplis d'azalées. Imprégnez-vous de son atmosphère à Charleston (p. 345), où vous pourrez flâner et admirer l'architecture, laissez-vous gagner par le charme de Savannah (p. 401), avec ses chênes de Virginie et ses spécialités de fruits de mer, et émerveillez-vous devant les belles demeures de Natchez (p. 419), la plus ancienne ville des bords du Mississippi, où les majestueux escaliers sont légion. Charleston

RAY LASKOWITZ/LONELY PLANET IMAGES ©

Outer Banks

14 Les splendides îles-barrières de Caroline du Nord (p. 328) sont de fragiles rubans de sable qui suivent le tracé de la côte sur 160 km. Certaines abritent des plages populaires, bordées de magasins de glaces et de souvenirs. Les autres, plus isolées, offrent un paysage sauvage. Empruntez la mythique Highway 12, qui relie entre elles la plupart des îles, et partez à la découverte de Roanoke Island et de sa "Colonie perdue" (*Lost Colony*), du très photogénique Cape Hatteras Lighthouse, le plus haut phare en brique du pays, avant d'emprunter le ferry pour rejoindre la lointaine Ocracoke Island, où des chevaux sauvages s'ébattent en toute liberté. Le phare du Cap Hatteras

STEPHEN SAKS/LONELY PLANET IMAGES ©

Racines musicales

13 Quel que soit le genre musical, il est probablement né ici. Le delta du Mississippi a donné naissance au blues, et La Nouvelle-Orléans au jazz. Le rock'n'roll est arrivé le jour où Elvis Presley a franchi la porte du Sun Studio (p. 360) à Memphis. Quant à la country, elle est descendue des hameaux des Appalaches jusqu'au Grand Ole Opry (p. 374) de Nashville. Le Mississippi a emmené la musique vers le nord, où Chicago et Détroit se sont respectivement spécialisées dans le blues électrique et le son Motown. Le tout se traduit par de fantastiques concerts dans toute la région. Trompettiste, La Nouvelle-Orléans

Philadelphie

15 Ville dynamique, dotée d'une scène musicale et artistique bouillonnante et d'une gastronomie en plein essor, "Philly" (p. 129) fut aussi la première capitale des États-Unis. Le cœur de la ville concentre dans un périmètre de moins d'un km² un grand nombre de monuments historiques. Vous y admirerez notamment l'Independence Hall, berceau du gouvernement américain, où fut signée la Déclaration d'indépendance le 4 juillet 1776, et la Liberty Bell, ou "cloche de la Liberté", qui aurait retenti juste après la signature. La Liberty Bell

ANDRE JENNY/ALAMY ©

Promenades en bois du bord de mer

16 La balade sur la promenade en bois est le rite de passage obligatoire, que l'on soit à Ocean City (p. 287), dans le Maryland, à Rehoboth Beach (p. 292), dans le Delaware, à Virginia Beach (p. 308), en Virginie, ou à Atlantic City (p. 126) dans le New Jersey. Tout l'intérêt consiste à profiter des attractions et plaisirs estivaux qui bordent ces promenades : beignets amish, karting, cabanes à pizza, minigolfs fluorescents, boutiques de confiseries. N'en oubliez tout de même pas d'admirer la mer ! Rehoboth Beach

Le long du Mississippi

17 De sa source à Northwoods, dans le Minnesota, jusqu'à son embouchure frangée de palmiers en Louisiane, ce fleuve, surnommé l'Old Man River (p. 535), s'étend sur plus de 3 219 km et traverse de grandes villes comme Minneapolis, Memphis et La Nouvelle-Orléans. On y voit encore des bateaux à aubes, comme au temps de Mark Twain, mais ce sont aujourd'hui le plus souvent des casinos ou des bateaux de croisière. Les passionnés des grandes routes mythiques cèdent à l'appel de la Great River Road qui longe le fleuve sur toute sa longueur.

MARK NEWMAN/LONELY PLANET IMAGES ©

Sentier des Appalaches

18 Le plus long chemin de randonnée du pays (p. 243) s'étend sur plus de 3 380 km, traverse 6 parcs nationaux ainsi que 14 États de la Géorgie au Maine. Forêts épaisses, sommets alpins, fermes et ours en quête de nourriture composent le paysage. Moins de 600 randonneurs le parcourent dans son intégralité chaque année. Si vous avez six mois devant vous et du courage à revendre, vous ferez une expérience mémorable. Mais c'est également vrai pour les randonnées plus courtes.

WITOLD SKRYPCZAK/LONELY PLANET IMAGES ©

Shenandoah National Park

19 Empruntez la Skyline Drive qui serpente à travers ce parc national (p. 313) au paysage splendide le long des Blue Ridge Mountains de Virginie. Il offre un vaste choix d'activités de plein air, notamment la randonnée, avec plus de 800 km de sentiers. Le spectacle y est grandiose toute l'année, surtout à l'automne, lorsque les feuilles se parent de teintes écarlates. Il n'est pas rare de voir des cerfs de Virginie et, parfois même, un ours noir ou un lynx. Vue depuis la Skyline Drive

Plages de Nouvelle-Angleterre

20 En été, les habitants de la région se pressent sur la côte pour profiter de la brise marine. Dans le Massachusetts, des plages frangent l'île de Martha's Vineyard (p. 192). Non loin, le Cape Cod National Seashore (p. 186) abrite marais salants et dunes sauvages, et des baleines à bosse passent au large du littoral. La nature intacte de Block Island (p. 203), au large du Rhode Island, offre fermes vallonnées, plages presque désertes et chemins propices à des balades tranquilles. Cape Cod National Seashore

JEFF GREENBERG/GETTY ©

Acadia National Park

21 Les montagnes rejoignent la mer dans l'Acadia National Park (p. 239). Ses kilomètres de côte rocheuse et de sentiers de randonnée font de ce pays des merveilles la destination la plus populaire du Maine. Son point culminant, Cadillac Mountain (466 m), est accessible à pied, à vélo et en voiture. Les lève-tôt pourront admirer le tout premier lever du soleil du pays du haut de cette fameuse montagne. Plus tard dans la journée, après vous être ouvert l'appétit sur les sentiers et les plages, reprenez des forces autour d'un thé et de *popovers* (sortes de brioches soufflées) à Jordan Pond.

MARK NEWMAN/LONELY PLANET IMAGES ©

Great Smoky Mountains

22 Tirant leur nom des langues de brume couleur de bruyère qui flottent au-dessus des sommets, les Smokies (p. 343) abritent le parc national le plus visité. Cette étendue d'épaisses forêts appalachiennes est une zone protégée où vivent en toute quiétude ours noirs, cerfs de Virginie et wapitis. Chaque année, dix millions de visiteurs viennent y camper, randonner à pied, à cheval, à vélo, faire du rafting et pêcher à la mouche. Pour autant, si l'on a envie de marcher ou de pagayer, il est très facile de s'écarter de la foule. Mountain Farm Museum (p. 344)

JOHN ELK III/LONELY PLANET IMAGES ©

Prestigieux musées d'Art

23 Commencez par les incontournables – le Metropolitan Museum of Art de New York (p. 75) et l'Art Institute de Chicago (p. 463) –, immenses musées où l'on pourrait passer des journées entières. Pittsburgh s'enorgueillit quant à elle de l'Andy Warhol Museum (p. 151), lieu insolite et un peu inquiétant consacré au pop art et à des films étranges. L'art n'est toutefois pas confiné aux villes. Les jet-setters se rendent dans les collines de la Lower Hudson Valley (État de New York) pour admirer les gigantesques œuvres modernes du Storm King Art Center (p. 110) et du Dia Beacon (p. 110). L'Art Institute de Chicago

IONAS KALTENBACH/LONELY PLANET IMAGES ©

Grands Lacs

25 Les Grands Lacs (p. 452), au nombre de cinq – Supérieur, Michigan, Huron, Ontario et Érié – représentent environ 20% des ressources d'eau douce de la Terre et 95% de celles des États-Unis. Ils comptent des kilomètres de plages, de dunes, de stations balnéaires et de paysages ponctués de phares. Si l'on ajoute les falaises au pied desquelles s'écrasent les vagues, les îles qui émaillent les rives et les cargos qui entrent dans les ports animés, on comprend pourquoi la région porte le surnom de "Troisième Côte". Les pêcheurs à la ligne, les kayakistes et même les surfeurs trouveront ici leur petit coin de paradis. Lac Michigan (p. 519)

SHARPLY DONE/ISTOCKPHOTO ©

En Pays amish

24 Le rythme de la vie ralentit considérablement dans les communautés amish du nord-est de l'Ohio (p. 502), du sud-est de la Pennsylvanie (p. 147) et du nord de l'Indiana (p. 495). Des petits garçons coiffés de chapeaux de paille conduisent des voitures à cheval, les hommes à longue barbe labourent les champs à la main, et des femmes vont vendre leurs tourtes à la mélasse sur le marché. Les "Gens simples", ainsi qu'on les appelle, mènent une vie spartiate sans électricité, téléphone ou véhicule à moteur. Plongez dans l'histoire et remontez le temps.

L'essentiel

Monnaie

» Dollar américain ($)

Langue

» Anglais

Argent

» Distributeurs de billets largement répandus. Cartes bancaires internationales acceptées dans la plupart des hôtels et des restaurants.

Quand partir

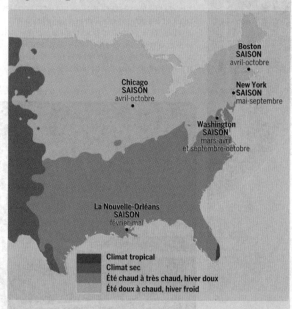

Boston
SAISON
avril-octobre

Chicago
SAISON
avril-octobre

New York
SAISON
mai-septembre

Washington
SAISON
mars-avril
et septembre-octobre

La Nouvelle-Orléans
SAISON
février-mai

Climat tropical
Climat sec
Été chaud à très chaud, hiver doux
Été doux à chaud, hiver froid

Haute Saison
(juin-août)

» Chaud et ensoleillé partout, températures généralement élevées.

» Saison la plus fréquentée, grosse affluence, prix des hébergements plus élevé.

Saison intermédiaire
(oct et avr-mai)

» Températures plus douces, moins de monde.

» Éclosion des fleurs printanières (avril) ; couleurs automnales rougeoyantes (octobre), surtout en Nouvelle-Angleterre.

Basse saison
(nov–mars)

» Journées grises, chutes de neige dans le nord et précipitations abondantes dans certaines régions.

» Prix des hébergements le moins cher (en dehors des stations de ski).

Budget quotidien

Moins de

100 $

» Lit en dortoir : 20-30 $; emplacement dans un camping : 15-30 $; chambre dans un motel : à partir de 60 $

» Activités gratuites (concerts, musées)

» Voyager hors saison ; éviter les lieux de villégiature

100-200 $

» Chambre double dans un hôtel de milieu de gamme : 100-200 $

» Bon restaurant : 50-80 $ pour deux

» Location de voiture à partir de 30 $/jour

Plus de

200 $

» Chambre en hôtel 4 étoiles : 250 $ et plus

» Restaurant chic : 60-100 $/pers

» Sorties (pièces de théâtre, concerts) : 60-200 $

Visa

» Inutile pour les ressortissants de l'Union européenne et les Suisses pour un séjour de moins de 90 jours, à condition d'être muni d'un passeport sécurisé à lecture optique répondant aux normes américaines actuelles et d'avoir obtenu une autorisation électronique de voyage (ESTA) (voir p. 594).

Téléphone portable

» Vous aurez besoin d'un GSM multi-bandes. Plutôt que d'utiliser votre réseau, mieux vaut acheter une carte SIM prépayée.

Conduite

» Comme en France, la conduite se fait à droite, avec un volant à gauche.

Sites Web

» **Lonely Planet** (www.lonelyplanet.fr). Fiches pays, courrier des voyageurs et forums.

» **Away.com** (www.away.com). Une mine d'informations pour des séjours dans tout le pays.

» **Festivals.com** (www.festivals.com). Trouvez les meilleurs festivals du pays : musique, gastronomie, danse, etc.

» **Roadside America** (www.roadsideamerica.com). Pour tout savoir des curiosités qui jalonnent les routes américaines.

Taux de change

Zone euro	1 €	1,33 $
Suisse	1 FS	$0.97
Canada	1 $C	1,00 $

» Pour connaître les derniers taux de change, consultez le site www.xe.com/ucc/fr/full.php

Numéros utiles

Pour appeler les États-Unis depuis l'étranger, composez votre code d'accès international, suivi du ☎1 (uniquement le ☎1 depuis le Canada).

Depuis les États-Unis, pour appeler l'étranger, faites le ☎011, suivi de l'indicatif du pays et du numéro du correspondant (sans le 0 initial).

Indicatif pays	☎1
Code d'accès international	☎011
Urgences	☎911
Renseignements locaux	☎411

Arriver dans l'est des États-Unis

» **JFK, New York**

» AirTrain jusqu'à Jamaica Station, puis LIRR jusqu'à Penn Station : 12 à 14 $ (45 minutes)

» Taxi jusqu'à Manhattan : 45 $ (45 minutes)

» **Chicago O'Hare**

» Train Blue Line du réseau CTA jusqu'au centre-ville : 2,25 $ (45 minutes)

» Navette Airport Express : 29 $ (35 minutes)

» Taxi jusqu'au centre-ville : 45 $ (25 minutes)

Parcs nationaux

La visite d'un parc national peut être gratuite ou coûter jusqu'à 25 $ par véhicule pour un pass valable 7 jours. Le paiement se fait à l'entrée du parc : les espèces étant parfois le seul moyen de paiement accepté, pensez à vous en munir. Si vous comptez visiter plusieurs parcs, le pass annuel **America the Beautiful** (www.nps.gov/findapark/passes.htm ; 80 $) couvre les droits d'entrée de tous les parcs nationaux, ainsi que ceux des territoires fédéraux protégés (*federal recreational lands*), comme les réserves naturelles et les forêts, et ce durant un an. Vous pouvez acheter ce pass à l'avance sur Internet ou sur place dans n'importe quel parc.

Les lodges et campings des parcs nationaux affichent complet très tôt ; pour les vacances d'été, réservez six mois à un an à l'avance. Pour les randonnées de plusieurs jours et certaines randonnées d'une journée, il faut un permis spécial (*Wilderness permit*) – le nombre de permis octroyé faisant souvent l'objet de quotas, faites une demande le plus tôt possible.

Envie de...

Grandes villes

Nombreuses dans l'Est, elles marient les cultures "pour le meilleur et pour le pire, dans la richesse et dans la pauvreté".

New York 8,3 millions d'habitants vivent dans cette ville au rythme effréné, débordante d'énergie et en constante évolution (p. 54).

Chicago Troisième plus grande ville du pays (après New York et Los Angeles), elle abrite gratte-ciel remarquables, œuvres d'art disséminées dans l'espace public, musées majeurs, festivals gratuits et cuisines variées (p. 457).

Baltimore Cette ville portuaire est devenue un lieu à la mode, avec ses musées de renommée mondiale, ses magasins branchés, ses restaurants exotiques et ses *boutique hotels* (p. 272).

Philadelphie Si l'histoire est à l'honneur dans la première capitale du pays, c'est le dynamisme de sa cuisine, de sa musique et de sa scène artistique qui fait tout le charme de "Philly" (p.129).

Détroit La "Motor City" est un véritable cas d'étude illustrant l'apogée puis la chute d'une métropole qui pourrait bien un jour renaître de ses cendres (p. 509).

Parcs nationaux

L'Est américain regorge de beautés naturelles, des côtes balayées par le vent de Nouvelle-Angleterre aux sommets des Appalaches.

Great Smoky Mountains Une brume violette s'accroche aux sommets, tandis que les ours noirs, les wapitis et les dindons sauvages s'ébattent dans les sublimes forêts du parc national le plus visité des États-Unis (p. 343).

Acadia Montagnes surplombant les côtes, falaises imposantes, plages battues par les vagues et étangs paisibles : ce coin préservé du Maine est le terrain de jeu idéal pour les amateurs de sensations fortes et les amoureux de la nature (p. 239).

Shenandoah Avec ses magnifiques panoramas le long des Blue Ridge Mountains, c'est un lieu idéal pour la randonnée et le camping, notamment sur le sentier des Appalaches (p. 313).

Isle Royale Ces terres boisées flottent au beau milieu du lac Supérieur, à l'abri des routes, des voitures et de la foule. Loups et élans peuvent y chasser tranquillement (p. 526).

Bonne cuisine

L'Est américain compte des spécialités alléchantes : homards du Maine, *cheesesteaks* de Philadelphie, barbecues de Memphis ou cheddar du Wisconsin.

New York Cette ville cosmopolite comblera toutes vos attentes, que vous ayez envie de steak-frites, de *linguini con vongole*, de sushis, de poulet tikka masala ou de hot dogs gourmets (p. 89).

Alinea Le meilleur restaurant du continent est à Chicago. Le chef superstar, Grant Achatz, y sert une cuisine inventive (p. 477).

La Nouvelle-Orléans Desserrez votre ceinture et savourez la cuisine cajun-créole : rémoulade de crevettes, chair de crabe ravigote, écrevisse à l'étouffée, pudding au bourbon et café épicé à la chicorée. Et ce n'est qu'un début... (p. 432).

Providence Dans cette ville du Rhode Island, on déguste de la cuisine italienne et des fruits de mer d'une grande fraîcheur (p. 199).

Madison Depuis 30 ans, les denrées locales sont à l'honneur, tout comme les *food trucks* (camions-restaurants) et les cuisines exotiques. On y trouve l'un des plus grands marchés fermiers du pays (p. 532).

Envie de... vin

La région des Finger Lakes, dans le nord de l'État de New York, compte plus de 65 vignobles, réputés pour leurs vins de glace (p. 112).

Architecture

Dès le départ, dans l'Est américain, les architectes ont vu grand. On y trouve des villes aux bâtiments flirtant avec les nuages, et d'autres de plus petite taille abritant des œuvres remarquables.

Chicago Ville natale du gratte-ciel, on y peut y voir le plus haut édifice du pays. La Chicago Architecture Foundation organise des circuits à la découverte de l'architecture de la ville (p. 457).

Fallingwater À quelques heures de Pittsburgh, ce chef-d'œuvre de Frank Lloyd Wright de 1939 se fond merveilleusement dans le paysage boisé et la cascade qu'il surplombe (p. 156).

Taliesin Encore un site pour les fans de Frank Lloyd Wright. C'est ici qu'il habitait et qu'il créa son école ; cela vaut la peine de faire un pèlerinage à Spring Green, dans le Wisconsin (p. 535).

Columbus Il y a aussi de belles œuvres architecturales dans cette petite ville de l'Indiana, grâce à ses industriels avant-gardistes (p. 492).

Musées

L'Est américain abrite un mélange surprenant de musées classiques, d'avant-garde ou proprement inclassables.

Smithsonian Institution Le Smithsonian (p. 253) regroupe en réalité plusieurs musées, tous gratuits, et regorge de fusées, dinosaures, sculptures de Rodin ou encore tanka tibétains.

Metropolitan Museum of Art Le lieu le plus visité de New York est un immense musée : pas moins de 2 millions d'œuvres d'art y sont exposées (p. 75).

Art Institute of Chicago Le deuxième plus grand musée du pays (après le Met) abrite des quantités de chefs-d'œuvre, notamment des peintures impressionnistes et post-impressionnistes (p. 463).

Andy Warhol Museum Pittsburgh honore l'un de ses fils, le roi du pop art (p. 151).

Zoos et parcs d'attractions

Les parcs d'attractions de l'Est américain sont célèbres pour leurs montagnes russes à l'ancienne. Les zoos comptent quant à eux parmi les plus beaux du monde.

Dollywood Hymne à la gloire de la fameuse chanteuse de country Dolly Parton, avec des attractions sur le thème des Appalaches dans les collines du Tennessee (p. 378).

Cedar Point Le paradis des montagnes russes se situe près de Sandusky, dans l'Ohio. Les amateurs de sensations fortes font la queue pour ses 17 attractions, à l'instar du Top Thrill Dragster, une des montagnes russes les plus hautes et les plus rapides au monde (p. 501).

Bronx Wildlife Conservation Park Le zoo du Bronx est l'un des plus beaux zoos du pays et l'un des plus grands au monde (p. 82).

National Zoological Park Abritant plus de 2 000 animaux sur 66 ha, le zoo de Washington est réputé pour ses pandas géants, Mei Xiang et Tian Tian (p. 260).

Envie de... bière
À Durham, en Caroline du Nord, la brasserie Fullsteam Brewery prend des accents du Sud et sert de la bière à base de patate douce ou de kudzu, entre autres... (p. 338)

Activités de plein air

Chaussures, planches et rames sont de rigueur pour ces activités qui feront monter votre taux d'adrénaline.

Sentier des Appalaches La "mère de tous les sentiers" traverse un paysage sublime dont vous profiterez même si vous ne faites qu'un kilomètre ou deux (p. 243).

Boundary Waters Explorez en canoë la nature sauvage du nord du Minnesota, où vivent loups et ours noirs. On peut camper à la belle étoile et, parfois, voir des aurores boréales (p. 552).

New River Gorge National River En Virginie-Occidentale, l'eau vive jaillit d'une gorge de la forêt vierge, dans un décor digne du jardin d'Eden (p. 322).

Long Island Le surf débarque dans l'État de New York, des Ditch Plains de Montauk à Long Beach, dans le comté de Nassau, la nouvelle étape du circuit des pros (p. 107).

Stowe Mountain Le Vermont a inventé le snowboard, et le rocher escarpé le plus fréquenté de l'État est le meilleur endroit où s'adonner à ce sport (p. 217).

Histoire

Si le Nord abrite des sites évoquant les premiers colons, la région du Mid-Atlantic et le Sud recèlent des champs de bataille de la guerre de Sécession.

Independence National Historic Park On peut y voir notamment la *Liberty Bell* et l'Independence Hall, où les pères fondateurs ont signé la Constitution (p. 133).

Boston's Freedom Trail Le circuit comprend l'ancienne maison de Paul Revere et 15 autres célèbres sites de la Révolution (p. 170).

Henry Ford Museum / Greenfield Village Ces musées voisins retracent les grands moments de l'histoire américaine : on peut y voir, entre autres, le bus dans lequel Rosa Parks s'est assise et l'atelier des frères Wright, pionniers de l'aviation (p. 517).

Washington Gravissez les marches du Lincoln Memorial, où Martin Luther King Jr prononça son célèbre discours, et observez le fameux Watergate Hotel (p. 248).

Vicksburg Un lieu incontournable pour les passionnés de la guerre de Sécession. L'endroit fut assiégé par le général Grant pendant 47 jours (p. 417).

Vie nocturne

Aussitôt la nuit tombée, les notes de musique résonnent dans toute la région, des boîtes de nuit urbaines et huppées aux *juke joints*.

La Nouvelle-Orléans Bourbon St est la rue la plus célèbre, mais la vie nocturne bat véritablement son plein dans les autres quartiers où le Sazerac coule à flots et où le jazz, le Dixieland et le zydeco résonnent dans les clubs (p. 435).

New York Comme le chantait Sinatra, New York est une ville qui ne dort jamais. Les bars du Lower East Side, de l'East Village, de Greenwich Village et du Meatpacking District perpétuent la tradition (p. 99).

Athens (Géorgie) Cette petite ville universitaire est dotée d'une scène musicale influente où les B-52s ou R.E.M. ont fait leurs débuts, au milieu des pintes de bière (p. 401).

Minneapolis Tous ses habitants semblent faire partie d'un groupe. Et il y a suffisamment de bars et de boîtes de nuit pour tous les accueillir (p. 544).

Memphis La fête bat son plein 24h/24 dans Beale St, avec ses bars, ses comptoirs de vente de bières et ses concerts de blues et de rock (p. 365).

» Fallingwater (p. 156), Frank Lloyd Wright

Amérique à contre-courant

Si vous avez suffisamment arpenté les rues et visité les sites célèbres, nous vous conseillons de partir à la découverte du kitch *made in USA*.

Foamhenge Hommage vibrant au polystyrène, cette réplique de Stonehenge grandeur nature est calme au coucher du soleil. Un enchanteur veille même sur les lieux (p. 316).

NashTrash Tours Les "Jugg Sisters" à l'impressionnante coiffure emmènent les visiteurs faire une balade délicieusement kitch à la découverte des lieux les plus excentriques de Nashville (p. 370).

Spam Museum Discutez avec le personnel (les "spambassadeurs") et découvrez cette fameuse viande de porc en conserve dans la ville où elle est née, à Austin, Minnesota (p. 550)

Théâtre

New York et Chicago sont des hauts lieux du théâtre ; Minneapolis et Louisville, plus modestes, donnent leur chance aux nouveaux talents.

Broadway Theater District C'est un quartier emblématique au cœur de Manhattan, avec ses enseignes lumineuses et ses grandes affiches. La Mecque du théâtre (p. 71).

Steppenwolf Theatre John Malkovich et d'autres acteurs aujourd'hui célèbres ont lancé la scène théâtrale de Chicago il y a 40 ans. On y joue toujours des pièces de qualité (p. 481).

Guthrie Theater Il y a tant de théâtres à Minneapolis qu'on la surnomme "Mini Apple"(en référence à New York, la "Big Apple"). Parmi eux, le Gurthrie Theater, récompensé par les prestigieux Tony Awards (p 545).

Hudson Valley Shakespeare Festival Les pièces du dramaturge anglais sont jouées à la belle étoile dans le magnifique domaine de Boscobel, sur une falaise surplombant l'Hudson (p. 110).

Grand Ole Opry C'est bien plus que de la musique country que l'on écoute ici. Il s'agit d'un véritable spectacle de variétés très entraînant (p. 374).

Plages

Les amoureux des plages ont ici l'embarras du choix, du littoral atlantique au golfe du Mexique, en passant par les Grands Lacs.

Cape Cod National Seashore Immenses dunes de sable, phares pittoresques et forêts rafraîchissantes sont autant d'invitations à explorer le célèbre cap du Massachusetts (p. 186)

Montauk Passé Fire Island et les Hamptons, à la pointe est de Long Island, se trouve Montauk et sa jolie côte balayée par les vents. Possibilités de camping. Le phare (toujours opérationnel) date du XVIIIe siècle (p. 109).

Gold Coast du Michigan Étendues de sable sans fin, dunes, vignobles, vergers et villes où les B&B sont légion composent le littoral ouest de l'État, au bord du lac Michigan (p. 519).

Outer Banks Les îles-barrières de la Caroline du Nord offrent de fragiles rubans de sable. Certaines plages sont populaires et bordées de magasins vendant sandales et crèmes solaires. Les autres sont isolées et les chevaux y courent en liberté (p. 328)

H. MARK WEIDMAN PHOTOGRAPHY/ALAMY ©

Mois par mois

Janvier

La nouvelle année commence dans la fraîcheur et les régions du Nord se parent d'un manteau de neige. Les stations de ski connaissent leur haute saison et les amateurs de soleil vont se réfugier sous des cieux plus cléments, dans le Sud.

Mummers Parade

Cette éclatante "parade des mimes" est le plus grand événement de Philadelphie. Les mois précédents le Nouvel An, les clubs locaux s'attachent à créer costumes et décors mobiles afin de remporter les honneurs le jour J. Les *string bands* (orchestres à cordes) et les clowns viennent renforcer l'atmosphère festive (www. phillymummers.com).

Nouvel An chinois

Fin janvier ou début février, vous pourrez assister à des festivités et des festins dans tous les quartiers chinois. New York et Chicago célèbrent l'événement dans la bonne humeur avec parades, chars, feux d'artifice et orchestres.

St Paul Winter Carnival

Comme vous pouvez l'imaginer, le mois de janvier est froid dans le Minnesota. Pourtant, les habitants n'hésitent pas à enfiler parka et après-skis afin de participer à ces 10 jours d'activités : sculpture sur glace, patin à glace et pêche sur glace (www.winter-carnival.com).

Février

Hormis pour les escapades à la montagne, de nombreux Américains redoutent l'arrivée des longues nuits sombres et du temps glacial de février. Pour les touristes, c'est la période la moins chère pour voyager grâce aux réductions drastiques appliquées aux tarifs des vols et des hébergements.

Mardi gras

Fin février ou début mars, la veille du mercredi des Cendres, Mardi gras marque la fin de la période festive du Carnaval avant le début du Carême. Les festivités de La Nouvelle-Orléans sont légendaires : défilés colorés, bals masqués et festins, le plaisir est à l'honneur.

Mars

Les premiers bourgeons du printemps arrivent (tout du moins dans le Sud car il fait encore froid dans le Nord). La saison de ski continue dans les montagnes de la Nouvelle-Angleterre.

St Patrick's Day

Le saint patron de l'Irlande est fêté le 17 mars avec force musiciens et pintes de Guinness. New York, Boston et Chicago accueillent de gigantesques parades (et l'eau de la Chicago River est teinte en vert).

National Cherry Blossom Festival

Les cerisiers du Japon en fleur près du Tidal Basin de Washington sont à l'honneur avec concerts, parades, tambours Taiko, cerfs-volants et festivités pendant 5 semaines. Plus de 1 million de personnes assistent à ces célébrations chaque année. Pensez à réserver bien à l'avance (www.nationalcherryblossomfestival.org).

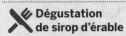

Dégustation de sirop d'érable

Fin mars, les producteurs de sirop d'érable (*maple syrup*) du Vermont accueillent le public lors d'un week-end Portes ouvertes (www.vermontmaple.org) et révèlent leurs secrets de fabrication. Dans le Maine, des dégustations ont lieu le dernier dimanche du mois.

Avril

Les températures grimpent, mais le temps reste imprévisible, frais avec quelques jours cléments, dans le Nord. C'est le moment de voyager dans le Sud.

Marathon de Boston

Des dizaines de milliers de spectateurs assistent au plus ancien marathon du pays lors de la "Journée des patriotes" (Patriots Day) ; cette fête du Massachusetts a lieu le troisième lundi du mois (www.baa.org). Les coureurs passent la ligne d'arrivée à Copley Sq.

New Orleans Jazz Fest

Les 10 derniers jours du mois, La Nouvelle-Orléans accueille les meilleurs musiciens de jazz. La cuisine est également à l'honneur : *po'boys*, boudin à la mode cajun, et *white chocolate bread pudding* (gâteau au pain et au chocolat blanc) (www.nojazzfest.com).

Tribeca Film Festival

Ce festival du film indépendant lancé par Robert De Niro à New York est l'occasion de diffuser des documentaires et des films pendant 12 jours, fin avril. L'événement a pris une ampleur considérable depuis sa première édition en 2002 (www.tribecafilmfestival.com).

Mai

Le printemps s'installe réellement au mois de mai. C'est le moment le plus agréable pour voyager : les fleurs sauvages tapissent le paysage et le temps est doux et ensoleillé. La foule de l'été et les prix élevés ne sont pas encore arrivés.

Kentucky Derby

Le premier samedi du mois, la haute société américaine se pare de vêtements et de chapeaux extravagants, et se retrouve à Louisville pour assister à cette course hippique surnommée "les deux plus belles minutes du sport" (www.kentuckyderby.com).

Movement Electronic Music Festival

Le plus grand festival de musique électronique du monde a lieu au Hart Plaza de Détroit pendant le week-end du *Memorial Day*. Les futurs talents et les grands noms tels Fatboy Slim, Carl Craig et Felix da Housecat se retrouvent pour cette grande fête de la *dance* (www.movement.us).

Spoleto USA

Ce festival très prestigieux des arts de la scène de Charleston se déroule pendant 17 jours, de fin mai à début juin. Opéras, pièces de théâtre et comédies musicales sont joués dans toute la ville. On trouve des artisans et des stands de restauration partout (www.spoletousa.org).

Juin

L'été est arrivé. Les Américains s'attardent sur les terrasses des café et des restaurants, vont à la plage et visitent les parcs nationaux. L'école est finie, les vacanciers prennent la route et les tarifs d'hébergement augmentent.

Chicago Blues Festival

Il s'agit du plus grand festival gratuit de blues au monde. Début juin, la musique qui a rendu Chicago célèbre résonne pendant 3 jours. Plus d'un demi-million de personnes s'installe sur des couvertures pour assister aux concerts sur les scènes installées à Grant Park (www.chicagobluesfestival.us).

CMA Music Festival

Une foule de fans de musique country enfilent leurs bottes de cow-boy et se réunissent à Nashville. Plus de 400 artistes se produisent sur les scènes du Riverfront Park et du LP Field (www.cmaworld.com).

Mermaid Parade

Brooklyn célèbre l'arrivée de l'été avec une parade très kitch. Des sirènes aux costumes inventifs et des tritons soufflant dans leurs cornes défilent à Coney Island. Ensuite, tout le monde (ou du moins ceux qui ne craignent pas les eaux du port de New York) se baigne dans l'océan.

 Summerfest

Milwaukee se lâche lors de ce grand festival de 11 jours de fin juin à début juillet. Une centaine de grandes stars du rock, du blues, du jazz, de la country et de la musique alternative se produisent sur 10 scènes installées au bord du lac. Également au menu : bière locale, saucisses et fromages (www.summerfest.com).

Juillet

C'est le cœur de l'été. Les Américains profitent des barbecues dans leur jardin ou vont à la plage. Les prix sont élevés et la foule est compacte. C'est une des périodes les plus animées.

Independence Day

Le pays célèbre son anniversaire avec de grands feux d'artifice le 4 juillet. À Philadelphie, les descendants des signataires de la Déclaration d'indépendance font tinter la Liberty Bell (cloche de la Liberté). La fête bat son plein également à Chicago,

Washington, New York et Boston.

National Black Arts Festival

Les artistes convergent vers Atlanta pendant ces 10 jours où la musique, le théâtre, la littérature et le cinéma afro-américains sont à l'honneur. Ce festival a notamment accueilli Maya Angelou, Wynton Marsalis, Spike Lee et Youssou N'Dour (www. nbaf.org).

Newport Folk Festival

Newport (Rhode Island), repaire de la haute société, accueille ce festival musical et énergique à la fin du mois de juillet. De grands artistes de la musique folk venus des quatre coins des États-Unis se succèdent sur cette scène historique où Bob Dylan a jadis électrisé les foules (www. newportfolkfest.net).

Août

La chaleur est étouffante, et plus on descend vers le sud, moins les températures et l'humidité sont supportables. Les plages sont bondées, les prix élevés et les villes se vident le week-end car les habitants fuient vers la mer.

Lollapalooza

Il fut un temps où ce festival de rock se déplaçait de ville en ville. Il est désormais installé à Chicago. Il accueille 130 groupes (dont beaucoup sont célèbres) qui se produisent sur les 8 scènes

installées à Grant Park. Le premier week-end du mois d'août (www.lollapalooza. com).

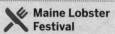 Maine Lobster Festival

Si vous aimez le homard autant que le Maine, rendez-vous à Rockland début août pour ce festival gastronomique célébrant ce délicieux crustacé (www. mainelobsterfestival.com).

Septembre

C'est la fin de l'été, les journées se rafraîchissent et le temps est propice aux escapades dans toute la région. Les enfants sont de retour à l'école, les salles de concert, les galeries d'art et les salles de spectacle reprennent du service.

New York Film Festival

Comme Tribeca (fin avril), c'est l'un des grands festivals du film de New York. Avant-premières mondiales de films internationaux et rencontres avec des réalisateurs en vue au Lincoln Center (www. filmlinc.com).

Octobre

Les températures chutent et l'automne se pare de couleurs chaudes dans le Nord. Lorsque les feuilles sont chatoyantes, c'est la haute saison en Nouvelle-Angleterre. Ailleurs, les tarifs sont peu élevés et la foule moins présente.

BRIAN GORDON GREEN/NATIONAL GEOGRAPHIC SOCIETY/CORBIS ©

Halloween

Cette fête n'est pas réservée aux enfants. Les adultes la célèbrent aussi lors de soirées déguisées. À New York, les habitants revêtent leur costume et participent à la parade sur Sixth Avenue. À Chicago, le ton est plus culturel avec la célébration du Day of the Dead ("jour des Morts") au National Museum of Mexican Art.

Head of the Charles Regatta

Des milliers de rameurs participent à cette course devant des spectateurs encore plus nombreux. Elle se déroule sur la Charles River de Boston le troisième week-end d'octobre. C'est la plus grande course d'aviron au monde (www.hocr.org).

Championship Outhouse Races

Un phénomène étrange se produit à Mountain View (Arkansas) : la foule acclame des coureurs qui tirent des toilettes. Généralement, cet événement se déroule la dernière semaine d'octobre.

(ci-dessus) Feux d'artifice lors de l'Independence Day, National Mall (p. 248), Washington
(ci-dessous) Danse du Lion, Nouvel An chinois, Philadelphie (p. 129)

MARNIE PÉLITÉRI/LONELY PLANET IMAGES ©

Novembre

Partout, c'est la basse saison. Les vents froids découragent les touristes et les prix sont relativement bas (excepté à Thanksgiving). Les grandes villes ne manquent pas d'événements culturels.

Thanksgiving

Les Américains se retrouvent en famille et

entre amis le quatrième jeudi du mois pour des festivités qui durent toute la journée. Au menu : dinde rôtie, patates douces, sauce à la canneberge, vin, tarte au potiron et une multitude d'autres plats. Une grande parade a lieu à New York et la télévision diffuse des matchs de football américain.

Décembre

L'hiver arrive (mais il faut attendre le mois de janvier pour des conditions optimales dans les stations de ski de l'Est). Les illuminations et les marchés de Noël donnent une atmosphère de vacances et animent la région pendant les fêtes.

Nouvel An

Les Américains fêtent le Nouvel An de deux manières bien distinctes : certains au milieu de la foule, les autres au calme loin des festivités. Quelle que soit celle que vous choisirez, il vaut mieux tout planifier bien à l'avance et s'attendre à des prix élevés (en particulier à New York).

Itinéraires

Que vous disposiez d'une semaine ou de deux mois, ces itinéraires constituent des bases pour élaborer un voyage inoubliable. Encore besoin d'inspiration ? Consultez le forum des voyageurs de Lonely Planet à l'adresse www. lonelyplanet.fr/forum.

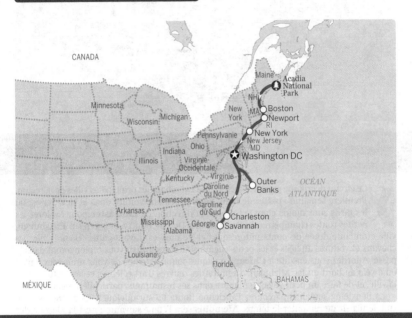

Trois semaines
En descendant la côte

Plus de 2 000 km séparent Bar Harbor, dans le Maine, de Savannah, en Géorgie. Commencez votre périple par les roches déchiquetées de l'**Acadia National Park** et passez quelques jours à randonner ou faire du vélo et à vous régaler de homard frais. Offrez-vous ensuite deux jours à **Boston**, le temps de voir ses monuments historiques et de dîner dans le North End. Faites un détour par **Newport** afin d'admirer ses somptueux hôtels particuliers surplombant des falaises battues par les vagues, puis cap sur **New York**. Passez trois jours à découvrir les sites incontournables de la ville – tout en profitant de la trépidante vie nocturne et des restaurants, pourquoi pas dans l'East Village. Poursuivez jusqu'à **Washington** et son vertigineux ensemble de sites à visiter. Après la fermeture des musées, régalez-vous de cuisines du monde dans ses excellents restaurants.

Les dix jours suivants, continuez de descendre vers le sud tout en longeant la côte. Prenez le temps de rejoindre les **Outer Banks**, ruban d'îles-barrières et de dunes où s'ébattent des chevaux sauvages. Enfin, laissez-vous charmer par l'architecture *antebellum* de **Charleston** et de **Savannah**.

Un mois
Grand circuit dans l'Est

Ce circuit décrit une grande boucle dans l'Est reliant les principales villes de la région. Première semaine : partez de **New York** (louez une voiture dans le New Jersey, où les tarifs sont moins chers) et prenez la direction de **Lancaster** pour explorer les petites routes champêtres du Pennsylvania Dutch Country. Puis cap sur **Pittsburgh**, ville étonnante dotée de ponts pittoresques et de musées d'avant-garde. Dans l'Ohio, les chevaux et voitures attelées et les petits chemins du **Pays amish** vous replongeront dans le passé. Attardez-vous ensuite à **Chicago** quelques jours, le temps de vous promener à pied ou à vélo au bord du lac Michigan, d'admirer les œuvres d'art célèbres et les gratte-ciel de la ville, et de faire un petit voyage culinaire dans ses restaurants, particulièrement réputés.

La deuxième semaine, parcourez l'ancienne Route 66 sur quelques kilomètres pour le simple plaisir de remonter le temps. **Memphis** sera l'étape suivante : c'est la Mecque des fans d'Elvis, des experts du barbecue, des étudiants en droits civiques comme des passionnés de blues. De là, suivez ensuite la Great River Rd vers le sud en passant par **Clarksdale** et ses nombreux *juke joints*, les champs de bataille de la guerre de Sécession de **Vicksburg**, et **Natchez** et ses superbes demeures *antebellum*. À **La Nouvelle-Orléans**, malgré les ravages causés par l'ouragan Katrina, on peut encore assister à des concerts de jazz, boire des cocktails Sazerac ou naviguer sur le Mississippi en bateau à vapeur.

À partir de la troisième semaine, longez la côte du Golfe (du Mexique) pour rejoindre les boulevards bordés d'azalées de **Mobile**, puis enfoncez-vous à l'intérieur des terres jusqu'à **Montgomery**, dont les musées rendent hommage aux pionniers des droits civiques. Laissez-vous charmer par les chênes de Virginie de **Savannah** et par l'architecture aux tons pastel de **Charleston**. Pour passer une bonne soirée, à vous de choisir entre **Durham** et **Chapel Hill**, villes universitaires voisines offrant une vie nocturne trépidante.

Entamez la quatrième semaine en Virginie par **Jamestown**. Flânez ensuite dans la ville voisine de **Williamsburg**. Deux grandes villes complètent cet itinéraire : **Washington**, grand musée à ciel ouvert gratuit ouvert à tous (et au sens propre pour ce qui concerne les 19 musées de la Smithsonian Institution), et **Philadelphie**, qui évoque tout à la fois la Liberty Bell ("cloche de la Liberté"), Benjamin Franklin, et le *cheesesteak* (sandwich bœuf/fromage). Enfin, il est temps de rejoindre les néons de New York.

» (ci-dessus) Statue d'Elvis Presley
du sculpteur Eric Parks, à Memphis
(p. 358)

» (à gauche) Le restaurant Lou
Mitchell's (p. 476), à Chicago,
au début de la Route 66

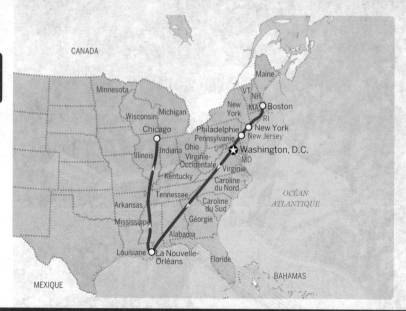

Trois semaines
Les lumières de la ville

Commencez par quelques jours à **Boston**, riche d'une longue histoire. Parcourez le Freedom Trail (chemin de la Liberté) qui passe devant la maison de Paul Revere (patriote de la révolution américaine) et le premier champ de bataille de la guerre d'Indépendance. Flânez à loisir dans les cafés et les librairies d'Harvard Square, puis allez dîner dans le North End. Ensuite, prenez le train pour **New York**. En quatre jours, vous aurez le temps de vous balader dans Central Park, dans Wall Street et aux alentours, de céder à l'ambiance bohème de Greenwich Village et de prendre le ferry pour la statue de la Liberté. Pour vous rapprocher davantage du quotidien des habitants, rejoignez ces derniers sur la High Line (parc aérien aménagé sur une ancienne ligne de chemin de fer), dans les boutiques stylées de NoLita et dans les cafés décontractés de Brooklyn.

Vous revoici dans le train, mais cette fois-ci en direction de **Philadelphie**. "Philly" fut le berceau de l'indépendance américaine, comme en témoignent la Liberty Bell ("cloche de la Liberté") et les objets liés à la Déclaration d'indépendance dont elle est dépositaire. Passez donc quelques jours à visiter les sites historiques et à profiter des plaisirs culinaires qu'offrent des quartiers comme Manayunk. Vous ne pouvez quitter le Nord-Est sans un détour de quelques jours par **Washington**, que vous pouvez rejoindre en bus ou en train. Hormis des musées et monuments gratuits à foison – l'Air and Space Museum, le Lincoln Memorial, le Martin Luther King Jr Memorial et le Hirshhorn Sculpture Garden, entre autres–, la capitale américaine recèle mille adresses de restaurants et de bars dans les quartiers de Georgetown, Adams Morgan et Dupont Circle. Qui sait quel politicien sera installé à la table voisine de la vôtre en train de siroter un scotch ?

Après le Nord-Est, voici le Sud avec **La Nouvelle-Orléans** (à rejoindre en avion étant donné la distance). Au programme : jazz, fanfares funk, cuisines cajun et créole. Quelques jours de ripailles aux côtés des habitants à Riverbend, Uptown, Faubourg Marigny et dans le Bywater devraient faire de vous un fin connaisseur de la gastronomie locale.

Dernière destination et non des moindres : **Chicago**. Et pour que le voyage soit magnifique, rejoignez-la à bord du train *City of New Orleans*. Sur place, allez à la plage à vélo, admirez l'art moderne du Millennium Park, sirotez des martinis dans un bar d'Al Capone et écoutez du blues. Chicago est une ville qui bouge, comme toutes les grandes villes de l'Est.

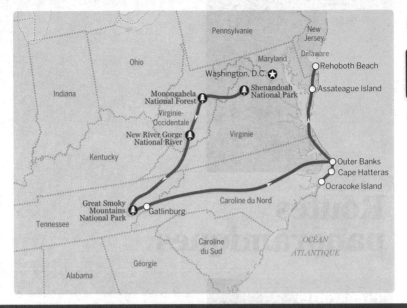

Deux semaines
Au grand air

> Cet itinéraire devrait combler les amoureux de la nature. Il débute par le **Shenandoah National Park**, parc magnifique à cheval sur les Blue Ridge Mountains, qui tiennent leur nom de la brume d'un bleu céruléen qui semble les envelopper lorsqu'on les regarde de loin. Hormis les superbes trajets en voiture, la randonnée est l'activité incontournable. Un réseau de 805 km de sentiers – dont 161 km de sentier des Appalaches – serpente au milieu des fleurs sauvages au printemps, des cascades en été et des feuilles aux couleurs chatoyantes à l'automne. D'autres activités de plein air vous attendent à quelques heures à l'ouest dans la **Monongahela National Forest** ; les adeptes de sports d'aventure seront au paradis non loin de là, sur la **New River Gorge National River**. Les agences fournissent le matériel nécessaire pour affronter ses fameux rapides de classe V.

Étape suivante : le **Great Smoky Mountains National Park**. S'il est vrai que c'est le parc le plus fréquenté du pays, il est assez facile d'oublier ses 10 millions de visiteurs annuels en optant pour la randonnée et le kayak. Après une journée passée en plein nature, au milieu de pics luxuriants couleur de bruyère, rien de tel que d'arriver à **Gatlinburg**, la "ville" du parc. Changement radical avec au programme minigolfs, attractions étranges du musée Ripley's Believe It or Not et distilleries clandestines désormais sous licence.

Il est temps d'entamer la deuxième semaine par le trajet tout en virages à travers les montagnes conduisant à la côte et aux splendides **Outer Banks**. De paisibles stations balnéaires fourmillant de glaciers et de motels familiaux émaillent ces îles-barrières battues par les vents. Ne manquez pas le **Cape Hatteras**, ses dunes sauvages, ses marais et ses bois, ou prenez le ferry à destination de la lointaine **Ocracoke Island**, fief des chevaux sauvages, qui s'ébattent aussi en toute liberté sur **Assateague Island**, île située au nord entre la Virginie et le Maryland. Celle-ci compte de magnifiques plages désertes, ainsi qu'un paysage propice à l'observation des oiseaux, à la pratique du kayak, à la pêche au crabe et à la pêche classique.

Encore envie de vagues et de sable ? **Rehoboth Beach**, aussi accueillante avec la clientèle familiale qu'avec la clientèle gay, a tout ce qu'il faut : petites maisons traditionnelles aux couleurs vives, attractions pour les enfants et l'inévitable promenade en bois le long de l'océan.

Routes panoramiques

Préparatifs

Devenez membre d'un club automobile (p. 618) qui propose une assistance routière 24h/24 ainsi que des réductions sur l'hébergement et les attractions.

Certains clubs internationaux ont des accords de réciprocité avec les associations d'automobilistes américaines, pensez donc d'abord à vous renseigner et, le cas échéant, apportez votre carte de membre.

Les voyageurs étrangers pourront se renseigner sur le code de la route aux États-Unis (p. 618) et les risques les plus courants (p. 619).

À emporter

Assurez-vous que votre véhicule comporte une roue de secours, une trousse de dépannage (cric, câbles de démarrage, grattoir, manomètre pour pneus, entre autres) et le matériel nécessaire en cas d'accident (signalisation lumineuse).

Emportez des cartes routières de bonne qualité, surtout si vous sortez des sentiers battus (au sens propre) et vous éloignez des grands axes ; ne comptez pas uniquement sur le GPS qui peut tomber en panne, voire ne pas fonctionner du tout dans les endroits reculés.

Ayez toujours sur vous votre permis de conduire (p. 620) et votre certificat d'assurance (p. 618).

Le réservoir est plein et la ceinture de sécurité bouclée ? Alors en route ! Chacun sait que pour partir à la découverte de l'Amérique, le *road trip* est le nec plus ultra. Vous pouvez choisir n'importe quelle grande route et inventer vous-même votre propre itinéraire. Mais vous pouvez aussi opter pour l'une des petites routes tranquilles et néanmoins réputées de la région, et par exemple vous restaurer dans les *diners* de la Lincoln Highway, admirer les demeures du temps des plantations sur la Natchez Trace, monter à l'assaut des Appalaches sur la Blue Ridge Parkway ou swinguer dans des clubs de blues tout le long de la Great River Rd. L'expérience est par essence d'une extraordinaire richesse : bluegrass et plages, cuisine cajun et marchés fermiers, vignobles ondoyants et forêts de feuillus, grandes villes et petites bourgades dans lesquelles trouver refuge après des jours passés dans les grands espaces, avec le ciel infini pour seul horizon. Il n'existe pas de meilleur moyen pour appréhender l'Est dans tout ce qu'il a de complexe et de contradictoire. En voiture !

Pour d'autres idées d'itinéraires par la route, reportez-vous au chapitre *Itinéraires* (p. 29).

Blue Ridge Parkway

Serpentant sur quelque 755 km à travers le sud des Appalaches, la Blue Ridge

Routes panoramiques

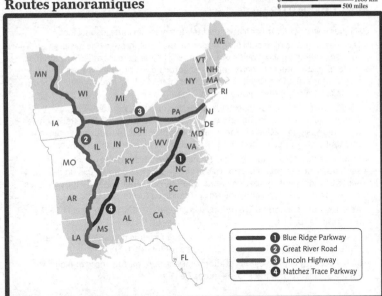

0 — 1000 km
0 — 500 miles

1 Blue Ridge Parkway
2 Great River Road
3 Lincoln Highway
4 Natchez Trace Parkway

Parkway offre un accès facile à de superbes randonnées, à l'observation de la faune, à la bonne vieille musique d'antan et à de fascinants paysages de montagne.

La construction de cette route a débuté en 1935 sous la présidence de Franklin D. Roosevelt, et fut l'un des grands projets du New Deal. Il fallut 52 ans pour mener à bien ce chantier titanesque. Le dernier tronçon de la route fut en effet achevé en 1987.

Pourquoi y aller

À voir le soleil se coucher sur cette immensité sauvage de forêts, de montagnes et de paisibles cours d'eau, le tout dans un silence paradisiaque, on a presque l'impression de se retrouver quelques siècles en arrière. Bien qu'elle contourne quantité de petites agglomérations et quelques villes, la Blue Ridge Parkway semble très éloignée de l'Amérique d'aujourd'hui. Des cabanes rustiques en rondins avec de vieux rocking-chairs grinçants sur leurs vérandas émaillent encore les flancs des collines, et les panneaux indiquant boutiques d'artisanat folklorique et concerts de bluegrass attirent le voyageur sur les chemins de traverse. L'histoire est partout présente dans ces contrées vallonnées : jadis fief des

Indiens Cherokee, elles abritèrent ensuite les fermes des premiers colons, avant de devenir le théâtre de sanglantes batailles pendant la guerre de Sécession.

D'excellentes adresses d'hébergement et de restauration vous attendent en chemin. Les stations de montagne ou les petites villes balnéaires du début du XXᵉ siècle au bord des lacs continuent d'accueillir une clientèle familiale et, dans les *diners* aménagés dans des cabanes en rondins, on sert des piles de crêpes de sarrasin accompagnées de confiture de mûres et d'une tranche de jambon de la ferme.

Pour dépenser les calories engrangées en se régalant de cette bonne cuisine du Sud, plus d'une centaine de sentiers de randonnée sont accessibles tout le long de la Blue Ridge Parkway, de la petite balade dans la nature et l'ascension facile de certains sommets à la vraie randonnée exigeante sur le légendaire sentier des Appalaches. Mais l'on peut aussi enfourcher un cheval et se promener dans la fraîcheur des forêts ombragées, descendre des rivières en canoë, en kayak ou en chambre à air, ou encore pêcher à la ligne sur une barque au milieu d'un petit lac. Enfin, qui dit que l'on doit conduire ? Cette route est aussi l'occasion d'un périple mémorable pour les cyclotouristes.

AVANT DE PARTIR

Quelques éléments à vérifier afin de profiter du voyage en toute insouciance :

» Devenez membre d'un club automobile (p. 618) qui propose une assistance routière 24h/24 ainsi que des réductions sur l'hébergement et les attractions ; certains clubs internationaux ont des accords de réciprocité avec les associations d'automobilistes américaines, pensez donc à vous renseigner et, le cas échéant, apportez votre carte de membre.

» Vérifiez la roue de secours, la trousse de dépannage (cric, câbles de démarrage, grattoir, manomètre pour pneus, entre autres) et le matériel en cas d'accident (signalisation lumineuse par exemple) ; si vous louez un véhicule et que tout ce matériel indispensable n'est pas fourni, mieux vaut l'acheter.

» Emportez des cartes routières de bonne qualité, surtout si vous sortez des sentiers battus et vous éloignez des grands axes ; ne comptez pas uniquement sur le GPS qui peut tomber en panne, voire ne pas fonctionner du tout dans les zones reculées du type canyons très profonds ou forêts épaisses.

» Ayez toujours sur vous votre permis de conduire (p. 620) et votre certificat d'assurance (p. 618).

» Les voyageurs étrangers pourront se renseigner sur le code de la route aux États-Unis (p. 618) et les risques les plus courants (p. 619).

» Faites souvent le plein car les stations-service sont parfois rares et éloignées les unes des autres sur les jolies routes de l'Est.

La route

Cette route bucolique relie le Shenandoah National Park en Virginie au Great Smoky Mountains National Park, à cheval sur la frontière entre la Caroline du Nord et le Tennessee. Parmi les villes croisées en chemin, citons Boone et Asheville en Caroline du Nord, Galax et Roanoke en Virginie, ainsi que Charlottesville (Virginie) qui n'est qu'à une courte distance en voiture. Les plus grandes villes accessibles depuis cet itinéraire sont notamment Washington (225 km) et Richmond, en Virginie (153 km).

Nombre de voyageurs ajoutent la Skyline Drive à la Blue Ridge Parkway. Cette route sinueuse de 169 km rejoint l'extrémité nord de la Blue Ridge Parkway et ajoute encore au pittoresque en offrant des paysages de montagne à couper le souffle à travers le Shenandoah National Park.

Quand partir

N'oubliez pas que les variations climatiques sont considérables selon l'altitude. Si les sommets des montagnes sont enneigés en hiver, il peut faire relativement doux dans les vallées. La plupart des infrastructures destinées aux touristes le long de la route sont ouvertes uniquement d'avril à octobre. Mai est évidemment le mois idéal pour admirer les fleurs sauvages, mais la plupart des visiteurs lui préfèrent les chaudes couleurs de l'automne. Le printemps et l'automne sont deux saisons propices à l'observation des oiseaux, dont on a repéré près de 160 espèces. L'été et le début de l'automne sont marqués par une très forte affluence.

Informations utiles

L'ouvrage *Hiking the Blue Ridge Parkway* de Randy Johnson (en anglais) comporte une description détaillée des sentiers de randonnée, des cartes topographiques et autres renseignements indispensables sur les randonnées, courtes ou longues (dont les treks sur deux jours).

Blue Ridge Parkway (www. blueridgeparkway.org). Cartes, activités et lieux d'hébergement. Permet aussi de télécharger le planificateur gratuit *Blue Ridge Parkway Travel Planner*.

Recreation.gov (www.recreation.gov). Certains emplacements de camping peuvent être réservés via ce site.

Durée et distance

Durée : il est possible de parcourir cette route en deux jours, mais prévoyez plutôt cinq jours pour en profiter pleinement. On avance plus lentement sur les routes de montagne sinueuses et escarpées et, en outre, il faut avoir le temps de s'arrêter pour randonner, se restaurer et admirer le paysage.

Distance : 755 km

Great River Rd

Construite à la fin des années 1930, la Great River Rd offre l'occasion d'un périple mémorable de près de 3 219 km depuis les sources du Mississippi, dans les lacs du nord du Minnesota, en suivant le fleuve jusqu'à son embouchure dans le golfe du Mexique près de La Nouvelle-Orléans. C'est la route à emprunter pour découvrir les États-Unis selon leur ligne de fracture culturelle : Nord-Sud, urbaine et rurale, baptiste et bohème.

Pourquoi y aller

Les paysages qui s'offrent à la vue le long des méandres du plus long fleuve des États-Unis, des plaines ondoyantes du Nord aux champs de coton brûlés de soleil du delta du Mississippi, sont saisissants. Escarpements sculptés par le vent, denses forêts, prairies couvertes de fleurs, marais chauds et humides le disputent aux cheminées d'usine fumantes, aux casinos flottants et à l'urbanisation tentaculaire : c'est la vie telle qu'elle s'offre au regard le long du Mississippi. Le portrait ne serait toutefois pas complet si l'on ne mentionnait pas la musique magnifique, la cuisine succulente et l'accueil chaleureux et sans chichis que l'on trouve dans les bourgades très éloignées des sentiers battus et qui jalonnent cet itinéraire au bord de l'eau.

Les petites villes offrent un aperçu de diverses facettes de la culture américaine : il y a ainsi Brainerd (Minnesota), théâtre du film *Fargo* des frères Coen ; La Crosse (Wisconsin), où se dresse le plus grand pack de bières au monde ; et Nauvoo (Illinois), lieu de pèlerinage des mormons doté d'un temple d'un blanc étincelant.

Le tronçon sud de l'itinéraire retrace l'histoire musicale américaine, du rock'n'roll de Memphis au jazz de La Nouvelle-Orléans, en passant par le blues du delta du Mississippi. Vous ne mourrez pas de faim non plus : *diners* rétro du Middle West, restaurants à barbecue et fumoirs du Sud, tavernes et dancings cajun de Louisiane sauront vous rassasier.

La route

En dépit de son nom, la Great River Rd ne consiste pas en une seule et même grande route, mais en un ensemble de routes fédérales, d'État et de comtés qui suivent le cours du Mississippi à travers dix États différents. La Nouvelle-Orléans, Memphis, St Louis et Minneapolis figurent parmi les grandes villes d'où accéder facilement à cet itinéraire.

Quand partir

La meilleure période s'étend de mai à octobre, quand le temps est au plus chaud. Évitez l'hiver (à moins de vous cantonner au Sud profond) pour ne pas avoir à affronter des tempêtes de neige.

Informations utiles

"Ten states, one river" ("dix États, un fleuve"), tel est le slogan du site officiel de **Mississippi River Travel** (www.experience-mississippiriver.com), qui comporte une foule d'excellents renseignements sur l'histoire, les loisirs de plein air, les concerts, etc.

Durée et distance

Durée : il faut au moins six jours pour parcourir la route du nord au sud. Dix jours permettent un rythme plus confortable et réaliste.

Distance : 3 219 km

BALADE EN MUSIQUE AU SON DU BLUEGRASS

Si vous ne pouvez pas assister à un concert au **Blue Ridge Music Center** (www.blueridgemusiccenter.org), salle de Virginie ouverte de mai à octobre, faites le plein de classiques de "mountain music" dans votre MP3 :

» "Blue Moon of Kentucky" – Bill Monroe and the Blue Grass Boys

» "Foggy Mountain Breakdown" – Earl Scruggs

» "Orange Blossom Special" – Rouse Brothers

» "Rocky Top" – Osborne Brothers

» "Windy Mountain" – Lonesome Pine Fiddlers

» "Flame of Love" – Jim and Jesse

» "I'm a Man of Constant Sorrow" – Stanley Brothers

» "Every Time You Say Goodbye" – Alison Krauss and Union Station

» "Like a Hurricane" – The Dillards

WALTER BIBIKOW/CORBIS ©

» (ci-dessus) La Natchez Trace Parkway
» (à gauche) The Coffee Pot
   (la Cafetière géante), Pennsylvanie

LES CURIOSITÉS DE LA LINCOLN HWY

Kitch, plongée dans le passé et curiosités typiques bordant les routes américaines...
Voilà de quoi vous mettre en appétit :

» **Mr Ed's Elephant Museum** (www.mistereds.com ; Ortanna, PA) : un musée de l'Éléphant. Logique.

» Le portrait de Ronald Reagan composé avec 14 000 bonbons au **Dixon Historic Center** (www.dixonhistoriccenter.org ; Dixon, IL)

» La **Shoe House** (www.shoehouse.us ; York, PA), chaussure haute de 15 m

» La **Coffee Pot** (www.lhhc.org/coffeepot.asp ; Bedford, PA), une cafetière géante

» Les fantômes de la prison désaffectée de **Mansfield Reformatory** (www.mrps. org ; Mansfield, OH)

Lincoln Hwy

La toute première route transcontinentale d'Amérique – commencée en 1913 et achevée en 1925 – relie New York à San Francisco. Son tronçon est, long de 1 610 km, décrit un tracé distinct à travers le cœur du pays, laissant dans son sillage des statues géantes en forme de cafetière, des *diners* servant du poulet frit, des fresques murales en bonbons et autres créations insolites typiques de la culture américaine. Qui sait ? Vous serez peut-être à ce point charmé qu'une fois parvenu à la lisière de l'Est, vous aurez envie de poursuivre jusqu'au bout vers l'Ouest.

Pourquoi y aller

La Lincoln Hwy, c'est la route américaine mythique par excellence sans le côté tendance ou la commercialisation à outrance qui caractérisent d'autres périples célèbres. Si elle passe par des villes de tout premier plan – New York et Philadelphie entre autres –, elle sort aussi des sentiers battus pour plonger dans une campagne des plus authentiques. En chemin, vous traverserez sept États : New York, New Jersey, Pennsylvanie, Virginie-Occidentale, Ohio, Indiana et Illinois.

La route

Entre New York et Fulton (Illinois), la route traverse la région Mid-Atlantic et le Middle West. Notez que la Lincoln Hwy ne figure pas sur la plupart des cartes car elle n'est plus une route officielle mais plutôt un patchwork de routes fédérales et de routes d'État. Un bon guide touristique détaillé (voir ci-dessus) vous aidera à en suivre le cours.

Le périple débute à Times Square. On ne saurait mieux commencer. De là, la route met le cap sur le New Jersey et Princeton,

ville universitaire chic appartenant à l'Ivy League. Viennent ensuite la Pennsylvanie, avec la Liberty Bell ("cloche de la Liberté") et l'Independence Hall de Philadelphie ; les "quilts" (dessus-de-lit en patchwork) et le "clipiticlop" des chevaux des communautés amish proches de Lancaster ; Gettysburg et son champ de bataille de la guerre de Sécession ; et enfin Pittsburgh, riche de ses trois fleuves et du pop art. Champs de maïs et prisons hantées surgissent dans l'Ohio. Dans l'Indiana, d'autres étapes vous attendent, notamment des communautés amish, et la ville de South Bend, où se trouvent un musée de voitures de la marque Studebaker et l'université de Notre Dame, qui a la passion du football. Dans l'Illinois, la route traverse les banlieues de Chicago avant de croiser de petites bourgades agricoles et des horizons plats. La Lincoln Hwy franchit ensuite le Mississippi et poursuit vers l'ouest à travers l'Iowa, le Nebraska, le Colorado, le Wyoming, l'Utah, le Nevada et la Californie, avant de s'arrêter net au bord de l'océan Pacifique.

New York, Philadelphie, Pittsburgh et Chicago figurent parmi les grandes villes d'où accéder facilement à cet itinéraire.

Quand partir

La meilleure période s'étend d'avril à octobre. En hiver, les routes enneigées rendent le voyage nettement moins amusant. En outre, nombre de sites et d'attractions de moindre envergure pratiquent des horaires restreints ou ferment de novembre à mars.

Informations utiles

La **Lincoln Highway Association** (www. lincolnhighwayassoc.org) fournit quantité de renseignements en ligne. Elle vend également des cartes excellentes : on ne peut pas faire plus détaillé.

Le beau livre *The Lincoln Highway* (2007), de Michael Wallis, comporte des photos superbes et des descriptions des hauts lieux de cet itinéraire.

Durée et distance

Durée : cette route peut se parcourir en deux jours et demi sans beaucoup d'arrêts, mais mieux vaut prévoir 4 ou 5 jours pour s'imprégner de son ambiance.

Distance : 1 610 km pour le tronçon Est.

Natchez Trace Parkway

Tertres couleur émeraude, marais couleur de jade, sentiers de randonnée, somptueuses demeures, saloons en bord de fleuve et rappels incessants de l'histoire américaine : la Natchez Trace Parkway est la route la plus extraordinaire du Sud. Elle serpente sur un magnifique trajet boisé de 715 km de Nashville à Natchez, dans le sud du Mississippi.

Pourquoi y aller

L'histoire ici remonte à 10 000 ans. L'Old Trace était un couloir naturel s'étirant du sud des contreforts des Appalaches, dans le Tennessee, jusqu'au cours inférieur du Mississippi, et les peuples Natchez, Chickasaw et Choctaw l'empruntaient depuis longtemps pour voyager à travers leurs terres ancestrales. À la fin des années 1700 et au début des années 1800, ce chemin rude et accidenté fut de plus en plus fréquenté à mesure que les États-Unis commençaient à s'étendre vers l'Ouest, et les nouveaux pionniers en firent bientôt un sentier bien balisé. En 1801, le président Thomas Jefferson désigna la Trace comme route officielle d'acheminement du courrier

MÉRITE ÉGALEMENT LE DÉTOUR

Nous n'avons mentionné ici que quelques-unes des routes panoramiques de l'Est américain. Mais bien d'autres routes bordées de beaux paysages, petites routes de campagne et autres voies rapides sillonnent la région. Le tableau ci-dessous en indique quelques-unes particulièrement belles. Pour d'autres idées, reportez-vous aux encadrés *Route panoramique* des divers chapitres régionaux de ce guide.

ROUTE	ÉTAT	DÉPART/ARRIVÉE	À VOIR ET À FAIRE	MEILLEURE PÉRIODE	PLUS D'INFOS
Rte 28	NY	Stony Hollow/ Arkville	Monts Catskills, lacs, rivières ; randonnée, photographie des feuillages d'automne, tubing	mai-sept	p. 113
Old Kings Hwy	MA	Sagamore/ Provincetown	Quartiers historiques, demeures d'époque, paysage côtier	avr-oct	p. 186
Hwy 13	WI	Bayfield/ Lac Supérieur	Plages de bord de lac, forêts, terres agraires ; balades dans la nature	mai-sept	p. 537
Hwy 61	MN	Duluth/frontière canadienne	Parcs d'État, cascades, villes pittoresques ; randonnée	mai-sept	p. 552
VT 100	VT	Stamford/New-port	Pâturages vallonnés, montagnes verdoyantes ; randonnée, ski	juin-sept	p. 216
Kancama-gus Hwy	VT	Conway/Lincoln	Montagnes déchiquetées, cours d'eau, cascades ; camping, randonnée, baignade	mai-sept	p. 223
Hwy 12	NC	Corolla/Sealevel	Plages, phares, excursions en ferry, site d'envol du premier avion des frères Wright	avr-oct	p. 331

ROUTE 66

Existe-t-il route plus mythique que la fameuse Route 66 ? Surnommée "Mother Road" ("mère de toutes les routes") par l'écrivain John Steinbeck, ce chapelet de grands-rues de villages et de petites routes de campagne relia pour la première fois l'immense Chicago aux palmiers de Los Angeles en 1926.

L'essentiel du tracé de la Mother Road se déploie dans l'ouest du pays, mais le tronçon de 483 km qui parcourt l'Illinois offre aussi la possibilité de remonter le temps : régalez-vous d'épaisses portions de tourte dans les *diners* éclairés au néon ; prenez en photo les curiosités jalonnant la route comme le Gemini Giant, un immense cosmonaute en fibre de verre ; et déroulez les kilomètres ponctués de drive-in, de motels familiaux et autres emblèmes de la culture américaine. Pour plus de détails, voir p. 487.

Les voyageurs qui ont quelques semaines de plus devant eux peuvent poursuivre le périple. Les 3 380 km restants recèlent bien d'autres curiosités mémorables : stands de *frozen custard* (crème anglaise glacée) dans le Missouri, parc de totems dans l'Oklahoma, musée du fil de fer barbelé au Texas, le Grand Canyon en Arizona et la frénésie du Santa Monica Pier en Californie. Pour plus de détails, consultez le site Internet **Historic Route 66** (www.historic66.com).

entre Nashville et Natchez, ce qui renforça son importance.

En vous mettant en route, songez que vous marchez sur les pas d'illustres personnages comme Andrew Jackson (7e président des États-Unis), Jefferson Davis (président des confédérés), Meriwether Lewis (célèbre explorateur qui mourut sur la Trace en 1809), Ulysses S. Grant (18e président des États-Unis) et... le jeune Elvis Presley. La route passe par divers sites culturels et historiques qui vous en apprendront davantage.

La route

C'est de Nashville, Mecque des fans de musique country, qu'il est le plus facile de se lancer sur cette route. Vous y découvrirez les fameux *honky-tonks* et le musée du Country Music Hall of Fame. La visite sera forcément ponctuée d'étapes dans les cafétérias locales car il n'y a rien de mieux pour goûter au poulet et aux pieds de porc au barbecue, aux fanes de navet et aux pommes cuites au four.

Après Nashville, la route fait un détour par Franklin, l'un des champs de bataille les plus sanglants de la guerre de Sécession, où 20 000 confédérés et 17 000 soldats de l'Union s'affrontèrent le 30 novembre 1864. Un peu plus loin se trouvent les tombes de soldats confédérés inconnus. Plusieurs tertres funéraires amérindiens vieux de plusieurs siècles s'élèvent eux aussi le long de la route. Emerald Mound, imposante pyramide couverte d'herbe près de Natchez, est l'un des plus grands du pays.

Il ne faut pas non plus manquer la ville de Tupelo, car on peut visiter l'humble maison où Elvis a grandi ; et puis Cypress Swamp, marais verdoyant et ombragé peuplé d'alligators. Natchez recèle une profusion de demeures *antebellum* agrémentées de majestueux escaliers, de lustres et d'imposantes colonnes. Si vous avez jamais rêvé d'être Scarlett O'Hara, les maisons des anciennes plantations de la ville transformées en *boutique hotels* devraient vous aider à réaliser votre rêve.

Quand partir

Le temps est des plus agréables d'avril à juin et de septembre à novembre. L'été, il peut régner une chaleur écrasante.

Informations utiles

Natchez Trace Parkway (www.nps.gov/natr). Le National Park Service est chargé de l'entretien de la route. Son site Internet renseigne sur les chantiers en cours, les dates de fermeture actualisées, les activités et les sites historiques.

Natchez Trace Compact (www.scenictrace.com). Les offices du tourisme d'État du Tennessee, de l'Alabama et du Mississippi se sont réunis pour fournir itinéraires, cartes et renseignements sur diverses manifestations.

Durée et distance

Durée : prévoyez trois jours de trajet, bien qu'il puisse s'effectuer en deux journées. La lenteur est de mise puisqu'il s'agit d'une route à deux voies où la vitesse est limitée presque partout à 80 km/heure.
Distance : 715 km

Voyager avec des enfants

Le top des régions pour les enfants dans l'Est américain

New York, New Jersey et Pennsylvanie

À New York, faites un tour de barque dans Central Park ou visitez les musées pour enfants. Sur la côte du New Jersey, profitez des attractions qui bordent les promenades de front de mer, et en Pennsylvanie, faites un tour de carriole en Pays amish.

Nouvelle-Angleterre

À Boston, vous pouvez visiter un aquarium et un navire de guerre du XVIIIe siècle ou partir en croisière observer les baleines. Plimoth Plantation, avec les habitations reconstituées des villages de Wampanoag et Pilgrim, amusera toute la famille.

Washington et sa région

Washington séduira les familles avec ses incroyables musées pour enfants, son zoo abritant des pandas et son carrousel sur le National Mall. À Williamsburg, en Virginie, découvrez les États-Unis du XVIIIe siècle à travers des activités peu communes (procès de sorcières, visites de maisons hantées, etc.).

Les familles avec enfants sont bien accueillies aux États-Unis. Dans l'Est, il y a de quoi satisfaire tous les âges : plages, parcs d'attractions, zoos, aquariums et expositions d'histoire naturelle, musées scientifiques interactifs, campings, champs de bataille, balades à vélo et bien d'autres activités susceptibles de plaire aux enfants. Les grands espaces constituent un bon point de départ : la plupart des parcs nationaux et parcs d'État proposent des expositions, des itinéraires et des activités de découverte de la nature (par exemple, les kits *Junior Ranger* dans les parcs nationaux) destinés aux familles avec enfants.

L'est des États-Unis pour les enfants

Restaurants

Les restaurants américains semblent faits sur mesure pour les familles : les enfants sont acceptés presque partout et les menus enfant, avec portions et prix réduits, sont courants. En dessous d'un certain âge, le repas peut même leur être offert. Les restaurants mettent généralement à disposition chaises hautes et sièges rehausseurs. Certains offrent crayons et puzzles et, parfois même, des spectacles.

Les restaurants ne proposant pas de menus enfant ne refusent pas forcément ces derniers pour autant, bien que cela

INFORMATIONS UTILES ET SITES INTERNET

Dans ce guide, l'icône (⬛) indique les attractions touristiques, activités, hébergements, restaurants et divertissements adaptés aux familles.

Quand partir

» La haute saison s'étend de juin à août, quand les écoles sont fermées et qu'il fait le plus chaud. Attendez-vous à des prix élevés et une grande affluence – de longues files d'attente aux parcs d'attractions et aquatiques, des hôtels surbookés et une circulation dense. Réservez longtemps à l'avance pour les destinations courues.

» La haute saison dans les stations de sports d'hiver (dans les Catskills et les White Mountains) s'étend de janvier à mars.

L'essentiel

» La plupart des toilettes publiques (parfois même celles des hommes) sont pourvues de table à langer et des toilettes "familiales" mixtes font leur apparition dans les aéroports.

» L'offre de soins et les établissements médicaux sont de très bonne qualité aux États-Unis. Voir p. 602 pour plus d'informations sur la santé et l'assurance santé.

» On trouve de la nourriture pour bébés, du lait en poudre et des couches jetables (y compris au rayon bio) dans tous les supermarchés du pays.

» Pour tout enfant de moins de 18 ans voyageant avec un seul de ses parents ou avec son tuteur, il est conseillé de se munir d'une preuve du droit de garde ou d'une lettre notariée de consentement du ou des parents n'accompagnant pas l'enfant. Ce n'est pas obligatoire, mais cela permet d'éviter d'éventuels problèmes à la frontière.

Sites Internet

Pour plus d'informations et de conseils, procurez-vous le guide *Voyager avec ses enfants*, de Lonely Planet.

Family Travel Files (www.thefamilytravelfiles.com). Idées de vacances, descriptions de destinations et astuces de voyage.

Go City Kids (www.gocitykids.com). Excellente couverture des activités et divertissements destinés aux enfants dans plus de 50 villes américaines.

Kids.gov (www.kids.gov). On peut télécharger chansons et activités et l'on trouve même un lien vers la page de la CIA destinée aux enfants.

puisse parfois être le cas dans les établissements chics. Cependant, même dans les restaurants haut de gamme, vous serez bien accueillis si vous arrivez aux heures d'ouverture – et vous serez sûrement rejoints par d'autres familles. Demandez si les enfants peuvent avoir des portions plus petites ou partager un plat pour deux.

Les marchés fermiers ont de plus en plus de succès et toutes les villes assez grandes en accueillent au moins un par semaine. Vous pourrez y acheter de quoi composer un excellent pique-nique, goûter aux spécialités locales et soutenir ainsi les producteurs indépendants.

Hébergements

Les hôtels et motels proposent généralement des chambres avec deux grands lits, idéales pour les familles. Lits ou berceaux d'appoint peuvent être installés moyennant un supplément. Certains hôtels proposent la gratuité pour les enfants de moins de 12 ans, voire parfois de moins de 18 ans. Certains Bed & Breakfasts n'acceptent pas les enfants : renseignez-vous en réservant.

Baby-sitting

Certains hôtels proposent un service de garde d'enfants. À défaut, demandez à la réception de vous aider à vous organiser. Vérifiez toujours si les baby-sitters sont agréés, leur tarif horaire par enfant, leur tarif minimum s'ils en ont un, et s'ils facturent le déplacement et les repas. La plupart des offices de tourisme fournissent des listes de services de garde d'enfants, centres de loisirs, services médicaux, etc.

LIVRES POUR ENFANTS SE DÉROULANT DANS L'EST AMÉRICAIN

» *Les Quatre Filles du docteur March* (*Little Women*, 1868), de Louisa May Alcott, raconte l'enfance de quatre sœurs à Concord, dans le Massachusetts, au XIXe siècle.

» Henry Wadsworth Longfellow combine histoire et suspense dans son poème "La *Chevauchée de Paul Revere*" ("Paul Revere's Ride", *1861*).

» *Eloïse*, de Kay Thompson (1955), raconte la vie d'une petite fille de six ans au Plaza Hotel de New York, l'endroit idéal pour faire toutes sortes de bêtises.

» Dans *L'Énigme de la maison Robie* (2007), de Blue Balliett, des enfants détectives résolvent un mystère impliquant des fantômes, un trésor et la Robie House, chef-d'œuvre de l'architecte Frank Lloyd Wright.

Voiture, avion et train

Les agences de location de voitures doivent fournir des sièges bébé ou des sièges rehausseurs, obligatoires dans tous les États, mais vous devrez en faire la demande lors de la réservation (environ 10 $ de plus par jour).

Sur les vols domestiques, les enfants de moins de 2 ans voyagent gratuitement. Les enfants de plus de 2 ans doivent avoir un siège, et les réductions sont peu courantes.

Amtrak et d'autres compagnies ferroviaires proposent parfois des promotions (gratuité pour les moins de 15 ans, etc.).

Réductions enfants

Les enfants bénéficient souvent de réductions sur les circuits organisés, les billets d'entrée et les transports, jusqu'à 50% du prix du billet plein tarif. Cependant, la définition du mot "enfant" peut varier des moins de 12 ans aux moins de 16 ans. Certains sites touristiques proposent des réductions pour les familles. La plupart des sites sont gratuits pour les moins de 2 ans.

À ne pas manquer

Activités de plein air

» Rafting en eaux vives dans le New River Gorge National Park (Virginie-Occidentale)

» Croisière d'observation des baleines au départ de Boston ou de Provincetown (Massachusetts)

» Circuit en bateau dans la grotte Lost River Cave (centre du Kentucky)

Parcs d'attractions et zoos

» Visite du Bronx Wildlife Conservation Park, l'un des plus beaux zoos américains, dans l'État de New York (prendre le métro depuis Manhattan).

» Le méga-complexe de loisirs du Wisconsin Dells, offrant 21 parcs aquatiques et des spectacles de ski nautique époustouflants.

Voyages dans le temps

» Mêlez-vous aux comédiens en costume dans les lieux chargés d'histoire de Plimoth, Williamsburg, Yorktown ou Jamestown.

» Observez les soldats costumés faire une démonstration de tirs de mousquets et de canons au Fort Mackinac (Michigan).

» Suivez l'itinéraire du Freedom Trail de Boston avec Benjamin Franklin (ou du moins son sosie).

» Marchez sur les traces de l'un des plus grands présidents du pays au Lincoln Presidential Museum de Springfield (Illinois).

Musées pour les jours de pluie

» Pour les aviateurs en herbe, le National Air & Space Museum (musée national de l'air et de l'espace), à Washington, abrite fusées, vaisseaux spatiaux, anciens biplans et simulateurs de vol.

» L'imposant planétarium et les immenses squelettes de dinosaures de l'American Museum of Natural History de New York.

» Les trois étages du Port Discovery Children's Museum de Baltimore, comprenant un tombeau égyptien, un marché fermier, un train et un atelier d'artiste.

Gastronomie

» Mangez de succulents crabes bleus du Maryland avec les doigts le long de la Chesapeake Bay.

» Remontez le temps au *diner* Ellen's Stardust de New York, très années 1950.

» Dégustez une part de *deep-dish pizza* (et griffonnez votre nom sur le mur) à Gino's East, à Chicago.

Les régions en un clin d'œil

New York est le cœur de l'est des États-Unis. Plus de huit millions d'habitants vivent dans la mégapole, centre mondial de la mode, de la cuisine, des arts et de la finance. Le New Jersey et la Pennsylvanie voisins, avec leurs plages, montagnes et hameaux où l'on se déplace parfois encore en carriole tirée par un cheval, sont moins peuplés. Au nord, la Nouvelle-Angleterre possède des côtes rocheuses, de petits villages de pêcheurs aux maisons en bois et les prestigieuses universités de l'Ivy League. Le Sud débute avec la région de Washington et ses nombreux sites historiques. Dans le vrai Sud, où le rythme de vie est plus paisible, tartes aux noix de pécan et airs de blues vous attendent. La région des Grands Lacs, quant à elle, recèle des merveilles naturelles et propose bières et hamburgers.

New York, New Jersey et Pennsylvanie

Arts et culture ✓✓✓
Histoire ✓✓
Sports et activités ✓✓

Méga-culture

New York, c'est le MET, le MOMA et Broadway. Buffalo, Philadelphie et Pittsburgh ont aussi leur part d'institutions culturelles de renommée mondiale et de repaires d'artistes avec musique live.

Liberty Bell et alentours

Entre les manoirs de l'âge d'or (*Gilded Age*) parfaitement conservés de la Hudson Valley, l'Independence National Historic Park de Philadelphie et les sites dédiés aux événements fondateurs de la nation, la région est idéale pour se cultiver.

Activités de plein air

Les grands espaces, à deux pas des villes, offrent la possibilité de superbes randonnées dans les Adirondacks et les Catskills, de descentes en rafting sur le fleuve Delaware et des occasions de s'ébattre dans l'océan Atlantique, sur la côte du New Jersey ou dans les Hamptons.

p. 50

Nouvelle-Angleterre

Gastronomie ✓✓
Histoire ✓✓✓
Plages ✓✓✓

Produits de la mer

La Nouvelle-Angleterre est réputée à juste titre pour ses poissons et fruits de mer. La côte est jalonnée de restaurants au bord de l'eau où l'on mange des huîtres, des pinces de homard (avec du beurre) et des veloutés de palourdes (*clam chowders*) en regardant passer les bateaux de pêche.

Histoire coloniale

Des Pères pèlerins débarquant à Plymouth à l'hystérie de la chasse aux sorcières à Salem, en passant par la chevauchée révolutionnaire de Paul Revere et la Boston Tea Party, la Nouvelle-Angleterre a modelé l'histoire américaine.

Plages

Cap Cod, Martha's Vineyard et Block Island : la Nouvelle-Angleterre est la Mecque estivale des férus de sable et de mer. Les plages de la région sont variées, certaines offrent des eaux calmes idéales pour les enfants, d'autres sont balayées par de gros rouleaux prisés des surfeurs.

p. 158

Washington et sa région

Arts et culture ✓✓✓
Histoire ✓✓✓
Gastronomie ✓✓

Musées et musique

Washington héberge de superbes musées et propose concerts gratuits l'été et spectacles de renommée internationale. Vous trouverez aussi de la "mountain music" en Virginie, des théâtres régionaux réputés et de l'art avant-gardiste à Baltimore.

Le passé

Jamestown, Williamsburg et Yorktown offrent une fenêtre sur l'Amérique coloniale, tandis que les champs de bataille de la guerre de Sécession parsèment la campagne de Virginie. La région compte aussi de fascinantes propriétés présidentielles comme celle de Mount Vernon, ainsi que des villes remplies de charme et d'histoire comme Annapolis et Lewes.

Gastronomie

De succulents repas vous attendent : crabes bleus dans le Maryland, cuisine internationale à Washington et restaurants servant des produits "de la ferme à la table" à Baltimore, Charlottesville, Staunton et Rehoboth, entre autres.

p. 244

Le Sud

Gastronomie ✓✓✓
Musique ✓✓✓
Charme du Sud ✓✓✓

Biscuits et barbecue

Viandes grillées lentement, poulet frit et poisson-chat, biscuits au beurre, pain de maïs et plats cajuns-créoles épicés font du Sud l'endroit idéal pour faire bonne chère.

Musique

Aucun autre endroit ne possède un patrimoine musical qui a eu autant d'influence que celui du Sud des États-Unis. Pour vivre une expérience authentique, investissez les hauts lieux de la musique : la country à Nashville, le blues à Memphis, le jazz big-band à La Nouvelle-Orléans, et une pléthore de mélanges et de styles alternatifs dans toute la région.

Charme du Sud

Semblant sorties d'un livre d'images, Charleston et Savannah captivent depuis longtemps les visiteurs avec leurs rues bordées d'arbres, leur architecture datant d'avant la guerre de Sécession et leur accueil chaleureux. Chapel Hill, Oxford, Chattanooga et Natchez sont d'autres belles villes du Sud.

p. 324

Région des Grands Lacs

Gastronomie ✓✓✓
Musique ✓✓
Curiosités ✓✓

Paradis des gourmets
Des restaurants primés de Chicago et Minneapolis aux fromages artisanaux en passant par les *diners* en bordure de route servant une multitude de tartes : les fermes, vergers et brasseries du Middle West flatteront votre palais.

Musique
La région peut se targuer d'abriter le Rock and Roll Hall of Fame, d'accueillir d'immenses festivals comme le Lollapalooza, de compter Bob Dylan parmi ses enfants et d'offrir musique techno et clubs endiablés dans toutes les villes : pas de doute, ici, on sait faire la fête.

Art marginal ?
Pelote de ficelle gigantesque, musée de la moutarde, concours de lancer de bouses de vache : les excentricités surgissent du fin fond du Middle West et de ses routes secondaires, où l'on trouve des gens passionnés et pleins d'imagination.

p. 452

Les pictos pour se repérer :

 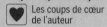 Les coups de cœur de l'auteur

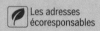 Les adresses écoresponsables

 GRATUIT Des sites libres d'accès

Voir aussi l'index p. 630 où figurent toutes les localités couvertes dans ce guide.

Sur la route

New York, New Jersey et Pennsylvanie

Le top des restaurants

» Blue Hill (p. 92)
» Morimoto (p. 140)
» The Breslin (p. 93)
» Anchor Bar (p. 119)
» Primanti Bros (p. 154)

Le top des hébergements

» Bowery Hotel (p. 86)
» Mohonk Mountain House (p. 111)
» Saugerties Lighthouse (p. 112)
» Morris House Hotel (p. 139)
» Caribbean Motel (p. 128)

Pourquoi y aller

Où ailleurs peut-on visiter la ferme d'une famille amish, camper en montagne, lire la Déclaration d'indépendance et contempler New York du 86ᵉ étage d'un gratte-ciel Art déco, tout cela en l'espace de quelques jours ? Bien que cette partie des États-Unis soit la plus densément peuplée, elle ne manque pas de ravissantes petites villes au milieu de décors naturels splendides, où les citadins lassés de la frénésie urbaine viennent se mettre au vert et les artistes chercher l'inspiration.

New York qui ne dort jamais, l'historique et vivante Philadelphie et la métropole fluviale de Pittsburgh sont des étapes incontournables. Des kilomètres et des kilomètres de plages somptueuses ou plus kitch bordent Long Island et le Jersey Shore. Enfin, les monts Adirondacks, accessibles dans la journée depuis New York, dévoilent un aspect plus sauvage de la région.

Quand partir
New York

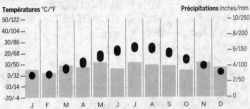

Oct-nov
L'automne à New York rime avec temps doux, festivals, marathon et préparatifs de Noël.

Février
Les amateurs de sports d'hiver mettent le cap sur les Adirondacks, les Catskills et les Poconos.

31 mai-5 sept
La période entre Memorial Day et Labor Day est idéale pour fréquenter les plages, de Montauk à Cape May.

Transports

L'aéroport John F. Kennedy de New York constitue la plaque tournante de la région pour les vols internationaux, l'aéroport international Liberty de Newark et l'aéroport LaGuardia, dans le Queens, assurant essentiellement des liaisons intérieures. Philadelphie et Pittsburgh comptent également chacune un petit aéroport international.

Les bus Greyhound couvrent les principales villes, les compagnies régionales Peter Pan Bus Lines et Adirondack Trailways le reste du territoire. Amtrak, la compagnie ferroviaire nationale, relie New York au New Jersey, ainsi qu'à Philadelphie et Pittsburgh. Les lieux d'excursion sont accessibles par les 3 lignes de train locales ou l'autoroute I-95 qui longe la côte Est du nord au sud.

PARCS NATIONAUX ET PARCS D'ÉTAT

Souvent perçus comme de grands pôles urbains, l'État de New York, le New Jersey et la Pennsylvanie surprennent par le nombre important d'espaces naturels qu'ils abritent. Ours noirs, lynx roux et élans peuplent les zones forestières, et faucons, aigles et autres oiseaux migrateurs font halte dans la région, certains à quelques kilomètres à peine de New York.

L'État de New York regroupe à lui seul des centaines de parcs, des chutes d'eau autour d'Ithaca aux reliefs sauvages des Adirondacks. Dans le New Jersey, on peut descendre le fleuve Delaware, prendre le soleil sur la plage de Cape May ou pratiquer la randonnée au nord dans la Kittatinny Valley. La Pennsylvanie comprend d'immenses étendues de forêts denses, des paysages vallonnés et une portion significative du Sentier des Appalaches (Appalachian National Scenic Trail) qui serpente sur 3 500 km du Maine à la Géorgie.

Le top cinq des plus beaux itinéraires routiers

» **Catskills, New York – Rte 23A, 214 et 28 :** collines boisées, rivières tumultueuses et chutes d'eau spectaculaires.

» **Centre-Nord de la Pennsylvanie – Rte 6 :** des montagnes escarpées, émaillées de torrents et de forêts, qui abritent une faune et une flore abondantes.

» **Lake Cayuga, New York – Rte 80 :** au nord d'Ithaca, des dizaines d'établissements vinicoles dominent les rives de ce lac.

» **Delaware Water Gap, New Jersey – Old Mine Road :** l'une des plus vieilles routes des États-Unis offre de belles vues sur le fleuve Delaware au cœur d'un paysage rural.

» **Brandywine Valley, Pennsylvanie – Rte 100, 52 et 163 :** un parcours de 40 km à travers un joli paysage agricole vallonné où les chevaux sont rois.

LA HIGH LINE

Cette ancienne ligne de chemin de fer, construite dans les années 1930 pour le transport des marchandises, forme une coulée verte suspendue depuis le Meatpacking District jusqu'à Chelsea.

En bref

» Métropoles : New York (8 175 000 habitants), Philadelphie (1 526 000 habitants)

» Distance entre New York et Philadelphie : 156 km

» Distance entre New York et les chutes du Niagara : 656 km

» Fuseau horaire : Eastern Standard Time (GMT −5)

Le saviez-vous ?

De novembre à avril, des veaux marins ainsi que d'autres espèces de phoques migrent vers les eaux du Jersey Shore, du détroit de Long Island et jusqu'aux rivages de Staten Island et du Bronx, à New York.

Sites Internet

» New York State Tourism (www.iloveny.com). Infos, cartes et conseils touristiques.

» New Jersey Travel & Tourism (www.visitnj.org). Sites, hébergements et festivals de l'État.

» Pennsylvania Travel and Tourism (www.visitpa.com). Cartes, vidéos et suggestions d'itinéraires.

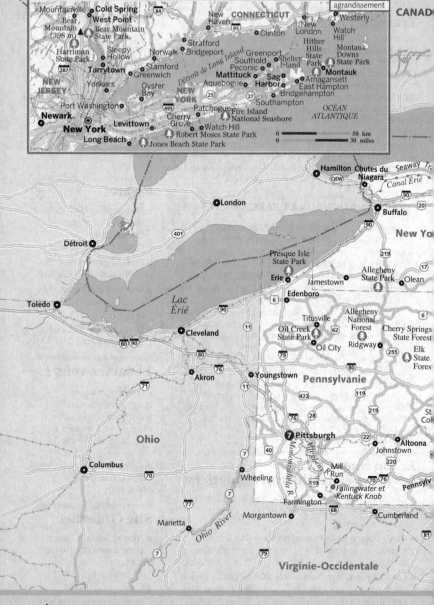

À ne pas manquer

1 Le melting-pot culturel et le caractère cosmopolite de **New York** (p. 54)

2 Le côté kitch et tranquille du **Jersey Shore** (p. 124)

3 L'histoire de la naissance des États-Unis dans l'**Independence National Historic Park** de Philadelphie (p. 133)

4 La randonnée à travers les épaisses forêts préservées des **Catskills** (p. 112)

5 La beauté sauvage impressionnante des monts **Adirondack** (p. 116)

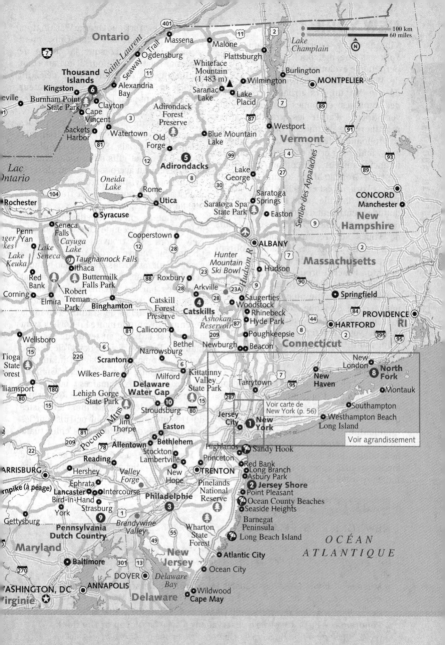

NEW YORK

Vibrant d'une énergie frénétique, New York est une métropole polymorphe en perpétuelle évolution, dont seul un poème de Walt Whitman parvient peut-être à décrire les univers urbains contrastés, des humbles échoppes aux gratte-ciel vertigineux. Parmi les grands centres mondiaux de la mode, de l'art, de la gastronomie et de la publicité, elle demeure aussi malgré la crise économique un pôle financier majeur. Et comme l'a si bien exprimé Groucho Marx, "quand il est 9h30 à New York, on est en 1937 à Los Angeles". Découvrir la ville pour la première fois donne le sentiment d'entrer dans le champ de tous les possibles. Des néons étincelants de Times Square aux recoins les plus glauques du Bronx, les extrêmes s'offrent à vous. Qu'il s'agisse de l'enclave russe de Brighton Beach à Brooklyn ou de la petite Amérique du Sud du Queens, New York accueille des communautés issues des quatre coins du globe. Pour peu que vous ayez un programme souple et un esprit ouvert, vous rentrerez chez vous riche d'une multitude d'expériences.

Histoire

En 1609, l'explorateur anglais Henry Hudson, engagé par la Compagnie néerlandaise des Indes orientales, pénétra dans la baie de New York et baptisa le territoire "Manhattan" ("île aux nombreuses collines" en langue amérindienne lenape). La colonie hollandaise de la Nouvelle-Amsterdam fut fondée en 1625 après le rachat de l'île aux Indiens par Peter Minuit.

C'est à New York que George Washington, premier président des États-Unis, prêta serment en 1789. Lorsque la guerre de Sécession éclata, la ville fournit un important contingent de volontaires pour défendre l'Union et devint un centre organisateur du mouvement pour l'affranchissement des esclaves.

Au cours du XIXe siècle, les vagues successives d'immigrants – Irlandais, Allemands, Anglais, Scandinaves, Slaves, Italiens, Grecs et juifs d'Europe centrale – entraînèrent un accroissement rapide de la population, suivi par la création d'empires industriels et financiers qui se traduisit par une floraison de gratte-ciel.

Devenue la première ville du monde à l'issue de la Seconde Guerre mondiale, New York se trouva confrontée au phénomène nouveau du *white flight*, à savoir la migration de sa population blanche vers les banlieues. Les années 1970 furent marquées par un déclin économique et civique, que symbolisaient des couloirs de métro constellés de graffitis. Durant la décennie suivante, le maire Ed Koch parvint à redresser la barre au terme de ses trois mandats. En 1989, New York vit l'élection de son premier maire noir, David Dinkins, qui s'inclina ensuite face à Rudolph Giuliani, futur candidat aux primaires républicaines pour les présidentielles de 2008. Ce dernier était en poste lors des attentats terroristes du 11 septembre 2001 qui détruisirent les tours jumelles du World Trade Center, tuant 3 000 personnes.

Élu en 2001 à la tête de la ville, le Républicain Michael Bloomberg a été reconduit dans ses fonctions en 2005 et

---

À NE PAS MANQUER

NEW YORK EMBLÉMATIQUE

Si aucune liste répertoriant les sites phares de New York ne peut prétendre à l'exhaustivité, voici néanmoins les lieux incontournables lors d'un séjour de courte durée :

» **Musées** – L'immense et remarquable **Metropolitan Museum of Art** (p. 75) peut vous occuper des jours entiers. Quant au **Museum of Modern Art** (MOMA ; p. 67), mieux vaut le visiter le matin en semaine pour éviter l'affluence.

» **Panoramas** – La plate-forme d'observation en plein air du **Top of the Rock** (p. 71), au sommet du Rockefeller Center, dévoile une perspective inégalable. À l'occasion d'une promenade nocturne, faites une halte au milieu du **Brooklyn Bridge** (p. 55) pour jouir d'une des vues les plus romantiques sur la ville.

» **Espaces verts** – Quelle que soit la saison, flâner dans **Central Park** (p. 74) fait partie des expériences typiquement new-yorkaises. Le week-end, un pique-nique à **Prospect Park** (p. 80), dans Brooklyn, donne un aperçu de la vie des habitants.

Une semaine

Débutez en douceur par **Philadelphie**, haut lieu de l'Indépendance américaine, en faisant le tour de ses sites historiques dans la journée, avant de profiter de l'animation nocturne. Mettez ensuite le cap sur le New Jersey pour passer une nuit dans le cadre bucolique de **Cape May**, puis sur une autre ville balnéaire comme **Wildwood** ou **Atlantic City**, plus au nord le long du **Jersey Shore**. Enfin, rejoignez **New York** pour le reste de la semaine, et tâcher de voir plusieurs monuments et sites incontournables. Rendez-vous sur la plateforme d'observation du **Top of the Rock**, au sommet du Rockefeller Center, et promenez-vous dans **Central Park**. Profitez de la vie nocturne animée et des expériences gastronomiques variées, dans l'**East Village** par exemple.

Deux semaines

Commencez par plusieurs jours à **New York**, puis une nuit dans la **Hudson Valley**, avant de gagner les **Catskills** verdoyantes. Plus au nord, direction **Saratoga Springs** et **Lake George**. Les amateurs d'activités de plein air effectueront un crochet par les **monts Adirondack** boisés avant de faire halte pour dormir dans la ville universitaire d'**Ithaca**. De là, on peut poursuivre vers **Buffalo** et les **chutes du Niagara** ou au sud vers les **Poconos**, dans le nord de la Pennsylvanie. La partie sud de l'État abrite quantité de sites historiques ainsi que le **Lancaster County** où des fermes amish accueillent des hôtes. À une courte distance, **Philadelphie** mérite au moins deux nuits d'escale. Pour finir, prévoyez un séjour dans un pittoresque B&B de **Cape May**, une journée de loisirs balnéaires à **Wildwood** et un saut dans l'un des casinos d'**Atlantic City**.

à nouveau en 2009 après le passage d'un amendement très controversé l'autorisant à se représenter. Ce politicien considéré comme indépendant et pragmatique a autant fait l'objet de critiques que de louanges dithyrambiques pour sa volonté de concilier objectifs de développement et respect de l'environnement. Ainsi, l'interdiction de fumer généralisée a été populaire, mais la politique tarifaire destinée à lutter contre les embouteillages n'a pas reçu l'assentiment des New-Yorkais.

☉ À voir

LOWER MANHATTAN

♥ Brooklyn Bridge PONT

(carte p. 58). "Un ornement climatique, un double arc-en-ciel" : ainsi l'écrivaine Marianne Moore décrit-elle le premier pont suspendu au monde, qui inspira avant même son achèvement des poètes comme Walt Whitman ou Jack Kerouac. Aujourd'hui, traverser à pied le Brooklyn Bridge est un rite de passage obligé pour les New-Yorkais comme pour les touristes. D'une portée de 486 m, prouesse sans précédent à l'époque, cet ouvrage grandiose demeure un symbole fascinant de la réussite des États-Unis. Sa construction entamée en 1867 donna lieu à des dépassements de budget considérables et coûta surtout la vie à vingt personnes,

dont l'ingénieur en chef John Roebling qui mourut du tétanos suite à une blessure au pied. Doté d'une voie destinée aux piétons et aux cyclistes, le pont débute juste à l'est du City Hall, offrant des vues somptueuses sur Manhattan et Brooklyn. Aux points d'observation situés sous ses deux piliers en pierre, des illustrations montrent le panorama à différentes époques de l'histoire de la ville. Côté Brooklyn, le **Brooklyn Bridge Park** toujours en expansion et les restaurants de **Dumbo** concluent agréablement la balade.

Statue de la Liberté MONUMENT

(carte p. 56 ; ☎212-363-3200 ; www.nps.gov/stli ; New York Harbor, Liberty Island ; ⊙9h30-17h). Parmi les nombreux emblèmes de l'Amérique présents à New York, la statue de la Liberté est sans doute le plus célèbre. Initiative de l'homme politique Édouard Lefebvre de Laboulaye pour célébrer l'amitié entre la France et les États-Unis, elle fut réalisée par le sculpteur français Frédéric-Auguste Bartholdi. Celui-ci effectua le voyage à New York en 1871 pour choisir son emplacement et travailla à Paris pendant plus de 10 ans sur cette œuvre de 46,05 m de haut baptisée la *Liberté éclairant le monde*. Acheminée en bateau jusqu'à New York et érigée sur un îlot de la baie, la statue fut inaugurée en 1886. Elle comporte une

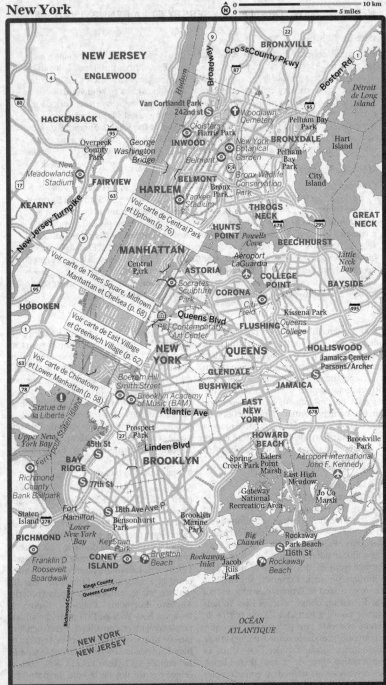

armature en fer conçue par Gustave Eiffel dont les barres flexibles supportent des plaques de cuivre martelé.

La couronne se visite à nouveau, mais il importe pour cela de réserver le plus tôt possible, le nombre de personnes étant limité. Sinon, on peut toujours se promener dans le parc et profiter de la vue panoramique depuis la plate-forme du 16e étage ; le plafond en verre permet de découvrir l'intérieur impressionnant de la structure. Les **ferries** (carte p. 58 ; 📞201-604-2800, 877-523-9849 ; www.statuecruises.com ; adulte/enfant 13/5 $; ⊙toutes les 30 min 9h-17h, horaires plus étendus l'été) qui desservent l'îlot ainsi qu'Ellis Island partent de Battery Park. Le prix du trajet inclut les deux sites (plus 3 $ pour l'accès à la couronne). Stations de métro les plus proches : South Ferry et Bowling Green.

Ellis Island
MUSÉE

Cette île évoque les conditions modestes, voire misérables, et les rêves des quelque 12 millions d'immigrants en quête d'une vie meilleure qui transitèrent par là entre 1892 et 1954. Quelque 3 000 d'entre eux moururent sur place à l'hôpital et environ 2% furent renvoyés dans leur pays d'origine. Les ferries qui conduisent à la statue de la Liberté marquent un second arrêt au **centre d'immigration** d'Ellis Island (carte p. 56). Le beau bâtiment principal restauré accueille l'**Immigration Museum** (📞212-363-3200 ; www.ellisisland.org ; New York Harbor ; audioguide 8 $; ⊙9h30-17h) illustrant l'histoire du site, des expériences personnelles ainsi que le traitement et les conséquences du flux migratoire aux États-Unis.

National September 11 Memorial & Museum
MÉMORIAL

Après une décennie de dépassements budgétaires, de retards et de polémiques politiciennes, le projet de réaménagement du site du World Trade Center détruit par l'attaque terroriste du 11 septembre 2001 se concrétise enfin. La moitié des 6,5 ha de Ground Zero est désormais consacrée à l'hommage aux victimes et au devoir de mémoire, le reste sera occupé par des tours de bureaux, un nœud de transports et un centre de spectacles. Ouvert au public le 12 septembre 2011, le mémorial comprend à l'emplacement des tours jumelles deux grands bassins carrés où l'eau coule en cascade le long des parois. Sur les parapets en bronze qui les entourent figurent les noms des personnes décédées dans l'attentat. À terme, des centaines d'arbres

fourniront de l'ombre aux visiteurs. Un pass gratuit peut être obtenu en ligne (www.national911memorial.org ; le musée doit être inauguré en septembre 2012). Le One World Trade Center (ex-Freedom Tower), principal monument du site dont le coût s'élève à 3,2 milliards de dollars, comptait déjà 65 étages à l'automne 2011 (ouverture prévue en 2014). Surmontée d'une antenne de 124,3 m, cette tour de 541 m sera la plus haute des États-Unis. Le WTC Transit Hub conçu par l'architecte espagnol Santiago Calatrava devrait être opérationnel en 2014. Pour suivre la progression du chantier ou réserver un pass, faites un saut au **9/11 Memorial Preview Site** (carte p. 58 ; 📞212-267-2047 ; www.911memorial.org ; 20 Vesey St ; ⊙10h-19h lun-sam, 10h-18h dim), le centre de préfiguration, ou rendez-vous sur le site www.wtcprogress.com.

À côté se trouve le **Tribute WTC Visitor Center** (carte p. 58 ; 📞866-737-1184 ; www.tributewtc.org ; 120 Liberty St ; 10 $; ⊙10h-18h lun-sam, 10h-17h dim), une espace d'exposition, des témoignages et des **visites guidées** du site (15 $/pers entrée du musée incluse, 11h-15h dim-ven, 11h-16h sam). Il existe cependant un flou quant au statut de ce centre une fois que le musée et le mémorial seront ouverts.

L'atrium du One World Financial Center, un immeuble de bureaux de l'autre côté de la West Side Hwy, dévoile une perspective intéressante sur le chantier de construction.

[GRATUIT] Governor's Island National Monument
PARC

(carte ci-contre ; 📞212-825-3045 ; www.nps.gov/gois). La plupart des New-Yorkais ont longtemps ignoré à quoi correspondait la curieuse tache de verdure située dans la baie à environ 1 km de la pointe sud de Manhattan. D'une superficie de 9 ha, cette ancienne base de l'armée et des gardes-côtes est désormais accessible au public. Un **ferry** (📞212-514-8285 ; www.nps.gov/gois ; ⊙10h-15h mer-ven, 10h-17h sam et dim, été seulement) la dessert au départ du **Battery Marine Terminal** (carte p. 58 ; angle South St et Whitehall St) qui jouxte le Staten Island Ferry Whitehall Terminal au bout de Lower Manhattan. Les services du parc organisent des **visites guidées** (⊙10h-13h mer et jeu) d'une heure et demie ; les billets doivent être retirés une heure à l'avance au Battery Marine Terminal, sachant que les premiers arrivés sont les premiers servis. Offrant une vue imprenable sur la ville, l'île abrite deux forts du XIXe siècle – Fort Jay et Castle Williams, un ouvrage en grès rouge sur trois

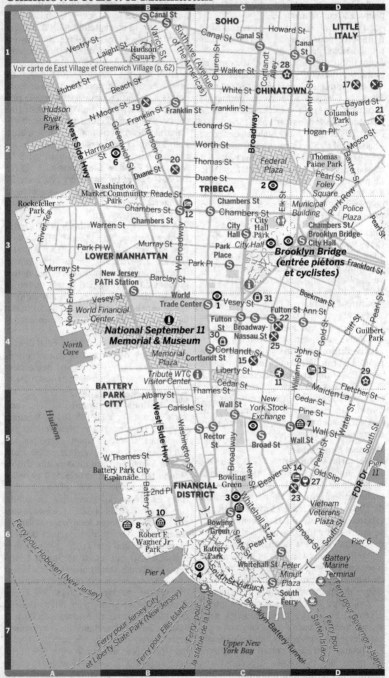

Voir carte de East Village et Greenwich Village (p. 62)

niveaux – ainsi que de vastes pelouses et de grands arbres.

South Street Seaport   QUARTIER

Connue pour le grand centre commercial du Pier 17 qui s'avance dans l'East River, cette enclave de 11 *blocks* aux rues pavées et aux vieux bâtiments restaurés constitue un lieu de promenade digne d'intérêt. Le Fulton Fish Market (marché au poisson) a depuis longtemps disparu, mais les bars et les restaurants installés dans des édifices du milieu du XIXe siècle attirent habitants et touristes. Profitez-en pour prendre le **bateau-taxi Ikea** (carte ci-contre ; ⊙toutes les 40 min 14h-18h40 lun-ven, 11h-19h40 sam et dim), affrété par le célèbre magasin de meubles suédois, qui relie le Pier 11 (6 rues au sud du South Street Seaport) au magasin de la marque à Red Hook, Brooklyn. Gratuite pour les clients de l'enseigne et le week-end (5 $ en semaine), la traversée donne l'occasion de contempler une vue splendide sur la ville.

Bowling Green Park et environs   PARC

(carte ci-contre ; angle State St et Whitehall St). À la fin du XVIIe siècle, les résidents anglais s'adonnaient ici au paisible jeu de boules. Aujourd'hui, les touristes s'arrêtent dans le parc pour prendre en photo le **Charging Bull**, un imposant taureau en bronze. Aménagé dans l'ancien bureau des douanes à l'architecture grandiose, le **National Museum of the American Indian** (carte p. 58 ; ☎212-514-3700 ; www.nmai.si.edu ; 1 Bowling Green ; entrée libre ; ⊙10h-17h ven-mer, 10h-20h jeu) renferme une importante collection d'objets en rapport avec la culture amérindienne, une bibliothèque et une boutique de cadeaux. En remontant Broadway, on rejoint l'**African Burial Ground** (carte ci-contre ; ☎212-637-2019 ; www. nps.gov/afbg ; Ted Weiss Federal Bldg, 1er étage, 290 Broadway, entre Duane St et Reade St ; entrée libre ; ⊙10h-16h mar-sam), un mémorial élevé à l'endroit où les dépouilles de plus de 400 esclaves et affranchis africains furent découvertes en 1991 lors d'un chantier de construction.

WALL STREET ET LE FINANCIAL DISTRICT

Certes, des banques bien établies comme Lehman Brothers et Bear Stearns ont mis la clé sous la porte et des milliers de personnes ont perdu leur emploi suite au krach de 2008, mais l'industrie financière s'est depuis ressaisie et le quartier avec elle. Pour le citoyen lambda, **Wall Street** demeure cependant synonyme de cupidité aveugle et d'irresponsabilité. Le siège symbolique du

NEW YORK, NEW JERSEY ET PENNSYLVANIE À VOIR

commerce américain doit son nom au mur érigé en 1653 par les colons hollandais pour protéger la Nouvelle-Amsterdam contre les Indiens et les Britanniques. Dans l'ancien bâtiment vénérable de la Bank of New York, le **Museum of American Finance** (carte p. 58 ; ☎212-908-4110 ; www.moaf.org ; 48 Wall St ; adulte/enfant 8 \$/gratuit ; ☺10h-16h mar-sam) présente un panorama complet du monde de la finance aux États-Unis, sans occulter ses effets pervers. Pour compléter l'approche, des visites de plus d'une heure permettent de découvrir la **Federal Reserve** (carte p. 58 ; ☎212-825-6990 ; www.nps.gov/feha ; 26 Wall St ; entrée libre ; ☺9h-17h).

Battery Park et environs QUARTIER
La pointe sud-ouest de l'île de Manhattan fut agrandie par des remblais pour former Battery Park dont le nom renvoie à la batterie de canons qui s'y trouvait autrefois. Le site abrite la muraille du **Castle Clinton**, un fort circulaire bâti en 1811 pour défendre Manhattan contre les Britanniques et qui se dressait à l'origine à 274 m du rivage. Des concerts en plein air ont lieu l'été dans son enceinte. Le **Museum of Jewish Heritage**

(carte p. 58 ; ☎646-437-4200 ; www.mjhnyc.org ; 36 Battery Pl ; adulte/enfant 12 \$/gratuit ; ☺10h-17h45 dim-mar et jeu, 10h-20h mer, 10h-17h ven) illustre l'histoire et la culture juives à New York au XXᵉ siècle et rend hommage aux victimes de la Shoah. Le **Skyscraper Museum** (carte p. 58 ; ☎212-968-1961 ; www.skyscraper.org ; 39 Battery Pl ; adulte/enfant 5/2,50 \$; ☺12h-18h mer-dim), au rez-de-chaussée du Ritz-Carlton Hotel, accueille une présentation permanente consacrée aux gratte-ciel et des expositions temporaires. Enfin, Battery Place marque le début du remarquable **Hudson River Park** (www.hudsonriverpar.org), un ensemble de quais rénovés, de pelouses et de jardins traversés par une piste de vélo/rollers/jogging qui s'étend sur 8 km jusqu'à 59th St. Ce parc abrite aussi des terrains de basket, une école de trapèze et des stands de restauration.

TRIBECA ET SOHO

Délimité en gros par Broadway à l'est et Chambers St au sud, TriBeCA (Triangle Below Canal Street) est le plus central de ces deux quartiers. De vieux entrepôts transformés en lofts coûteux y côtoient des restaurants sophistiqués, tandis qu'à l'ouest de Greenwich St, les **hôtels particuliers de Harrison Street** (carte p. 58 ; Harrison St), construits entre 1804 et 1828, constituent le plus vaste ensemble de style fédéral à New York.

Sans lien avec son homonyme londonien, SoHo (South of Houston Street) compte quantité de bâtiments industriels en fonte édifiés à l'issue de la guerre de Sécession, quand il s'agissait de la principale zone industrielle de la ville. Haut lieu bohème de la création artistique jusque dans les années 1980, il s'est terriblement embourgeoisé depuis pour devenir une destination de shopping courue, où l'on se bouscule le week-end.

SoHo a débordé du côté nord de Houston St et du côté est de Lafayette St, pour former deux petits secteurs branchés, **NoHo** (North of Houston) et **NoLita** (North of Little Italy), qui recèlent de nombreux petits magasins chics d'habillement féminin ainsi que des restaurants.

Bref, si vous aimez vous balader à pied, faire du lèche-vitrines et fréquenter les cafés, ce secteur vous comblera.

CHINATOWN ET LITTLE ITALY

Plus de 150 000 personnes de langue chinoise s'entassent dans les immeubles de Chinatown aux appartements exigus, soit la plus grande communauté du genre hors d'Asie (il existe deux autres enclaves chinoises dans la ville : Sunset Park à Brooklyn et Flushing, dans le Queens). Dans les années 1990, le quartier a également accueilli une vague d'immigrés vietnamiens, qui ont ouvert des commerces et des restaurants bon marché. Leur présence se fait davantage sentir dans certaines rues.

Véritable fête pour les sens, Chinatown est le seul coin de la ville où l'on peut voir des cochons rôtis suspendus dans les vitrines des boucheries, sentir des effluves de poisson frais, entendre parler cantonais ou vietnamien et regarder les vendeurs à la sauvette qui écoulent de faux sacs Prada dans Canal St.

Museum of Chinese in America MUSÉE
(carte p. 62 ; ☎212-619-4785 ; www.mocanyc. org ; 215 Centre St ; adulte/enfant 7 $/gratuit ; ☺11h-17h lun, 11h-21h jeu, 10h-17h ven-dim). Ce musée interactif brillamment agencé retrace l'histoire et l'impact culturel des communautés chinoises aux États-Unis. Il programme également des conférences, des projections de films et des circuits à pied.

Little Italy QUARTIER
Si la "petite Italie" se réduit comme peau de chagrin du fait de l'expansion de Chinatown, quelques vieux restaurants aux nappes à carreaux rouge et blanc continuent d'attirer une clientèle fidèle d'Italo-Américains venant pour la plupart de la banlieue. Partez à la découverte du quartier le long de **Mulberry Street** et profitez-en pour jeter un coup d'œil à la **St Patrick's Old Cathedral** (carte p. 62 ; 263 Mulberry St), construite en 1809, la plus ancienne cathédrale catholique de New York, siège de l'Archidiocèse de la ville jusqu'à la consécration, en 1878, de la nouvelle St Patrick's Cathedral située en plein cœur de Manhattan. L'ancien **Ravenite Social Club** (carte p. 62 ; 247 Mulberry St), aujourd'hui un magasin de chaussures de luxe, rappelle l'époque pas si lointaine où la mafia régnait sur le secteur. Ex-Alto Knights Social Club fréquenté par de grosses pointures de la pègre comme Lucky Luciano, ce club fut un des lieux de prédilection du parrain John Gotti (et du FBI) avant son arrestation et sa condamnation à perpétuité en 1992.

LOWER EAST SIDE

Après avoir accueilli successivement l'immigration juive et latino, ce quartier autrefois surpeuplé voit défiler dans ses bars lounge à l'éclairage tamisé, ses bars à concerts et ses bistrots tendance tout ce que la ville compte de branchés. Les immeubles d'habitation de standing et les *boutique hotels* coexistent avec les logements sociaux, créant des antagonismes que Richard Price décrit de manière amusante dans son roman *Souvenez-vous de moi* (*Lush Life*, 2008). Aujourd'hui encore, les immigrés forment 40% de la population et les deux tiers d'entre eux parlent à la maison une langue autre que l'anglais.

Eldridge Street Synagogue LIEU DE CULTE
(carte p. 58 ; ☎212-219-0302 ; www.eldridgestreet. org ; 12 Eldridge St, entre Canal St et Division St). Construite en 1887, cette synagogue rehaussée d'éléments décoratifs de styles roman et mauresque accueillait au tournant du XXe siècle jusqu'à un millier de fidèles lors des grandes fêtes juives. Les lois limitant l'immigration entraînèrent une baisse de sa fréquentation dans les années 1920, puis sa fermeture pure et simple vers 1950. Au terme d'une restauration de 20 ans achevée en 2007, l'endroit célèbre à nouveau un service religieux les vendredis soir et samedis matin, ainsi que des mariages. Des **visites** (adulte/enfant 10/6 $; ☺10h-17h

dim-jeu, à la demie de chaque heure) sont également proposées. À l'intérieur, c'est le nouveau **vitrail** de la rosace au-dessus de l'arche contenant les rouleaux de la Torah qui retient surtout l'attention. Début juin, la synagogue s'implique dans l'organisation du **Egg Cream and Egg Roll Festival**, une manifestation qui met à l'honneur les traditions culturelles et culinaires des communautés juives et chinoises.

Lower East Side
Tenement Museum   MUSÉE
(carte ci-dessous ; ☎212-982-8420 ; www. tenement.org ; 90 Orchard St, à hauteur de Broome St ; visites 17 $; ☺centre d'accueil des visiteurs 10h-17h30, visites 10h15-17h). Ce musée illustre le passé misérable du quartier à travers des reconstitutions d'intérieurs typiques des différentes communautés. Les répliques d'une boucherie et d'un saloon devraient à terme occuper le rez-de-chaussée. Les visites s'inscrivent uniquement dans le cadre de circuits à

thème, qui ont lieu en général toutes les 40 ou 50 minutes.

EAST VILLAGE
Circonscrit entre 14th St, Lafayette St, E Houston St et l'East River, l'East Village s'est embourgeoisé ces dix dernières années au grand dam des locataires de longue date et des jeunes squatteurs qui le colonisaient. Mais si les promoteurs immobiliers ont désormais l'avantage, ce quartier où chacun revendique la liberté d'être ce qu'il est n'en conserve pas moins une image bohème et underground.

Tompkins Square Park   PARC
Ce parc situé entre Seventh St et Tenth St et entre les Avenues A et B marque la frontière invisible qui sépare l'East Village, à l'ouest, d'Alphabet City, à l'est. Le coin abritait autrefois des immigrés originaires d'Europe de l'Est. En témoignent les vieux Polonais et Ukrainiens que l'on croise encore parmi les punks, les étudiants, les

East Village et Greenwich Village

sans-abri et les jeunes cadres dynamiques promenant leur chien.

New Museum of Contemporary Art MUSÉE
(carte ci-dessous ; ☎212-219-1222 ; www. newmuseum.org ; 235 Bowery, à hauteur de Prince St ; adulte/enfant 12 $/gratuit ; ⏲11h-18h mer, ven, sam et dim, 11h-21h jeu). Dans un bâtiment à l'architecture ambitieuse sur le Bowery jadis malfamé, le seul musée de la ville consacré à l'art contemporain comporte une plate-forme d'observation qui dévoile une perspective unique sur un paysage urbain en constante évolution.

Russian & Turkish Baths SPA
(carte ci-dessous ; ☎212-505-0665 ; www. russianturkishbaths.com ; 268 E 10th St ; 30 $; ⏲12h-22h lun, mar, jeu et ven, 10h-22h mer, 9h-22h sam, 8h-22h dim). En activité depuis 1892, cet établissement à l'atmosphère authentique mais à la propreté un brin douteuse comprend quatre types de saunas et dispense des massages à une clientèle

hétéroclite d'amoureux, d'acteurs célèbres et de vrais Russes.

Astor Place et environs QUARTIER
(carte ci-dessous). À l'extrémité ouest de St Mark's Pl, ce quartier autrefois réservé à une certaine élite a conservé quelques impressionnantes bâtisses de style néogrec. Aujourd'hui, une grande enseigne Starbucks se dresse à un angle, un magasin K-Mart à un autre, tandis qu'une haute tour d'habitation en verre domine l'ensemble. L'endroit se distingue par sa sculpture pivotante surnommée "The Cube" et ses rassemblements de skateurs.

Cooper Union MONUMENT HISTORIQUE
(carte ci-dessous ; www.cooper.edu ; 51 Astor Pl). Cet établissement d'enseignement supérieur fondé en 1859 par le riche industriel Peter Cooper occupe un majestueux bâtiment de grès rouge. C'est dans son grand hall qu'Abraham Lincoln prononça, avant

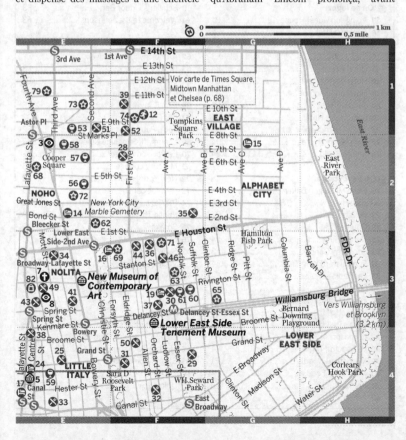

East Village et Greenwich Village

d'être élu à la Maison-Blanche, son fameux discours condamnant l'esclavage.

GREENWICH VILLAGE (WEST VILLAGE)

Ancien foyer du mouvement pour le droit des homosexuels et repaire des poètes de la Beat Generation, ce quartier synonyme de vie artistique, intellectuelle et non-conformiste semble à mille lieues de l'agitation de Broadway et pour tout dire presque européen. Si la plupart des visiteurs l'appellent Greenwich Village, les habitants, eux, préfèrent parler du "Village". Bordées de bâtiments onéreux bien entretenus, de cafés et de restaurants, ses rues étroites invitent à la promenade.

Washington Square Park et environs   PARC

(carte p. 62). Grâce à son statut d'ancien cimetière pour indigents, ce parc a échappé au développement immobilier. Il fait peau neuve et connaît désormais une forte fréquentation, surtout le week-end : les enfants s'ébattent sur son terrain de jeu et les étudiants viennent prendre le soleil au vert. Son arc emblématique fut inauguré en 1895, d'après les plans de l'architecte Stanford White, pour célébrer le centenaire de l'inauguration de la ville par George Washington. L'université de New York, l'une des plus grandes du pays, se tient sur un immense domaine au milieu du Village, marquant les alentours de son empreinte architecturale et démographique. Haut lieu du basket amateur, le petit terrain baptisé **The Cage** (angle Sixth Ave et W 3rd St) attire à ce titre d'excellents joueurs ainsi qu'un public nombreux – plus il y a de spectateurs, plus la frime prévaut.

Christopher Street Pier (Pier 45)   ESPLANADE

(carte p. 58 ; Christopher St, au bord de l'Hudson ; ☺fermeture à 1h). Les promoteurs de l'Hudson River Park Project ont apporté une attention particulière à l'aménagement de ce quai fluvial, agrémenté de pelouses et de parterres de fleurs, d'une plate-forme en bois, d'abris de toile, de bancs et d'une fontaine en pierre à l'entrée.

Sheridan Square et environs   QUARTIER

Le petit parc triangulaire de Sheridan Square dans la partie ouest du quartier abrite les personnages blancs grandeur nature réalisés par le sculpteur George Segal en hommage à la communauté homosexuelle et à la Gay Pride qui débuta au **Stonewall Inn**, aujourd'hui rénové, de

l'autre côté de la rue. Un *block* plus à l'est, une rue décrivant un coude a été baptisée officiellement Gay St. Bien que la scène gay se soit largement déplacée vers Chelsea, **Christopher Street** reste toutefois son épicentre dans Greenwich Village.

MEATPACKING DISTRICT

Niché entre l'extrémité de Greenwich Village et la lisière sud de Chelsea, ce quartier en vogue doit son nom à la présence autrefois de 250 abattoirs, mais il ne compte aujourd'hui que huit boucheries. Connu à une époque pour ses prostituées et ses travestis, il accueille désormais un nombre croissant de bars à vin, restaurants et discothèques branchés, de magasins de mode haut de gamme, d'hôtels chics et d'immeubles d'habitation cossus. La création du High Line, un parc très apprécié, n'a fait que renforcer cette tendance.

♥ High Line   PARC

(carte p. 58 ; www.thehighline.org ; ☺7h-22h). Une portion de voie ferrée aérienne a été aménagée pour former cette longue coulée verte entre Gansevoort St et W 34th St (entrées sur Gansevoort, 14th St, 16th St, 18th St, 20th St et 30th St ; ascenseurs partout sauf dans 18th St). Mariant intelligemment nature et éléments industriels contemporains, elle permet d'échapper à l'univers urbain qui se déploie à 9 m en contrebas. Un **amphithéâtre** à la façade de verre se tient juste au-dessus de 10th Ave – apportez de quoi pique-niquer et rejoignez les employés du coin qui déjeunent sur ses gradins. Dominant le parc du haut de ses pilotis en béton, l'hôtel **Standard** actuellement très couru comprend deux bars et un grill, ainsi que des chambres onéreuses. Un second tronçon de 800 m entre 20th St et 30th St, dont la partie nord est proche de Penn Station, a ouvert à l'été 2011. Le **Whitney Museum of American Art** (installé depuis longtemps dans l'Upper East Side) devrait emménager en 2015 dans un nouveau bâtiment construit sur Gansevoort St.

CHELSEA

Le quartier possède deux attractions majeures : ses séduisants "Chelsea boys" gays qui défilent sur Eighth Ave durant le *happy hour* pour aller prendre un verre après leur séance de musculation, et ses quelque 200 galeries d'art moderne (www.westchelseaarts.com), la plupart concentrée à l'ouest de Tenth Ave.

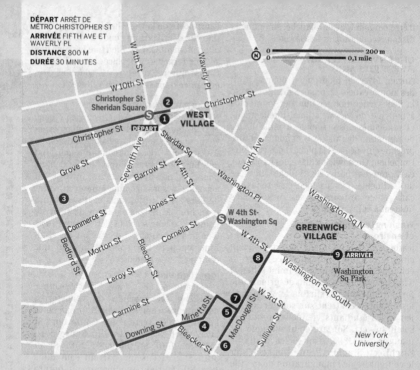

DÉPART ARRÊT DE MÉTRO CHRISTOPHER ST
ARRIVÉE FIFTH AVE ET WAVERLY PL
DISTANCE 800 M
DURÉE 30 MINUTES

Promenade à pied

Le Village rebelle

❯ Le lacis de rues le plus indiscipliné de Manhattan se trouve à Greenwich Village, foyer historique des artistes de tout genre, des activistes de la cause homosexuelle, des féministes et autres groupes contestataires. Pour commencer, descendez du métro à Christopher St et faites halte au ❶ **Christopher Park**, où des statues blanches grandeur nature représentant deux couples du même sexe (Gay Liberation, 1992) montent la garde. Au nord se tient le légendaire ❷ **Stonewall Inn**, le bar où se déroulèrent en 1969 les émeutes de Stonewall, tournant du mouvement des droits civiques pour les gays américains. Après avoir franchi Seventh Ave South, continuez vers l'ouest sur Christopher St, cœur de la communauté gay du quartier. Prenez à gauche la pittoresque Bedford St pour jeter un œil au ❸ **Chumley's**, bar clandestin créé à la Prohibition et fréquenté plus tard par les poètes de la Beat Generation. Un peu plus loin, tournez à gauche dans Downing St et traversez Sixth Ave. Suivez vers l'est la tortueuse Minetta St où la devanture du

restaurant mexicain Panchito's dissimule l'enseigne délavée du ❹ **Fat Black Pussycat** – c'est dans ce café, alors appelé The Commons, que le jeune Bob Dylan écrivit et chanta en 1962 *Blowin' in the Wind*. Engagez-vous à droite dans Minetta Lane, puis encore à droite dans MacDougal St pour rejoindre la ❺ **Minetta Tavern**, autre bar clandestin ouvert en 1922, dont les murs sont tapissés de photos de célébrités l'ayant fréquenté. Le même *block* abritait le ❻ **Folklore Center** d'Izzy Young, point de ralliement de musiciens folk comme Dylan, qui fit ses débuts sur scène au ❼ **Cafe Wha?**. Reprenez MacDougal en sens inverse jusqu'à l'actuel Research Fellows & Scholars Office de la faculté de droit de l'université de New York. Ce bureau occupe l'emplacement du ❽ **Liberal Club**, fondé en 1913, où se réunissaient des libres-penseurs à l'image de Jack London et d'Upton Sinclair. Au-delà s'ouvre l'entrée sud-ouest du ❾ **Washington Square Park**, repaire de longue date des "gauchistes". Pour finir, quittez le parc par son arc emblématique et remontez Fifth Ave.

Rubin Museum of Art

MUSÉE

(carte p. 68 ; 212-620-5000 ; www.rmanyc.
org ; 150 W 17th St à hauteur de Seventh Ave ;
adulte/enfant 10 \$/gratuit ; 11h-17h lun et jeu,
11h-19h mer, 11h-22h ven, 11h-18h sam et dim).
L'impressionnante collection de ce musée
consacré aux arts des contrées de l'Himalaya
comprend des textiles brodés chinois, des
peintures du Bhoutan, des sculptures en
métal, objets rituels et masques de danse
originaires de diverses régions du Tibet, qui
datent du IIe au XIXe siècle.

Chelsea Piers

COMPLEXE SPORTIF

(carte p. 68 ; 212-336-6666 ; www.
chelseapiers.com ; W 23rd St, au bord de
l'Hudson). Ce complexe sportif au bord
de l'eau possède un parcours de golf sur
quatre étages, une patinoire couverte, un
élégant bowling, un espace réservé au
basket, une école de voile pour les enfants,
des cages de base-ball, d'immenses
installations de gym, des murs d'escalade
en intérieur, et plus encore.

FLATIRON DISTRICT

Au carrefour de Broadway, Fifth Ave et
23rd St, le célèbre et magnifique **Flatiron
Building** (1902) se distingue par son
étroite silhouette en étrave adaptée à
la forme triangulaire du site. Premier
gratte-ciel à structure métallique de New
York, il fut jusqu'en 1909 le bâtiment le
plus haut du monde. Il se situe dans un
quartier à la mode de boutiques et de
lofts où un corridor high-tech en pleine
expansion se déploie jusqu'à Chelsea. Le
paisible **Madison Square Park**, bordé par
23rd St et 26th St ainsi que Fifth Ave et
Madison Ave, comporte un espace pour
faire courir les chiens, des sculptures
tournantes, des bancs à l'ombre et un
restaurant de hamburgers populaire.
Plusieurs rues à l'est, le **Museum of
Sex** (carte p. 68 ; 212-689-6337 ; www.
museumofsex.com ; 233 Fifth Ave, à hauteur de W
27th St ; 18 \$; 10h-20h dim-jeu, 10h-21h ven et
sam), interdit d'accès aux moins de 18 ans,
rend un hommage conceptualisé au sexe.

UNION SQUARE

Cette place urbaine plantée d'herbe en son
centre bourdonne d'activité et voit se croiser
toutes sortes de New-Yorkais. À l'issue d'un
réaménagement, elle est à présent dotée d'un
beau terrain de jeu et de toilettes publiques à
son extrémité nord. Les manifestants contre
la guerre ou en faveur d'idées progressistes
ont pris l'habitude de se rassembler sur les
marches de la partie sud.

Greenmarket Farmers Market

MARCHÉ D'ALIMENTATION

(carte p. 68 ; 212-788-7476 ; www.grownyc.org ;
17th St, entre Broadway et Park Ave S ; 8h-18h
lun, mer, ven et sam). Presque tous les jours,
le plus populaire des quelque 50 marchés
d'alimentation des cinq *boroughs*
(arrondissements) se tient dans la partie
nord de Union Square. De grands chefs
viennent s'y approvisionner en produits
rares tels que "têtes de violon" (jeunes
pousses de fougères comestibles), variétés
de tomates anciennes et feuilles de curry
fraîches.

GRAMERCY PARK

L'un des plus jolis parcs de New York a
donné son nom au secteur d'une vingtaine
de *blocks* qui s'étend à l'est de Madison Ave.
Comme il n'est accessible qu'aux riverains
disposant d'une clé, vous devrez vous
contenter de jeter un coup d'œil à travers
les grilles.

Theodore Roosevelt's Birthplace

MONUMENT HISTORIQUE

(carte p. 68 ; 212-668-2251 ; www.nps.gov/thrb ;
28 E 20th St, entre Park Ave et Broadway ; 3 \$;
9h-17h mar-sam). L'endroit n'a d'historique
que le nom, la véritable maison natale du
26e président des États-Unis ayant été
démolie de son vivant.

MIDTOWN

Toute l'imagerie new-yorkaise classique –
gratte-ciel étincelants, foule grouillante,
vitrines de Fifth Ave et ballet de taxis – se
retrouve à Midtown, sans oublier plusieurs
sites phares. À l'époque où la presse
écrite constituait le principal vecteur de
l'information et de la culture, beaucoup
de journaux y avaient leur siège, et c'est
toujours le cas du *New York Times*. Avec
l'Algonquin Hotel, lieu de rendez-vous des
écrivains, Midtown faisait également figure
de quartier littéraire.

Museum of Modern Art

MUSÉE

(MoMA ; carte p. 68 ; 212-708-9400 ; www.
moma.org ; 11 W 53rd St, entre Fifth Ave et
Sixth Ave ; adulte/enfant 20 €/gratuit, gratuit
16h-20h ven ; 10h30-17h30 sam-lun et mer-jeu,
10h30-20h ven, fermé mar). Fondé il y a 75 ans,
ce haut lieu de l'art rassemble une collection
exceptionnelle de plus de 100 000 pièces.
Le projet de rénovation controversé de
l'architecte Yoshio Taniguchi a doublé la
capacité du musée, qui couvre désormais
58 500 m² sur six étages. L'atrium central sur
5 niveaux expose des œuvres de la plupart
des grands maîtres de la peinture, comme

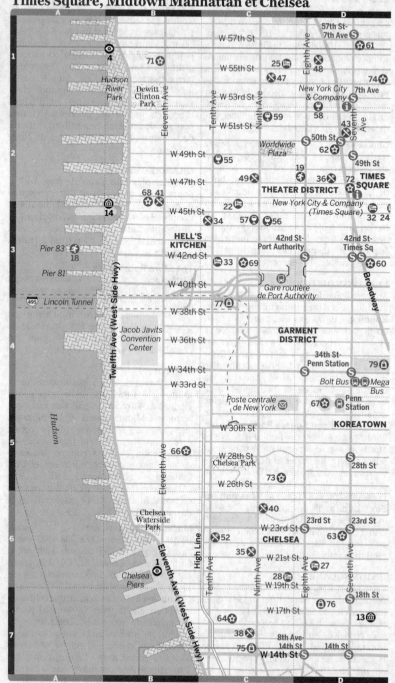

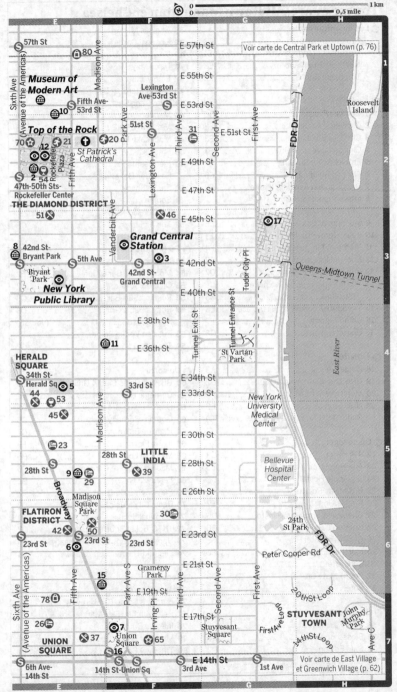

0   1 km
0   0,5 mile

Voir carte de Central Park et Uptown (p. 76)

57th St
E 57th St
80
E 55th St
Museum of
Modern Art
Lexington
Ave-53rd St
E 53rd St
Fifth Ave-
53rd St
10
51st St
31
E 51st St
Roosevelt
Island
Top of the Rock
70
21
20
12
St Patrick's
Cathedral
E 49th St
2   54
E 47th St
47th-50th Sts-
Rockefeller Center
THE DIAMOND DISTRICT
51
46
E 45th St
17
8   42nd St-
Bryant Park
Grand Central
Station
5th Ave
3
E 42nd St
Queens-Midtown Tunnel
Bryant
Park
42nd St-
Grand Central
New York
Public Library
E 40th St
E 38th St
11
E 36th St
HERALD
SQUARE
34th St-
Herald Sq
5
33rd St
E 34th St
44
53
E 33rd St
New York
University
Medical
Center
45
23
E 30th St
Bellevue
Hospital
Center
28th St
9
29
28th St
LITTLE
INDIA
E 28th St
39
E 26th St
Madison
Square Park
30
24th
St Park
FLATIRON
DISTRICT
42   50
6   23rd St
23rd St
E 23rd St
Peter Cooper Rd
15
Gramercy
Park
E 21st St
78
E 19th St
26
E 17th St
STUYVESANT
TOWN
John
Murphy
Park
UNION
SQUARE
37
7
Union
Square
65
Stuyvesant
Square
16
6th Ave-
14th St
14th St-Union Sq
E 14th St
3rd Ave
1st Ave
Voir carte de East Village
et Greenwich Village (p. 62)

East River

FDR Dr

Tudor City Pl

Tunnel Exit St

Tunnel Entrance St

St Vartan
Park

Sixth Ave
(Avenue of the Americas)

Madison Ave

Fifth Ave

Park Ave

Lexington Ave

Third Ave

Second Ave

First Ave

Vanderbilt Ave

Broadway

Park Ave S

Irving Pl

20th St Loop

FDR Dr

14th St Loop

First Ave Loop

Ave C

Times Square, Midtown Manhattan et Chelsea

◉ Les incontournables

Grand Central Station F3
Museum of Modern Art........................ E1
New York Public Library........................E3
Top of the Rock......................................E2

◉ À voir

1 Chelsea Piers B6
2 Christie's E2
3 Chrysler Building F3
4 Clinton Cove (Pier 96)........................B1
5 Empire State Building E4
6 Flatiron Building..................................E6
7 Greenmarket Farmers Market F7
8 International Center of
    Photography E3
9 Museum of Sex E5
10 Paley Center for Media........................ E1
11 Pierpoint Morgan Library....................F4
12 Rockefeller Center...............................E2
13 Rubin Museum of Art D7
14 The Intrepid Sea, Air & Space
    Museum.. B3
15 Theodore Roosevelt's Birthplace.........E6
16 Union Square F7
17 United Nations......................................G3

◉ Activités

18 Circle Line A3
19 Gray Line Sightseeing D2
20 Municipal Art Society F2
21 NBC Studios...E2
    Radio City Music Hall ....(voir 70)

◉ Où se loger

22 414 Hotel C3
23 Ace Hotel New York City E5
24 Big Apple Hostel D3
25 Broadway Rooms C1
26 Chelsea Inn E7
27 Chelsea International Hostel D6
28 Chelsea Lodge C6
29 Gershwin Hotel E5
30 Marcel...F6
31 Pod Hotel...F2
32 Room-Mate Grace D3
33 Yotel..C3

◉ Où se restaurer

34 44 & X C3
35 Blossom C6
36 Café Edison D2
37 Chat N' Chew E7

38 Chelsea Market C7
39 Chennai Garden F5
40 Co. C6
41 Daisy May's BBQ B2
42 Eataly E6
43 Ellen's Stardust Diner D2
44 Kum Gang San......................................E4
45 Mandoo Bar E5
46 Mechango Tei F3
47 Mooncake Foods................................. C1
48 Patsy's... D1
49 Pietrasanta C2
    Poseidon Bakery ....(voir 57)
50 Shake Shack..E6
51 Sophie's E3
    The Breslin...................................(voir 23)
52 The Highliner C6

◉ Où prendre un verre

53 Mé Bar... E4
54 Morrell Wine Bar & Café E2
55 On the Rocks C2
56 Réunion Surf Bar C3
57 Rudy's Bar & Grill C3
    Rum House ....(voir 36)
58 Russian Vodka Room............................ D1
59 Therapy C2

◉ Où sortir

60 BB King Blues Club & Grill....................D3
61 Carnegie Hall D1
62 Caroline's on Broadway.........................D2
63 Gotham Comedy Club D6
64 Highline Ballroom................................C7
65 Irving Plaza F7
66 M2 Ultra Lounge....................................B5
67 Madison Square Garden........................D5
68 Pacha B2
69 Playwrights Horizons............................C3
70 Radio City Music Hall............................E2
71 Terminal 5.. B1
72 TKTS Ticket Booth.................................D2
73 Upright Citizens Brigade Theatre C5
74 Ziegfeld Theater D1

◉ Achats

75 Apple Store..C7
76 Barney's Co-op (Downtown).................D7
77 Hell's Kitchen Flea Market.....................C4
78 Idlewild Books E7
79 Macy's D4
80 Tiffany & Co E1

Matisse, Picasso, Cézanne, Rothko, Pollock et bien d'autres. Attendez-vous à une forte affluence et à de longues files d'attente.

Times Square et le Theater District
QUARTIER

(carte p. 68). Sis en plein cœur de Midtown, au croisement de Broadway et de Seventh Ave, ce secteur pavoisé d'enseignes lumineuses géantes où l'on célèbre le Nouvel An en fanfare incarne à ce point New York qu'on en oublierait presque son côté kitch et clinquant. Surnommé le *"Crossroads of the World"* (Carrefour du Monde), Times Square a beaucoup changé depuis les années 1970, époque à laquelle les clubs de strip-tease glauques, les prostituées et les pickpockets se disputaient l'espace. Aujourd'hui, 35 millions de visiteurs y affluent chaque année, attirés par les grandes chaînes dont American Eagle, ses magasins à thème comme Hershey's et ses multiplexes dernier cri aux écrans immenses. Afin d'améliorer le confort des piétons et de réduire les embouteillages endémiques, Broadway est fermée à la circulation automobile entre 47th St et 42nd St.

Times Square est également connu comme le **Theater District**, qui regroupe des dizaines de théâtres de Broadway et off-Broadway, dans la zone qui va de 41st St à 54th St, entre Sixth Ave et Ninth Ave. La branche locale de la **New York City & Company** (212-763-1560 ; www.timessquarenyc.org ; 1560 Broadway, entre 46th St et 47th St ; 9h-19h lun-ven, 8h-20h dim), l'organisme officiel du tourisme à New York, se tient au beau milieu de la place, dans l'Embassy Theater superbement restauré. En tant qu'axe routier, Broadway se prolongeait autrefois jusqu'au capitole de l'État, à Albany.

Rockefeller Center
MONUMENT HISTORIQUE

(carte p. 68). La construction pendant la Grande Dépression des années 1930 de ce complexe de 9 ha et de son gratte-ciel Art déco emblématique dura 9 ans et mobilisa 70 000 ouvriers. Il s'agissait alors du premier projet architectural associant commerces de détail, bureaux et espaces de loisirs, ce qui lui vaut toujours d'être qualifié de "ville dans la ville". La plate-forme d'observation sur trois niveaux du **Top of the Rock** (212-698-2000 ; www.topoftherocknyc.com ; entrée principale sur 50th St, entre Fifth Ave et Sixth Ave ; adulte/enfant 22/15 $; 8h-24h), au sommet du Rockefeller Center, offre une vue panoramique fabuleuse qui, par temps clair, embrasse le New Jersey de l'autre côté

du fleuve. Les 67e et 69e étages comportent par ailleurs des terrasses à ciel ouvert. En hiver, l'esplanade au rez-de-chaussée accueille une patinoire dominée par un arbre de Noël géant. À l'intérieur du centre, le **Radio City Music Hall** (212-247-4777 ; www.radiocity.com ; 1260 Sixth Ave ; visite guidée adulte/enfant 22,50/16 $; 11h-15h lun-dim), un cinéma Art déco de 6 000 places ouvert en 1932, a été restauré et classé monument historique ; des visites guidées partent du hall toutes les 30 minutes. Le GE Building de 70 étages abrite le siège et les **studios de NBC** (212-664-3700 ; www.nbcstudiotour. com ; 30 Rockefeller Plaza ; adulte/enfant 20/17 $; 8h30-17h30 lun-sam, 8h30-18h30 ven et sam, 9h15-16h30 dim) ; des visites guidées quittent le hall toutes les 15 minutes, mais les moins de 6 ans ne peuvent y participer. L'émission quotidienne *The Today Show* est diffusée de 7h à 11h depuis un studio vitré au niveau de la rue, près de la fontaine.

GRATUIT New York Public Library
BIBLIOTHÈQUE, MUSÉE

(carte p. 68 ; 212-340-0833 ; www.nypl. org ; Fifth Ave, à hauteur de 42nd St ; 10h-18h mar-sam). Flanqué de deux lions en marbre surnommés Patience et Fortitude ("courage") par l'ancien maire Fiorello LaGuardia, l'escalier par lequel on accède à la New York Public Library ne manque pas de majesté. Véritable hymne au savoir et à la culture, ainsi qu'à la fortune industrielle qui finança sa construction, l'institution occupe un somptueux édifice de style Beaux-Arts. Au 3e étage, la magnifique salle de lecture inondée de lumière naturelle arbore des rangées de tables en bois sous de grands lustres accrochés à un plafond peint. C'est l'antenne principale du réseau de bibliothèques publiques de la ville, qui donne à voir des galeries de manuscrits et de passionnantes expositions temporaires. Juste derrière se trouve **Bryant Park**, un carré de verdure bien entretenu, avec des tables et des chaises, une bibliothèque de prêt, des échiquiers, des tables de ping-pong et une connexion Wi-Fi gratuite, ainsi qu'une patinoire l'hiver.

Empire State Building
MONUMENT HISTORIQUE

(carte p. 68 ; 212-736-3100 ; www.esbnyc. org ; 350 Fifth Ave, à hauteur de E 34th St ; adulte/enfant 20/15 $; 8h-2h). Prestigieux figurant dans près d'une centaine de films, dont le fameux *King Kong*, l'Empire State Building est le plus célèbre des gratte-ciel new-yorkais. Ce colosse en pierre calcaire fut édifié sur le site d'origine du Waldorf-Astoria Hotel en 410 jours seulement, soit 7 millions d'heures de main-d'œuvre, au plus dur de la crise de 1929, pour un coût de 41 millions de dollars. Haut de 449 m (antenne comprise) et doté de 102 étages, il fut inauguré en 1931 après la pose de 10 millions de briques, de 6 400 fenêtres et de 100 000 m² de marbre. Un ascenseur dessert les points de vue des 86e et 102e étages (supplément de 17 $ pour le second), mais il faut faire la queue ; une visite de bonne heure ou tard le soir, et l'achat d'un billet en ligne ou d'un coupe-file (*express pass*), vous fera gagner du temps.

Grand Central Station MONUMENT HISTORIQUE
(carte p. 68 ; www.grandcentralterminal.com ; 42nd St, à hauteur de Fifth Ave). Achevée en 1913, cette gare prestigieuse sur le réseau de la New York Central and Hudson River Railroad ne dégage plus guère l'atmosphère romantique d'autrefois : il s'agit maintenant du terminus des lignes de la Metro North ralliant la banlieue nord de New York et le Connecticut. Même si vous n'avez pas de train à prendre, cela vaut quand même la peine de venir admirer son hall principal dont la voûte restaurée s'orne de constellations. Grand Central accueille un marché alimentaire haut de gamme et son niveau inférieur abrite un excellent choix de restaurants, le balcon un bar-lounge cosy de style 1920 appelé **Campbell Apartment**.

Fifth Avenue et environs QUARTIER
Immortalisée par le cinéma et la chanson, la Cinquième Avenue a gagné sa réputation de quartier chic au début du XXe siècle, quand l'on s'y rendait pour son ambiance champêtre et ses grands espaces. La série d'hôtels particuliers du **Millionaire's Row** s'étendait à l'origine jusqu'à 130th St, mais la plupart des demeures au-dessus de 59th St ont été vendues par leurs héritiers pour être démolies ou transformées en institutions culturelles qui forment désormais le Museum Mile.

La portion située à Midtown accueille notamment la Trump Tower (725 Fifth Ave, à hauteur de 56th St) et des hôtels de luxe comme le Plaza (angle Fifth Ave et Central Park South). Si certaines des boutiques les plus sélectes ont déménagé dans Madison Ave, cédant la place à des enseignes de chaînes telles que Gap ou H&M, plusieurs adresses ultra-connues règnent encore sur Fifth Ave au nord de 50th St, dont le célèbre Tiffany & Co.

Pierpont Morgan Library MUSÉE
(carte p. 68 ; 212-685-0008 ; www.morganlibrary.org ; 29 E 36th St, à hauteur de Madison Ave ; adulte/enfant 15/10 $; 10h30-17h mar-jeu, 10h30-21h ven, 10h-18h sam et dim). Joliment restauré, ce musée fait partie de l'hôtel particulier de 45 pièces ayant appartenu au banquier et financier J. P. Morgan. Outre son bureau renfermant des œuvres d'art de la Renaissance italienne, il abrite une collection de manuscrits et de livres précieux dont la Bible de Gutenberg, des miniatures, des dessins, des sceaux antiques et des partitions originales.

United Nations Headquarters VISITE GUIDÉE
(carte p. 68 ; 212-963-8687 ; www.un.org/tours ; First Ave, entre 42nd St et 48th St ; visite guidée adulte/enfant 16/9 $; 9h45-16h45). Le siège des Nations unies occupe une parcelle de territoire international donnant sur l'East River. Des visites guidées de 45 minutes (fréquentes en anglais, moins dans d'autres langues) permettent de découvrir les locaux de l'Assemblée générale, qui réunit chaque automne les représentants des pays membres, du Conseil de sécurité, susceptible d'être convoqué à tout moment, et du Conseil économique et social. Un parc émaillé de sculptures sur le thème de la paix se déploie au sud du complexe.

Paley Center for Media MUSÉE
(carte p. 68 ; 212-621-6800 ; www.paleycenter. org ; 25 W 52nd St ; adulte/enfant 10/5 $, théâtre 6 $; 12h-18h ven-mer, 12h-20h jeu). Paradis des fans de TV et de radio, ce centre présente un catalogue de plus de 100 000 émissions et publicités à visionner sur des consoles en un clic de souris. Une salle confortable permet l'audition d'émissions de radio, tandis que des projections et autres manifestations ont lieu fréquemment.

Intrepid Sea, Air & Space Museum MUSÉE
(carte p. 68 ; 212-245-0072 ; www.intrepidmuseum. org ; Pier 86, Twelfth Ave à hauteur de 46th St ; adulte/enfant 24/12 $; 10h-17h lun-ven, 10h-18h sam et dim). Rescapé d'un bombardement et d'attaques kamikazes durant la Seconde Guerre mondiale, le porte-avions *Intrepid* a été reconverti en musée militaire high-tech. Vous pourrez voir notamment des avions de combat et des hélicoptères sur le pont d'envol, ainsi que le sous-marin *Growler*, un Concorde et la navette spatiale *Enterprise*.

International Center of Photography MUSÉE
(carte p. 68 ; 212-857-0000 ; www.icp.org ; 1133 Sixth Ave, à hauteur de 43rd St ; adulte/

enfant 12 \$/gratuit ; ☉10h-18h mar-jeu et sam-dim, 10h-20h ven). L'espace le plus important de la ville consacré aux travaux des grands photographes, et en particulier des photo-reporters. Ses expositions passées ont montré des œuvres d'Henri Cartier-Bresson, de Matthew Brady ou encore de Robert Capa.

Herald Square et environs QUARTIER

Situé à l'angle de Broadway, de Sixth Ave et de 34th St, ce quartier animé est surtout connu pour abriter le célèbre grand magasin **Macy's**, dont les vieux ascenseurs en bois d'origine desservent les étages dédiés aux vêtements pour femme, à la lingerie, aux articles pour la maison, etc. La place tire son nom d'un journal aujourd'hui disparu, le *New York Herald*, et son petit parc arboré bourdonne d'activité dans la journée. Inutile de vous attarder dans la galerie marchande au sud de Macy's, dans Sixth Ave, car elle renferme les mêmes chaînes que partout ailleurs. Afin d'endiguer les embouteillages, Broadway a été transformée en axe piétonnier entre 33rd St et 35th St.

À l'ouest de Herald Sq, le **Garment District** concentre la plupart des bureaux de créateurs de mode de la ville. Si les vêtements ne sont plus guère fabriqués dans le coin, on y trouve en revanche un choix impressionnant de tissus, boutons, paillettes, dentelles et autres articles du genre.

De 31st St à 36th St, entre Broadway et Fifth Ave, la vivante enclave de **Koreatown** (K-Town) recèle de bons restaurants coréens et d'authentiques karaokés.

Hell's Kitchen (Clinton) QUARTIER

L'extrémité ouest de Midtown fut jadis un quartier ouvrier de logements et d'entrepôts alimentaires appelé Hell's Kitchen – ce sobriquet lui aurait été donné par un policier à la suite d'une émeute en 1881. Mais le boom économique des années 1990 en a profondément modifié la physionomie et les promoteurs l'ont rebaptisé du nom plus reluisant de Clinton ; les habitants, eux, restent partagés quant à cette appellation. Grâce aux restaurants qui ont fleuri le long de Ninth Ave et Tenth Ave, entre 37th St et 55th St, le secteur est tout indiqué pour dîner avant ou après un spectacle. Ceux qui aiment chiner feront un tour au **Hell's Kitchen Flea Market** (carte p. 68 ; ☎212-243-5343 ; www.hellskitchenfleamarket. com ; W 39th St, entre Ninth Ave et Tenth Ave ; ☉7h-17h sam et dim), un marché aux puces qui compte 170 marchands de vêtements vintage, bijoux anciens, meubles d'époque et autres trésors.

Museum of Arts and Design MUSÉE

(carte p. 76 ; ☎212-299-7777 ; www.madmuseum. org ; 2 Columbus Circle ; adulte/enfant 15 \$/ gratuit ; ☉11h-18h mar-dim, 11h-21h jeu). Du côté sud du Columbus Circle, ce musée expose une collection hétéroclite à cheval entre l'art, le design et l'artisanat. Le somptueux décor psychédélique du **restaurant** au 9e étage va de pair avec une vue fantastique sur Central Park.

Chrysler Building MONUMENT HISTORIQUE

(carte p. 68 ; 405 Lexington Ave). Juste à l'est de Grand Central Station, ce chef-d'œuvre Art déco a été construit en 1930 pour être le siège de l'empire automobile de Walter P. Chrysler. Son architecture reprend des formes utilisées pour les calandres et les bouchons de radiateur de la firme. On ne peut pas monter dans les étages, occupés par des bureaux, mais peu importe, car l'élégant gratte-ciel s'apprécie mieux de loin.

UPPER WEST SIDE

Synonyme du New York intellectuel et progressiste – celui des films de Woody Allen (même si le cinéaste vit dans l'Upper East Side) et de la série *Seinfeld* –, ce quartier englobant la partie ouest de Manhattan depuis Central Park jusqu'à

ADJUGÉ VENDU !

Même si vous n'avez pas l'intention d'acheter quoi que ce soit, assister à une vente aux enchères est une expérience excitante qui combine les attraits d'une visite au musée et d'une séance de shopping haut de gamme. De renommée internationale, les maisons **Christie's** (☎212-636-2000 ; www.christies.com ; 20 Rockefeller Plaza) et **Sotheby's** (☎212-606-7000 ; www.sothebys.com ; 1334 York Ave, à hauteur de 72nd St) accueillent le grand public. Qu'il s'agisse de toiles d'Andy Warhol ou d'œuvres de grands maîtres de la peinture européenne, les prix atteignent généralement des sommets stratosphériques – gardez bien vos mains sur vos genoux car un mouvement involontaire de votre part peut être pris pour une enchère et vous coûter des millions de dollars !

l'Hudson et depuis Columbus Circle jusqu'à 110th St, a beaucoup perdu de son pittoresque. Upper Broadway a en effet été investie par des banques, des pharmacies et des chaînes commerciales qui ont remplacé les boutiques familiales et les librairies. On trouve cependant toujours de somptueux immeubles d'appartements, habités par des classes sociales montantes (dont nombre d'acteurs et de musiciens classiques), et de charmants espaces verts – **Riverside Park**, qui s'étend au bord de l'Hudson sur 6,5 km entre W 72nd St et W 158th St, se prête à la promenade, au jogging, au vélo et à la contemplation du coucher du soleil sur l'Hudson.

Central Park   PARC

(carte p. 76 ; ☑212-310-6600 ; www. centralparknyc.org ; entre 57th St et 110th St et Fifth Ave et Central Park ; 🚇). On peine à imaginer ce que serait New York sans cet immense poumon vert en plein Manhattan, où les habitants peuvent décompresser à l'écart des trottoirs grouillants et des rues congestionnées. Créé en 1856 par Frederick Law Olmsted et Calvert Vaux dans la zone marécageuse à la lisière nord de la ville, ce domaine de 340 ha fut le premier grand parc public à avoir été aménagé aux États-Unis. D'un style naturel novateur à l'époque, il est émaillé de bosquets, de sentiers sinueux et d'étangs. Parmi les étapes incontournables figurent **Sheep Meadow** (entre 66th St et 69th St), où des milliers de gens viennent se détendre le week-end lorsqu'il fait beau ; **Strawberry Fields** (à hauteur de 72nd St), dédié à John Lennon qui fut assassiné de l'autre côté de la rue devant l'**immeuble Dakota** où il résidait ; le miroitant **réservoir Jacqueline Kennedy Onassis**, autour duquel courent les joggers ; le **Central Park Zoo** (☑212-439-6500 ; www.wcs.org ; 64th St, à hauteur de Fifth Ave ; adulte/enfant 10/5 $; ☉10h-17h lun-ven, 10h-17h30 sam et dim) ; le **Mall**, une promenade bordée de grands arbres débouchant sur l'élégante **fontaine Bethesda** ; et le **Ramble**, un espace boisé où font escale près de 250 espèces d'oiseaux migrateurs qu'on surprend plus facilement tôt le matin. Nombre de touristes optent pour une balade en **calèche** (carte p. 76 ; 35 $ les 30 min, plus généreux pourboire) au départ de 59th St (Central Park South) ou à bord d'un des **pédicabs** (vélos-taxis ; 30 $ les 30 min) qui stationnent à Central Park West et 72nd St. Pour tout renseignement, passez au **Dairy Building visitor center** (carte p. 76 ; ☑212-794-6564 ; Central Park, à hauteur de 65th St ; ☉10h-17h mar-sam), dans la partie sud du parc.

Lincoln Center   CENTRE CULTUREL

(carte p. 76 ; ☑212-875-5456 ; www.lincolncenter. org ; angle Columbus Ave et Broadway). Il ne reste plus que quelques détails à parachever pour conclure le très onéreux projet de transformation du plus vaste complexe de spectacles au monde. L'impressionnant Alice Tully Hall et d'autres salles étonnantes s'organisent autour d'une fontaine monumentale. Les lieux ouverts à tous, dont une pelouse sur le toit du North Plaza (au-dessus d'un restaurant haut de gamme), ont été agrandis. Le somptueux **Metropolitan Opera House** (MET), plus grand Opéra du globe, peut accueillir 3 900 personnes. D'intéressantes **visites guidées** (☑212-875-5350 ; adulte/enfant 15/8 $; 1 heure), axées sur l'architecture, la découverte des coulisses et autres thèmes, partent du hall de la salle Avery Fisher tous les jours de 10h30 à 16h30. La connexion Wi-Fi est disponible gratuitement dans l'ensemble du centre, notamment au **David Rubenstein Atrium** (Broadway, entre 62nd St et 63rd St), un espace public moderne regroupant un salon, un café, un comptoir d'information et une billetterie proposant des réductions pour les spectacles le jour même au Lincoln Center.

♥ American Museum of Natural History   MUSÉE

(carte p. 76 ; ☑212-769-5100 ; www.amnh.org ; Central Park West, à hauteur de 79th St ; don suggéré adulte/enfant 16/9 $, supplément pour les spectacles du planétarium, les films IMAX et les expositions temporaires ; ☉10h-17h45 ; 🚇). Fondé en 1869, ce musée rassemble plus de 30 millions de pièces, dont quantité d'animaux naturalisés, et présente des installations interactives. Les squelettes de dinosaures des trois grandes salles de paléontologie, l'immense baleine bleue factice suspendue au plafond du Hall of Ocean Life et le **Rose Center for Earth & Space** – une énorme boîte en verre qui contient un globe argenté renfermant des cinémas et un planétarium – retiennent particulièrement l'attention. La façade de ce dernier ne manque pas de fasciner, surtout le soir quand tous ces éléments étranges sont illuminés.

New York Historical Society   MUSÉE

(carte p. 76 ; ☑212-873-3400 ; www.nyhistory. org ; 170 Central Park W, à hauteur de 77th St ; adulte/enfant 10/6 $; ☉10h-18h mar-dim). Le plus vieux musée de la ville, créé en 1804, a bénéficié de rénovations massives en 2011. Sa riche collection permanente d'œuvres d'art et d'objets historiques, qui comprend notamment la série d'aquarelles du peintre et ornithologue John James Audubon représentant les oiseaux d'Amérique du Nord, a intégré un espace d'exposition modernisé. Un nouvel auditorium, une bibliothèque et un restaurant complètent le tout.

MORNINGSIDE HEIGHTS
Au nord de l'Upper West Side, entre Broadway et 125th St à l'ouest, ce quartier est dominé par la **Columbia University**, membre de l'Ivy League (les huits universités les plus anciennes et prestigieuses du pays), qui possède une vaste pelouse centrale rectangulaire.

Cathedral Church
of St John the Divine   LIEU DE CULTE
(carte p. 76 ; 212-316-7540 ; 1047 Amsterdam Ave, à hauteur de 112th St ; ⊙7h-18h lun-sam, 7h-19h dim). La plus grande cathédrale des États-Unis, consacrée au culte épiscopalien, a connu 10 ans de restauration pour un résultat splendide. La grand-messe dominicale, à 11h, s'accompagne souvent de sermons prononcés par des intellectuels de renom.

UPPER EAST SIDE
L'Upper East Side (UES) affiche la plus forte concentration d'établissements culturels, dont le fameux Metropolitan Museum of Art (voir ci-après), d'où le surnom de "Museum Mile" donné à la section de Fifth Ave au-dessus de 57th St. Le prix de l'immobilier, du moins le long de Fifth Ave, Madison Ave et Park Ave, est l'un des plus exorbitants de la planète, mais le standing de ce quartier sélect diminue en allant vers l'est.

Metropolitan Museum of Art   MUSÉE
(carte p. 76 ; 212-535-7710 ; www.metmuseum. org ; 1000 Fifth Ave, à hauteur de 82nd St ; don suggéré adulte/enfant 25 $/gratuit ; ⊙9h30-17h30 mar-jeu et dim, 9h30-21h ven et sam). Avec plus de 5 millions de visiteurs par an, le "Met" est l'attraction phare de New York et l'un des musées d'art les plus riches au monde. Sorte de cité-État culturelle, il renferme une collection de 2 millions de pièces et son budget annuel dépasse les 120 millions de dollars. Ses salles de peintures et de sculptures européennes du XIXe siècle ont été largement agrandies et réaménagées.

Parmi les autres sections dignes d'intérêt, citons celles consacrées à l'art égyptien, l'art gréco-romain, les peintures européennes, l'art américain, les armes et armures et l'art moderne. Le jardin sur le toit, doté d'un

bar en été, offre une vue splendide. Notez que le don à l'entrée (pas obligatoire) inclut l'accès aux Cloisters (voir p. 79), son annexe, le même jour.

♥ Frick Collection   MUSÉE
(carte p. 76 ; 212-288-0700 ; www.frick. org ; 1 E 70th St ; 18 $; ⊙10h-18h mar-sam, 11h-17h dim). Cette collection d'art spectaculaire orne un hôtel particulier construit en 1914 par le magnat de l'acier Henry Clay Frick. Si l'étage reste fermé au public, les 12 salles somptueusement meublées du rez-de-chaussée abritent à voir des tableaux de maîtres comme Titien, Vermeer, le Greco et Goya, pour n'en citer que quelques-uns. Contrairement aux grands musées, l'endroit a l'avantage de n'être jamais bondé, même le week-end.

Solomon R. Guggenheim Museum   MUSÉE
(carte p. 76 ; 212-423-3500 ; www.guggenheim. org ; 1071 Fifth Ave ; adulte/enfant 18 $/gratuit ; ⊙10h-17h45 sam-mer, 10h-19h45 ven). Œuvre d'art à part entière, le bâtiment de Frank Lloyd Wright et sa magnifique rampe en spirale constituent un magnifique écrin pour les peintures du XXe siècle signées Picasso, Pollock, Chagall, Kandinsky et consorts.

Neue Galerie   MUSÉE
(carte p. 76 ; 212-628-6200 ; www.neuegalerie. org ; 1048 Fifth Ave, à hauteur de 86th St ; adulte 15 $, interdit aux moins de 12 ans ; ⊙11h-18h jeu-lun). Hébergée dans un majestueux hôtel particulier de Fifth Ave, la Neue Galerie expose des œuvres de l'art allemand et autrichien, notamment de Gustav Klimt et d'Egon Schiele. Le **Café Sabarsky**, au rez-de-chaussée, justifie à lui seul la visite pour son cadre fin XIXe siècle, ses pâtisseries viennoises (strudel aux pommes 8 $) et ses spectacles de cabaret du jeudi soir (45 $).

Whitney Museum of American Art   MUSÉE
(carte p. 76 ; 212-570-3600 ; www.whitney. org ; 945 Madison Ave, à hauteur de 75th St ; 18 $; ⊙11h-18h mer, jeu, sam et dim, 11h-21h dim). L'un des rares musées spécialiste de l'art américain contemporain, il présente des œuvres de Hopper, Pollock, Rothko et bien d'autres, ainsi que des expositions temporaires comme sa biennale qui fait couler beaucoup d'encre. Déménagement prévu à Gansevoort St, dans le Meatpacking District, en 2015.

Jewish Museum   MUSÉE
(carte p. 76 ; 212-423-3200 ; www. jewishmuseum.org ; 1109 Fifth Ave, à hauteur

Central Park et Uptown

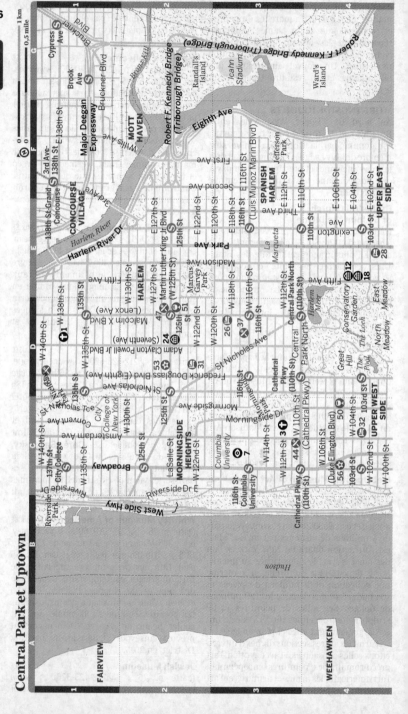

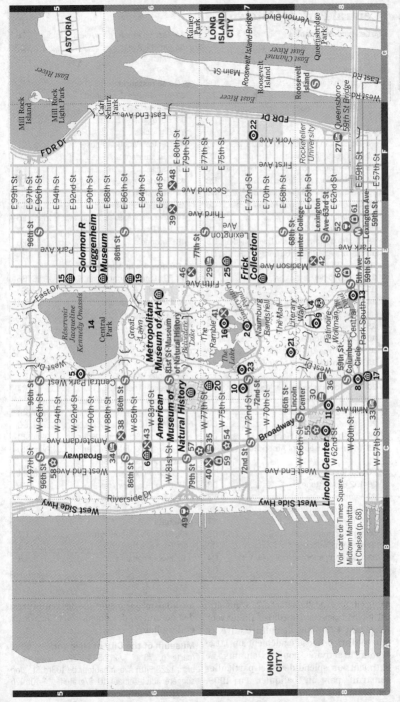

ASTORIA

Mill Rock Island

Mill Rock Light. Park

East River

FDR Dr

LONG ISLAND CITY

Rainey Park

Vernon Blvd

East River

Roosevelt Island

East Channel East River

Main St

Queensbridge Park

Roosevelt Island

West Rd

East Rd

Queensboro-59th St Bridge

59th St

East Rd

Carl Schurz Park

East End Ave

FDR Dr

York Ave

22

Rockefeller University

271

E 80th St

E 79th St

E 77th St

E 75th St

First Ave

E 72nd St

E 70th St

E 68th St

E 65th St

E 63rd St

E 62nd St

E 59th St

E 57th St

E 99th St

E 97th St

E 96th St

E 94th St

E 92nd St

E 90th St

E 88th St

E 86th St

E 84th St

E 82nd St

48

39

Second Ave

Third Ave

Lexington Ave

52

61

M

Lexington Ave

Park Ave

96th St

86th St

77th St

68th St-Hunter College

Solomon R Guggenheim Museum

Park Ave

15

19

Lexington Ave

46

29

25

Frick Collection

42

Madison Ave

60

5th Ave

59th St

Réservoir Jacqueline Kennedy Onassis

14

Central Park

East Dr

Great Lawn

Metropolitan Museum of Art

81st St-Museum of Natural History

The Ramble

Belvedere

The Lake

16

41

The Pond

2

Naumburg Bandshell

The Mall

Literary Walk

21

9

4

3

Conservatory

West Dr

5

Central Park West

West Dr

23

10

20

5th Ave

59th St

Columbus Circle

Central Park South

13

30

36

8

17

W 96th St

W 94th St

W 92nd St

W 90th St

W 88th St

86th St

W 85th St

W 83rd St

W 81st St

W 77th St

W 75th St

W 72nd St

W 70th St

66th St-Lincoln Center

W 62nd St

W 60th St

W 57th St

Amsterdam Ave

Broadway

38

43

6

34

57

35

54

59

40

79th St

Broadway

55

11

Ninth Ave

33

Lincoln Center

W 66th St

Riverside Dr

West End Ave

West Side Hwy

West Side Hwy

West End Ave

49

Voir carte de Times Square, Midtown Manhattan et Chelsea (p. 68)

UNION CITY

de 92nd St ; adulte/enfant 12 $/gratuit ;
⏰11h-17h45 sam-mar, 11h-20h jeu, 11h-16h ven).
Retraçant 4 000 ans de culture juive, ce
musée d'art propose également un large
éventail d'activités pour les enfants. Le
bâtiment, un splendide hôtel particulier
construit par un banquier en 1908,
renferme plus de 30 000 pièces relatives

au judaïsme, de même que des sculptures,
des peintures, des objets d'art décoratifs
et des photos.

Museum of the City of New York   MUSÉE
(carte p. 76 ; ☎212-534-1672 ; www.mcny.
org ; 1220 Fifth Ave, à hauteur de 103rd St ; don
suggéré adulte/enfant 10 $/gratuit ; ⏰10h-17h
mar-dim). Un espace qui illustre le passé, le

présent et le futur de la ville à travers des collections permanentes et des expositions temporaires. Excellente librairie sur place pour les inconditionnels de New York.

El Museo del Barrio
MUSÉE

(☎212-831-7272 ; www.elmuseo.org ; 1230 Fifth Ave, à hauteur de 104th St ; adulte/enfant 9 $/gratuit ; ☺11h-18h mar-dim). Cette institution culturelle expose une collection en relation avec l'Amérique latine, qui met particulièrement l'accent sur les communautés portoricaines et dominicaines. Joli café en terrasse.

HARLEM
Cette enclave noire apparue dans les années 1920 au nord de Central Park a toujours été le cœur battant de la culture afro-américaine, un lieu de création pour les artistes, les musiciens, les danseurs, les pédagogues et les intellectuels : Frederick Douglass, Paul Robeson, Thurgood Marshall, James Baldwin, Alvin Ailey, Billie Holiday, Jessie Jackson, pour n'en citer que quelques-uns. Après une période de déclin entre les années 1960 et le début des années 1990, Harlem connaît une sorte de renaissance. Les *brownstones* (maisons alignées construites en grès rouge, typiques de New York) et les immeubles en copropriété voisinant avec les logements collectifs délabrés se vendent maintenant à prix d'or et des magasins de grandes chaînes nationales se sont installés sur 125th St.

Pour une approche du Harlem traditionnel, effectuez votre visite le dimanche matin, quand les habitants sur leur trente et un se rendent à l'église. À moins d'être invité par une petite congrégation, tenez-vous en aux lieux de culte majeurs et adoptez une attitude respectueuse.

Abyssinian Baptist Church
LIEU DE CULTE

(carte p. 76 ; ☎212-862-7474 ; www.abyssinian.org ; 132 W 138th St). Cette église possède un chœur superbe et son pasteur charismatique, Calvin O Butts, se montre bienveillant envers les touristes. Messes dominicales à 9h et à 11h – la seconde est *très* suivie.

Apollo Theater
CENTRE D'ARTS

(carte p. 76 ; ☎212-531-5300 ; www.apollotheater. com ; 253 W 125th St). La scène emblématique de Harlem ne se contente pas d'être un mythe et reste bien vivante. Découvrez-la lors d'un concert (Prince s'est produit ici en 2009) ou à l'occasion de la célèbre Amateur Night (19-29 $) du mercredi soir, très touristique, "où naissent les stars et se créent les légendes".

Studio Museum in Harlem
MUSÉE

(carte p. 76 ; ☎212-864-4500 ; www. studiomuseum.org ; 144 W 125th St ; don suggéré 7 $; ☺12h-21h jeu et ven, 12h-18h sam et dim). L'une des plus importantes vitrines actuelles de l'art afro-américain, avec d'excellentes expositions temporaires de peintres, sculpteurs, illustrateurs et autres.

WASHINGTON HEIGHTS
Près de la pointe nord de Manhattan (au-delà de 155th St), Washington Heights a pris le nom du premier président des États-Unis qui, pendant la guerre d'Indépendance, y fit bâtir un fort militaire. Zone rurale isolée jusqu'à la fin du XIXe siècle, elle attire depuis des années les New-Yorkais en quête de loyers abordables, mais n'en garde pas moins son parfum latino, principalement dominicain. Elle se distingue aujourd'hui par un mélange intéressant d'immeubles dans lesquels cohabitent des "expatriés" de Downtown et des résidents de longue date qui forment une communauté chaleureuse et soudée.

♥ Cloisters
MUSÉE

(carte p. 56 ; ☎212-923-3700 ; www. metmuseum.org/cloisters ; Fort Tryon Park, à hauteur de 190th St ; don suggéré adulte/enfant 20 $/gratuit ; ☺9h30-16h45 mar-dim nov-fév, 9h30-17h15 mars-oct). La plupart des touristes qui viennent à Washington Heights s'y rendent pour visiter le musée des Cloîtres, annexe en plein air du Met. Datant des années 1930, celui-ci a été constitué à partir de fragments de monastères français et espagnols. Il abrite en outre une collection de fresques, de tapisseries et de peintures

---

VAUT LE DÉTOUR

LE PETIT PHARE ROUGE

L'unique phare qui subsiste à Manhattan doit son surnom affectueux à un classique de la littérature enfantine américaine, *The Little Red Lighthouse and the Great Grey Bridge*, publié en 1942. Désaffecté après la construction du GW Bridge, qui le domine de sa silhouette massive, le phare a été sauvé de la démolition par une vague de soutien populaire. Pour le voir, traversez la passerelle qui enjambe le Henry Hudson Parkway au bout de 181st St et suivez le sentier sinueux qui descend jusqu'au parc au bord de l'eau.

médiévales, et jouit d'une perspective imprenable sur l'Hudson. Le trajet à pied depuis la station de métro à travers Fort Tryon Park offre également des **vues** magnifiques sur le fleuve ; des adeptes de l'escalade viennent s'entraîner ici.

BROOKLYN

Brooklyn constitue un monde à part entière, au point que ceux qui y vivent peuvent rester des jours, voire des semaines, sans mettre les pieds à Manhattan. Fort de 2,5 millions d'habitants et toujours en expansion – il accueille une population nouvelle, des jeunes parents aisés séduits par les majestueux *brownstones* de Carroll Gardens aux musiciens en quête de logements pas chers près des bars à concerts de Williamsburg –, ce *borough* (arrondissement) a depuis longtemps pris le pas sur son voisin, Manhattan, en terme de qualité de vie dans l'esprit de beaucoup de gens. Plages sablonneuses et promenades en planches, bonnes tables, enclaves ethniques, architecture grandiose, lieux de sortie de premier ordre et artères commerçantes à profusion, il n'a vraiment rien à lui envier. Le **Brooklyn Tourism & Visitors Center** (☎718-802-3846 ; www.brooklyntourism.org ; 209 Borough Hall, Joralemon St ; ◷10h-18h lun-ven), à Brooklyn Heights, vous fournira tous les renseignements nécessaires.

♥ **Coney Island et Brighton Beach** QUARTIERS

À une cinquantaine de minutes de métro de Midtown, ces deux quartiers au bord de l'Atlantique peuvent faire l'objet d'une plaisante excursion. Malgré le relooking de son parc d'attractions (des manèges décoiffants ont été ajoutés) et des projets immobiliers visant à la transformer en secteur résidentiel doté de quelques grands hôtels, la large plage de sable de **Coney Island** conserve un charme kitch et nostalgique grâce à sa promenade en planches et ses montagnes russes Cyclone de 1927. Le **New York Aquarium** (☎718-741-1818 ; www.nyaquarium.com ; Surf Ave, entre 5th St et W 8th St ; adulte/enfant 15/11 $; ◷10h-18h lun-ven, 10h-19h sam et dim ; ♿) a beaucoup de succès auprès des enfants, tout comme les matchs de basket qui se déroulent au **KeySpan Park** (☎718-449-8497 ; 1904 Surf Ave), le stade au bord de l'eau des Brooklyn Cyclones.

En suivant la promenade pendant 5 minutes via les terrains de handball où jouent des champions, on parvient à **Brighton Beach** ("Little Odessa"). Là, des vieux messieurs jouent aux échecs et des restaurants servent des *pierogi* (raviolis farcis à la viande ou aux légumes) et de la vodka à déguster au soleil. Ralliez ensuite Brighton Beach Ave, le cœur animé du quartier, qui regroupe de nombreuses tables, boulangeries et boutiques russes.

Park Slope et Prospect Heights QUARTIER

Park Slope est connu pour ses *brownstones*, sa multitude de restaurants et de boutiques de qualité (surtout le long de Fifth Ave, plus tendance que Seventh Ave, l'autre grande artère), sa communauté lesbienne et ses couples avec enfants rappelant ceux de l'Upper West Side (sauf que leur appartement a un jardin derrière). Prospect Park, un espace vert de 236 ha créé en 1866, peut être considéré comme le projet le plus abouti de Frederick Law Olmsted et Calvert Vaux, les concepteurs de Central Park. Il comprend des sentiers boisés, un parcours de jogging de près de 5 km, un lac de 24 ha dont on peut faire le tour en bateau de mai à octobre et une nouvelle patinoire ouverte l'hiver. À côté, l'excellent **Brooklyn Botanic Garden** (☎718-623-7200 ; www.bbg.org ; 1000 Washington Ave ; adulte/enfant 8 $/gratuit, entrée libre mar ; ◷8h-18h mar-ven, 10h-18h sam et dim) de 21 ha resplendit au printemps de cerisiers en fleur. Le **Brooklyn Museum** (☎718-638-5000 ; www.brooklynmuseum.org ; 200 Eastern Pkwy ; prix suggéré 10 $; ◷11h-18h mer, sam et dim, 11h-22h jeu et ven) voisin présente un remarquable département d'Égyptologie, des collections d'art africain, islamique et asiatique ainsi que des peintures et sculptures européennes. Son de rez-de-chaussée héberge en outre l'Elizabeth A. Sackler Center for Feminist Art, un espace consacré aux impacts du féminisme sur la culture.

Brooklyn Heights et Downtown Brooklyn QUARTIERS

Lorsque les bateaux à vapeur de Robert Fulton commencèrent à sillonner l'East River au début du XIXe siècle, les nantis de Manhattan vinrent construire à Brooklyn Heights de sublimes demeures reflétant divers styles architecturaux (gothique victorien, roman, néoclassique, italianisant). Partir à leur découverte au fil des rues plantées d'arbres est une façon agréable d'occuper un après-midi. Ne manquez pas la bâtisse de style Queen Anne (1881) de la **Brooklyn Historical Society** (☎718-222-4111 ; www.brooklynhistory.org ; 128 Pierrepont St ; 6 $; ◷12h-17h mer-ven et dim, 10h-17h sam), qui comporte une bibliothèque (avec quelque 33 000 photos anciennes numérisées), un auditorium et un musée consacré au *borough*. La société organise par ailleurs plusieurs circuits à pied.

Suivez **Montague St**, la principale artère commerçante, jusqu'à la rive pour atteindre la **Brooklyn Heights Promenade** qui s'avance au-dessus de la voie rapide Brooklyn-Queens Expressway et dévoile une perspective fabuleuse sur Lower Manhattan. En dessous de la voie rapide se déploie le **Brooklyn Bridge Park**, un espace paysager de 34 ha aménagé le long des jetées entre Brooklyn Bridge et Atlantic Ave, au sud.

Le **Brooklyn Borough Hall** (209 Joralemon St) de style Beaux-Art, édifié en 1848 à cheval entre Brooklyn Heights et Downtown Brooklyn, est le plus ancien édifice public du quartier. L'intéressant petit **New York Transit Museum** (☎718-694-1600 ; www.mta.info/mta/museum ; Boerum Pl, à hauteur de Schermerhorn St ; adulte/enfant 5/3 $; ☉10h-16h mar-ven, 12h-17h sam et dim) revient sur plus d'un siècle d'histoire des transports new-yorkais. À Downtown Brooklyn, en face du centre commercial Atlantic Center, le chantier controversé et longtemps retardé du **Barclay's Center**, futur stade de l'équipe de basket des New Jersey Nets, touche finalement à sa fin. Le déménagement du club, prévu courant 2012, provoquera sans doute des bouleversements alentour et une augmentation du trafic automobile, déjà dantesque.

Dumbo QUARTIER
Ancienne zone industrielle au bord de l'eau dans le nord de Brooklyn, Dumbo (Down Under the Manhattan-Brooklyn Bridge Overpass) est désormais le domaine des immeubles d'habitation haut de gamme, des magasins d'ameublement chics et des galeries d'art. Plusieurs lieux de spectacle très réputés se tiennent dans ses rues pavées et l'**Empire-Fulton Ferry State Park**, sur les berges de l'East River, jouit d'une vue imprenable sur Manhattan.

Boerum Hill, Cobble Hill,
Carroll Gardens et Red Hook QUARTIERS
Mélange de familles, surtout d'origine italienne, installées depuis des générations et d'anciens résidents de Manhattan en quête d'une vie moins frénétique, ces quartiers affichent des rues plantées d'arbres que bordent des rangées de *brownstones* joliment restaurés. **Smith St** et **Court St** sont les deux grands axes qui mènent à Carroll Gardens, le plus au sud du lot. La première regroupe tout un chapelet de restaurants, tandis que la seconde conserve

davantage d'épiceries, de boulangeries et de tables italiennes à l'ancienne. Un *block* à l'ouest, le carré de verdure de **Cobble Hill Park** accueille sur ses bancs et ses tables de pique-nique la population du coin. Plus loin dans la même direction (et au sud), au bord de l'eau, **Red Hook** affiche des rues pavées et d'imposants bâtiments industriels. Un peu loin de la ligne de métro, cet endroit jadis brut de décoffrage rassemble aujourd'hui des bars, des restaurants et une grande enseigne d'alimentation de la chaîne **Fairway** (☎718-694-6868 ; 480 Van Brunt St), d'où l'on profite d'une **vue** remarquable sur la baie de New York et la statue de la Liberté. Toujours dans le même coin, la berge où se tient le magasin de meubles Ikea (voir p. 59 au sujet du bateau-taxi gratuit menant à Downtown Manhattan) a été transformée en espace de détente verdoyant.

Williamsburg, Greenpoint
et Bushwick QUARTIERS
Il existe un look typique de Williamsburg : jeans moulants, tatouages multiples, piercings discrets, cheveux hirsutes pour les hommes, chapeaux rétros pour les femmes. La jeunesse qui habite ce quartier grunge en effervescence le long de la ligne L semble avoir le temps et les moyens de fréquenter assidûment les cafés et s'amuser toute la nuit dans les bars. La population compte aussi bon nombre de trentenaires venant de Manhattan ou d'Europe, qui font figure de doyens. L'artère principale est **Bedford Ave**, entre N 10th St et Metropolitan Ave, où se succèdent boutiques, cafés, bars et restaurants bon marché. Mais des adresses tendance ont également fait leur apparition le long de N 6th St et de Berry St. Signe des temps, les ultra-branchés considèrent Williamsburg comme dépassé et colonisent maintenant le vieux quartier polonais voisin de **Greenpoint**, ainsi que les anciens entrepôts de **Bushwick**. Des visites gratuites le week-end (chaque heure de 12h à 18h) permettent de découvrir la **Brooklyn Brewery** (☎718-486-7422 ; www.brooklynbrewery.com ; 79 N 11th St ; entrée libre ; ☉18h-23h ven, 12h-17h sam), qui accueille des manifestations et des soirées pub.

Fort Greene QUARTIER
Ce quartier résidentiel émaillé de *brownstones* de la fin du XIXe siècle et d'églises où l'on chante le gospel possède une population métissée de jeunes exerçant des professions libérales et de familles de milieux modestes. Il a pour fleuron la **Brooklyn Academy of Music**

(carte p. 62 ; ☎718-636-4100 ; www.bam.org ; 30 Lafayette Ave), une institution culturelle de renom qui comprend un opéra, un théâtre et un cinéma de quatre salles. Citons aussi le **Pratt Institute**, une école d'art et de design réputée. Enfin, 11 500 prisonniers de guerre américains morts dans les navires britanniques durant la Révolution, à la fin du XVIIIᵉ siècle, reposent sous les buttes herbeuses du **Fort Greene Park**, ce qu'ignorent souvent les promeneurs

LE BRONX

Au nord de Brooklyn, dont il est le farouche rival, ce *borough* de 109 km² a plusieurs titres de gloire à son actif : l'équipe de base-ball des Yankees, surnommée affectueusement les Bronx Bombers, qui excelle dans le nouveau **Yankee Stadium** (carte p. 56 ; www.yankees.com ; 161st St, à hauteur de River Ave) au printemps et en été ; le quartier de **Belmont** (carte p. 56 ; www.arthuravenuebronx.com), la "véritable" Little Italy où des marchés et restaurants italiens gastronomiques jalonnent Arthur Ave et Belmont Ave pleines d'animation ; et une certaine arrogance immortalisée dans des films hollywoodiens comme *Le Parrain* ou *Jackie Chan dans le Bronx*.

Le Bronx réserve aussi d'agréables surprises. Un quart de sa superficie est en effet couverte d'espaces verts, dont le Pelham Bay Park qui englobe une plage publique. Sans oublier City Island, petit morceau de Nouvelle-Angleterre égaré de ce côté-ci de New York.

♥ **New York Botanical Garden**   JARDINS
(carte p. 56 ; ☎718-817-8700 ; www.nybg. org ; Bronx River Pkwy, à hauteur de Fordham Rd ; parc seul adulte/enfant 6/3 $, tous les jardins adulte/enfant 20/8 $; ☉10h-18h mar-dim ; ⚘). Une forêt primaire, une zone humide traversée par un sentier, près de 3 000 roses et des dizaines de milliers d'azalées nouvellement plantées composent le jardin botanique d'une centaine d'hectares.

Bronx Wildlife Conservation Park   ZOO
(carte p. 56 ; ☎718-220-5100 ; www.bronxzoo. com ; Bronx River Pkwy, à hauteur de Fordham Rd ; adulte/enfant 16/12 $; ☉10h-17h avr-oct ; ⚘). Le zoo du Bronx figure parmi les zoos les plus grands, les mieux conçus et les plus progressistes du monde.

Woodlawn Cemetery   CIMETIÈRE
(carte p. 56 ; ☎718-920-0500 ; www. thewoodlawncemetery.org ; Webster Ave, à hauteur de 233rd St). Datant de la guerre de

---

VAUT LE DÉTOUR

CITY ISLAND

À environ 25 km de Midtown Manhattan, mais à des années-lumière de là, **City Island**, long de 2,5 km, est l'un des quartiers les plus surprenants de New York. Cette communauté de pêcheurs donne à voir un ensemble de postes d'amarrage, de clubs de plaisance, de restaurants de poisson et de petites pointes sablonneuses battues par les vents. Ses jolies maisons victoriennes à bardeaux évoquent davantage la Nouvelle-Angleterre que le Bronx.

Sécession (1863), ce prestigieux cimetière de 162 ha est la dernière demeure de nombreuses célébrités, dont l'écrivain Herman Melville et le musicien Miles Davis.

LE QUEENS

Il n'y a plus désormais d'accent caractéristique du Queens, car le comté le plus vaste (730 km²) du pays et le plus divers sur le plan ethnique abrite aujourd'hui les locuteurs de quelque 170 langues, de l'espagnol au bengali. Si son architecture n'a rien d'exceptionnel – on trouve ici peu de rues plantées d'arbres et bordées de *brownstones* comme à Brooklyn –, le fait que près de la moitié des 2,3 millions d'habitants soient nés à l'étranger crée une dynamique et une recomposition permanente du paysage urbain. Le Queens abrite également les deux principaux aéroports new-yorkais, l'équipe de base-ball des Mets et des établissements d'art moderne de pointe. Côté nature, la **Rockaway peninsula** recèle des kilomètres de belles plages, la **Gateway National Recreation Area** (carte p. 56 ; www. nps.gov/gate), une réserve naturelle située à Jamaica Bay tout près de l'aéroport JFK, des sentiers de randonnée. La **Queens Historical Society** (☎718-939-0647 ; www. queenshistoricalsociety.org) organise des visites dans de nombreux secteurs de ce *borough* fort étendu.

Astoria   QUARTIER
Siège de la plus importante communauté hellénique à l'étranger, Astoria regorge à ce titre de pâtisseries, de restaurants et de traiteurs grecs, surtout le long de **Broadway**. Des immigrés d'Europe de l'Est, du Moyen-Orient (falafels, kebabs et narghilés sont à

l'honneur dans Steinway Ave, surnommée "Little Egypt") et d'Amérique latine se sont joints à la population pour former un vivant *melting-pot*. Sans oublier les jeunes bobos qui font de l'endroit un équivalent de Williamsburg. À travers une collection d'objets se rapportant au septième art et des films projetés dans une salle fraîchement rénovée, l'**American Museum of the Moving Image** (☎718-777-6888 ; www.ammi. org ; 36-01 35th Ave, à hauteur de 36th St ; 7 $; ⊙10h-17h mar-ven) rappelle que la production cinématographique débuta à Astoria dans les années 1920. En été, vous pourrez vous baigner à l'**Astoria Pool** (19th St, à hauteur de 23rd Dr), une piscine Art déco de 1936. Quand il fait chaud, de nombreux habitants et quelques curieux en provenance de Manhattan fréquentent le **Bohemian Hall & Beer Garden** (2919 24th Ave, Astoria ; ⊙17h-1h lun-jeu, 17h-3h ven et sam) pour y boire de la bière.

Long Island City   QUARTIER
Long Island City se distingue par de rutilantes tours d'appartements au bord de l'East River avec vue imprenable sur Manhattan et plusieurs musées d'art, dont le **PS 1 Contemporary Art Center** (☎718-784-2084 ; www.ps1.org ; 22-25 Jackson Ave, à hauteur de 46th Ave ; don suggéré 10 $; ⊙12h-18h jeu-lun) exclusivement consacré à la création contemporaine la plus pointue. Les samedis de juillet à septembre, la cour du centre accueille des installations qui attirent un public hyper branché (15 $, 14h-21h). Si le temps le permet, allez vous promener dans le **Socrates Sculpture Park** (☎718-956-1819 ; www.socratessculpturepark.org ; Broadway, à hauteur de Vernon Blvd ; entrée libre ; ⊙10h-crépuscule), sur la rive du fleuve, qui rassemble des sculptures monumentales d'artistes reconnus, comme le fondateur du lieu Mark di Suvero.

Flushing et Corona   QUARTIERS
Au carrefour de Main St et de Roosevelt Ave, Flushing semble le cœur battant d'une ville à mille lieues de New York. Des immigrés originaires d'Asie, principalement chinois et coréens, contribuent à l'animation d'un quartier rempli de commerces et de restaurants à la fois bons et pas chers. La gare de Long Island, d'où partent et où arrivent les trains de banlieue, également terminus de la ligne aérienne 7 du métro, voit défiler chaque jour quelque 100 000 usagers. Émaillé de plans d'eau, de terrains de sports, de pistes cyclables et de pelouses, le **Flushing Meadows Corona Park** abrite le **Citi Field** et l'**USTA National Tennis Center**, où se déroule en août l'US Open de tennis. Il fut construit pour l'Exposition universelle de 1939 et réutilisé pour celle de 1964, dont subsistent des vestiges comme l'Unisphere (le plus grand globe du monde, haut de 36 m et pesant 380 tonnes), monument emblématique du Queens. Les enfants peuvent apprendre bien des choses sur la science et la technologie au **New York Hall of Science** (☎718-699-0005 ; www.nysci.org ; adulte/enfant 11/8 $; ⊙9h30-14h lun-jeu, 9h30-17h ven, 9h30-18h sam et dim ; 🖍), qui possède par ailleurs un minigolf original. Toujours dans le parc, le **Queens Museum of Art** (☎718-592-9700 ; www. queensmuseum.org ; New York City Bldg, Flushing Meadows Corona Park ; don suggéré 5 $; ⊙12h-18h mer-dim) expose notamment une maquette détaillée de la métropole couvrant 870 m².

Jackson Heights   QUARTIER
Fascinant mélange de culture indienne (74th St) et sud-américaine (Roosevelt Ave), Jackson Heights aligne magasins de saris et de bijoux en or 22 carats, restaurants de curry ou de cuisine colombienne et bars à cocktails gays et lesbiens (Broadway).

STATEN ISLAND
Si beaucoup de New-Yorkais vous diront que Staten Island s'apparente davantage au New Jersey voisin qu'à Big Apple, c'est à cause de ses pavillons de banlieue et de ses habitants motorisés. Mais que cela ne vous dissuade pas de visiter ce *borough* méconnu, avant tout pour le **Staten Island Ferry** (☎718-876-8441 ; www.siferry.com ; ⊙24h/24 ; 25 min) gratuit qui transporte les insulaires vers leur lieu de travail et offre aux touristes de magnifiques perspectives sur la statue de la Liberté et les gratte-ciel de Manhattan. Non loin de l'embarcadère se trouvent le **Richmond County Bank Ballpark** (carte p. 56 ; www.siyanks.com ; Richmond Terrace), stade de l'équipe de base-ball des Staten Island Yankees, et le quartier de St George plus tendance que jamais.

🏃 Activités
Vélo
Des centaines de kilomètres de pistes cyclables ont été aménagées dans New York par le maire Michael Bloomberg. Cependant, à moins d'avoir vraiment l'habitude de pédaler en zone urbaine, l'expérience peut s'avérer risquée car les camions, des taxis et des voitures garées en double file bloquent souvent les voies. Le **Manhattan Waterfront Greenway**, un réseau d'allées

de parc, d'autoponts et de rues, couvre plus de 45 km de berges et fait le tour de Manhattan. Le tronçon de 16 km presque ininterrompu entre le GW Bridge et Battery Park, qui inclut le **Hudson River Park**, est sans doute le plus spectaculaire. Bien sûr, **Central Park** et **Prospect Park**, à Brooklyn, comptent aussi de jolis parcours. À Staten Island, le beau **Franklin D. Roosevelt Boardwalk** (angle Father Capadanno Blvd et Sand Lane) le long de South Beach embrasse 6,5 km de plage préservée.

Pour des conseils et des excursions le week-end, contactez le **Five Borough Bicycle Club** (☎347-688-2925 ; www.5bbc. org). **Transportation Alternatives** (☎212-629-8080 ; www.transalt.org), une organisation militante à but non lucratif, constitue également une bonne source d'information. Sinon, le club de cyclotourisme gay **Fast & Fabulous** (www.fastnfab.org) organise de longues sorties le week-end. Pour louer une bicyclette, essayez **Loeb Boathouse** à Central Park ou consultez les adresses du site **Bike New York** (www.bikenewyork.org). Enfin, la municipalité projette d'installer un système de vélos partagés à grande échelle.

Activités nautiques

Entourée d'eau, New York se prête à la pratique du bateau et du kayak. Le **Downtown Boathouse** (carte p. 62 ; www. downtownboathouse.org ; Pier 40, près de Houston St ; ☺9h-18h sam et dim 15 mai-15 oct) propose 20 minutes de kayak gratuit, équipement fourni, dans une baie bien protégée de l'Hudson. Autres sites au Pier 96 et à 72nd St.

À Central Park, **Loeb Boathouse** (carte p. 76 ; ☎212-517-2233 ; www. thecentralparkboathouse.com ; Central Park, entre 74th St et 75th St ; 12 $/pers ; ☺10h-crépuscule mars-oct) loue des barques pour des balades en amoureux et, en été, des gondoles vénitiennes (30 $ les 30 minutes). Ceux qui préfèrent la voile peuvent embarquer à bord de la goélette *Adirondack* aux **Chelsea Piers** (carte p. 68).

Pour nager, direction la **Floating Pool Lady** (www.floatingpool.org), une piscine de 25 m sur une barge imposante qui navigue au fil de l'Hudson et mouille en différents points de la ville. L'accès est gratuit mais limité à 175 personnes, d'où l'attente en été.

Les **surfeurs** s'étonneront peut-être de trouver un groupe d'adeptes de leur sport à **Rockaway Beach**, au niveau de 90th St dans le Queens, à 45 minutes seulement de Midtown par la ligne A.

New York avec des enfants

Contrairement à l'idée reçue, New York peut se prêter à des vacances en famille. Des terrains de jeu du dernier cri ont fleuri de Union Square à Battery Park et tous les grands parcs de la ville en possèdent, à l'image du **Safari Playground of Central Park** (carte p. 76). Il existe à vrai dire autant d'attractions pour les petits que pour les adultes, à commencer par deux musées spécialement destinés aux enfants, le **Children's Museum of Manhattan** (carte p. 76 ; ☎212-721-1223 ; www.cmom.org ; 212 W 83rd St, entre Broadway et Amsterdam Ave ; 10 $; ☺10h-17h mar-dim) et le **Brooklyn Children's Museum** (☎718-735-4400 ; www.brooklynkids.org ; 145 Brooklyn Ave, Prospect Heights ; 7,50 $; ☺11h-17h mer-ven, 10h-17h sam et dim), les zoos de Central Park et du Bronx et l'aquarium de Coney Island. Les mégastores de Times Square et les restaurants alentour adaptés aux goûts des plus jeunes constituent une autre option. Consultez la rubrique Arts du *New York Times* le week-end à la recherche de manifestations et de spectacles ciblés.

☞ Circuits organisés

La liste qui suit n'a rien d'exhaustif :

Big Onion Walking Tours PROMENADES À PIED (☎212-439-1090 ; www.bigonion.com ; 15 $). Circuits guidés originaux à la découverte des communautés ethniques et des différents quartiers de la ville.

Circle Line BATEAU (carte p. 68 ; ☎212-563-3200 ; www. circleline42.com ; Pier 83, W 42nd St ; 16-34 $). Une croisière commentée de 3 heures en ferry qui fait le tour des cinq *boroughs* et une boucle de 2 heures.

Gray Line Sightseeing BUS (☎212-445-0848 ; www.coachusa.com/ newyorksights ; 49 W 45th St ; adulte/enfant à partir de 42/32 $). Des parcours commentés en plusieurs langues à bord de bus à impériale, dont on peut monter et descendre à sa guise. Tous les *boroughs* sont couverts, sauf Staten Island.

Jetty Jumpers JET SKI (☎917-734-9919 ; www.jettyjumpers.com ; 275 $). Des sorties guidées en jet ski sur les voies d'eau qui entourent la ville.

Municipal Art Society PROMENADES À PIED (☎212-935-3960 ; www.mas.org ; 457 Madison Ave ; adulte 15 $). Différentes formules axées sur l'histoire et l'architecture.

New York City Audubon PROMENADES À PIED
(📞212-691-7483 ; www.nycaudubon.
org ; 8-100 $). Des guides naturalistes
conduisent des excursions pour observer
les oiseaux de Central Park et du Bronx
ainsi que des croisières écologiques au
Jamaica Bay Wildlife Refuge.

On Location Tours PROMENADES À PIED
(📞212-209-3370 ; www.screentours.com ;
15-45 $). Pour découvrir les lieux de
tournage de séries télévisées comme les
Sopranos et *Gossip Girl*.

✹ Fêtes et festivals

À New York, la fête ne s'arrête jamais.
Des foires de rue aux manifestations
gastronomiques en passant par les concerts
en plein, il y a de quoi s'occuper à tout
moment de l'année. L'été, on frôle même
l'overdose avec quantité d'événements
organisés dehors.

Restaurant Week GASTRONOMIE
(📞212-484-1222 ; www.nycgo.com). En février
et en août, les gourmets peuvent dîner
une semaine durant dans des restaurants
haut de gamme moyennant 20 ou 30 $.

Armory Show CULTURE
(📞212-645-6440 ; www.thearmoryshow.
com ; Piers 92 et 94, West Side Hwy, à hauteur
de 52nd St et 54th St). En mars, la plus
importante foire d'art contemporain de
New York expose les œuvres de milliers
d'artistes du monde entier.

Tribeca Film Festival CINÉMA
(📞212-941-2400 ; www.tribecafilmfestival.com).
Co-organisé par Robert De Niro fin avril
et début mai, ce festival qui gagne en
prestige présente des films américains et
étrangers en avant-première.

Fleet Week MANIFESTATION NAUTIQUE
(📞212-245-0072). Chaque année au mois
de mai, les marins en grande tenue,
leurs navires et leurs équipes de secours
aéroportées investissent la ville.

**Lesbian, Gay, Bisexual
& Transgender Pride** CULTURE
(📞212-807-7433 ; www.nycpride.org). La Gay
Pride se traduit par une série de fêtes
et d'événements qui s'achève par un
immense défilé sur Fifth Ave le dernier
dimanche de juin.

Mermaid Parade CULTURE
(www.coneyisland.com/mermaid). Le dernier
samedi de juin, sur la promenade de
Coney Island, cette fête célèbre la plage,
la mer et le début de l'été à grand renfort
de paillettes et de costumes de sirènes.

New York Film Festival CINÉMA
(www.filmlinc.com). Fin septembre, le
Lincoln Center rend hommage à des
metteurs en scène de talent.

New Yorker Festival CULTURE
(www.newyorker.com). Le magazine *The
New Yorker* organise à la mi-octobre un
cycle d'interviews, de discussions et de
circuits avec des personnalités du monde
littéraire et culturel.

🛏 Où se loger

Gardez à l'esprit le fait que les prix changent
en fonction du cours de l'euro, du climat
économique mondial, du jour de la semaine
et de la saison, le printemps et l'automne
étant les périodes les plus chères. Les hôtels
appliquent en outre une taxe de 13,25%
par nuitée. Pour les séjours de plus longue
durée, la location ou la sous-location d'un
appartement par l'intermédiaire d'une
agence comme **City Sonnet** (📞212-614-
3034 ; www.westvillagebb.com ; app à partir
de 135 $ la nuit) peut être une solution plus
économique (pas de taxe). Plusieurs chaînes
hôtelières, dont Sheraton, Ramada et
Holiday Inn, proposent des chambres à prix
abordables dans des hôtels proches les uns
des autres autour de 39th Ave à Long Island
City (Queens). Ces derniers sont d'un accès
rapide depuis Midtown Manhattan par les
lignes N, Q et R.

LOWER MANHATTAN

Gild Hall Wall Street BOUTIQUE HOTEL **$$$**
(carte p. 58 ; 📞212-232-7700 ; www.
wallstreetdistrict.com ; 15 Gold St ; ch à partir
de 225 $; ✳@⑤). À quelques *blocks* de
Wall St et de plusieurs lignes de métro, cet
établissement de la remarquable chaîne
Thompson Hotels arbore un hall chic aux
allures de pavillon de chasse anglais. Toutes
les chambres, même les petites et de gamme
standard, possèdent de hautes têtes de lit en
cuir capitonné et des matelas notoirement
confortables.

Wall Street Inn HÔTEL DE LUXE **$$$**
(carte p. 62 ; 📞212-747-1500 ; www.thewallstreetinn.
com ; 9 S William St ; ch avec petit-déj à partir
de 275 $; ✳⑤). Le bâtiment en pierre
majestueux de la défunte banque Lehman
Brothers renferme à présent des chambres
chaleureuses décorées à l'ancienne, avec de
luxueuses sdb en marbre mais un peu trop
de mobilier pour leur taille.

TRIBECA ET SOHO

Soho Grand Hotel
BOUTIQUE HOTEL **$$$**

(carte p. 62 ; ☎212-965-3000 ; www.sohogrand. com ; 310 W Broadway ; d 195-450 $; ✳@☎). Le premier *boutique hotel* à avoir ouvert dans le quartier domine toujours le marché, avec son bel escalier en verre et fonte dans le hall et ses 367 chambres aux lignes épurées, avec draps de qualité, TV à écran plasma et produits de toilettes Kiehl's. Son grand salon bruisse d'animation.

Sixty Thompson
BOUTIQUE HOTEL **$$$**

(carte p. 62 ; ☎212-431-0400 ; www.60thompson. com ; 60 Thompson St, entre Broome St et Spring St ; s/d 360/425 $; ✳@☎). Une autre adresse au style minimaliste séduisant. Les chambres comportent couettes en duvet, TV à écran plat et confortable canapé en tweed. Le Thom Bar sur le toit en terrasse offre un cadre formidable pour voir et être vu.

Cosmopolitan Hotel
HÔTEL **$$$**

(carte p. 58 ; ☎212-566-1900 ; www.cosmohotel. com ; 95 W Broadway, à hauteur de Chambers St ; d à partir de 200 $; ✳☎). Ne vous laissez pas abuser par le nom, car loin d'être sophistiqué, le Cosmopolitan ressemble plutôt à un hôtel américain lambda. Propres, recouvertes de moquette mais résolument exiguës, ses chambres n'en constituent pas moins une option abordable à Downtown. Un café sur place sert des crêpes.

♥ Lita SoHo
HÔTEL **$$$**

(carte p. 62 ; ☎212-925-3600 ; www. solitasohohotel.com ; 159 Grand St, au niveau de Lafayette St ; ch à partir de 220 $; ✳☎). Propre et fonctionnelle, cette enseigne de la chaîne Clarion au mobilier digne d'un *boutique hotel* a l'avantage d'être proche de Little Italy, Chinatown, SoHo et Lower East Side. Tarifs plus bas en hiver.

Hotel Azure
HÔTEL **$$$**

(carte p. 62 ; ☎212-925-4378 ; www.hotelazure. com ; 120 Lafayette St ; ch à partir de 220 $; ✳☎). À un *block* du précédent. Formules avantageuses en hiver.

LOWER EAST SIDE ET EAST VILLAGE

Bowery Hotel
BOUTIQUE HOTEL **$$$**

(carte p. 62 ; ☎212-505-9100 ; www. theboweryhotel.com ; 335 Bowery, entre E 2nd St et 3rd St ; ch à partir de 325 $; ✳@☎). À mille lieues des asiles de nuit sordides qui marquèrent l'histoire du Bowery, cet hôtel à l'élégance très XIXᵉ siècle renferme des chambres claires garnies de meubles sobres et d'antiquités. Il comporte un bar de style baroque fréquenté par une clientèle jeune et chic ainsi qu'un restaurant, Gemma, servant une cuisine italienne haut de gamme.

Hotel on Rivington
BOUTIQUE HOTEL **$$**

(carte p. 62 ; ☎212-475-2600 ; www. hotelonrivington.com ; 107 Rivington St, entre Essex St et Ludlow St ; ch à partir de 160 $; ✳@☎). Cette tour miroitante de 20 étages domine un parterre de *tenement buildings* (logements ouvriers) de Lower East Side. Toutes légèrement différentes, les chambres possèdent de larges baies vitrées avec vue sur l'East River et le réseau urbain. Certaines ont un balcon, d'autres une TV à écran plat. Le restaurant au rez-de-chaussée attire une faune tendance.

Gem Hotel
BOUTIQUE HOTEL **$$**

(carte p. 62 ; ☎212-358-8844 ; www.thegemhotel. com ; 135 Houston St, à hauteur de Forsyth St ; ch à partir de 180 $; ✳@☎). Ancien établissement de la chaîne Howard Johnson, cet hôtel a conservé la façade sans fioritures de la célèbre enseigne, mais l'intérieur a changé. Ses petites chambres gaies sont pourvues de linge de maison raffiné, d'un petit bureau et d'une TV à écran plat. Rue un peu bruyante.

East Village Bed & Coffee
B&B **$$**

(carte p. 62 ; ☎212-533-4175 ; www.bedandcoffee. com ; 110 Ave C, entre 7th St et 8th St ; ch avec sdb commune à partir de 115 $; ✳☎). Dix chambres claires et spacieuses au joli décor thématique – mexicain (murs jaune vif et bibelots en fer-blanc martelé), Zen (avec un petit bouddha et des teintes froides), etc. – et charmants espaces communs, de la cuisine haute de plafond au jardin verdoyant à l'arrière.

GREENWICH VILLAGE (WEST VILLAGE)

Abingdon Guest House
B&B **$$**

(carte p. 62 ; ☎212-243-5384 ; www. abingdonguesthouse.com ; 21 Eighth Ave, à hauteur de Jane St ; ch à partir de 159 $; ✳@☎). À condition de ne pas regarder par la fenêtre, vous aurez l'impression de loger ici dans un B&B de la Nouvelle-Angleterre. Élégantes et confortables, les chambres aux murs en briques apparentes arborent des lits à baldaquin, une cheminée purement décorative et des rideaux drapés. Ravissant jardinet à l'arrière.

Larchmont Hotel
HÔTEL **$$**

(carte p. 62 ; ☎212-989-9333 ; www. larchmonthotel.com ; 27 W 11th St, entre Fifth Ave et Sixth Ave ; s/d avec sdb commune et petit-déj à partir de 90/119 $; ✳☎). Installé dans un bâtiment d'avant-guerre qui se fond au milieu d'une rangée de *brownstones*, le Larchmont vaut surtout pour son emplacement. Ses chambres basiques recouvertes de moquettes auraient besoin d'être rafraîchies, de même que les sdb communes, mais le rapport qualité/prix reste correct.

Jane Hotel
HÔTEL $$

(carte p. 62 ; ☎212-924-6700 ; www.thejanenyc.com ; 113 Jane St ; ch avec sdb commune à partir de 100 $; ✺❀). Destiné à l'origine aux marins, l'établissement fit office de refuge pour les survivants du *Titanic*, de YMCA puis de salle de rock. Il loue d'étroites chambres-cabines parfaitement convenables, avec couchette, TV à écran plat et douches communes.

MEATPACKING DISTRICT ET CHELSEA

Hotel Gansevoort
HÔTEL DE LUXE $$$

(carte p. 62 ; ☎212-206-6700 ; www.hotelgansevoort.com ; 18 Ninth Ave, à hauteur de 13th St ; ch à partir de 395 $; ✺❀🛜🏊). Dans le Meatpacking District à la mode, cet hôtel de 187 chambres joue la carte du luxe, avec draps de qualité, couettes en duvet hypoallergéniques, TV à écran plasma, spa chic en sous-sol et bar sur le toit à la vue somptueuse. Son côté branché peut toutefois agacer.

Ace Hotel New York City
BOUTIQUE HOTEL $$

(carte p. 68 ; ☎212-679-2222 ; www.acehotel.com/newyork ; 20 W 29th St ; ch à partir de 99-369 $; ✺❀). Cet avant-poste new-yorkais d'une chaîne hôtelière de la côte Ouest vous attend à la lisière nord de Chelsea. Des détails tels que tourne-disques rétro et mots de bienvenue écrits à la main le placent au-dessus de la moyenne. Les lits en fer d'une certaine catégorie de chambres sont toutefois un choix malheureux. Café, jus de fruits et croissants à disposition le matin.

Chelsea Lodge
B&B $$

(carte p. 68 ; ☎212-243-4499 ; www.chelsealodge.com ; 318 W 20th St, à hauteur d'Eighth Ave ; s/d 124/134 $; ✺). Aménagées dans un *brownstone* classé, ces 20 chambres de style européen accueillantes et bien tenues, quoique exiguës, comprennent une douche et un lavabo (toilettes au bout du couloir). Six suites ont une sdb individuelle, dont deux avec accès privé au jardin. Wi-Fi dans le hall.

Chelsea
International Hostel
AUBERGE DE JEUNESSE $

(carte p. 68 ; ☎212-243-3700 ; www.chelseahostel.com ; 222 W 20th St, entre Seventh Ave et Eighth Ave ; dort avec/sans sdb 70/65 $, s/d avec sdb commune 70/155 $; ✺@❀). Cette adresse bien située draine une clientèle internationale habituée à faire la fête et à ne dormir que quelques heures. Vous ferez certainement des rencontres dans la cuisine commune.

UNION SQUARE, FLATIRON DISTRICT ET GRAMERCY PARK

Marcel
BOUTIQUE HOTEL $$

(carte p. 68 ; ☎212-696-3800 ; www.nychotels.com ; 201 E 24th St, à hauteur de Third Ave ; d à partir de 175 $; ✺❀). Doté d'une déco minimaliste aux tons sourds, cet établissement met le concept de "boutique hotel" à la portée d'une clientèle moins fortunée. Certaines de ses 97 chambres modernistes donnent sur l'avenue et jouissent d'une vue splendide, et le salon aux lignes épurées invite à la détente après une rude journée de tourisme. Consultez le site Web pour connaître les autres enseignes chics et abordables du groupe Amsterdam Hospitality.

Chelsea Inn
B&B $$

(carte p. 68 ; ☎212-645-8989 ; www.chelseainn.com ; 46 W 17th St, près de Sixth Ave ; ch à partir de 100 $; ✺❀). Deux maisons mitoyennes datant du XIXe siècle ont été réunies pour former cette charmante pension, dont les petites chambres confortables semblent avoir été entièrement meublées grâce aux marchés aux puces et aux vide-greniers. La plupart d'entre elles disposent d'une sdb individuelle, sauf les deux chambres les moins chères, qui en partagent une.

Gershwin Hotel
HÔTEL $$

(carte p. 68 ; ☎212-545-8000; www.gershwinhotel.com ; 7 E 27th St, à hauteur de Fifth Ave ; dort/d/ste à partir de 45/109/299 $; ✺@❀). À la fois auberge de jeunesse et hôtel, ce chouette endroit égayé de tableaux pop art originaux a du succès auprès de groupes de musiciens en tournée et des jeunes bobos européens.

MIDTOWN

Hudson
HÔTEL $$$

(carte p. 76 ; ☎212-554-6000 ; www.hudsonhotel.com ; 356 W 58th St, entre Eighth Ave et Ninth Ave ; ch à partir de 240 $; ✺@❀). La collaboration réussie entre le designer Philippe Starck et l'hôtelier Ian Schrager a produit ce pur bijou associant dans un même espace un hôtel et plusieurs bars-lounges (déconseillé si vous recherchez le calme). Dans les chambres toutes petites, verre, bois et voilages composent une déco réduite à l'essentiel.

Room-Mate Grace
BOUTIQUE HOTEL $$

(carte p. 68 ; ☎212-354-2323 ; www.room-matehotels.com ; 125 W 45th St ; ch avec petit-déj à partir de 185 $; ✺❀❀). Propriété d'une chaîne espagnole, cet hôtel ultra-branché présente un bon rapport qualité/prix vu son emplacement à deux pas du cœur de l'action. Comme dans les autres adresses du genre, l'espace manque et la pureté des lignes l'emporte sur la chaleur du cadre. Le hammam, le sauna et le bar animé au bord de la piscine constituent en revanche de sérieux atouts.

Pod Hotel
HÔTEL **$$**

(carte p. 68 ; ☎212-355-0300 ; www.thepodhotel. com ; 230 E 51st St, entre Second Ave et Third Ave ; ch à partir de 129 $; ✳@🖥). Rêve devenu réalité pour les *geeks*, ce lieu abordable résolument high-tech décline un choix de chambres à peine assez grandes pour contenir un lit, un petit bureau, une TV à écran plat, une station d'accueil pour iPod et une douche à large pommeau.

414 Hotel
HÔTEL **$$**

(carte p. 68 ; ☎212-399-0006 ; www.414hotel. com ; 414 W 46th St, entre Ninth Ave et Tenth Ave ; ch avec petit-déj à partir de 200 $; ✳🖥). Organisé comme une pension, cet hôtel situé à deux *blocks* à l'ouest de Times Square comporte des chambres bien tenues et joliment meublées, une courette séparant les deux maisons et une petite cuisine à disposition de la clientèle.

Yotel
HÔTEL **$$**

(carte p. 68 ; ☎646-449-7700 ; www.yotel.com ; 570 Tenth Ave, à hauteur de 41st St ; ch à partir de 150 $; ✳🖥). Avec un décor qui évoque à la fois un film de science-fiction et le terminal d'un aéroport, cette nouvelle enseigne d'une chaîne internationale se distingue par un personnel particulièrement avenant, un sympathique bar/lounge/restaurant et un robot (bras mécanique) utilisé pour ranger les bagages.

Broadway Rooms
HÔTEL **$$**

(carte p. 68 ; ☎212-397-9686 ; www. broadwayrooms.com ; 337 W 55th St, entre Eighth Ave et Ninth Ave ; ch avec sdb commune 107-220 $; ✳@). Si son nom a changé, l'ex-1291 B&B demeure aussi rudimentaire qu'avant. Il propose des chambres individuelles étriquées et des chambres communes avec un lit superposé et deux lits jumeaux qui conviennent mieux aux petits groupes.

Big Apple Hostel
AUBERGE DE JEUNESSE **$**

(carte p. 68 ; ☎212-302-2603 ; www. bigapplehostel.com ; 119 W 45thSt, entre Sixth Ave et Seventh Ave ; dort/ch 44/135 $; ✳@🖥). Des chambres mornes à la tuyauterie apparente dont les fenêtres donnent sur des escaliers de secours. Heureusement qu'il y a un petit patio pour prendre un peu l'air.

UPPER WEST SIDE

Empire Hotel
HÔTEL **$$$**

(carte p. 76 ; ☎212-265-7400 ; www.empirehotelnyc. com ; 44 W 63rd St ; ch à partir de 225 $; ✳@🖥🏊). Cet hôtel chic juste en face du Lincoln Center affiche un décor dans les tons bruns et des chambres de taille correcte, du moins pour New York. Le toit accueille une piscine qui jouit d'une vue imprenable. Lorsqu'elle n'est pas réservée pour des événements privés, on s'y bouscule le soir.

On the Ave
BOUTIQUE HOTEL **$$$**

(carte p. 76 ; ☎212-362-1100 ; www.ontheave. com ; 2178 Broadway, à hauteur de W 77th St ; ch à partir de 225 $; ✳@🖥). Une atmosphère plus accueillante et des chambres plus vastes classent cet établissement un cran au-dessus des habituels *boutique hotels* minimalistes. C'est aussi une bonne affaire au vu de la décoration étudiée, des sdb en marbre et inox, des lits de plumes, des TV à écran plat et des tableaux originaux. À proximité du Lincoln Center, de Central Park et d'un tas de bons restaurants.

YMCA
AUBERGE DE JEUNESSE **$$**

(carte p. 76 ; ☎212-912-2600 ; www.ymca.com ; 5 W 63rd St à hauteur de Central Park West ; ch à partir de 100 $; ✳@). À deux pas de Central Park, ce majestueux bâtiment Art déco abrite du 8e au 13e étage des chambres simples et propres. Les hôtes ont accès à un vaste complexe à l'ancienne comprenant salle de gym, courts de squash, piscine et sauna. Wi-Fi au rez-de-chaussée. Autres YMCA dans l'Upper East Side et à Harlem.

Jazz on Amsterdam Ave
AUBERGE DE JEUNESSE **$**

(carte p. 76 ; ☎646-490-7348 ; www.jazzhostels. com ; 201 W 87th St à hauteur d'Amsterdam Ave ; dort 44 $, ch 100 $; ✳@). Non loin de Central Park, cette auberge propre appartenant à une chaîne compte des chambres individuelles et des dortoirs de 2 à 6 lits. Wi-Fi gratuit dans le hall. Autres enseignes à Harlem et à Chelsea.

Hostelling International-New York
AUBERGE DE JEUNESSE **$**

(carte p. 76 ; ☎212-932-2300 ; www.hinewyork. org ; 891 Amsterdam Ave, à hauteur de 103rd St ; dort 32-40 $, d à partir de 135 $; ✳@🖥). Des dortoirs climatisés, sûrs et bien tenus dans un superbe bâtiment classé. Grande terrasse ombragée et atmosphère très conviviale.

UPPER EAST SIDE

Carlyle
HÔTEL DE LUXE **$$$**

(carte p. 76 ; ☎212-744-1600 ; www.thecarlyle. com ; 35 E 76th St, entre Madison Ave et Park Ave ; ch à partir de 450 $; ✤🛈). Ce palace légendaire, incarnation du luxe rétro des années 1930, accueille les dignitaires étrangers comme les célébrités. Tout n'est qu'opulence, du hall silencieux pavé de marbre noir étincelant aux chambres ornées de tableaux anglais bucoliques ou de reproductions d'Audubon, dont certaines ont même une terrasse et un piano demi-queue.

Bentley
BOUTIQUE HOTEL **$$$**

(carte p. 76 ; 🕽888-664-6835 ; www.nychotels. com ; 500 E 62nd St, à hauteur de York Ave ; ch à partir de 200 $; ✤🛈). Cet ancien immeuble de bureaux qui domine FDR Dr à perte de vue et dévoile une perspective somptueuse sur l'East River s'est métamorphosé en hôtel chic, avec hall cossu et chambres design.

Bubba & Bean Lodges
B&B **$$**

(carte p. 76 ; 🕽917-345-7914 ; www.bblodges.com ; 1598 Lexington Ave, entre 101st St et 102nd St ; ch à partir de 180 $; ✤🛈). Plancher, murs blancs impeccables et jolis dessus-de-lit marine agrémentent les chambres modernes, jeunes et spacieuses de ce coquet B&B. Celles-ci ressemblent d'ailleurs davantage à des appartements, certaines pouvant loger jusqu'à 6 personnes. Tarifs intéressants en hiver.

HARLEM

102 Brownstone
HÔTEL **$$**

(carte p. 76 ; 🕽212-662-4223 ; www.102brownstone. com ; 102 W 118th St, entre Malcolm X Blvd et Adam Clayton Powell Blvd ; ch à partir de 120 $; ✤🛈). Une maison magnifiquement restaurée dans le style néogrec dans une belle rue résidentielle. Toutes équipées d'une literie haut de gamme, les chambres diffèrent par leur style, du cadre zen au boudoir raffiné.

710 Guest Suites
APPARTEMENTS **$$**

(🕽212-491-5622 ; www.710guestsuites.com ; 710 St Nicholas Ave, à hauteur de 146th St ; ste à partir de 174 $; ✤🛈). Ces trois élégantes suites hautes de plafond, avec parquet et mobilier contemporain, occupent un *brownstone*. Séjour de trois nuits minimum et tarifs plus avantageux de janvier à mars inclus.

Harlem Flophouse
PENSION **$$**

(carte p. 76 ; 🕽347-632-1960 ; www. harlemflophouse.com ; 242 W 123rd St, entre Adam Clayton Powell Blvd et Frederick Douglass Blvd ; ch avec sdb commune à partir de 125 $). Quatre chambres séduisantes avec parquet poli, luminaires anciens, grands lits et volets en bois. Un chat habite les lieux.

BROOKLYN

♥ New York Loft Hostel
AUBERGE DE JEUNESSE **$**

(🕽718-366-1351 ; 248 Varet St ; dort/ch avec petit-déj 65/90 $; ✤🛈). Pour vivre comme les branchés de Williamsburg ou mieux encore de Bushwick, optez pour ce loft rénové, haut de plafond et aux murs de brique, dont la jolie cuisine et le Jacuzzi sur le toit font paraître miteuses les auberges de Manhattan. La station de métro la plus proche est Morgan Ave, sur la ligne L.

Nu Hotel
HÔTEL **$$$**

(🕽718-852-8585 ; www.nuhotelbrooklyn.com ; 85 Smith St ; d avec petit-déj à partir de 199 $; ✤@🛈). L'emplacement, à quelques *blocks* de Brooklyn Heights et d'un chapelet de ravissants *brownstones*, serait absolument idéal si une maison d'arrêt ne se dressait pas en face. Déco minimaliste chic et chambres confortables entièrement blanches.

Hotel Le Bleu
HÔTEL **$$**

(🕽718-625-1500 ; www.hotelbleu.com ; 370 4th Ave ; d avec petit-déj 169-349 $; 🅿✤@🛈). Dans une avenue bordée d'ateliers de carrosserie où passent les camions crachant leur fumée, cet établissement a néanmoins l'avantage d'être à une courte distance à pied du sympathique quartier animé de Park Slope. Ses chambres blanches minimalistes comportent des lits de grande taille et un balcon avec vue intéressante sur Manhattan.

3B
B&B **$$**

(🕽347-762-2632 ; www.3bbrooklyn.com ; 136 Lawrence St ; dort/ch avec petit-déj 40/120 $; ✤🛈). Ces 4 chambres claires et modernes ont été aménagées au 2e étage d'un *brownstone* de Downtown Brooklyn.

🍴 Où se restaurer

Dans une ville qui compte près de 19 000 restaurants et où de nouvelles tables ouvrent chaque jour, par où commencer ? De Little Albania à Little Uzbekistan, les saveurs exotiques ne sont souvent qu'à quelques stations de métro de l'endroit où vous vous trouvez. Foyer d'inventions et de modes, comme les *doughnuts* artisanaux ou les sandwichs au porc fermier, et de réinterprétations gastronomiques des bons vieux classiques à l'image du hamburger-frites, New York n'a jamais dit son dernier mot en matière culinaire. Dernière tendance en date, celle des camions itinérants qui vendent toutes sortes de délices, des cupcakes aux raviolis en passant par le curry de chèvre jamaïcain.

A, B, C

La lettre affichée en devanture de tous les restaurants de New York indique le niveau d'hygiène constaté lors de l'inspection sanitaire, A étant le résultat optimal.

LOWER MANHATTAN

Bridge Café AMÉRICAIN MODERNE $$
(carte p. 58 ; 279 Water St ; plat 23 $; ⊙11h45-23h). En activité à Downtown depuis 1794, ce restaurant cosy sans prétention est considéré comme le doyen de la ville, mais sa carte de viandes et de fruits de mer de saison se révèle tout à fait actuelle. Son *banana chocolate bread-pudding* conclut à merveille un repas.

Smorgas Chef Wall St SCANDINAVE $$
(carte p. 58 ; 53 Stone St ; plat 9-24 $; ⊙10h30-22h30). Dans l'étroite et pittoresque Stone St (première rue pavée de la Nouvelle-Amsterdam), ce bistrot sert des spécialités scandinaves comme les boulettes de viande suédoises ainsi que du poisson, des salades et autres plats légers. En été, il sort des tables dehors de même que ses voisins, transformant la rue en lieu festif.

Table Tales SANDWICHS $
(carte p. 58 ; 243 Water St ; plat 9 $; ⊙11h30-22h lun-ven). Loin du quartier de South St Seaport saturé de touristes et de chaînes, faites une pause bien méritée dans ce petit endroit confortable à l'ambiance décontractée, qui propose des en-cas substantiels et des plats plus complets pour le dîner.

Ruben's
Empanadas ARGENTIN, RESTAURATION RAPIDE $
(carte p. 58 ; 76 Nassau St, à hauteur de John St ; empanadas 4 $; ⊙9h-19h). Cette chaîne argentine décline toute une gamme d'empanadas nourrissantes et peu grasses, fourrées au poulet, à la pomme, au tofu épicé, etc. Parfait pour recharger les batteries. Deux autres enseignes dans le quartier.

Zaitstaff HAMBURGERS $
(carte p. 58 ; 72 Nassua St ; plat 9 $; ⊙9h30-21h30 lun-ven, 10h30-13h sam et dim). Les burgers au bœuf Kobe de ce petit restaurant situé au cœur d'un endroit rempli de delis et de fast-foods lui valent une clientèle nombreuse et fidèle. également des burgers à la dinde ou végétariens.

Alfanoose MOYEN-ORIENTAL $
(carte p. 58 ; 8 Maiden Lane, entre Broadway et Nassau ; plat 6 $; ⊙11h30-21h30 lun-sam). Des spécialités syro-libanaises végétariennes autant que carnées, dont quelques plats qui ne figurent pas habituellement sur les cartes des enseignes de falafels.

TRIBECA, SOHO ET NOHO

Mooncake Foods ASIATIQUE, SANDWICHS $
(carte p. 62 ; 28 Watts St, à hauteur de Broome ; plat 8 $; ⊙10h-23h lun-ven, 9h-23h sam et dim). Cette table familiale sans prétention prépare les meilleurs sandwichs du quartier, et même de la ville. Goûtez celui à la salade de poisson blanc fumé ou aux boulettes de porc vietnamiennes. Autres adresses à Chelsea et à Hell's Kitchen.

Edward's AMÉRICAIN $$
(carte p. 58 ; 136 W Broadway, entre Thomas St et Duane St ; plat 13 $; ⊙9h-24h). Dans une rue animée de Tribeca, Edward's offre un cadre décontracté de bistrot européen – hauts plafonds, murs tapissés de miroirs et box en bois sombre. La carte variée comprend, entre autres, des pâtes et des burgers.

La Esquina Taqueria MEXICAIN $
(carte p. 62 ; 114 Kenmare St, à hauteur de Cleveland Pl ; plat 6 $; ⊙8h-1h45 lun-ven, 12h-1h45 sam et dim). Signalé par une énorme enseigne en néon marquée "The Corner" (traduction anglaise de *la esquina*, le coin), cet établissement mexicain couru voit affluer du monde jour et nuit pour de bonnes raisons. Plats savoureux et authentiques, servis au comptoir ou dans le café feutré qui fait l'angle.

Bubby's Pie Company AMÉRICAIN $$
(carte p. 58 ; 120 Hudson St, à hauteur de N Moore St ; plat 12-25 $; ⊙1h-12h lun, 8h-24h mar, 24h/24 mer-dim). Cette valeur sûre de TriBeCa n'a pas son pareil pour qui veut manger une nourriture simple et roborative : grillades au barbecue à cuisson lente, *grits* (gruau de maïs), soupe aux boulettes de matzo, salade de pommes de terre au babeurre, gombos frits et robustes petits-déjeuners riches en lipides. Bref, rien que des plats qui fondent dans la bouche, comme les enfants les aiment.

CHINATOWN, LITTLE ITALY ET NOLITA

Peasant ITALIEN $$$
(carte p. 62 ; ☎212-965-9511 ; 194 Elizabeth St, entre Spring St et Prince St ; plat 20-30 $; ⊙18h-23h mar-sam, 18h-22h dim). Cette salle chaleureuse avec des tables en chêne

s'organise autour d'une cheminée en brique et d'une cuisine ouverte, d'où sortent des plats italiens copieux, la plupart à base de viande. Vous vous régalerez par exemple de gnocchis aux champignons des bois ou de lapin rôti au four. Après le dîner, allez prendre un verre dans la cave transformée en bar à vin sombre et cosy.

Ruby's
AMÉRICAIN $$

(carte p. 62 ; 219 Mulberry St ; plat 12 $; ⏲10h-23h). Frayez-vous une place à l'une des tables de pique-nique de cette petite adresse sans prétention qui propose des salades saines, des paninis et de copieux burgers (bœuf haché avec oignons et poivrons, recouvert d'œufs sur le plat, de betterave et d'ananas rôti).

Torrisi Italian Specialties
ITALIEN $

(carte p. 62 ; 250 Mulberry St, à hauteur de Prince ; sandwichs 8 $; ⏲11h-22h). Modeste épicerie-restaurant dans la journée, avec de la charcuterie en vitrine, un choix de sandwichs et des plats tels que lasagnes, Torrisi présente le soir un menu (45 $) inventif de classiques italo-américains gastronomiques à base de produit locaux et de saison.

Focolare
ITALIEN $$

(carte p. 62 ; 115 Mulberry St, entre Canal et Hester ; plat 15 $; ⏲11h-22h). Si vous avez l'intention de dîner à Little Italy, cette option vaut autant pour le confort de son intérieur que pour sa cuisine classique.

Bánh Mí Saigon Bakery
VIETNAMIEN $

(carte p. 62 ; 198 Grand St ; plat 5 $; ⏲10h-19h). Cette humble boutique confectionne un des meilleurs *bánh mì* – sandwichs vietnamiens au porc rôti dans une baguette – de la ville.

Fonda Nolita
MEXICAIN $

(carte p. 62 ; 267 Elizabeth St, près de Houston St ; plat 4 $; ⏲8h-24h). De généreux tacos (goûtez celui au chorizo du petit-déjeuner) servis depuis un combi Volkswagen garé à l'intérieur.

LOWER EAST SIDE

Spitzer's Corner
AMÉRICAIN MODERNE $$

(carte p. 62 ; ☎212-228-0027 ; 101 Rivington St ; plat 9-19 $; ⏲12h-4h lun-sam, 10h-24h dim). Ce pub gastronomique situé à l'angle d'une rue permet de déjeuner ou dîner en terrasse, tandis que les tables communes et le long comptoir faisant face à la rue encouragent la convivialité. Conçue par un chef étoilé, la carte limitée s'accompagne d'une quarantaine de bières à la pression.

Katz's Delicatessen
DELI $$

(carte p. 62 ; 205 E Houston St ; sandwichs 13 $; ⏲8h-21h45 lun et mar, 8h-22h45 mer, jeu et dim, 8h-2h45 ven et sam). L'un des rares *delis* juifs qui subsistent à New York attire riverains, touristes et célébrités dont les photos ornent les murs. Les gros sandwichs au pastrami, au *corned beef*, à la poitrine ou à la langue de bœuf sont ici à l'ordre du jour. Gardez le ticket qu'on vous tend à l'entrée et payez en espèces uniquement.

Kuma Inn
ASIATIQUE $$

(carte p. 62 ; ☑212-353-8866 ; 113 Ludlow St, entre Delancey et Rivington ; plat 11 $; ⏲18h-23h). Réservation impérative pour pénétrer dans ce restaurant très couru, situé au premier étage d'un immeuble et qui a tout d'un appartement reconverti. Les tapas d'inspiration philippino-thaïe ouvrent les agapes. Rouleaux de printemps végétariens, omelette aux huîtres, saumon grillé aux haricots mungo et oignons au vinaigre suivent.

Fat Radish
AMÉRICAIN MODERNE $$$

(carte p. 62 ; 17 Orchard St ; plat 21 $; ⏲8h-24h mar-ven, 11h-24h sam et dim, fermé lun). La jeunesse à la mode se presse dans ce restaurant de style vaguement industriel

SE RESTAURER À NEW YORK : CHINATOWN

Avec des centaines de restaurants, du minuscule boui-boui à la salle de banquet, Chinatown est l'endroit rêvé pour découvrir de nouvelles saveurs à prix doux. Direction **Amazing 66** (carte p. 58 ; 66 Mott St, à hauteur de Canal St ; plat 7 $; ⏲11h-23h) pour la cuisine cantonaise, **Vanessa's Dumpling House** (carte p. 62 ; 118 Eldridge St, à hauteur de Broome St ; 4 raviolis 1 $; ⏲7h30-22h30) pour les meilleurs dumplings (raviolis). De son côté, **Big Wong King** (carte p. 58 ; 67 Mott St, à hauteur de Canal ; plat 5-20 $; ⏲7h-21h30) réussit bien les plats de riz à la viande et le *congee* (bouillie de riz salée ou sucrée). Toujours en effervescence et accueillant envers les touristes, **Joe's Shanghai** (carte p. 58 ; 9 Pell St ; plat 10 $; ⏲11h-23h) mitonne des nouilles et des soupes savoureuses. Enfin, le **Egg Custard King** (carte p. 62 ; Natalie Bakery Inc ; 271 Grand St ; crème renversée 1 $; ⏲7h-21h30) excelle dans la egg *custard* (crème renversée).

aux murs de briques blanches et à la lumière tamisée. Au milieu du brouhaha et des clients qui se dévisagent, la cuisine de saison typique des pubs gastronomiques new-yorkais mérite l'attention.

Economy Candy BONBONS **$**
(carte p. 62 ; 108 Rivington St ; bonbons à partir de 4 $; ⏲9h-18h dim-ven, 10h-17h sam). Les bonbons les plus fous et tous ceux de votre enfance remplissent cette boutique de la taille d'un mouchoir de poche.

Russ & Daughters DELI **$**
(carte p. 62 ; 179 E Houston St ; plat 5 $; ⏲8h-20h lun-ven, 8h-19h sam, 8h-17h30 dim). Évocatrice d'une époque révolue, cette institution propose des délices tels que caviar, hareng, saumon fumé et, bien sûr, des bagels tartinés de *cream cheese* (fromage frais).

Souvlaki GR GREC **$**
(carte p. 62 ; 116 Stanton St, près d'Essex St ; plat 5 $; ⏲11h-24h). Les propriétaires d'un camion de restauration ont ouvert ce petit établissement qui ressemble au plateau de tournage d'un film situé sur une île grecque.

Donut Plant BEIGNETS **$**
(carte p. 62 ; 379 Grand St, à hauteur de Norfolk ; doughnuts 2,75 $; ⏲6h30-18h30). Des doughnuts aux parfums originaux (beurre de cacahuète et confiture, par exemple), entièrement à base d'ingrédients naturels. Autre enseigne au Chelsea Hotel, 222 W 23rd St.

EAST VILLAGE

Tous les types de cuisine et tous les styles sont présents à East Village, où même les meilleures tables échappent au côté guindé. St Marks Place et ses abords, de Third Ave à Second Ave, font figure de petit Tokyo, avec quantité d'enseignes de sushis et de yakitoris. Des restaurants indiens plus ou moins similaires jalonnent Sixth St entre First Ave et Second Ave.

♥ **Momofuku Noodle Bar** JAPONAIS **$$**
(carte p. 62 ; 171 First Ave, à hauteur de 11th St ; plat 9-16 $; ⏲12h-16h et 17h30-23h dim-jeu, 12h-16h et 17h30-24h ven et sam). Un restaurant nippon infiniment créatif qui appartient à l'empire en plein essor du chef David Chang. Les clients peuvent s'asseoir sur des tabourets le long du comptoir ou à des tables communes. Outre les nouilles *ramen*, nous vous recommandons les fameux chaussons au poulet et au porc cuits à la vapeur de la maison (9 $ les deux).

Counter VÉGÉTARIEN **$$**
(carte p. 62 ; ☎212-982-5870 ; 105 First Ave, entre E 6th St et 7th St ; plat 15-25 $; ⏲17h-24h lun-jeu, 17h-1h ven, 11h-1h sam, 11h-24h dim ; 🖉). Un endroit unique qui allie avec le plus grand succès martinis à la vodka et cuisine végétarienne bio. La salle futuriste à l'éclairage étudié et aux tableaux de vastes dimensions va de pair avec des plats innovants comme le risotto au chou-fleur.

Il Bagatto ITALIEN **$$**
(carte p. 62 ; ☎212-228-0977 ; 192 E 2nd St, près de l'Ave B ; plat 18 $; ⏲17h30-24h, fermé lun). Un petit restaurant romantique et animé qui cuisine de délicieuses créations italiennes à des prix incroyablement raisonnables et possède une excellente carte des vins.

Xi'an Famous Foods CHINOIS **$**
(carte p. 62 ; 81st St Mark's Pl, à hauteur de First Ave ; plat 6 $; ⏲24h/24). Cette chaîne qui a ouvert son premier restaurant à Flushing, dans le Queens, se distingue par ses spécialités de nouilles et de soupes épicées typiques de l'ouest de la Chine. Deux autres adresses à Chinatown.

Veselka EUROPÉEN DE L'EST **$$**
(carte p. 62 ; 144 Second Ave, à hauteur de 9th St ; plat 12 $; ⏲24h/24). Depuis plusieurs générations, les habitants d'East Village affluent à toute heure dans cette institution à l'ambiance bruyante pour prendre leur petit-déjeuner ou manger des blinis.

GREENWICH VILLAGE (WEST VILLAGE)

Blue Hill AMÉRICAIN MODERNE **$$$**
(carte p. 62 ; ☎212-539-1776 ; 75 Washington Pl, entre Sixth Ave et MacDougal St ; plat 22-50 $; ⏲17h30-23h lun-sam, 17h30-22h dim). Adresse pour militants de la Slow Food aux poches pleines, le discret et sélect Blue Hill garantit que votre assiette contient exclusivement des produits frais et de saison. Cela donne des plats de volaille et de poisson qui font la part belle aux légumes à peine relevés.

Buvette FRANÇAIS **$$**
(carte p. 62 ; 42 Grove St ; plat 12 $; ⏲8h-2h lun-ven, 11h-2h sam et dim). Exigu ou cosy selon votre humeur, ce bistrot à l'éclairage tamisé sert des plats comme la morue salée et séchée maison à l'huile d'olive sous forme de mini-portions, ainsi que de la charcuterie, des fromages et des tartines.

Snack Taverna GREC **$$**
(carte p. 62 ; 63 Bedford St ; plat 15-25 $; ⏲12h-23h lun-sam, 12h-22h sam). Si vous ne pouvez pas vous rendre dans l'un des restaurants grecs

d'Astoria (Queens), la carte de celui-ci va au-delà des habituels *gyro* et moussaka. Les assiettes composées – truite fumée, biscottes d'orge, tomates, fromage et vinaigre balsamique, par exemple – s'avèrent excellentes.

Perilla
AMÉRICAIN MODERNE **$$**

(carte p. 62 ; ☎212-929-6868 ; 9 Jones St ; plat 22-27 $; ⏱17h30-23h lun-jeu, 17h30-23h30 ven et sam, 11h-22h dim). Dirigé par le célèbre cuisinier du programme de télévision *Top Chef*, ce bistrot américain se montre extrêmement créatif sans renier les fondamentaux. Les boulettes de canard épicées et les sardines grillées ouvrent agréablement l'appétit.

Thelewala
INDIEN **$$**

(carte p. 62 ; 112 MacDougal St, près de Minetta Lane ; plat 5 $; ⏱11h30-2h dim-jeu, 11h30-5h ven et sam). Dans une artère dont l'offre culinaire change fréquemment, ce petit restaurant devrait se maintenir longtemps grâce à ses délicieux Calcutta rolls et à sa "cuisine de rue".

Taïm
MOYEN-ORIENTAL **$**

(carte p. 62 ; 222 Waverly Pl, entre Perry St et W 11th St ; plat 7-9 $; ⏱12h-22h). Une minuscule enseigne qui prépare différentes recettes de falafels : traditionnels, aux poivrons rouges grillés, à la harissa... Salades et smoothies également.

CHELSEA, UNION SQUARE, FLATIRON DISTRICT ET GRAMERCY PARK

♥ The Breslin
AMÉRICAIN MODERNE **$$**

(carte p. 68 ; 16 West 29th St ; plat 18 $; ⏱7h-24h). On a parfois du mal à s'entendre parler et la clientèle branchée qui se déverse de l'Ace Hotel voisin ultra-tendance peut agacer... Cependant, c'est la carte de type brasserie, riche en viandes, du chef réputé April Bloomfield qui prévaut ici et ne déçoit pas. Les groupes importants peuvent s'installer autour d'une grande table faisant face à la cuisine ouverte pour partager un cochon de lait rôti (65 $/pers avec garnitures, salade et desserts). Pas de réservation et attente de mise.

Eataly
ITALIEN **$**

(carte p. 68 ; www.eataly.com ; 200 Fifth Ave à hauteur de 23rd St ; plat 7 $; ⏱12h-22h). L'empire new-yorkais du célèbre chef Mario Batali possède désormais un complexe à la hauteur de ses ambitions. Avec plusieurs salles spécialisées chacune dans un type de produits (pizzas, poisson, légumes,

viandes, pâtes), un *beer garden* sur le toit en terrasse, un café, un glacier et une épicerie, les gourmands ne savent plus où donner de la tête.

Co.
PIZZERIA **$$**

(carte p. 68 ; 230 Ninth Ave, à hauteur de 24th St ; pizza 16 $; ⏱17h-23h). Dans la mesure où le cuisinier et patron de cette adresse moderne est avant tout boulanger, ses pizzas à pâtes très fine se classent au sommet du palmarès new-yorkais. Venez à plusieurs pour avoir un aperçu des différentes garnitures fraîches et originales.

Chat N' Chew
AMÉRICAIN **$$**

(carte p. 58 ; 10 E 16th St ; plat 12-20 $; ⏱11h-24h lun-ven, 10h-24h sam, 10h-23h dim). Rien que de bons vieux classiques américains réconfortants, mais de qualité, comme les *macaroni and cheese*, le poulet frit à la purée ou l'*onion ring loaf* peu diététique (à partager au moins à quatre).

Blossom
VÉGÉTALIEN **$$$**

(carte p. 58 ; ☎212-627-1144 ; 187 Ninth Ave, entre 21st St et 22nd St ; plat 25-35 $; ⏱12h-22h30 ven, sam et dim, 17h-22h lun-jeu ; ✎). Un établissement élégant et créatif, dans une maison de Chelsea, dont les recettes végétaliennes provenant des quatre coins du globe enchantent les papilles. Goûtez l'*empanada* feuilletée au seitan (aliment à base de gluten), le *tempeh* (produit à base de soja fermenté) mariné au mojo ou les champignons de Paris farcis aux noix de cajou et à la tahina (crème de sésame).

The Highliner
DÎNER **$$**

(carte p. 68 ; 210 Tenth Ave, à hauteur de 22nd St ; plat 12 $; ⏱11h-23h). Indépendamment de la qualité de ses plats de *diner* chic, cette nouvelle adresse installée dans les anciens locaux du bien-aimé Empire Diner attirera sans aucun doute les promeneurs de la High Line.

Shake Shack
HAMBURGERS **$**

(carte p. 68 ; Madison Ave, à hauteur de E 23rd St ; burgers à partir de 4 $; ⏱11h-23h). Les touristes font la queue en masse devant le comptoir-guichet pour acheter les burgers et les milk-shakes de cette institution du Madison Square Park.

Chennai Garden
INDIEN **$$**

(carte p. 68 ; 129 E 27th St, entre Park Ave et Lexington Ave ; plat 9-15 $; ⏱12h-22h). Outre des spécialités d'Inde du Sud comme les fins dosa (crêpes de riz) fourrés de mélanges épicés à base de pommes de terre et de petits pois, on trouvera une gamme de curries plus convenus.

Chelsea Market
MARCHÉ $$

(carte p. 68 ; www.chelseamarket.com ; 75 Ninth Ave, entre W 15th St et 16th St ; ☺7h-22h lun-sam, 8h-20h dim). Un paradis pour les gourmets, dans une galerie de 245 m de long.

MIDTOWN

♥ Kum Gang San
CORÉEN $$

(carte p. 68 ; 49 W 32nd St, à hauteur de Broadway ; plat 12-26 $; ☺24h/24). Parmi les restaurants les plus vastes et les plus extravagants de Koreatown, le Kum Gang San excelle dans les grillades au barbecue que chacun cuit à sa table et déguste avec de savoureux plats d'accompagnement. Malgré son côté bruyant et un peu kitch, c'est une bonne introduction à la cuisine coréenne.

Pietrasanta
ITALIEN $$

(carte p. 68 ; ☏212-265-9471 ; 683 9th Ave, à hauteur de 47th St ; plat 16-24 $; ☺12h-22h30 lun-jeu et dim, 12h-24h ven et sam). La meilleure des nombreuses tables italiennes réparties dans un rayon de plusieurs *blocks*, le Pietrasanta reçoit autant d'habitués du quartier que de touristes venus pour une soirée de théâtre. Mention spéciale pour les raviolis au potiron.

Café Edison
DELI $

(carte p. 68 ; 228 W 47th St, entre Broadway et Eighth Ave ; plat à partir de 6 $; ☺6h-21h30 lun-sam, 6h-19h30 dim). Une adresse historique en activité depuis les années 1930. Au menu : sandwichs saucisse ou fromage grillé, *corned-beef* chaud, tartine à la dinde, blinis au fromage et autres plats typiques des *diners* américains. Règlement en espèces uniquement.

Ellen's Stardust Diner
DÎNER $$

(carte p. 68 ; 1650 Broadway, à hauteur de 51st St ; plat 15 $; ☺7h-24h lun-jeu, 7h-1h ven et sam, 7h-23h dim). Si les New-Yorkais n'y mettraient pas les pieds pour rien au monde, ce *diner*/restaurant d'après spectacle sur le thème des années 1950 est pourtant très amusant. Lorsque les serveurs talentueux poussent la chansonnette en ramassant le montant de l'addition, on ne peut s'empêcher d'applaudir.

44 & X
AMÉRICAIN MODERNE $$

(carte p. 68 ; 622 Tenth Ave, à hauteur de W 44th St ; plat 16-30 $; ☺17h30-24h lun-ven, 11h30-24h sam, 11h30-22h30 dim). Cela vaut le coup de s'aventurer aussi loin à l'ouest pour manger dans ce lieu clair, spacieux et dépouillé qui offre des plats pour tous les goûts, des *macaroni and cheese* aux *short ribs* braisés.

Mandoo Bar
CORÉEN $$

(carte p. 68 ; 2 W 32nd St, près de Fifth Ave ; plat 10 $; ☺11h30-23h). Confectionnés à la main derrière la vitrine, les raviolis coréens de ce restaurant tout en longueur changent agréablement des tables de grillades du quartier.

Mechango Tei
JAPONAIS $$

(carte p. 68 ; 45th St, entre Lexington Ave et Third Ave ; plat 11 $; ☺11h30-23h30). Un vrai spécialiste des nouilles nippones dont le menu abondamment illustré de photos facilite le choix des novices en la matière. Autre adresse dans 55th St, entre Fifth Ave et Sixth Ave.

Poseidon Bakery
PÂTISSERIE $

(carte p. 68 ; 629 Ninth Ave, à hauteur de W 44th St ; à partir de 2 $; ☺9h-19h mar-sam). Une pâtisserie grecque familiale qui vend de délicieux baklavas et spanakopita (chausson feuilleté à la feta et aux épinards).

Sophie's
CUBAIN $

(carte p. 68 ; 21 W 45th St, entre Fifth Ave et Sixth Ave ; plat à partir de 6 $; ☺10h-20h lun-ven, 10h-18h sam). Un endroit animé à midi où l'on déguste ragoût de bœuf et de queue de bœuf, poulet grillé, assiettes de haricots et riz, et petits pâtés de viande à emporter ($2). Sept autres enseignes en ville.

Daisy May's BBQ
BARBECUE $$

(carte p. 68 ; 626 Eleventh Ave, à hauteur de 46th St ; plat 12 $; ☺11h-22h). Pratique pour une pause déjeuner sur le chemin de l'Intrepid ou de l'Hudson River Park, c'est l'une des meilleures tables de grillades au barbecue, avec notamment des Memphis-style ribs.

Patsy's
ITALIEN $$$

(carte p. 68 ; 236 W 56th St, entre Broadway et Eight Ave ; plat 23 $; ☺12h-21h30). Sinatra avait ses habitudes dans cet établissement à l'ancienne.

UPPER WEST SIDE ET MORNINGSIDE HEIGHTS

Big Nick's
DÎNER $

(carte p. 76 ; 2175 Broadway, à hauteur de 77th St ; plat 8 $; ☺24h/24). Avec son intérieur aux allures de mess de sous-marin du temps de la guerre froide et sa carte à rallonge, voici un *diner* comme on n'en fait plus. Cela n'empêche pas les plats – "sumo burger" de 450 g, *gyros*, hot dogs, *quesadillas*, ribs, pizza au tofu, *challah* Monte Cristo – d'être généralement bons, quoi que peu diététiques.

Barney Greengrass
DELI $$

(carte p. 76 ; 541 Amsterdam Ave, à hauteur de W 86th St ; plat 8-17 $; ☺8h30-16h mar-ven, 8h30-17h sam et dim). Des habitants de l'Upper West Side et des "pèlerins" en provenance d'autres quartiers affluent le week-end chez ce traiteur juif vieux d'un siècle, autoproclamé "roi de l'esturgeon". Longue carte de spécialités savoureuses mais chères telles que *bagel and lox* (bagel au saumon fumé) et esturgeon aux œufs et aux oignons.

Hungarian Pastry Shop
PÂTISSERIE $

(carte p. 76 ; 1030 Amsterdam Ave, entre W 110th St et 111th St ; pâtisseries 2-4 $; ☺7h30-23h30, 7h30-22h30 dim). Apportez un livre pour vous mêler aux étudiants très sérieux de l'université de Columbia qui travaillent sur leur ordinateur portable devant un café. Excellents gâteaux et pâtisseries.

Flor de Mayo
CHINOIS, PÉRUVIEN $$

(carte p. 76 ; 484 Amsterdam Ave, à hauteur de 83rd St ; plat 9-14 $; ☺12h-24h). L'un des quelques restaurants du genre à New-York où l'on peut commander à la fois des œufs *foo young* et du *ceviche de pescado* (poisson cru mariné).

UPPER EAST SIDE

Daniel
FRANÇAIS $$$

(carte p. 76 ; ☎212-288-0033 ; 60 E 65th St, entre Madison Ave et Park Ave ; menus dîner de 3 plats 105 $; ☺lun-sam 17h30-23h). Un palais de la gastronomie française au décor cossu rehaussé de compositions florales, où les gourmets s'extasient devant des plats comme le tourteau avec sa salade de racines de céleri, la terrine de foie gras aux pommes gala et le homard en croûte de truffe, pour ne parler que des entrées. Il existe aussi un menu 100% végétarien.

Central Park Boathouse Restaurant
AMÉRICAIN $$$

(carte p. 76 ; ☎212-517-2233 ; Central Park Lake, entrée sur Fifth Ave, à hauteur de 72nd St ; plat 15-40 $; ☺12h-21h30). L'historique Loeb Boathouse, un hangar à bateaux sur les rives du lac de Central Park, offre l'un des cadres les plus sereins et romantiques pour un dîner en amoureux. Sa cuisine est également de premier ordre – réservez longtemps à l'avance et demandez une table dehors.

Beyoglu
TURC $$

(carte p. 76 ; ☎212-650-0850 ; 1431 Third Ave, à hauteur de 81st St ; plat 15 $; ☺12h-22h30). Un espace aux airs de salon tout proche du Met, pour goûter de multiples petits plats traditionnels – soupe au yaourt, kebabs,

caviar d'aubergine, etc. – à arroser d'un ou deux verres de raki (eau-de-vie anisée).

Totonno's
ITALIEN $$

(carte p. 76 ; 1544 Second Ave ; plat 14 $; ☺12h-16h lun-ven). L'enseigne à Manhattan d'une pizzeria réputée de Coney Island.

Nectar Café
DÎNER $$

(carte p. 76 ; 1022 Madison Ave, à hauteur de 79th St ; plat 13 ; ☺6h-21h). Les prix de ce diner standard ne se justifient que par son emplacement à quelques *block*s de plusieurs grands musées, mais ils restent plutôt avantageux pour le quartier.

HARLEM

Red Rooster
AMÉRICAIN MODERNE $$$

(carte p. 76 ; ☎212-792-9001 ; 310 Lenox Ave, près de 125th St ; plat 14-32 $; ☺11h30-22h30). Sorte de pionnier du genre, l'établissement sophistiqué du chef Marcus Samuelson, tout proche des lignes de métro 2 et 3, dégage une ambiance qui rappelle Downtown. Mariant spécialités du Sud, *soul food* et nouvelle cuisine américaine, la carte comprend du poisson-chat (*catfish*) noirci au gril, des boulettes de viande à la purée de pommes de terre et aux airelles rouges ainsi que des sandwichs originaux. Le bar/coin petit-déjeuner situé à l'avant sert café, pâtisseries et biscuits.

Amy Ruth's Restaurant
SUD DES ÉTATS-UNIS $$

(carte p. 76 ; 113 W 116th St, entre Malcolm X Blvd et Adam Clayton Powell Jr Blvd ; plat 10-16 $; ☺11h30-23h lun, 8h30-23h mar-jeu et dim, 8h30-5h30 ven et sam). Les touristes se jettent sur la spécialité de la maison, les gaufres sucrées (au chocolat, à la fraise, aux myrtilles ou recouvertes de pommes cuites) ou salées (avec du poulet frit, de l'entrecôte ou du poisson-chat). Le jambon fumé, le poulet et les raviolis ont également du succès.

Londel's Supper Club
CAJUN $$

(carte p. 76 ; ☎212-234-6114 ; 2620 Frederick Douglass Blvd ; plat 12-24 $; ☺11h30-23h mar-sam, 11h30-17h dim). Les photos de clients célèbres accrochées au mur témoignent du statut et de la popularité de cette table élégante où la cuisine cajun côtoie les saveurs européennes. Jazz live les vendredis et samedis soir.

BROOKLYN

Voici venu le moment de rendre justice à la scène culinaire de Brooklyn, dont les gourmets savent qu'elle n'a rien à envier à celle de Manhattan. Il faut dire que presque toutes les cuisines étrangères sont présentes de manière significative dans ce *borough.* Pour ne parler que des quartiers les plus accessibles depuis Manhattan, Williamsburg regorge de restaurants, tout comme Fifth Ave et Seventh Ave à Park Slope ou Smith St à Carroll Gardens et Cobble Hill. Enfin, Atlantic Ave, près de Court St, compte d'excellentes tables et épiceries moyen-orientales.

♥ **Frankies 457**   ITALIEN **$$**
(457 Court St, Carroll Gardens ; plat 15 $; ⊙11h-23h dim-jeu, 11h-24h ven et sam). Cette adresse à succès de Carroll Gardens, accueillante et romantique, voit défiler les habitués soir après soir. Éclairée à la lumière tamisée des bougies le soir, elle possède un beau jardin à l'arrière pour prendre un brunch quand il fait chaud. Assiettes de fromages, *crostini* et *antipasti* de légumes peuvent être partagés à plusieurs.

Blue Ribbon Brasserie   AMÉRICAIN, FRUITS DE MER **$$$**
(☎718-840-0404 ; 280 5th Ave, entre 1st St et Garfield Pl, Park Slope ; plat 15-27 $; ⊙17h-24h lun-jeu et dim, 17h-2h ven et sam). Ce restaurant au cœur de Park Slope satisfait tous les goûts : incroyable bar à fruits de mer, travers de porc, soupe aux boulettes de matzo, paella, poulet frit et *bread pudding* aux éclats de chocolat. Il reste ouvert tard, mais ne prend les réservations qu'à partir de 6 personnes.

Farm on Adderly   AMÉRICAIN MODERNE **$$**
(☎718-287-3101 ; 1108 Cortelyou Rd, Ditmas Park ; plat le soir 18 $; ⊙11h30-23h). C'est le genre d'endroit où la traçabilité du poisson, de la volaille ou de la viande qui se trouve dans votre assiette n'a pas de secret pour les serveurs – si vous demandez, on vous donnera même les noms des producteurs. Vous pouvez dîner dans le patio à l'arrière, mais surtout ne manquez pas le cocktail Cascadia (eau-de-vie de poire, gin, absinthe, miel et Schweppes) et la mousse au chocolat salée en dessert.

Peter Luger   STEAKHOUSE **$$$**
(☎718-387-7400 ; 178 Broadway, Williamsburg ; plat à midi 5-20 $, le soir 30-32 $; ⊙11h45-21h45 lun-jeu, 11h45-22h45 ven et sam, 12h45-21h45 dim). Le châteaubriand de cette vénérable steakhouse allemande plus que centenaire, au pied du Williamsburg Bridge, est souvent considéré comme l'un des meilleurs du pays. Réservation obligatoire et paiement en espèces uniquement.

Tom's Restaurant   DÎNER **$**
(782 Washington Ave, à hauteur de Sterling Ave, Prospect Heights ; plat 6 $; ⊙6h-16h). Source d'inspiration de la chanson éponyme de Suzanne Vega, ce *diner* à l'ancienne avec fontaine à sodas a pour spécialité toute une gamme de pancakes (à la mangue et aux noix, par exemple). Ne fuyez pas la queue matinale du week-end, le personnel apporte café et cookies pour faire patienter.

Bar Tabac   FRANÇAIS **$**
(128 Smith St, à hauteur de Dean, Cobble Hill ; plat 15 $; ⊙11h-2h). Il n'y a pas mieux que la terrasse de ce bistrot pour bruncher le week-end pendant qu'un groupe de jazz joue à l'intérieur.

Roberta's   PIZZERIA **$$**
(261 Moore St, près de Bogart, Bushwick ; pizza 14 $; ⊙12h-24h). Des pizzas napolitaines aux garnitures originales vous récompenseront d'avoir fait le trajet jusqu'à ce *block* un peu sordide de Bushwick.

Yemen Café   MOYEN-ORIENT **$$**
(176 Atlantic Ave, Brooklyn Heights ; plat 9 $; ⊙10h-22h30). Une authentique et accueillante adresse yéménite de type cafétéria, au-dessus d'un salon de coiffure pour hommes.

🍷 **Où prendre un verre**

Les bars new-yorkais se déclinent sous de multiples formes : lounges design, pubs cosy et rades où l'alcool coule à flot. Tous ont cependant en commun d'être non-fumeurs. Si la majorité d'entre eux restent ouverts jusqu'à 4h, leurs horaires varient. Voici un échantillon très sélectif des possibilités qui s'offrent à vous.

DOWNTOWN

Decibel   BAR À SAKÉ
(carte p. 62 ; 240 E 9th St ; ⊙18h-3h). Du choix de sakés aux en-cas savoureux, ce bar sombre et cosy en sous-sol a tout d'un authentique bar japonais. On y vient avant tout pour boire car il est difficile d'entendre son prochain, même au coude-à-coude.

KGB Bar   BAR
(carte p. 62 ; ☎212-505-3360 ; 85 E 4th St, à hauteur de 2nd Ave ; ⊙19h-3h30). Dans les années 1940, ce lieu d'East Village était le siège du parti socialiste ukrainien. Devenu bar littéraire, il organise régulièrement des lectures depuis le début des années 1990. Mais même en l'absence d'écrivain en résidence, il fait bon se détendre autour de son comptoir en bois patiné par l'usage.

Mayahuel BAR À TEQUILA
(carte p. 62 ; 304 E 6th St, à hauteur de Second Ave ; ☺18h-2h). À mille lieues des bars à tequila habituels, celui-ci ressemble davantage à la cave d'un monastère. Les adeptes du fameux alcool mexicain peuvent ici en goûter des dizaines de variétés (cocktails 13 $).

McSorley's Old Ale House BAR
(carte p. 62 ; 15 E 7th St, entre Second Ave et Third Ave ; ☺11h-1h). Fondé en 1854, comme l'attestent les toiles d'araignée et la sciure sur le sol, McSorley's semble imperméable à la décontraction de façade d'East Village. Vous risquez davantage d'y croiser des pompiers, des réfugiés de Wall St et quelques touristes.

Fat Cat BAR
(carte p. 62 ; 75 Christopher St, à hauteur de Seventh Ave ; prix d'entrée jusqu'à 3 $; ☺14h-5h lun-jeu, 12h-5h ven-dim ; 📶). Évoquant le local en sous-sol rêvé d'une association d'étudiant, ce paradis des jeux possède une table de ping-pong, des billards et même un jeu de palets. Bière bon marché et musique live tous les soirs.

Fresh Salt BAR
(carte p. 58 ; 146 Beekman St ; ☺10h-4h). À quelques pas seulement d'une belle jetée sur l'East River et à proximité du Financial District, ce petit bar rustique parvient à éviter l'ambiance tapageuse provoquée par les employés de Wall St qui sortent après le travail. Jeux de plateaux (Boggle, échecs...) et bonne assiette d'houmous.

Mulberry Project BAR À COCKTAILS
(carte p. 62 ; ☏646-448-4536 ; 149 Mulberry St, près de Grand St ; ☺19h-4h). Situé à Little Italy, ce bar comporte une terrasse à l'étage où l'on sirote des cocktails sur mesure concoctés par des experts en la matière.

Henrietta Hudson BAR LESBIEN
(carte p. 62 ; 438 Hudson St, à hauteur de Morton St ; ☺17h-4h mer-dim, 17h-2h lun et mar). Toutes sortes de jeunes et jolies lesbiennes prennent d'assaut cet élégant bar-lounge établi de longue date où officient des DJ.

Welcome to the Johnsons BAR
(carte p. 62 ; 123 Rivington St ; ☺15h-4h). Décoré comme une salle de jeux des années 1970, cet établissement décalé de Lower East Side s'apprécie autant au premier qu'au second degré. Des chips tortillas offerts par la maison accompagnent le whisky et la root beer.

Schiller's Liquor Bar BAR
(carte p. 62 ; 131 Rivington St, à hauteur de Norfolk St ; ☺11h-1h lun-mer, 11h-2h jeu, 11h-3h ven, 10h-3h sam, 10h-1h dim). Ce lieu à la

mode sert des cocktails aussi réussis que sa cuisine (plat 12-25 $).

Ulysses PUB IRLANDAIS
(carte p. 58 ; 58 Stone St ; ☺11h-4h). Des financiers de la vieille école fréquentent ce bar irlandais moderne, doté d'un long comptoir et de tables de pique-nique sur les pavés de Stone St. On y sert des huîtres et des sandwichs.

MIDTOWN

♥ **Russian Vodka Room** BAR
(carte p. 68 ; 265 W 52nd St, entre 8th Ave et Broadway ; ☺16h-2h). S'il n'est pas rare de croiser ici de vrais Russes, ce bar sélect et chaleureux avec des boxes dans la pénombre vaut surtout pour ses dizaines de vodkas aromatisées, de la canneberge au raifort. On peut aussi commander des plats d'Europe de l'Est tels que *latkes* (galettes de pommes de terre), saumon fumé et escalope viennoise.

Rudy's Bar & Grill BAR DE QUARTIER
(carte p. 68 ; 627 Ninth Ave ; ☺8h-4h). Ce lieu où les nouveaux venus du quartier et les jeunes cadres côtoient les piliers de comptoir sert de la bière bon marché et des hot dogs bien gras dans un brouhaha assourdissant. Un jardin à l'arrière, avec du gazon artificiel et des meubles de fortune, ouvre durant les moins d'été.

Morrell Wine Bar & Café BAR À VIN
(carte p. 68 ; 1 Rockefeller Plaza, W 48th St, entre Fifth Ave et Sixth Ave ; ☺11h30-24h lun-sam, 12h-18h dim). La cave de ce bar à vins novateur compte plus de 2 000 crus, dont 150 servis au verre. Sa salle claire et spacieuse sur deux niveaux, qui donne sur la célèbre patinoire du Rockefeller Center, est tout aussi séduisante.

Therapy BAR GAY
(carte p. 68 ; 348 W 52nd St, entre Eighth Ave et Ninth Ave ; ☺17h-2h lun-jeu et dim, 17h-4h ven et sam). Réparti sur plusieurs niveaux, le spacieux et contemporain Therapy fut le premier haut lieu gay de Hell's Kitchen. Il propose différentes soirées à thème, du stand-up au spectacle musical.

Réunion Surf Bar BAR
(carte p. 68 ; 357 W 44th St, à hauteur de Ninth Ave ; ☺17h30-2h lun-mer, 17h30-4h jeu-sam). Ce bar-restaurant huppé au décor des îles prépare de délicieuses spécialités de la Réunion comme le mahi-mahi cuit à la vapeur dans une feuille de bananier.

Mé Bar BAR SUR LE TOIT
(carte p. 68 ; 13ᵉ étage, 17 W 32nd St, près de Fifth Ave ; ☺17h30-2h dim-mar, 17h30-4h

mer-sam). L'hôtel économique La Quinta, à Koreatown, recèle un secret : une petite plate-forme sur le toit dont la vue embrasse l'Empire State Building.

On the Rocks
BAR À COCKTAILS

(carte p. 68 ; 696 Tenth Ave, entre 48th St et 49th St ; ☺17h-4h). Dans ce mouchoir de poche, les amateurs de whisky sont aux anges.

Rum House
BAR À COCKTAILS

(carte p. 68 ; 228 W 47th St, entre Broadway Ave et Eighth Ave ; ☺11h-4h). Ancien repaire d'habitués sans chichis, le bar rénové de l'Edison Hotel présente désormais des murs lambrissés, des banquettes en cuir et une brigade d'as du cocktail.

UPTOWN

79th Street Boat Basin
BAR

(carte p. 76 ; W 79th St, dans Riverside Park ; ☺12h-23h). Aménagé sous les arches d'un autopont de Riverside Park, ce bar ouvert sur les côtés devient un incontournable de l'Upper West Side dès qu'arrive le printemps. Commandez un pichet avec des en-cas et regardez le soleil se coucher sur l'Hudson.

Subway Inn
BAR

(carte p. 76 ; 143 E 60th St, entre Lexington Ave et Third Ave ; ☺11h-4h). Une vieille adresse pas chère qui a gardé toute son authenticité. De l'enseigne en néon rétro aux boxes rouges usés, en passant par les clients plus très jeunes, l'endroit dégage vraiment une atmosphère d'une autre époque.

Lenox Lounge
BAR À COCKTAILS

(carte p. 76 ; ☎212-427-0253 ; 288 Malcolm X Blvd (Lenox Ave), entre 124th St et 125th St ; ☺12h-4h). Ce bar Art déco qui accueillit Billie Holiday, Miles Davis et consort, a toujours autant de succès auprès des amoureux du jazz. La luxueuse Zebra Room, au fond, offre un cadre historique de rêve pour écouter des musiciens de haut vol. Prix d'entrée parfois élevé.

Bemelman's Bar
BAR

(carte p. 76 ; Carlyle Hotel, 35 E 76th St, à hauteur de Madison Ave ; ☺11h-1h). Serveurs en veste blanche, pianiste et fresque murale de Ludwig Bemelmans, qui illustra la célèbre série de livres pour enfants des *Madeline* (Madeleine en français)... En bref, un lieu conventionnel pour déguster un cocktail décent, qui pourrait très bien apparaître dans un film de Woody Allen.

Ding Dong Lounge
BAR

(carte p. 76 ; 929 Columbus Ave, entre 105th St et 106th St ; ☺16h-4h). Cet ancien repaire de crack transformé en bar punk décoré de pendules à coucou fait office d'avant-poste de Downtown pour les étudiants de Columbia et les hôtes de l'auberge de jeunesse voisine qui le fréquentent. Table de billard et DJ passant du R&B.

BROOKLYN

Brooklyn Social
BAR

(335 Smith St, à hauteur de Carroll St, Carroll Gardens ; ☺17h-2h, 17h-4h ven et sam). Le genre d'établissement dépourvu d'enseigne dont la discrétion constitue un atout. Des jeunes du quartier colonisent le bar et les coins lounge à peine éclairés.

Iona Bar
BAR

(180 Grand St ; ☺13h-4h). Si les branchés fréquentent ce bar irlando-écossais le week-end, c'est une clientèle moins tendance qui profite les autres soirs du *happy hour* (bière 4 $). Quand on allume le barbecue dans le jardin à l'arrière pour cuire hamburgers et hot dogs, les tourtes à la viande et aux légumes ont moins de succès.

Turkey's Nest
BAR

(94 Bedford Ave, à hauteur de N 12th St ; ☺10h-4h). La clientèle hétéroclite de cette adresse de Williamsburg apprécie ses énormes gobelets en polystyrène remplis de bière bon marché et ses cocktails servis dans des verres en plastique. On peut regarder des matchs des Yankees ou des Mets ou bien jouer à un jeu vidéo dans une salle au fond. NB : la propreté des toilettes laisse à désirer.

Union Hall
BAR

(702 Union St, à hauteur de Fifth Ave ; ☺16h-4h, 12h-4h sam et dim). À Park Slope, cet endroit singulier avec ses fauteuils en cuir et sa bibliothèque fait penser à un club de gentlemen londonien du temps jadis. Les deux terrains de boules, la scène de concert au sous-sol et la terrasse extérieure offrent toutefois une atmosphère très différente.

Weather Up
BAR

(589 Vanderbilt Ave ; ☺19h-3h, fermé lun). Aucune enseigne ne signale ce haut lieu de Prospect Heights aux allures de bar clandestin qui cultive la pénombre et s'illustre dans la préparation de cocktails.

Radegast Hall & Biergarten
BAR À BIÈRE

(113 N 3rd St ; ☺16h-4h). Une brasserie bruyante et animée de Williamsburg, qui prépare une excellente escalope viennoise.

Henry Public
BAR

(329 Henry St, à hauteur d'Atlantic Ave ; ☺17h-2h lun-jeu, 17h-4h ven, 11h-4h sam, 11h-2h dim). Emblématique du renouveau des établissements de type saloon à Brooklyn,

Henry Public se distingue grâce à son joli comptoir en zinc et ses bons sandwichs à la dinde.

☆ Où sortir

À New York, ceux qui aiment sortir et ont de l'énergie à revendre se trouvent confrontés à un choix presque illimité allant des spectacles de Broadway aux performances artistiques qui ont lieu dans des appartements privés de Brooklyn. Le magazine *New York* et les éditions du week-end du *New York Times* dressent l'agenda des événements du moment.

CLUBS ET DISCOTHÈQUES

La plupart des clubs fonctionnent de 22h à 4h du matin, mais certains ouvrent plus tôt.

SOBs   CLUB
(carte p. 62 ; ☎212-243-4940 ; www.sobs.com ; 204 Varick St, à hauteur de W Houston). La bossa nova, la samba et autres rythmes latinos drainent ici des gens qui savent se déhancher avec souplesse et sensualité, tandis que d'autres se contentent de regarder.

Santos Party House   CLUB
(carte p. 58 ; ☎212-584-5492 ; www. santospartyhouse.com ; 96 Lafayette St ; droit d'entrée 5-15 $). Le rocker chevelu Andrew WK a créé ce vaste espace dépouillé de 750 m² sur deux niveaux où la bonne ambiance est de rigueur. Surveillez votre attitude pour ne pas être refoulé à l'entrée. La musique va du funk à l'électro et le patron mixe certains soirs.

Beauty & Essex   CLUB
(carte p. 62 ; ☎212-614-0146 ; www. beautyandessex.com ; 146 Essex St). L'attrait de ce nouveau venu se cache derrière une devanture de prêteur sur gage, dans un ancien magasin de meubles. Son espace lounge classieux de plus de 900 m² attire une clientèle de jeunes gens élégants de vingt à trente ans.

Sullivan Room   CLUB
(carte p. 62 ; ☎212-505-1703 ; www.sullivanroom. com ; 218 Sullivan St, entre Bleecker St et W 3rd St ; ⊙mer-dim). Une clientèle mélangée de Downtown et des DJ de haute volée font de ce club une destination de choix pour danser toute la nuit. Inutile toutefois de sortir le grand jeu côté habillement car il n'a rien de prétentieux.

Cielo   CLUB
(carte p. 62 ; ☎212-645-5700 ; www.cieloclub. com ; 18 Little W 12th St, entre Ninth Ave et Washington St ; droit d'entrée 5-20 $). Réputé

pour son espace intime et sa sono d'enfer, cette institution du Meatpacking District draine chaque soir une foule mode et multiculturelle. La musique est un mélange de house rétro et de groove soul.

Pacha   CLUB
(carte p. 68 ; ☎212-209-7500 ; www.pachanyc. com ; 618 W 46th St, entre Eleventh Ave et West Side Hwy). Un endroit gigantesque et spectaculaire de 2 800 m² sur quatre niveaux, où des petits coins intimes pour s'asseoir s'élèvent autour de l'atrium abritant la piste principale. Accueille les plus fameux DJ.

M2 Ultra Lounge   CLUB
(carte p. 68 ; ☎212-629-9000 ; www. m2ultralounge.com ; 530 W 28th St, entre Tenth Ave et Eleventh Ave ; 20 $; ⊙jeu-sam). Ce méga-club typique du genre vous explosera les tympans et le budget (boissons 15 $). Longues files d'attente, somptueuses alcôves, service à la bouteille et go-go danseurs sexy.

MUSIQUE LIVE

Si la musique indé est sans doute moins présente à New York qu'à Austin ou à Seattle, la ville n'en compte pas moins une multitude de salles qui diffèrent beaucoup par la taille et le type de programmation.

Le Poisson Rouge   MUSIQUE LIVE
(carte p. 62 ; ☎212-796-0741 ; www.lepoissonrouge. com ; 158 Bleecker St, à hauteur de Sullivan St). Ce club en sous-sol de Bleecker St fait partie des plus intéressants pour la musique expérimentale, du classique au rock indé en passant par l'électro-acoustique.

Joe's Pub   MUSIQUE LIVE
(carte p. 62 ; ☎212-967-7555 ; www.joespub.com ; Public Theater, 425 Lafayette St, entre Astor Pl et E 4th St). Mi-cabaret, mi-salle de rock et de nouvelle musique indé, ce charmant petit restaurant nocturne affiche une programmation très variée.

BB King Blues Club & Grill   MUSIQUE LIVE
(carte p. 68 ; ☎212-997-4144 ; www.bbkingblues. com ; 237 W 42nd St). Vous pourrez écouter ici, au cœur de Times Square, du blues de la vieille école, du rock, du folk et du reggae.

Barge Music   MUSIQUE CLASSIQUE
(☎718-624-2083 ; www.bargemusic.org ; Fulton Ferry Landing). Des musiciens de grand talent se produisent dans le cadre intimiste de cette péniche amarrée sous le pont de Brooklyn.

Highline Ballroom   MUSIQUE LIVE
(carte p. 68 ; ☎212-414-5994 ; www. highlineballroom.com ; 431 W 16th St, entre

Ninth Ave et Tenth Ave). Une salle chic de Chelsea à la programmation éclectique, de Mandy Moore à Moby.

Beacon Theatre
SALLE DE CONCERT

(carte p. 76 ; ☑212-465-6500 ; www. beacontheatre.com ; 2124 Broadway, entre W 74th St et 75th St). Ce théâtre de 2 000 places dans l'Upper West Side s'adresse à ceux qui préfèrent les salles à échelle humaine pour assister à des spectacles de bon niveau.

Madison Square Garden
SALLE DE CONCERT

(carte p. 68 ; ☑212-465-5800 ; www.thegarden. com ; Seventh Ave, entre W 31st St et W 33rd St). C'est dans cet espace gigantesque qu'on peut écouter des stars comme Aretha Franklin, Van Halen ou encore Bruce Springsteen.

Radio City Music Hall
SALLE DE CONCERT

(carte p. 68 ; ☑212-247-4777 ; www.radiocity. com ; Sixth Ave, à hauteur de W 50th St). En plein cœur de Midtown, ce chef-d'œuvre Art déco accueille des spectacles dans la veine de Barry Manilow ou du Cirque du Soleil, sans oublier le fameux Christmas Spectacular annuel.

Mercury Lounge
MUSIQUE LIVE

(carte p. 62 ; ☑212-260-4700 ; www. mercuryloungenyc.com ; 217 E Houston St)

Delancey Lounge
MUSIQUE LIVE

(carte p. 62 ; ☑212-254-9920 ; www. thedelancey.com ; 168 Delancey St, à hauteur de Clinton St). Groupes de rock indé.

Webster Hall
SALLE DE CONCERT

(carte p. 62 ; ☑212-353-1600 ; www.websterhall. com ; 125 E 11th St, à hauteur de 3rd Ave)

Irving Plaza
SALLE DE CONCERT

(carte p. 68 ; ☑212-777-6800 ; www.irvingplaza. com ; 17 Irving Pl)

Terminal 5
SALLE DE CONCERT

(carte p. 68 ; ☑212-260-4700 ; www. terminal5nyc.com ; 610 W 56th St, à hauteur de 11th Ave). Grands concerts de qualité.

Southpaw
MUSIQUE LIVE

(☑718-230-0236 ; www.spsounds.com ; 125 5th Ave). Rock, funk et DJ à Park Slope, Brooklyn.

THÉÂTRE

En règle générale, les productions de "Broadway" – *The Book of Mormon*, *Spider-Man: Turn off the Dark*, *The Lion King*, etc. – sont montées dans de luxueux théâtres du début du XXᵉ siècle autour de Times Square. Les représentations du soir commencent à 20h.

Le terme "off Broadway" désigne simplement des spectacles joués dans des salles plus modestes d'un maximum de 500 places, que celles-ci se trouvent tout près de la célèbre avenue ou ailleurs en ville. "Off-off Broadway" renvoie à des lectures, improvisations et créations expérimentales plus pointues programmées dans des espaces de moins de 100 places, essentiellement concentrés à Downtown. Il arrive que des spectacles initiés dans ces lieux connaissent un grand succès et passent ensuite à Broadway. Quelques théâtres de renom :

Public Theater
THÉÂTRE

(carte p. 62 ; ☑212-539-8500 ; www. publictheater.org ; 425 Lafayette St, entre Astor Pl et E 4th St)

St Ann's Warehouse
THÉÂTRE

(☑718-254-8779 ; www.stannswarehouse.org ; 38 Water St)

PS 122
THÉÂTRE

(carte p. 62 ; ☑212-477-5288 ; www.ps122.org ; 150 First Ave, à hauteur de E 9th St)

Playwrights Horizon
THÉÂTRE

(carte p. 68 ; ☑212-564-1235 ; www. playwrightshorizon.org ; 416 W 42nd St, entre Ninth Ave et Tenth Ave)

New York Theater Workshop
THÉÂTRE

(carte p. 62 ; ☑212-780-9037 ; www.nytw.org ; 79 E 4th St, entre Second Ave et Third Ave)

Ontological Theater
THÉÂTRE

(carte p. 62 ; ☑212-420-1916 ; www.ontological. com ; 131 E 10th St). Pour connaître la programmation, consultez la presse spécialisée ou le site Internet de **Theater Mania** (www.theatermania.com). On peut se procurer des billets au tarif normal auprès de **Telecharge** (☑212-239-6200 ; www. telecharge.com) et de **Ticketmaster** (www. ticketmaster.com), tandis que les **kiosques TKTS** (www.tkts.com ; Downtown carte p. 58 ; Front St, à hauteur de John St, South St Seaport ; ☺11h-18h ; Midtown carte p. 68 ; sous les escaliers rouges, 47th St, à hauteur de Broadway ; ☺15h-20h) vendent le jour même des places à prix réduit (jusqu'à 50%) pour des comédies musicales de Broadway et off-Broadway.

CAFÉ-THÉÂTRE

Des *prop comics* (comiques avec accessoires) au ras des pâquerettes à l'humour plus intello, il y en a pour tous les goûts et pour toutes les bourses. Les salles bien établies imposent une ou plusieurs consommations.

Upright Citizens Brigade Theatre
COMÉDIE

(carte p. 68 ; ☑212-366-9176 ; www.ucbtheatre. com ; 307 W 26th St). Une petite salle d'impro

Juste après La Nouvelle-Orléans, Harlem fut très tôt un berceau du jazz doté d'une scène florissante où s'illustrèrent de grands noms comme Duke Ellington, Charlie Parker, John Coltrane et Thelonius Monk. Du be-bop au free jazz, dans des clubs Art déco ayant pignon sur rue ou lors de jam-sessions plus intimistes, ce quartier et d'autres à New York, en particulier le Village, continuent d'inspirer des musiciens confirmés et de produire de nouveaux talents. Écoutez la station de radio **WKCR** (89.9 FM), notamment l'émission de Phil Schaap diffusée depuis 27 ans et dans laquelle celui-ci fait montre d'une connaissance encyclopédique (8h20-9h30 lun-ven). De même, la collection de livres, de photos et de CD du **National Jazz Museum in Harlem** (☑212-348-8300 ; www.jazzmuseuminharlem.org ; 104 E 126th St, Suite 2D ; entrée libre ; ⊙10h-16h lun-ven) ravira les passionnés.

Smalls (carte p. 62 ; ☑212-252-5091 ; www.smallsjazzclub.com ; 183 W 4th St ; droit d'entrée 20 $), un club en sous-sol, rivalise avec le mondialement célèbre **Village Vanguard** (carte p. 62 ; ☑212-255-4037 ; www.villagevanguard.com ; 178 Seventh Ave, à hauteur de W 11th St) pour la qualité de sa programmation. Ayant vu défiler depuis un demi-siècle toutes les pointures du jazz, le second impose deux consommations minimum et le silence pendant les concerts.

À Uptown, **Dizzy's Club Coca-Cola : Jazz at the Lincoln Center** (carte p. 76 ; ☑212-258-9595 ; www.jalc.org/dccc ; 4ᵉ étage, Time Warner Bldg, Broadway, à hauteur de W 60th St), l'une des trois salles de jazz du Lincoln Center, jouit d'une vue fabuleuse sur Central Park et présente chaque soir des artistes de haut niveau. Plus au nord dans l'Upper West Side, le **Smoke Jazz & Supper Club-Lounge** (carte p. 76 ; ☑212-864-6662 ; www.smokejazz.com ; 2751 Broadway, entre W 105th St et 106th St) fait le plein le week-end.

en sous-sol où se produisent chaque soir des comédiens bien connus, émergents ou moins doués.

Village Lantern COMÉDIE
(carte p. 62 ; ☑212-260-7993 ; www. villagelantern.com ; 167 Bleecker St). Des spectacles alternatifs tous les soirs, sous le bar éponyme.

Caroline's on Broadway COMÉDIE
(carte p. 68 ; ☑212-956-0101 ; www.carolines. com ; 1626 Broadway). L'une des meilleures adresses du genre, qui reçoit les stars du circuit.

Gotham Comedy Club COMÉDIE
(carte p. 68 ; ☑212-367-9000 ; www. gothamcomedyclub.com ; 208 W 23rd St, entre Seventh Ave et Eighth Ave). Une salle somptueuse à la programmation essentiellement grand public.

Stand-Up New York COMÉDIE
(carte p. 76 ; ☑212-595-0850 ; www. standupny.com ; 236 W 78th St ; 5-12 $). Des comédiens vedettes font ici des apparitions surprise.

CINÉMA
Les longues files d'attente devant les cinémas le soir et le week-end sont la norme. Mieux vaut donc téléphoner et acheter son billet à l'avance (sauf en milieu de semaine,

en pleine journée ou pour voir un film déjà à l'affiche depuis des mois) auprès de **Movie Fone** (☑212-777-3456 ; www.moviefone.com) ou de **Fandango** (www.fandango.com). Chaque billet fait l'objet d'un supplément de 1,25 $, mais cela évite de passer par les caisses. Il existe de vastes multiplexes équipés de sièges en amphithéâtre en divers points de la ville, notamment dans les secteurs de Times Square et de Union Square. Durant les mois d'été, les projections en plein air fleurissent sur les toits en terrasse et dans les espaces verts.

IFC Center CINÉMA
(carte p. 62 ; ☑212-924-7771 ; www.ifccenter.com ; 323 Sixth Ave, à hauteur de 3rd St). L'ex-Waverly comprend trois salles d'art et d'essai qui font la part belle aux films indépendants, aux classiques cultes et aux productions étrangères. Le pop-corn est bio !

Landmark Sunshine Cinema CINÉMA
(carte p. 62 ; ☑212-358-7709 ; www. landmarktheatres.com ; 143 E Houston St). Cet ancien théâtre yiddish passe des films indépendants en exclusivité.

Anthology Film Archives CINÉMA
(carte p. 62 ; ☑212-505-5181 ; www. anthologyfilmarchives.org ; 32 Second Ave, à hauteur de E 2nd St). Les étudiants en cinéma fréquentent cet endroit pour

parfaire leurs connaissances en matière de films indépendants et d'avant-garde.

Brooklyn Academy of Music Rose Cinemas   CINÉMA

(BAM ; ☑718-636-4100 ; www.bam.org ; 30 Lafayette Ave). Ce lieu couru aux salles confortables programme des nouveautés du cinéma indépendant ainsi que des festivals.

Film Forum   CINÉMA

(carte p. 62 ; ☑212-627-2035 ; www.filmforum. org ; 209 W Houston St). Malgré la forme toute en longueur des salles, rien n'entame l'amour de cinéphiles pour cette institution qui donne à voir des reprises, des classiques et des documentaires.

Ziegfeld   CINÉMA

(carte p. 68 ; ☑212-307-1862 ; www. clearviewcinemas.com ; 141 W 54th St). Un pilier rétro du septième art, décoré de lustres en cristal, qui projette des grands succès hollywoodiens dans une salle d'un millier de places.

ARTS DE LA SCÈNE

La présence d'interprètes et de lieux de spectacle de premier ordre fait de New York une destination de choix pour les amoureux de l'art.

L'immense complexe du Lincoln Center met à l'honneur tous les genres : le New York Philharmonic se produit à l'Avery Fisher Hall, la Chamber Music Society of Lincoln Center à l'Alice Tully Hall récemment remodelé et le New York City Ballet au New York State Theater (le New York City Opera a décidé de déménager en 2011). On peut assister à de grandes pièces au Mitzi E. Newhouse Theater et au Vivian Beaumont Theater, tandis que des concerts se déroulent fréquemment à la Juilliard School. Mais la principale attraction reste la Metropolitan Opera House, qui abrite le Metropolitan Opera et l'American Ballet Theater.

Carnegie Hall   SALLES DE CONCERT

(carte p. 68 ; ☑212-247-7800 ; www.carnegiehall. org ; 154 W 57th St, à hauteur de Seventh Ave). Depuis 1891, la scène du Carnegie Hall a permis d'écouter de grands compositeurs classiques à l'image de Tchaïkovski, Mahler et Prokofiev. Plus récemment, des artistes comme Stevie Wonder, Sting et Tony Bennett s'y sont produits. Aujourd'hui, ses trois salles (pratiquement fermées en juillet-août) accueillent des orchestres philharmoniques du monde entier, le New York Pops Orchestra et des musiciens de dimension

internationale. Avant ou après le concert, visitez le **Rose Museum** fraîchement rénové pour connaître l'histoire de l'institution.

Symphony Space   ARTS DE LA SCÈNE

(carte p. 76 ; ☑212-864-5400 ; www. symphonyspace.org ; 2537 Broadway, à hauteur de W 95th St). Cet espace multisalles d'Upper West Side programme toute la semaine divers types de spectacles : théâtre, cabaret, comédie, danse et concerts de musique du monde.

Brooklyn Academy of Music   ARTS DE LA SCÈNE

(BAM ; ☑718-636-4100 ; www.bam.org ; 30 Lafayette Ave). C'est un peu la réponse de Brooklyn au Lincoln Center, mais en plus pointu. L'endroit fait une place à tous les arts de la scène, de la danse moderne à l'opéra et du théâtre d'avant-garde aux concerts.

SPORTS

Les deux équipes new-yorkaises de MLB (Major League Baseball), les **New York Yankees** (www.yankees.com) couronnés de succès qui jouent au **Yankee Stadium** (carte p. 56 ; angle 161st St et River Ave, Bronx) et les moins chanceux **New York Mets** (www. mets.com) basés au **Citi Field** (carte p. 56 ; 126th St, à hauteur de Roosevelt Ave, Flushing, Queens), ont chacune inauguré en 2009 un stade flambant neuf attendu depuis longtemps. Les matchs des équipes de *minor league* (ligue mineure), les **Staten Island Yankees** (www.siyanks.com) et les **Brooklyn Cyclones** (www.brooklyncyclones. com), se déroulent respectivement dans le cadre moins grandiose du **Richmond County Bank Ballpark** (carte p. 56 ; 75 Richmond Terrace, Staten Island) et du **KeySpan Park** (carte p. 56 ; angle Surf Ave et W 17th St, Coney Island).

La ville compte aussi deux clubs de la NBA (National Basketball Association). Les **New York Knicks** (www.nba.com/knicks) visibles au **Madison Square Garden** (entre Seventh Ave et 33rd St), la "Mecque du basket", ont pris un coup de jeune grâce à l'arrivée des stars Carmelo Anthony et Amar'e Stoudemire. Les **New Jersey Nets** (www.nba.com/nets), leurs grands rivaux, devraient pour leur part déménager en 2012 à l'Atlantic Yards, un vaste complexe de Downtown Brooklyn. Côté basket féminin (WNBA), les joueuses du **New York Liberty** (www.wnba.com/ liberty) disputent également leur rencontre au Madison Square Garden.

Les équipes de la NFL (National Football League), les **Giants** (www.giants.com) et les **Jets** (www.newyorkjets.com), se partagent le **New Meadowlands Stadium** à East Rutherford, dans le New Jersey.

Achats

Bien que la prolifération des chaînes ait transformé des portions de rues jadis caractéristiques en voies commerçantes impersonnelles, New York demeure la ville la plus intéressante des États-Unis en matière de shopping. Il n'est pas rare que des boutiques – en particulier celles de Downtown – restent ouvertes jusqu'à 22h ou 23h.

DOWNTOWN

On trouve à Lower Manhattan des affaires en tout genre, ainsi que de petites boutiques plus sélectes. Les secteurs les plus intéressants de Downtown sont NoLita (juste à l'est de SoHo), l'East Village et le Lower East Side. SoHo possède des magasins non moins à la mode mais plus onéreux, tandis que le tronçon de Broadway entre Union Sq et Canal St abrite des adresses de grandes chaînes comme H&M et Urban Outfitters, sans oublier des dizaines de commerces de jeans et de chaussures, dont l'enseigne phare de Prada aux allures de musée. Les rues de Chinatown regorgent quant à elles de petites boutiques vendant des articles touristiques et des produits exotiques.

Pour des griffes courues, arpentez le Meatpacking District autour de 14th St et Ninth Ave.

♥ **Strand Bookstore** LIVRES
(carte p. 62 ; 828 Broadway, à hauteur de E 12th St ; ☺9h30-22h30 lun-sam, à partir de 11h dim). La grande librairie des bibliophiles, qui vend des livres neufs et d'occasion.

Century 21 GRAND MAGASIN
(carte p. 58 ; 22 Cortlandt St, à hauteur de Church St). Connu de tous les New-Yorkais, ce grand magasin de quatre étages doit sa popularité aux importants rabais sur les articles de créateurs.

J&R Music & Computer World ÉLECTRONIQUE
(carte p. 58 ; 15-23 Park Row). Tout un pâté de maisons consacré aux ordinateurs, appareils photo et autres produits électroniques.

Eastern Mountain Sports VÊTEMENTS ET ÉQUIPEMENTS DE SPORT
(carte p. 62 ; 530 Broadway, à hauteur de Spring St). Cette enseigne vend tout le nécessaire pour les activités de plein

air. La qualité est au rendez-vous et les vendeurs sauront vous conseiller.

Bloomingdale's SoHo GRAND MAGASIN
(carte p. 62 ; 504 Broadway). Plus petit et plus récent que la légendaire maison mère de l'Upper East Side, ce grand magasin met l'accent sur la mode.

Topshop VÊTEMENTS FÉMININS
(carte p. 62 ; 478 Broadway, à hauteur de Broome St). La grande surface britannique de la mode féminine tendance où dénicher des tenues pour sortir le soir.

Uniqlo VETEMENTS
(carte p. 62 ; 546 Broadway). La marque japonaise pour homme et femme à prix raisonnables.

McNally Jackson Books LIVRES
(carte p. 62 ; ☎212-274-1160 ; 52 Prince St ; ☺10h-22h lun-sam, 10h-21h dim). Une librairie de NoLita dont l'agréable café accueille régulièrement des séances de lecture ou de dédicace.

Idlewild Books LIVRES
(carte p. 68 ; ☎212-414-8888 ; 12 W 19th St ; ☺11h30-20h lun-ven, 12h-19h sam et dim). Cette adresse proche de Union Square propose toutes sortes d'ouvrages classés par pays et régions du monde.

Apple Store ORDINATEURS ET ÉLECTRONIQUE
(carte p. 58 ; 401 W Fourteenth St, à hauteur de Ninth Ave). Le paradis des geeks avides de découvrir les nouveaux gadgets high-tech.

MIDTOWN ET UPTOWN

Fifth Ave à Midtown et Madison Ave dans l'Upper East Side regroupent de grandes marques de luxe internationales. Times Square compte de nombreux mégastores appartenant à des chaînes, tandis que Chelsea possède davantage de boutiques indépendantes, même si le quartier a été colonisé par les banques, les drugstores et les grandes enseignes.

Tiffany & Co BIJOUX
(carte p. 68 ; 727 Fifth Ave). Avec sa porte surmontée d'une horloge soutenue par Atlas, ce célèbre joaillier synonyme du luxe new-yorkais a conquis bien des cœurs grâce à ses bagues en diamant, ses montres, ses colliers et ses objets en cristal.

Macy's GRAND MAGASIN
(carte p. 68 ; 151 W 34th St). Le fleuron des grands magasins de Midtown offre un large éventail d'articles, des jeans aux ustensiles de cuisine.

Bloomingdale's GRAND MAGASIN
(carte p. 76 ; 1000 Third Ave, à hauteur d'E 59th St).
Uptown, l'immense et impressionnant
"Bloomies" est aux grands magasins ce que
le Metropolitan Museum est à l'art.

Barney's Co-op VÊTEMENTS
(Downtown carte p. 68 ; 236 W 18th St ; Uptown
carte p. 76 ; 2151 Broadway). Pour des versions
plus branchées et plus abordables de la
mode haut de gamme.

ⓘ Renseignements

Internet (accès)

Il existe en ville de nombreux points d'accès
Wi-Fi, notamment au Lincoln Center (Uptown),
au Bryant Park (Midtown), à Union Square
(Downtown) et dans tout le quartier de Dumbo
à Brooklyn. Dans un futur proche, vingt parcs
devraient également en être équipés. Les
cybercafés facturent entre 3 et 12 $ de l'heure.
Si vous disposez d'un ordinateur portable, vous
trouverez facilement un café ou un restaurant
doté du Wi-Fi pour vous connecter gratuitement.
Les quelque 200 Starbucks et plusieurs
enseignes Barnes & Nobles proposent aussi ce
service.

Cybercafe Times Square (250 W 49th St,
entre Broadway et 8th Ave ; 7 $/30 min ; ⊙8h-
23h lun-ven, 11h-23h sam et dim)

Netzone Internet Cafe (28 W 32nd St, 4ᵉ ét ;
5 $/h ; ⊙9h-5h)

New York Public Library (☎212-930-0800 ;
www.nypl.org/branch/local ; E 42nd St, à
hauteur de Fifth Ave). Cette adresse et plus de
80 autres bibliothèques publiques offrent une
demi-heure de connexion Internet gratuite.

Médias

Daily News (www.nydailynews.com). Quotidien
populaire, grand rival du *New York Post*, qui
tend vers le sensationnalisme.

New York (www.newyorkmagazine.com).
Hebdomadaire qui traite de sujets nationaux et
new-yorkais et recense ce qui se passe en ville
sur le plan culturel et artistique.

New York Post (www.nypost.com). Célèbre
pour ses gros titres racoleurs, sa rubrique
"people" en page 6 et sa bonne couverture du
sport.

New York Times (www.nytimes.com). La
"dame grise" reste le journal de référence pour
beaucoup d'Américains et une grande partie
du monde anglophone.

New York One (NY1) Excellente chaîne câblée
d'information en continu diffusée sur Channel
1 (Time Warner) qui traite de l'actualité locale.

Onion (www.onion.com). Un site satirique
qui se renouvelle chaque semaine. La version
papier comprend un agenda culturel et
artistique étendu où les spectacles comiques
figurent en bonne place.

Village Voice (www.villagevoice.com). Le
tabloïd hebdomadaire constitue une source
intéressante pour connaître le calendrier
des clubs et des concerts, entre autres
manifestations.

WFUV-90.7FM La station de radio de
la Fordham University, dans le Bronx, est
la meilleure en matière de sons alternatifs.

WNYC 820am ou 93.9FM Station locale,
affiliée à la NPR.

Office du tourisme

New York City & Company (carte p. 68 ;
☎212-484-1222 ; www.nycgo.com ;
810 Seventh Ave, à hauteur de 53rd St ;
⊙8h30-18h lun-ven, 9h-17h sam et dim). Le
bureau d'informations touristiques de la ville
emploie un personnel serviable et polyglotte.
Autres antennes à Chinatown (carte p. 58 ;
angle Canal St, Walker St et Baxter St ; ⊙10h-
18h lun-ven, 10h-19h sam), Harlem (carte p. 76 ;
144 W 125th St, entre Adam Clayton Powell
Blvd et Malcolm X Blvd ; ⊙12h-18h lun-ven,
10h-18h sam et dim), Lower Manhattan (carte
p. 58 ; City Hall Park, à hauteur de Broadway ;
⊙9h-18h lun-ven, 10h-17h sam et dim) et Times
Square (carte p. 68 ; 1560 Broadway, entre
46th St et 47th St ; ⊙8h-20h lun-dim).

Services médicaux

New York compte nombre de "pharmacies"
et certaines ferment tard le soir. En réalité,
il s'agit de simples drugstores délivrant des
médicaments en vente libre et disposant
d'un comptoir aux horaires plus limités où se
procurer des médicaments sur ordonnance.

Interchurch Center Medical Office (☎212-
870-3053 ; www.interchurch-center.org ;
475 Riverside Dr). Bureau d'Upper West Side
ouvert au grand public. Recommandé pour
les vaccinations de voyage. Consultations de
spécialistes également.

New York University Langone Medical Center
(☎212-263-7300 ; 550 First Ave ; ⊙24h/24)

Travel MD (☎212-737-1212 ; www.travelmd.
com). Une équipe de médecins disponible
24h/24 qui s'occupe des touristes et qui peut
se déplacer à votre hôtel.

Téléphone

Des milliers de cabines téléphoniques jalonnent
les rues de New York, mais beaucoup ne
fonctionnent pas. Les numéros de Manhattan
relèvent de l'indicatif régional ☎212, ☎646,
☎917 ou ☎929, ceux des autres *boroughs* du
☎718 ou du ☎347. Quel que soit l'endroit d'où
vous appelez, même si c'est de l'autre côté de la
rue, vous devez toujours composer d'abord ☎1
+ l'indicatif régional.

Le ✆311 permet de téléphoner de n'importe quel point de la ville pour se renseigner ou demander de l'aide auprès de services municipaux comme le bureau des parkings ou celui qui traite des nuisances sonores.

❶ Depuis/vers New York

Avion

Trois aéroports principaux desservent New York. Le plus important, **John F Kennedy International Airport** (JFK ; www.panynj.gov/aviation/jfk frame), se trouve dans le Queens, de même que **LaGuardia Airport** (LGA ; www.panynj.gov/avia tion/lgaframe). **Newark Liberty International Airport** (EWR ; www.panynj.com) se situe de l'autre côté de l'Hudson, à Newark (New Jersey). Sur les sites Internet, tapez "NYC" plutôt qu'un aéroport spécifique afin de visualiser tous les vols possibles. Atterrir au **Long Island MacArthur Airport** (ISP ; www.macarthurairport.com), à Islip, peut permettre de réaliser des économies, mais fait perdre du temps. C'est toutefois une option à considérer si vous projetez de visiter les Hamptons ou d'autres destinations de Long Island.

Bus

Les bus longue distance depuis/vers Manhattan partent et arrivent à la vaste et confuse **gare routière de Port Authority** (carte p. 68 ; 625 Eighth Ave, entre 40th St et 42nd St). **Short Line** (www.shortlinebus.com) assure de nombreuses liaisons avec le nord du New Jersey et de l'État de New York, tandis que **New Jersey Transit** (www.njtransit.state.nj.us) couvre l'ensemble du New Jersey.

Des compagnies sûres et confortables basées à Midtown, dont **Bolt Bus** (www.boltbus.com) et **Megabus** (www.megabus.com), rallient Philadelphie (10 $, 2 heures), Boston (25 $, 4 heures 15) et Washington DC (25 $, 4 heures 30) ; la plupart disposent du Wi-Fi gratuit. Par contre, les transporteurs au départ de Chinatown laissent parfois à désirer côté sécurité.

Ferry

Les ferries de **Seastreak** (www.seastreak.com ; aller-retour 43 $) pour Sandy Hook, New Jersey, et ceux de **New York Waterway** (www.nywaterway.com) lèvent l'ancre du Pier 11 sur l'East River près de Wall St, ceux pour Hoboken, Jersey City et d'autres destinations partent du World Financial Center sur l'Hudson.

Train

Penn Station (carte p. 68 ; 33rd St, entre Seventh Ave et Eighth Ave), à ne pas confondre avec la gare du même nom de Newark, dans le New Jersey, est le point de départ de tous les trains **Amtrak** (www.amtrak.com), dont le rapide Acela Express pour Boston (3 heures 45) et Washington DC (2 heures 52). Le tarif et la durée du trajet varient selon le jour de la semaine et l'heure à laquelle vous voyagez. Des milliers de trains de banlieue de la compagnie **Long Island Rail Road** (LIRR ; www.mta.nyc.ny.us/lirr) arrivent chaque jour à Penn Station, ainsi que dans les gares de Brooklyn et du Queens. La compagnie **New Jersey Transit** (www.njtransit.com) dessert également la banlieue et le Jersey Shore, toujours au départ de Penn Station. Les trains (1,75 $) de la **New Jersey PATH** (www.pathrail.com) pour Hoboken, Newark et d'autres destinations au nord de la ville suivent Sixth Ave et s'arrêtent dans 34th St, 23rd St, 14th St, 9th St et Christopher St, de même que sur le site récemment rouvert du World Trade Center.

La **Metro-North Railroad** (www.mnr.org), dernière ligne au départ de Grand Central Station, Park Ave à la hauteur de 42nd St, dessert les banlieues nord, le Connecticut et la Hudson Valley.

Voiture et moto

Reportez-vous p. 619 au sujet des locations de véhicules. Notez que louer une voiture en ville revient cher, à partir de 75 $/jour pour un véhicule de catégorie moyenne, sans compter la taxe de 13,25% et les frais d'assurance.

❶ Comment circuler

Depuis/vers l'aéroport

Les principaux aéroports abritent des agences de location de voitures. Conduire à New York relève cependant de l'épreuve, si bien que beaucoup de gens préfèrent le taxi. Comptez 45 $ (péage et pourboire en sus) pour le trajet à prix fixe depuis JFK ou Newark et environ 35 $ pour la course au compteur de LaGuardia à Midtown.

Depuis/vers JFK, une solution pratique et plus économique consiste à emprunter l'**AirTrain** (5 $ l'aller simple) qui conduit aux lignes de métro (2,25 $; pour gagner l'aéroport, prenez la ligne A en direction de Far Rockaway) ou au LIRR (environ 7 $ l'aller simple) à Jamaica Station, dans le Queens (il s'agit sans doute de l'itinéraire le plus rapide pour rejoindre Penn Station).

Depuis/vers Newark, l'AirTrain relie tous les terminaux à la New Jersey Transit Train Station, d'où l'on peut se rendre à Penn Station (billet combiné NJ Transit/Airtrain 12,50 $ l'aller simple).

De La Guardia, le bus M60 (2,25 $), fiable mais très lent, dessert Manhattan via 125th St à Harlem et s'arrête le long de Broadway dans l'Upper West Side.

Les trois aéroports sont également desservis par des bus express (12-15 $) et des navettes (20 $). Parmi ces services figurent le **New York Airport Service Express Bus** (www.nyairportservice.com), qui part toutes les

15 minutes de Port Authority, Penn Station et Grand Central Station, et **Super Shuttle Manhattan** (www.supershuttle.com), qui vient vous chercher n'importe où sur réservation.

Ferry

Un service de ferries sur l'East River (aller simple 4 $, toutes les 20 minutes) reliant des points de Brooklyn (Greenpoint, Williamsburg Nord et Sud, Dumbo) et du Queens (Long Island City) à Manhattan (Pier 11 à hauteur de Wall St et E 34th St) a été inauguré en juin 2011.

Taxi

Les taxis jaunes emblématiques de New York ne sont plus les monstres cracheurs de fumée d'autrefois, mais des voitures hybrides aux lignes aérodynamiques, équipées d'une mini-télévision et d'un dispositif de paiement par carte bancaire. Mais quelle que soit la marque ou l'année du véhicule, attendez-vous à une conduite plutôt brusque. La prise en charge se monte à 2,50 $ (premier 5e de mile) et l'on paie ensuite 40 ¢ pour chaque 5e de mile supplémentaire ou toutes les minutes en cas d'arrêt dans un embouteillage. S'ajoute un supplément de 1 $ aux heures de pointe (16h-20h en semaine) et un autre de 50 ¢ la nuit (20h-6h). Le pourboire attendu est compris entre 10 et 15% du prix de la course. Les monospaces peuvent transporter 5 ou 6 passagers. Les taxis libres ont une lumière allumée sur le toit. Sachez qu'il est difficile d'en trouver un sous la pluie, aux heures de pointe ou vers 16h, lorsque la plupart des chauffeurs finissent leur journée.

Des *pedicabs* (vélos-taxis) circulent dans Central Park South et d'autres secteurs très touristiques. Le trajet coûte entre 10 et 20 $, mais on peut négocier.

Transports publics

La **Metropolitan Transport Authority** (MTA ; www.mta.info) gère le réseau de bus et de métro. En fonction de la ligne, du moment de la journée et de votre humeur, vous bénirez ou maudirez le système de métro centenaire de New York, qui marche 24h/24 (2,25 $ par trajet). Long de plus de 1 000 km, il peut intimider de prime abord, mais parvient malgré ses défauts à desservir en permanence les quartiers les plus excentrés. Des plans sont normalement à disposition dans toutes les stations. Pour monter à bord, vous devez acheter une MetroCard en vente aux guichets et aux distributeurs automatiques. Le paiement s'effectue en liquide ou par carte bancaire. Vous pouvez créditer votre carte de plusieurs trajets, cela vous reviendra moins cher.

Si vous n'êtes pas très pressé, rien ne vous empêche d'utiliser les bus (2,25 $ par trajet) qui roulent aussi 24h/24 et permettent de contempler le paysage. Faciles à prendre, ils traversent la ville dans sa largeur par les grands axes (14th St, 23rd St, 34th St, 42nd St, 72nd St et toutes les artères à double sens) et dans l'axe nord-sud par certaines avenues. On peut payer avec la MetroCard ou en donnant l'appoint, mais pas de billets. Les correspondances d'un bus à l'autre ou entre bus et métro sont gratuites.

Voiture et moto

À New York, la circulation automobile constitue un problème et un sujet de conversation permanents. Même les conducteurs les plus sereins ont du mal à garder leur calme dans les embouteillages qui se produisent inévitablement.

Pour rallier la ville ou la quitter, le plus dur consiste à se frayer un chemin à travers le flot de véhicules qui empruntent les tunnels et les ponts pour traverser les voies d'eau entourant Manhattan. Attention à certaines règles locales, comme l'interdiction de tourner à droite au feu rouge (contrairement au reste de l'État) et le fait qu'une rue sur deux est à sens unique.

ÉTAT DE NEW YORK

Le nord et le sud de l'État de New York ont aussi peu de points communs que l'Upper East Side et le Bronx. Pourtant, ils partagent tous deux le même gouverneur et la même capitale, Albany. Si cette incompatibilité donne lieu à des blocages législatifs et à des débats acharnés, elle est une bénédiction pour ceux qui chérissent aussi bien les paisibles romances champêtres que les bars du Lower East Side et le métro. L'État de New York est grossièrement délimité par ses voies navigables intérieures – l'Hudson, le canal Érié, long de 843 km et reliant Albany à Buffalo, et le Saint-Laurent – et s'étend jusqu'à la frontière canadienne, des fameuses chutes du Niagara aux méconnues Thousand Islands. Les gastronomes à petit budget seront aux anges à Buffalo, tandis que les amateurs de vin pourront dénicher de bons crus dans tout l'État, en particulier dans la région des Finger Lakes, près de la ville universitaire d'Ithaca. Des campings perdus dans la nature sauvage aux petites villes typiques et aux plages sans fin, des vastes propriétés historiques et colonies d'artistes de la vallée de l'Hudson et des Catskills aux farouches monts Adirondacks, l'État compte tellement d'attraits que l'on comprend sans peine pourquoi tant de personnes abandonnent définitivement la vie citadine.

L'ÉTAT DE NEW YORK EN BREF

» **Surnoms :** Empire State (État empire), Excelsior State (État supérieur), Knickerbocker State (État des Knickerbocker, en référence aux plus anciennes familles de la ville)

» **Population :** 19,5 millions d'habitants

» **Superficie :** 75 983 km^2

» **Capitale :** Albany (94 000 habitants)

» **Autres villes :** Buffalo (261 000 habitants)

» **TVA :** 4%, plus taxes de comtés et d'État (environ 8% au total)

» **Lieu de naissance de :** Walt Whitman (1819-1892), poète ; Theodore Roosevelt (1858-1919) et Franklin D. Roosevelt (1882-1945), présidents ; Eleanor Roosevelt (1884-1962), Première Dame ; Edward Hopper (1882-1967), peintre ; Humphrey Bogart (1899-1957), acteur ; Woody Allen (né en 1935), réalisateur ; Tom Cruise (né en 1962), acteur ; Michael Jordan (né en 1963), joueur de basket-ball

» **Berceau :** de la Confédération iroquoise des Six Nations, du premier ranch d'élevage bovin des États-Unis (1747, à Montauk, Long Island), du mouvement pour le droit des femmes aux États-Unis (1872), du canal Érié (1825)

» **Politique :** gouverneur démocrate (Andrew Cuomo), New York très largement démocrate, la partie nord de l'État plus conservatrice

» **Célèbre pour :** les chutes du Niagara (côté américain), les Hamptons, l'université de Cornell, la Hudson River

» **Rivière insolite :** la Genesee River est l'une des rares rivières au monde qui coule dans le sens sud-nord, depuis le Centre-Sud de l'État de New York jusqu'au Lake Ontario à Rochester.

» **Distances par la route :** New York-Albany : 258 km ; New York-Buffalo : 604 km

ⓘ Renseignements

New York State Office of Parks, Recreation and Historic Preservation (☎518-474-0456, 800-456-2267 ; www.nysparks.com). Camping, hébergement et informations générales sur tous les parcs de l'État. Réservation possible jusqu'à 9 mois à l'avance.

511 New York : Traffic, Travel & Transit Info (www.511ny.org). Alertes météo, info trafic et autres.

Uncork New York (☎585-394-3620 ; www. newyorkwines.org). Pour obtenir toutes les informations sur les vins de l'État.

Long Island

Écoliers en uniformes, embouteillages cauchemardesques, centres commerciaux colonisés par les chaînes nationales, banlieues identiques, stations huppées, dunes balayées par les vents et plages de rêve – et cet accent si particulier. C'est tout cela, Long Island, ce qui explique la réputation quelque peu contrastée de cette longue péninsule voisine de Brooklyn et du Queens. À seulement 40 km à l'est de Manhattan, dans le comté de Nassau, sur un site où, dès 1640, des Européens créèrent des petits ports de pêche, Levittown vit naître les premiers logements construits en série. Mais outre ces banlieues disgracieuses, Long Island abrite aussi de vastes plages et de jolies baies, des sites historiques, des vignobles réputés et bien sûr, la fastueuse et célèbre région des Hamptons.

NORTH SHORE

À l'extérieur de la ville résidentielle de Port Washington, **Sands Point Preserve** (☎516-571-7900 ; www.sandspointpreserve. org ; 127 Middleneck Rd ; 5 $/voiture, gratuit le jeudi ; ⊙9h-16h30) abrite des sentiers forestiers et une belle plage de sable qui valent le détour. On y trouve aussi une demeure de 1923 baptisée **Falaise** (6 $; ⊙1 visite/h 12h-15h jeu-dim juin-oct), l'un des seuls manoirs de la "Côte d'or" (Gold Coast) encore sur pied, aujourd'hui transformé en musée. À l'est, la ville bucolique d'Oyster Bay abrite **Sagamore Hill** (☎516-922-4788 ; www.nps.gov/sahi ; adulte/enfant 5 $/gratuit ; ⊙10h-16h mer-dim), qui fut la résidence secondaire de Roosevelt pendant sa présidence. L'attente pour les visites est longue au printemps et en été. Un sentier de randonnée part de l'arrière de l'excellent **musée** (gratuit) et mène à une plage pittoresque.

SOUTH SHORE

Long Beach, la plage la plus proche de la ville et la mieux desservie par le train, est dotée d'un centre abritant glaciers, bars et restaurants, où se côtoient surfeurs, citadins blafards et locaux bronzés, dans le regrettable vrombissement des avions qui la survolent régulièrement.

Les week-ends d'été, **Jones Beach**, belle étendue de sable de 10 km, rassemble surfeurs, faune urbaine, ados du coin, naturistes, familles aisées, gays, lesbiennes et personnes âgées. Le Long Island Rail Road (LIRR) menant à Wantagh dispose d'une correspondance en bus pour Jones Beach.

Plus à l'est, au large de la côte sud, se trouve **Fire Island**. L'île-barrière abrite le **Fire Island National Seashore** (☎631-289-4810 ; www.nps.gov) et plusieurs villages ouverts seulement en été, et desservis par ferry depuis Long Island. Fire Island Pines et Cherry Grove (interdits aux voitures) sont réputés pour leur scène gay animée et attirent les New-Yorkais en masse, alors que les villages à l'ouest plaisent davantage aux célibataires hétéros et aux familles. Les possibilités d'hébergement sont limitées, mieux vaut donc réserver (consultez le site www.fireisland.com). Le camping sur la plage est autorisé à **Watch Hill** (☎631-567-6664 ; www.watchhillfi.com ; empl 25 $; ⊙début mai-fin oct), mais les moustiques sont féroces et la réservation indispensable. À l'extrémité ouest de Fire Island, le **Robert Moses State Park** est le seul endroit accessible en voiture. La compagnie **Fire Island Ferries** (☎631-665-3600 ; www.fireislandferries.com) relie les plages de Fire Island aux côtes de Long Island. Les terminaux se situent à côté des stations du LIRR à Bayshore, Sayville et Patchogue (aller-retour adulte/enfant 17/7,50 $, mai-nov).

LES HAMPTONS

On peut ne pas apprécier l'ambiance un peu snob des Hamptons, mais tout le monde s'accorde sur la beauté intacte des plages et de ce qu'il reste des fermes et forêts pittoresques. Vous passerez une journée agréable en vous baladant en voiture d'une demeure huppée à une autre, un ensemble englobant des constructions ultramodernes comme des propriétés aux allures de manoirs d'un goût douteux. Ces fastes n'empêchent pas nombre des résidents estivaux d'aller faire la fête le week-end dans des locations bien plus modestes et dans les night-clubs. Bien que les différentes villes des Hamptons ne soient pas très éloignées les unes des autres, la circulation s'avère parfois cauchemardesque.

Southampton

Si la ville de Southampton semble aussi lisse que si elle avait subi des injections de Botox, elle change de visage à la nuit tombée avec l'arrivée des clubbers surchauffés. Ses immenses plages – seules Coopers Beach (40 $/jour) et Road D (gratuite) disposent de parkings pour les non-résidents, du 31 mai au 15 septembre – sont magnifiques, et le **Parrish Art Museum** (☎631-283-2118 ; www.parrishart.org ; 25 Jobs Lane ; adulte/enfant 5/3 $; ⊙11h-17h, tlj juin à mi-sept), impressionnant, est une institution locale. À la lisière du village se trouve une petite réserve amérindienne abritant la tribu des Shinnecock et son minuscule **musée** (☎631-287-4923 ; 45 Montauk Hwy ; adulte/enfant 5/3 € ; ⊙11h-16h jeu-sam, 12h-16h dim) ; depuis des décennies, les Indiens se battent pour obtenir l'autorisation d'y construire un casino. Pour un repas rapide à un prix raisonnable, rendez-vous au **Golden Pear** (99 Main St ; sandwichs 9 $; ⊙7h30-17h) où l'on sert de délicieuses soupes, salades et wraps.

Bridgehampton et Sag Harbor

Plus à l'est, Bridgehampton, malgré son apparence plus modeste, a sa part de boutiques tendance et de bons restaurants. L'**Enclave Inn** (☎631-537-2900 ; www.enclaveinn.com ; 2668 Montauk Hwy ; ch à partir de 99 $; ❄️❋🐾🅿️), établissement sans prétention près du centre, offre l'un des meilleurs rapports qualité/prix de la ville, et est implanté dans quatre autres endroits des Hamptons. Le *diner* à l'ancienne **Candy Kitchen** (☎646-537-9885 ; Main St ; plat 5-12 $; ⊙7h-18h) dispose d'une partie luncheonette servant de copieux petits-déjeuners, burgers et sandwichs.

À 11 km au nord, sur Peconic Bay, se trouve la charmante Sag Harbor, ancienne ville baleinière ; à quelques kilomètres au nord, des ferries partent pour Shelter Island. Visitez son **Whaling & Historical Museum** (☎631-725-0770 ; www.sagharborwhalingmuseum.org ; adulte/enfant 5/1 $; ⊙10h-17h mai-oct), ou flânez dans ses rues étroites. Les gourmets iront faire le plein de produits naturels à **Provisions** (☎631-725-3636 ; angle Bay St et Division St ; sandwich 9 $; ⊙8h30-20h), où ils trouveront de délicieux wraps, burritos et sandwichs.

East Hampton

Ne vous fiez pas aux tenues décontractées de couleurs pastel des habitants de la région, avec leurs pulls noués autour du cou : leurs lunettes de soleil coûtent probablement à elles seules autant qu'un mois de location. Quelques-unes des plus grandes stars possèdent une maison ici. Arrêtez-vous au **Guild Hall** (☏631-324-0806 ; www.guildhall.org ; 158 Main St) pour assister à une conférence, à une pièce de théâtre ou visiter une exposition. À l'est de la ville en direction de Bridgehampton, le relais routier **Townline BBQ** (3593 Montauk Hwy ; plat 9 $; ◷11h30-21h dim, lun et jeu, 11h30-22h ven-sam) sert sans chichis côtelettes fumantes et sandwichs à la viande. Plus à l'ouest vers Amagansett, **La Fondita** (74 Montauk Hwy ; plat 9 $; ◷11h30-20h mer-jeu et dim, 11h30-21h ven-sam) propose une cuisine mexicaine à un prix raisonnable. Les discothèques vont et viennent au fil des saisons. Un conseil : ne commandez jamais une bouteille, la facture risque d'être salée.

Montauk et ses environs

Si Montauk n'est que l'humble demi-sœur des Hamptons, ses plages sont tout aussi belles. On y trouve une flopée de bons restaurants affichant des prix relativement raisonnables et des bars animés. À la pointe orientale de South Fork, péninsule battue par les vents, **Montauk Point State Park** renferme l'impressionnant **Montauk Point Lighthouse** (www.montauklighthouse.com ; adulte/enfant 9/4 $; ◷10h30-17h30, horaires variables), 4e phare le plus ancien des États-Unis encore en fonction (1796). Il est possible de camper sur la plage, à quelques kilomètres à l'ouest de la ville, dans le **Hither Hills State Park** (☏631-668-2554 ; www.nysparks.com ; résidents/non-résidents de l'État de New York lun-ven 28/56 $, plus cher sam-dim ; ◷avr-nov). Réservez en été. Au nord, le port de Montauk, qui abrite des centaines de bateaux, est bordé de restaurants.

On trouve une brochette de motels standards avant de pénétrer sur la plage de la ville, dont l'**Ocean Resort Inn** (☏631-668-2300 ; www.oceanresortinn.com ; 96 S Emerson Ave ; ch 105-165 $; ✳🤶). À quelques kilomètres à l'ouest, dans la rue qui longe la plage, on trouve le **Sunrise Guesthouse** (☏631-668-7286 ; www.sunrisebnb.com ; 681 Old Montauk Hwy ; ch 115-145 $; ✳), un B&B simple et confortable.

Pour terminer en beauté la journée (de mai à octobre), allez prendre un verre et déguster de copieux plats de fruits de mer aux relais routiers **Clam Bar** (2025 Montauk Hwy ; plat 7-22 $; ◷12h-20h) et **Lobster Roll** (1980 Montauk Hwy ; plat 11-26 $; ◷11h30-21h30), établissement presque quinquagénaire. Tous deux sont situés sur l'autoroute entre Amagansett et Montauk.

NORTH FORK ET SHELTER ISLAND

North Fork est une péninsule principalement connue pour ses terres agricoles préservées et ses domaines viticoles – on compte près de 30 vignobles, regroupés pour la plupart autour de Jamesport, Cutchogue et Southold. Le **Long Island Wine Council** (☏631-722-2220 ; www.liwines.com) fournit des informations sur la route des vins, qui suit la Rte 25 au nord de Peconic Bay. **Peconic Bay Winery** (☏631-734-7361 ; www.peconicbaywinery.com ; 31320 Main Rd/Rte 25, Cutchogue) est l'un des meilleurs endroits pour une dégustation en extérieur ; vous ne serez évidemment pas tout seul, bus et limousines y déversant foules de bons vivants. Sur la route, faites une pause déjeuner au fameux **Love Lane Kitchen** (240 Love Lane ; plat 10 $; ◷7h-21h30, 7h-18h lun-mar) à Matituck, notamment pour le brunch du week-end. Ville principale de North Fork et point de départ des ferries pour Shelter Island, **Greenport** est un endroit charmant qui regorge de restaurants et de cafés, à l'instar de **Claudio's Clam Bar** (111 Main St ; plat 15 $; ◷11h30-21h), établissement familial dont la terrasse surplombe la marina. Sinon, achetez un sandwich et un cupcake au **Butta' Cakes Café** (119 Main St ; sandwich 9 $; ◷8h-21h30) pour un pique-nique dans le **Harbor Front Park**, qui renferme un carrousel historique.

Entre North Fork et South Fork, **Shelter Island**, accessible en ferry depuis North Haven au sud et Greenport au nord (véhicule et conducteur 9 $, 10 min, 1 ferry/15-20 min), abrite un éventail de belles demeures représentatives du style des Hamptons, ainsi que la **Mashomack Nature Preserve** (☏631-749-1001 ; www.nature.org/mashomack ; ◷9h-17h, fermé mar sauf juil-août), qui couvre la partie sud de l'île sur plus de 809 hectares. Idéale pour la randonnée et le kayak (mais pas le vélo).

Sur Shelter Island, non loin de la route de **Crescent Beach**, niché au cœur d'une magnifique propriété boisée en bordure de baie, le **Pridwin Beach Hotel & Cottages** (☏631-749-0476 ; www.pridwin.com ; ch/cottages à partir de 159-199 $; 🅿✳🤶) propose des chambres standards et des cottages privatifs avec vue sur l'océan, dont certains ultra-design.

❶ Comment s'y rendre et circuler

Le plus direct est de suivre l'I-495, alias LIE (Long Island Expressway), à oublier cependant aux heures de pointe. Une fois dans les Hamptons, suivez la route principale jusqu'au bout, Montauk Hwy. Le **Long Island Rail Road** (LIRR ; www.mta.nyc.ny.us/lirr) dessert toutes les régions de Long Island, dont les Hamptons (25 $ aller, 2 heures 45), depuis Penn Station (New York), Brooklyn et le Queens. Les compagnies de bus **Hampton Jitney** (www.hamptonjitney.com ; aller mar-jeu 26 $, ven-lun 30 $) et **Hampton Luxury Liner** (www.hamptonluxuryliner.com ; aller 40 $) relient le centre de Manhattan et l'Upper East Side à plusieurs villes des Hamptons. La dernière propose également des départs depuis/vers Brooklyn.

Hudson Valley

À peine sorti de la ville de New York, au nord, le vert devient la couleur dominante et les vues sur la Hudson River et les montagnes redonnent vie aux corps asphyxiés des citadins. C'est ici, dans la vallée de l'Hudson, qu'est né le mouvement pictural baptisé Hudson River School, au XIXe siècle, dont le souvenir est toujours visible dans les nombreuses grandes propriétés et les villages pittoresques. La Lower Valley et la Middle Valley sont plus peuplées et citadines que l'Upper Valley, plus rurale, avec ses collines menant à la région montagneuses des Catskills. Le **Hudson Valley Network** (www.hvnet.com) est une bonne source d'informations sur la région.

LOWER HUDSON VALLEY

Une nature boisée vierge et sauvage parcourue de sentiers de randonnée vous attend à seulement 65 km au nord de New York. **Le Harriman State Park** (☎845-786-2701) renferme sur ses 116 km² de nombreuses possibilités de baignade, randonnée et camping. Juste à côté, le **Bear Mountain State Park** (☎845-786-2701 ; ☉8h-coucher du soleil) offre une belle vue, depuis son sommet à 398 m d'altitude, sur le *skyline* de Manhattan se détachant au-dessus du fleuve, nimbé de verdure. L'auberge d'Hessian Lake propose restauration et hébergement. Les deux parcs abritent des routes pittoresques serpentant entre des lacs isolés et offrant de superbes panoramas.

Vous verrez de magnifiques demeures et jardins du côté de Tarrytown et Sleepy Hollow, sur la rive est de l'Hudson. **Kykuit**, appartenant à la famille Rockefeller, renferme une impressionnante collection d'œuvres d'art asiatiques et européennes, ainsi que des jardins parfaitement entretenus. **Lyndhurst** est la propriété du magnat des chemins de fer Jay Gould, et l'écrivain Washington Irving vécut à **Sunnyside**. Consultez le site Internet de la **Historic Hudson Valley** (www.hudsonvalley.org) pour plus d'informations sur ces propriétés et sur d'autres curiosités historiques.

À l'ouest de la Rte 9W et à 80 km au nord de New York, le **Storm King Art Center** (☎845-534-3115 ; www.stormking.org ; Old Pleasant Rd, Mountainville ; adulte/enfant 12 $/gratuit ; ☉10h-17h30 mer-dim avr-nov) est un parc de 200 ha où sont exposées d'époustouflantes sculptures avant-gardistes d'artistes de renom. Un tramway gratuit permet de visiter les lieux. À côté, **West Point** (☎845-938-2638 ; ☉9h-17h), accessible en **visites guidées** (☎845-446-4724 ; www.westpointtours.com ; adulte/enfant 12/9 $), était un fort stratégique avant de devenir l'Académie militaire des États-Unis en 1802. Non loin de là, la ville de Newburgh, aux nombreux centres commerciaux, abrite le **Washington's Headquarters State Historic Site** (☎845-562-1195 ; Liberty St, sur Washington St ; dons acceptés ; ☉10h-17h mer-sam, 13h-17h dim, avr-oct), principale base de George Washington pendant la guerre d'Indépendance. On y trouve un musée, des galeries et des cartes.

De l'autre côté du fleuve, près de Cold Spring, se tient l'**Hudson Valley Shakespeare Festival** (☎845-265-9575 ; www.hvshakespeare.org) entre la mi-juin et début septembre. D'impressionnantes représentations sont données en plein air dans le magnifique domaine de Boscobel.

À Beacon, cité assez insignifiante à l'est de la Rte 9W, les amateurs d'art feront une halte au **Dia Beacon** (☎845-440-0100 ; www.diaart.org ; adulte/enfant 10 $/gratuit ; ☉11h-18h jeu-lun mi-avr à mi-oct, appeler avant pour le reste de l'année), doté d'une collection réputée d'œuvres allant de 1960 à aujourd'hui, de gigantesques sculptures et d'installations artistiques.

MIDDLE HUDSON VALLEY ET UPPER HUDSON VALLEY

Sur la rive ouest de l'Hudson, **New Paltz**, à l'atmosphère très écolo, abrite un campus de l'université d'État de New York et des magasins d'alimentation biologiques. Au loin derrière la ville, les Shawangunk Mountains s'élèvent à plus de 600 m d'altitude. La **Mohonk Mountain Preserve** (☎845-255-0919 ; www.mohonkpreserve.org ; pass journée pour randonneurs/grimpeurs et cyclistes 12/17 $) compte une quarantaine de kilomètres de sentiers et des sites d'escalade parmi les meilleurs de l'est des États-Unis. Non loin, la **Minnewaska State Park Preserve** renferme près de 5 000 hectares de paysages sauvages, dont la pièce maîtresse est un lac de montagne fréquemment gelé. Contactez **Alpine Endeavors** (☎877-486-5769 ; www.alpineendeavors.com) pour des équipements et des conseils d'escalade.

L'emblématique **Mohonk Mountain House** (☎845-255-1000 ; www.mohonk.com ; 1000 Mountain Rest Rd ; ch 320-2 500 $; ✳☎🏊🍴), château surplombant majestueusement un lac, semble tout droit sorti d'un conte de fées. Cet hôtel propose un service tout compris permettant aux hôtes de jouir de repas raffinés (5 plats) et de promenades dans les jardins, de pratiquer la randonnée, le canoë, la natation, etc. Un luxueux spa est également à disposition. Ceux qui ne souhaitent pas y passer la nuit peuvent s'offrir une visite de la propriété (adulte/enfant 25/20 $ la journée, moins cher en semaine).

Sur la rive est du fleuve, la charmante **Hudson** abrite une communauté d'artistes branchés et *gay friendly* ayant fui la ville. Warren St, l'artère principale, est bordée de boutiques d'antiquités, de magasins d'ameublement de luxe, de galeries et de cafés. La **Union Street Guest House** (☎518-828-0958 ; www.unionstreetguesthouse. com ; 345-349 Union St ; ch à partir de 125 $; ✳☎) est une demeure de style néogrec de 1830, transformée en auberge de charme.

Plus au sud se trouve **Rhinebeck** et sa charmante rue principale, ses auberges, ses fermes et ses exploitations viticoles. On y trouve aussi l'**Aerodrome Museum** (☎845-752-3200 ; www.oldrhinebeck.org ; ⊙10h-17h mi-juin à mi-oct) et **Terrapin** (☎845-876-3330 ; 6426 Montgomery St ; sandwich midi 7 $, plat soir à partir de 19 $; ⊙11h30-23h30), bistrot valant le détour à lui-seul. **Bread Alone Bakery** (45 E Market St ; plat 9 $; ⊙7h-18h tlj au comptoir, 8h-15h lun-ven et 8h-16h sam-dim en salle) est une bonne alternative ; ne manquez pas le panini à la poitrine de bœuf ou la quiche épinard-féta.

Au sud de Rhinebeck, **Hyde Park** est depuis longtemps associé aux Roosevelt, famille célèbre depuis le XIXᵉ siècle. Le domaine de 615 hectares, ancienne exploitation agricole, comprend le

Franklin D. Roosevelt Library & Museum (☎800-337-8474 ; www.fdrlibrary. marist.edu ; 511 Albany Post Rd/Rte 9 ; 14 $; ⊙9h-18h mai-oct, 9h-17h nov-avr), où sont retracés des moments clés de la présidence de l'homme politique. L'entrée comprend généralement la visite guidée de la maison où vécut ce dernier. **Val-Kill** (☎877-444-6777 ; www. nps.gov/elro ; 8 $; ⊙9h-17h), le paisible cottage d'Eleanor Roosevelt, permettait à la Première Dame de s'isoler. De l'autre côté de la rue se trouve le cinéma **Hyde Park Drive-In Movie Theater** (☎845-229-4738 ; 4114 Albany Post Rd/Rte 9). Au nord, la **Vanderbilt Mansion** (☎877-559-6777 ; www.nps.gov/vama ; Rte 9 ; 8 $; ⊙9h-17h), demeure de 54 pièces, est une merveille d'architecture néoclassique. La quasi-totalité des meubles d'origine, importés de villas et châteaux européens, est toujours dans cette maison de campagne – la plus petite que possède la famille Vanderbilt ! La vue sur l'Hudson est plus belle depuis les jardins et le sentier de Bard Rock qui traverse la propriété.

Le célèbre **Culinary Institute of America** (☎845-471-6608 ; www.ciachef.edu ; 1964 Campus Dr) forme de futurs chefs et peut satisfaire absolument n'importe quel désir culinaire. L'**Apple Pie Café** (plat 10 $; ⊙7h30-17h), l'un des restaurants tenus par les étudiants, donne sur une cour paisible et propose sandwichs gastronomiques et pâtisseries (elles partent vite et le choix est limité en fin de journée). Entre deux visites, l'**Eveready Diner** (4189 Albany Post Rd/Rte 9 ; plat 10 $; ⊙5h-1h dim-jeu, 24h/24 ven-sam), version moderne de la buvette, peut s'avérer plus pratique.

Un peu plus au sud, **Poughkeepsie**, la plus grande ville de la rive est de l'Hudson, est célèbre pour **Vassar**, école d'art privée qui resta réservée aux femmes jusqu'en 1969. Le **Walkway Over the Hudson** (www.walkway.org ; ⊙7h-coucher du soleil) vaut le détour pour ses vues à couper le souffle. Il servait jadis de pont ferroviaire pour la ligne Highland-Poughkeepsie ; depuis 2009, c'est le pont piétonnier le plus long du monde. C'est aussi le parc le plus récent de l'État. Des chaînes d'hôtel bon marché sont regroupées le long de la Rte 9, au sud du Mid-Hudson Bridge, mais optez plutôt pour le **Copper Penny Inn** (☎845-452-3045 ; www.copperpennyinn. com ; 2406 Hackensack Rd ; ch petit-déj inclus 140-230 $; ✳), charmant B&B occupant 5 hectares boisés.

Catskills

L'incursion récente de la cuisine sophistiquée et des jolies boutiques n'a pas encore perturbé l'atmosphère champêtre et le charme des petites villes des Catskills. Pour certains étrangers, cette région bucolique de montagnes boisées et de terres agricoles évoque toujours ces établissements familiaux où les juifs new-yorkais passaient leurs vacances d'été dans les années 1920 à 1960. Cette période est pourtant bel et bien révolue et, après des difficultés économiques, les Catskills, même si moins en vue que les Hamptons, sont devenues une destination de choix pour les citadins raffinés en quête d'une résidence secondaire.

WOODSTOCK ET SES ENVIRONS

Synonyme d'expression et d'amour libres et ferment politique des années 1960, **Woodstock**, connu dans le monde entier, célèbre toujours la contre-culture à travers ses centres de médecine douce, ses galeries d'art, ses cafés et sa population éclectique comptant des hippies vieillissants. Le célèbre festival de Woodstock en 1969 a en réalité eu lieu à Bethel, à 64 km au sud-ouest. Donnant sur la place, en face de l'arrêt de bus, on trouve le **Village Green B&B** (☑845-679-0313 ; 12 Tinker St ; ch petit-déj inclus 135 $; ✳🛜), maison victorienne de trois étages aux chambres confortables. Dans une ferme joliment restaurée à 800 m au sud-est de la place, **Cucina** (☑845-679-9800 ; 109 Mill Hill Rd ; plat 18 $; ⊙5h-tard, 11h-tard sam-dim) sert une cuisine italienne de saison raffinée et des pizzas à pâte fine.

Saugerties, à seulement 11 km à l'est de Woodstock, n'est pas aussi pittoresque. Néanmoins, on a la possibilité de passer une nuit romantique au **Saugerties Lighthouse** (☑845-247-0656 ; www.saugertieslighthouse. com ; ch petit-déj inclus 200 $; ⊙jeu-dim, fermé fév). Ce beau phare de 1869 se dresse sur une petite île sur l'Esopus Creek, accessible en bateau ou, plus communément, par un sentier de 800 m partant du parking. Si l'établissement affiche souvent complet, la promenade jusqu'au phare vaut tout de même le détour.

Il est quasiment indispensable d'avoir une voiture dans cette région. Des bus **Adirondack Trailways** (www.trailwaysny. com) effectuent quotidiennement la liaison entre New York et la porte d'entrée des Catskills, Kingston (aller 25 $, 2 heures), mais aussi entre les Catskills et Woodstock (aller 27 $, 2 heures 30). Les bus partent du Port Authority de New York. Le train de banlieue **Metro-North** (www.mta.info/mnr) fait des arrêts dans la Lower Hudson Valley et la Middle Hudson Valley.

Région des Finger Lakes

Vue du ciel, cette région aux collines ondulantes et aux 11 lacs longs et étroits comme des doigts – d'où son nom – révèle un paradis naturel s'étendant d'Albany à New York, à l'ouest. Elle est bien sûr idéale pour la navigation, la pêche, le cyclisme, la randonnée et le ski de fond, mais c'est aussi la première région viticole de l'État, avec plus de 65 vignobles, de quoi satisfaire les œnophiles les plus exigeants.

ITHACA ET SES ENVIRONS

Ithaca, en surplomb du Cayuga Lake, est très appréciée des étudiants et des générations plus âgées de hippies nostalgiques de l'ambiance universitaire – atmosphère décontractée, lectures de poèmes dans les cafés, cinémas d'art et d'essai, bons restaurants. Si elle vaut le détour en elle-même, elle est aussi très pratique de par son emplacement à mi-chemin entre New York et les chutes du Niagara. Pour obtenir des renseignements touristiques, rendez-vous au **Visit Ithaca Information Center** (☑607-272-1313 ; www.visitithaca.com ; 904 E Shore Dr ; ⊙9h-17h lun-ven, 10h-17h sam).

Créée en 1865, la **Cornell University**, dotée d'un agréable campus où se mêlent architectures traditionnelle et contemporaine, est perchée sur une colline dominant la ville. L'**Herbert F. Johnson Museum of Fine Art** (☑607-255-6464 ; www.museum.cornell.edu ; University Ave ; entrée libre ; ⊙10h-17h mar-dim), édifice moderne signé du célèbre architecte américain I.M. Pei, renferme une grande collection d'art asiatique, ainsi que des œuvres précolombiennes, américaines et européennes. À l'est du centre du campus, les **Cornell Plantations** (☑607-255-2400 ; www. cornellplantations.org ; Plantations Rd ; entrée libre ; ⊙lever-coucher du soleil) regroupent un arboretum et un jardin entretenus de façon experte. Les enfants peuvent découvrir la nature de manière interactive au **Science Center** (☑607-272-0600 ; www.sciencecenter. org ; 601 First St ; adulte/enfant 7/5 $; ⊙10h-17h mar-sam, 12h-17h dim ; ♿), extrêmement bien conçu. Lors de plusieurs week-ends en juillet et août, Tony Simons, professeur à l'école de gestion hôtelière de Cornell, apprend aux débutants à **marcher sur le feu** (www.

Vous saurez que vous êtes dans les Catskills lorsque l'asphalte laissera place à une route en lacets submergée de verdure, après avoir quitté l'I-87 et bifurqué sur la Rte 28. Au cœur de la région, le panorama s'élargit et les montagnes (quelque 35 sommets à plus de 1 000 m d'altitude) se parent de teintes stupéfiantes qui varient au fil des saisons et de la journée. Esopus Creek serpente dans cette zone ; l'**Ashokan Reservoir** est idéal pour une promenade à pied ou en voiture.

L'**Emerson Spa Resort** (☎877-688-2828 ; www.emersonresort.com ; 5340 Rte 28, Mt Tremper ; ch chalet/auberge à partir de 159/199 $; ✱@🛜⛄) organise des excursions dans les Catskills tout au long de l'année. Suites luxueuses aux influences asiatiques ou chambres à la fois rustiques et élégantes du chalet : tout est prévu pour satisfaire les clients. Le personnel peut organiser des sorties de ski, de kayak, etc. Le Phoenix (plat 15-30 $) est probablement le meilleur restaurant de la région. Le Catamount, bien connu des locaux, sert une nourriture de pub (plat 10 $), dont des hamburgers et des côtelettes grillées, et organise des concerts le lundi soir. Juste à côté se trouvent le plus grand magasin de kaléidoscopes du monde, renfermant des pièces uniques, ainsi qu'une boutique où l'on peut trouver café et sandwichs.

La ville de **Phoenicia** (une seule voie de circulation) est à quelques kilomètres plus à l'ouest. C'est un endroit agréable où s'arrêter pour un repas et une descente de la rivière en chambre à air (*tubing*). **Town Tinker Tube Rental** (☎845-688-5553 ; www.towntinker.com ; 10 Bridge St ; ch à air 15 $/jour) prendra en charge vos remontées après vos descentes dans les rapides de l'Esopus. Le Pine Hill Lake, à **Belleayre Beach** (☎845-254-5600 ; www.belleayre.com ; 🏊), toute proche, est l'endroit idéal pour se rafraîchir en été (ou pour skier en hiver). En continuant sur la Rte 28, vous passerez par Fleischmann. Vous pourrez vous arrêter pour dormir au **River Run B&B** (☎845-254-4884 ; www.riverrunbedandbreakfast.com ; 882 Main St ; ch à partir de 89-135 $; ✱@🛜), auberge victorienne tenue avec professionnalisme.

À Arkville, tout près, offrez-vous un circuit panoramique à bord d'un train ancien sur l'historique **Delaware & Ulster Rail Line** (☎845-586-3877 ; www.durr.org ; Hwy 28 ; adulte/enfant 12/7 $; ⏰11h et 14h, sam-dim juin-nov, trajets supplémentaires jeu-ven juil-sept ; 🏊). En hiver, les skieurs iront plus au nord ; la Rte 23 et la Rte 23A mènent à **Hunter Mountain Ski Bowl** (☎518-263-4223 ; www.huntermtn.com), station ouverte toute l'année comptant une dénivellation de 488 m.

De là, continuez jusqu'au **Roxbury** (☎607-326-7200 ; www.theroxburymotel.com ; 2258 County Hwy 41 ; ch 100-335 $; ✱🛜), dans le minuscule village du même nom. Ce merveilleux établissement est doté de chambres luxueuses aux noms inattendus, chacune inspirée d'un programme télévisé des années 1960-1970. Le Roxbury dispose d'un spa, et un bar à cocktail se trouve de l'autre côté de la rue (ouvert du mercredi au dimanche).

À l'ouest de Roxbury, le **Catskill Scenic Trail** (une bonne carte est téléchargeable sur www.catskillscenictrail.org), un chemin principalement plat aménagé sur une ancienne voie de chemin de fer et long de 42 km, est idéal pour le cyclisme, la randonnée et le ski de fond en hiver. Pour des randonnées plus intenses en plein cœur de la forêt, l'**Utsayantha Trail System** croise les alentours de la ville de Stamford à plusieurs endroits.

ithacafirewalks.com ; 75 $/pers) – il paraît que ce n'est qu'une question de motivation.

Les environs d'Ithaca sont connus pour leurs cascades, gorges et parcs magnifiques. Mais le centre-ville est lui-aussi doté de sa **Cascadilla Gorge**, qui commence à plusieurs *blocks* d'Ithaca Commons et se termine, après une montée raide et vertigineuse, au Performing Arts Center de Cornell. À 13 km au nord sur la Rte 89, les spectaculaires **Taughannock Falls** se déversent du haut de leurs 65 m dans une gorge. Le **Taughannock Falls State Park** (☎607-387-6739 ; www.taughannock.com ; Rte 89) compte deux grands sentiers de randonnée, des gorges escarpées, des sites de camping-caravaning et des chalets. Le **Buttermilk Falls Park** (☎été 607-273-5761, hiver 607-273-3440 ; Rte 13) abrite un site de baignade bien connu au pied des cascades, tout comme le **Robert Treman Park** (☎607-273-3440 ; 105 Enfield Falls Rd), à quelques kilomètres de là. Le **Filmore Glen Park** (☎315-497-0130 ; 1686 Rte 38), à 32 km au nord-est d'Ithaca, près de Moravia, est doté de chemins de randonnée plus boisés.

Des dizaines de caves à vin se pressent sur les rives des lacs Cayuga, Seneca et Keuka. Au bord du Cayuga Lake, nous vous recommandons les vignobles **Sheldrake Point** (☎607-532-9401 ; www. sheldrakepoint.com ; 7448 County Rd), pour sa vue sur le lac et ses vins blancs primés, et **Americana Vineyards** (☎607-387-6801 ; www.americanavineyards.com ; 4367 E Covert Rd), dont le **Crystal Lake Café** (plat 11 $; ⊘12h-20h jeu-dim) propose une carte à base de produits de la ferme chaudement recommandés par les locaux. Sur la Rte 89, près du village d'Interlaken, la **Creamery** (⊘11h-20h) est un relais routier qui, en plus des glaces traditionnelles, propose d'étonnants sorbets au vin (4 $). À environ 70 km au sud-ouest, la charmante ville de Corning abrite la Corning Glass Works, une entreprise de fabrication de verre et de céramique, et le très populaire **Corning Museum of Glass** (☎800-732-6845 ; www.cmog.org ; adulte/enfant 14 $/gratuit ; ⊘9h-20h ; ⚹). Ce grand ensemble accueille des expositions fascinantes sur l'art du soufflage de verre, ainsi que des spectacles et des activités pour les enfants.

🛏 Où se loger

♥ **William Henry Miller Inn**   B&B $$
(☎607-256-4553 ; www.millerinn.com ; 303 N Aurora St, Ithaca ; ch petit-déj inclus 115-215 $; ⚹🐾). Cette vaste et élégante demeure entièrement restaurée propose des chambres au design luxueux – dont 3 ont des Jacuzzis – et un petit-déjeuner gastronomique.

Inn on Columbia   AUBERGE $$
(☎607-272-0204 ; www.columbiabb.com ; 228 Columbia St, Ithaca ; d 150 $; ⚹🐾). Cette maison moderne et contemporaine située dans une rue résidentielle calme est également une bonne adresse.

Climbing Vine Cottage   YOURTE $$
(☎607-564-7410 ; www.climbingvinecottage. com ; 257 Piper Rd, Newfield ; d 150 $; ⚹🐾). Yourte dotée de tout le confort moderne dans un beau jardin non loin de la Rte 34, au sud d'Ithaca.

Buttonwood Grove Winery   CHALET $$
(☎607-869-9760 ; www.buttonwoodgrove. com ; 5986 Rte 89 ; ch 135 $). Quatre chalets

entièrement équipés dans les collines surplombant le lac Cayuga (ouvert avr-déc) ; dégustation de vin offerte.

🍴 Où se restaurer

Une demi-douzaine de restaurants, notamment japonais, orientaux, mexicains et espagnols, avec terrasses, bordent North Aurora St, entre East State St et East Seneca St à l'extrémité est des Commons. Le **Mercato** (108 N Aurora St ; plat 20 $; ⊘17h-21h lun-jeu, 17h-22h ven-sam), plutôt chic, est l'un des meilleurs. Le **marché de producteurs d'Ithaca** (Third St ; www. ithacamarket.com ; ⊘avr-déc) est considéré comme l'un des meilleurs de la région, notamment pour ses vins et fromages locaux. Horaires sur le site Internet.

Glenwood Pines   HAMBURGERS $
(Route 89 ; hamburger 5 $; ⊘11h-22h). D'après les connaisseurs, c'est dans ce relais routier sans prétention donnant sur le Cayuga Lake, situé sur la Rte 89 à 6 km au nord d'Ithaca, que l'on fait les meilleurs burgers du coin.

Moosewood Restaurant   VÉGÉTARIEN $$
(215 N Cayuga St ; plat 8-18 $; ⊘11h30-20h30). Cet établissement est célèbre pour sa carte végétarienne originale et constamment renouvelée, et pour les livres de cuisine de la fondatrice des lieux, Mollie Katzen.

Yerba Maté Factor Café & Juice Bar   SANDWICHS $
(143 The Commons ; plat 8 $; ⊘9h-21h lun-jeu, 9h-15h ven, 12h-21h dim). Ce vaste restaurant, installé dans un bâtiment ancien réaménagé, sert de bons sandwichs, gaufres et cafés.

Hazelnut Kitchen   AMÉRICAIN $$
(☎607-387-4433 ; 53 East Main St , Trumansburg ; ⊘soir uniquement). La carte s'inspire des ingrédients locaux et change tous les mois. À 19 km au nord d'Ithaca.

❶ Depuis/vers Ithaca

La compagnie **Shortline Bus** (www.coachusa. com) dessert fréquemment New York (53 $, 4 heures). Delta Airlines propose des vols directs depuis **Ithaca Tompkins Regional Airport** (ITH ; www.flyithaca.com) vers Détroit, Newark et Philadelphie.

Capital Region

ALBANY

Synonyme de dysfonctionnement législatif autant que de pouvoir législatif, Albany (ou "Smallbany", pour les blasés) demeure une oubliée du tourisme. Elle est devenue la capitale de l'État de New York en 1797 du fait de son emplacement central pour les colonies locales, et de son importance stratégique dans le commerce de la fourrure. À quelques *blocks* du centre-ville et des bâtiments ultramodernes du gouvernement se déployant sur les 40 hectares de l'Empire State Plaza, les imposants *brownstones* laissent place à des rues négligées. **Lark St**, au nord et en surplomb du centre-ville, compte plusieurs restaurants et bars fréquentés par les étudiants pendant l'année universitaire.

À l'est de la place se trouve l'**Albany Institute of History & Art** (☎518-463-4478 ; www.albanyinstitute.org ; 125 Washington Ave ; adulte/enfant 10/6 $; ☉10h-17h mer-sam, 12h-17h dim), qui abrite des œuvres d'art décoratif et des tableaux des peintres de l'Hudson River School.

Le centre-ville compte plusieurs chaînes d'hôtels, mais **74 State** (☎518-434-7410 ; www.74state.com ; 74 State St ; ch petit-déj inclus à partir de 180 $; ❄🛜), un *boutique hotel* en plein cœur d'Albany, est une meilleure option.

Des restaurants bordent Pearl St et Lark St, et les bars et clubs de North Pearl St, dans le centre-ville, sont pris d'assaut par les fonctionnaires à la fermeture des bureaux. Pour appréhender pleinement l'ambiance feutrée et élégante d'Albany, essayez **Jack's Oyster House** (☎518-465-8854 ; 42 State St ; plat 19-25 $; ☉11h30-22h), où les biftecks d'aloyau et les fruits de mer sont délicieux. La carte du midi comporte hamburgers et sandwichs (10 $). L'**Albany Pump Station** (19 Quackenbush Sq ; plat 12 $; ☉11h30-22h) possède sa propre microbrasserie et propose une carte variée. **Justin's** (☎518-436-7008 ; 301 Lark St ; ☉11h-1h) organise des concerts de jazz tous les soirs de la semaine, en plus de faire bar et restaurant.

SARATOGA SPRINGS

Lorsque les cures thermales étaient prisées, cette colonie au nord d'Albany était connue dans le monde entier ; pendant sa période de gloire, au début des années 1800, même Joseph Bonaparte, frère aîné de Napoléon et roi d'Espagne, y fut traité. Malgré l'invasion des grandes chaînes de magasins, la principale rue commerçante de Saratoga Springs a su conserver le côté bohème et détendu d'une ville universitaire ; la ville est célèbre, à juste titre, pour ses arts de la scène, ses courses hippiques et son école d'art, le Skidmore College.

Les seuls thermes encore existants – les premiers furent construits en 1784 – sont les **Roosevelt Baths and Spa** (☎866-925-0622 ; www.rooseveltbathsandspa.com ; spa 25 $/40 min ; ☉9h-19h), dans le **Saratoga Spa State Park** (☎518-584-2535 ; www.saratogaspastatepark.org ; 19 Roosevelt Dr ; 4 $/voiture ; ☉lever-coucher du soleil), qui s'étend sur 930 hectares. Les eaux minérales et gazeuses des Lincoln Springs sont pompées dans les sous-sols à plus d'1 km de là. Aujourd'hui, de l'eau très chaude est ajoutée au mélange, bien que les puristes insistent sur l'importance du froid. Le parc comprend des parcours de golf, des aires de pique-nique, une piscine olympique, des sentiers, des patinoires et le **Saratoga Performing Arts Center** (☎518-587-3330 ; www.spac.org ; 108 Ave of the Pines), connu pour les danseurs, les orchestres et les artistes de jazz, pop et rock qui s'y produisent. De fin juillet à septembre, les amateurs de courses hippiques affluent au **Saratoga Race Course** (☎518-584-6200 ; www.saratogaracetrack.com ; 267 Union Ave ; entrée/clubhouse 3/5 $), la piste de purs-sang la plus ancienne du pays.

Si les campings sont plus nombreux autour de Lake George, plus au nord, le **Rustic Barn Campground** (☎518-654-6588 ; www.rusticbarncampground.com ; 4748 Rte 9 ; camping/chalets 26/160 $), installé sur un terrain boisé doté d'un étang et de sentiers de randonnée, à environ 15 km au nord de Corinth, est une bonne adresse. Vous trouverez un grand nombre d'auberges et de B&B en ville. Impossible de manquer la façade de quatre étages richement décorée de l'**Adelphi Hotel** (☎518-587-4688 ; www.adelphihotel.com ; 365 Broadway ; ch/ste petit-déj inclus à partir de 130/170 $; ❄🛜🏊), édifice du XIXe siècle dont les chambres sont toutes décorées différemment (ouvert mai-oct).

Broadway et les rues adjacentes sont bordées de restaurants et de cafés, dont l'intime **Mrs London's** (464 Broadway ; plat 10 $; ☉7h-18h), où vous vous rassasierez de pâtisseries, de soupes ou de paninis végétariens. Le *diner* très old-school **Compton's** (457 Broadway ; plat 4 $; ☉4h-14h45) se caractérise par des prix et un décor très rétro. À quelques kilomètres au sud de la ville, **PJ's Bar-B-Q** (Rte 9 ; plat 6 $; ☉11h-21h) est un relais routier où l'on sert des côtes de porc grillées (12 $ les 6) et des sandwichs à la poitrine de bœuf fumée, au poulet et au porc.

NEW YORK, NEW JERSEY ET PENNSYLVANIE ÉTAT DE NEW YORK

ℹ Comment s'y rendre et circuler

Adirondacks Trailways (www.trailwaysny.com) et **Greyhound** (www.greyhound.com) proposent des départs depuis/vers New York (aller 45 $, 4 heures). Les trains Amtrak (www.amtrak.com) s'arrêtent à l'extérieur de New York (aller 52 $, 4 heures) et plusieurs grandes compagnies aériennes desservent l'**Albany International Airport** (ALB ; www.albanyairport.com), à une quinzaine de kilomètres au nord du centre-ville.

COOPERSTOWN

Pour les amateurs de sport, **Cooperstown**, à 80 km à l'ouest d'Albany, est la Mecque du sport national, le base-ball. Il n'est cependant pas nécessaire d'en connaître les règles pour trouver la ville digne d'intérêt, grâce à l'ambiance provinciale qui y règne et l'époustouflant paysage de la campagne entourant le joli Ostego Lake.

Le **National Baseball Hall of Fame & Museum** (☎888-425-5633 ; 25 Main St ; www.baseballhall.org ; adulte/enfant 19,50/7 $; ⏰9h-17h, 9h-21h été ; ♿) abrite des expositions, un cinéma, une bibliothèque et une base de données statistiques interactive. L'édifice en vieilles pierres du **Fenimore Art Museum** (☎888-547-1450 ; www.fenimoreartmuseum.org ; 5798 Lake Rd/Hwy 80 ; adulte/enfant 12 $/gratuit ; ⏰10h-17h) renferme une remarquable collection d'œuvres issues de l'histoire et de la culture américaines.

Plusieurs motels abordables bordent la Rte 80 le long du lac, à l'extérieur de la ville. Le **Inn at Cooperstown** (☎607-547-5756 ; www.innatcooperstown.com ; 16 Chestnut St ; ch petit-déj inclus à partir de 110 $; ❄🛜) est une belle demeure restaurée située à quelques *blocks* seulement de Main St. Le minuscule **Cooperstown Diner** (136½ Main St ; plat 8 $; ⏰6h-20h) sert des hamburgers et des plats copieux.

Adirondacks

La beauté intacte des Adirondacks, massif sauvage et majestueux comptant 42 sommets de plus de 1 200 m, est capable de rivaliser avec celle de n'importe quel autre site naturel du pays. Les 15 000 km² de parc et de forêts protégées qui s'élèvent du centre de l'État de New York jusqu'à la frontière canadienne comprennent des villes, des montagnes, des lacs, des rivières, et plus de 3 200 km de sentiers de randonnée. On y pêche la truite, le saumon et le brochet, et on y trouve d'excellents terrains de camping. L'Adirondack Forest

ℹ INSECTES

Les premiers essaims de mouches noires du mois de mai suffisent à décourager certains touristes de se rendre dans les Adirondacks. Pendant la majeure partie du mois de juin, ces insectes volants semblables à des moucherons peuvent être tellement dérangeants que les habitants de la région restent enfermés ; s'ils doivent sortir, ils expérimentent alors toutes sortes de remèdes maison pour éviter les piqûres.

Preserve couvre 40% du parc, permettant ainsi la préservation des lieux. Du temps des colons, les forêts étaient appréciées car on y exploitait le bois et l'écorce de pruche, et l'on y trouvait les fourrures de castors ; mais depuis le XIXᵉ siècle, elles sont devenues un lieu à la mode ou l'on vient faire des retraites dans des chalets isolés, hôtels ou grandes propriétés.

LAKE GEORGE, LAKE PLACID ET SARANAC LAKE

Lake George, porte d'entrée des Adirondacks, est un village touristique kitch débordant de barbes à papa, de commerces et de souvenirs bon marché. Mais cela a peu d'importance : on vient en réalité ici pour son lac de 51 km de long aux eaux cristallines et aux rivages boisés. On y fait des croisières en bateaux à aubes, du parachutisme ascensionnel, du kayak et des sorties de pêche.

L'État entretient des **terrains de camping** (☎800-456-2267 ; www.dec.ny.gov/outdoor ; empl tente 25 $) merveilleusement isolés sur les îles du lac George. L'**Adirondack Mountain Club** (☎518-668-4447 ; www.adk.org ; 814 Goggins Rd) est une bonne source d'informations sur la région. La rue principale de Lake George est bordée de petits motels vers le nord. Parmi ceux donnant sur le lac, citons le **Georgian Lakeside Resort** (☎518-668-5401 ; www.georgianresort.com ; ch petit-déj inclus à partir de 99 $; ❄🛜) et le **Surfside on the Lake** (☎518-668-2442 ; www.surfsideonthelake.com ; ch à partir de 50 $; ❄🛜), récemment rénové. Sinon, on trouve des dizaines d'autres hôtels, auberges et chalets en continuant vers le nord, de chaque côté de la Rte 9, vers le village de **Bolton Landing**.

Difficile d'imaginer que **Lake Placid**, petite station de montagne, occupa jadis une place centrale à l'échelle internationale, et ce à deux reprises. En 1932 et 1980, elle accueillit les JO d'hiver. Les installations ont été conservées et les grands athlètes viennent toujours s'entraîner ici. Une partie des **installations olympiques** (☎518-523-1420 ; www.whiteface.com) est ouverte aux visiteurs, notamment des patinoires, un complexe de saut à ski et une piste de **bobsleigh** (70 $/jour, ☺10h-16h jeu-lun juin-juil), à pratiquer avec un pilote professionnel. La rue principale, qui donne sur le Mirror Lake, est bordée d'hôtels, de restaurants, de librairies et autres commerces. Les skieurs apprécieront la proximité de la **Whiteface Mountain** (www.whiteface.com), avec ses 80 pistes et sa dénivellation vertigineuse de 1 036 m.

Au sud de la ville de Lake Placid, **Adirondack Loj** (☎518-523-3441 ; www.adk.org ; dort/ch petit-déj inclus 55/160 $), tenu par l'Adirondack Mountain Club (ADK), est un lieu de retraite rustique au milieu des montagnes sur la rive du paisible Heart Lake. Vous trouverez également aires de camping sauvage, abris et chalets.

Plus au nord, dans la région de **Saranac Lake**, la nature – petits lacs, étangs, forêts anciennes et marécages – semble encore plus sauvage. La ville de Saranac Lake, autrefois lieu de traitement de la tuberculose, a connu des jours meilleurs. En revanche, le **Porcupine Inn** (☎518-891-5160 ; www.theporcupine.com ; 350 Park Ave ; ch petit-déj inclus 155-252 $; ✱☎), tout proche, installé dans une habitation typique des Adirondacks, est tenu avec amour et attention. Montez à pied à Moody Pond et Baker Mountain, non loin, pour un panorama fabuleux sur les environs.

ⓘ Comment s'y rendre et circuler

Greyhound (www.greyhound.com) et **Adirondack Trailways** (www.trailwaysny.com) desservent plusieurs villes de la région. Une fois sur place, il est essentiel d'avoir une voiture si l'on veut explorer la région.

Région des Thousand Islands

Quasiment inconnue des habitants du sud de l'État de New York, en partie du fait de sa relative inaccessibilité, cette région de plus de 1 800 îles – qui vont de minuscules affleurements à de vastes îles construites de routes et de villes – entre les États-Unis et le Canada, offre un paysage féérique. Prenant sa source à l'embouchure du lac Ontario, le fleuve Saint-Laurent se déverse dans l'océan Atlantique. La partie du fleuve coulant dans l'État de New York fut jadis le terrain de jeu estival des plus fortunés, qui y construisirent des demeures imposantes. C'est toujours un lieu de villégiature apprécié, où l'on peut faire du bateau, camper et même pratiquer la plongée sur épaves.

Sackets Harbor fut le théâtre d'une grande bataille de la guerre anglo-américaine de 1812. S'il se trouve sur le lac Ontario et ne fait techniquement pas partie des Mille-Îles (Thousand Islands), c'est un bon point de base pour visiter la région. La rue menant au port compte plusieurs restaurants engageants avec terrasses au bord de l'eau.

Le village de **Cape Vincent**, à l'atmosphère détendue et où l'on sent encore l'influence française, se trouve à l'extrémité ouest du fleuve, à l'embouchure du lac. Roulez jusqu'au **Tibbetts Point Lighthouse** pour une vue imprenable sur le lac. Une charmante **auberge de jeunesse** (☎315-654-3450 ; www.hihostels.com ; dort/ch 18/40 $) occupe aussi les lieux. À côté, le **Burnham Point State Park** (☎315-654-2522 ; Rte 12E ; emplacement 25 $) dispose d'aires de camping boisées en bord de lac.

Clayton, à 24 km à l'est sur le Seaway Trail (Rte 12), compte plus d'une dizaine de marinas et quelques bons restaurants, chose rare dans la région. **TI Adventures** (☎315-686-2500 ; www.tiadventures.com ; 1011 State St ; location kayak 30 $/demi-journée) loue des kayaks et organise des sorties de rafting en eaux vives sur la Black River. À Watertown, ville importante à une demi-heure de route vers le sud, d'autres entreprises proposent des services équivalents.

Le **Lyric Coffee House** (246 James St, Clayton ; ☺8h-17h lun-jeu, 8h-20h ven-sam et 9h-16h dim ; ☎), étonnamment moderne pour la ville, sert diverses sortes de cafés, des glaces, des pâtisseries et des plats du jour à midi.

Plus à l'est, **Alexandria Bay (Alex Bay)**, station balnéaire du début du XXe siècle, est toujours un haut lieu du tourisme du côté américain – sa sœur jumelle est Gananoque, au Canada. Si la ville est sans intérêt, les activités ne manquent pas dans les environs : karting, minigolf et **cinéma drive-in** (www.baydrivein.com ; adulte/enfant 5/2 $; ☎). C'est également le point de départ des ferries pour Heart Island, où le **Boldt Castle** (☎315-482-2501 ; www.boldtcastle.com ; adulte/enfant 6,50/4 $; ☺10h-18h30 mi-mai à mi-oct) témoigne de l'histoire d'amour d'un riche hôtelier new-yorkais parti de rien, qui construisit ce château pour son épouse bien-aimée. Celle-ci mourut avant que l'édifice ne soit achevé. **Uncle Sam's Boat Tours** (☎315-482-2611 ; www.usboattours.com ; 45 James St ; "Two Nation Tour" adulte/enfant 18,50/9,25 $; ⏹) fait partir plusieurs fois par jour des bateaux pour son excellent "Two Nation Tour", qui permet de visiter aussi bien la rive américaine que la rive canadienne du fleuve, et de faire un arrêt au Boldt Castle avant de revenir à bord de l'un de ses ferries gratuits (1 ferry/demi-heure).

Il est possible de camper au **Wellesley Island State Park** (☎518-482-2722 ; www. nysparks.com ; empl à partir de 15 $). Cette solution sera certainement votre meilleure alternative, même si vous avez peur des ratons laveurs. Beaucoup d'emplacements donnent presque directement sur le fleuve et certains ont leurs propres plages "privées". L'île n'est accessible qu'en traversant une partie payante (2,50 $) du Thousand Islands Bridge.

Alex Bay compte plusieurs établissements soi-disant chics, mais aucun ne présente un bon rapport qualité/prix. **Capt Thomson's Resort** (☎315-482-9961 ; www.captthomsons. com ; 45 James St ; d à partir de 80 $; ✳🖱🛜🏊) est probablement le meilleur établissement de catégorie moyenne. Il se trouve au bord de l'eau, à côté du bureau d'Uncle Sam's Boat Tours.

Jet Blue (www.jetblue.com) propose des vols réguliers et quotidiens vers Syracuse (Hancock International Airport - SYR), à 1 heure 30 au sud. Vous trouverez plusieurs grandes compagnies de location de voitures dans l'aéroport. Les cyclistes apprécieront le Scenic Byway Trail, presque toujours plat.

Ouest de l'État de New York

La plupart des villes de cette région tentent encore de retrouver leur équilibre, après une hémorragie industrielle et de population qui dure depuis plus de dix ans. Elles vivent dans l'ombre des chutes du Niagara (Niagara Falls), merveille naturelle qui attire chaque année plus de 12 millions de visiteurs venus du monde entier. Buffalo était autrefois un centre industriel prospère, et le terminus du canal Érié, qui servait alors de liaison entre les Grands Lacs et l'océan Atlantique. Aujourd'hui, elle peut se targuer de bons restaurants de cuisine locale et d'enclaves bohèmes. Syracuse et Rochester sont d'importantes villes universitaires.

BUFFALO

Si cette ville ouvrière souvent moquée connaît des hivers longs et froids et a sa part de bâtiments industriels à l'abandon, elle se caractérise aussi par une population étudiante dynamique et des trentenaires jouissant d'une bonne qualité de vie grâce à un immobilier bon marché et une gastronomie unique et savoureuse. Buffalo fut fondée par les Français en 1758 – son nom dériverait de *beau fleuve*. Son passé illustre comme ancien comptoir commercial puis centre industriel florissant et terminus du canal Érié, a laissé place à une certaine nostalgie, et à l'espoir de voir un jour percer les ambitieux programmes de relance successifs (le dernier en date prévoyait un agrandissement massif et une relocalisation dans le centre-ville de l'école de médecine de l'université de Buffalo). La ville est à environ 8 heures de route de New York et à moins d'une heure au sud des chutes du Niagara. Le **Buffalo Niagara Convention & Visitors Bureau** (☎716-218-2922 ; www.visitbuffaloniagara.com ; 617 Main St ; ◷10h-16h lun-ven, 10h-14h sam) dispose d'un excellent site Internet et vous fournira des renseignements utiles, notamment des brochures sur les randonnées.

◉ À voir et à faire

Les amateurs d'architecture apprécieront la ville (voir le site www.walkbuffalo.com). Au nord du centre-ville, le vaste Delaware Park est signé Frederick Law Olmsted. Le quartier d'**Elmwood**, qui s'étend le long d'Elmwood Ave entre Allen St et le Delaware Park, est doté de librairies, boutiques, cafés et restaurants branchés. On trouve aussi de bons restaurants et cafés dans le nord de la ville, sur Hertle Ave, surnommée "Little Italy".

Les habitants de Buffalo sont des inconditionnels du sport et n'ont d'yeux que pour l'équipe de football américain des NFL **Buffalo Bills** (www.buffalobills.com) et l'équipe de hockey sur glace des **Buffalo Sabres** (www.sabres.com). Un autre moyen, tout aussi intéressant, de se mêler aux supporters locaux, est d'assister à un match des **Buffalo Bisons** (www.bisons.com) sur leur terrain du centre-ville.

Albright-Knox Art Gallery   MUSÉE
(☎716-882-8700 ; www.albrightknox.org ; 1285 Elmwood Ave ; adulte/enfant 12/5 $; ◷10h-17h mar-dim, 10h-22h premier ven). Musée renfermant les œuvres de certains des plus grands impressionnistes français et maîtres américains.

Burchfield Penney
MUSÉE

(☎716-878-6011 ; www.burchfieldpenney.org ;
1300 Elmwood Ave ; adulte/enfant 9/5 $; ⏰10h-17h
mar-mer, ven-sam, 10h-21h jeu, 11h-17h dim).
Bâtiment moderne où sont exposées les
œuvres d'artistes pour la plupart américains,
de la fin du XIXe siècle à nos jours.

Frank Lloyd Wright Darwin Martin House
CIRCUIT

(☎716-856-3858 ; www.darwinmartinhouse.
org ; 125 Jewett Pkwy ; visites 15-40 $). La visite
de la demeure construite en 1904 dans le
style Prairie et de la **Barton House** (118
Summit Ave) voisine commence par une
vidéo et des expositions dans le centre
d'information. La restauration, qui s'élève
à un montant de 50 millions de dollars, a
débuté en 1992 et est en passe d'être achevée.

Theodore Roosevelt Inaugural National Historic Site
MUSÉE

(☎716-884-0095 ; www.trsite.org ; 641 Delaware
Ave ; adulte/enfant 10/5 $; ⏰9h-17h lun-ven,
12h-17h sam-dim). Cette visite partiellement
guidée de la maison d'Ansley Wilcox, ami
de Roosevelt, permet de revivre le jour
où le président américain prêta serment
en urgence après l'assassinat de William
McKinley en 1901. Les expositions
interactives sauront captiver même les plus
distraits.

🛏 Où se loger
Les grandes chaînes d'hôtels bordent le
périphérique. Selon la météo et le moment
de la journée, le centre donne parfois
l'impression d'une ville fantôme. Il n'en
est pas moins un endroit stratégique de
par son emplacement ; le **Hamptons Inn
& Suites** (☎716-855-2223 ; www.hamptoninn.
com ; 220 Delaware Ave ; ch petit-déj inclus à partir
de 150 $; P✳@🛰🏊) propose de grandes
chambres et un excellent petit-déjeuner.

Mansion on Delaware Avenue
B&B $$

(☎716-886-3300 ; www.mansionondelaware.
com ; 414 Delaware Ave ; ch petit-déj inclus à
partir de 175 $; ✳🛰). Grande demeure
aux chambres somptueuses et au service
impeccable.

Beau Fleuve
B&B $$

(☎800-278-0245 ; www.beaufleuve.com ;
242 Linwood Ave ; s/d petit-déj inclus à partir
de 120/135 $; ✳). B&B historique dans le
quartier de Linwood.

Hostelling International – Buffalo Niagara
AUBERGE DE JEUNESSE $

(☎716-852-5222 ; www.hostelbuffalo.com ;
667 Main St ; dort/ch 25/60 $; ✳@). Pour les
petits budgets.

🍴 Où se restaurer
Buffalo est curieusement dotée de nombreux
restaurants proposant une cuisine originale,
savoureuse et bon marché.

❤ Anchor Bar
PUB $$

(☎716-883-1134 ; 1047 Main St ; 10 ailes de
poulet 11 $; ⏰10h-23h lun-jeu, 10h-1h ven-sam).
Goûtez aux célèbres *wings* (ailes de poulet)
frites recouvertes d'une sauce épicée dans ce
bar incontournable. À la carte également :
sandwichs, hamburgers, fruits de mer,
pizzas et pâtes. Des concerts sont organisés
le soir du jeudi au samedi.

Ulrich's
ALLEMAND $$

(☎716-855-8409 ; 674 Ellicott St ; plat 15 $;
⏰11h15-tard lun-sam). Avec son plancher
déformé et ses murs en bois foncé, c'est
l'une des plus anciennes tavernes de Buffalo.
Essayez le très copieux fretin à l'allemande,
accompagné de choux rouge, choucroute,
pommes de terre et légumes. Les pancakes
maison aux pommes de terre (7 $) et la
saucisse de foie aux oignons rouges et au
seigle (11 $) valent également le détour.

Left Bank
FRANÇAIS $$

(☎716-882-3509 ; 511 Rhode Island St ; plat 10-19 $;
⏰17h-23h lun-jeu, 17h-24h ven-sam, 11h-22h dim).
Logé dans un bel édifice centenaire, un
restaurant chaleureux où abondent raviolis
maison, viandes grillées et bons vins.

Betty's
AMÉRICAIN MODERNE $$

(☎716-362-0633 ; 370 Virginia St ; plat 12 $;
⏰8h-21h mar, 8h-22h mer-ven, 9h-22h sam,
9h-15h dim). Restaurant un peu plus haut de
gamme, dans le quartier d'Allentown, qui
revisite la cuisine américaine familiale.

Nous recommandons également :

Duff's
PUB $

(☎716-834-6234 ; 3651 Sheridan Dr, Amherst ;
10 ailes de poulet 8 $; ⏰11h-23h). D'après les
locaux, on y mange les meilleures ailes de
poulet de la ville.

Bob & John's La Hacienda
SANDWICHS, PIZZAS $

(☎716-836-5411 ; 1545 Hertel Ave ; sandwich
5 $, 10 ailes de poulet 9 $; ⏰11h-23h). Vous y
trouverez, selon certains, les meilleures
pizzas de Buffalo.

Ted's
RESTAURATION RAPIDE $

(☎716-834-6287 ; Sheridan Ave ; hot dogs
2 $; ⏰10h30-23h lun-dim). Hot dogs et
sandwichs longs comme le bras sont
déclinés à l'infini.

Chef's
ITALIEN $$

(☎716-856-9187 ; 291 Seneca St ; plat 15 $;
⏰11h-21h lun-sam). Depuis 85 ans, cet
établissement incontournable rassasie

ses clients de spécialités italiennes traditionnelles.

🍷 Où prendre un verre et sortir

Les bars de Chippewa St (alias Chip Strip) sont ouverts jusqu'à 4 h du matin et accueillent principalement des étudiants. Des quartiers comme Elmwood, Linwood et Allentown, à la population plus éclectique, peuvent eux aussi se targuer d'une vie nocturne animée. Les **concerts** (☎716-856-3150 ; www.buffaloplace.com) organisés de juin à août dans le centre-ville sont l'occasion de voir des artistes, aussi bien émergeants que célèbres, dans des espaces en plein air.

L'extrémité sud d'Elmwood compte plusieurs bars gays.

Nietzches   BAR DE QUARTIER
(☎716-886-8539 ; 248 Allen St ; ⊙13h-2h). Bistrot légendaire où sont organisés des concerts.

Allen Street Hardware Cafe   CONCERT
(☎716-882-8843 ; 245 Allen St ; ⊙17h-24h, 17h-1h ven-sam). Les meilleurs musiciens du coin y font régulièrement salle comble. L'établissement fait également restaurant.

Eddie Brady's   BAR
(97 Genesee St ; ⊙17h-2h). Taverne de quartier dans un édifice du centre-ville de 1863 réhabilité.

ℹ Comment s'y rendre et circuler

Le Buffalo Niagara International Airport (BUF ; www.buffaloairport.com), à environ 25 km à l'est du centre-ville, est un carrefour régional. Jet Blue Airways propose des vols aller-retour depuis New York City à des prix abordables. Les bus partent et arrivent au **terminus Greyhound** (181 Ellicott St). Le bus local n°40 de la **NFTA** (www.nfta.com) dessert le centre de transit du côté américain des chutes du Niagara (1,75 $, 1 heure). Des trains partent de la **gare ferroviaire Amtrak** (75 Exchange St), dans le centre-ville, à destination des principales villes de l'État (New York 55 $, 8 heures ; Albany 43 $, 6 heures ; Syracuse 24 $, 2 heures 30). La gare d'Exchange Street peut être dangereuse, surtout la nuit, et les habitants de Buffalo lui préfèrent la gare de Buffalo-Depew (55 Dick Rd), 10 km à l'est.

CHUTES DU NIAGARA (NIAGARA FALLS) ET LEURS ENVIRONS

Quel que soit le côté de la frontière où vous vous trouvez, vous ne pourrez qu'être émerveillé. Faites abstraction des jeunes mariés en voyage de noces, des Jacuzzis en forme de cœur, des galeries commerciales, des boutiques clinquantes, et profitez pleinement du panorama. Plus vous serez près des chutes, plus l'expérience sera grandiose... et plus vous serez trempé ! C'est du côté canadien que se rend la quasi-totalité des touristes (et à juste titre), mais il est facile de passer d'un côté à l'autre de la frontière (voir p. 596). Le côté américain est dominé par le Seneca Niagara Casino & Hotel, édifice en verre violet qui surplombe un quartier aux immeubles décatis.

◉ À voir et à faire

Les chutes se répartissent sur deux villes : Niagara Falls, dans l'État de New York, et Niagara Falls, dans la province canadienne de l'Ontario. Les deux villes se font face et sont séparées par la Niagara River, enjambée par le Rainbow Bridge, accessible aux voitures et aux piétons. Le célèbre architecte paysagiste Frederick Law Olmstead a participé au sauvetage et à la conservation du côté américain, qui, vers 1870, croulait sous les usines et les pancartes. Allez à la **Prospect Point Observation Tower** (1 $; ⊙9h30-17h lun-jeu, 9h30-19h ven-sam, 9h30-18h dim) pour avoir une vue d'ensemble sur les **chutes américaines** et leur partie occidentale, les **Bridal Veil Falls** (chutes du voile de mariée), hautes de 55 m. Traversez le petit pont menant à **Goat Island** pour voir les chutes sous un autre angle, notamment depuis le Terrapin Point, d'où l'on peut admirer les Horseshoe Falls (chutes du fer à cheval), ainsi que les ponts piétonniers menant aux Three Sisters Islands. À l'extrémité nord de Goat Island, un ascenseur descend dans la **Cave of the Winds** (grotte des vents ; ☎716-278-1730 ; adulte/enfant 6/4 $; ⊙9h-17h), où des passages mènent au pied des cataractes s'élevant à 8 m au-dessus (vêtements de pluie fournis). Le circuit en bateau à bord du **Maid of the Mist** (☎716-284-8897 ; www.maidofthemist.com ; adulte/enfant 13,50/8 $; ⊙10h-17h lun-ven, 10h-18h sam-dim mai-sept ; ♿) menant jusqu'en dessous des chutes est un incontournable depuis 1846. À ne pas manquer. Les bateaux partent de la base de la Prospect Park Observation Tower du côté américain, et du bas de Clifton Hill du côté canadien.

Pour encore plus d'adrénaline, laissez-vous tenter par les **Whirlpool Jet Boat Tours** (☎888-438-4444 ; www.whirlpooljet.com ; 1 heure adulte/enfant 50/42 $), des excursions en hors-bord qui partent de **Lewiston**, charmante ville comptant plusieurs bons restaurants, à 13 km au nord de Niagara

Falls. Les inconditionnels du shopping mettront le cap vers les **Tanger Outlet stores**, à quelques kilomètres à l'ouest de la ville, pour des vêtements de créateurs bon marché.

Au nord-est de Niagara Falls, la ville de **Lockport** est le terminus ouest du canal Érié. Vous y trouverez un excellent centre d'information et un **musée**. Des **circuits en bateau** sont organisés en été.

🛏 Où se loger et se restaurer

On trouve quelques chaînes d'hôtel nationales – Ramada Inn, Howard Johnson, Holiday Inn –, mais le choix est plus important du côté canadien. Il y a quelques endroits où se restaurer vers le pont, notamment des établissements vendant de la cuisine indienne à emporter.

❤ **The Giacomo** BOUTIQUE HOTEL **$$**
(📞716-299-0200 ; www.thegiacomo.com ; 220 First St ; ch à partir de 150 $; P✳️🛜). Équivalent aux hôtels que l'on trouve du côté canadien en termes de confort et de raffinement, le Giacomo occupe un immeuble de bureaux Art déco rénové datant de 1929. Si la majeure partie du bâtiment abrite des appartements haut de gamme, les 39 chambres spacieuses sont luxueusement aménagées et vous jouirez d'une vue spectaculaire sur les chutes depuis le salon du 18e étage. En considérant qu'elle peut confortablement accueillir 8 personnes, la suite Platinium, digne d'un décor de film, est une bonne affaire (500 $, 2 nuitées minimum).

ℹ Renseignements

Du côté américain, la **Niagara Tourism & Convention Corporation** (📞716-282-8992 ; www.niagara-usa.com ; 10 Rainbow Blvd ; ⊙9h-19h juin-15 sept, 9h-17h 16 sept-31 mai) dispose de tous types de guides. Son homologue canadien se trouve à côté de la base de la **Skylon Tower** (📞905-356-6061 ; www. niagarafallstourism.com ; 5400 Robinson St ; ⊙9h-17h).

ℹ Comment s'y rendre et circuler

Chaque jour, 7 bus de la **NFTA** (Niagara Frontier Transportation Authority ; www.nfta.com) partent de l'aéroport de Buffalo pour Niagara Falls ; prenez le Metro Link Express n°210 (3 $, 50 min). À Niagara Falls, descendez au croisement de First St et Rainbow Blvd (inutile d'aller jusqu'au terminus au croisement de Main St et Pine St). Le trajet en taxi vous coûtera environ 75 $. Le bus n°40 pour le centre-ville

de Buffalo part de l'angle de Third St et Old Falls Blvd (1,75 $, 1 heure). La **gare ferroviaire Amtrak** (27th St, sur Lockport Rd) est à environ 3 km au nord-est du centre-ville. Depuis Niagara Falls, des trains desservent quotidiennement Buffalo (12 $, 35 min), Toronto (38 $, 3 heures) et New York (60 $, 9 heures). Les bus **Greyhound** (303 Rainbow Blvd) partent du Daredevil Museum.

Comptez 5 à 10 $ de parking pour une journée, des deux côtés des chutes. La plupart des hôtels de catégorie moyenne mettent gracieusement un parking à disposition de leurs clients, mais les établissements plus chics (du côté canadien) facturent souvent 10 à 20 $ la journée.

Pour traverser le Rainbow Bridge jusqu'au Canada et revenir, il vous en coûtera 3,25/1 $US par voiture/piéton. Des postes de douanes et d'immigration se trouvent à chaque extrémité. Pensez à vous munir de votre passeport. Vous ne devriez pas avoir de problème pour traverser la frontière au volant d'une voiture de location (voir p. 596 et p. 610), mais vérifiez auprès de votre agence de location.

NEW JERSEY

Cet État voisin de celui de New York pâtit traditionnellement d'une mauvaise image, celle d'un cauchemar d'autoroutes à perte de vue, d'embouteillages monstres et d'un impossible accès à la mer. Pourtant, les merveilles naturelles qui s'offrent au regard une fois quitté l'autoroute sont nombreuses. Fuyez les centres commerciaux pour découvrir le New Jersey sous un tout autre jour : un quart est occupé par des terres agricoles et on compte plus de 200 km de belles plages et de villes de bord de mer accueillantes, ainsi que, naturellement, deux des plus grands symboles de New York : la statue de la Liberté et Ellis Island.

ℹ Renseignements

NJ.com (www.nj.com). L'actualité de l'État vue par tous les grands quotidiens, notamment le *Newark Star-Leger* et le *Jersey Journal* (Hudson County).

New Jersey Monthly (www.njmonthly. com). Magazine mensuel avec des rubriques consacrées au tourisme et d'autres informations utiles aux visiteurs.

New Jersey Department of Environmental Protection (www.state.nj.us/dep/ parksandforests). Informations sur tous les parcs de l'État, comprenant les campings et les sites historiques.

ⓘ **Depuis/vers le New Jersey**

Si les habitants du New Jersey sont des mordus de voitures, il existe d'autres moyens de transport :

New Jersey PATH train (www.panynj.gov/path). Dessert Hoboken, Jersey City et Newark depuis le sud de Manhattan.

New Jersey Transit (www.njtransit.com). Bus au départ du Port Authority de New York et trains au départ de Penn Station (New York).

New York Waterway (www.nywaterway.com). Ferries à destination du nord du New Jersey.

LE NEW JERSEY EN BREF

» **Surnom :** Garden State (État Jardin)

» **Population :** 8,8 millions d'habitants

» **Superficie :** 14 000 km²

» **Capitale :** Trenton (85 000 habitants)

» **Autres villes :** Newark (277 000 habitants)

» **TVA :** 7%

» **Lieu de naissance de :** Count Basie (1904-1984), musicien ; Frank Sinatra (1915-1998), chanteur ; Meryl Streep (née en 1949), actrice ; Bruce Springsteen (né en 1949), chanteur ; John Travolta (né en 1954), acteur ; Jon Bon Jovi (né en 1962), chanteur ; Whitney Houston (1963-2012), chanteuse

» **Berceau :** du premier film (1889), du premier match de base-ball professionnel (1896), du premier cinéma *drive-in* (1933), de la statue de la Liberté

» **Politique :** gouverneur républicain Chris Christie, mais Parlement traditionnellement à majorité démocrate

» **Célèbre pour :** Les *Sopranos* et *Dr House* (c'est dans le New Jersey que se situe l'action de ces deux séries) et les débuts musicaux de Bruce Springsteen

» **Nombre de domaines viticoles :** 36

» **Distances par la route :** Newark-New York : 18 km ; Atlantic City-New York : 217 km

Nord du New Jersey

À l'est, vous ferez une immersion dans la jungle urbaine. Allez à l'ouest si vous recherchez l'inverse, soit le paysage paisible et rafraîchissant du Delaware Water Gap et des Kittatinny Mountains.

HOBOKEN ET JERSEY CITY

Hoboken, avec son paysage urbain digne de séries télévisées, est une mignonne petite ville juste en face de New York, sur l'autre rive de l'Hudson. Du fait de ses loyers moins élevés qui attirèrent les New-Yorkais il y a plus de dix ans, elle est devenue une sorte de 6e *borough* périphérique. Le week-end, les bars et les concerts animent la ville – en particulier le légendaire **Maxwell's** (☎201-653-1703 ; www.maxwellsnj.com ; 1039 Washington St), qui déniche des groupes de rock prometteurs depuis 1978. Hoboken compte aussi de nombreux restaurants le long de Washington St, de belles avenues résidentielles et des berges verdoyantes et redynamisées.

Symbole criant de cette transformation : les foules qui font la queue chaque matin pour admirer les pâtisseries spectaculaires de Bartolo Jr "Buddy" Valastro, de l'émission *Cake Boss*, qui se déroule dans la **Carlo's City Hall Bake Shop** (☎201-659-3671 ; www.carlosbakery.com ; 95 Washington St ; ⊙7h-19h30 lun-mer et dim, 7h-21h jeu-sam).

Que l'on s'en réjouisse ou non, les gratte-ciel abritant des appartements et les bureaux de sociétés financières souhaitant faire des économies de loyer ont transformé **Jersey City**, ancien quartier d'ouvriers et d'immigrants, en une zone "restaurée" pour jeunes cadres dynamiques. Son site le plus connu est le **Liberty State Park** (☎201-915-3440 ; www.libertystatepark.org ; ⊙6h-22h), de 485 hectares, où sont organisés des concerts en plein air avec Manhattan en toile de fond. Il est doté d'une grande piste cyclable et est le point de départ des **ferries** (☎877-523-9849 ; www.statuecruises.com) pour Ellis Island et la statue de la Liberté. Le vaste et moderne **Liberty Science Center** (☎201-200-1000 ; www.lsc.org ; adulte/enfant 15,75/11,50 $, supplément pour IMAX et expositions spéciales ; ⊙9h-17h ; ⊞), également dans le parc, est idéal pour les enfants avec ses expositions interactives.

NEWARK

Si beaucoup de touristes venant visiter New York arrivent au Newark Liberty International Airport, peu d'entre eux sont curieux de découvrir la ville où ils ont atterri.

LES CHUTES CANADIENNES

La plupart des gens découvrent les chutes du Niagara du côté canadien, où la vue est plus spectaculaire. Les **Horseshoe Falls**, au Canada, sont plus larges et particulièrement photogéniques depuis le Queen Victoria Park. Le soir, elles sont éclairées par des jeux de lumières colorées. Le billet **Journey Behind the Falls** (adulte/enfant 15/7 $US ; ☺9h-20h30 lun-ven) vous permettra de passer sous les chutes pour une vue de l'arrière (embruns garantis). La petite ville de **Niagara on the Lake**, à 15 km au nord, se caractérise par ses B&B raffinés et son célèbre festival de théâtre estival.

Quasiment toutes les grandes chaînes d'hôtels ont des établissements du côté canadien. Les routards pourront aller au quelque peu négligé **HI Niagara Falls Hostel** (✆905-357-0770 ; www.hostellingniagara.com ; 4549 Cataract Ave ; dort/ch petit-déj inclus 30/60 $US ; ✹☏). Le **Skyline Inn** (✆905-374-4444 ; www.skylineinnniagarafalls.com ; 4800 Bender St ; ch à partir de 70 $US ; P✹@☏) est un établissement économique à l'écart du bruit. Une passerelle mène au **parc aquatique couvert**, de l'autre côté de la rue. Parmi les nombreux B&B de River Rd, **Chestnut Inn** (✆905-374-7623 ; www.chestnutinnbb.com ; 4983 River Rd ; ch à partir de 90 $US ; ✹), maison coloniale joliment décorée dotée d'une véranda, sort du lot.

Les restaurants attrape-touristes sont légion à Clifton Hill et autour. La nourriture américaine et les chaînes dominent la scène culinaire. Pour trouver des restaurants bon marché, allez vers Lundy's Lane.

Du fait des émeutes raciales dont elle fut le théâtre pendant les années 1960, Newark fut pendant longtemps une ville délaissée. Elle a mis beaucoup de temps à s'en remettre. Cory Booker, le jeune maire ambitieux de Newark, a pris ses fonctions en 2006 et n'est que le 3e maire de la ville depuis 1970. La criminalité et la pauvreté endémiques continuent à entacher la réputation de la ville. Pourtant, aux beaux jours, le centre-ville grouille d'acheteurs et d'employés de bureau. Les restaurants brésiliens, portugais et espagnols bordent les rues du florissant **Ironbound District** (www.goironbound.com), à seulement quelques *blocks* de **Penn Station**, gare de style néoclassique (desservie par des trains NJ Transit partant de la gare du même nom à New York). À l'**Iberia Peninsula** (63-69 Ferry St ; plat 15 $; ☺11h-2h), vous pourrez accompagner vos fruits de mer pour 2 (41 $) de quelques sangrias dans un décor de forteresse. Non loin, le **Newark Museum** (✆973-596-6550 ; www.newarkmuseum.org ; 49 Washington St ; don suggéré 10 $; ☺12h-17h mer-ven, 10h-17h sam-dim) renferme une collection d'art tibétain réputée et accueille le Newark Black Film Festival en juin. En avril, quelque 2 700 cerisiers fleurissent dans les 160 hectares du **Branch Brook Park**, signé Frederick Law Olmstead. Le **New Jersey Performing Arts Center** (✆888-466-5722 ; www.njpac.org ; 1 Center St), joyau de la ville, programme orchestres nationaux, opéras, danse, concerts de jazz et autres spectacles. Le **Prudential Center** (www.prucenter.com),

alias "The Rock", est devenu le théâtre des plus grands événements sportifs, et accueille l'équipe de hockey des New Jersey Devils, ainsi que les matchs de basket-ball et des concerts.

DELAWARE WATER GAP

La beauté incomparable des méandres étroits du Delaware entre les crêtes des Kittatinny Mountains a rendu la région extrêmement touristique, et ce depuis le XIXe siècle. La **Delaware Water Gap National Recreation Area** (✆570-426-2452 ; www.nps.gov/dewa), qui s'étend à la fois sur le New Jersey et la Pennsylvanie, fut créée en 1965. Aujourd'hui, cette zone protégée offre des possibilités de baignade, navigation, pêche, camping, randonnée, et découverte de la nature, à seulement 113 km à l'est de New York.

Les 1 355 hectares du **Kittatinny Valley State Park** (✆973-786-6445 ; gratuit) renferment des lacs avec rampes de mise à l'eau, des affleurements calcaires et des aires de camping, ainsi que d'anciennes voies ferroviaires transformées en pistes de randonnée et de vélo. Au nord, le **High Point State Park** (✆973-875-1471 ; véhicule en semaine/week-end 5/10 $), également adapté au camping et à la randonnée, est doté d'un monument qui, du haut de ses 550 m, offre une vue fantastique sur les lacs, les collines et les terres agricoles. La ville voisine de **Milford**, côté Pennsylvanie, est un endroit très agréable comptant plusieurs bons restaurants.

Princeton et ses environs

Le centre du New Jersey, surnommé "the Armpit" ("l'aisselle", du fait de sa forme), abrite plusieurs villes belles et riches comme Princeton, à la frontière est avec la Pennsylvanie, et Trenton, la capitale de l'État.

Fondée par un missionnaire quaker anglais, la petite ville de Princeton est dotée d'une belle architecture et de plusieurs sites intéressants. Le plus connu d'entre eux est la **Princeton University** (www.princeton.edu), membre de l'Ivy League, qui regroupe les huit universités les plus prestigieuses du pays. Elle fut construite vers 1750 et devint rapidement l'un des plus grands bâtiments des premières colonies. **Palmer Square**, datant de 1936, est une jolie place où l'on peut flâner et faire les boutiques. L'**Historical Society of Princeton** (☎609-921-6748 ; www.princetonhistory.org ; 158 Nassau St ; adulte/enfant 7/4 $) propose des visites historiques de la ville jusqu'au dimanche à 14 h, et l'**Orange Key Guide Service & Campus Information Office** (☎609-258-3060 ; www.princeton.edu/orangekey) organise des visites gratuites de l'université.

Les hébergements sont rares et chers au moment de la remise des diplômes (mai-juin). En dehors de cette période, vous n'aurez aucun mal à trouver une chambre dans l'une des auberges chaleureuses de la ville. Essayez le **Nassau Inn** (☎609-921-7500 ; www.nassauinn.com ; 10 Palmer Sq ; ch petit-déj inclus à partir de 169 $; ✳@☎), auberge au style traditionnel, et le **Inn at Glencairn** (☎609-497-1737 ; www.innatglencairn.com ; 3301 Lawrenceville Rd ; ch petit-déj inclus à partir de 195 $; ✳☎), manoir géorgien rénové, au look d'antan mais au confort moderne.

Si **Trenton** n'est pas la plus belle ville qui soit, elle compte plusieurs sites historiques, un musée et un marché de producteurs qui valent le détour – notamment si vous vous rendez à Philadelphie ou à Atlantic City.

Jersey Shore

Le plus connu des atouts du New Jersey est certainement sa côte étincelante, qui s'étend de Sandy Hook à Cape May, constellée de stations balnéaires allant du tape-à-l'œil au raffiné (www.visitthejerseyshore.com). On y croise aussi bien des mères promenant leurs enfants que des buveurs de bière. Si Jersey Shore est bondée les week-ends en été, vous apprécierez le calme des plages dès l'arrivée de l'automne. Chaque ville définit ses propres conditions d'accès aux plages, mais les tarifs à la journée sont généralement raisonnables. En été, les hébergements d'un bon rapport qualité/prix sont aussi rares que les peaux dépourvues de tatouages. Une solution économique consiste à planter sa tente dans un parc public ou dans un camping privé.

SANDY HOOK ET SES ENVIRONS

À l'extrémité nord de Jersey Shore, la **Sandy Hook Gateway National Recreation Area** (☎732-872-5970 ; www.nps.gov/gate ; en retrait de la Rte 36 ; parking 10 $; ☺7h-22h) est un cordon littoral sablonneux de 11 km de long à l'entrée du port de New York. Par temps dégagé, vous pourrez voir la ville se dessiner à l'horizon depuis votre serviette. Le côté de la péninsule donnant sur l'océan est doté de vastes plages de sable (dont une plage naturiste, la seule du New Jersey, à Gunnison Beach), bordées d'un important réseau de pistes cyclables. Le côté donnant sur la baie est idéal pour pêcher et barboter. Les bâtiments en brique de **Fort Hancock** (☺13h-17h sam-dim), ancien poste de garde-côtes, renferment un petit musée. Le **Sandy Hook Lighthouse**, où sont proposées des visites guidées, est le phare le plus ancien du pays. N'oubliez pas votre lotion anti-moustiques, ils peuvent être voraces à la tombée de la nuit.

À **Highlands**, la ville voisine, vous trouverez quelques restaurants de poisson au bord de l'eau, ainsi qu'une annexe de la fameuse pizzeria de Brooklyn **Grimaldi's** (☎732-291-1711 ; 123 Bay Ave ; petite pizza 14 $; ☺15h-22h, 12h-22h sam-dim) ; les pizzas qui sortent du four à charbon en brique sont aussi savoureuses que celles de Brooklyn. **Seastreak** (☎800-262-8743 ; www.seastreak.com ; aller-retour adulte/enfant 43/16 $, 1 heure) relie en ferry Sandy Hook (et les Highlands) à Pier 11, dans le centre de Manhattan, et East 35th St (New York).

À une quinzaine de kilomètres dans les terres, la ville bohème de **Red Bank** est fière de son artère principale bordée de boutiques, galeries et cafés. Elle abrite une importante communauté mexicaine. Le New Jersey Transit s'y arrête.

LONG BRANCH, ASBURY PARK ET OCEAN GROVE

Long Branch, ville manquant un peu d'âme par rapport au reste de la côte, est la première grande station balnéaire au sud des Highlands. On trouve de tout dans le centre commercial à côté de l'océan, du restaurant grec au magasin de maillots de bain. En allant un peu plus dans les terres, vous pourrez assister à des courses de pur-sang au célèbre **Monmouth Park Race Track** (☎732-222-5100 ; www.monmouthpark. com ; tribune/club-house 3/5 $; ☺11h30-18h mai-août).

Au sud de Long Branch, la commune de **Deal** abrite d'imposantes demeures. Une fois à **Asbury Park**, de l'autre côté du lac Deal, le luxe laisse place à une rangée de maisons à l'abandon et aux nids-de-poule. Malgré tout, cette ville qui, après un bref moment de gloire dans les années 1970 lors du passage de Bruce Springsteen au **Stone Pony** (☎732-502-0600; www.stoneponyonline. com ; 913 Ocean Ave) s'engagea sur la pente descendante, connaît aujourd'hui un regain d'énergie. Le centre-ville a été pris d'assaut par des gays fortunés de New York qui ont entrepris de rénover des demeures victoriennes délaissées et d'anciens commerces. Il comprend plusieurs pâtés de maisons autour de Cookman Avenue et compte de charmants cafés, restaurants et boutiques. Le vaste **Antique Emporium of Asbury Park** (☎732-774-8230 ; 646 Cookman Ave ; ☺11h-17h lun-sam et 12h-17h dim) est empli de superbes antiquités sur deux étages, et le très tendance **Restaurant Plan B** (☎732-807-4710 ; 705 Cookman Ave ; plat 10-25 $; ☺16h30-21h mar-jeu et dim, 16h30-22h ven, 16h30-23h sam) sert d'excellents brunchs le week-end. À l'extrémité sud de la promenade, le grand **Paramount Theatre** (☎732-897-8810 ; www. apboardwalk.com/venues ; 1300 Ocean Ave), de style Art déco, accueille pièces de théâtre et concerts.

Ocean Grove, ville fascinante juste au sud, invite à la promenade. Fondée au XIXe siècle par des méthodistes, elle a conservé les vestiges d'un **village de tentes** créé après la guerre de Sécession – c'est aujourd'hui un site historique de 114 tentes en toile utilisées comme résidences d'été. Ocean Grove se caractérise par une architecture victorienne très bien conservée et un amphithéâtre en bois de 6 500 places. Pour vous loger, choisissez parmi les nombreuses **auberges victoriennes** (consultez le site Internet www.oceangrovenj.com). En vous enfonçant dans les terres, non loin du Garden State Pkwy, vous trouverez le magasin d'usine **Premium outlet**.

DE BRADLEY BEACH À SPRING LAKE

Bradley Beach abrite des rangées et des rangées de jolis cottages et une belle étendue de côte. **Belmar Beach** est tout aussi attrayante avec sa promenade semée de quelques kiosques où se sustenter et sa poignée de restaurants et de bars animés sur le front de mer. À la mi-juillet, elle accueille le **New Jersey Sandcastle Contest** (concours de châteaux de sable du New Jersey ; www.njsandcastle.com).

Au sud, **Spring Lake**, ☺, autrefois surnommée "la Riviera irlandaise", arbore des pelouses immaculées, de vastes maisons victoriennes en bord d'océan, une splendide plage et des hébergements raffinés. Si vous cherchez un lieu de retraite calme et sobre (à l'inverse des autres établissements), essayez le **Grand Victorian Spring Lake** (☎449-5327 ; www.grandvictorianspringlake. com ; 1505 Ocean Ave ; ch à partir de 79 $; ✲☎), clair et spacieux.

À seulement 8 km de Spring Lake dans les terres, l'original **village historique d'Allaire** (☎732-919-3500 ; www.allairevillage.org ; adulte/ enfant 3/2 $; ☺12h-16h mer-dim fin mai-début sept, se renseigner pour le reste de l'année) rassemble les vestiges de ce qui fut, sous le nom de Howell Works, un village prospère du XIXe siècle ; le visiteur déambule entre les commerces tenus par des personnes en costumes d'époque.

PLAGES D'OCEAN COUNTY

Point Pleasant se trouve au sud de la Manasquan River. À l'extrémité nord de sa promenade, on distingue d'originales petites maisons de vacances à deux pas des plages bondées. La moitié sud, appelée **Jenkinson's Boardwalk**, compte les habituels magasins de bonbons, restaurants et attractions de bord de mer, ainsi qu'un aquarium et un énorme bar-restaurant s'avançant sur la plage. Vous trouverez quelques restaurants de fruits de mer avec terrasses surplombant l'eau autour d'une marina et d'un bras de la rivière – essayez **Shrimp Box** (75 Inlet Dr ; sandwichs 10 $, plat 17 $; ☺12h-22h30). Au nord, à Manasquan, **Inlet Beach** est le meilleur spot de surf de la côte, tout au long de l'année.

Juste en dessous, **Barnegat Peninsula**, île-barrière étroite, s'étend sur 35 km au sud depuis Point Pleasant. En son centre, **Seaside Heights**, théâtre de l'émission de télé-réalité *Bienvenue à Jersey Shore*, attire des foules de trentenaires bruyants avec ses deux parcs d'attractions et ses nombreux bars. La plage, étroite, n'est pas propice au calme et à l'intimité. Installez-vous à la terrasse (à l'étage) du **Spicy Cantina**

(500 Boardwalk ; plat 11 $; ⊙11h-24h) et observez le défilé en contrebas. Encore mieux : prenez le **télésiège** reliant le Casino Pier à la pointe nord de la promenade. Si l'océan n'est pas à votre goût, combattez la chaleur au bord de la rivière au **Breakwater Beach Waterpark** (www.casinopiernj.com/breakwaterbeach ; 25 $; ⊙10h-19h mai-août ; 🏖). Pour voir la jeunesse américaine dans toute sa splendeur, allez à la discothèque **Karma** (401 Blvd ; ⊙jeu-dim), QG de la bande de Bienvenue à Jersey Shore. Les hébergements recommandables ne sont pas légion dans les rues mal entretenues derrière le front de mer. Le **Surf & Stream Campground** (☎732-349-8919 ; www.surfnstream.com ; 1801 Ridgeway Rd/Rte 571, Toms River ; empl 45 $) est une solution pratique.

Dans le tiers sud de Barnegat Peninsula, l'**Island Beach State Park** (☎732-793-0506 ; www.islandbeachnj.org ; prix par voiture en semaine/week-end 6/10 $; ⊙8h-coucher du soleil) est une île-barrière de 16 km aux dunes et zones humides intactes. Bien que la pointe sud du parc soit toute proche de **Long Beach Island**, de l'autre côté d'un bras d'eau étroit vers la baie au sud, vous devrez revenir jusqu'à Seaside Heights et emprunter la Rte 9 ou la Garden State Pkwy pour vous rendre sur cette île aux belles plages et aux résidences secondaires impressionnantes. Le fameux **Barnegat Lighthouse State Park** (☎609-494-2016 ; www.njparksandforests.org ; en retrait de Long Beach Blvd ; ⊙8h-16h) jouit d'un beau panorama en son point culminant, et d'une jetée de 600 m sur l'océan Atlantique, où sont amarrés les bateaux de pêche. À quelques km au sud de la Rte 72 qui coupe en deux Long Beach Island, se trouve **Daddy O** (☎609-361-5100 ; www.daddyohotel. com ; 4401 Long Beach Blvd ; ch 195-375 $; ✳🛜), un restaurant et boutique hotel raffiné près de l'océan.

Sud du New Jersey

Lorsque les habitants de Philadelphie disent qu'ils vont sur la côte, ils font généralement référence à cette portion du littoral. À la fois kitch et campagnard, le sud de l'État est un concentré des aspects les plus extrêmes du New Jersey.

PINE BARRENS

Les habitants du coin surnomment cette région "the Pinelands" (la Pinède) et racontent que les 400 000 hectares de forêts de pins abritent une créature mythique du nom de "Jersey Devil" (le diable de Jersey). Avec ses nombreux parcs d'État et forêts, c'est l'eldorado des ornithologues, des randonneurs, des campeurs, des kayakistes et des amoureux de la nature. Dans les terres, la **Wharton State Forest** (☎609-561-0024 ; www.state.nj.us) est idéale pour faire du canoë, ainsi que des randonnées et des pique-niques. Pour vous procurer l'équipement nécessaire, **Micks Pine Barrens Canoe and Kayak Rental** (☎609-726-1515 ; www.mickscanoerental.com ; 3107 Rte 563, Chatsworth ; kayak 43 $, canoë 55 $/jour) est excellent et fournit des cartes et des renseignements utiles. Plus au sud, le long de la côte, l'**Edwin B Forsythe National Wildlife Refuge** (☎609-652-1665 ; www. fws.gov/northeast/forsythe ; 4 $/véhicule), paradis des ornithologues, renferme plus de 16 000 hectares de baies, criques, forêts, marais et cordons littoraux.

ATLANTIC CITY

Si Atlantic City n'arrive pas à la cheville de Las Vegas, ses casinos attirent une foule hétéroclite. On y croise aussi bien des célibataires en quête d'aventures que des retraités ou des familles en vacances. Dans les casinos, où l'on ne voit jamais la lumière du jour, il est facile d'oublier qu'une plage de sable blanc se trouve juste dehors. La ville d'aujourd'hui, clinquante et chic, n'a plus rien à voir avec la station balnéaire distinguée qu'elle était au début des années 1900, connue à l'époque pour sa grande promenade en planches, le Boardwalk, et son parc d'attractions. Depuis 1977, date à laquelle l'État autorisa les casinos dans l'espoir de redynamiser cette station sur le déclin, la ville a connu une évolution en dents de scie. De plus en plus de propriétaires de casinos (principalement des Amérindiens) de Pennsylvanie et de New York contestent l'hégémonie et la raison d'être des établissements d'Atlantic City. De nombreux hôtels-casinos et boîtes de nuit ont misé sur le tape-à-l'œil et le glamour, à l'instar de l'imposant Borgata. Le **Pier at Caesars**, centre commercial chic s'avançant sur l'océan, ainsi qu'un flux régulier de touristes et un service de trains express depuis New York, ont permis à la ville de ne pas perdre trop de visiteurs. Si les machines à sous ne vous tentent pas, la promenade en planches est un concentré de plaisirs estivaux : *funnel cakes* (sortes de beignets), kart et boutiques de souvenirs. Le petit **Atlantic City Historical Museum** (☎609-347-5839 ; www.acmuseum.org ; angle

Boardwalk Ave et New Jersey Ave ; entrée libre ; ☺10h-16h) donne un aperçu original de l'histoire de la ville.

🛏 Où se loger et se restaurer
Une poignée de motels bon marché bordent Pacific Avenue, à un *block* vers les terres en quittant la promenade. Parmi les casinos, c'est au Borgata que l'on sert le meilleur dîner. Vous trouverez aussi de bons restaurants (et plus abordables) dans le "vrai" centre.

Chelsea BOUTIQUE HOTEL **$**
(☎800-548-3030 ; www.thechelsea-ac.com ; 111 S Chelsea Ave ; ch à partir de 80 $; P❋@☎≋). Cet hôtel tendance meublé dans le style Art déco n'est pas un casino. Les chambres du bâtiment annexe sont moins chères. Comprend également un diner rétro, un grill et un Club.

Water Club & Spa BOUTIQUE HOTEL **$$**
(☎609-317-8888 ; www.thewaterclubhotel.com ; 1 Renaissance Way ; ch à partir de 119 $; P❋@☎≋). Cet établissement raffiné compte 43 étages.

Borgata CASINO **$$**
(☎866-692-6742 ; www.theborgata.com ; ch 149-400 $; P❋☎≋). Un établissement énorme comme on en trouve à Las Vegas, doté de chambres haut de gamme, d'un spa, d'une grande salle de concert, de 4 restaurants 5 étoiles, et bien sûr, d'un vaste casino dans le Marina District.

Reddings CUISINE DU SUD **$**
(1545 Pacific Ave ; plat 10 $; ☺11h-22h lun-jeu, 7h-24h ven-sam). L'un des meilleurs restaurants d'Atlantic City ne faisant pas partie d'un casino. Le chef et propriétaire sert des plats aux saveurs du Sud, comme les quenelles de poulet et l'émincé de dinde, dans une vaste et confortable salle.

Kelsey & Kim's Café GRILL **$**
(201 Melrose Ave ; plat 9 $; ☺7h-22h). Nourriture du Sud excellente et copieuse. Au menu, merlan frit, sandwich à la poitrine de bœuf grillée et poulet frit.

🍷 Où sortir et prendre un verre
Comme vous l'aurez deviné, ici, les casinos sont au cœur de la vie nocturne. À l'intérieur, ils se ressemblent tous : lumières clignotantes et vacarme incessant, et des kilomètres de tables de blackjack, poker, baccarat et craps.

Derrière les murs des casinos, la vaste **promenade** en bord d'océan invite à la ballade ou à un tour en "rolling chair" (sorte de pousse-pousse ; une grille de prix est affichée dans chaque voiturette).

Consultez le programme du Borgata, qui renferme un *comedy club*, une salle de concert intime et une imposante salle de spectacle.

ℹ Renseignements
L'Atlantic City Convention & Visitors Bureau (☎609-348-7100 ; www.atlanticcitynj.com ; 2314 Pacific Ave ; ☺9h-17h) dispose d'un bureau au milieu de l'Expressway d'Atlantic City, et d'un autre sur la promenade, au niveau de Mississippi Avenue. **Atlantic City Weekly** (www.atlanticcityweekly.com) propose des informations utiles sur les événements, clubs et restaurants.

ℹ Depuis/vers Atlantic City
Air Tran et Spirit Airlines desservent le petit **Atlantic City International Airport** (ACY ; www.acairport.com), à 20 min en voiture du centre-ville, et d'où l'on peut rejoindre aisément d'autres villes du sud du New Jersey, ainsi que Philadelphie.

De nombreuses compagnies de bus desservent Atlantic City, notamment NJ Transit (aller 36 $, 2 heures 30) et Greyhound (aller 25 $, 2 heures 30) ; les véhicules partent du Port Authority de New York. Les casinos remboursent généralement une bonne partie du billet (en jetons ou même en chips) si votre bus vous dépose directement devant leur porte.

New Jersey Transit (www.njtransit.com) ne dessert Atlantic City que depuis Philadelphie (aller 10 $, 1 heure 30). Des trains à deux étages de l'**ACES** (Atlantic City Express Train Service ; www.acestrain.com ; ☺ven-dim) relient Atlantic City à New York (Penn Station : à partir de 29 $, 2 heures 40).

OCEAN CITY ET LES WILDWOODS
Au sud d'Atlantic City, Ocean City est une station balnéaire familiale à l'ancienne : dunes balayées par les vents, galeries marchandes ciblant principalement les enfants et promenade bordée de terrains de jeu. Les motels sont nombreux, relativement bon marché et un peu défraîchis, tout comme les stands où l'on vend du crabe et les restaurants de fruits de mer. À une quarantaine de kilomètres au sud-ouest d'Ocean City, au bout d'une longue route de campagne, le camping familial **Frontier Campground** (☎609-390-3649 ; www.frontiercampground.com ; empl 35 $) est parsemé de lauriers des montagne aux fleurs blanches et roses.

Plus au sud, en direction de Cape May, les trois villes de **North Wildwood**,

Wildwood et **Wildwood Crest** sont de petits trésors d'antan (motels blanchis à la chaux aux enseignes lumineuses, rideaux turquoise et portes roses), en particulier Wildwood Crest, échantillon kitch de l'Amérique des années 1950. Jetez un coup d'œil aux enseignes racoleuses, comme celle du **Lollipop** (angle 23 Rd et Atlantic Ave). Wildwood, ville festive bien connue des adolescents, des trentenaires et des saisonniers venant pour la plupart d'Europe de l'Est, est le principal lieu de socialisation. Sa plage s'étend sur plus de 300 m à certains endroits, ce qui en fait la plus large du New Jersey. Elle compte des **parcs aquatiques** et de fantastiques **parcs d'attractions** avec montagnes russes et manèges. Le minigolf en 3D scintillant dans l'obscurité illustre bien l'esprit de la promenade de Wildwood. Le **tramway** (aller 2,50 $; ☉9h-1h) est peut-être la meilleure attraction du coin (il ne donne pas la nausée, lui). Il longe la promenade de Wildwood Crest à North Wildwood. Il y a toujours la queue chez **Mack & Manco's** (qui compte d'autres établissements sur la côte), pizzeria installée sur la promenade.

Les quelque 250 petits motels – pas de grandes chaînes ici – proposent des chambres allant de 50 à 250 $. Il est cependant plus prudent de limiter votre recherche à la zone plus décente de Wildwood Crest. L'ultra-coloré et ultra-rétro **Caribbean Motel** (☎609-522-8292 ; www.caribbeanmotel.com ; 5600 Ocean Ave ; ch à partir de 65 $; ✳⊚⊠) a été joliment rénové. Le **Pan American Hotel** (☎609-522-6936 ; www.panamericanhotel.com ; 5901 Ocean Ave ; ch à partir de 100 $; ✳⊚⊠) est également une bonne adresse.

CAPE MAY

Fondée en 1620, Cape May – le seul endroit de l'État où l'on peut à la fois admirer le lever et le coucher du soleil sur la mer – se trouve à l'extrémité sud du New Jersey. C'est la plus ancienne station balnéaire du pays. Si ses vastes plages sont bondées en été, son architecture victorienne fascine tout au long de l'année.

Outre ses 600 maisons à l'architecture caractéristique, la ville peut se targuer de compter de belles boutiques d'antiquités et de multiples possibilités d'observer les dauphins, les baleines (de mai à décembre) et les oiseaux. Elle est à deux pas du **Cape May Point State Park** et de son **Cape May Lighthouse**

(☎609-884-5404 ; www.capemaymac.org ; adulte/enfant 7/3 $; ☉10h-20h juin-sept), phare de 48 m de haut. Il y a un excellent centre d'information et un musée avec des expositions sur la faune et la flore. Une promenade d'un bon kilomètre autour du **Cape May Bird Observatory** (☎609-884-2736 ; www.birdcapemay.org ; Sunset Blvd ; 5 $; ☉9h30-16h30, fermé mar) vous fera découvrir les zones humides préservées. L'été, la vaste **plage** de sable du parc (gratuite) et celle du centre-ville sont les principales attractions. **Aqua Trails** (☎609-884-5600 ; www.aquatrails.com) propose des visites des marécages côtiers en kayak.

Cape May compte un nombre infini de B&B, la plupart au style kitch et surchargé. Consultez le site Internet www.capemaytimes.com pour une liste mise à jour. Le **Congress Hall** (☎609-884-8422 ; www.congresshall.com ; 251 Beach Ave ; ch 100-465 $; ✳⊚⊠), grand hôtel classique, dispose de belles chambres donnant sur l'océan, ainsi que d'un agréable bar-restaurant. Les établissements affiliés **Beach Shack** (www.beachshack.com) et **Star Inn** (www.thestarinn.net) proposent des hébergements pour toutes les bourses.

Depuis 50 ans, **Uncle Bill's Pancake House** (Beach Ave sur Perry St ; plat 7 $; ☉6h30-14h) fait fureur avec ses crêpes. Sinon, rendez-vous au Washington Street Mall, rue pavée bordée de magasins et d'une petite dizaine de restaurants.

Pour poursuivre votre voyage vers le sud sans avoir à rebrousser chemin vers le nord et à vous enfoncer à nouveau dans les terres, sachez que le **Cape May-Lewes Ferry** (www.cmlf.com ; voiture/passager 44/8 $; 1 heure 30) traverse la baie pour accoster à Lewes (Delaware), près de Rehoboth Beach.

PENNSYLVANIE

Dans un État aussi vaste, il n'est pas surprenant que la situation géographique soit un élément identitaire déterminant. Philadelphie, qui fut jadis le cœur de l'Empire colonial britannique et le moteur intellectuel et spirituel de sa disparition, est ancrée culturellement dans la côte Est. Les habitants de Pittsburgh et de la Pennsylvanie de l'Ouest sont fiers de revendiquer leur appartenance à leur ville ou leur région, se désolidarisant ainsi des Américains de la côte Est

LA PENNSYLVANIE EN BREF

» **Surnoms :** Keystone State (État clef de voûte), Quaker State (État des Quakers)

» **Population :** 12,4 millions d'habitants

» **Superficie :** 74 107 km²

» **Capitale :** Harrisburg (53 000 habitants)

» **Autres villes :** Philadelphie (1,45 million d'habitants), Pittsburgh (313 000 habitants), Érié (102 000 habitants)

» **TVA :** 6%

» **Lieu de naissance de :** Louisa May Alcott (1832-1888), romancière ; Martha Graham (1878-1948), danseuse ; Andy Warhol (1928-1987), artiste ; Grace Kelly (1929-1982), actrice ; et Bill Cosby (né en 1937), comédien

» **Berceau :** de la Constitution des États-Unis, de la Liberty Bell, du premier journal quotidien (1784), de la première station en libre-service (1913) et du premier ordinateur (1946)

» **Politique :** Swing state ("État pivot", acquis ni aux démocrates ni aux républicains et dont le vote est déterminant pour les élections présidentielles), gouverneur républicain, Philadelphie progressiste et cols bleus démocrates ailleurs

» **Célèbre pour :** les bretzels (*soft pretzels*), les amish, le *cheesesteak* de Philadelphie (sandwich garni de viande de bœuf hachée, recouverte de fromage fondu) et les aciéries de Pittsburgh

» **Faune :** abrite la plus grande population de wapitis sauvages de l'est du Mississippi

» **Distances par la route :** Philadelphie-New York : 160 km ; Philadelphie-Pittsburgh 492 km

Park et le quartier historique offrent une occasion unique de comprendre certains aspects des origines de cette nation. Non loin, les sites des batailles de Gettysburg et Valley Forge vous feront également voyager dans le temps. Mais Philadelphie et la Pennsylvanie ont bien plus à offrir que les clichés des livres d'histoire, notamment d'éblouissantes forêts et zones montagneuses, dont les Poconos et l'Allegheny National Forest. Philadelphie et Pittsburgh sont des villes universitaires dynamiques, aux scènes musicale et artistique bouillonnantes. La Fallingwater, chef-d'œuvre de Frank Lloyd Wright, la région des amish et les petites villes bohèmes du coin sont parfaits pour s'évader le temps d'un week-end.

Histoire

Le quaker William Penn fonda sa colonie en 1681, faisant de Philadelphie sa capitale. Sa tolérance l'amena à accepter la liberté de culte (une position qui attira d'autres minorités religieuses, dont les célèbres communautés mennonite et amish), une gouvernance libérale et même les populations autochtones. Néanmoins, les colons européens ne mirent pas longtemps à déplacer ces communautés, élevant ainsi la Pennsylvanie au rang de colonie britannique la plus riche et la plus peuplée d'Amérique du Nord. Elle joua un rôle important dans la lutte pour l'indépendance et, plus tard, durant les Première et Seconde guerres mondiales, devint un chef de file économique grâce à ses importantes ressources en charbon, fer et bois, ainsi qu'en matières premières et en main-d'œuvre. La Pennsylvannie vit son importance industrielle décliner à l'après-guerre. Des programmes d'urbanisme et la croissance du secteur des services, des hautes technologies et de la santé, ont relancé l'économie, en particulier à Philadelphie et Pittsburgh.

Philadelphie

Bien qu'on puisse la considérer comme un petit New York, qui se trouve à moins de deux heures de route, Philadelphie est plus représentative du mode de vie urbain de la côte Est. Pour beaucoup, elle offre tous les avantages de la vie citadine : une gastronomie en plein essor, une scène musicale et artistique, des quartiers aux personnalités bien distinctes, de vastes

et de leur réputation de "cols bleus" (ouvriers). D'est en ouest, le paysage devient plus accidenté et l'on commence à appréhender l'immensité et la diversité de l'État. À Philadelphie, l'Independence

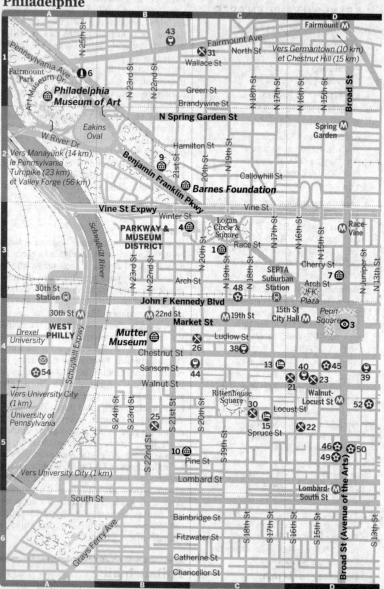

espaces verts et des logements relativement abordables. Les bâtiments anciens et préservés de la partie historique laissent imaginer ce à quoi pouvaient ressembler les villes coloniales américaines – un quadrillage de larges rues et de squares.

Philadelphie, un temps la deuxième plus grande ville de l'Empire britannique (après Londres), devint un centre d'opposition à la politique coloniale. Elle fut la nouvelle capitale de la nation au début de la guerre d'Indépendance, puis après la guerre

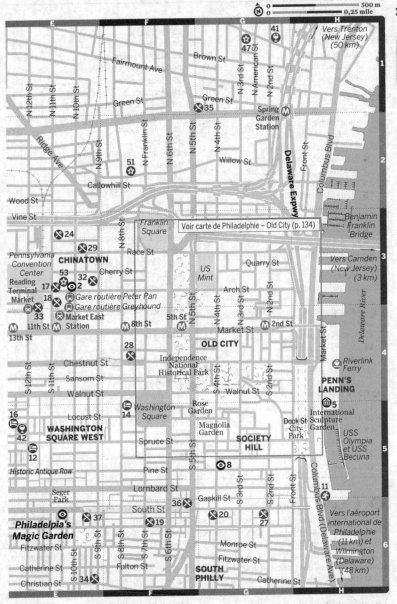

jusqu'en 1790, année où Washington DC prit le dessus. Au XIXᵉ siècle, New York City a supplanté Philadelphie en tant que centre culturel, commercial et industriel de la nation. Malgré les programmes de rénovation mis en place depuis des décennies, certains anciens quartiers ouvriers de la ville sont en état de délabrement, à mille lieues des pelouses entretenues et des parcs du quartier historique autour de Liberty Bell et de l'Independence Hall.

Philadelphie

◉ À voir et à faire

Il est facile de se déplacer dans Philadelphie. La plupart des sites et hébergements sont à quelques minutes à pied les uns des autres, ou à quelques stations de bus. Les rues allant d'est en ouest portent des noms, tandis que les rues du nord au sud sont numérotées, sauf Broad St et Front St.

La partie historique comprend l'Independence National Historic Park et le quartier d'Old City, qui s'étend à l'est jusqu'au front de mer. À l'ouest du centre historique, le quartier de Center City abrite Penn Square et l'hôtel de ville. South Philadelphia, bordé par le fleuve Delaware et la rivière Schuylkill, est doté d'un marché italien coloré, de bars et de restaurants. À l'ouest de la Schuylkill, University City compte deux grands campus et un musée important. Northwest Philadelphia comprend les banlieues aisées de Chestnut Hill et Germantown, ainsi que Manayunk, aux pubs animés et aux restaurants branchés. La zone de South St, entre S 2nd St, 10th St, Pine St et Fitzwater St, se caractérise par ses boutiques bohèmes, ses bars, ses restaurants et ses concerts. Northern Liberties est un quartier en plein essor, aux cafés et restaurants éclectiques.

Independence National Historic Park

SITE HISTORIQUE

(☑215-597-1785 ; www.nps.gov/inde). Tout comme Old City, ce parc de 18 hectares en forme de L concentre dans un périmètre de moins d'un km² un grand nombre de monuments historiques. Jadis colonne vertébrale du gouvernement national, c'est aujourd'hui le centre névralgique du tourisme de la ville. Vous y verrez des bâtiments où furent semées les graines de la guerre d'Indépendance et où le gouvernement des États-Unis vit le jour, et des belles pelouses ombragées prises d'assaut par les écoliers et les comédiens en costumes. La plupart des sites sont ouverts tous les jours de 9h à 17h ; certains sont fermés le lundi. Il est nécessaire de réserver suffisamment à l'avance auprès de l'**Independence Visitor Center** pour visiter l'Independence Hall. L'attente peut être très longue pour la Liberty Bell.

Liberty Bell Center

(carte p. 134 ; 6th St et Market St). Le site touristique le plus visité de Philadelphie fut construit pour commémorer le 50ᵉ anniversaire de la Charte des privilèges et des libertés (la Constitution de la Pennsylvanie, promulguée en 1701 par William Penn). La cloche en bronze de 945 kg fut fabriquée à Londres, par la Whitechapel Bell Foundry en 1751. Elle porte une inscription tirée du Lévitique 25:10, "vous proclamerez la liberté dans tout le pays pour tous ses habitants". La cloche fut mise en sécurité dans le beffroi de la Pennsylvania State House (aujourd'hui l'Independence Hall) et elle retentit pour de grandes occasions, en particulier lors de la première lecture publique de la Déclaration d'Indépendance, à Independence Sq. Elle se fêla au cours du XIXᵉ siècle et, malgré les réparations, devint inutilisable en 1846, après qu'on eut fait sonner son glas pour l'anniversaire de George Washington.

National Constitution Center

(carte p. 134 ; ☑215-409-6700 ; www. constitutioncenter.org ; 525 Arch St ; adulte/ enfant 12/8 $; ◷9h30-17h lun-ven, 9h30-18h sam, 12h-17h dim ; 🖶). À ne pas manquer pour ses illustrations théâtrales de la Constitution des États-Unis. Comprend également des expositions, dont des isoloirs interactifs et le Signer's Hall, où l'on peut voir des signataires en bronze plus vrais que nature en pleine action. À côté du centre d'information.

Independence Hall

(carte p. 134 ; Chestnut St, entre 5th St et 6th St). Berceau du gouvernement américain, où les délégués des 13 colonies signèrent la Déclaration d'indépendance le 4 juillet 1776. Cet excellent exemple d'architecture géorgienne arbore des lignes raffinées laissant deviner l'héritage quaker de la ville. Derrière se trouve **Independence Square**, où la Déclaration d'Indépendance fut lue publiquement pour la première fois.

Autres sites

Parmi les autres sites du parc : **Carpenters' Hall**, appartenant à la Carpenter Company, la plus ancienne association corporative des États-Unis (1724), où se tint le premier Congrès continental en 1774 ; **Library Hall** (carte p. 134), où est exposée une copie de la Déclaration d'indépendance de la main de Thomas Jefferson, ainsi que les premières éditions de *De l'origine des espèces* de Darwin ; le **Congress Hall** (carte p. 134 ; S 6th St et Chestnut St), où se réunissait le Congrès américain lorsque Philadelphie était la capitale du pays ; et **Old City Hall** (carte p. 134), achevé en 1791, qui abrita la Cour suprême des États-Unis jusqu'en 1800. La **Franklin Court** (carte p. 134), qui se compose d'une rangée de bâtiments restaurés, renferme un excellent musée en sous-sol consacré à Benjamin Franklin ; y sont présentées ses inventions et d'autres de ses nombreuses contributions (en tant qu'homme politique, auteur et journaliste). C'est à **Christ Church** (carte p. 134 ; N 2nd St), achevée en 1744, que George Washington et Benjamin Franklin venaient prier.

Philosophical Hall (carte p. 134 ; ☑215-440-3400 ; www.apsmuseum.org ; 104 S 5th St ; 1 $; ◷10h-16h jeu-dim), au sud du Old City Hall, est le siège de la Société philosophique américaine, créée en 1743 par Benjamin Franklin. Elle compta notamment parmi ses membres Thomas Jefferson, Marie Curie, Thomas Edison, Charles Darwin et Albert Einstein.

La Second Bank of the US (carte p. 132 ; Chestnut St, entre 4th St et 5th St), dont l'architecture s'inspire du Parthénon, est un chef-d'œuvre de 1824 à la façade en marbre. Elle abrita l'institution financière la plus puissante du monde jusqu'à ce que le président Andrew Jackson dissolve la charte de cette dernière en 1836. Le bâtiment servit ensuite de bureau de douane jusqu'en 1935, puis de musée. Aujourd'hui, il est occupé par la **National Portrait Gallery** (carte p. 134 ; Chestnut St ; gratuit ; visites guidées gratuites de 30 min à 12h, 15h et 16h sam-dim), qui compte

de nombreux tableaux de Charles Willson Peale, le plus grand portraitiste de la Révolution américaine.

OLD CITY

Old City – délimité par Walnut St, Vine St, Front St et 6th St – commence là où s'arrête l'Independence National Historical Park. Tout comme Society Hill, Old City est l'un des plus vieux quartiers de Philadelphie. Il fut redynamisé dans les années 1970 et beaucoup d'entrepôts furent transformés en appartements, galeries et petits commerces. Aujourd'hui, c'est un lieu de promenade fascinant. Ne manquez pas la **statue de** **Benjamin Franklin** de près de 3 m de haut entre 4th St et Arch St.

Elfreth's Alley RUE
(carte p. ci-dessus ; en retrait de 2nd St, entre Arch St et Race St). Cette minuscule allée pavée serait la plus ancienne rue occupée sans interruption des États-Unis. Ses 32 maisons de brique bien conservées sont encore habitées, soyez donc discret en passant dans la rue. N'oubliez pas de faire une halte au **Elfreth's Alley Museum** (carte ci-dessus ; ☎215-574-0560 ; www.elfrethsalley.org ; n°126 ; visites guidées 5 $; ☺10h-17h mar-sam, 12h-17h dim), construit en 1755 par le forgeron qui

Philadelphie - Old City

Les incontournables

National Constitution Center B2

À voir

1 African American Museum in Philadelphia A2
2 Arch St Meeting House B2
3 Betsy Ross House C2
4 Christ Church C3
5 Clay Studio C2
6 Congress Hall A4
7 Elfreth's Alley D2
Elfreth's Alley Museum .... (voir 7)
8 Franklin Court C3
9 Independence Hall B4
10 Independence Square A4
11 Liberty Bell Center B3
12 Library Hall B4
13 National Museum of American Jewish History B2
National Portrait Gallery .... (voir 17)
14 Old City Hall B4
15 Philosophical Hall B4
16 Powel House C4
17 Second Bank of the US B4

Activités

Riverboat Queen .... (voir 7)
18 US Mint B2

Où se loger

19 Apple Hostels of Philadelphia C3
20 Penn's View Hotel D3

Où se restaurer

21 Amada C3
Continental .... (voir 23)
22 Cuba Libre C3
23 Franklin Fountain C3
Han Dynasty .... (voir 26)
24 La Locanda del Ghiottone C2
25 Zahav C4

Où sortir

26 Brasil's D4

donna son nom à la rue, Jeremiah Elfreth. Le bâtiment a été restauré et meublé en respectant son apparence de 1790.

National Museum of American Jewish History MUSÉE
(carte ci-contre ; ☎215-923-3811 ; www.nmajh.org ; 55 N 5th St ; adulte/enfant 12 $/gratuit ; ⊙10h-17h mar-ven, 10h-17h30 sam-dim). Ce musée à la façade de verre abrite des expositions consacrées à l'histoire juive américaine.

Betsy Ross House ÉDIFICE HISTORIQUE
(carte ci-contre ; ☎215-686-1252 ; www.betsyrosshouse.org ; 239 Arch St ; don suggéré adulte/enfant 4/3 $; ⊙10h-17h). C'est ici que Betsy Griscom Ross (1752-1836), tapissière et couturière, aurait confectionné le premier drapeau américain.

GRATUIT **Clay Studio** GALERIE D'ART
(carte ci-contre ; ☎215-925-3453 ; www.theclaystudio.org ; 139 N 2nd St ; ⊙11h-19h mar-sam, 12h-18h dim). Cette galerie d'art, installée dans Old City depuis 1974, accueille des expositions classiques et des œuvres en céramique originales. Sa présence a participé à la multiplication des galeries dans le quartier.

GRATUIT **US Mint** CIRCUIT
(carte ci-contre ; ☎215-408-0110 ; www.usmint.gov ; Arch St, entre 4th St et 5th St ; ⊙visites 9h-15h lun-ven). Inscrivez-vous le jour-même pour un circuit autoguidé de 45 minutes environ.

Arch Street Meeting House LIEU DE CULTE
(carte ci-contre ; ☎215-627-2667 ; www.archstreetfriends.org ; 320 Arch St ; ⊙9h-17h lun-sam, 13h-17h dim). Le plus grand lieu de réunion quaker du pays.

SOCIETY HILL

Le charmant quartier résidentiel de Society Hill est dominé par une architecture des XVIIIe et XIXe siècles. Il est délimité par Front St et 8th St à l'est et à l'ouest, et Walnut St et Lombard St au nord et au sud. Les rues pavées comptent principalement des rangées de maisons en briques, ainsi que quelques gratte-ciel modernes, comme les **Society Hill Towers** signées I.M. Pei. Le paisible **Washington Square** fut pour sa part conçu dans le cadre du plan urbain défini par William Penn.

Physick House MONUMENT HISTORIQUE
(carte p. 130 ; ☎215-925-7866 ; 321 S 4th St, à hauteur de Delancey St ; adulte/enfant 5 $/gratuit ; ⊙12h-16h jeu-sam, 13h-16h dim). La maison du chirurgien Philip Syng Physick fut construite en 1786 par Henry Hill – un importateur de vins qui approvisionnait la City Tavern. C'est la seule demeure de style fédéral américain encore sur pied dans Society Hill.

Powel House MONUMENT HISTORIQUE
(carte p. 134 ; ☎215-627-0364 ; 244 S 3rd St ;
adulte/enfant 5 $/gratuit ; ☺12h-16h jeu-sam,
13h-16h dim). Cette maison du XVIIIe siècle
a appartenu à Samuel Powel, maire de
Philadelphie pendant l'époque coloniale.

CENTER CITY, RITTENHOUSE SQUARE ET LEURS ENVIRONS

Centre névralgique de la créativité, du
commerce et de la culture, cette zone est
le moteur de la ville. Elle renferme les plus
hauts bâtiments de Philadelphie, le quartier
financier, de grands hôtels, des musées,
des salles de concert, des magasins et des
restaurants.

Le verdoyant **Rittenhouse Square**, avec
son bassin et ses jolies statues, est le plus
connu des squares de la ville.

City Hall ÉDIFICE HISTORIQUE
(carte p. 130 ; ☎215-686-2840 ; www.phila.gov ;
angle Broad St et Market St). Le majestueux
hôtel de ville, haut de 167 m et qui fut
achevé en 1901, se dresse dans Penn Sq.
C'est le plus haut ouvrage de maçonnerie
sans charpente métallique au monde. Il
est couronné d'une statue de bronze de
27 tonnes représentant William Penn. Juste
en dessous de cette dernière se trouve une
terrasse panoramique (5 $; ☺9h30-16h15),
d'où l'on peut embrasser la ville du regard.

Mutter Museum MUSÉE
(carte p. 130 ; ☎215-563-3737 ; www.
collphyphil.org ; 19 S 22nd St ; adulte/enfant
14/10 $; ☺10h-17h). Musée consacré à
l'histoire de la médecine aux États-Unis.

Rosenbach Museum & Library MUSÉE
(carte p. 130 ; ☎215-732-1600 ; www.rosenbach.
org ; 2010 Delancey Pl ; adulte/enfant 10/5 $;
☺12h-17h mar et ven, 12h-20h mer-jeu, 12h-18h
sam-dim). Les bibliophiles apprécieront
ses livres rares et manuscrits, dont celui
du roman *Ulysse* de James Joyce, et ses
expositions temporaires

BENJAMIN FRANKLIN PARKWAY ET MUSEUM DISTRICT

Conçue sur le modèle des Champs-
Élysées, cette avenue se caractérise par
sa grande concentration de musées et
autres sites historiques. C'est ici que la
Barnes Foundation, installée jusque là
à Merion, dans la banlieue résidentielle
de Philadelphie, devait ouvrir les portes
de ses nouveaux locaux en mai 2012.
Elle rassemble la plus grande collection
privée d'œuvres impressionnistes,
postimpressionnistes et de peintures
modernes au monde.

♥ Philadelphia Museum of Art MUSÉE
(carte p. 130 ; ☎215-763-8100 ; www.
philamuseum.org ; angle Benjamin Franklin
Pkwy et 26th St ; adulte/enfant 16 $/gratuit ;
☺10h-17h mar-dim, 10h-20h45 ven). C'est
l'un des plus vastes et importants
musées du pays. Il renferme d'excellentes
collections d'art asiatique, des chefs-
d'œuvre de la Renaissance, des tableaux
postimpressionnistes et des œuvres de
Picasso, Duchamp et Matisse. Le vendredi
soir, des musiciens viennent se produire
dans le hall du musée, où l'on peut dîner en
les écoutant.

Barnes Foundation MUSÉE
(carte p. 130 ; ☎215-640-0171 ; www.
barnesfoundation.org ; 2025 Benjamin Franklin
Parkway ; adulte/enfant 18/10 $; ☺9h30-18h,
9h30-22h ven, fermé mar). Pour respecter au
mieux la disposition des œuvres voulue
par le collectionneur Albert Barnes, les
architectes de ce nouvel écrin, Tod Williams
et Billie Tsien, ont reconstitué à l'identique
les galeries originales. La collection
s'enorgueillit de quelque 9 000 tableaux
impressionnistes et postimpressionnistes,
dont de grands chef-d'œuvres des maîtres
européens.

Pennsylvania Academy of the Fine Arts MUSÉE
(carte p. 130 ; ☎215-972-7600 ; www.pafa.
org ; 118 N Broad St ; adulte/enfant 15 $/
gratuit ; ☺10h-17h mar-sam, 11h-17h dim). Cette
académie prestigieuse est dotée d'un
musée abritant des œuvres de peintres
américains, notamment Charles Willson
Peale et Thomas Eakins.

Franklin Institute Science Museum MUSÉE
(carte p. 130 ; ☎215-448-1200 ; www2.fi.edu ;
222 N 20th St ; adulte/enfant 15,50/12 $;
☺9h30-17h ; ♿). Les premières expositions
scientifiques interactives virent le jour ici.

Academy of Natural Sciences Museum MUSÉE
(carte p. 130 ; ☎215-299-1000 ; www.ansp.org ;
1900 Benjamin Franklin Pkwy ; adulte/adulte
12/10 $; ☺10h-16h30 lun-ven, 10h-17h sam-
dim). Comprend une formidable exposition
sur les dinosaures ; le week-end, on peut
participer à une chasse aux fossiles.

Rodin Museum MUSÉE
(carte p. 130 ; ☎215-568-6026 ; www.
rodinmuseum.org ; Benjamin Franklin Pkwy et
N 22nd St ; don suggéré 5 $; ☺10h-17h mar-
dim). C'est la plus importante collection
d'œuvres de l'artiste après le musée Rodin
de Paris. Vous y verrez notamment un

moulage du *Penseur* et une des éditions originales des *Bourgeois de Calais*.

SOUTH STREET
Rappelant l'atmosphère de Greenwich Village, **South Street** est une rue animée, appréciée pour ses disquaires, ses magasins de fournitures d'art, ses petits restaurants bon marché et ses boutiques déjantées, où l'on croise des étudiants au look branché.

Philadelphia's Magic Garden JARDINS
(carte p. 130 ; ☎215-733-0390 ; www. philadelphiasmagicgardens.org ; 1020 South St ; adulte/enfant 5/2 $; ☺11h-18h, 11h-20h ven-sam). Cette galerie d'art d'un genre particulier, en partie à ciel ouvert, est un véritable trésor caché qui recèle des merveilles artistiques en mosaïque signées Isaiah Zagar.

SOUTH PHILADELPHIA
Italian Market MARCHÉ
(www.italianmarketphilly.org ; S 9th St, entre Wharton St et Fitzwater St ; ☺9h-17h mar-sam, 9h-14h dim). Ce haut lieu de South Philadelphia est l'un des plus grands marchés en plein air du pays. Bouchers et artisans y vendent fromages, pâtes maison, pâtisseries à se damner et poissons et viandes de première fraîcheur. Mi-mai, l'annuel **South Ninth Street Italian Market Festival** est une bonne occasion de le voir dans toute sa splendeur.

Mummers Museum MUSÉE
(☎215-336-3050 ; www.mummersmuseum. com ; 1100 S 2nd St ; adulte/enfant 3,50/2,50 $; ☺9h30-16h30 mer, ven-sam, 9h30-21h30 jeu). Le musée du mime met l'art du déguisement à l'honneur. Il joue un rôle clé lors de la célèbre Mummers Parade, chaque année au Nouvel An.

CHINATOWN ET SES ENVIRONS
Le quartier chinois de Philadelphie est le quatrième en taille des États-Unis. Il existe depuis les années 1860, lorsque les immigrants chinois, qui posaient les voies ferrées transcontinentales depuis l'ouest, arrivèrent ici. Aujourd'hui, Chinatown attire toujours les immigrants des diverses provinces de Chine, mais aussi de Malaisie, de Thaïlande et du Vietnam. Bien que le quartier compte quelques résidents, il est majoritairement commerçant.

African American Museum in Philadelphia MUSÉE
(carte p. 134 ; ☎215-574-0380 ; www. aampmuseum.org ; 701 Arch St ; adulte/enfant 10/8 $; ☺10h-17h mar-sam, 12h-17h dim). Cet imposant bâtiment en béton contient de superbes collections consacrées à la culture et à l'histoire afro-américaines.

Chinese Friendship Gate MONUMENT
(carte p. 130 ; N 10th St, entre Cherry St et Arch St). Arche décorative construite en 1984 dans le cadre d'un projet commun entre Philadelphie et Tianjin (Chine), avec laquelle elle est jumelée. Cette porte multicolore à quatre étages est le monument le plus emblématique de Chinatown.

PENN'S LANDING
Dans sa période de gloire, Penn's Landing – portion du front de mer longeant le fleuve Delaware entre Market St et Lombard St – était une zone portuaire très active. Les transactions se déplacèrent petit à petit vers le sud, plus en aval du Delaware. Aujourd'hui, on vient ici principalement pour les soirées arrosées à bord des bateaux de croisière comme le **Riverboat Queen** (carte p. 134 ; ☎215-923-2628 ; www. riverboatqueenfleet.com ; circuits à partir de 15 $) ou le **Spirit of Philadelphia** (carte p. 130 ; ☎866-394-8439 ; www.spiritcruises. com ; circuits à partir de 40 $), ou simplement pour une balade au bord de l'eau. Le **Benjamin Franklin Bridge**, de 3 km de long, était le plus grand pont suspendu au monde lorsqu'il fut achevé en 1926. Il enjambe le fleuve Delaware et domine le paysage.

Independence Seaport Museum MUSÉE
(carte p. 130 ; ☎215-413-8655 ; www.phillyseaport. org ; 211 S Columbus Blvd ; adulte/enfant 12/7 $; ☺10h-17h). Ce musée est consacré à l'époque où Philadelphie était un carrefour d'immigration ; son chantier naval a été fermé en 1995, après 200 ans d'activité. À côté se trouve un jardin de sculptures végétales.

UNIVERSITY CITY
Ce quartier, séparé du centre-ville par la Schuylkill River, ressemble à une grande ville universitaire. Il abrite à la fois la Drexel University et la **University of Pennsylvania** (communément appelée "U Penn"), fondée en 1740 et membre de l'Ivy League. Le campus verdoyant et animé invite à la promenade et compte deux musées dignes d'intérêt.

University Museum of Archaeology & Antropology MUSÉE
(☎215-898-4000 ; www.pennmuseum.org ; 3260 South St ; adulte/enfant 10/6 $; ☺10h-17h mar et jeu-dim, 10h-20h mer). Y sont exposés des trésors archéologiques de l'Antiquité provenant d'Égypte, de Mésopotamie, de

Méso-Amérique, de Grèce, de Rome et d'Amérique du Nord.

NEW YORK, NEW JERSEY ET PENNSYLVANIE PENNSYLVANIE

GRATUIT Institute of Contemporary Art
MUSÉE

(☎215-898-7108 ; www.icaphila.org ; 118 S 36th St ; ☉11h-20h mer, 11h-18h jeu-ven, 11h-17h sam-dim). L'endroit idéal pour découvrir des artistes à la pointe de la création contemporaine.

30th St Station
SITE REMARQUABLE

(☎215-349-2153 ; 30th St, sur Market St). Que vous ayez un train à prendre ou non, ne manquez pas de jeter un coup d'œil à l'intérieur de cette gare de style néoclassique.

FAIRMOUNT PARK
Cet espace vert de 3 700 hectares est coupé en deux par la sinueuse Schuylkill River. Il s'agit du plus grand parc urbain du pays (il dépasse même Central Park). Dès les premiers jours du printemps, chaque recoin déborde d'activité – jeux de ballon, jogging, pique-niques, etc. Les coureurs apprécieront les chemins arborés longeant la rivière. Les pistes sont également très prisées des cyclistes. Adressez-vous à **Fairmount Bicycles** (☎267-507-9370 ; www. fairmountbicycles.com ; 2015 Fairmount Ave) pour louer des vélos (journée/demi-journée 18/30 $) et obtenir des renseignements.

Boathouse Row
MAISONS-BATEAUX

Sur la rive est, Boathouse Row dégage un délicieux parfum d'antan avec ses bâtiments de l'époque victorienne occupés par le club d'aviron. De l'autre côté du parc, plusieurs **maisons datant de l'époque coloniale** (adulte/enfant 5/2 $) sont ouvertes au public.

Shofuso Japanese House and Garden
MAISON, JARDIN

(☎215-878-5097 ; www.shofuso.com ; adulte/ enfant 6/3 $; ☉10h-16h mer-ven, 11h-17h sam-dim mai-sept). Maison-salon de thé pittoresque construite dans le style traditionnel du XVIe siècle. D'intéressants monuments sont répartis dans tout le parc, dont un, à l'extrémité est, dédié à **Jeanne d'Arc**.

Philadelphia Zoo
ZOO

(☎215-243-1100 ; www.philadelphiazoo.org ; 3400 Girard Ave ; adulte/enfant 18/15 $; ☉9h30-17h). Observez, entre autres, tigres, pumas et ours polaires dans leur habitat naturel, dans le plus ancien zoo du pays.

MANAYUNK
Ce quartier résidentiel dense, au nord-ouest de la ville, se caractérise par ses collines abruptes et ses maisons victoriennes.

Manayunk vient d'une expression amérindienne signifiant "là où l'on va pour boire". Si l'endroit est idéal pour passer l'après-midi ou la soirée, sachez que vous ne serez pas les seuls à venir faire la fête ici le week-end. Cette zone donnant sur la Schuylkill, si paisible à l'accoutumée, devient alors un lieu bruyant. En plus de boire, les visiteurs pourront également manger et faire les boutiques. Il est quasiment impossible de se garer à Manayunk le week-end. Optez plutôt pour le vélo – un chemin de halage jouxte le quartier.

GERMANTOWN ET CHESTNUT HILL
Abritant à la fois des bâtiments délabrés et d'autres ayant préservé une certaine grandeur, le quartier historique de Germantown – à une bonne vingtaine de minutes de route au nord de la Septa 23 depuis le centre-ville de Philadelphie – compte quelques petits musées et de belles maisons valant le coup d'œil.

Wissahickon Valley Park
PARC

(☎215-247-0417 ; www.fow.org). Ce long parc étroit est l'un des meilleurs endroits de la ville pour faire son jogging. Il fait partie du réseau Fairmount Park et se compose essentiellement d'une gorge abrupte et boisée, et de 92 km de pistes.

Cliveden of the National Trust
ÉDIFICE HISTORIQUE

(☎215-848-1777 ; www.cliveden1767.wordpress. com ; 6401 Germantown Ave ; 10 $; ☉12h-16h jeu-dim). La résidence d'été du riche Benjamin Chew date de 1760 et servit de bastion lors de la bataille de Germantown pendant la guerre d'Indépendance en 1777.

Chestnut Hill
QUARTIER

(www.chestnuthillpa.com). Chestnut Hill, juste au nord de Germantown, est dotée d'une rue principale pittoresque bordée de boutiques et de restaurants, ainsi que d'immenses demeures historiques.

Johnson House
ÉDIFICE HISTORIQUE

(☎215-438-1768 ; www.johnsonhouse.org ; 6306 Germantown Ave ; adulte/enfant 8/4 $; ☉10h-16h jeu-ven, 13h-16h sam). Cette maison fit partie du réseau Underground Railroad (Chemin de fer clandestin) et hébergea des esclaves en fuite vers les États abolitionnistes ou le Canada.

☞ Circuits organisés

Ed Mauger's Philadelphia on Foot
CIRCUITS PÉDESTRES

(☎215-627-8680 ; www.ushistory.org/more/ mauger ; 20 $/pers). L'historien et auteur

Ed Mauger propose des circuits à pied sur différents thèmes, notamment "Exercise Your Rights" (pour les conservateurs), "Exercise Your Lefts" (pour les libéraux) et "Women in the Colony" (les femmes à l'époque coloniale).

Mural Tours TROLLEY
(☎215-389-8687 ; www.muralarts.org/tour ; visites 0-30 $). Visite guidée en trolley des peintures murales de la ville, qui forment la plus grande collection du pays.

Philadelphia Trolley Works & 76 Carriage Company TROLLEY
(☎215-389-8687 ; www.phillytour.com ; adulte/enfant à partir de 25/10 $). Visitez la ville en partie ou dans ses moindres recoins, soit en trolley victorien, soit dans une calèche.

🎭 Fêtes et festivals

Mummers' Parade CULTURE
(www.mummers.com). Ce défilé typique de Philadelphie met les costumes à l'honneur chaque 1er janvier.

Manayunk Arts Festival CULTURE
(www.manayunk.com). En juin, la plus grande manifestation en plein air consacrée aux métiers d'art dans la vallée du Delaware réunit plus de 250 artistes.

Philadelphia Live Arts Festival & Philly Fringe CULTURE
(www.livearts-fringe.org). Le nec plus ultra en matière d'arts de la scène. En septembre.

🛏 Où se loger

Si la plupart des hébergements se concentrent autour de Center City, les autres quartiers comptent également quelques bonnes adresses. Les possibilités ne manquent pas, mais on trouvera principalement des chaînes nationales et des B&B. Les chaînes Lowes, Sofitel et Westin sont des valeurs sûres. La plupart des hôtels mettent un parking à disposition moyennant 20 à 45 $/jour.

Morris House Hotel BOUTIQUE HOTEL $$$
(carte p. 130 ; ☎215-922-2446 ; www.morrishousehotel.com ; 225 S 8th St ; ch petit-déj inclus à partir de 189 $; ✴🛜). Cet hôtel haut de gamme de l'époque coloniale allie le charme d'un B&B accueillant et intime, et le professionnalisme et le raffinement contemporains.

Hotel Palomar BOUTIQUE HOTEL $$
(carte p.130 ; ☎888-725-1778 ; www.hotelpalomar-philadelphia.com ; 117 S 17th St ; ch à partir de 149 $; ✴🛜). Le Palomar, qui fait partie de la chaîne Kimpton, occupe un ancien immeuble de bureaux à quelques *blocks* de Rittenhouse Square. C'est le dernier-né des hôtels de charme de la ville. Les touches de marbre et de bois foncé apportent de la chaleur aux chambres branchées et élégantes. Également à la disposition des clients : vin, collations, chocolat chaud (en hiver), salle de gym et restaurant.

The Independent Philadelphia BOUTIQUE HOTEL $$
(carte p. 130 ; ☎215-772-1440 ; www.theindependenthotel.com ; 1234 Locust St ; ch petit-déj inclus à partir de 150 $; ✴🛜). Autre bonne adresse de Center City dans un magnifique bâtiment en brique de style néogéorgien, doté d'un atrium de 4 étages. Les chambres sont confortables et claires, et les clients peuvent jouir gratuitement de l'accès à une salle de gym (située hors de l'hôtel), et de vin et de fromage en soirée.

Rittenhouse 1715 BOUTIQUE HOTEL $$$
(carte p. 130 ; ☎215-546-6500 ; www.rittenhouse1715.com ; 1715 Rittenhouse Sq ; ch à partir de 206 $; ✴🛜). À deux pas de Rittenhouse Sq, cette demeure de 1911 empreinte du raffinement de l'ancien monde est aussi à la pointe de la modernité – stations d'accueil pour iPod, écrans plasma et douches à large pommeau. Personnel accueillant et efficace.

Penn's View Hotel HÔTEL $$
(carte p. 134 ; ☎215-922-7600 ; www.pennsviewhotel.com ; 14 N Front St, à hauteur de Market St ; ch à partir de 155 $; ✴🛜). Le Penn's View, réparti dans 3 bâtiments du début du XIXe siècle donnant sur le Delaware, est idéal pour explorer le quartier d'Old City. Les chambres de caractère au charme suranné sont dotées de baignoires en marbre et du confort moderne.

Alexander Inn HÔTEL $$
(carte p.130 ; ☎215-923-1004 ; www.alexanderinn.com ; 12th St et Spruce St ; s/d petit-déj inclus à partir de 120/130 $; ✴@🛜). Rapport qualité/prix exceptionnel pour cet établissement de Center City au personnel compétent et attentionné. Les chambres sont plutôt standards, mais il est rare d'avoir un tel petit-déjeuner et une salle de fitness pour ce prix.

Apple Hostels of Philadelphia AUBERGE DE JEUNESSE $
(carte p. 134 ; ☎215-922-0222 ; www.applehostels.com ; 32 S Bank St ; dort 37 $, ch à partir de 90 $; @🛜). Cette auberge

impeccable se situe dans un quartier sûr, à quelques pas des principaux sites. Imbattable dans cette tranche de prix. Les meubles semblent venir tout droit d'un catalogue Ikea – ce qui n'est pas une mauvaise chose. À noter aussi : le personnel serviable et les événements organisés (circuits pédestres, soirée cinéma avec bière offerte le mardi soir, etc.).

Chamounix Mansion Hostel
AUBERGE DE JEUNESSE **$**

(☎215-878-3676 ; www.philahostel.org ; 3250 Chamounix Dr, West Fairmount Park ; dort 23 $; ✲@). Le Chamounix ressemble plus à un B&B qu'à une auberge. Il se trouve dans une jolie zone boisée de Fairmount Park au nord de la ville, sur la route de Manayunk (voiture indispensable). Comprend un petit salon de style XIXe, de grandes salles communes et des dortoirs basiques, mais propres.

✖ Où se restaurer

Philadelphie est célèbre (et à juste titre) pour ses incontournables *cheesesteaks*. La scène culinaire de la ville est en plein essor, en partie grâce aux restaurants internationaux des groupes Starr et Garces. En raison de la législation locale sur la vente d'alcool, beaucoup de restaurants offrent à leurs clients la possibilité d'apporter leur propre bouteille de vin (Bring Your Own Bottle - BYOB).

OLD CITY

Amada
ESPAGNOL **$$**

(carte p. 134 ; ☎215-625-2450 ; 217 Chestnut St ; tapas 6-20 $; ⏰11h30-22h lun-jeu, 11h30-24h ven, 17h-24h sam, 16h-22h dim). Difficile d'obtenir une réservation le week-end dans ce restaurant de tapas, le premier-né du restaurateur Jose Garces, réputé dans cette ville. Les longues tables communes confèrent une atmosphère branchée et animée, et les plats, à la fois traditionnels et audacieux, sont excellents.

Cuba Libre
CUBAIN **$$**

(carte p. 134 ; ☎215-627-0666 ; 10 S 2nd St ; soir 13-31 $; ⏰11h30-15h et 16h-22h lun-mer, 11h30-15h et 16h-23h jeu et ven, 10h30-14h30 et 16h-23h sam, 10h30-14h30 et 16h-22h dim). La carte originale de ce restaurant et bar à rhum festif réparti sur plusieurs étages comprend des sandwichs cubains, des viandes grillées avec une sauce épicée à la goyave et de savoureux haricots noirs et salades au poisson fumé.

La Locanda del Ghiottone
ITALIEN **$$**

(carte p. 134 ; ☎215-829-1465 ; 130 N Third St ; plat 17 $; ⏰17h-23h mar-dim). Le nom du restaurant signifie "l'auberge du glouton". Giuseppe le chef et Joe le maître d'hôtel encouragent d'ailleurs à la suralimentation. Contrairement aux autres établissements tendance, l'endroit est petit et simple. Ne manquez pas les gnocchis, les crêpes aux champignons et les moules (BYOB).

Silk City Diner
DÎNER **$$**

(carte p. 130 ; 435 Spring Garden St ; plat 13 $; ⏰16h-2h lun-ven, 10h-2h sam-dim). Les cocktails ont remplacé les milkshakes dans ce *diner* classique, à la limite de Old City et de Northern Liberties. Silk City est aussi un haut lieu de la vie nocturne ; les habitants de Jersey viennent s'y déhancher au son des DJ le samedi soir. Bar en plein air en été.

Franklin Fountain
DESSERTS **$**

(carte p. 134 ; 116 Market St ; ⏰11h-24h). L'un des endroits les plus romantiques de la ville, surtout le week-end en soirée. Ce café glacier très old school utilise des fruits locaux pour confectionner ses coupes de glace de haut vol.

Zahav
ORIENTAL **$$**

(carte p. 134 ; ☎215-625-8800 ; 237 St James Pl ; plat 11 $; ⏰17h-22h dim-jeu, 17h-23h ven-sam). Petits plats modernes et raffinés d'Israël et d'Afrique du Nord, dans le parc des Society Hill Towers.

CENTER CITY ET ENVIRONS

♥ Morimoto
JAPONAIS **$$$**

(carte p. 130 ; ☎215-413-9070 ; 723 Chestnut St ; plat 25 $; ⏰11h30-22h lun-ven, 11h30-24h ven-sam). Cet établissement est doté d'une salle aux allures d'aquarium futuriste et d'une carte aux influences multiples et aux mariages inattendus. Un repas ici vous laissera un souvenir impérissable.

Le Bec-Fin
FRANÇAIS **$$$**

(carte p. 130 ; ☎215-567-1000 ; 1523 Walnut St ; menus 80-185 $; ⏰11h30-22h30 lun-ven, 17h30-22h30 sam). Le Bec-Fin, qui joue la carte "ancien monde" à outrance, est considéré par les gastronomes comme le meilleur restaurant du pays pour son cadre, son service et son excellente cuisine française. Attendez-vous à un service de premier ordre, à une clientèle guindée et à de somptueux plats de viande et de poisson. Le menu du midi à 55 $ (5 plats) est d'un bon rapport qualité/prix.

Reading Terminal Market
MARCHÉ **$**

(carte p. 130 ; angle 12th St et Arch St ; plat 3-10 $; ⏰8h-18h lun-sam, 9h-17h dim). Cet immense marché couvert est le meilleur qui soit pour les petits budgets. Faites votre choix parmi les fromages amish et les desserts thaïs, les fallafels, les *cheesesteaks*, les salades, les sushis, les spécialités mexicaines et les cafés tout juste torréfiés.

Supper
AMÉRICAIN MODERNE **$$**

(carte p. 130 ; 📞215-592-8180 ; South St ; plat 24 $; 🕐18h-23h30). Supper incarne le concept "de la ferme à la table" : les produits saisonniers viennent de sa propre exploitation. Ils sont sublimés par une cuisine qui marrie styles urbain et rural. Vous y goûterez des créations savoureuses comme la cuisse de canard confit accompagnée de gaufres aux noix de pécan.

La Viola
ITALIEN **$$**

(carte p. 130 ; 📞215-735-8630 ; 253 S 16th St, sur Spruce St ; plat 13 $; 🕐11h-22h mar-sam, 16h-22h dim). L'ancien établissement de La Viola et le nouveau se font face de chaque côté de la rue (BYOB). Le premier est exigu et sans prétention, alors que le second est plus vaste et plus moderne. Dans les deux, la cuisine est fraîche et les prix raisonnable

Parc Brasserie
FRANÇAIS **$$$**

(carte p. 130 ; 📞215-545-2262 ; 227 S 18th St ; plat à partir de 23 $; 🕐7h30-23h, 7h30-24h ven-sam). Cet immense bistrot de Rittenhouse Sq, sans fausses notes, est idéal pour observer les gens. Les brunchs et les repas du midi sont d'un bon rapport qualité/prix.

Mama Palmas
PIZZERIA **$$**

(carte p. 130 ; 📞215-735-7357 ; 2229 Spruce St ; pizza 10 $; 🕐16h-22h mar-ven, 11h-23h sam, 14h-22h dim). Ce petit restaurant tout près de Rittenhouse Sq sert parmi les meilleures pizzas de la ville, à pâte fine et cuites au feu de bois (BYOB).

Continental
DÎNER **$$**

(carte p. 134 ; 138 Market St ; plat 15 $; 🕐11h30-23h dim-mer, 11h30-24h jeu-sam, 10h-24h sam-dim). Si le troquet occupe le bâtiment d'un diner classique, sa cuisine fait fi du passé (tacos de porc coréens, tempura de tofu, etc.).

Mama's Vegetarian
FALAFELS **$**

(carte p. 130 ; 18 S 20th St ; sandwich 6 $; 🕐11h-21h lun-jeu, 11h-15h ven, 12h-19h dim ; 🖊). Dans le nord du centre-ville, ce restaurant kasher sert de généreux fallafels dans une ambiance animée.

Joe's
PIZZERIA **$**

(carte p. 130 ; 122 S 16th St ; part de pizza 2,25 $). Parmi les meilleures pizzas vendues à la part du quartier.

Philly Flavors
GLACIER **$**

(carte p. 130 ; 2004 Fairmount Ave, à hauteur de 20th St ; glace 2,50 $; 🕐11h-23h dim-jeu, 11h-24h ven-sam). Certains disent que c'est ici que l'on mange les meilleures glaces italiennes de la ville.

SOUTH STREET

Jim's Steaks
SANDWICHS **$**

(carte p. 130 ; 400 South St, sur 4th St ; sandwichs 6-8 $; 🕐10h-1h lun-jeu, 10h-3h ven-sam, 11h-22h dim). Si vous êtes prêt à braver l'attente, offrez-vous un alléchant *cheesesteak* ou un *hoagie* (long sandwich) dans cette institution de Philadelphie, qui propose également soupes, salades et petits-déjeuners.

Horizons
VÉGÉTARIEN **$$**

(carte p. 130 ; 📞215-923-6117 ; 611 S 7th St ; plat 15-20 $; 🕐18h-22h mar-jeu, 18h-23h ven-sam ; 🖊). Un des rares restaurants végétariens de Philadelphie pouvant satisfaire les gourmets. On s'y régale sans culpabiliser de plats sains à base de soja et de légumes.

Maoz Vegetarian
FALAFELS **$**

(carte p. 130 ; 248 South St ; plat 6 $; 🕐11h-22h dim-jeu, 11h-3h ven-sam). Cette minuscule vitrine, qui fait partie d'une chaîne internationale, est célèbre pour ses falafels et ne désemplit pas.

CHINATOWN

Rangoon
ASIATIQUE **$$**

(carte p. 130 ; 112 N 9th St ; plat 6-15 $; 🕐11h30-21h dim-jeu, 11h30-22h ven-sam). Ce restaurant birman propose un vaste choix de spécialités alléchantes : crevettes aux haricots rouges épicés, curry de poulet et nouilles aux œufs, ou encore tofu à la noix de coco.

Han Dynasty
CHINOIS **$$**

(carte p. 134 ; 108 Chestnut St ; plat 15 $; 🕐11h30-23h30). Nouilles et soupes originales et épicées, le tout servi dans un décor élégant.

Dim Sum Garden
CHINOIS **$**

(carte p. 130 ; 59 N 11th St ; plat 6 $; 🕐11h30-22h). Ce n'est pas la plus engageante des gargotes des environs de la gare routière, mais l'on y sert parmi les meilleurs petits pains farcis cuits à la vapeur de la ville.

Nanzhou Handdrawn Noodle House
CHINOIS **$**

(carte p. 130 ; 927 Race St ; plat 6 $; 🕐11h30-22h). Soupes aux nouilles et à la viande copieuses et bon marché.

Banana Leaf
ASIATIQUE **$**

(carte p. 130 ; 1009 Arch St ; plat 8 $; 🕐11h-1h). Spécialisé dans la cuisine malaisienne et japonaise.

Lee How Fook
CHINOIS **$$**

(cartes p. 130 ; 219 N 11th St ; plat 9-13 $; 🕐11h30-22h mar-dim). Excellente cuisine contemporaine chinoise.

SOUTH PHILADELPHIA ET ITALIAN MARKET

South Philadelphia est le quartier le plus indiqué pour déguster un *cheesesteak*, sandwich à la viande hachée recouverte de fromage fondu et spécialité de Philly.

La zone autour de l'angle de Washington St et 11th St regorge d'excellents restaurants vietnamiens.

Paradiso   ITALIEN $$$
(☎215-271-2066 ; 1627 E Passyunk Ave ; plat 18-26 $; ◷11h30-22h lun-jeu, 11h30-24h ven-sam). Ce restaurant spacieux de South Philadelphia sert une cuisine italienne haut de gamme. Au menu : côtelettes d'agneau aux pistaches, gnocchis maison et pièce de bœuf au beurre d'anchois.

Fond   AMÉRICAIN $$$
(☎212-551-5000 ; 1617 E Passyunk Ave ; plat 25 $; ◷17h30-22h). Vous en avez assez des sandwicheries du quartier ? Foncez vers cet établissement haut de gamme dont les jeunes chefs allient créativité, influence française et produits de saison.

Pat's King of Steaks   SANDWICHS $
(1237 E Passyunk Ave, à hauteur de S 9th St ; sandwich 7 $; ◷24h/24). Ce grand classique de Philadelphie rassemble touristes, piliers de comptoir et habitués irréductibles.

Torry Luke's Old Philly Style Sandwiches   SANDWICHS $
(39 E Oregon Ave ; sandwich 7 $; ◷6h-24h lun-jeu, 6h-2h ven-sam). Certains ne jurent que par Tony Luke, en particulier pour son rôti de porc ou de bœuf aux piments. L'endroit est à proximité des stades et dispose de tables de pique-nique et d'une fenêtre où passer sa commande.

South Street Souvlaki   GREC $
(carte p. 130 ; 507 South St ; plat 9 $; ◷12h-21h30 mar-jeu, 12h-22h ven-sam, 12h-21h dim). L'un des meilleurs restaurants grecs de Philadelphie.

Sabrina's Cafe   AMÉRICAIN $
(carte p. 130 ; 910 Christian St ; plat 9 $; ◷8h-22h mar-sam, 8h-16h dim-lun). Ses brunchs font fureur.

UNIVERSITY CITY

White Dog Cafe   AMÉRICAIN MODERNE $$$
(☎215-386-9224 ; 3420 Sansom St ; plat soir 27 $; ◷11h30-21h15 lun-jeu, jusqu'à 22h ven-sam, à partir de 10h30 sam-dim). Cette institution existe depuis 27 ans ; c'est le genre d'endroit à la fois chic et cool où les étudiants amènent leurs parents en visite pour les formules du soir ou les brunchs (11 $). La carte, en grande partie bio, s'inspire des produits locaux.

Pod   ASIATIQUE $$$
(☎215-387-1803 ; 3636 Sansom St ; plat soir 14-29 $; ◷11h30-23h lun-jeu, 11h30-23h ven, 17h-23h sam, 17h-22h dim). Cet établissement au décor futuriste fait partie de l'empire du restaurateur Stephen Starr. On y sert des spécialités asiatiques, notamment des dumplings, et parmi les meilleurs sushis de la ville, ainsi qu'une multitude de cocktails et de desserts originaux.

Satellite Coffee Shop   CAFÉ $
(701 S 50th St ; plat soir 5 $; ◷7h-22h). Ce café de Cedar Park, rendez-vous des bobos, satisfera les végétariens – essayez le smoothie au chou vert et les wraps végétariens.

Abyssinia Ethiopian Restaurant   ÉTHIOPIEN $
(229 S 45th St ; plat 9 $; ◷9h-24h). Excellents ful medames (sauce de haricots) et brunchs. Bon bar à l'étage.

Fu-Wah Mini Market   SANDWICHS $
(819 S 47th St ; plat 4,50 $; ◷9h-21h). Hoagies (longs sandwichs) au tofu et sandwichs vietnamiens au poulet.

Lee's Hoagie House   SANDWICHS $
(4034 Walnut St ; sandwich 7 $; ◷10h-22h lun-sam, 10h30-21h dim). Ses sandwichs à la viande et au poulet sont sans égal dans le quartier.

Koreana   CORÉEN $
(3801 Chestnut St ; plat 7 $; ◷11h30-22h, fermé lun). Fait le bonheur des étudiants et des personnes à la recherche d'une nourriture coréenne savoureuse et bon marché. On entre par le parking à l'arrière du centre commercial.

Distrito   MEXICAIN $$
(3945 Chestnut St ; plat 9-30 $; ◷11h30-22h lun-jeu, 11h30-23h ven, 11h-23h sam, 11h-23h dim). Le décor flashy rose et vert citron ne gâche en rien la saveur des plats mexicains contemporains.

Green Line Café   CAFÉ $
(4239 Baltimore Ave ; plat 4 $; ◷7h-23h, 8h-20h dim). L'une des meilleures adresses pour un café.

MANAYUNK ET ENVIRONS

Trolley Car Diner   DÎNER $$
(7619 Germantown Ave ; plat soir 9-20 $; ◷7h-21h lun-jeu, 7h-22h ven-sam). Ce *diner* à l'ancienne et familial sert une nourriture généreuse : club sandwichs, *patty melts* (sorte de hamburgers au pain de mie), crevettes sautées, salades...

Dalessandro's Steaks SANDWICHS $
(600 Wendover St, Roxborough ; plat 6,50 $;
⏱11h-24h lun-sam, 11h-21h dim). Le paradis
des snobs du cheesesteak.

Chubby's SANDWICHS $
(5826 Henry Ave ; plat 6,50 $; ⏱11h-1h lun-jeu,
11h-2h ven-sam, 11h-23h dim). On y sert les
meilleurs sandwichs au poulet de la ville.

Mama's Pizzeria PIZZA, SANDWICHS $
(426 Belmont Ave, Bala Cynwyd ; sandwich
10 $; ⏱11h-21h). Un autre concurrent sur
la scène du *cheesesteak* – ceux de Mama
sont sûrement les plus gros de tous.

Kildare's Irish Pub PUB $
(4417 Main St ; plat 9 $; ⏱11h-2h lun-sam,
10h-2h dim). Des ailes de poulet sous toutes
leurs formes – grillées, frites ou au four.

🍷 Où prendre un verre et sortir
Bars et discothèques

McGillin's Olde Ale House PUB
(carte p. 130 ; 1310 Drury St ; ⏱11h-2h). La plus
ancienne taverne de Philadelphie (depuis
1860) propose de superbes ailes de poulet
Buffalo (soirée spéciale *wings* le mardi), et
des karaokés le mercredi et le vendredi.

Standard Tap PUB
(carte p. 130 ; angle 2nd St et Poplar St ; ⏱16h-2h).
Ce pionnier du mouvement "gastropub"
situé à Northern Liberties dispose d'un
vaste choix de bières locales à la pression,
de hamburgers et de steaks.

Urban Saloon PUB
(carte p. 130 ; 2120 Fairmount Ave ; ⏱17h-2h
lun-ven, 11h-2h sam-dim). Dans une ambiance
de bar de quartier, on vient s'y déhancher
les vendredis soir ; le dimanche, on y sert
un brunch adapté aux enfants (ne manquez
pas le hamburger au beurre de cacahuètes).

Shampoo DISCOTHÈQUE
(carte p. 130 ; 📞215-922-7500 ; www.
shampoooonline.com ; Willow St, entre N 7th St et
8th St ; droit d'entrée 7-12 $; ⏱21h-2h). Soirées
mousse, Jacuzzis et sièges en velours, cette
discothèque géante est bien connue pour ses
soirées gays du vendredi. Le samedi, entrée
gratuite pour tout le monde.

Fiume BAR
(45th St et Locust St ; ⏱18h-2h). Endroit
minuscule au-dessus de l'Abyssinia
Ethiopian Restaurant, à West Philadelphia.
Concerts du jeudi au dimanche.

Brasil's DISCOTHÈQUE
(carte p. 134 ; 📞215-413-1700 ; www.
brasilsnightclub-philly.com ; 112 Chestnut St ; droit

d'entrée 10 $; ⏱22h-2h mer-sam). On vient
danser sur les rythmes latinos, brésiliens
et antillais du DJ John Rockwell.

Elena's Soul BAR, MUSIQUE LIVE
(📞215-724-3043 ; 4912 Baltimore Ave ;
⏱15h-2h). Cette adresse de West
Philadelphia propose concerts de jazz
et de blues, piste de danse, et de quoi se
sustenter.

Village Whiskey BAR
(carte p. 130 ; 118 S 20th St ; ⏱11h30-23h30,
11h30-1h ven-sam). Ambiance décontractée,
vaste choix de whiskies et cuisine
originale.

Franklin Mortgage & Investment Co BAR À COCKTAILS
(carte p. 130 ; 112 S 18th St ; ⏱17h-2h).
Excellents whiskies et cocktails à base de
gin servis dans un cadre élégant.

Local 44 BAR
(4333 Spruce St ; ⏱11h30-24h). Bonne
nourriture de pub et choix de bières
intéressant.

Gojjo Bar & Restaurant BAR
(4540 Baltimore Ave ; ⏱16h-2h). Ce bar
éthiopien dispose d'une superbe terrasse
à l'arrière.

Autres bonnes adresses de la scène
florissante des microbrasseries :

Earth Bread & Brewery BRASSERIE
(7136 Germantown Ave ; ⏱16h30-24h, fermé
lun).

Nodding Head Brewery BRASSERIE
(carte p. 130 ; 1516 Sansom St ; ⏱11h30-2h).
La zone comprise entre Broad St et
12th St et Walnut St et Pine St est
appelée officiellement "gayborhood",
même si certains préfèrent le nom de
Midtown Village. Ses panneaux de
rues sont décorés de drapeaux arc-en-
ciel. Les soirées et les lieux changent
souvent ; consultez le site Internet www.
phillygaycalendar.com.

Tavern on Camac GAY
(carte p. 130 ; 📞215-545-0900 ; 243 S Camac St ;
📞16h-2h). Des tubes de comédies musicales
sont diffusés dans le piano bar du bas, l'un
des plus anciens bars gays de la ville, tandis
que le petit dance floor à l'étage est bondé
de fêtards.

Sisters LESBIEN
(carte p. 130 ; 📞215-735-0735 ; www.
sistersnightclub.com ; 1320 Chancellor St ;
⏱17h-2h mar-sam, 12h-2h dim). Immense
restaurant-discothèque réservé aux
femmes.

Dock Street Brewery & Restaurant BRASSERIE

(701 S 50th St ; ⊙15h-23h, 15h-1h ven-sam).
À West Philadelphia, bière artisanale et
pizzas cuites au feu de bois.

Musique live

Chris' Jazz Club JAZZ

(carte p. 130 ; ☎215-568-3131 ; www.chrisjazzcafe.
com ; 1421 Sansom St ; droit d'entrée 10-20 $).
Espace intime où sont programmés aussi
bien des talents locaux que de grands noms
nationaux. *Happy hours* avec piano à 16 h
du mardi au vendredi, et bons concerts en
soirée du lundi au samedi.

Ortlieb's Jazzhaus JAZZ

(carte p. 130 ; ☎215-922-1035 ; www.
ortliebsjazzhaus.com ; 847 N 3rd St ; droit d'entrée
mar-jeu, 10 $ ven, 15 $ sam, 3 $ dim). Bonne
programmation de jazz et groupe maison
en jam-session le mardi soir. Cuisine cajun
(plat 20 $).

World Cafe Live CONCERTS

(carte p. 130 ; ☎215-222-1400 ; www.worldcafelive.
com ; 3025 Walnut St ; droit d'entrée 10-40 $). À
l'extrémité est de University City, World Cafe
Live dispose de scènes au rez-de-chaussée
et à l'étage, avec bar et restaurant à chaque
fois, et abrite la station de radio WXPN.
Programmation éclectique.

Théâtre et culture

Kimmel Center for the Performing Arts ARTS DE LA SCÈNE

(carte p. 130 ; ☎215-790-5800 ; www.
kimmelcenter.org ; angle Broad St et Spruce St).
Lieu le plus dynamique de Philadelphie
en termes de programmation musicale, le
Kimmel Center propose une grande variété
de spectacles, dont beaucoup produits par
les compagnies citées plus bas.

Philadelphia Theatre Company THÉÂTRE

(carte p. 130 ; ☎215-985-0420 ; www.
philadelphiatheatrecompany.org ; Suzanne Roberts
Theatre, 480 S Broad St, sur Lombard St). Cette
compagnie crée des pièces contemporaines
de qualité interprétées par des comédiens
de la région. Elle a élu domicile dans un lieu
chic en plein cœur du quartier des arts.

Pennsylvania Ballet DANSE

(carte p. 130 ; ☎215-551-7000 ; www.paballet.
org ; 1819 John F Kennedy Blvd). Cette excellente
compagnie de danse se produit à la belle
Academy of Music et au Merriam Theater,
juste à côté.

Philadelphia Dance Company DANSE

(☎215-387-8200 ; www.philadanco.org ;
9 N Preston St). Depuis près de 40 ans, cette
compagnie résidente du Kimmel Center
donne de superbes représentations de
danse, alliant le ballet classique à la danse
moderne.

Philadelphia Orchestra MUSIQUE CLASSIQUE

(carte p. 130 ; ☎215-893-1999 ; www.philorch.org ;
angle Broad St et Spruce St). L'orchestre de la
ville, créé en 1900, connaît aujourd'hui des
difficultés financières. Depuis son dépôt de
bilan en avril 2011, son avenir est incertain.

Trocadero Theater ARTS DE LA SCÈNE

(carte p. 130 ; ☎215-922-6888 ; www.thetroc.com ;
1003 Arch St ; droit d'entrée jusqu'à 12 $). Cette
vitrine des arts et de la culture au cœur
de Chinatown occupe un théâtre victorien
du XIXe siècle. Des soirées cinéma y sont
organisées le lundi. Les autres jours, des
musiciens, artistes de *spoken-word* (sorte
de poésie orale) et comédiens s'y produisent.

Sport

Les fans de football n'ont d'yeux que pour les
Philadelphia Eagles (www.philadelphiaeagles.
com) qui jouent dans l'ultramoderne
Lincoln Financial Field (S 11th St) d'août à
janvier, généralement deux fois par mois, le
dimanche. L'équipe de base-ball de la Ligue
nationale des **Philadelphia Phillies** (www.
phillies.mlb.com) joue 81 matchs à domicile
d'avril à octobre au **Citizen's Bank Park**.
Enfin, le basketball est incarné par les
Philadelphia 76ers (www.nba.com/sixers) au
Wells Fargo Center (3601 S Broad St).

ℹ️ Renseignements

Médias

Philadelphia Daily News (www.philly.com/
dailynews). Quotidien style tabloïd.

Philadelphia Magazine (www.phillymag.com).
Mensuel sur papier glacé.

Philadelphia Weekly (www.philadelphiaweekly.
com). Alternative gratuite disponible dans les
distributeurs de journaux.

Philly.com (www.philly.com). Actualités, cours
de Bourse et autres ; offert par le *Philadelphia
Inquirer*.

WHYY 91-FM (www.whyy.org). Antenne locale
de la radio publique nationale.

Offices du tourisme

**Greater Philadelphia Tourism Marketing
Corp** (www.visitphilly.com ; 6th St, à hauteur
de Market St). Bureau touristique à but non
lucratif, accueillant et très complet. Dans les
mêmes locaux que le National Park Service
(NPS).

Independence Visitor Center (☎800-537-
7676 ; www.independencevisitorcenter.com ;
6th St, à hauteur de Market St ; ⊙8h30-17h30).

Cet organisme géré par le NPS fournit des guides et cartes fort utiles, et vend des billets pour les circuits officiels partant des alentours.

Services médicaux

Pennsylvania Hospital (☎215-829-3000 ; www.pennhealth.com/hup ; 800 Spruce St ; ☺24h/24).

❶ Depuis/vers Philadelphie

Avion

Philadelphia International Airport (PHL ; www. phl.org ; 8000 Essington Ave), à 11 km au sud de Center City, est desservi par des vols directs internationaux. Au niveau national, plus de 100 destinations sont disponibles.

Bus

Si **Greyhound** (www.greyhound.com ; 1001 Filbert St) et **Peter Pan Bus Lines** (www. peterpanbus.com ; 1001 Filbert St) sont les principales compagnies de bus, **Bolt Bus** (www. boltbus.com) et **Mega Bus** (http://us.megabus. com/) sont également bien implantées et proposent un service confortable. Greyhound relie Philadelphie à des centaines de villes du pays alors que Peter Pan et les autres se concentrent sur le Nord-Est. En achetant votre billet sur Internet, vous pourrez bénéficier de tarifs attractifs. À titre d'exemple, un aller-retour pour New York City coûte 18 $ (2 heures 30), pour Atlantic City 20 $ (1 heure 30) et pour Washington, DC 28 $ (4 heures 30). **NJ Transit** (www.njtransit.com) part de Philadelphie à destination de différents lieux du New Jersey.

Train

La belle 30th St Station est l'un des plus importants carrefours ferroviaires du pays. **Amtrak** (www.amtrak.com) propose des liaisons jusqu'à Boston (ligne régionale et service express Acela aller 87-206 $, 5 heures-5 heures 45) et Pittsburgh (ligne régionale à partir de 47 $, 7 heures 15). Pour aller à New York à moindres frais (bien que toujours sans comparaison avec le bus), il vous faudra opter pour un trajet plus long et plus compliqué : prenez le train de banlieue R7 de la Septa jusqu'à Trenton, dans le New Jersey. De là, prenez un bus **NJ Transit** (www.njtransit. state.nj.us) pour Newark (Penn Station), puis continuez avec cette même compagnie jusqu'à New York (gare de Penn Station).

Voiture

Plusieurs autoroutes nationales passent à Philadelphie ou à proximité. Depuis le nord et le sud, l'I-95 (Delaware Expwy) suit la bordure est de la ville le long du fleuve Delaware et compte plusieurs sorties vers Center City. L'I-276 (Pennsylvania Turnpike) va vers l'est en traversant la partie nord de la ville et le fleuve, pour rejoindre le New Jersey Turnpike.

❶ Comment circuler

Le trajet en taxi de l'aéroport à Center City est au prix fixe de 25 $. Sinon, prenez la ligne R1 de la Septa (7 $). Elle s'arrête à University City et à divers endroits de Center City.

Il est possible de circuler à pied entre les différents sites du centre-ville. Pour les endroits plus éloignés, vous n'aurez aucun mal à trouver un train, un bus ou un taxi.

Septa (www.septa.org) gère les bus municipaux de Philadelphie ainsi que deux lignes de métro et un service de tramway. Bien que vaste et fiable, le réseau de bus (120 trajets couvrant 256 km²) est difficile à comprendre. La plupart du temps, un aller vous coûtera 2 $. Prévoyez le montant exact ou un jeton. De nombreuses stations de métro et billetteries proposent un tarif réduit (2 jetons pour 3,10 $).

Vous n'aurez aucun mal à héler un taxi, en particulier vers City Center. Le tarif de base est de 2,70 $, auquel s'ajoutent 2,30 $ par mile ou portion de mile. Tous les taxis agréés ont le GPS et la plupart prennent la carte bancaire.

La navette du **Phlash** (www.phillyphlash. com ; ☺9h30-18h) ressemble à un tramway d'antan et fait une boucle entre Penn's Landing et le Philadelphia Museum of Art (aller/journée 2/5 $). Un départ toutes les 15 min environ.

Environs de Philadelphie
BRANDYWINE VALLEY

À cheval entre la Pennsylvanie et le Delaware, au sud-ouest de Philadelphie, la Brandywine Valley est un patchwork de paysages ruraux boisés, de villages historiques, de jardins, de belles demeures et de musées. Les spectaculaires **Longwood Gardens** (☎610-388-1000 ; www.longwood-gardens.org ; Rte 1 ; adulte/enfant 18 $/gratuit ; ☺9h-17h, 9h-18h avr-août ; ♿), à côté de Kennett Sq, comptent 425 hectares, 20 jardins couverts et 11 000 variétés de plantes. Vous y trouverez aussi un jardin pour enfants avec labyrinthe, feux d'artifice et fontaines éclairées en été, ainsi que des illuminations à Noël. Le **Brandywine Valley Wine Trail** (www.bvwinetrail.com), quant à lui, est un joli parcours traversant une poignée de vignobles, tous dotés de salles de dégustation. Véritable vitrine de l'art américain, le **Brandywine River Museum** (☎610-388-2700 ; www.brandywinemuseum.org ; angle Hwy 1 et Rte3100 ; adulte/enfant 10/6 $; ☺9h30-16h30), à Chadd's Ford, renferme les œuvres de la Brandywine School – Howard Pyle, NC Wyeths et Maxfield Parrish. L'un

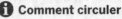

des sites les plus célèbres de la vallée est **Winterthur** (☎302-888-4600 ; www.winterthur.org ; 5105 Kennett Pike/Rte 52, Winterthur, DE ; adulte/enfant 18/5 $; ☺10h-17h mar-dim). Cet important musée du mobilier et des arts décoratifs américains, qui se situe en réalité dans le Delaware, était la maison de campagne de l'industriel Henry Francis du Pont jusqu'à ce qu'il l'ouvre au public en 1951.

VALLEY FORGE

Après une défaite lors de la bataille de Brandywine et l'occupation de Philadelphie par les Britanniques en 1777, le général Washington et ses 12 000 soldats se retirèrent à Valley Forge pour élaborer une stratégie de combat, qui les mènera à la victoire à Monmouth. Aujourd'hui, Valley Forge est le symbole de la ténacité et des qualités de dirigeant de Washington. Le **Valley Forge National Historic Park** (☎610-783-1099 ; www.nps.gov/vafo ; angle N Gulph Rd et Rte 23 ; entrée libre ; ☺jardins 7h-coucher du soleil, Visitor Center et QG de Washington 9h-17h) comprend 9 km² de beaux paysages et d'espaces verts à 32 km au nord-ouest du centre-ville de Philadelphie – c'est ici que 2 000 des 12 000 hommes de George Washington perdirent la vie en raison du froid, de la faim et de la maladie, alors que de nombreux autres décidèrent de rentrer chez eux. Une piste cyclable de 35 km longeant la Schuylkill River relie Valley Forge à Philadelphie.

NEW HOPE ET LAMBERTVILLE

Les deux petites villes bohèmes de New Hope, à environ 65 km au nord de Philadelphie, et Lambertville, de l'autre côté du fleuve Delaware, dans le New Jersey, sont à équidistance de Philadelphie et de New York. Elles toutes deux sont bordées de longs chemins de halage paisibles, parfaits pour les joggeurs, les cyclistes et les promeneurs ; un pont doté d'une voie pour piétons permet de passer facilement de l'une à l'autre. Elles drainent une population importante d'homosexuels, et les drapeaux arc-en-ciel suspendus à l'extérieur des commerces illustrent bien l'accueil qui leur est fait.

Le **Golden Nugget Antique Market** (☎609-397-0811 ; www.gnmarket.com ; 1850 River Rd ; ☺6h-16h mer, sam, dim), à 1 km au sud de Lambertville, renferme toutes sortes de choses, des meubles aux vêtements. Vous pouvez aussi passer un moment pittoresque en descendant la rivière en canoë, kayak, canot ou chambre à air, avec **Bucks County River Country** (☎215-297-5000 ; www.rivercountry.net ; 2 Walters Lane, Point Pleasant ; ☺location 9h-14h30, retour avant 17h), à environ 13 km au nord de New Hope sur la Rte 32.

Les deux villes abritent également de charmants B&B. Essayez le **York Street House Bed & Breakfast** (☎609-397-3007 ; 42 York St, Lambertville ; ch petit-déj inclus 125-260 $; ❄☏), demeure datant de 1909 aux chambres douillettes et servant des petits-déjeuners copieux.

Pour un repas dans une ancienne église divinement rénovée, rendez-vous au **Marsha Brown Creole Kitchen and Lounge** (15 S Main St, New Hope ; plat 15-22 $; ☺17h-22h), où vous dégusterez poissons-chats, steaks et homards. Sinon, à Stockton, à 6 km au nord, le **Meil's Restaurant** (angle Main St et Bridge St ; plat 10-15 $; ☺8h-21h dim-jeu, 8h-22h ven-sam) sert une nourriture généreuse.

PENNSYLVANIE : SI VOUS AVEZ QUELQUES JOURS DE PLUS

La ville de **Bethlehem** a un riche passé : fondée par une petite communauté religieuse, elle fut par la suite un centre important de l'industrie lourde, avant de devenir un haut lieu des jeux d'argent. L'imposant **casino** érigé sur le site de l'ancienne usine Bethlehem Steel affiche un design empreint du passé ouvrier de la ville.

La ville d'Easton qui abrite le Lafayette College, se trouve dans la Lehigh Valley, juste de l'autre côté de la frontière du New Jersey et sur les berges du Delaware. Elle n'est qu'à 110 km environ de Philadelphie et de New York. Les enfants ne sauront plus où donner de la tête avec les expositions interactives de la **Crayola Factory** (☎610-515-8000 ; www.crayola.com/factory ; 30 Centre Sq ; entrée combinée avec le National Canal Museum 9,75 $; ☺11h-17h Memorial Day-Fête du travail ; ♿). Pour prolonger votre visite à Easton jusqu'au lendemain, optez pour une chambre douillette au **Lafayette Inn** (☎610-253-4500 ; www.lafayetteinn.com ; 525 W Monroe St ; ch petit-déj inclus 125-175 $; ℗☏) et un dîner à **Sette Luna** (219 Ferry St ; plat 15 $; ☺11h30-22h), trattoria toscane raffinée non loin du centre-ville.

Pennsylvania Dutch Country

Le cœur du Pennsylvania Dutch Country se trouve dans la région sud-est de la Pennsylvanie, et couvre une zone d'environ 32 km sur 24 à l'est de Lancaster. Les communautés religieuses des amish, des mennonites et des brethrens, connues sous le nom global de "Plain People" (les gens simples), furent persécutées dans leur pays d'origine, la Suisse. Ces sectes anabaptistes, qui s'établirent en Pennsylvanie à partir des années 1700, parlaient des dialectes allemands, ce qui leur valut le nom de "Dutch" (de "Deutsch"). La plupart des amish de Pennsylvanie sont des fermiers et ont des croyances différentes d'une secte à l'autre. Beaucoup n'ont pas l'électricité et se déplacent en carrioles – ce qui crée une atmosphère charmante. Les croyants les plus stricts, les amish du Vieil Ordre, portent des vêtements sombres et unis et mènent une vie simple centrée sur la Bible. Ironiquement, ils constituent un élément touristique majeur et attirent des foules de curieux, pour lesquels on a créé évidemment des centres commerciaux, des chaînes de restaurants et des hôtels. Le contraste est saisissant. Du fait de ce développement commercial qui gagne toujours plus de terrain sur les fermes familiales existant depuis plusieurs générations, il n'est pas forcément évident d'apprécier la nature unique de cette zone. Tentez votre chance en explorant les petites routes serpentant dans la campagne entre Intercourse et Strasburg.

⊙ À voir et à faire

À l'extrémité ouest de la région amish, la ville de **Lancaster** est un mélange de galeries d'art, de rangées de maisons de briques bien conservées et de pâtés de maisons quelque peu délabrées. Elle fut brièvement la capitale des États-Unis en septembre 1777, lorsque le Congrès s'y arrêta pour la nuit. Chaque mois, le **First Friday** (www.lancasterarts.com) draine une foule sympathique dans les galeries de Prince St.

Intercourse, qui tire probablement son nom de son emplacement à un carrefour, renferme des boutiques pour touristes vendant vêtements, dessus-de-lit, bougies, meubles et, bien sûr, souvenirs de mauvais goût. Les **magasins Tanger Outlet**, sur la Rte 30, proposent des vêtements de créateurs bien plus contemporains.

GRATUIT **Heritage Center Museum** MUSÉE (☎717-299-6440 ; www.lancasterheritage. com ; 13 W King St, Lancaster ; ⊙9h-17h lun-sam, 10h-15h dim). Renferme une collection de tableaux des XVIIIᵉ et XIXᵉ siècles et des meubles d'époque, et donne un excellent aperçu de la culture amish.

Aaron & Jessica's Buggy Rides CIRCUIT (☎717-768-8828 ; 3121 Old Philadelphia Pike ; ⊙9h-17h lun-sam ; adulte/enfant 10/6 $; ♿). Circuit amusant de 3 km commenté par un guide amish.

Turkey Hill Experience CIRCUIT (☎888-986-8784 ; www.turkeyhillexperience. com ; 301 Linden St, Columbia ; adulte/enfant 14/11 $; ⊙10h-17h). La marque rend un hommage interactif aux vaches et aux glaces. Dans le même genre, visitez le Hershey's Chocolate World.

Sturgis Pretzel House CIRCUIT (☎717-626-4354 ; www.juliussturgis.com ; 219 E Main St, Lititz ; 3 $; ⊙9h-17h lun-sam). Façonnez votre propre pâte dans la première fabrique de bretzels du pays.

Ephrata Cloister SITE HISTORIQUE (☎717-733-6600 ; www.ephratacloister.org ; 632 W Main St, Ephrata ; adulte/enfant 9/6 $; ⊙9h-17h lun-sam, 12h-17h dim). Visitez les bâtiments rescapés et restaurés de l'une des premières communautés religieuses des États-Unis.

🛏 Où se loger

Il y a de nombreux B&B et auberges dans la région amish, et vous trouverez des motels bon marché sur le tronçon sud-est des Rte 462/Rte 30. Vous pourrez aussi louer une chambre à la ferme pour 50-100 $ – enfants bienvenus, repas maison et occasion unique de découvrir la vie à la ferme.

Fulton Steamboat Inn HÔTEL $$ (☎717-299-9999 ; 1 Hartman Bridge Rd ; ch à partir de 100 $; ✳🛜🅿). Un hôtel décoré sur le thème nautique ne peut que détonner dans cette région enclavée, même si l'inventeur du bateau à vapeur naquit dans les environs. Malgré quelques éléments légèrement kitch –luminaires à l'ancienne et papiers peints chargés – l'intérieur est assez élégant et les chambres spacieuses et confortables. Il se trouve à un carrefour idéal pour visiter la campagne agricole ou Lancaster.

Red Caboose Motel & Restaurant MOTEL $$ (☎888-687-5005 ; www.redcaboosemotel.com ; 312 Paradise Lane, Ronks ; ch à partir de 120 $; ✳🛜🅿). L'ameublement de ces wagons de 25 tonnes reste très basique malgré la TV et le mini-réfrigérateur, et les espaces sont étroits (de la largeur d'un train), mais l'originalité du concept séduira petits et grands. L'endroit se trouve sur une belle route de campagne pittoresque et est doté d'un minizoo et d'un silo où grimper pour admirer le paysage.

Cork Factory
BOUTIQUE HOTEL $$
(☎717-735-2075 ; www.corkfactoryhotel.com ; 480 New Holland Ave ; ch petit-déj inclus à partir de 125 $; ❋❀☎). À seulement quelques kilomètres au nord-est du centre-ville de Lancaster, une ancienne usine en briques abrite désormais un hôtel élégant et branché. Les brunchs aux produits de saison servis le dimanche allient modernisme et tradition.

Beacon Hollow Farm
CHEZ L'HABITANT $
(☎717-768-8218 ; 130 Centreville Rd ; ch petit-déj inclus 95 $). Cette ferme laitière de Gordonville dispose d'une maisonnette confortable avec deux chambres. Petit-déjeuner campagnard et possibilité de s'essayer à la traite des vaches.

Landis Farm
CHEZ L'HABITANT $$
(☎717-898-7028 ; www.landisfarm.com ; 2048 Gochlan Rd, Manheim ; ch petit-déj inclus 100 $). Dormez dans un cadre légèrement plus haut de gamme et moderne (télévision par câble) dans cette maison en pierre vieille de 200 ans, aux parquets en pin.

✖️ Où se restaurer

Si vous voulez tester les fameux restaurants familiaux de la région amish, attendez-vous à ne pas être les seuls touristes. Faites une halte au **Dutch Haven** (2857 Lincoln Hwy/Rte 30, Ronks ; tarte 15 cm 7 $) pour une part de *shoofly pie* (tarte à la mélasse) bien sucrée.

❤️ Bird-in-Hand Farmers Market
MARCHÉ $
(☎717-393-9674 ; 2710 Old Philadelphia Pike, Bird-in-Hand ; ❀8h30-17h30 mer-sam juil-oct, appelez pour le reste de l'année). Confitures, fromages, bretzels, bœuf séché et autres produits locaux savoureux à des prix intéressants. Deux bars proposent des repas.

Good 'N Plenty Restaurant
AMÉRICAIN $$
(Rte 896, Smoketown ; plat 11 $; ❀11h30-20h lun-sam, fermé jan). Si vous ne craignez pas les foules de touristes ni de contrarier votre cardiologue, vous ne regretterez pas de vous être installé à l'une des tables de pique-nique pour un repas familial (21 $). En plus de la salle principale, aussi grande qu'un terrain de football, vous pourrez commander à la carte depuis quelques autres mini-espaces.

Miller's
BUFFET $$
(Rte 30, Ronks ; plat 11 $; ❀7h-20h lun-sam). Vous aurez le choix entre le buffet (23 $) ou la carte de style *diner* assez ordinaire. À l'intérieur d'un complexe de magasins pour touristes, cet immense restaurant attire les foules avec son buffet de spécialités amish.

Family Cupboard Restaurant & Buffet
BUFFET $$
(3029 Old Philadelphia Pike ; plat 11 $; ❀11h-20h lun-jeu, 7h-20h ven-sam). Pour éviter les bus de touristes, foncez vers cet établissement de Bird-in-Hand et testez ses spécialités alléchantes comme le pain de jambon et le poulet en sauce accompagné de gaufres.

Lancaster Brewing Co
PUB $$
(302 N Plum St, Lancaster ; plat 9-22 $; ❀11h30-22h). À quelques pas du Cork Factory Hotel, ce bar attire les jeunes habitués du quartier grâce à une carte bien supérieure à ce que l'on propose habituellement dans les pubs – carré de sanglier et saucisse aux canneberges, par exemple.

Central Market
MARCHÉ $
(23 N Market St, Lancaster ; ❀6h-16h mar et ven, 6h-14h sam). On trouve dans ce marché animé des produits locaux, fromages et viandes, ainsi que des pâtisseries et de l'artisanat amish.

ℹ️ Renseignements

Vous devrez vous munir d'une carte pour vous repérer sur les routes de campagne. Évitez les Rtes 30 et 340, principaux axes routiers, ou visitez la région en hiver pour éviter les foules. Encore mieux, louez un vélo à **Rails to Trail Bicycle Shop** (☎717-367-7000 ; www.railstotrail.com ; 1010 Hershey Rd, Elizabethtown ; location journée 25 $; ❀10h-18h) entre Hershey et Lancaster ; prévoyez de quoi manger et partez à l'aventure. Le **Dutch Country Visitors Center** (☎800-723-8824 ; www.padutchcountry.com ; ❀9h-18h lun-sam, 9h-16h dim), derrière la Rte 30 à Lancaster, fournit des renseignements très complets.

ℹ️ Comment s'y rendre et circuler

Les bus locaux de la **RRTA** (www.redrosetransit.com) assurent la liaison entre les principales villes, mais la voiture est un transport plus agréable pour profiter des paysages de la région. Des bus pour Philadelphie (15 $, 2 heures 40) et Pittsburgh (71 $, 8 heures) partent du **terminus de Capitol Trailways et Greyhound** (gare ferroviaire de Lancaster). Des trains desservent Philadelphie (15 $, 1 heure 10) et Pittsburgh (48 $, 6 heures) depuis la **gare ferroviaire Amtrak** (53 McGovern Ave, Lancaster).

Centre-Sud de la Pennsylvanie

HERSHEY

Hershey (www.hersheypa.com), à moins de deux heures de Philadelphie, est un véritable paradis pour les enfants. On y trouve diverses attractions tournant autour de l'empire du chocolat de Milton Hershey. L'élément central est le **Hershey Park** (☏800-437-7439 ; www.hersheypark.com ; 100 W Hersheypark Dr ; adulte/enfant 54/33 $; ☺10h-22h juin-août, horaires variables le reste de l'année ; ▮), parc d'attractions comptant plus de 60 manèges à sensations fortes, un zoo, un parc aquatique, ainsi que des spectacles et des feux d'artifices. Enfilez votre chapeau et votre tablier, donnez quelques instructions à l'ordinateur et le tour est joué : vous n'avez plus qu'à regarder votre barre chocolatée arriver sur le tapis roulant de l'attraction **Create Your Own Candy Bar** (15 $), qui fait partie du **Hershey's Chocolate World**, fausse usine de chocolat et magasin de bonbons géant. On y croise des personnages chantants et les friandises y sont distribuées à tour de bras. Pour une visite éducative plus simple, essayez le **Hershey Story, The Museum on Chocolate Avenue** (☏717-534-3439 ; www.hersheymuseum.org ; 111 W Chocolate Ave ; adulte/enfant 10/7,50 $; ☺9h-19h été, 9h-17h30 le reste de l'année), qui explore la vie et les fascinantes réalisations de M. Hershey à travers des expositions historiques interactives. Vous pourrez aussi fabriquer votre propre confiserie au "Chocolate Lab".

GETTYSBURG

Cette ville dense et tranquille chargée d'histoire, à 233 km à l'ouest de Philadelphie, fut le théâtre de l'une des batailles les plus décisives et sanglantes de la guerre de Sécession. C'est également ici que Lincoln prononça son discours mythique, connu sous le nom de "Gettysburg's Address", dans lequel il rendit hommage aux victimes. Le **Gettysburg National Military Park** (☏717-334-1124 ; www.nps. gov/gett ; 1195 Baltimore Pike (Rte 97) ; entrée libre ; ☺6h-22h avr-oct, 6h-19h nov-mars), de 13 km², est doté d'un excellent **musée et centre d'information** (☏877-874-2578 ; www.gettysburgfoundation.org ; adulte/enfant 10,50/6,50 $; ☺8h-18h). Vous y trouverez une carte décrivant un circuit autoguidé qui vous fera passer par des sites marquants, notamment le Wheatfield, qui fut jonché de plus de 4 000 corps morts ou blessés après la bataille.

Le **Civil War Battle Reenactment** (☏717-338-1525 ; www.gettysburgreenactment.com) a lieu chaque année le premier week-end de juillet. Ces reconstitutions de campements militaires et de batailles attirent de nombreux amateurs venus de la région ou de plus loin.

Côté hébergement, essayez la **Brickhouse Inn** (☏717-338-9337 ; www.brickhouseinn.com ; 452 Baltimore St ; ch 115-165 $; ❉☏), imposante demeure victorienne de 3 étages construite en 1898 et dotée de jolies chambres et d'une terrasse. La **Dobbin House Tavern** (☏717-334-2100 ; 89 Steinwehr Ave ; plat 8-25 $; ☺11h30-21h) est la maison la plus ancienne de Gettysburg (1776). Vous y dégusterez de généreux sandwichs et des plats plus élaborés de viande et de poisson dans des salles un peu kitch.

Nord-Est de la Pennsylvanie

Dans le coin nord-est de la Pennsylvanie, la célèbre région des **Poconos** (☏800-762-6667 ; www.800poconos.com) englobe 3 800 km² de montagnes, ruisseaux, cascades, lacs et forêts, ce qui en fait un superbe lieu d'escapade au grand air, quelle que soit la saison. Parmi les villes pittoresques de la région, l'adorable **Milford** abrite l'**Hotel Fauchere** (☏570-409-1212 ; www.hotelfauchere.com ; 401 Broad St ; ch petit-déj inclus à partir de 215 $; ❉☏), qui a été joliment et luxueusement restauré. Le personnel de son **Bar Louis** (plat 21 $, sandwich 11 $) vous servira des plats de saison dans un cadre élégant. La carte de **Muir House** (☏570-296-6373 ; 102 State St ; plat 21 $; ☺à partir de 17h30 mer-dim) propose un hamburger bien garni (19 $) et du *bulgogi* (viande marinée à la coréenne) dans une feuille de salade (12 $).

Pour les sports nautiques, contactez **Adventure Sports** (☏570-223-0505 ; www. adventuresport.com ; Rte 209 ; canoë/kayak à la journée 40/44 $; ☺9h-18h mai-oct) à Marshalls Creek (Pennsylvanie). Grâce aux différents points de départ et de ramassage, vous pourrez choisir entre plusieurs itinéraires, du parcours sur la demi-journée aux excursions de plusieurs jours. Le camping est autorisé à de nombreux endroits ; c'est un bon moyen de profiter pleinement de la beauté des paysages.

Un peu plus à l'ouest, dans une vallée isolée, **Jim Thorpe** compte de nombreux parcours de **rafting** et pistes de **VTT** (ainsi que les loueurs de matériel qui vont avec). La ville tire son nom d'un grand athlète du début du XXe siècle qui repose ici (mais

VAUT LE DÉTOUR

PENNSYLVANIA WILDS

Communément et à juste titre surnommée Pennsylvania Wilds (wild signifie "sauvage"), cette partie du centre de l'État abrite la plus importante population de wapitis en liberté de l'est du Mississippi, dans la **Elk State Forest** (www.elkcountryvisitorcenter.com). Pennsylvania Wilds comprend d'autres sites remarquables comme le **Cherry Springs State Park** (www.dcnr.state.pa.us/state parks/parks/cheerysprings), le meilleur endroit du nord-est des États-Unis pour regarder les étoiles, le **Kizua Bridge Skywalk** (www.visitanf.com) qui fait partie de l'Allegheny National Forest, et les points de vue et cascades autour de **Pine Creek Gorge** (www.visittiogapa.com) dans la Tioga State Forest.

dont la tombe ne semble pas être visitée souvent), une idée des représentants locaux pour rendre l'endroit plus touristique. L'un des fils de Thorpe a récemment intenté un procès à la ville pour que la dépouille de son père soit rapatriée dans l'Oklahoma, où il est né.

Au nord, là où le Delaware met le cap vers l'ouest, marquant la frontière entre la Pennsylvanie et l'État de New York, et non loin des Catskills, on trouve plusieurs petites villes, essentiellement ouvrières. **Lander's River Trips** (📞800-252-3925 ; www.landersrivertrips.com ; canoë/kayak/chambre à air la journée 39/45/26 $), à Callicoon (NY) et à Narrowsburg (NY), plus en aval du fleuve, loue des canoës, des kayaks et des chambres à air. Les **Skinners Falls**, à côté, sont un bon endroit où passer la journée.

Pittsburgh

Célèbre centre industriel au XIXe siècle, Pittsburgh évoque toujours pour beaucoup des nuages de pollution émanant d'usines d'acier et de charbon. Pourtant, malgré des difficultés économiques persistantes, la ville fait aujourd'hui partie, et à juste titre, des métropoles du pays où il fait bon vivre. À la confluence des Monongahela et Allegheny Rivers avec la Ohio River, son paysage de quartiers vallonnés reliés par des ponts pittoresques (avec voies piétonnes) enjambant les cours d'eau, est sans égal dans le pays. Les nombreuses universités drainent une importante population étudiante qui confère à la ville un visage branché et culturel, avec des musées de premier ordre, des espaces verts abondants et plusieurs quartiers aux bars et restaurants animés. C'est ici que l'immigrant écossais Andrew Carnegie fit fortune en modernisant la production d'acier. Il est toujours l'un des symboles de la ville, et son importance se reflète dans les nombreuses institutions culturelles et éducatives. La production chuta pendant la Grande Dépression mais repartit dans les années 1930, avec la production automobile de masse. Lorsque l'économie et l'industrie de l'acier furent à nouveau touchées dans les années 1970, la ville releva la tête grâce à son équipe de football américain : à quatre reprises, les Steelers remportèrent le Super Bowl, exploit qui joua un rôle considérable pour le moral des habitants de la ville. Après la disparition de l'industrie de l'acier, Pittsburgh s'est recentrée sur la santé, les technologies et l'éducation. Aujourd'hui, elle compte plusieurs entreprises - dont Heinz - appartenant aux Fortune 500, classement des 500 premières entreprises américaines.

⊙ À voir et à faire

Les points d'intérêt sont répartis dans toute la ville, et l'étendue de cette dernière en fait un endroit difficile à parcourir exclusivement à pied. La conduite n'est pas forcément de tout repos non plus, en raison d'un agencement de rues qui perturbe même les habitants. En revanche, le réseau de bus est plutôt fiable. L'université de Pittsburgh, l'université Carnegie-Mellon, l'université Duquesne et plusieurs autres établissements d'enseignement supérieur sont bien situés en ville, avec de vastes campus et une population étudiante pleine de vie.

Le **Golden Triangle**, aux consonances mystiques, se trouve au confluent des rivières Monongahela et Allegheny, et correspond au centre-ville rénové. Au nord-est, le **Strip** se caractérise par ses entrepôts, ses épiceries ethniques et discothèques. Un peu plus au nord, le quartier montant de **Lawrenceville** abonde de galeries. Sur l'autre rive de l'Allegheny, le **North Side** abrite de grands stades et plusieurs musées. Les côtes du **South Side**, sur l'autre rive de la Monongahela, vont jusqu'à Mt Washington. Dans le quartier des **Flats**, E Carson St regorge de clubs et de restaurants. À l'est du centre-ville, on trouve la zone universitaire, **Oakland**, et au-delà, **Squirrel Hill** et **Shadyside**, des quartiers résidentiels à l'atmosphère chic et provinciale.

Pittsburgh Parks Conservancy PARC
(☎412-682-7275 ; www.pittsburghparks.org). Côté activités de plein air, la meilleure option est le réseau de parcs du Pittsburgh Parks Conservancy, qui s'étend sur 688 hectares et comprend le **Schenley Park** (terrains de sport, piscine et parcours de golf), le **Highland Park** (piscine, courts de tennis et piste cyclable), le **Riverview Park** (terrains de sport et sentiers d'équitation) et le **Frick Park** (chemins de randonnée, courts en terre battue et terrain de boules), tous dotés de belles pistes pour faire du jogging, du vélo et du roller. **Golden Triangle Bike Rental** (☎412-600-0675 ; www.bikepittsburgh.com ; 600 First Ave ; location h/journée 8/30 $) propose des vélos à la location et des circuits en ville. Une piste mène même jusqu'à Washington, DC ; il s'agit du **Great Allegheny Passage** (www.gaptrail.org). **Venture Outdoors** (☎412-255-0564 ; www.wpfi.org ; 304 Forbes Ave) est une excellente source d'informations sur le cyclisme, la randonnée et le kayak dans les parcs de la ville et les environs.

DOWNTOWN
Cette zone n'est appelée "Golden Triangle" que dans les brochures touristiques officielles.

Point State Park PARC
À la pointe du triangle, le joli front de mer rénové est très apprécié des promeneurs, cyclistes, flâneurs et joggeurs en été. Pour un parcours plus long, empruntez le **Montour Trail** (www.montourtrail.org), sentier de 18 km que vous rejoindrez en traversant le 6th St Bridge et en prenant le chemin goudronné au Carnegie Science Center. Dans le parc, le **Fort Pitt Museum** (☎412-281-9285 ; www.heinzhistorycenter. org ; 101 Commonwealth PI ; adulte/enfant 5 $/ gratuit ; ☉10h-17h) commémore la guerre de la Conquête (affrontement entre les Français et les Britanniques pour le contrôle de l'Amérique du Nord).

Senator John Heinz Pittsburgh Regional History Center MUSÉE
(☎412-454-6000 ; www.heinzhistorycenter. org ; 1212 Smallman St ; adulte/enfant combiné avec le Sports Museum 10/5 $; ☉10h-17h). Le musée, qui occupe un ancien entrepôt en briques, donne un bon aperçu de l'histoire de la région avec des expositions sur la guerre de la Conquête, les premiers colons, l'immigration, et l'industrie de l'acier et du verre. Le **Western Pennsylvania Sports Museum** (☉10h-17h ; 🐦), dans le même bâtiment, est axé sur les champions de Pittsburgh. Expositions interactives qui amuseront enfants et adultes.

August Wilson Center for African American Culture CENTRE D'ARTS
(☎412-258-2700 ; www.augustwilsoncenter. org ; 980 Liberty Ave). Cette institution contemporaine se concentre sur la culture et les arts afro-américains ; elle doit son nom à un dramaturge natif de Pittsburgh.

SOUTH SIDE ET MT WASHINGTON
Jeune, branché et animé comme East Village à New York, le South Side regorge de boutiques, bars et restaurants. Les 10 *blocks* entre le 10th St Bridge et Birmingham Bridge comptent des dizaines de bars, dont un bon nombre de minuscules troquets.

♥ Monongahela & Duquesne Incline FUNICULAIRE
(trajet adulte/enfant 2,25/1,10 $; ☉5h30-0h45 lun-sam, 7h-0h45 dim). Un trajet à bord du funiculaire historique (vers 1877) qui gravit et dévale les pentes raides de **Mt Washington** vous fera profiter de superbes vues sur la ville, en particulier la nuit. Au début de la Duquesne Incline, **Station Square** (Station Sq Dr, sur Fort Pitt Bridge) est un ensemble de beaux bâtiments ferroviaires rénovés qui abritent aujourd'hui un centre commercial à l'ancienne. Le quartier de **South Side Slopes** s'élève depuis la dynamique vallée de South Side et regroupe un assortiment fascinant de maisons semblant dangereusement perchées au bord des falaises, accessibles par des routes raides et sinueuses et des centaines de marches.

GRATUIT Society for Contemporary Art CENTRE CULTUREL
(☎412-261-7003 ; www.contemporarycraft.org ; 2100 Smallman St ; ☉10h-17h lun-sam). Artisanat de pointe et autres expositions artistiques.

NORTH SIDE
Si cette partie de la ville est plus peuplée lorsque le PNC Park est empli de supporters venus encourager les Steelers, elle compte aussi bon nombre d'excellents musées.

♥ Andy Warhol Museum MUSÉE
(☎412-237-8300 ; www.warhol.org ; 117 Sandusky St ; adulte/enfant 15/8 $; ☉10h-17h mar-jeu, sam-dim, 10h-22h ven). Ce musée rend hommage à l'enfant le plus cool de Pittsburgh, qui devint célèbre grâce à ses œuvres pop art, ses films avant-gardistes, ses liens avec le show-business et ses productions

du Velvet Underground. L'exposition inclut des portraits de célébrités ; des projections et performances originales sont souvent programmées dans l'amphithéâtre. Les cocktails servis le vendredi soir remportent un franc succès auprès de la communauté gay.

Carnegie Science Center MUSÉE
(☎412-237-3400 ; www.carnegiesciencecenter. org ; 1 Allegheny Ave ; adulte/enfant 18/10 $, supplément IMAX et expositions spéciales ; ⊙10h-17h dim-ven, 10h-19h sam ;). Génial pour les enfants, et un rang au-dessus des musées interactifs habituels sur les sciences, grâce à des expositions innovantes sur des sujets tels que l'espace ou la fabrication des bonbons.

Children's Museum of Pittsburgh MUSÉE
(☎412-322-5058 ; www.pittsburghkids.org ; Allegheny Sq ; adulte/enfant 11/10 $; ⊙10h-17h lun-sam, 12h-17h dim ;). Renferme tout un tas d'expositions interactives, dont une qui permettra aux enfants de passer sous le capot d'une vraie voiture, ainsi que des œuvres de Warhol accessibles aux enfants.

Mexican War Streets QUARTIER
Au nord-ouest, le quartier des Mexican War Streets doit son nom aux batailles et soldats de la guerre américano-mexicaine de 1846. Promenez-vous dans les rues paisibles bordées de rangées de maisons minutieusement restaurées, aux entrées de style néogrec et aux tourelles gothiques.

National Aviary ZOO
(☎412-323-7235 ; www.aviary.org ; 700 Arch St, Allegheny Sq ; adulte/enfant 13/11 $; ⊙10h-17h ;). Renferme plus de 600 espèces d'oiseaux exotiques et menacés.

Mattress Factory CENTRE CULTUREL
(☎412-231-3169 ; www.mattress.org ; 500 Sampsonia Way ; adulte/enfant 10 $/gratuit ; ⊙10h-17h mar-sam, 13h-17h dim). Installations artistiques uniques et spectacles.

OAKLAND ET SES ENVIRONS
C'est ici que se trouvent les universités de Pittsburgh et Carnegie-Mellon, et les rues alentour fourmillent de chambres d'étudiants, boutiques, cafés et restaurants bon marché.

Carnegie Museums MUSÉE
(☎412-622-3131 ; www.carnegiemuseums. org ; 4400 Forbes Ave ; adulte/enfant pour les 2 musées 15/11 $; ⊙10h-17h mar-sam, 12h-17h dim). Le **Carnegie Museum of Art** (www. cmoa.org) propose de superbes expositions

d'architecture, d'artistes impressionnistes et postimpressionnistes et de peintres modernes américains. Le **Carnegie Museum of Natural History** (www. carnegiemnh.org) renferme quant à lui un squelette de tyrannosaure et des salles consacrées à la géologie de la Pennsylvanie ainsi qu'à la préhistoire inuite.

GRATUIT Frick Art & Historical Center MUSÉE
(☎412-371-0600 ; www.frickart.org ; 7227 Reynolds St ; ⊙10h-17h, fermé lun). À Point Breeze, à l'est d'Oakland, ce fantastique centre comprend un musée où sont exposés des tableaux de peintres flamands, français et italiens ayant appartenu à Henry Clay Frick, le Car & Carriage Museum qui abrite des automobiles anciennes, et Clayton (visite 10 $), la demeure restaurée de Frick, datant de 1872. Sans oublier plus de 2 hectares de parc.

Phipps Conservatory JARDINS
(☎412-622-6914 ; www.phipps. conservatory.org ; One Schenley Park ; adulte/enfant 12/9 $; ⊙9h30-17h, 9h30-22h ven). Une impressionnante serre d'acier et de verre sous laquelle s'épanouissent de magnifiques jardins.

GRATUIT Cathedral of Learning TOUR
(☎412-624-6000 ; 4200 Fifth Ave ; visites 3 $; ⊙9h-15h lun-sam, 11h-15h dim). S'élevant à 163 m au-dessus du sol depuis le centre du campus de l'université de Pittsburgh, cette tour gothique de 42 étages est le deuxième bâtiment voué à l'éducation le plus haut du monde. Elle abrite les élégantes **Nationality Classrooms**, des classes représentant chacune une période et un style différents (la plupart ne sont accessibles qu'en visite guidée).

SQUIRREL HILL ET SHADYSIDE
Ces quartiers chics sont dotés de larges rues, d'excellents restaurants, de chaînes de magasins et de boutiques et boulangeries indépendantes (essayez la tarte aux amandes grillées, dessert typique de Pittsburgh). Squirrel Hill abrite l'importante communauté juive de Pittsburgh, ainsi que les meilleurs magasins judaïques et restaurants et bouchers kashers de la ville. Immeubles d'appartements, duplex et logements plus modestes sont presque aussi répandus que les grandes demeures qui font la réputation du quartier.

À Shadyside, Walnut St est la rue commerçante principale. Entre les deux quartiers, le campus verdoyant de la

Chatham University est un lieu de promenade agréable.

AGGLOMÉRATION DE PITTSBURGH

Lawrenceville, autrefois inhospitalier, est devenu le **quartier branché** de la ville, correspondant à la zone autour de Butler St, une longue artère de boutiques, galeries, studios, bars et restaurants allant de 16th St à 62nd St. Elle continue jusqu'à **Garfield**, quartier en voie d'embourgeoisement, où l'on trouve des restaurants ethniques bon marché. **Bloomfield** est une sorte de Little Italy (très petite) composé d'épiceries et de restaurants italiens et surtout du fameux restaurant polonais, Bloomfield Bridge Tavern. À côté se trouvent le zoo et l'aquarium de Pittsburgh, ainsi qu'un parc aquatique.

Tour-Ed Mine   MINE
(☏724-224-4720 ; www.tour-edmine.com ; 748 Bull Creek Rd, Tarentum ; adulte/enfant 7,50/6,50 $; ⊙10h-16h, fermé mar, juin-sept). Descendez à 48 m sous terre pour découvrir le travail des mineurs (claustrophobes s'abstenir).

Kennywood
Amusement Park   PARC D'ATTRACTIONS
(☏412-461-0500 ; 4800 Kennywood Blvd, West Mifflin ; www.kennywood.com ; adulte/enfant 37/24 $; ⊙10h30-22h juin-août). Ce parc d'attractions célèbre dans tout le pays, à 19 km au sud-est du centre-ville, compte quatre vieilles montagnes russes en bois.

Circuits organisés

 Alan Irvine
Storyteller Tours   MARCHE
(☏412-521-6406 ; www.alanirvine.com ; circuits 10-15 $). Un historien vous fait revivre le passé de la ville, à travers différents quartiers.

'Burgh Bits & Bites Food Tour   MARCHE
(☏800-979-3370 ; www.burghfoodtour.com ; circuits 35 $). Une façon originale de découvrir la diversité culinaire de la ville.

Pittsburgh History
& Landmarks Foundation   MARCHE
(☏412-471-5808 ; www.phlf.org ; Station Sq ; certains circuits gratuits, les autres à partir de 5 $). Circuits spécialisés (histoire, architecture ou culture) à pied ou en car.

Fêtes et festivals

Hothouse   CULTURE
(www.sproutfund.org/hothouse). Soirée annuelle estivale avec des spectacles, expositions et concerts éclectiques en soutien à la scène artistique de Pittsburgh.

Three Rivers Art Festival   CULTURE
(www.3riversartsfest.org). Pendant 10 jours au mois de juin, la ville assiste à un jaillissement culturel, avec concerts gratuits, spectacles et arts visuels à Point State Park.

🛏 Où se loger

On trouve principalement des chaînes d'hôtel, en particulier autour d'Oakland. L'Omni Penn Hotel domine le centre-ville. Si vous cherchez plus de caractère, consultez le site de la **Pittsburgh Bed & Breakfast Association** (www.pittsburghbnb.com).

Inn on Negley   AUBERGE $$
(☏412-661-0631 ; www.innonnegley.com ; 703 Negley Ave ; ch 180-240 $; P❄🛜). Ces deux maisons victoriennes, jadis deux auberges distinctes de Shadyside, forment aujourd'hui un seul établissement fabuleusement rénové et empreint de romantisme. Lits à baldaquin, beaux meubles, cheminées, grandes fenêtres et, dans certaines chambres, Jacuzzi.

The Priory   AUBERGE $$
(☏412-231-3338 ; www.thepriory.com ; 614 Pressley St ; ch petit-déj inclus à partir de 140 $; P❄🛜). Ce "prieuré", situé dans un ancien monastère catholique de North Side de l'autre côté du Veterans Bridge, mélange mobilier ancien et touches de design contemporain. Le petit salon est doté d'une cheminée et la cour intérieure est idéale pour prendre un verre. D'autres chambres ont été aménagées dans une nouvelle aile en 2011. Le magnifique Grand Hall mitoyen, une ancienne église, accueille désormais mariages et autres événements.

Inn on the Mexican
War Streets   AUBERGE $$
(☏412-231-6544 ; www.innonthemexicanwarstreets.com ; 604 W North Ave ; ch petit-déj inclus 139-189 $; P❄🛜). Cette demeure ancienne de North Side tenue par un couple gay se trouve à côté des musées, et sur la ligne de bus menant au centre-ville. Petits-déjeuners copieux et faits maison, accueil charmant, beaux meubles anciens et agréable véranda, sans oublier le bar à cocktails et le restaurant 4 étoiles Acanthus.

The Parador Inn   B&B $$
(☏412-231-4800 ; www.theparadorinn.com ; 939 Western Ave ; ch petit-déj inclus 150 $; P❄🛜). Cette grande maison joliment restaurée de North Side, non loin du

National Aviary et de Heinz Field, affiche un charmant mélange de styles, allant du victorien au caribéen. Salles communes et jardin très appréciables.

Sunnyledge
HÔTEL $$$

(☎412-683-5014 ; www.sunnyledge.com ; 5124 Fifth Ave ; ch/ste 189/275 $; ❄). Bien que les propriétaires définissent leur établissement comme un "boutique hotel", il serait plus juste de parler d'hôtel historique, sis dans une demeure de 1886 à l'élégance traditionnelle, à Shadyside.

Morning Glory Inn
AUBERGE $$$

(☎412-431-1707 ; www.gloryinn.com ; 2119 Sarah St ; ch petit-déj inclus 145-190 $, ste 175-450 $; ❄🐾). Maison de ville en brique au style victorien italianisant dans le quartier animé de South Side. Le paisible patio à l'arrière et les exquis petits-déjeuners compensent largement la décoration un peu kitch.

✖ Où se restaurer

La majorité des restaurants sont concentrés dans South Side, autour de Carson St. Les chefs du coin vont s'approvisionner en viandes et fromages dans les magasins italiens du quartier du Strip.

SOUTHSIDE

Cafe du Jour
MÉDITERRANÉE $$$

(1107 E Carson St ; plat 15-35 $; ⊙11h30-22h lun-sam). Situé dans le quartier bruyant de South Side, on y propose une carte de plats méditerranéens constamment renouvelée. À midi, ne manquez pas les délicieuses soupes et salades, à déguster si possible dans la petite cour extérieure (BYOB).

Dish Osteria Bar
MÉDITERRANÉEN $$

(☎412-390-2012 ; 128 S 17th St ; plat 18 $; ⊙17h-2h lun-sam). Restaurant intime et un peu caché très apprécié des locaux. La simplicité du décor (planchers et des tables en bois) tranche avec les créations culinaires parfois étonnantes, comme les sardines fraîches aux oignons caramélisés ou les *fettuccine* au *ragù* d'agneau.

Gypsy Café
MÉDITERRANÉEN $$

(☎412-381-4977 ; 1330 Bingham St ; plat 15 $; ⊙11h30-24h). Les murs et sols violets, les tapis colorés et la cuisine fraîche et de saison mettent du baume au cœur à la clientèle fidèle. On retient notamment la truite fumée et le ragoût de crevettes, Saint-Jacques et feta. Horaires variables. Renseignez-vous par téléphone.

Café Zenith
VÉGÉTARIEN $$

(86 S 26th St ; plat 10 $; ⊙11h-21h jeu-sam, 11h-15h dim). Le Café Zenith a des allures de magasin d'antiquités, et pour cause : tout est à vendre, même la table en formica sur laquelle vous mangez. Contrairement au décor, le brunch du dimanche (10 $) et le vaste choix de thés sont du dernier cri.

City Grill
AMÉRICAIN $$

(2019 E Carson St ; plat 10-25 $; ⊙11h-23h lun-jeu, 11h-24h ven-sam, 16h-22h dim). Parmi les meilleurs hamburgers de la ville.

Kessab's
ORIENTAL $

(1207 Carson St ; plat 6 $; ⊙10h30-22h lun-jeu, 10h30-23h ven-sam). Ce restaurant libanais fait un fabuleux *baba ghanoush* (caviar d'aubergines).

Double Wide Grill
AMÉRICAIN $$

(2339 E Carson St ; plat 16 $; ⊙11h-22h lun-mer, 11h-24h jeu-sam, 10h-22h dim). On y sert aussi bien des viandes grillées que des plats végétariens, comme le seitan braisé.

AUTRES QUARTIERS

Dinette
PIZZERIA $$

(☎412-362-0202 ; 5996 Penn Circle South ; pizza 14 $; ⊙18h-23h, 18h-24h ven-sam). Sonja Finn, arrivée à deux reprises en demi-finale du concours culinaire James Beard, a fait de ce restaurant ordinaire de Shadyside un haut lieu de la scène gastronomique de Pittsburgh. Les pizzas à pâte fine sont garnies de viandes et autres produits locaux et la carte des vins ne manque pas d'intérêt.

Primanti Bros
SANDWICHS $

(18th St, sur Smallman St ; sandwich 6 $; ⊙24h/24). Véritable institution en plein cœur du Strip, cet endroit toujours bondé sert de délicieux sandwichs chauds qui tiennent au corps – saucisse knackwurst et fromage, ou encore le "Pitts-burger cheesesteak". Également implanté à Oakland, dans le centre-ville et dans le South Side.

Essie's Original
Hot Dog Shop
RESTAURATION RAPIDE $

(3901 Forbes Ave ; repas 3 $; ⊙10h-3h30 lun-jeu, 10h-5h ven-sam). Ce haut lieu d'Oakland est très apprécié pour ses hot dogs et ses frites croustillantes bon marché – en particulier après une nuit arrosée.

Quiet Storm Coffeehouse
& Restaurant
VÉGÉTARIEN $

(5430 Penn Ave ; plat 8 $; ⊙8h-19h lun-jeu, 8h-22h ven, 10h-22h sam, 10h-16h dim ; ✍). Ce lieu de Garfield à la clientèle branchée est spécialisé dans la cuisine végétarienne et végétalienne et accueille souvent des lectures et des concerts.

Pamela's Diner
DÎNER $

(3703 Forbes Ave ; plat 6 $; ⊘7h30-16h). Les locaux – ainsi que Barack Obama, qui voue un culte quasi-religieux aux pancakes – ne jurent que par les petits-déjeuners de ce *diner* d'Oakland. Également présent dans le Strip, à Shadyside et à Squirrel Hill.

Ritter's Diner
DÎNER $

(5221 Baum Blvd ; plat 7 $; ⊘24h/24). Gargote classique où les habitants de Bloomfield se ruent pour des pierogi en rentrant de soirée. Un jukebox par table.

Pho Minh
VIETNAMIEN $

(4917 Penn Ave ; plat 7 $; ⊘12h-21h mer, jeu et dim, 12h-22h ven-sam). Minuscule restaurant bien connu à Bloomfield pour ses excellentes nouilles, soupes et préparations à base de tofu.

🍷 Où prendre un verre et sortir

Bars et discothèques

L'activité nocturne est concentrée principalement dans le South Side et le Strip. Carson St est l'épicentre de la tournée des bars. On trouve plusieurs grands lieux à l'ambiance déchaînée pour danser (surnommés "meatmarkets") à l'extrémité du quartier du Strip. La plupart des bars gays sont regroupés sur un tronçon de Liberty Ave, dans le centre-ville.

Bloomfield Bridge Tavern
PUB

(4412 Liberty Ave ; ⊘17h30-2h mar-sam). L'unique restaurant polonais de Little Italy est un pub quelque peu sommaire où l'on sert des bières et d'excellents *pierogi*. Groupes de rock indé en concert parfois.

Church Brew Works
BRASSERIE

(3525 Liberty Ave ; ⊘10h30-22h). Bières artisanales servies dans une ancienne église : voilà une brasserie de Lawrenceville qui sort du lot.

Hofbräuhaus
BAR À BIÈRE

(2705 S Water St ; ⊘11h-23h, 11h-2h ven-sam). Cette imitation des célèbres Bierpalast de Munich se trouve à un *block* de Carson St.

Gooski
BAR

(3117 Brereton St ; ⊘15h-2h). Bar branché et pas cher de Polish Hill, avec jukebox.

Brillo Box Bar
BAR

(4104 Penn Ave ; ⊘17h-2h mar-sam, 12h-2h dim). Cette adresse bien connue à Lawrenceville propose des concerts,

une excellente carte et un bon brunch dominical.

Dee's Cafe
BAR

(131 E Carson St ; ⊘12h-2h lun-sam, 14h-2h dim). À Southside, c'est ici qu'il faut se rendre pour jouer au billard et boire une Pabst à la pression.

Smokin' Joe's
BAR

(2001 E Carson St ; ⊘11h-2h). Immense choix de bières.

Musique live

Shadow Lounge
CONCERTS

(☎412-363-8277 ; www.shadowlounge.net ; 5972 Baum Blvd). Venez y assister à des concerts de hip-hop et de groupes indé, à des sets de DJ techno house, ainsi qu'à des lectures.

Rex Theater
SALLE DE CONCERT

(☎412-381-6811 ; www.rextheater.com ; 1602 E Carson St). Ce haut lieu de South Side est un ancien cinéma où viennent se produire des groupes de jazz, rock et musique indé.

Manchester Craftsman Guild
MUSIQUE LIVE

(☎412-322-0800 ; www.mcgjazz.org ; 1815 Metropolitan St). Concerts et enregistrements des plus grands artistes de jazz ; dans le North Side.

Club Café
MUSIQUE LIVE

(☎412-431-4950 ; www.clubcafelive.com ; 56-58 S 12th St). Ce club du South Side propose des concerts tous les soirs, principalement d'auteurs-interprètes.

Théâtre et culture

Pittsburgh Cultural Trust
ARTS DE LA SCÈNE

(☎412-471-6070 ; www.pgharts.org ; 803 Liberty Ave). Promeut tous les événements artistiques du centre-ville, du Pittsburgh Dance Council au PNC Broadway in Pittsburgh, en passant par les arts visuels et l'opéra. Le site Web indique les liens vers les lieux de programmation.

Gist Street Readings
ARTS DE LA SCÈNE

(www.giststreet.org ; 2ᵉ étage, 305 Gist St ; lectures 10 $). Chaque mois, des figures de la littérature, locales ou plus célèbres, sont invitées pour des lectures. Vu l'affluence habituelle, mieux vaut arriver dès l'ouverture des portes (19h15). Apportez de quoi vous désaltérer.

Harris Theater
CINÉMA

(☎412-682-4111 ; www.pghfilmmakers.org ; 809 Liberty Ave). Ce cinéma restauré programme un large choix de films d'art et d'essai, souvent à l'affiche des festivals de cinéma. Géré par Pittsburgh Filmmakers.

SPORT

Le sport tient une grande place à Pittsburgh. Certains vous diront qu'ils voient la vie en doré et noir, les couleurs de l'équipe locale de football américain, les **Steelers**, qui joue au **Heinz Field** (www.pittsburghsteelers.com). Dans le North Side, juste à côté de l'Allegheny River, le **PNC Park** (www.pirateball.com) est le camp de base des Pirates, équipe de base-ball. Le **Mellon Arena** (www.mellonarena.com), à l'est du centre-ville, est le stade des Penguins de Pittsbugh, équipe de hockey. L'équipe de basket-ball de l'université de Pittsburgh, les **Pitt Panthers** (www.pittsburghpanthers.com), depuis longtemps en bonne position dans les classements, est soutenue par des supporters fanatiques.

ⓘ Renseignements

Médias

Pittsburgh City Paper (www.pghcitypaper.com). Hebdomadaire gratuit avec une bonne rubrique sur la programmation culturelle.

Pittsburgh Post-Gazette (www.post-gazette.com). Grand quotidien.

Pittsburgh Tribune-Review (www.pittsburghlive.com). Autre grand quotidien.

Pittsburgh's Out (www.outonline.com). Mensuel gay gratuit.

WQED-FM: 90.5 Antenne locale de la radio publique nationale.

WYEP-FM: 91.3 Radio locale indépendante à la programmation musicale éclectique.

Offices du tourisme

Greater Pittsburgh Convention & Visitors Bureau Bureau principal (☑412-281-7711 ; www.visitpittsburgh.com ; Suite 2800, 120 Fifth Ave ; ⏱10h-18h lun-ven, 10h-16h sam, 10h-15h dim). Publie l'*Official Visitors Guide* et fournit cartes et renseignements touristiques.

Services médicaux

Allegheny County Health Department (☑412-687-2243 ; 3333 Forbes Ave). Dispose d'un centre médical sans rendez-vous.

University of Pittsburgh Medical Center (☑412-647-8762 ; 200 Lothrop St ; ⏱24h/24). Urgences, soins de santé de qualité.

Sites Internet

Citysearch (pittsburgh.citysearch.com). Sorties, restaurants et boutiques.

Pittsburgh.net (www.pittsburgh.net). Informations, quartiers et événements.

Pop City (www.popcitymedia.com). Magazine

en ligne hebdomadaire sur l'art et les événements culturels.

ⓘ Depuis/vers Pittsburgh

Avion

Pittsburgh International Airport (PIT ; www.pitairport.com), à 29 km à l'ouest du centre-ville, dispose de liaisons directes vers l'Europe, le Canada et les principales villes américaines.

Bus

Au départ de son terminus près du Strip, **Greyhound** (angle 11th St et Liberty Ave) dessert fréquemment Philadelphie (46 $, 7 heures), New York (54 $, 11 heures) et Chicago (62 $, 10-14 heures).

Voiture

Pittsburgh est facilement accessible par l'autoroute : depuis le nord ou le sud par l'I-76 ou l'I-79, depuis l'ouest par la Rte 22 et depuis l'est par l'I-70. Elle est à environ 8 heures de route de New York City et 3 heures de Buffalo.

Train

Amtrak (1100 Liberty Ave) se trouve derrière la magnifique gare ferroviaire, et ses trains desservent des villes comme Philadelphie (à partir de 47 $, 7-8 heures) et New York (à partir de 63 $, 9-11 heures).

ⓘ Comment circuler

Toutes les 20 minutes, un bus **28X Airport Flyer** (www.portauthority.org/paac ; aller 2,60 $) part de l'aéroport en direction d'Oakland et du centre-ville. Vous n'aurez aucun mal à trouver un taxi ; comptez environ 40 $ jusqu'au centre-ville (pourboire non compris). Plusieurs navettes relient également l'aéroport au centre-ville (aller 15-20 $/pers).

Il peut être très énervant de conduire à Pittsburgh : les routes se terminent sans crier gare, les rues à sens unique peuvent vous faire tourner en rond, et les ponts sont nombreux.

Port Authority Transit (www.portauthority.org) gère un vaste réseau de bus ainsi qu'un réseau de petits trains baptisé le "T", utile pour rejoindre le South Side depuis le centre-ville. Un trajet en bus ou en T est gratuit ou coûte jusqu' à 3 $, en fonction de la zone.

Pour un taxi, appelez **Yellow Cab Co of Pittsburgh** (☑412-321-8100), qui facture à la zone.

Environs de Pittsburgh

Le **Fallingwater** (☑724-329-8501 ; www.fallingwater.org ; adulte/enfant 18/12 $; ⏱10h-16h, fermé mer, se renseigner pour horaires détaillés), chef-d'œuvre de Frank Lloyd

Wright, se trouve au sud de Pittsburgh sur la Rte 381. Ce bâtiment de 1939, qui se fond tout naturellement dans le paysage, était à l'origine la résidence secondaire de la famille Kaufmann, propriétaire du grand magasin de Pittsburgh. L'intérieur n'est accessible qu'en visite guidée (1 visite/heure) ; réservation conseillée. Vous pouvez aussi opter pour la visite de 2 heures, plus complète et avec photographies autorisées (55 $; horaires variables selon les jours et les mois ; réservation impérative). Les beaux terrains boisés de la propriété ouvrent à 8h30.

Bien moins visité, **Kentuck Knob** (724-329-1901 ; www.kentuckknob.com ; adulte/enfant 16/10 $; 10h-17h mar-dim, 12h-17h mer), une autre réalisation de Frank Lloyd Wright (1953), est construit sur le flanc d'une colline. Il se caractérise par ses matériaux naturels, un design hexagonal et ses lucarnes en nid-d'abeilles. La visite de la maison dure environ 1 heure et comprend une promenade dans le jardin de sculptures, où sont exposées des œuvres d'Andy Goldsworthy, Ray Smith et autres.

Si vous voulez passer une ou deux nuits dans les environs, optez pour l'historique **Summit Inn** (724-438-8594 ; www.summitinnresort.com ; 101 Skyline Dr ; ch à partir de 120 $;), perché sur un sommet, ou le luxueux **Nemacolin Woodlands Resort & Spa** (724-329-8555 ; www.nemacolin.com ; 1001 Lafayette Dr ; ch à partir de 200 $), avec spa, golf et salles à manger. Ils sont tous deux situés à Farmington.

Nouvelle-Angleterre

Le top des restaurants

» Simon Pearce (p. 215)
» Mezze Bistro + Bar (p. 197)
» Frank Pepe's (p. 205)
» Costantino's Venda Ravioli (p. 199)
» Black Trumpet Bistro (p. 222)

Le top des hébergements

» Omni Parker House (p. 171)
» Carpe Diem (p. 189)
» Willard Street Inn (p. 219)
» Ale House Inn (p. 22)
» Providence Biltmore (p. 199)

Pourquoi y aller

La Nouvelle-Angleterre peut paraître petite sur la carte, et vous pourriez la traverser en voiture en une journée, mais quel intérêt cela aurait-il ? Il y a beaucoup trop à faire en route. Les villes offrent un mélange passionnant de sites historiques, de restaurants gastronomiques et de campus célèbres. Sur la côte, vous trouverez d'authentiques villages de pêcheurs et des plages de sable qui invitent à la baignade. À l'intérieur des terres, les États du Nord sont ruraux et les montagnes escarpées. Prenez donc le temps de décortiquer un homard cuit à la vapeur, de parcourir des sentiers tranquilles ou de vous perdre sur une route de campagne et de compter les ponts couverts. Et, si vous avez la chance d'y être durant l'automne, vous serez récompensé par un chatoiement de couleurs inoubliable.

Quand partir

Boston

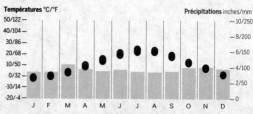

Mai-juin
Sites et sentiers peu fréquentés. Début de l'observation des baleines.

Juil-août
Haute saison touristique. Festivals, océan à bonne température et fêtes sur les plages.

Automne
La féérie des couleurs bat son plein dans les forêts de mi-septembre à mi-octobre.

Comment s'y rendre et circuler

Il est facile de se rendre en Nouvelle-Angleterre, mais une fois sur place, vous aurez besoin d'un véhicule pour explorer la région en profondeur. L'I-95 sur la côte et l'I-91 dans les terres sont les principales routes qui traversent la Nouvelle-Angleterre du Connecticut (au sud) au Canada (au nord). **Greyhound** (www.greyhound.com) assure le plus grand nombre de liaisons en bus.

Amtrak's (www.amtrak.com) relie Boston, Providence, Hartford et New Haven à New York par sa liaison du Northeast Corridor et assure des liaisons plus courtes ailleurs en Nouvelle-Angleterre.

L'aéroport international de Logan (BOS) à Boston est la principale plaque tournante de la Nouvelle-Angleterre. **L'aéroport TF Green** (PVD) à Providence (Rhode Island) et **l'aéroport de Manchester** (MHT) dans le New Hampshire, tous deux à environ une heure de route de Boston, sont en pleine expansion – moins congestionnés, ils offrent en outre des tarifs plus intéressants.

PARCS DE LA NOUVELLE-ANGLETERRE

L'**Acadia National Park** (p. 239), sur la côte nord accidentée du Maine, est le seul parc national de la région, mais de nombreuses autres étendues de forêts, de montagnes et de rivages sont protégées et ouvertes aux visiteurs.

La **White Mountain National Forest** (p. 225), une vaste forêt de 320 000 ha répartie sur le New Hampshire et le Maine, regorge de routes touristiques, de sentiers de randonnée, de campings et de pistes de ski. Au Vermont, la **Green Mountain National Forest** (p. 214) couvre 160 000 ha de forêt intacte que traverse l'Appalachian Trail. Le **Cape Cod National Seashore** (p. 186) est une autre merveille naturelle, avec 18 000 ha de dunes et de superbes plages propices à la baignade, au cyclisme et aux randonnées côtières.

Les parcs d'État abondent en Nouvelle-Angleterre, allant de petits espaces verts dans des zones urbaines à l'étendue sauvage et reculée du **Baxter State Park** (p. 243) dans le nord du Maine.

Spécialités de fruits de mer

» **Clam chowder** Velouté de palourdes et de pommes de terre, avec du lait et de la crème.

» **Huîtres** Servies crues sur leur coquille ou grillées ; les huîtres Wellfleet de Cape Cod sont les plus fines.

» **Steamers** Coquillages cuits à la vapeur et servis dans un bouillon saumâtre.

» **Clambake** Une assiette de homard cuit à la vapeur, de palourdes et de maïs.

Vous ne pouvez pas repartir de Nouvelle-Angleterre sans avoir décortiqué un homard cuit à la vapeur dans un petit restaurant de plage, comme, par exemple, le Lobster Dock à Boothbay Harbor.

En bref

» Principales villes : Boston (617 600 habitants), Providence (178 000 habitants)

» Distance de Boston à l'Acadia National Park : 500 km

» Fuseau : Eastern Standard Time (EST)

» États couverts dans ce chapitre : Massachusetts, Rhode Island, Connecticut, Vermont, New Hampshire, Maine

Le saviez-vous ?

Quatre des six États de la Nouvelle-Angleterre ont légalisé le mariage gay.

Sites Internet

» Discover New England (www.discovernewengland.org) recense toutes les destinations de la Nouvelle-Angleterre (en anglais).

» Le guide des couleurs de l'automne du *Yankee Magazine* (www.yankeefoliage.com) propose une carte des feuillages et suggère des routes pittoresques (en anglais).

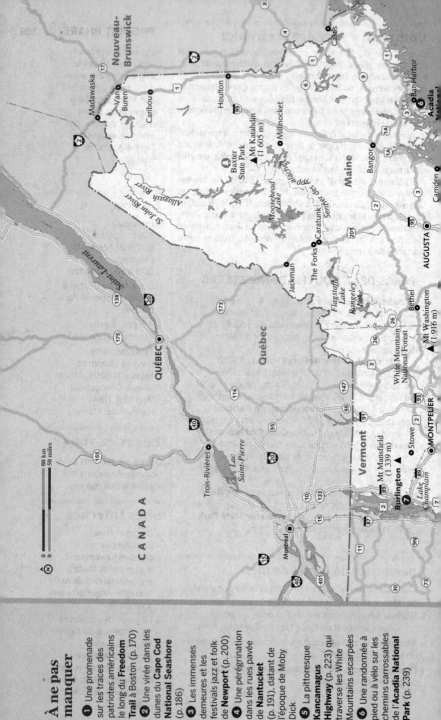

À ne pas manquer

1 Une promenade sur les traces des patriotes américains le long du **Freedom Trail** à Boston (p. 170).

2 Une virée dans les dunes du **Cape Cod National Seashore** (p. 186).

3 Les immenses demeures et les festivals jazz et folk de **Newport** (p. 200).

4 Une pérégrination dans les rues pavée de **Nantucket** (p. 191), datant de l'époque de Moby Dick.

5 La pittoresque **Kancamagus Highway** (p. 223) qui traverse les White Mountains escarpées.

6 Une randonnée à pied ou à vélo sur les chemins carrossables de l'**Acadia National Park** (p. 239).

CANADA

Montréal

Trois-Rivières

Lac Saint-Pierre

QUÉBEC

Saint-Laurent

Québec

40 401

15

20

30 73

9N

17

87

89 **Burlington** 7

Stowe
Mt Mansfield (1 339 m)

MONTPELIER
93

Vermont

2

89

Lac Champlain

11

10 133

15

155

175

138

20

116

55

147

55

91

2

26

26

3

White Mountain National Forest

Mt Washington (1 916 m)

Bethel

Québec

173

Jackman

The Forks

201

Caratunk

Sentier des App...

Flagstaff Lake

Rangeley Lake

AUGUSTA

95

Camden

3

Bangor

2

1A

1A

Millinocket

Mt Katahdin (1 605 m)

Baxter State Park

Moosehead Lake

Allagash River

St John River

Houlton

1

55

Caribou

Van Buren

Madaveska

17

Nouveau-Brunswick

1

6

9

Calais

1

1

Bar Harbor

Acadia National

Maine

0   80 km
0   50 miles

N

7 Du cyclisme autour du lac Champlain après un déjeuner dans l'un des cafés bio de **Burlington** (p. 218)

8 Une randonnée sportive dans les **Green Mountains** (p. 214)

9 L'enivrante féérie des couleurs dans les **Berkshires** (p. 196) et les **Litchfield Hills** (p. 209)

Histoire

À l'arrivée des premiers colons européens, la Nouvelle-Angleterre était habitée par des petites tribus d'Algonquins qui vivaient de la culture du maïs et des haricots, de chasse et de pêche dans les eaux côtières.

En 1602, Bartholomew Gosnold, venu d'Angleterre, accosta à Cape Cod et navigua plus au nord jusqu'au Maine, mais ce n'est qu'en 1614 que le capitaine John Smith, qui explorait le rivage de la région pour Jacques Ier d'Angleterre, la baptisa "Nouvelle-Angleterre". L'arrivée des Pères pèlerins à Plymouth en 1620 marqua le début de la colonisation par les Européens. Au cours du siècle suivant, les colonies prirent de l'expansion, souvent au détriment des Amérindiens.

Bien qu'étant sujets du roi d'Angleterre, les habitants de la Nouvelle-Angleterre s'étaient dotés de conseils législatifs et se gouvernaient eux-mêmes. Ils finirent par considérer que leurs affaires étaient séparées de celle de l'Angleterre. Dans les années 1770, George III instaura une politique visant à restaurer son autorité sur ces colons à l'esprit libre, et imposa une série des taxes substantielles. Les colons, qui n'étaient pas représentés au Parlement britannique, se révoltèrent avec pour slogan "Pas de taxation sans représentation". Les tentatives de mater la rébellion provoquèrent les batailles de Lexington et de Concord, qui mirent en branle la Révolution américaine et donnèrent naissance aux États-Unis, en 1776.

Après l'Indépendance, la Nouvelle-Angleterre devint une puissance économique, et ses ports prirent de l'importance grâce à la construction navale, la pêche et le commerce.

Les célèbres Yankee Clippers naviguèrent jusqu'en Chine et en Amérique du Sud. La première filature de coton alimentée par la force hydraulique aux États-Unis vit le jour à Rhode Island en 1793. Dans les années qui suivirent, de vastes usines de vêtements, de chaussures et de machines se créèrent le long des rivières de la Nouvelle-Angleterre.

Mais aucun boom économique ne dure éternellement. Au début du XXe siècle, la plupart des usines étaient parties au sud. Aujourd'hui l'éducation, la finance, la biotechnologie et le tourisme sont les moteurs économiques de la région.

Culture locale

Les habitants de la Nouvelle-Angleterre sont en général des personnes réservées et peu bavardes, ce qui contraste fortement avec la nature extravertie des Californiens, pour ne citer qu'eux. Sous leurs apparences taciturnes, ce sont cependant des gens sympathiques, mais qui adoptent un style plus formel.

Vous remarquerez surtout dans les régions rurales que les gens sont fiers de leur ingéniosité et de leur autosuffisance. Les habitants de la Nouvelle-Angleterre demeurent farouchement indépendants, des pêcheurs qui bravent les tempêtes de l'Atlantique aux petits agriculteurs du Vermont qui se battent pour demeurer indépendants de l'industrie agroalimentaire aux visées expansionnistes.

Heureusement pour eux, les mouvements favorisant l'achat local et l'agriculture biologique ont pris une ampleur considérable partout en Nouvelle-Angleterre. De Boston aux petites villes à l'extrême nord, les menus

---

LA NOUVELLE-ANGLETERRE EN...

Une semaine

Commencez par **Boston**, en empruntant le **Freedom Trail**, en dînant dans un bistrot du **North End** et en explorant les sites intéressants de la ville. Ensuite, flânez parmi les belles demeures de **Newport**, puis profitez de la plage de **Cape Cod** avant de prendre le ferry pour une journée à **Nantucket** ou à **Martha's Vineyard**. Terminez votre semaine par une promenade au nord dans les **White Mountains** du New Hampshire, puis redescendez par la **côte du Maine**.

Deux semaines

Vous avez le temps de bien explorer la région. Visitez **Providence**, **Portland** et **Burlington**, puis découvrez l'histoire maritime de **Mystic** et roulez tranquillement à travers les **Litchfield Hills** et les **Berkshires**. Faites du kayak le long des côtes de l'**Acadia National Park**. Plongez-vous dans la nature sauvage du Maine, où vous pourrez escalader le mont le plus septentrional de l'**Appalachian Trail** et descendre l'impressionnante **Kennebec River**.

des bistrots sont de plus en plus marqués par l'écologie.

Il y a un endroit où la réserve légendaire des habitants de la Nouvelle-Angleterre n'est pas de mise : sur les terrains de sport. Les habitants de la région sont des inconditionnels du sport. Un match des Red Sox est un spectacle en soi, avec des ovations de la foule et des tonnerres d'applaudissements.

Généralement considérée comme une enclave progressiste, la Nouvelle-Angleterre est à l'avant-garde des questions de société, qu'il s'agisse du mariage gay ou de la réforme du système de santé. À tel point d'ailleurs que c'est du programme d'assurance-maladie universelle du Massachusetts dont s'est inspiré le président Obama pour son programme national.

MASSACHUSETTS

L'État le plus peuplé de la Nouvelle-Angleterre présente un paysage très varié, des collines boisées des Berkshires aux plages sablonneuses de Cape Cod. Presque partout l'histoire du Massachusetts s'impose : à Plymouth, le "berceau de l'Amérique", le long du Freedom Trail à Boston, qui renvoie aux origines de la Révolution américaine, ou en arpentant les rues pavées du vieux village de chasseurs de baleines de Nantucket. Boston, grâce à ses nombreuses universités, possède tous les attributs d'une ville universitaire digne de ce nom – depuis des musées de classe mondiale jusqu'à une vie nocturne branchée. Provincetown arbore fièrement ses couleurs arc-en-ciel comme aucune autre, et Northampton propose les cafés les plus tendance de la région. Enfin, Martha's Vineyard est le cadre idéal pour des vacances en famille – vous n'avez qu'à demander aux Obama et aux Clinton.

Histoire

Le Massachusetts a joué un rôle majeur dans la vie politique américaine depuis l'arrivée des premiers colons. Au XVIIIe siècle, poussés par un commerce maritime florissant, les colons du Massachusetts se sont révoltés contre les restrictions commerciales imposées par la Grande-Bretagne. La tentative par les Anglais de mater la révolte s'est soldée par le massacre de Boston de 1770, qui devint un cri de ralliement pour le passage à l'action. En 1773, rendus furieux par l'imposition d'une nouvelle taxe sur le thé, les colons grimpèrent à bord de trois navires marchands britanniques et déversèrent leur cargaison dans le port de Boston.

» **Surnom :** Bay State (État de la Baie)

» **Population :** 6,5 millions d'habitants

» **Superficie :** 12 600 km^2

» **Capitale :** Boston (617 600 habitants)

» **Autres villes :** Worcester (181 000 habitants), Springfield (153 000 habitants)

» **TVA :** 6,25%

» **État de naissance de :** Benjamin Franklin (1706-1790) ; John F. Kennedy (1917-1963) ; Jack Kerouac (1922-1969) et Henry David Thoreau (1817-1862), écrivains

» **Célèbre pour :** Harvard, le marathon de Boston, le Plymouth Rock

» **Politique :** État le plus progressiste de la Nouvelle-Angleterre

» **Histoire :** la Boston Tea Party ; premier État à avoir légalisé le mariage gay

» **Distances par la route :** Boston-Provincetown : 233 km ; Boston-Northampton : 157 km

Connue sous le nom de "Boston Tea Party", cette révolte contre la fiscalité imposée par la Couronne a été l'événement précurseur des batailles qui ont marqué le début de la Révolution américaine.

Au XIXe siècle, le Massachusetts devint le centre mondial de l'industrie de la chasse à la baleine, rapportant une fortune inédite aux îles de Nantucket et de Martha's Vineyard, dont les ports sont toujours bordés de belles demeures de capitaines.

ⓘ Renseignements

Le **Boston Globe** (www.boston.com) est le principal journal de la région et possède un excellent site Web.

Le **Massachusetts Dept of Conservation and Recreation** (☏877-422-6762 ; www.mass.gov/dcr/recreate/camping.htm) gère les terrains de camping de 29 parcs d'État.

Le **Massachusetts Office of Travel & Tourism** (☏617-973-8500 ; www.massvacation.com) fournit des renseignements touristiques sur l'ensemble de l'État.

Boston

Boston est à la fois l'une des cités les plus vénérables et l'une des villes les plus jeunes des États-Unis. Les différentes universités donnent en effet une seconde jeunesse à cette capitale historique, lui permettant d'être à la pointe en matière d'arts et de divertissements. Mais Boston est loin de n'être qu'une ville de lettres. Pour vous en convaincre, assistez à un match de base-ball au Fenway Park et joignez-vous aux fans des Red Sox.

Histoire

Lorsque l'Angleterre établit la colonie de la baie de Massachusetts en 1630, Boston devint sa capitale. C'est la ville des "premiers" : la Boston Latin School, la première école publique des États-Unis, a été fondée en 1635, suivi l'année d'après par Harvard, la première université du pays. Le premier journal des colonies fut imprimé ici en 1704, le premier syndicat américain s'est formé dans cette ville en 1795 et le premier métro a ouvert ses portes à Boston en 1897.

Non seulement les premières batailles de la Révolution américaine se sont déroulées ici, mais c'est également à Boston qu'était basé le premier régiment noir à combattre dans la guerre de Sécession. Des vagues d'immigrants, notamment en provenance d'Irlande au milieu du XVIIIᵉ siècle et d'Italie au début du XXᵉ siècle, ont insufflé une influence européenne à la ville.

Aujourd'hui, Boston demeure à l'avant-garde de l'enseignement supérieur et ses universités ont ouvert la voie à des industries de renommée mondiale dans les domaines de la biotechnologie, de la médecine et de la finance.

⊙ À voir et à faire

Boston est une ville à l'échelle intime que l'on explore bien à pied. La plupart des curiosités se trouvent près du centre-ville, et l'on peut aisément se balader de l'une à l'autre.

À Boston Common, vous trouverez un office du tourisme et le départ du Freedom Trail. Boston Common est le point central de la ville et ses alentours ne manquent pas de sites historiques et de beaux parcs qui sont l'occasion d'agréables promenades.

BOSTON COMMON ET PUBLIC GARDEN

Boston Common   PARC

(carte p. 172). Avec ses 20 ha, le premier parc public du pays, véritable cœur de Boston depuis 1634, est bordé par Tremont St, Beacon St et Charles St. Dans le passé, des vaches y ont brouté, les soldats de la Révolution américaine y ont établi leur QG, et l'on y a même installé des piloris et des carcans servant à punir ceux qui avaient osé défier les règles de la morale puritaine. De nos jours, c'est plutôt son cadre relaxant qui est réputé, notamment l'étang dit **Frog Pond** où des échassiers viennent se rafraîchir

---

BOSTON EN...

Deux jours

Marchez sur les traces des patriotes américains en suivant le **Freedom Trail** et arrêtez-vous pour boire un peu d'histoire à la **Bell in Hand Tavern**, la plus ancienne taverne des États-Unis. Finissez votre première journée par un succulent repas dans le **North End**, la "Petite Italie" de Boston.

Étudiant, vous rêviez peut-être d'aller à Harvard ? Eh bien, entamez votre deuxième journée à **Cambridge** en flânant sur Harvard Sq et en faisant le tour des hauts lieux du campus. Pour terminer la journée, admirez les galeries et le beau monde dans **Newbury St**.

Quatre jours

Commencez votre troisième journée dans l'un des sompteux musées de la ville : au **Museum of Fine Arts** pour de l'art américain classique, ou à l'**Institute of Contemporary Art** si vous avez envie d'art contemporain. Pour une magnifique vue de la ville, prenez l'ascenseur jusqu'au 50ᵉ étage du **Prudential Center Skywalk**.

Pour votre dernière journée, allez jusqu'à **Lexington** et à **Concord** si vous aimez la littérature américaine, ou passez la journée à la **Plimoth Plantation**, idéale pour une visite en famille. Une fois revenu en ville, vous pourrez assister à une pièce de théâtre ou suivre un match des **Red Sox**.

l'été, tandis que des patineurs y font des arabesques l'hiver.

Public Garden
JARDIN

(carte p. 172). Ce jardin public de près de 10 ha est attenant au Boston Common et offre une oasis relaxante parmi les fleurs, à l'ombre des arbres. En son centre se trouve un plan d'eau paisible avec des pédalos désuets, les **Swan Boats** (www.swanboats. com ; adulte/enfant 2,75/1,50 $; ☺10h-16h ou 10h-17h mi-avr à mi-sept ; ♿), qui font le bonheur des enfants depuis des générations.

BEACON HILL ET LE CENTRE-VILLE
Se dressant au-dessus de Boston Common, Beacon Hill est le quartier le plus historique et le plus riche de Boston. À l'est se trouve le centre-ville, un curieux mélange de curiosités de l'époque coloniale et d'immeubles de bureaux modernes.

GRATUIT ### State House
ÉDIFICE HISTORIQUE

(carte p. 172 ; ☎617-727-3676 ; Beacon St, à Park St ; ☺8h-17h lun-ven). Au sommet de Beacon Hill se trouve le capitole au dôme doré, qui abrite le gouvernement du Massachusetts depuis 1798. Des visites guidées de 40 minutes sont assurées par des bénévoles entre 10h et 15h30.

Granary Burying Ground
CIMETIÈRE

(carte p. 172 ; angle Tremont St et Park St). Un pan entier d'histoire est enterré dans ce cimetière colonial datant de 1660 et où gisent d'importants Bostoniens, dont les héros révolutionnaires Paul Revere, Samuel Adams et John Hancock.

Faneuil Hall
SITE HISTORIQUE

(carte p. 172 ; Congress St). Ces célèbres halles de briques rouges, avec leur girouette de criquet sur le toit, accueillent un marché et des réunions publiques depuis 1740. De nos jours, elles forment, avec le Quincy Market, le North Market et le South Market, la Faneuil Hall Marketplace, un regroupement de très nombreux restaurants et petites boutiques.

Museum of Afro-American History
MUSÉE

(carte p. 172 ; www.afroammuseum.org ; 46 Joy St ; adulte/enfant 5/3 $; ☺10h-16h lun-sam). Ce musée sur l'histoire des Noirs de Boston comprend l'**African Meeting House** adjacente, où l'ancien esclave Frederick Douglass recruta des soldats noirs pour la guerre de Sécession.

Old South Meeting House
ÉDIFICE HISTORIQUE

(carte p. 172 ; www.oldsouthmeetinghouse. org ; 310 Washington St ; adulte/enfant 6/1 $; ☺9h30-17h). En 1773, les colons se réuni-

L'imposante autoroute qui autrefois se frayait un chemin en plein centre-ville s'est transformée en une étendue verte allant de Chinatown à North End. Baptisée Rose Kennedy Greenway en l'honneur de la mère du président John F. Kennedy, cet espace vert serpente au gré du terrain occupé il y a quelques années par la partie élevée de l'I-93.

Achevé à la fin 2008, cet ensemble de parcs interconnectés apporte une sérénité ombragée en plein cœur de la ville et comprend des fontaines, des œuvres d'art et des sculptures.

Si vous vous demandez ce qui est arrivé à l'autoroute, sachez qu'elle passe désormais par des tunnels souterrains grâce au "Big Dig", le projet autoroutier le plus cher de l'histoire des États-Unis.

rent ici pour débattre de la taxation avant de déclencher la Boston Tea Party.

Old State House
ÉDIFICE HISTORIQUE

(carte p. 172 ; www.bostonhistory.org ; 206 Washington St ; adulte/enfant 7,50/3 $; ☺9h-17h). Le plus ancien bâtiment public de Boston, érigé en 1713, contient une exposition permanente sur la Révolution américaine.

NORTH END ET CHARLESTOWN
Ce dédale de rues étroites qu'est le quartier italien de North End offre aux visiteurs un mélange irrésistible de maisons anciennes colorées et de restaurants appétissants. De l'autre côté de la rivière dans Charlestown, se trouvent d'autres curiosités coloniales, dont le plus ancien navire de guerre américain.

Paul Revere House
ÉDIFICE HISTORIQUE

(carte p. 172 ; www.paulreverehouse.org ; 19 North Sq ; adulte/enfant 3,50/1 $; ☺9h30-17h15). La plus ancienne maison (1680) toujours sur pied à Boston. De plus, c'était la maison de Paul Revere, un des leaders de la milice coloniale des Minutemen, surnommés ainsi du fait de leur rapidité à se déployer. C'est Revere qui enfourcha son cheval et parcourut les rues pour prévenir de l'arrivée des Anglais.

Old North Church
ÉGLISE

(carte p. 172 ; www.oldnorth.com ; 193 Salem St ; ☺9h-18h juin-oct, 9h-17h nov-mai). C'est dans

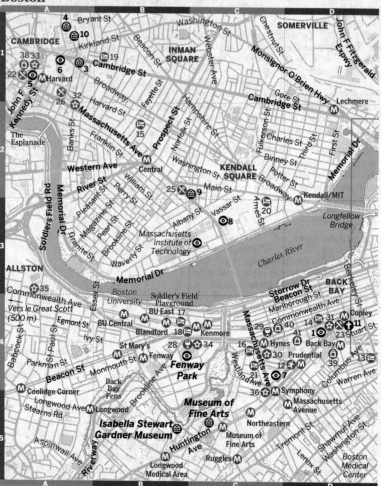

le clocher de cette église, construite vers 1723, que deux lanternes furent accrochées durant la nuit du 18 avril 1775 pour signaler à Paul Revere que les troupes britanniques arrivaient par la mer (le signal était "une par la mer, deux par la terre").

GRATUIT **USS Constitution** NAVIRE DE GUERRE (carte ci-dessus ; www.history.navy.mil/ussconstitution ; Charlestown Navy Yard ; ⊙10h-18h mar-dim avr-oct, 10h-16h jeu-dim nov-mar ; ⏃). Ce bâtiment de guerre légendaire fût construit en 1797. Sa coque en poutres de noyer est si épaisse que les boulets rebondissaient dessus. Pour les familles : ne pas manquer

le musée, où les enfants peuvent revêtir un costume de marin (à immortaliser par une photo).

GRATUIT **Bunker Hill Monument** MONUMENT (carte ci-dessus ; www.nps.gov/bost ; Monument Sq ; ⊙9h-17h). Cet obélisque en granite de 67 m commémore la première grande bataille de la Révolution américaine et offre un bon point de vue pour ceux qui ont le courage de gravir ses 294 marches.

BACK BAY

Situé à l'ouest de Boston Common, ce quartier propret arbore de beaux *brownstones* et

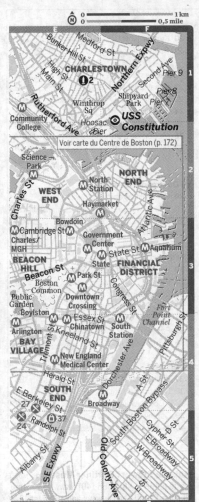

Voir carte du Centre de Boston (p. 172)

valu à Boston la réputation d'être l'Athènes de l'Amérique. Des brochures gratuites vous permettent de l'explorer par vous-même et d'admirer les peintures murales de John Singer Sargent ou encore la sculpture d'Augustus Saint-Gaudens.

Prudential Center Skywalk   POINT DE VUE
(carte ci-contre ; ☐617-859-0648 ; 800 Boylston St ; adulte/enfant 12/8 $; ◷10h-22h). Pour une vue imprenable à 360° de la ville, rendez-vous au poste d'observation au 50ᵉ étage de cet immeuble.

WATERFRONT ET SEAPORT DISTRICT

Le front de mer de Boston offre une liste exponentielle de curiosités, toutes reliées par le Harborwalk, un sentier piétonnier.

Institute of Contemporary Art   MUSÉE
(hors carte p. 172 ; ☐617-478-3100 ; www.icaboston.org ; 100 Northern Ave ; adulte/enfant 15 $/gratuit ; ◷10h-17h mar, mer, sam et dim, 10h-21h jeu-ven). Ce musée offre de superbes expositions de grands noms de l'art urbain comme Shepard Fairey. L'impressionnante architecture en porte-à-faux du bâtiment est ultramoderne. Ses baies vitrées offrent une vue imprenable sur le port de Boston. Entrée gratuite après 17h le jeudi.

New England Aquarium   AQUARIUM
(carte p. 172 ; ☐617-973-5200 ; www.neaq.org ; Central Wharf ; adulte/enfant 22/14 $; ◷9h-17h lun-ven, 9h-18h sam-dim ; ♿). Cet aquarium de 4 étages qui grouille de requins et de poissons tropicaux saura captiver l'attention des enfants. Il propose également des **croisières d'observation de baleines** (adulte/enfant 40/32 $; ◷avr-oct), dirigées par des naturalistes. Ces croisières populaires se rendent à 30 miles des côtes, au Stellwagen Bank National Marine Sanctuary, un immense plateau sous-marin au nord de la pointe de Cape Cod, où vous pourrez voir des baleines à bosse en pleine action.

CHINATOWN, THEATER DISTRICT ET SOUTH END

Compact et facile à explorer à pied, Chinatown offre d'alléchants restaurants asiatiques. Le Theater District voisin, quant à lui, regorge de salles de spectacle. Le tentaculaire South End arbore l'une des plus fortes concentrations de maisons mitoyennes victoriennes aux États-Unis, une scène artistique florissante et d'agréables cafés de quartier.

FENWAY ET KENMORE SQUARE

Avec ses musées de renommée mondiale et le plus ancien stade de base-ball d'Amérique,

d'imposants édifices, et il abrite le paradis du shopping qu'est Newbury St.

Copley Square   PLACE
(carte ci-dessus). Vous trouverez ici une série de beaux bâtiments historiques, dont la **Trinity Church** (www.trinitychurchboston.org ; angle Boylston St et Clarendon St ; adulte/enfant 7 $/gratuit ; ◷9h-17h lun-sam, 13h-18h dim), église romane de style français et chef-d'œuvre de l'architecte HH Richardson. En face se trouve la **Boston Public Library** (www.blp.org ; 700 Boylston St ; ◷9h-21h lun-jeu, 9h-17h ven et dim ; 📶), la première bibliothèque municipale des États-Unis, qui a

le quartier de Fenway est une destination à lui seul.

Museum of Fine Arts   MUSÉE
(MFA ; carte p. 166 ; ☎617-267-9300 ; www.mfa.org ; 465 Huntington Ave ; adulte/enfant 20/7,50 \$; ⏰10h-16h45 sam-mar, 10h-21h45 mer-ven). L'un des meilleurs musées d'art du pays. Il s'est encore amélioré avec l'ouverture d'une nouvelle aile sur l'art des Amériques, dont les 53 galeries exposent des œuvres allant de l'art précolombien à des toiles de Winslow Homer. Le musée possède également une belle collection d'impressionnistes, des momies égyptiennes et bien d'autres choses. Entrée gratuite pour tous après 16h le mercredi, et pour les enfants après 15h en semaine, toute la journée le week-end et tous les jours durant l'été.

Isabella Stewart Gardner Museum MUSÉE
(carte p. 166 ; ☎617-566-1401 ; www.gardnermuseum.org ; 280 The Fenway ; adulte/enfant 12 \$/gratuit ; ⏰11h-17h mar-dim). Isabella Gardner a constitué sa vaste collection, allant d'œuvres de Rembrandt à des portraits du peintre bostonien John Singer Sargent, il y a plus d'un siècle. Elle vivait dans le magnifique palais de style vénitien où sont actuellement exposées les œuvres. La visite de la demeure à elle seule vaut la peine. Et si vous vous prénommez Isabella, l'entrée est gratuite !

CAMBRIDGE
Sur la rive nord de la Charles River, vous trouverez Cambridge, ville politiquement progressiste, qui accueille Harvard et le Massachusetts Institute of Technology (MIT). Les quelque 30 000 étudiants qui y résident en font une cité diverse et animée.

En son centre, le **Harvard Square** (carte p. 166) regorge de cafés et de librairies, et de nombreux artistes de rue s'y produisent.

Harvard University CAMPUS

(carte p. 166). Le long de Massachusetts Ave, face à la station Harvard du "T", se dresse le campus boisé de Harvard. Des dizaines de Prix Nobel et huit présidents y ont étudié. Pour d'autres anecdotes, joignez-vous à une visite guidée gratuite au **Harvard University Information Center** (☑617-495-1573 ; www. harvard.edu/visitors ; 1350 Massachusetts Ave ; ⊙visite de 1 heure à 10h, 12h et 14h lun-sam).

Harvard Art Museums MUSÉE

(carte p. 166 ; ☑617-495-9400 ; www.harvardartmuseum.org ; 485 Broadway ; adulte/enfant 9 \$/gratuit ; ⊙10h-17h mar-sam). Il n'est pas surprenant que la plus ancienne (1636) et la plus riche université du pays ait amassé une incroyable collection d'œuvres d'art, allant de Picasso aux arts de l'Islam.

Harvard Museum of Natural History MUSÉE

(carte p. 166 ; ☑617-495-3045 ; www.hmnh. harvard.edu ; 26 Oxford St ; adulte/enfant 9/6 \$; ⊙9h-17h ; ♿). Ce musée et le **Peabody Museum of Archaeology & Ethnology** attenant présentent une collection amérindienne impressionnante et une superbe collection de 4 000 fleurs en verre soufflé. L'entrée est valide pour les deux musées.

Massachusetts Institute of Technology CAMPUS

(MIT ; carte p. 166). Le plus célèbre des campus technologiques américains. Le **MIT Information Center** (carte p. 166 ; ☑617-253-4795 ; www.mit.edu ; 77 Massachusetts Ave ; ⊙visite gratuite de 1 heure 30 à 11h et 15h lun-ven) vous indiquera où admirer les œuvres présentes sur le campus, dont des bronzes de Henry Moore et l'architecture de Frank Gehry.

MIT Museum MUSÉE

(carte p. 166 ; www.mit.edu/museum ; 265 Massachusetts Ave ; adulte/enfant 7,50/3 \$; ⊙10h-17h). Ce musée renferme une collection spectaculaire, dont la plus grande exposition d'hologrammes du monde, des robots du laboratoire d'intelligence artificielle du MIT et des sculptures kinésiques. Entrée libre de 10h à 12h le dimanche.

GREATER BOSTON (GRAND BOSTON)
Museum of Science MUSÉE

(carte p. 172 ; ☑617-723-2500 ; www.mos.org ; Charles River Dam ; adulte/enfant 21/18 \$; ⊙9h-17h sam-jeu, 9h-21h ven, horaire prolongé en juil-août ; ♿). Ce musée ultramoderne, à quelques encablures du MIT, renferme des

Avez-vous déjà eu envie de parcourir le monde à pied ? La route la plus courte se trouve au **Mapparium** (carte p. 166 ; www.marybakereddylibrary.org ; 200 Massachusetts Ave ; adulte/enfant 6/4 \$; ⊙10h-16h mar-dim ; ♿) de la Christian Science Church, un énorme globe en vitrail doté d'un pont qui le traverse.

centaines d'expositions interactives sur les dernières tendances technologiques. Vous pourrez admirer une capsule spatiale ou explorer la nanotechnologie. Les enfants apprécieront particulièrement. Le **planétarium** récemment rénové vient enrichir l'expérience.

John F. Kennedy Library & Museum MUSÉE

(hors carte p. 166 ; ☑617-514-1600 ; www.jfklibrary. org ; Columbia Point ; adulte/enfant 12 \$/gratuit ; ⊙9h-17h). Donnant sur le port de Boston, ce bâtiment saisissant conçu par IM Pei abrite un musée tout entier dédié à Kennedy. Des expositions multimédias relatent des événements historiques comme la crise des missiles de Cuba. Prendre la ligne rouge du "T" jusqu'à JFK/UMass, puis la navette gratuite JFK.

☞ Circuits organisés

Boston Duck Tours AVENTURE

(carte p. 166 ; ☑617-723-3825 ; www.boston-ducktours.com ; adulte/enfant 32/22 \$; ⊙9h-crépuscule mi-mars à mi-nov ; ♿). Circuits ultra-populaires en véhicules amphibies de la Seconde Guerre mondiale qui font le tour de ville avant de se lancer dans la Charles River. Départ du Prudential Center et du Museum of Science.

Boston By Foot CIRCUIT PÉDESTRE

(☑617-367-2345 ; www.bostonbyfoot.org ; adulte/ enfant 12/8 \$; ⊙mai-oct). Des guides expérimentés proposent différents circuits en ville, dont le Freedom Trail, au cours duquel vous apprendrez l'existence de cryptes secrètes sous la King's Chapel. D'autres circuits sont consacrés à l'architecture, à la littérature et au quartier italien de North End. Points de départ variables.

Freedom Trail Foundation CIRCUIT PÉDESTRE

(carte p. 172 ; ☑617-357-8300 ; www.thefree-domtrail.org ; adulte/enfant 12/6 \$; ⊙10h30-17h ; ♿). Les guides en costume d'époque conduisent des circuits pédestres de 1 heure 30 le long du Freedom Trail, au départ de l'office

DÉPART BOSTON
COMMON
ARRIVÉE BUNKER HILL
MONUMENT
DISTANCE 4 KM
DURÉE 3 HEURES

Promenade à pied

Le Freedom Trail

❯ Cet itinéraire populaire, marqué par
une double rangée de briques rouges,
parcourt les principaux sites coloniaux. Il
part du ① **Boston Common**, plus ancien
parc public des États-Unis. Au nord se trouve
la ② **State House**, construite par Charles
Bulfinch, célèbre architecte de l'époque. En
revenant dans Park St puis dans Tremont St,
vous passez devant la ③ **Park Street
Church**, le ④ **Granary Burying Ground**,
où reposent les victimes du massacre de
Boston, et la ⑤ **King's Chapel**, ornée d'une
des cloches de Paul Revere. En continuant
dans School St, vous passez le site de la
⑥ **première école publique de Boston**,
construite en 1635, et le ⑦ **Old Corner
Bookstore,** repaire des grands noms de la
littérature américaine du XIXᵉ siècle.

À l'angle de School St et de
Washington St, un détour vous mène à la
⑧ **Old South Meeting House**, qui retrace
le déroulement de la Boston Tea Party,
et à la ⑨ **Old State House**. Non loin, un
cercle de pavés à l'intersection de State St,
Devonshire St et Congress St marque le site
du ⑩ **Boston Massacre**, où périrent les
premières victimes de la Révolution. Ensuite,
vous arrivez au ⑪ **Faneuil Hall**, un marché
public depuis l'époque coloniale.

Dirigez-vous vers le nord dans Union St,
puis dans Hanover St, au cœur de l'enclave
italienne de Boston. Après un bon déjeuner,
rendez-vous au North Sq, où vous pourrez
visiter la ⑫ **Paul Revere House**, maison
du héros révolutionnaire. Suivez le parcours
jusqu'à la ⑬ **Old North Church**, où Revere,
enfourcha son cheval pour entamer sa
fameuse Midnight Ride.

Vers le nord-ouest, dans Hull St, vous
trouverez d'autres tombes coloniales au
⑭ **Copp's Hill Burying Ground** avant de
traverser le Charlestown Bridge pour arriver
au ⑮ **USS Constitution**, le plus ancien
navire de guerre en service au monde.
Plus au nord se trouve le ⑯ **Bunker Hill
Monument**, site de la première bataille
de la Révolution américaine.

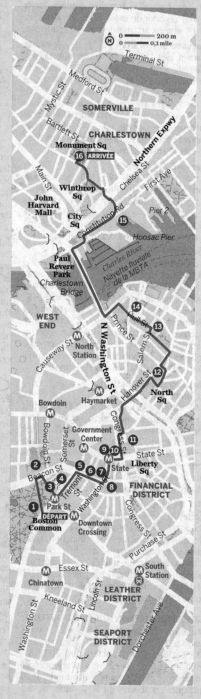

du tourisme dans Boston Common. Ils proposent également une tournée des pubs le long du Freedom Trail le mardi soir.

Segway Experience   CIRCUIT EN SEGWAY
(carte p. 172 ; ☑ 617-723-2500 ; www.mos.org ; circuit 1 heure 65 $; ☺10h-13h). Réveillez le geek qui est en vous en suivant le circuit pittoresque en Segway reliant le Museum of Science au MIT. Les participants doivent avoir au moins 14 ans et peser entre 45 et 120 kg.

Urban Adventours   CIRCUIT À VÉLO
(carte p. 172 ; ☑ 617-670-0637 ; www.urbanadventours.com ; 103 Atlantic Ave ; circuit 50 $; ☺9h30-16h30). Les cyclistes peuvent suivre le Freedom Trail, visiter une brasserie ou parcourir Boston de nuit.

GRATUIT **Boston National Historical Park Visitors Center** CIRCUIT PÉDESTRE
(carte p. 172 ; ☑ 617-242-5642 ; www.nps.gov/bost ; 15 State St ; ☺9h-17h). Les gardes forestiers du parc national historique de Boston proposent des circuits pédestres sur le Freedom Trail.

✨ Fêtes et festivals

Boston Marathon   MARATHON
(www.baa.org). L'un des plus prestigieux marathons du pays, dont la ligne d'arrivée est sur Copley Sq. La course se déroule le 3ᵉ lundi d'avril, à l'occasion du Patriots Day (un jour férié propre au Massachusetts).

Fourth of July   FÊTE NATIONALE
(www.july4th.org). Boston organise l'une des plus grandes célébrations de l'Independence Day (le 4 juillet) aux États-Unis, avec concert gratuit sur l'esplanade et feux d'artifice retransmis à la télévision sur l'ensemble du territoire.

Patron Saints' Feasts   FÊTE RELIGIEUSE
(www.northendboston.com). Dans le North End, les saints patrons italiens sont célébrés avec repas et concerts lors des week-ends de juillet et d'août.

Head of the Charles Regatta   COURSE D'AVIRON
(www.hocr.org). Les spectateurs s'installent sur les rives de la Charles River durant un week-end à la mi-octobre pour assister à la plus importante course d'aviron du monde.

🛏 Où se loger

Les hôtels de Boston ont la réputation d'être chers, mais on peut obtenir des réductions en ligne, même pour les hôtels de luxe. Les

PROMENADES À TÉLÉCHARGER

Si vous voyagez avec un lecteur MP3, vous pouvez être votre propre guide en téléchargeant gratuitement un circuit pédestre dans Cambridge sur le site www.cambridge-usa.org et un circuit sur le Harborwalk sur le site www.bostonharborwalk.com.

meilleures offres sont généralement pour le week-end. La majorité des établissements se trouvent dans le centre-ville et à Back Bay, et sont donc proches des transports publics et des attractions.

Pour des hébergements que l'on ne peut réserver que par l'intermédiaire d'agences, essayez **Bed & Breakfast Associates Bay Colony** (☑ 617-720-0522, www.bnbboston.com ; ch à partir de 100 $), qui propose des B&B, des chambres et des appartements.

♥ **Omni Parker House**   HÔTEL HISTORIQUE **$$**
(carte p. 172 ; ☑ 617-227-8600 ; www.omniparkerhouse.com ; 60 School St ; ch 219-419 $; ✳🐾🛜🏠). Si les murs pouvaient parler, cet hôtel historique donnant sur le Freedom Trail serait une source intarissable. Malcolm X et Ho Chi Minh y ont travaillé, et Charles Dickens et JFK y ont dormi. Malgré son élégance raffinée et ses boiseries sombres, l'ambiance n'est pas guindée et vous y serez autant à votre place en T-shirt qu'en costume-cravate. Sa situation est idéale, à quelques pas des principales curiosités de Boston.

📖 **Harding House**   B&B **$**
(carte p. 166 ; ☑ 617-876-2888 ; www.cambridgeinns.com/harding ; 288 Harvard St ; ch petit-déj inclus 165-265 $; ✳🛜🏠). Une maison victorienne classique dotée de vastes chambres lumineuses, où art et confort se côtoient. Les parquets d'origine et les jolis meubles anciens créent une ambiance chaleureuse. Entrées pour les musées et petit-déjeuner bio bien garni.

Charlesmark Hotel   BOUTIQUE HÔTEL **$$**
(carte p. 166 ; ☑ 617-247-1212 ; www.thecharlesmark.com ; 655 Boylston St ; ch petit-déj inclus 189-219 $; ✳@🛜). Ce *boutique hotel* est idéalement situé sur Copley Sq et offre des chambres pimpantes ornées de peintures, de carrelage italien et de gadgets high-tech. Les marathoniens apprécieront le fait que la ligne d'arrivée est juste en face de l'hôtel.

Centre de Boston

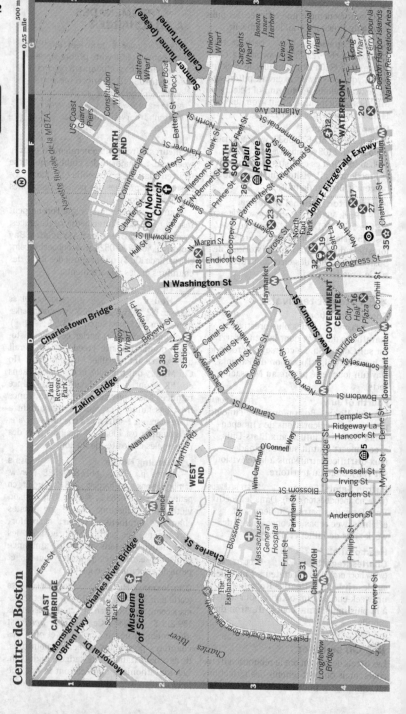

0 — 0,25 mile
0 — 500 m

EAST CAMBRIDGE

Monsignor O'Brien Hwy

Memorial Dr

Charles River Bridge

Museum of Science

Science Park

Navette fluviale de la MBTA

NORTH END

Commercial St

US Coast Guard Piers

Constitution Wharf

Battery Wharf

Fire Boat Dock

Sumner Tunnel (péage)

Callahan Tunnel

Union Wharf

Sargents Wharf

Lewis Wharf

Commercial Wharf

Boston Inner Harbor

Long Wharf

Ferry pour le Boston Harbor Islands National Recreation Area

WATERFRONT

Aquarium

Atlantic Ave

Commercial St

Richmond St

Fulton St

Fleet St

North St

Clark St

Battery St

Charter St

Hanover St

Tileston St

Prince St

Sheafe St

N Bennet St

N Margin St

Hull St

Snowhill St

Endicott St

Margin St

Cooper St

Parmenter St

Cross St

Salem St

NORTH SQUARE

Paul Revere House

Old North Church

John F Fitzgerald Expwy

North End Park

Salt La

Chatham St

Congress St

GOVERNMENT CENTER

City Hall Plaza

Cornhill St

Cambridge St

Somerset St

Government Center

Bowdoin St

Bowdoin

New Chardon St

New Sudbury St

Haymarket

N Washington St

Charlestown Bridge

Paul Revere Park

Zakim Bridge

Beverly St

Lovejoy Wharf

Lovejoy Pl

North Station

Causeway St

Valenti Way

Canal St

Friend St

Portland St

Congress St

Staniford St

Martha Rd

Nashua St

WEST END

Wm Cardinal O'Connell Way

Blossom St

Massachusetts General Hospital

Fruit St

Parkman St

Charles St

Blossom St

The Esplanade

Piste cyclable Charles River Bike Path

Charles River

Charles/MGH

Temple St

Ridgeway La

Hancock St

Derne St

S Russell St

Irving St

Garden St

Anderson St

Myrtle St

Phillips St

Revere St

Longfellow Bridge

38

28

26

23

21

12

17

27

35

3

19

32

30

16

5

31

11

20

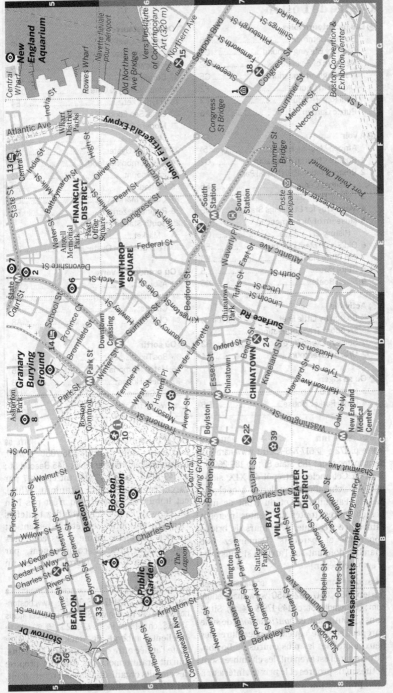

Centre de Boston

Harborside Inn HÔTEL $$$
(carte p. 172 ; ☎617-723-7500 ; www.harborsideinnboston.com ; 185 State St ; ch 189-269 $; ✳@☎). Cet ancien entrepôt du XIXᵉ siècle offre des chambres douillettes à quelques pas du Faneuil Hall et du front de mer. Les chambres, toutes différentes, recréent l'ambiance d'époque, avec murs de brique apparente et parquets. Demandez une chambre donnant sur l'atrium si vous avez le sommeil léger.

Chandler Inn BOUTIQUE HÔTEL $$
(carte p.166 ; ☎617-482-3450 ; www.chandlerinn.com ; 26 Chandler St ; ch 149-179 $; ✳☎). Situé dans le South End, ce *boutique hotel* de style européen se situe à quelques encablures des lieux nocturnes les plus courus de Boston. Le personnel est avenant, les chambres sont petites mais propres et le prix est inférieur à celui pratiqué par les grandes chaînes.

Hotel Buckminster HÔTEL $$
(carte p. 166 ; ☎617-236-7050 ; www.bostonhotelbuckminster.com ; 645 Beacon St ; ch 149-189 $; ✳🏠). Construit en 1897 par l'architecte de renom Stanford White, cet hôtel sur Kenmore Sq n'est pas loin du Fenway Park. N'en attendez toutefois rien d'exceptionnel : cet établissement est un peu défraîchi, même si les chambres restent correctes et comprennent, par ailleurs, un four à micro-ondes et un réfrigérateur.

HI Boston Hostel AUBERGE DE JEUNESSE $
(carte p. 166 ; ☎617-536-9455 ; www.bostonhostel.org ; 12 Hemenway St ; dort petit-déj inclus 31-48 $, ch petit-déj inclus 73-132 $; @☎). Cette excellente auberge de Back Bay ouverte toute l'année offre des dortoirs de 4 et 6 lits, fournit gratuitement des draps et propose des circuits organisés. Pensez à réserver tôt, car elle affiche vite complet en été.

Kendall Hotel BOUTIQUE HOTEL **$$**
(carte p. 166 ; ☑617-577-1300 ; www.
kendallhotel.com ; 350 Main St ; ch petit-déj
inclus 129-199 $; ✴🔊). Unique, à prix
raisonnable et proche du campus du MIT,
cette ancienne caserne de pompiers en
brique a su conserver son atmosphère
d'origine.

Irving House B&B **$$**
(carte p. 166 ; ☑617-547-4600 ; www.
irvinghouse.com ; 24 Irving St ; ch petit-déj
inclus avec sdb commune/privative 135/170 $;
✴@🔊🐾). À quelques minutes de Harvard, cet établissement est parfait pour
explorer Cambridge. Avec 44 chambres,
c'est un hybride entre hôtel et B&B.

Oasis Guest House B&B **$$**
(carte p. 166 ; ☑617-267-2262 ; www.oasisgh.
com ; 22 Edgerly Rd ; s/d avec sdb commune
99/129 $, ch avec sdb privée 179 $; ✴@🔊).
Situé derrière la trépidante "Mass" Ave,
Oasis offre des chambres sans fioritures,
simplement meublées mais confortables.
En revanche, le bruit peut être un
problème.

**HI Fenway
Summer Hostel** AUBERGE DE JEUNESSE **$**
(carte p. 166 ; ☑617-267-8599 ; www.
bostonhostel.org/fenway.shtml ;
575 Commonwealth Ave ; dort/ch petit-déj inclus
38/100 $; ☉juin-août ; @). Cette auberge
sur Kenmore Sq offre, l'été, des dortoirs

de 3 lits. L'hiver, ce sont des chambres
universitaires de la Boston University.
Bons restaurants et vie nocturne à
proximité.

🍴 Où se restaurer

Quels que soient vos goûts, Boston saura
ravir vos papilles. Chinatown offre des
plats asiatiques pas chers, et le South End
propose de nombreux cafés. Le soir venu, le
North End italien est imbattable, avec ses
rues étroites regorgeant de trattorias et de
ristorante.

**BEACON HILL ET DOWNTOWN
(CENTRE-VILLE)**
**Ye Olde Union
Oyster House** POISSON, FRUITS DE MER **$$$**
(carte p. 172 ; ☑617-227-2750 ; www.unio-
noysterhouse.com ; 41 Union St ; plat 16-28 $;
☉11h-21h30). Dégustez des huîtres fraîches
et imprégnez-vous d'histoire dans le plus
ancien (1826) restaurant de Boston. Il fut
fréquenté par de nombreuses célébrités,
dont JFK, qui avait son propre box dans la
salle à manger à l'étage. Faites l'impasse sur
la viande, les fruits de mer sont la spécialité
du restaurant.

Durgin Park AMÉRICAIN **$$**
(carte p. 172 ; ☑617-227-2038 ; 340 Faneuil
Hall Marketplace ; plat déj 9-30 $; ☉11h30-22h
lun-sam, 11h30-21h dim ; 🐾). En montant à
l'étage de ce restaurant, vous pourrez goûter

BOSTON AVEC DES ENFANTS

Boston est une destination pour toute la famille. Vous trouverez des tables à langer
dans toutes les toilettes publiques, et de nombreux restaurants proposent un menu
enfant et des chaises hautes.

Vous pourrez embarquer une poussette sur le "T" sans aucun problème. En
revanche, gardez à l'esprit que les vieilles rues de Boston sont très fréquentées et que
les trottoirs ne sont pas vraiment praticables en poussette.

Du fait de son échelle réduite, Boston est facile à explorer en famille. On peut
commencer par le **Public Garden**, où se trouvent des **statues** en bronze (carte p. 172)
de petits canards et un plan d'eau où vous pourrez naviguer à bord d'un Swan Boat. De
l'autre côté de la rue, au **Boston Common** (p. 164), les enfants peuvent tremper les
orteils dans le Frog Pond et se défouler sur des balançoires et des aires de jeux bien
équipées.

Les plus jeunes aimeront particulièrement le **Boston Children's Museum** (carte
p. 172 ; ☑617-426-6500 ; www.bostonchildrensmuseum.org ; 300 Congress St ; 12 $; ☉10h-17h
sam-jeu, 10h-21h ven), et le **Museum of Science** (p. 169) saura ravir les enfants de tous
âges. Au **New England Aquarium** (p. 167), ils pourront caresser des animaux marins,
voir des otaries et prendre part à une croisière d'observation de baleines.

Boston By Little Feet (carte p. 172 ; ☑617-367-2345 ; www.bostonbyfoot.org ; visite
de 1 heure 8 $), au départ du Faneuil Hall, est un circuit divertissant sur une partie du
Freedom Trail adapté aux enfants de 6 à 12 ans. Enfin, les véhicules amphibies du
Boston Duck Tours (p. 169) ont invariablement un grand succès.

MARCHÉS DE PRODUCTEURS

Boston possède plusieurs marchés de producteurs locaux qui proposent des fruits et légumes de saison de la mi-mai à novembre. Vous trouverez votre bonheur en produits frais au **Haymarket** (carte p. 172 ; Blackstone St et Hanover St ; ⏲7h-17h ven-sam), où plus de 100 vendeurs bordent la rue.

Autres marchés :

City Hall Plaza (carte p. 172 ; City Hall Plaza ; ⏲11h-18h lun et mer)

Copley Square (carte p. 166 ; St James Ave ; ⏲11h-18h mar et ven)

South Station (carte p. 172 ; Dewey Sq ; ⏲11h30-18h30 mar et jeu)

à des plats de l'époque coloniale. Le Durgin Park sert des spécialités de la Nouvelle-Angleterre comme du bœuf braisé Yankee ou les haricots à la sauce tomate depuis 1827.

Paramount AMÉRICAIN **$**
(carte p. 172 ; www.paramountboston.com ; 44 Charles St ; plat 5-18 $; ⏲8h-22h). Le meilleur restaurant de quartier de Beacon Hill propose des pancakes aux fruits et des sandwichs bien garnis.

Quincy Market ESPACE DE RESTAURATION **$**
(carte p. 172 ; angle Congress St et North St ; ⏲10h-21h lun-sam, 12h-18h dim ; 📶👪). Pour un petit en-cas le long du Freedom Trail, venez dans ce marché à deux niveaux rempli d'étals vendant toutes sortes de spécialités, dont du clam chowder.

NORTH END

Pomodoro ITALIEN **$$**
(carte p. 172 ; ☎617-367-4348 ; www.pomodoroboston.com ; 319 Hanover St ; plat 15-25 $; ⏲15h-23h mar-ven, 11h-23h sam-dim). Ce restaurant offre un cadre romantique et une cuisine italienne familiale. La nourriture est simple mais parfaitement exécutée. Ses fruits de mer *fra diavolo* sont les meilleurs du North End. Réservation conseillée.

Modern Pastry Shop BOULANGERIE **$**
(carte p. 172 ; www.modernpastry.com ; 257 Hanover St ; en-cas 2-4 $; ⏲8h-22h dim-ven, 7h-24h sam). Ce n'est pas la plus grande boulangerie dans Hanover St, mais c'est la meilleure. Laissez-vous tenter par une ganache au chocolat ou un cannoli garni à la demande.

Neptune Oyster PRODUITS DE LA MER **$$$**
(carte p. 172 ; ☎617-742-3474 ; www.neptuneoyster.com ; 63 Salem St ; plat 20-32 $; ⏲11h30-23h). Ce petit restaurant animé offre le meilleur bar à huîtres du North End et de bons fruits de mer à l'italienne. Ne faites pas l'impasse sur les huîtres.

Regina Pizzeria PIZZERIA **$$**
(carte p. 172 ; www.pizzeriaregina.com ; 11 Thatcher St ; pizzas 12-18 $; ⏲11h30-23h30). La meilleure pizza à pâte fine du North End, vendue entière ou à la part.

WATERFRONT ET SEAPORT DISTRICT

Flour Bakery & Cafe BOULANGERIE **$**
(carte p. 172 ; www.flourbakery.com ; 12 Farnsworth St ; en-cas 3-10 $; ⏲7h-19h lun-ven, 8h-18h sam, 9h-16h dim ; 👪). Certifiée biologique et incroyablement abordable, cette boulangerie offre des petits pains sucrés aux noix de pécan et des sandwichs originaux. Leur devise : "Commencez par le dessert, la vie sera plus douce".

Barking Crab PRODUITS DE LA MER **$$**
(carte p. 172 ; ☎617-426-2722 ; www.thebarkingcrab.com ; 88 Sleeper St ; plat 12-34 $; ⏲11h30-22h ; 👪). Un classique du front de mer, ce restaurant de fruits de mer animé aux couleurs chatoyantes sert de larges portions de crabes cuits à la vapeur, de *clambakes* traditionnels et de *fish and chips*.

Legal Sea Foods PRODUITS DE LA MER **$$$**
(carte p. 172 ; ☎617-227-3115 ; www.legalseafoods.com ; 255 State St ; plat 15-32 $; ⏲11h-22h30 lun-sam, 11h-22h dim). Avec sa devise "si ce n'est pas frais, ce n'est pas Légal", cet établissement de front de mer sert des fruits de mer haut de gamme (grillés ou frits) qui attirent une foule toujours satisfaite.

CHINATOWN, THEATER DISTRICT ET SOUTH END

Myers + Chang FUSION ASIATIQUE **$$**
(carte p. 166 ; ☎617-542-5200 ; www.myersandchang.com ; 1145 Washington St ; plat 10-18 $; ⏲11h30-22h dim-mer, 11h30-23h jeu-sam). Né de l'union de deux chefs réputés du South End, ce restaurant branché et décontracté offre des plats éclectiques aux influences thaïes, chinoises et vietnamiennes, peaufinés façon Nouvelle-Angleterre contemporaine. Imaginez des rouleaux de printemps aux shiitakés et au basilic ou des moules sautées au wok. Les herbes fraîches dominent le menu, et les ingrédients sont, autant que possible, locaux.

New Jumbo Seafood CHINOIS $$

(carte p. 172 ; www.newjumboseafoodrestaurant. com ; 5 Hudson St ; plat 6-30 $; ⊙11h-1h dim-jeu, 11h-4h ven-sam). Des aquariums remplis de homards, de crabes et d'anguilles forment le décor de ce classique de Chinatown, réputé pour ses poissons et fruits de mer, et sa cuisine cantonaise. Le menu du midi (5 $) en semaine est particulièrement avantageux.

Montien THAÏLANDAIS $$

(carte p. 172 ; ☑617-338-5600 ; www.montien-boston.com ; 63 Stuart St ; plat 10-16 $; ⊙11h30-22h30 lun-sam, 16h30-22h dim ; ☑). Pour un bon repas avant une pièce de théâtre, venez à ce restaurant thaïlandais au cœur du Theater District. Le Montien offre currys aromatiques et autres plats épicés, parmi lesquels de nombreuses spécialités végétariennes. Les plats peuvent être très épicés, alors précisez bien votre niveau de tolérance au serveur.

Franklin Café AMÉRICAIN $$

(carte p. 166 ; ☑617-350-0010 ; www.franklin-cafe.com ; 278 Shawmut Ave ; plat 16-20 $; ⊙17h30-1h30). Ce minuscule établissement du South End offre des plats américains réconfortants aux accents gourmets. Il sert le plus célèbre plat du South End : le pain de viande (*meatloaf*) à la dinde avec sauce aux figues et à la cannelle, accompagné de purée à la ciboulette. Arrivez tôt pour trouver un box libre ou un tabouret au comptoir.

CAMBRIDGE

Veggie Planet VÉGÉTARIEN $

(☑617-661-1513; www.veggieplanet.net ; Club Passim, 47 Palmer St ; plat 6-12 $; ⊙11h30-22h30 ; ☑☑). Très bohème, ce café végétarien est situé à un *block* au nord de Harvard Square. L'originalité est de mise, comme pour cette pizza au tofu, curry et noix de coco. Sert de grandes salades bio et de délicieuses soupes maison.

Mr Bartley's Burger Cottage HAMBURGERS $

(carte p. 166 ; www.mrbartley.com ; 1246 Massachusetts Ave ; hamburgers 10-12 $; ⊙11h-21h lun-sam ; ☑). Ce célèbre restaurant fréquenté par les étudiants sert des hamburgers juteux aux noms originaux, comme le Yuppie Burger, garni de Boursin et de bacon. Les oignons frits et les frites de patates douces sont exquis.

Casablanca MÉDITERRANÉEN $$

(☑617-876-0999 ; www.casablanca-restaurant. com ; 40 Brattle St ; plat 10-24 $; ⊙11h30-23h30). Avec une fresque colorée du film éponyme, le décor est planté dans ce restaurant artiste offrant des mets méditerranéens innovants sur Harvard Sq.

Miracle of Science Bar & Grill PUB $$

(carte p. 166 ; www.miracleofscience.us ; 321 Massachusetts Ave ; plat 6-14 $; ⊙7h-1h lun-ven, 9h-1h sam-dim). Avec son décor de laboratoire, ce bar et grill est plutôt branché. Fréquenté par des étudiants du MIT.

🍷 Où prendre un verre

Alibi LOUNGE

(carte p. 172 ; www.alibiboston.com ; 215 Charles St). L'endroit le plus original pour prendre un verre à Boston est sans conteste l'ancienne prison de Charles Street, où se trouve maintenant le très chic Liberty Hotel. Le décor évoque la précédente vocation des lieux avec, par exemple, des portes de cellule.

Cask 'n' Flagon CAFÉ DES SPORTS

(carte p. 166 ; www.casknflagon.com ; 62 Brookline Ave). Les cafés des sports parsèment le quartier autour du Fenway Park, dont ce

---

BOSTON GAY ET LESBIEN

Les voyageurs gays sont accueillis à bras ouverts dans la capitale du premier État à avoir légalisé le mariage gay. Vous trouverez des établissements ouvertement gays un peu partout à Boston et à Cambridge, et plus particulièrement dans le South End.

Pilier de la communauté, le **Club Café** (carte p. 172 ; www.clubcafe.com ; 209 Columbus Ave) est un bar convivial et une salle de spectacle du South End. Autre incontournable du milieu gay, le **Fritz** (carte p. 166 ; www.fritzboston.com ; 26 Chandler St) est un bar animé du South End qui proclame fièrement être le "café des sports gay de Boston".

Les autres bars gays et lesbiens ainsi que les soirées sont répertoriés chaque semaine dans **Bay Windows** (www.baywindows.com) et dans **Edge Boston** (www. edgeboston.com). Le principal événement gay et lesbien de la ville, la **Boston Pride** (www.bostonpride.org), se déroule à la mi-juin et comprend un défilé, un festival et des fêtes de quartier.

vénérable bar, qui est entièrement voué aux Red Sox, décor et fans compris.

Bell in Hand Tavern PUB
(carte p. 172 ; www.bellinhand.com ; 45 Union St). Une légion de bars borde l'historique Union St, au nord du Faneuil Hall. Parmi eux, le Bell in Hand, plus ancienne taverne des États-Unis, a ouvert ses portes en 1795.

Cheers BAR
(carte p. 172 ; www.cheersboston.com ; 84 Beacon St). Ce bar, qui a été rendu célèbre par la série américaine *Cheers*, est aujourd'hui fréquenté presque exclusivement par des touristes.

Top of the Hub LOUNGE
(carte p. 166 ; www.topofthehub.net ; 800 Boylston St). Ce restaurant-lounge offre un panorama renversant au 52e étage du Prudential Center.

Sonsie CAFÉ
(carte p. 166 ; www.sonsieboston.com ; 327 Newbury St). Situé au cœur de l'action, dans la branchée Newbury St, le Sonsie est un lieu où l'on vient pour voir et être vu.

Shays PUB
(www.shayspubandwinebar.com ; 58 John F Kennedy St, Cambridge). Le bar préféré des étudiants de Harvard, à 3 *blocks* au sud de Harvard Sq. Une adresse bondée, sympa et bon marché.

☆ Où sortir

Boston offre une vie nocturne variée qui saura plaire à tout le monde. Les soirées sont répertoriées dans le magazine gratuit *Boston Phoenix*.

Clubs et musique live

Club Passim FOLK
(☎617-492-7679 ; www.clubpassim.org ; 47 Palmer St). Les amateurs de musique folk viennent, depuis l'époque de Dylan, applaudir les jeunes talents dans ce

BILLETS BON MARCHÉ
Vous trouverez des billets à moitié prix pour des pièces de théâtre ou des concerts le jour même au **BosTix kiosks** (www.bostix.org ; ⊙10h-18h mar-sam, 11h-16h dim), au Faneuil Hall (carte p. 172 ; Congress St) et à Copley Sq (carte p. 166 ; angle Dartmouth St et Boylston St). Paiement en espèces uniquement.

vénérable club de Cambridge. Il est situé à quelques minutes de marche au nord-ouest de la station de métro Harvard Sq.

Paradise Rock Club ROCK
(hors carte p. 166 ; ☎617-562-8800 ; www.the-dise.com ; 967 Commonwealth Ave). Tous les grands groupes de rock, comme U2, qui y donna son premier concert aux États-Unis, passent par ici.

Great Scott ROCK
(hors carte p. 166 ; ☎617-566-9014 ; www.greatscottboston.com ; 1222 Commonwealth Ave). Lieu branché pour la musique rock indé, ce vaste club est rarement bondé.

House of Blues ROCK
(carte p. 166 ; ☎888-693-2583 ; www.hob.com/boston ; 15 Lansdowne St). Grande salle où se produisent des artistes de la région comme J Geils Band et My Chemical Romance.

Berklee Performance Center ÉCLECTIQUE
(carte p. 166 ; ☎617-747-2261 ; www.berkleebpc.com ; 136 Massachusetts Ave). L'une des premières écoles de musique d'Amérique organise des concerts d'anciens élèves célèbres et d'autres artistes de renom.

Théâtre et culture

Hatch Memorial Shell SCÈNE
(carte p. 172 ; Charles River Esplanade ; ♿). Des concerts gratuits sont organisés l'été sur cette scène en plein air au bord de la Charles River. Le concert du Boston Pops avec feux d'artifice, le 4 juillet, est le principal événement de l'année.

Club Oberon THÉÂTRE EXPÉRIMENTAL
(carte p. 166 ; ☎866-811-4111 ; www.cluboberon.com ; 2 Arrow St, Cambridge). À la fois théâtre et boîte de nuit, cet espace polyvalent offre une scène mobile permettant aux acteurs d'interagir avec le public.

Wang Theatre THÉÂTRE, DANSE
(carte p. 172 ; ☎617-482-9393 ; www.citicenter.org ; 270 Tremont St). Cette luxueuse salle, l'un des plus grands théâtres de la région, accueille de la danse et du théâtre depuis 1925.

Symphony Hall MUSIQUE
(carte p. 166 ; ☎888-266-1200 ; www.bso.org ; 301 Massachusetts Ave). Le célèbre Orchestre symphonique de Boston et le Boston Pops se produisent ici.

Opera House THÉÂTRE
(carte p. 172 ; ☎617-880-2442 ; http://bostonoperahouseonline.com ; 539 Washington St). Ayant retrouvé, après restauration, sa splendeur des années 1920, ce théâtre accueille des spectacles de Broadway.

Sports

Boston est une ville sportive dotée d'équipes professionnelles de haut niveau. D'avril à septembre, vous pourrez assister à un match des **Boston Red Sox** (☎617-267-1700 ; www.redsox.com) au **Fenway Park** (carte p. 166), le plus ancien des stades en activité de la ligue majeure de base-ball (1912).

TD Garden   BASKET-BALL, HOCKEY
(carte p. 172 ; 150 Causeway St). D'octobre à avril, les **Boston Celtics** (☎617-523-3030 ; www.celtics.com) jouent au basket-ball, et les **Boston Bruins** (☎617-624-2327 ; www.bostonbruins.com), vainqueurs de la coupe Stanley en 2011, jouent au hockey.

Gillette Stadium   FOOTBALL AMÉRICAIN, FOOTBALL
À Foxboro, à 40 km au sud de Boston, les **New England Patriots** (☎800-543-1776 ; www.patriots.com) jouent au football américain d'août à janvier, et les **New England Revolution** (☎877-438-7387 ; www.revolutionsoccer.net) jouent au foot (*soccer*) d'avril à octobre.

🛍 Achats

Newbury St est un haut lieu du shopping. À l'est, vous trouverez des marques haut de gamme comme Armani et Cartier, mais plus vous avancez vers l'ouest, plus vous verrez de boutiques et de librairies originales.

Copley Place (carte p. 166 ; www.shopcopleyplace.com ; 100 Huntington Ave) et le **Prudential Center** (carte p. 166 ; www.prudentialcenter.com ; 800 Boylston St), dans Back Bay, sont les principaux centres commerciaux de la ville.

Jake's House   VÊTEMENTS
(carte p. 166 ; www.lifeisgood.com ; 285 Newbury St ; ♿). Cette marque locale propose des T-shirts et des sacs à dos "fun".

Coop   VÊTEMENTS
(thecoop.com ; 1400 Massachusetts Ave, Cambridge). Cette vénérable institution de Harvard Sq vend des pulls et autres souvenirs arborant le logo Harvard, ainsi que des livres et de la musique.

Cambridge Artists' Cooperative   ARTISANAT
(carte p. 166 ; www.cambridgeartistscoop.com ; 59a Church St, Cambridge). Cette galerie de Harvard Sq, tenue par des artistes de Cambridge, offre de nombreux objets artisanaux.

Bromfield Art Gallery   ARTISANAT
(carte p. 166 ; www.bromfieldgallery.com ; 450 Harrison Ave). La plus ancienne coopérative d'artisanat de Boston.

🛈 Renseignements

Accès Internet
Boston Public Library (bibliothèque municipale ; carte p. 166 ; www.bpl.org ; 700 Boylston St ; ☺9h-21h lun-jeu, 9h-17h ven-sam). Gratuit pour 15 minutes. Vous pouvez aussi obtenir une carte de visiteur au guichet et vous inscrire pour une plus longue période.

Tech Superpowers & Internet Café (www.techsuperpowers.com ; 252 Newbury St ; 15 min/1 heure 3/5 $; ☺9h-19h lun-ven, 11h-16h sam-dim). Propose des ordinateurs, mais vous pouvez vous connecter gratuitement en Wi-Fi partout dans Newbury St.

Argent
Vous trouverez des DAB partout en ville et dans la plupart des stations de métro. Bureau de change à la **Citizens Bank** (www.citizensbank.com) dans State St (53 State St) et dans Boylston St (607 Boylston St).

Médias
Boston Globe (www.boston.com). Le principal quotidien de la Nouvelle-Angleterre est disponible en ligne.

Boston Phoenix (www.thephoenix.com). Hebdomadaire gratuit couvrant les arts et spectacles.

Improper Bostonian (www.improper.com). Un bimensuel irrévérencieux disponible gratuitement.

Office du tourisme
Cambridge Visitor Information Booth (☎617-497-1630 ; www.cambridge-usa.org ; Harvard Sq ; ☺9h-17h). Ce kiosque situé sur la place est une mine d'informations sur Cambridge.

Greater Boston Convention & Visitors Bureau (www.bostonusa.com). Possède un centre d'information des touristes à Boston Common (carte p. 172 ; ☎617-426-3115 ; 148 Tremont St ; ☺8h30-17h lun-ven, 9h-17h sam-dim) et dans le Prudential Center (carte p. 166 ; 800 Boylston St ; ☺9h-17h).

Poste
Poste principale (carte p. 172 ; www.usps.com ; 25 Dorchester Ave ; ☺6h-24h). Située à un *block* au sud-est de South Station. Autres bureaux de poste au centre de Boston et près de Harvard Sq.

Services médicaux
CVS Pharmacy (☎617-437-8414 ; www.cvs.com ; 587 Boylston St ; ☺24h/24). En face de la bibliothèque.

Massachusetts General Hospital (☎617-726-2000 ; www.mgh.org ; 55 Fruit St ; ☺24h/24). Vers l'ouest du centre-ville.

Sites Internet
www.bostoncentral.com Une mine d'informations pour les familles. Liste d'activités pour les enfants.

www.cityofboston.gov Le site officiel de la mairie de Boston. Liens vers les services aux visiteurs.

Depuis/vers Boston

Boston est facilement accessible. Les gares ferroviaire et routière sont l'une à côté de l'autre, et l'aéroport est relié au métro. **AVION** L'**aéroport international de Logan** (BOS ; www.massport.com/logan), séparé du centre-ville par le port, est desservi par les principales compagnies aériennes américaines et étrangères.

BUS South Station (carte p. 172 ; 700 Atlantic Ave) est la gare routière du large réseau de bus longue distance opéré par **Greyhound** (www.greyhound.com). La **Fung Wah Bus Company** (www.fungwahbus.com), par ailleurs, assure la liaison entre South Station et New York pour 15 $ l'aller.

TRAIN Les trains du **MBTA Commuter Rail** (www.mbta.com) desservent Concord et Salem depuis North Station (carte p. 172), et Plymouth et Providence depuis South Station (carte p. 172). Tarifs en fonction de la distance, maximum 8,25 $.

La gare ferroviaire d'**Amtrak** (www.amtrak.com) est située à South Station ; les trains pour New York coûtent 67 $ (4 heures 15) ou 99 $ sur l'*Acela Express* (3 heures 30).

Comment circuler

DEPUIS/VERS L'AÉROPORT Le centre-ville de Boston est à quelques kilomètres de l'aéroport international de Logan, et accessible en métro.

À VÉLO !

Durant l'été 2011, Boston a lancé **Hubway** (www.thehubway.com), un nouveau programme de vélos en libre service doté de 600 vélos répartis entre 60 stations dans la ville. Le programme devrait se décupler dans les années à venir. Avantages : transport pratique et économique – pour 5 $, vous pouvez emprunter un vélo pour la journée et le rendre dans n'importe quelle station. Inconvénients : les rues sont étroites, les pistes cyclables sont rares et la circulation est dense. Vous pouvez faire un essai gratuit durant 30 minutes.

MÉTRO La **MBTA** (www.mbta.com ; ticket 2 $, forfait jour/semaine 9/15 $; ☉5h30-0h30) gère le plus ancien métro des États-Unis (le "T", construit en 1897. Cinq lignes de couleurs différentes (rouge, bleu, vert, orange et argent) partent des stations du centre-ville (Park St, Downtown Crossing et Government Center). Les trains inbound circulent vers ces stations, et les trains outbound s'en éloignent.

TAXI Les taxis sont nombreux et une course en ville coûte 10-25 $. Vous pouvez héler un taxi dans la rue ou en trouver un devant un grand hôtel, ou encore appeler **Metro Cab** (☎617-242-8000) ou **Independent** (☎617-426-8700).

VOITURE Les principaux loueurs de voitures ont un bureau à l'aéroport, et nombre d'entre eux ont plusieurs succursales en ville. En revanche, la conduite à Boston est très compliquée du fait de nombreuses rues à sens unique et de règles archaïques. Il est préférable d'utiliser les transports publics en ville. Si vous poursuivez votre voyage après Boston, louez un véhicule à la fin de votre visite.

Environs de Boston

Les villes historiques dans les environs de Boston constituent d'agréables excursions d'une journée. Si vous n'avez pas de voiture, vous pouvez vous y rendre en bus ou en train de la MBTA (ci-contre).

LEXINGTON ET CONCORD

C'est à Lexington, à 24 km au nord-ouest de Boston, qu'eut lieu en 1775 la première bataille de la Révolution américaine. Les troupes britanniques marchèrent ensuite 16 km vers l'ouest, jusqu'à Concord, où elles affrontèrent les Minutemen sur le North Bridge – ce fut la première victoire américaine. Vous pouvez revivre ces moments historiques au **Minute Man National Historic Park** (☎978-369-6993 ; www.nps.gov/mima ; 174 Liberty St, Concord ; entrée libre ; ☉9h-17h) et en suivant le **Battle Road Trail**, long de 9 km, à vélo ou à pied.

Au XIXe siècle, Concord fut un centre littéraire dynamique. À côté de l'**Old North Bridge** se trouve l'**Old Manse** (☎978-369-3909 ; 269 Monument St ; adulte/enfant 8/5 $), où vécut Nathaniel Hawthorne. À moins de 2 km du centre-ville, vous trouverez la **maison de Ralph Waldo Emerson** (☎978-369-2236 ; 28 Cambridge Turnpike ; adulte/enfant 8/6 $), l'**Orchard House** de Louisa May Alcott (☎978-369-4118 ; 399 Lexington Rd ; adulte/enfant 9/5 $) et **Wayside** (☎978-369-6993 ; 455 Lexington Rd ; adulte/enfant 5 $/gratuit), où se déroule l'action du roman *Les Quatre Filles du docteur March* d'Alcott.

Walden Pond, où Henry David Thoreau vécut et écrivit *Walden ou la vie dans les bois,* se trouve à 5 km au sud du centre-ville. Vous pourrez visiter le site de sa cabane et faire une promenade autour de l'étang. Tous ces auteurs sont enterrés dans le **Sleepy Hollow Cemetery** (Bedford St) au centre-ville. Entrée libre au Walden Pond et au cimetière. La **Concord Chamber of Commerce** (☎978-369-3120 ; www.concord-chamberofcommerce.org ; 58 Main St ; ☺10h-16h) peut vous renseigner sur ces sites et leurs heures d'ouverture, qui varient selon la saison.

SALEM

Salem, à 32 km au nord-est de Boston, acquit une triste réputation en 1692 quand une hystérie collective se solda par l'exécution de personnes innocentes accusées de sorcellerie. Cette tragédie a engendré de nombreuses attractions à Salem – quelques-unes sérieuses, les autres se contentant d'exploiter le thème. **Destination Salem** (☎877-725-3662 ; www.salem.org ; 2 New Liberty St ; ☺9h-17h) vous renseignera sur les curiosités de la ville.

L'extraordinaire **Peabody Essex Museum** (☎978-745-9500 ; www.pem.org ; East India Sq ; adulte/enfant 15 $/gratuit ; ☺10h-17h mar-dim) retrace la riche histoire maritime de la ville. La collection de ce musée est constituée d'œuvres d'art, d'objets et de bibelots collectionnés avec goût par les riches marchands de Salem durant leurs premières expéditions vers l'Extrême-Orient. En plus d'objets de Chine et des îles du Pacifique, le musée possède une excellente collection amérindienne.

Salem était le centre d'un commerce avec la Chine, et Elias Derby, son principal négociant, devint le premier millionnaire américain. Pour revivre ce passé glorieux, vous pouvez marcher le long de Derby St jusqu'au Derby Wharf, aujourd'hui au centre du **Salem Maritime National Historic Site**.

PLYMOUTH

Se présentant comme le "berceau de l'Amérique", Plymouth célèbre son héritage de premier établissement permanent d'Européens. **Plymouth Rock**, une roche de granite à l'extrémité du port, marquerait l'endroit où les Pères pèlerins accostèrent en 1620. Ne vous attendez pas à grand-chose de spectaculaire : le rocher sur lequel fut bâtie l'Amérique n'est pas bien grand.

De nos jours, les gens vont en pèlerinage à la **Plimoth Plantation** (☎508-746-1622 ; www.plimoth.org ; MA 3A ; adulte/enfant 29,50/19 $; ☺9h-17h mi-mars à nov ; ▣), une réplique authentique du village des Pèlerins en 1623. Chaque détail est méticuleusement fidèle à l'original : les maisons, les plantations, les cuisines et même le vocabulaire des acteurs en costume. Les habitations des Wampanoag, qui aidèrent les Pèlerins à survivre à leur premier hiver, sont également passionnantes. À ne pas manquer si vous voyagez avec des enfants ou si vous vous intéressez à l'histoire. L'entrée comprend l'accès au *Mayflower II,* une réplique du navire des Pèlerins, dans le port de Plymouth.

Destination Plymouth (☎508-747-7533 ; www.visit-plymouth.com ; 134 Court St ; ☺8h-16h) vous renseignera sur tous les sites. Vous trouverez de bons restaurants de fruits de mer sur le port.

LA CHASSE AUX SORCIÈRES

Au début de l'an 1692, des jeunes filles de Salem se mettent à agir d'une curieuse manière. Seraient-elles sous l'emprise du diable ? Les filles finissent par accuser Tituba, une esclave, de sorcellerie. Sous la torture, celle-ci en accuse d'autres, et rapidement les accusations fusent. En septembre, 55 personnes plaidèrent coupables et 19 ayant refusé de confesser furent pendues. L'affaire s'estompa quand la femme du gouverneur commença elle aussi à être accusée.

Le site le plus touchant de Salem est le **Witch Trials Memorial** (Charter St), un parc tranquille derrière le Peabody Essex Museum, où le nom et les dernières paroles des victimes sont gravés sur des pierres tombales.

L'autre site intéressant de Salem est la **Witch House** (www.witchhouse.info ; 310 Essex St ; adulte/enfant 10,25/6,25 $; ☺10h-17h), où résidait le magistrat qui présida les procès. Pour en savoir plus, lisez *Les Sorcières de Salem* d'Arthur Miller, qui se double d'une parabole sur la chasse aux sorcières anticommuniste des années 1950 – dont le dramaturge fut lui-même victime.

NEW BEDFORD ET LA CHASSE À LA BALEINE

Lorsque la chasse à la baleine était à son apogée, New Bedford était le plus grand port de baleiniers du monde. Parmi les milliers de personnes qui furent embauchées sur ces bateaux figure l'auteur de *Moby Dick*, Herman Melville. En effet, les premières pages du roman se déroulent à New Bedford. Avec ses lampes à gaz et ses rues pavées, le centre-ville n'a pas vraiment changé depuis ce jour de 1841 où Melville embarqua à bord de l'*Acushnet*. Le vieux port, qui s'étend sur quatre *blocks* vers l'intérieur des terres, est désormais classé et fait partie du **New Bedford National Historical Park**. Vous pourrez obtenir un plan au **Park Visitor Center** (centre d'information des visiteurs ; ☎508-996-4095 ; www.nps.gpv/nebe ; 33 Williams St ; ☺9h-17h) et visionner un petit film de présentation.

À quelques pas du centre d'information des visiteurs se trouve la **Seaman's Bethel**, la chapelle où Melville et ses coéquipiers assistèrent à une messe avant leur expédition dans le Pacifique. Proche de là, vous trouverez le **New Bedford Whaling Museum** (☎508-997-0046 ; www.whalingmuseum.org ; 18 Johnny Cake Hill ; adulte/enfant 10/6 $; ☺9h-17h), où vous pourrez admirer d'énormes squelettes de baleine ou encore monter à bord de la réplique d'un baleinier. Une partie de la collection permanente est consacrée à Frederick Douglass, ancien esclave qui fut docker à 21 ans avant de devenir l'un des principaux leaders du mouvement abolitionniste (au XIXe siècle, New Bedford était l'une des villes les plus multiraciales des États-Unis).

De nos jours, New Bedford, toujours vouée à l'océan, possède le principal port de pêche de la Nouvelle-Angleterre. Le meilleur restaurant de fruits de mer en ville est **Antonio's** (☎508-990-3636 ; www.antoniosnewbedford.com ; 267 Coggeshall St ; plats 10-18 $; ☺11h30-21h30), où la pêche du jour est cuisinée à la portugaise. Ses délicieuses paellas au homard et aux coquillages sauront satisfaire votre appétit.

Pour vous rendre à New Bedford, prenez l'I-195 jusqu'à la MA 18 South, et sortez à Elm St. Garez-vous au parking municipal, à un *block* d'Elm St. Le centre d'information des visiteurs se trouve à un *block* au sud.

Cape Cod

Découvrez cette péninsule sablonneuse en explorant les dunes du National Seashore, en parcourant à vélo le Cape Cod Rail Trail ou en dégustant des huîtres sur le port de Wellfleet. Bordée de 640 km de rivage immaculé, Cape Cod est la meilleure destination balnéaire de la Nouvelle-Angleterre. Mais l'attrait du lieu ne se limite pas à ses plages. Vous pourrez découvrir des colonies d'artistes, embarquer pour une croisière, ou vous laisser imprégner de l'esprit de liberté qui règne dans les rues de Provincetown.

La **Cape Cod Chamber of Commerce** (☎508-362-3225 ; www.capecodchamber.org ; MA 132 au niveau d'US 6, Hyannis ; ☺10h-17h) saura vous renseigner.

SANDWICH

Le plus ancien village de Cape Cod possède un centre historique, un plan d'eau avec des cygnes et un moulin (vers 1654), ainsi que plusieurs petits musées.

👁 À voir et à faire

La **Sandy Neck Beach** (Sandy Neck Rd), au bord de la MA 6A, est une étendue bordée de 10 km de dunes (parking 15 $), idéale pour se prélasser sur la plage et s'offrir une baignade rafraîchissante.

Sandwich Glass Museum MUSÉE
(☎508-888-0251 ; www.sandwichglassmuseum. org ; 129 Main St ; adulte/enfant 5/1,25 $; ☺9h30-17h). Ce musée est consacré à la fabrication du verre au XIXe siècle. Des démonstrations de soufflage de verre sont proposées chaque heure.

Heritage Museums & Gardens MUSÉE
(☎508-888-3300 ; www.heritagemuseumsand-gardens.org ; angle Grove St et Pine St ; adulte/enfant 12/6 $; ☺10h-17h ; ♿). Cet immense site recèle une **collection de voitures anciennes**, une exposition sur l'art populaire et un très beau **jardin de rhodo-dendrons**. Les enfants devraient aimer le **carrousel** datant de 1912.

Hoxie House MAISON HISTORIQUE
(☎508-888-1173 ; 18 Water St ; adulte/enfant 3/2 $; ☺10h-17h lun-sam, 13h-17h dim). La plus ancienne maison de Cape Cod (vers 1640).

Cape Cod Canal PISTE CYCLABLE
Vous trouverez une piste de 10 km praticable à vélo ou en rollers le long de la rive

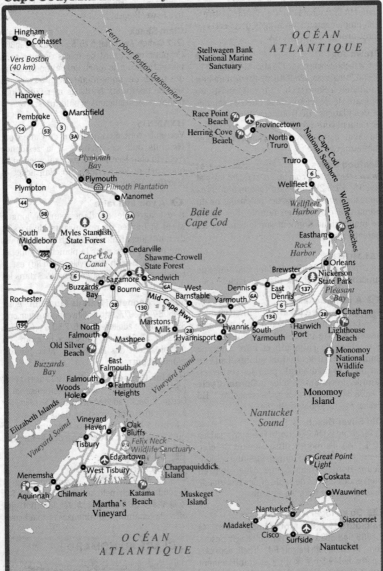

sud du Cape Cod Canal au départ du port de Sandwich.

🛏 Où se loger et se restaurer

Belfry Inne & Bistro   B&B $$
(📞508-888-8550 ; www.belfryinn.com ;
8 Jarves St ; ch petit-déj inclus 189-255 $; ✳🛜).

Si l'envie de dormir dans une église vous prend, voici une ancienne église convertie en B&B haut de gamme, dont certaines chambres sont dotées des vitraux d'origine. Sinon, le Belfry possède deux autres bâtiments adjacents aux chambres plus conventionnelles.

Shawme-Crowell State Forest CAMPING $

(☎508-888-0351 ; www.reserveamerica. com ; MA 130 ; empl 14 $). Ce camping offre 285 emplacements ombragés dans cette forêt proche de la MA 6A.

Brown Jug CAFÉ $

(www.thebrownjug.com ; 155 Main St ; plat 6-10 $; ⏱9h-17h mar-sam, 12h-16h dim). Envie d'un bon sandwich à Sandwich ? Ce café/caviste en prépare de délicieux, ainsi que des salades et des plateaux de fromages. Vous pourrez également vous procurer du pâté aux truffes, du caviar et des pains artisanaux pour votre pique-nique.

Seafood Sam's PRODUITS DE LA MER $$

(www.seafoodsams.com ; 6 Coast Guard Rd; plat 10-20 $; ⏱11h-21h ; 🖶). Sam's est un bon choix pour un *fish and chips*, des palourdes ou du homard à déguster en famille. Les tables de pique-nique donnent sur le canal et les bateaux au loin.

FALMOUTH

La 2ᵉ plus grande ville de Cape Code offre de superbes plages et une piste cyclable.

☉ À voir et à faire

Shining Sea Bikeway PISTE CYCLABLE
Les amateurs de vélo ne voudront pas manquer cette piste de 17 km qui longe la côte ouest de Falmouth et offre une vue imprenable sur les marais salants. La piste est plate et donc idéale pour les sorties en famille. Location de vélos à **Corner Cycle** (☎508-540-4195 ; www.cyclecorner.com ; 115 Palmer Ave ; 17 $/jour ; ⏱9h-18h).

Old Silver Beach PLAGE

(à l'écart de la MA 28A, North Falmouth ; parking 20 $; 🖶). Falmouth offre 110 km de côte dentelée, dont une longue étendue sablonneuse bordée d'eau calme. Une jetée en pierre, des barres de sable et des bassins de marée sauront ravir les enfants.

🛏 Où se loger et se restaurer

Falmouth Heights Motor Lodge MOTEL $$
(☎508-548-3623 ; www.falmouthheightsresort. com ; 146 Falmouth Heights Rd ; ch petit-déj inclus à partir de 149 $; ❋ ≋ 🖶). Cet établissement familial propose 28 chambres propres qui se démarquent de la concurrence. La plage et les ferries pour Martha's Vineyard sont à quelques minutes de là.

Casino Wharf FX PRODUITS DE LA MER $$

(☎508-540-6160; www.casinowharf.weebly.com ; 286 Grand Ave ; plat 10-30 $; ⏱11h30-22h30). La terrasse du restaurant est si proche de l'eau que vous pourriez presque pêcher votre propre poisson, mais contentez-vous de déguster le festin qui vous est servi. Musique live le week-end.

Clam Shack FRUITS DE MER $

(227 Clinton Ave ; plat 5-15 $; ⏱11h30-19h30). Ce petit restaurant de fruits de mer sans prétention sur le port de Falmouth offre des tables de pique-nique sur la terrasse et sert de nombreux fruits de mer frits, dont d'énormes et délicieuses palourdes.

HYANNIS

Véritable centre commercial de Cape Cod, Hyannis doit sa célébrité à la résidence d'été du clan Kennedy. C'est également d'ici que partent les ferries pour Nantucket et Martha's Vineyard.

☉ À voir et à faire

Il est agréable de flâner sur la longue Main St bordée de restaurants, de bars et de boutiques. **Kalmus Beach** (Ocean St) est une plage prisée pour la planche à voile, et **Craigville Beach** (Craigville Beach Rd) est le repaire des étudiants. Parking 15 $ dans les deux cas.

John F. Kennedy Hyannis Museum MUSÉE

(☎508-790-3077; http://jfkhyannismuseum.org; 397 Main St ; adulte/enfant 5/2,50 $; ⏱9h-17h lun-sam, 12h-17h dim). Musée à la gloire du 35ᵉ président des États-Unis, avec photos, vidéos et autres.

Hy-Line Cruises CROISIÈRE DANS LE PORT

(☎508-790-0696 ; www.hylinecruises.com ; Ocean St Dock ; adulte/enfant 16/8 $; ⏱mi-avr à oct). Offre une croisière dans le port de 1 heure à bord d'un vieux bateau à vapeur qui passe devant la demeure des Kennedy.

🛏 Où se loger

Anchor-In HÔTEL $$
(☎508-775-0357 ; www.anchorin.com ; 1 South St ; ch petit-déj inclus 139-259 $; ❋@🛜≋). Ce *boutique hotel* familial, qui offre des chambres lumineuses et spacieuses

---

GLACE AU HOMARD !

La folie du homard s'est emparée de **Ben & Bill's Chocolate Emporium** (209 Main St, Falmouth ; cônes 5 $; ⏱9h-23h), où le crustacé s'est glissé dans le menu des glaces. Oserez-vous commander une boule de glace au homard ? C'est une saveur unique, que vous êtes assuré de ne trouver nulle part ailleurs.

dotées d'un balcon avec vue sur le port, contraste avec les hôtels situés le long de la route principale. Le ferry pour Nantucket est à quelques pas de là.

SHI-Hyannis AUBERGE DE JEUNESSE **$**
(☏508-775-7990 ; http://capecod.hiusa.org ; 111 Ocean St ; dort/ch petit-déj inclus 32/99 $; @🛜). Cette nouvelle auberge donnant sur le port est à quelques minutes de marche de Main St, des plages et des ferries. Comme il n'y a que 44 lits, il faut réserver le plus tôt possible.

SeaCoast Inn MOTEL **$$**
(☏508-775-3828 ; www.seacoastcapecod. com ; 33 Ocean St ; ch petit-déj inclus 108-158 $; ✳@🛜). Les tarifs défient toute concurrence et les chambres sont vastes et bien équipées (Wi-Fi gratuit et kitchenette). Situation centrale, à quelques minutes de tout ce qui compte en ville.

✖ Où se restaurer

Raw Bar FRUITS DE MER **$$**
(www.therawbar.com ; 230 Ocean St ; sandwich au homard 18-25 $; ◷11h-19h). Ce restaurant propose des *lobster rolls* (petits pains au homard) garnis d'une quantité impressionnante de homard. La vue sur le port de Hyannis est très plaisante.

Brazilian Grill BRÉSILIEN **$$**
(680 Main St ; buffet midi/soir 15/28 $; ◷11h30-22h). Venez goûter à des spécialités brésiliennes dans cet authentique *rodízio* (service à table à volonté) offrant un superbe buffet avec des *churrascos* (brochettes de viande) qui vous sont

apportés par des serveurs en costume traditionnel.

La Petite France Café CAFÉ **$**
(www.lapetitefrancecafe.com ; 349 Main St ; sandwichs 7 $; ◷7h-15h lun-sam). Le meilleur café de Hyannis propose des croissants frais, des sandwichs-baguette et des soupes maison.

BREWSTER

Brewster, du côté de la baie, est une bonne base pour les amateurs de plein air. Le Cape Cod Rail Trail traverse en plein cœur de la ville, et vous pourrez camper, faire de la randonnée et des activités nautiques.

◉ À voir et à faire

GRATUIT **Nickerson State Park** PARC D'ÉTAT
(☏508-896-3491 ; 3488 MA 6A ; ◷aube-crépuscule). Cette oasis de 800 hectares offre des kilomètres de pistes cyclables et de sentiers, 8 étangs et des plages.

Jack's Boat Rental
(☏508-349-9808 ; www.jacksboatrental.com ; 20-40 $/h ; ◷9h-18h). Location de canoës, kayaks, *paddleboards* et voiliers dans le parc.

Barbara's Bike
(☏508-896-7231 ; www.barbsbikeshop.com ; 24 $/j ; ◷9h-18h). Location de vélos à l'entrée du parc.

Cape Cod Museum of Natural History MUSÉE
(☏508-896-3867 ; www.ccmnh.org ; 869 MA 6A ; adulte/enfant 8/3,50 $; ◷9h30-16h ; ♿). Ce musée présente la faune de Cape Cod et offre une promenade en bois qui traverse un marais salant et se termine sur une plage isolée.

VAUT LE DÉTOUR

WOODS HOLE

Le tout petit village de Woods Hole accueille le plus grand institut océanographique des États-Unis. La Woods Hole Oceanographic Institution (WHOI) couvre un vaste champ de recherche, de l'exploration du *Titanic* aux études sur le réchauffement climatique.

Une visite guidée gratuite est proposée au départ du **WHOI information office** (☏508-289-2252 ; www.whoi.edu ; 93 Water St ; ◷visite de 1 heure 15 à 10h30 et 13h30 lun-ven juil-août). Vous pourrez également découvrir les travaux des scientifiques au **WHOI Ocean Science Exhibit Center** (15 School St ; entrée libre ; ◷10h-16h30 lun-sam).

Le **Woods Hole Science Aquarium** (http://aquarium.nefsc.noaa.gov ; 166 Water St ; entrée libre ; ◷11h-16h mar-sam ; ♿) n'est pas impressionnant, mais vous y verrez des créatures aquatiques inhabituelles, des poissons locaux et des homards. Les enfants pourront caresser des animaux marins. Les otaries sont nourries à 11 h et à 16 h.

Pour rester dans l'ambiance, dirigez-vous vers le pont mobile où vous trouverez le **Fishmonger Café** (56 Water St ; plats 10-25 $; ◷7h-21h30), qui offre une vue panoramique sur la mer et un menu éclectique centré sur les fruits de mer frais.

Pour vous rendre à Woods Hole depuis Falmouth, prenez Woods Hole Rd en direction du sud depuis la MA 28.

Où se loger

Old Sea Pines Inn　　　　B&B $$
(📞508-896-6114 ; www.oldseapinesinn.com ;
2553 MA 6A ; ch petit-déj inclus 85-165 $; @🛜).
Cette ancienne école pour filles datant de
1840 se compose de 21 chambres simples.
On se croirait dans la maison d'une vieille
dame : meubles anciens, photos sépia et
baignoires-sabot. Pas de TV, mais des
rocking-chairs sur la véranda.

Nickerson State Park　　　CAMPING $
(📞877-422-6762 ; www.reserveamerica.com ;
empl 17 $). Le meilleur camping de Cape Cod
comprend 418 emplacements ombragés.
Réservez tôt.

Où se restaurer

♥ **Brewster
Fish House**　　PRODUITS DE LA MER $$
(www.brewsterfish.com ; 2208 MA 6A ; plat
12-30 $; 🕙11h30-15h et 17h-21h30). Sous
ses apparences modestes, ce restaurant
vous servira les meilleurs fruits de mer
de Cape Cod. La savoureuse bisque de
homard avec des morceaux de homard
frais constitue une bonne entrée en
matière. Il n'y a que 11 tables et pas de
réservation, alors venez à midi ou tôt le
soir pour éviter d'attendre.

Cobie's　　　　FRUITS DE MER $$
(3256 MA 6A ; plat à emporter 8-23 $; 🕙10h30-21h).
Situé près du Nickerson State Park, ce petit
restaurant en bord de route offre des fruits
de mer frits que vous pourrez savourer sur
une table de pique-nique.

CHATHAM

Les B&B haut de gamme et les boutiques
luxueuses font le charme de la ville la
plus distinguée de Cape Cod. Mais rien ne
vous empêche de profiter gratuitement de
Main St, bordée d'anciennes maisons de
pêcheurs et de galeries d'art.

Vous pourrez observer les pêcheurs
décharger leur prise du jour et aperce-
voir des otaries au **Chatham Fish Pier**
(Shore Rd). À 2 km au sud sur Shore Rd se
trouve la **Lighthouse Beach**, une longue
étendue de sable qui constitue un agréable
lieu de promenade. Le **Monomoy National
Wildlife Refuge** (www.fws.gov/northeast/
mono moy) s'étale sur plus de 3 000 ha,
englobant deux îles désertes qui abritent
de nombreux oiseaux. **Monomoy Island
Excursions** (📞508-430-7772 ; www.monomoy-
sealcruise.com ; 702 MA 28, Harwich Port ; adulte/
enfant 35/30 $) y organise des croisières de
1 heure 30.

LA MA 6A PANORAMIQUE

Pour explorer Cape Cod, mieux vaut
éviter la Mid-Cape Hwy (US 6) et lui
préférer la Old King's Hwy (MA 6A),
qui serpente le long de la baie, dans le
plus long secteur historique des États-
Unis. Vous passerez devant de belles
demeures anciennes, des antiquaires
et des galeries d'art, qui sont autant
d'excuses pour s'arrêter en chemin.

Où se loger et se restaurer

Bow Roof House　　　B&B $$
(📞508-945-1346 ; 59 Queen Anne Rd ; ch petit-déj
inclus 100-115 $). Cette maison douillette
datant de 1780 comporte 6 chambres au
charme et au prix d'autrefois. Elle est à une
courte distance du centre-ville et de la plage.
À l'exception de l'ajout de salles de bains
privatives, cette maison n'a pratiquement
pas changé depuis sa construction.

Chatham Squire　　　PUB $$
(www.thesquire.com ; 487 Main St ; plat 8-22 $;
🕙11h30-22h). Ce pub est l'endroit le plus
fréquenté en ville. Le menu comprend des
coquillages, des huîtres et d'autres spécia-
lités locales. Les fruits de mer sont très frais,
comme en atteste la présence des pêcheurs
accoudés au comptoir.

CAPE COD NATIONAL SEASHORE

Le **Cape Cod National Seashore** (www.nps.
gov/caco) est un littoral protégé qui s'étend
sur plus de 60 km le long de la courbe
externe de Cape Cod. C'est un trésor de
plages immaculées, de dunes et de marais
salants. On doit sa conservation à JFK,
qui décida de protéger ce littoral dans les
années 1960, juste avant que la frénésie
immobilière ne s'empare de Cape Cod. Le
Salt Pond Visitor Center (📞508-255-3421 ;
angle US 6 et Nauset Rd, Eastham ; entrée libre ;
🕙9h-17h) est un bon point de départ et offre
une superbe vue. Il propose une collection
permanente, des films informatifs et des
renseignements sur les nombreux sentiers
et pistes cyclables du parc.

Coast Guard Beach, à quelques
encablures du centre d'information des
visiteurs, est une magnifique plage qui plaît
aux surfeurs comme aux baigneurs. La vue
sur Nauset Marsh depuis les dunes est tout
simplement extraordinaire. **Nauset Light
Beach**, au nord de Coast Guard Beach,
doit son nom au phare qui la domine. Vous
trouverez 3 autres phares dans les environs.

L'été, il faut compter 15/45 $ pour le forfait journée/saison pour le parking, valide sur toutes les plages du Cape Cod National Seashore, y compris celles de Provincetown.

WELLFLEET
Les galeries d'art, les plages et ses fameuses huîtres attirent les visiteurs dans cette petite station balnéaire.

👁 À voir et à faire
Wellfleet Beaches   PLAGES
Marconi Beach comporte un monument dédié à Guglielmo Marconi, qui le premier envoya un message radio de l'autre côté de l'Atlantique depuis ce site, ainsi qu'une plage adossée à des dunes. À côté d'elle, **White Crest Beach** et **Cahoon Hollow Beach** sont idéales pour le surf. Location de planches auprès de SickDay Surf Shop (☎508-214-4158 ; www.sickdaysurf.com ; 361 Main St ; demi-journée/journée 18/25 $; ⏲9h-21h lun-sam).

🌿 Wellfleet Bay
Wildlife Sanctuary   RÉSERVE NATURELLE
(☎508-349-2615 ; www.massaudubon.org ; West Rd, en retrait de l'US 6 ; adulte/enfant 5/3 $; ⏲8h30-crépuscule ; ♿). Les ornithologues apprécieront ce sanctuaire de 400 hectares où les sentiers croisent des chenaux de marée, des marais salants et des plages sablonneuses.

🎊 Festival
Wellfleet OysterFest   GASTRONOMIE
(www.wellfleetoysterfest.org).
À la mi-octobre, le parking de la mairie accueille une grande fête populaire au cours de laquelle sont organisés des concours d'ouverture des fameuses huîtres de Wellfleet.

🛏 Où se loger et se restaurer
Stone Lion Inn of Cape Cod   B&B **$$**
(☎508-349-9565 ; www.stonelioncapecod.com ; 130 Commercial St ; ch petit-déj inclus 150-220 $; ❄🅿). Cette maison victorienne de 1871 est le meilleur B&B de Wellfleet. Les parquets en pin, le décor ancien et les meubles faits à la main plantent le décor. Situation centrale.

Mac's Seafood Market PRODUITS DE LA MER **$$**
(www.macsseafood.com ; Wellfleet Town Pier, plat à emporter 6-20 $; ⏲7h30-23h). Vous trouverez ici des produits de la mer à petits prix. Sur le menu, les poissons frits côtoient les huîtres fraîchement récoltées dans les environs. À déguster sur une table de pique-nique donnant sur le port de Wellfleet.

Mac's Shack   PRODUITS DE LA MER **$$**
(☎508-349-6333 ; 91 Commercial St ; plat 15-30 $; ⏲16h30-21h45). Version plus chic

du Mac's Seafood Market, avec service à table.

PB Boulangerie & Bistro   BOULANGERIE **$**
(www.pbboulangeriebistro.com ; 15 Lecount Hollow Rd ; ⏲7h-19h mer-dim). Pâtisseries et pains artisanaux irrésistibles.

🍷 Où prendre un verre et sortir
Beachcomber   CLUB
(☎508-349-6055 ; www.thebeachcomber.com ; 1120 Cahoon Hollow Rd). L'endroit le plus agréable de tout le cap pour prendre un verre l'été. Situé dans une ancienne station de sauvetage sur Cahoon Hollow Beach, vous pourrez admirer les surfeurs jusqu'à la tombée de la nuit. Le soir, des groupes comme les Wailers et les Lemonheads montent sur scène.

Wellfleet Harbor Actors Theater   THÉÂTRE
(WHAT ; ☎508-349-9428 ; www.what.org ; 2357 US 6). Ce théâtre renommé propose des pièces contemporaines avant-gardistes.

Wellfleet Drive-In   CINÉMA
(☎508-349-7176 ; www.wellfleetcinemas.com ; US 6 ; ♿). Passez une soirée dans votre voiture à regarder un film dans ce cinéma *drive-in*.

TRURO
Située entre la baie de Cape Cod et l'Atlantique, l'étroite ville de Turo comporte de nombreuses plages et offre de belles vues sur l'océan.

À VÉLO SUR LE RAIL TRAIL

Le **Cape Cod Rail Trail**, une ancienne voie de chemin de fer convertie en piste cyclable, s'étend sur 35 km et passe devant des marais à canneberge et des étangs sablonneux propices à la baignade. C'est l'une des plus agréables pistes cyclables de Nouvelle-Angleterre. En route, vous pourrez vous arrêter dans l'un des jolis villages pour déjeuner. Le départ se fait à Dennis, sur la MA 134, et l'arrivée à South Wellfleet. Si vous n'avez pas le temps de parcourir la piste dans son intégralité, commencez au Nickerson State Park à Brewster et allez jusqu'au Cape Cod National Seashore à Eastham. Vous pourrez louer des vélos à Dennis, au Nickerson State Park et en face du Salt Pond Visitor Center du National Seashore.

◉ À voir

Cape Cod Highland Light PHARE
(www.capecodlight.org ; Light House Rd ; 4 $;
⊙10h-17h30). Datant de 1797, ce phare projette la plus forte lumière de la côte de Nouvelle-Angleterre et offre une vue imprenable.

⌂ Où se loger

**Hostelling International
Truro** AUBERGE DE JEUNESSE **$**
(☎508-349-3889 ; http://capecod.hiusa.org ;
N Pamet Rd ; dort petit-déj inclus 32-42 $; @). À ce prix, vous ne trouverez jamais endroit où dormir dans un lieu plus serein. Cet ancien poste de garde-côtes est situé dans les dunes. Réservez tôt.

PROVINCETOWN

Ça y est : vous êtes sur l'extrême pointe de Cape Cod. Vous craquerez pour Provincetown. Les écrivains et les artistes avant-gardistes la fréquentent depuis plus d'un siècle. Aujourd'hui, cet avant-poste sablonneux est devenu la destination gay et lesbienne la plus courue du Nord-Est. Le centre-ville, avec ses superbes galeries d'art, est témoin de scènes flamboyantes dans la rue et d'une vie nocturne débridée. Mais ce n'est pas tout. Le littoral sauvage et les grandes plages sont une invitation à l'exploration. Allez observer les baleines, faites la fête toute la nuit, perdez-vous dans les dunes, mais quoi qu'il en soit, ne manquez surtout pas ce coin unique de Nouvelle-Angleterre.

◉ À voir et à faire

**Cape Cod
National Seashore** LITTORAL NATIONAL
Le **Province Lands Visitor Center** (www.nps.
gov/caco ; Race Point Rd ; entrée libre ; ⊙9h-17h) propose une exposition sur l'écologie des dunes et dispose d'un poste d'observation offrant une vue à 360° de la pointe de Cape Cod. Le poste reste ouvert jusqu'à minuit, pour observer les étoiles.

Non loin de là, **Race Point Beach** est une superbe étendue de sable entre l'océan et des dunes ondulant à perte de vue. Les nageurs préfèrent **Herring Cove Beach** pour ses eaux plus calmes mais tout aussi revigorantes, les naturistes (pratique illégale) allant à gauche et les familles à droite. La plage offre des couchers du soleil spectaculaires.

♥ Observation des baleines SORTIE
EN BATEAU

Provincetown est l'endroit idéal pour aller observer les baleines, car son port est le plus proche du Stellwagen Bank National Marine Sanctuary, où viennent s'alimenter les baleines à bosse durant l'été. Ces superbes créatures aux talents acrobatiques s'aventurent très près des bateaux : de quoi faire de belles photos. La plupart des 300 dernières baleines noires de l'Atlantique Nord, l'espèce de baleine la plus menacée d'extinction, fréquentent également ces eaux.

⌦ Dolphin Fleet
Whale Watch OBSERVATION DE BALEINES
(☎508-240-3636 ; www.whalewatch.com ;
MacMillan Wharf ; adulte/enfant 39/31 $; ⊙avr-oct ; ⛴). Offre jusqu'à 9 croisières par jour en haute saison, chacune durant 3 à 4 heures.

Pilgrim Monument MUSÉE
(www.pilgrim-monument.org ; High Pole Rd ;
adulte/enfant 7/3,50 $; ⊙9h-17h). Du sommet de la plus haute structure de granite des États-Unis (77 m), vous aurez une vue imprenable sur la ville et les environs. Le monument et son musée commémorent l'arrivée des Pères pèlerins à bord du Mayflower, qui débarquèrent à Provincetown en 1620 avant de s'installer à Plymouth.

**Provincetown Art
Association & Museum** MUSÉE
(PAAM ; www.paam.org ; 460 Commercial St ;
adulte/enfant 7 $/gratuit ; ⊙11h-20h lun-jeu,
11h-22h ven, 11h-17h sam-dim). Établi en 1914 pour célébrer la colonie artistique florissante de la ville, ce superbe musée expose l'œuvre d'artistes qui se sont inspirés de Provincetown au cours du siècle passé. Entrée libre le vendredi soir.

Vélo VÉLO
Près de 13 km de pistes cyclables grisantes quadrillent la forêt et les dunes sauvages du Cape Cod National Seashore et conduisent à Herring Cove Beach et à Race Point Beach.

Le meilleur endroit pour louer des vélos est **Ptown Bikes** (☎508-487-8735 ;
www.ptownbikes.com ; 42 Bradford St ; 22 $/j ;
⊙9h-18h), mais vous trouverez aussi des loueurs de vélos dans le centre-ville, dans Commercial St.

FAIRE DU "LÈCHE-GALERIES"

Provincetown possède un grand nombre de galeries d'art. Le plus simple est de partir du PAAM (Provincetown Art Association & Museum) et d'avancer vers le sud-ouest, le long de Commercial St, où près d'un commerce sur deux est une galerie d'art qui vaut le détour.

Art's Dune Tours
CIRCUITS ORGANISÉS

(☎508-487-1950 ; www.artsdunetours.com ;
4 Standish St ; adulte/enfant 26/17 $). Circuit
de 1 heure en 4x4 dans les dunes.

Whydah Pirate Museum
MUSÉE

(www.whydah.org ; MacMillan Wharf ; adulte/enfant 10/8 $; ☺10h-17h). Admirez les vestiges
d'un bateau de pirate qui a coulé près de
Cape Cod en 1717.

✯ Fêtes et festivals

Carnival Week
CARNAVAL

(www.ptown.org/carnival.asp ; mi-août). Avec
son défilé de chars fleuris et ses drag-
queens, le carnaval est la principale
fête gay en ville et attire des milliers de
noceurs.

⛏ Où se loger

Provincetown dispose de près de
100 pensions et aucun hôtel de chaîne ne
vient gâcher le paysage. L'été en général et
plus particulièrement le week-end, il est
préférable de réserver. Sinon, la chambre
de commerce pourra vous indiquer quelles
chambres sont encore libres.

❤ Carpe Diem
PENSION $$$

(☎508-487-4242 ; www.carpediemgues-
thouse.com ; 12 Johnson St ; ch petit-déj inclus
175-359 $; ✸@✿). Sophistiqué et zen,
avec des bouddhas souriants, un parfum
d'orchidée et un spa. La décoration de
chaque chambre est inspirée par un auteur
gay différent. Par exemple, celle dédiée à
l'écrivain Raj Rao est ornée de somptueuses
broderies et de meubles amérindiens faits
à la main.

Christopher's by the Bay
B&B $$

(☎508-487-9263 ; www.christophersbythebay.
com ; 8 Johnson St ; ch avec sdb commune/priva-
tive à partir de 105/155 $; ✸✿). Blotti dans une
rue tranquille, ce B&B accueillant offre un
excellent rapport qualité/prix. Les chambres
du 2e étage sont plus vastes, mais celles du
3e, avec sdb commune, offrent une vue sur
l'océan.

Cape Codder
PENSION $

(☎508-487-0131 ; www.capecodderguests.
com ; 570 Commercial St ; ch avec sdb commune
60-85 $; ✿). Les chambres les moins chères
sont petites, sans TV ou téléphone, mais
propres et, pour le prix, on ne peut pas se
plaindre. Les 14 chambres partagent 4 sdb,
alors armez-vous de patience.

Race Point Lighthouse
PHARE $

(☎508-487-9930 ; www.racepointlighthouse.
net ; Race Point ; ch 155-185 $). Dormez dans
un phare du XIXe siècle parmi les dunes.

Moffett House
PENSION $$

(☎508-487-6615 ; www.moffetthouse.com ;
296a Commercial St ; ch avec sdb commune
90-174 $; ✸✿). Une pension tranquille,
mettant des vélos à disposition pour la
durée de votre séjour.

Pilgrim House Hotel
BOUTIQUE HOTEL $$

(☎508-487-6424 ; www.thepilgrimhouse.com ;
336 Commercial St ; ch 159-250 $; ✸✿).
Décor artistique et situation au cœur de
l'action, au-dessus du club Vixen.

Dunes' Edge Campground
CAMPING $

(☎508-487-9815 ; www.dunes-edge.com ;
386 US 6 ; empl 40 $; ⌂). Dormez parmi les
dunes dans ce camping accueillant des
familles.

✗ Où se restaurer

Vous trouverez un nombre impressionnant
de restaurants dans Commercial St.

Mews Restaurant & Café
BISTROT $$

(☎508-487-1500 ; www.mews.com ; 429 Commer-
cial St ; plat 12-18 $; ☺6-22h). Pour un repas
gastronomique à prix raisonnable, montez
au 2e étage de cet excellent restaurant, où
se trouve un café offrant une belle vue, de
bons martinis et une délicieuse cuisine de
bistrot (comme, par exemple, le burger de
bœuf Angus au gorgonzola).

Fanizzi's by the Sea
FAMILIAL $$

(☎508-487-1964 ; www.fanizzisrestaurant.
com ; 539 Commercial St ; plat 10-25 $;
☺11h30-22h ; ⌂). Ce restaurant situé dans
l'est de Provincetown offre une nourriture
consistante et une belle vue, le tout pour
un prix raisonnable. Chacun pourra
trouver son bonheur dans le vaste menu
proposant des fruits de mer, des salades
et des fajitas.

Purple Feather
CAFÉ $

(www.thepurplefeather.com ; 334 Commercial St ;
en-cas 3-10 $; ☺8h-24h ; ✿). Ce café chic
propose de succulents paninis, des glaces
aux myrtilles et d'irrésistibles desserts
faits maison. C'est l'endroit idéal pour une
collation.

Lobster Pot
FRUITS DE MER $$$

(☎508-487-0842 ; www.ptownlobsterpot.com ;
321 Commercial St ; plat 20-35 $; ☺11h30-22h).
Comme son nom l'indique, ce restaurant
avec vue sur l'océan est le spécialiste du
homard. Le service tend à être lent. Pour
éviter la foule, il faut arriver vers midi.

Portuguese Bakery
BOULANGERIE $

(299 Commercial St ; en-cas 2-5 $; ☺7h-23h).
Boulangerie à l'ancienne servant des
sandwichs et des pâtisseries portugaises.

Karoo Kafe SUD AFRICAIN $$
(www.karookafe.com ; 338 Commercial St ;
plat 8-16 $; ⊙11h-21h ; ✐). Authentique
cuisine maison d'Afrique du Sud. Le sauté
d'autruche est un incontournable.

Spiritus Pizza PIZZERIA $
(www.spirituspizza.com ; 190 Commercial St ;
part de pizza 3 $; ⊙11h30-2h). Un endroit
populaire pour se restaurer tout en
flirtant après la fermeture des boîtes.

Où prendre un verre et sortir

BARS

Patio CAFÉ
(www.ptownpatio.com ; 328 Commercial St).
Installez-vous sur la terrasse de ce café
situé en plein centre de Commercial St pour
siroter un cocktail.

Ross' Grill BISTROT
(www.rossgrille.com ; 237 Commercial St). Une
belle vue sur l'eau et 75 vins différents
vendus au verre.

CLUBS ET DISCOTHÈQUES

Provincetown regorge de boîtes gays, de
spectacles de drag-queens et de cabarets. Et
si vous êtes hétéro, ce n'est pas un problème,
tout le monde est le bienvenu.

Crown & Anchor NIGHT-CLUB
(www.onlyatthecrown.com ; 247 Commercial St).
La reine des soirées. Ce vaste complexe
comprend un night-club, un *leather
bar* et un cabaret proposant des soirées
torrides.

Vixen NIGHT-CLUB
(www.ptownvixen.com ; 336 Commercial St). Un
endroit prisé par les lesbiennes, offrant

SURPRENANT !

Dans une ville qui regorge
d'attractions hétéroclites,
la **Provincetown Public
Library** (bibliothèque municipale ;
356 Commercial St ; ☎) est le dernier
endroit où l'on s'attend à trouver un
trésor caché. Cette église bâtie en
1860 fut convertie en musée cent
ans plus tard et arborait une réplique
du *Rose Dorothea*, un schooner de
Provincetown. Lorsque le musée fit
faillite, la ville décida d'y ouvrir une
bibliothèque. Sauf que du fait de sa
taille, il était impossible de sortir le
bateau, situé au 2e étage. Il est donc
toujours là, entouré d'étagères de
livres. Cela vaut le détour.

---

un bar à vin intime, des spectacles et une
piste de danse.

A-House DISCOTHÈQUE
(www.ahouse.com ; 4 Masonic Pl). La destina-
tion clubbing du week-end pour les gays.

THÉÂTRE

Provincetown possède une longue tradition
de théâtre. Eugene O'Neill a commencé à
écrire ici, et plusieurs stars, dont Marlon
Brando et Richard Gere, ont foulé les
planches de Provincetown avant de pour-
suivre leur carrière au cinéma.

Provincetown Theater THÉÂTRE
(☎508-487-7487 ; www.provincetowntheater.
org ; 238 Bradford St). La principale troupe
de théâtre de la ville, New Provincetown
Players, se produit ici.

Achats

Les boutiques qui bordent Commercial St
vendent de tout, des T-shirts pour touristes
aux vêtements tendance.

Shop Therapy SEX TOYS
(www.shoptherapy.com ; 346 Commercial St). En
bas, vous trouverez des vêtements et des
autocollants érotiques, mais la clientèle tend
à graviter en haut, ou les sex toys sont plus
délurés les uns que les autres. Parents, soyez
prévenus : vos ados seront tentés d'y jeter
un coup d'œil.

Womencrafts ARTISANAT
(www.womencrafts.com ; 376 Commercial St).
Cette boutique vend des bijoux, de la po-
terie, des livres et de la musique d'artistes
américaines.

Renseignements

Poste (www.usps.com ; 219 Commercial St).

Provincetown Business Guild (www.ptown.
org). Un site Web destiné aux visiteurs gays.

Provincetown Chamber of Commerce
(☎508-487-3424 ; www.ptownchamber.com ;
307 Commercial St ; ⊙9h-17h). L'office du
tourisme est situé sur le MacMillan Wharf.

Provincetown on the Web (www.province-
town.com). Guide en ligne offrant un agenda
des sorties.

Seamen's Bank (221 Commercial St). Possède
un DAB ouvert 24h/24.

Wired Puppy (www.wiredpuppy.com ;
379 Commercial St ; ⊙6h30-22h ; ☎).
Connexion à Internet gratuite avec votre
consommation.

Depuis/vers Provincetown

Les bus **Plymouth & Brockton** (www.p-b.
com) relient Boston à Provincetown (35 $,

3 heures 30). De mi-mai à mi-octobre, le ferry (aller-retour 79 $, 1 heure 30) de la **Bay State Cruise Company** (📞877-783-3779 ; www.baystatecruises.com) part du World Trade Center Pier à Boston et arrive au MacMillan Wharf.

Nantucket

Nantucket, avec ses demeures d'époque et ses rues pavées, fut autrefois le port d'attache de la plus grande flotte de baleiniers du monde. Avec le déclin de la chasse à la baleine au milieu de XIXe siècle, la ville se paupérisa et sa population diminua. Ce n'est qu'avec l'arrivée de riches urbains que ces demeures retrouvèrent une seconde vie comme résidences d'été. Son économie repose depuis lors sur le tourisme haut de gamme

◉ À voir et à faire

C'est la seule ville des États-Unis à être entièrement classée comme monument historique. On a l'impression de débarquer dans un musée à ciel ouvert que l'on peut explorer à sa guise. Main St constitue un bon point de départ ; vous y verrez les plus belles demeures de l'époque de la chasse à la baleine.

Nantucket Whaling Museum   MUSÉE
(www.nha.org ; 13 Broad St ; adulte/enfant 17/8 $; ☺10h-17h). Ce musée incontournable est situé dans une ancienne usine de bougies de *spermaceti* (graisse de baleine).

Nantucket Beaches   PLAGES
Les petits enfants trouveront leur bonheur à la **Children's Beach**, dans la ville même. L'eau y est calme et il y a une aire de jeux. **Surfside Beach**, à 3 km au sud, est populaire parmi les étudiants, qui y pratiquent le bodysurf. **Madaket Beach**, 9 km à l'ouest de la ville, est le meilleur endroit pour admirer le coucher du soleil.

Vélo   VÉLO
Aucune destination sur l'île n'est à plus de 13 km de la ville, et grâce au terrain relativement plat de Nantucket et à ses pistes cyclables, il est facile de l'explorer à vélo. Vous pourrez ainsi faire une excursion au village pittoresque de **Siasconset**, avec ses cottages aux jardins de roses. Vous trouverez plusieurs loueurs de vélos (30 $/j) sur le quai du ferry.

🛏 Où se loger

Pineapple Inn   B&B $$$
(📞508-228-9992 ; www.pineappleinn.com ; 10 Hussey St ; ch petit-déj inclus 200-375 $; ✳@🛜). Les 12 chambres de cette maison

de capitaine de baleinier datant de 1838 ont été entièrement restaurées avec goût. Tenu par des restaurateurs, l'établissement doit sa réputation à son petit-déjeuner. Le cadre est romantique, avec de grands lits et des duvets en plumes d'oie.

Nesbitt Inn   B&B $$
(📞508-228-0156 ; nesbittinn@comcast.net ; 21 Broad St ; s petit-déj inclus 105 $, d 125-170 $). Cet établissement, ouvert depuis 1872, est un peu défraîchi, mais les prix sont bas et il s'en dégage un charme d'autrefois. La meilleure chambre, celle du capitaine, est dotée d'une fenêtre en saillie donnant sur Broad St et d'une immense sdb avec baignoire-sabot. La plupart des autres chambres ont une sdb commune.

HI Nantucket   AUBERGE DE JEUNESSE $
(📞508-228-0433 ; http://capecod.hiusa.org ; 31 Western Ave ; dort petit-déj inclus 32-42 $; @). Cette auberge, située dans une station de sauvetage datant de 1873, est idéalement située sur Surfside Beach. Comme il s'agit de la seule option pour petits budgets sur l'île, elle affiche complet longtemps à l'avance.

🍴 Où se restaurer

Centre Street Bistro   CAFÉ $$
(www.nantucketbistro.com ; 29 Centre St ; déj 7-12 $, dîner 20-30 $; ☺11h30-21h30 ; 📝). Installez-vous sur la terrasse ombragée de ce café tranquille et regardez passer les gens. Les propriétaires cuisinent tout eux-mêmes, du petit-déjeuner à la tarte au fromage de chèvre.

Brotherhood of Thieves   PUB $$
(www.brotherhoodofthieves.com ; 23 Broad St ; plat 7-25 $; ☺11h30-1h). Les habitants de Nantucket apprécient l'atmosphère chaleureuse de ce pub de brique et de bois sombre qui sert les meilleurs hamburgers de l'île. Les fruits de mer valent également le détour.

Black-Eyed Susan's   CAFÉ $$
(www.black-eyedsusans.com ; 10 India St ; plat 8-30 $; ☺7h-13h tlj et 18h-22h lun-sam). Installez-vous sur la terrasse à l'arrière pour déguster du pain perdu recouvert de noix de pécan au caramel. Le soir, le poisson du jour aux doliques est un must.

ℹ Renseignements

Visitor Services (📞508-228-0925 ; www.nantucket-ma.gov/visitor ; 25 Federal St ; ☺9h-17h) renseigne les touristes depuis son kiosque sur le quai du ferry.

ℹ Comment s'y rendre et circuler

Avion

Cape Air (www.flycapeair.com) relie Boston, Hyannis, Martha's Vineyard et Providence depuis l'aéroport Memorial de Nantucket (ACK).

Bateau

La **Steamship Authority** (☎508-477-8600 ; www. steamshipauthority.com ; aller-retour adulte/enfant ferry lent 35/18 $, ferry rapide 67/34 $) relie toute la journée Hyannis à Nantucket en ferry. Le ferry rapide met 1 heure, le ferry lent met 2 heures 15. Ce dernier transporte les véhicules, mais le tarif (400 $ aller-retour) est volontairement prohibitif afin de limiter le trafic dans les rues de Nantucket.

Bus

Il est facile de circuler dans Nantucket. **NRTA Shuttle** (www.shuttlenantucket.com ; ticket 1-2 $, forfait journée 7 $; ☺fin mai à sept) gère des navettes dans la ville et vers Siasconset, Madaket et les plages. Les bus sont équipés de porte-vélos.

Martha's Vineyard

La plus grande île de la Nouvelle-Angleterre est un monde à part. L'île compte 15 000 habitants, mais ce chiffre monte à 100 000 durant l'été. Les villages sont charmants, les plages belles et les restaurants gastronomiques. Selon votre humeur, vous pourrez dîner dans la riche Edgartown un jour et prendre part à la fête foraine d'Oak Bluffs le lendemain.

Martha's Vineyard Chamber of Commerce (☎508-693-0085 ; www.mvy.com ; 24 Beach Rd, Vineyard Haven ; ☺9h-17h lun-ven) renseigne les touristes. Il y a également un kiosque d'information estival au terminal des ferries.

OAK BLUFFS

Cette ville portuaire, où accostent la plupart des ferries, sera probablement votre introduction à l'île. Bienvenue au centre de l'animation estivale de Martha's Vineyard, où vous pourrez déambuler avec une glace à la main, observer les curiosités alentour, puis entamer une nuit de clubber.

👁 À voir et à faire

Campgrounds et temple "MAISONS EN PAIN D'ÉPICE"

Oak Bluffs servit d'abord au milieu du XIXᵉ siècle de retraite estivale à une communauté méthodiste, dont les membres appréciaient tout autant une journée à la plage qu'un bon sermon. Ils bâtirent environ 300 cottages (les "Campgrounds") aux couleurs vives ressemblant à des maisons en pain d'épice. Elles entourent **Trinity Park** et son **temple** ("Tabernacle" ; 1879) à ciel ouvert, où sont organisés des fêtes et des concerts.

Flying Horses Carousel SITE HISTORIQUE

(www.mvpreservation.org ; angle Lake Ave et Circuit Ave ; ticket 2 $; ☺10h-22h ; ♿). Faites un tour de manège sur le plus ancien carrousel des États-Unis, qui captive l'attention des enfants depuis 1876. La crinière des chevaux de bois est véritable, et si vous observez leurs yeux, vous apercevrez des petites figurines d'animaux en argent.

Bike Trail VÉLO

Une piste cyclable pittoresque longe la côte entre Oak Bluffs, Vineyard Haven et Edgartown. En grande partie plate, elle est propice aux balades en famille. **Anderson's Bike Rental** (☎508-693-9346 ; 1 Circuit Ave Extension ; 18 $/j ; ☺9h-18h) loue des vélos près du terminal des ferries.

🛏 Où se loger

Nashua House HÔTEL $$

(☎508-693-0043 ; www.nashuahouse.com ; 30 Kennebec Ave ; ch avec sdb commune 69-219 $; ❄🛜). Vous retrouverez ici le Martha's Vineyard d'antan, sans téléphone ou TV, ni sdb privative. Cela dit, les chambres de ce petit établissement en plein centre-ville sont simples et propres.

Narragansett House B&B $$

(☎508-693-3627 ; www.narragansetthouse. com ; 46 Narragansett Ave ; ch petit-déj inclus 140-275 $; ❄🛜). Situé dans une rue résidentielle calme, ce B&B occupe deux maisons victoriennes colorées. Il s'en dégage un charme désuet sans être mièvre. Contrairement aux autres hôtels de cette catégorie, toutes les chambres ont une sdb privative.

🍴 Où se restaurer

Slice of Life CAFÉ $$

(www.sliceoflifemv.com ; 50 Circuit Ave ; plat 8-20 $; ☺8h-21h mar-sam ; 🌱). Ambiance décontractée et cuisine de gourmet : omelette aux champignons portobellos, salade de cabillaud grillé et de tomates séchées, et desserts divins.

Giordano's ITALIEN $$

(www.giosmv.com ; angle Circuit Ave et Lake Ave ; plat 10-20 $; ☺11h30-22h30). Depuis 1930, ce restaurant accueille les familles qui viennent déguster ses célèbres palourdes frites et ses bonnes pizzas maison.

MV Bakery BOULANGERIE $

(5 Post Office Sq ; en-cas 1-3 $; ☺7h-17h). Cette boulangerie sert du café, des beignets aux

pommes et des *cannoli* toute la journée, mais mieux vaut venir entre 21h et minuit, et faire la queue derrière la boulangerie pour acheter les beignets directement au boulanger.

🍷 Où prendre un verre et sortir

Offshore Ale Co MICROBRASSERIE
(www.offshoreale.com ; 30 Kennebec Ave). Cette microbrasserie est parfaite pour siroter une bière locale tout en écoutant un groupe de jazz ou de musique irlandaise les soirs de la semaine.

Lampost CLUB
(www.lampostmv.com ; Circuit Ave). Ce bar-boîte est la destination clubbing par excellence de l'île. Si vous ne trouvez pas votre bonheur ici, vous pourrez poursuivre la soirée dans Circuit Ave, où vous aurez le choix entre plusieurs bars (dont le Dive Bar et le Ritz) où l'ambiance est bonne.

VINEYARD HAVEN

Ce port abrite de nombreux voiliers en bois, et ses rues sont bordées de restaurants et de boutiques qui font le bonheur des visiteurs.

🛏 Où se loger et se restaurer

HI Martha's Vineyard AUBERGE DE JEUNESSE $
(☎508-693-2665 ; http://capecod.hiusa.org ; Edgartown-West Tisbury Rd, West Tisbury ; dort 32-42 $; @). Réservez tôt pour obtenir l'un des 72 lits de cette auberge située à 13 km de Vineyard Haven. Il y a un arrêt de bus devant l'auberge, qui est par ailleurs située sur la piste cyclable.

🖊 Art Cliff Diner CAFÉ $$
(☎508-693-1224 ; 39 Beach Rd ; plat 7-15 $; ⊙7h-14h jeu-mar). C'est l'endroit à la mode pour le petit-déjeuner et le déjeuner. Gina Stanley, la cuisinière-propriétaire, est diplômée du prestigieux Culinary Institute of America. Elle concocte tous ses plats avec style. Vous devrez faire la queue, mais ça en vaut la peine.

EDGARTOWN

Perchée sur un joli port naturel, Edgartown possède une riche histoire maritime et une allure noble. À l'apogée de la chasse à la baleine, plus de 100 capitaines y firent construire les belles demeures qui bordent aujourd'hui ses rues.

Le long de Main St, vous pourrez observer plusieurs bâtiments historiques, dont certains sont ouverts au public l'été.

👁 À voir

Katama Beach PLAGE
(Katama Rd). L'une des plus belles plages de l'île est à moins de 7 km au sud d'Edgartown. La très belle Katama Beach (ou South Beach) s'étend sur 5 km. L'océan est agité de ce côté, mais vous trouverez des marais salants abrités dans les terres.

🛏 Où se loger et se restaurer

Edgartown Inn PENSION $$
(☎508-627-4794 ; www.edgartowninn.com ; 56 N Water St ; ch avec sdb commune 100-125 $, ch avec sdb privée 150-300 $; ❄). C'est la meilleure adresse de la ville, avec ses chambres sans fioritures réparties entre 3 bâtiments adjacents, dont le plus ancien date de 1798 et accueillit notamment Nathaniel Hawthorne !

🖊 Détente FRANÇAIS $$$
(☎508-627-8810 ; www.detentemv.com ; 3 Nevin Sq ; plat 28-40 $; ⊙5h-22h). La cuisine d'inspiration française de ce restaurant offre un succulent tartare de thon à la purée de vanille-lychee. Les légumes bio, les poulets élevés sur l'île et les coquilles Saint-Jacques de la baie de Nantucket constituent une bonne partie du menu.

Among the Flowers Café CAFÉ $$
(17 Mayhew Lane ; plat 7-20 $; ⊙8h-16h ; 🖊). Dégustez une crêpe ou un sandwich sur la terrasse. Même si les assiettes sont en papier, l'ambiance est un peu compassée. Dîner servi en juillet-août.

ℹ Comment s'y rendre et circuler

Bateau

Des ferries de la **Steamship Authority** (☎508-477-8600 ; www.steamshipauthority.com ; aller-retour adulte/enfant/voiture 16/8,50/135 $) relient fréquemment Woods Hole à Vineyard Haven et à Oak Bluffs (45 minutes). Si vous comptez prendre votre voiture, réservez tôt.

Au départ du port de Falmouth, le ferry de passagers **Island Queen** (☎508-548-4800 ; www.islandqueen.com ; 75 Falmouth Heights Rd ; aller-retour adulte/enfant 18/9 $) rejoint Oak Bluffs plusieurs fois par jour en été.

Depuis Hyannis, **Hy-Line Cruises** (☎508-778-2600 ; www.hylinecruises.com ; Ocean St Dock ; aller-retour adulte/enfant ferry lent 45 $/gratuit, ferry rapide 71/48 $) propose un ferry lent (1 heure 30) une fois par jour vers Oak Bluffs et un ferry à grande vitesse (55 min) 5 fois par jour.

Up-Island, la partie ouest rurale de Martha's Vineyard, est un mélange de collines vallonnées, de petites fermes et de champs où l'on aperçoit des dindons sauvages et des cervidés. **Menemsha** est un village de pêcheurs pittoresque où les restaurants servent des fruits de mer on ne peut plus frais (les pêcheurs apportent directement leur prise du jour). Les huîtres, ouvertes sous vos yeux, et les homards, cuits pour vous, sont à déguster sur un banc sur le port.

Les **Aquinnah Cliffs** (ou Gay Head Cliffs) sont un site national classé. Ces falaises hautes de 45 m aux couleurs chatoyantes sont particulièrement resplendissantes dans la lumière de l'après-midi. Vous pourrez vous prélasser sur **Aquinnah Beach**, une plage en contrebas des falaises, ou marcher plus de 1 km le long du rivage jusqu'à une plage nudiste.

Le **Cedar Tree Neck Sanctuary** (www.sheriffsmeadow.org ; Indian Hill Rd, West Tisbury ; entrée libre ; ☉8h30-17h30), près de State Rd, offre un sentier de 4 km au travers des marais et de la forêt qui se termine sur un promontoire offrant une vue sur Cape Cod. Le **Felix Neck Wildlife Sanctuary** (www.massaudubon.org ; Edgartown-Vineyard Haven Rd ; adulte/enfant 4/3 $; ☉aube-crépuscule) est un paradis pour ornithologue, avec 6 km de sentiers parmi les marais et les étangs.

Bus
Martha's Vineyard Regional Transit Authority (www.vineyardtransit.com ; forfait 1/3 jours 7/15 $) gère un réseau de bus entre les différentes villes. La fréquence de service est élevée et vous pouvez même rejoindre des destinations reculées comme les Aquinnah Cliffs.

Centre du Massachusetts
La partie centrale du Massachusetts, entre Boston et les Berkshires, est moins touristique que le reste de l'État. Mais ce n'est pas une contrée endormie pour autant, du fait notamment de la présence d'universités qui insufflent une jeunesse d'esprit à cette région.

Le **Central Massachusetts Convention & Visitors Bureau** (☎508-755-7400 ; www.centralmass.org) et le **Greater Springfield Convention & Visitors Bureau** (☎413-787-1548 ; www.valleyvisitor.com) pourront vous renseigner sur la région.

WORCESTER
La 2e ville en importance du Massachusetts connut son heure de gloire au XIXe siècle. Ses industries prospères ne sont plus qu'un souvenir aujourd'hui, commémoré dans différents musées de la ville. Le **Worcester Art Museum** (☎508-799-4406 ; www.worcesterart.org ; 55 Salisbury St ; adulte/enfant 14 $/gratuit ; ☉11h-17h mer-ven et dim, 10h-17h sam), un musée de premier plan, présente des œuvres d'impressionnistes et de maîtres américains comme Whistler. Le superbe **Higgins Armory Museum**

(☎508-853-6015 ; www.higgins.org ; 100 Barber Ave ; adulte/enfant 10/7 $; ☉10h-16h mar-sam, 12h-16h dim) renferme la collection d'un magnat de l'acier, qui fit bâtir cette armurerie Art déco contenant des milliers d'objets militaires, dont des casques corinthiens de la Grèce antique et plus de 100 armures complètes.

SPRINGFIELD
Le titre de gloire de Springfield est son statut de lieu de naissance du sport américain par excellence : le basket-ball. Le **Naismith Basketball Hall of Fame** (☎413-781-6500, www.hoophall.com ; 1000 W Columbus Ave ; adulte/enfant 17/12 $; ☉10h-17h ; ♿), au sud de l'I-91, rend hommage à ce sport avec des expositions et des souvenirs de grandes stars.

Springfield est également la ville de naissance du Dr Seuss, auteur de livres pour enfants. Une statue en bronze du Chat chapeauté et d'autres personnages farfelus se trouvent dans le **Dr Seuss National Memorial Sculpture Garden** (angle State St et Chestnut St ; entrée libre).

NORTHAMPTON
Les meilleures tables et les meilleures soirées de la région se trouvent dans cette petite ville ultrabranchée connue pour ses politiques progressistes et sa communauté lesbienne. Facilement explorable à pied, le centre-ville éclectique regorge de cafés, de petites boutiques et de galeries d'art. La **Greater Northampton Chamber of Commerce** (☎413-584-1900 ; www.

explorenorthampton.com ; 99 Pleasant St ;
⏰9h-17h lun-ven) pourra vous renseigner.

Le campus du **Smith College** (www.
smith.edu), qui s'étend sur 50 ha de jardins,
vaut le détour. Le **Smith College Museum
of Art** (☎413-585-2760 ; Elm St au niveau de
Bedford Tce ; adulte/enfant 5/2 $; ⏰10h-16h
mar-sam, 12h-16h dim), est un incontournable,
avec sa collection de maîtres européens et
américains des XIXe et XXe siècles, dont
Monet, John Singleton Copley et Eastman
Johnson.

🛏 Où se loger

Hotel Northampton HÔTEL HISTORIQUE $$
(☎413-584-3100 ; www.hotelnorthampton.com ;
36 King St ; ch à partir de 180 $; ✳🛜). L'hôtel le
plus chic de Northampton depuis 1927. Situé
dans le centre-ville, il offre 100 chambres
bien équipées, avec décor d'époque.

Autumn Inn MOTEL $$
(☎413-584-7660 ; www.hampshirehospitality.
com ; 259 Elm St/MA 9 ; ch petit-déj inclus
99-169 $; @🛜✳). Sous ses allures de motel,
cet établissement de 2 étages près du Smith
College offre une ambiance agréable et de
vastes chambres confortables.

🍴 Où se restaurer

Sylvester's FAMILIAL $
(www.sylvestersrestaurant.com ; 111 Pleasant St ;
plat 5-10 $; ⏰7h-15h). Ce restaurant sans
prétention est fréquenté par les habitants
du coin et offre les meilleurs petits-déjeuners en ville. Tout est cuisiné maison : les
pancakes au sirop d'érable, les frites aux
oignons frits et les omelettes, qui sont
préparées à votre goût.

🌿 **Paul & Elizabeth's** CAFÉ $$
(www.paulandelizabeths.com ; 150 Main St ;
plat 8-16 $; ⏰11h30-21h15 ; 🖊). Cet excellent
café ne propose que des ingrédients frais,
locaux et bio. Le menu contient des mets
végétariens innovants et des plats de
poisson de style japonais.

🌿 **Green Bean** CAFÉ $
(241 Main St ; plat 6-8 $; ⏰7h-15h). Les
agriculteurs de la Pioneer Valley approvi-
sionnent ce sympathique établissement qui
sert des œufs bio et des hamburgers de bœuf
élevé naturellement.

🍷 Où prendre un verre et sortir

Northampton Brewery MICROBRASSERIE
(www.northamptonbrewery.com ; 11 Brewster Ct).
Durant les beaux jours, tout le monde vient
ici pour siroter une bière dans le jardin
de la plus ancienne microbrasserie de
Nouvelle-Angleterre

Calvin Theatre SALLE DE CONCERT
(☎413-584-0610 ; www.iheg.com ; 19 King St). Cette
salle propose toutes sortes de divertissements,
des concerts rock aux spectacles d'humour.

Diva's CLUB
(www.divasofnoho.com ; 492 Pleasant St). La
principale boîte de nuit gay de la ville où
l'on danse sur de la house.

Iron Horse Music Hall SALLE DE CONCERT
(☎413-584-0610 ; www.iheg.com ; 20 Cen-
ter St). Des artistes folk et jazz de renom
se produisent dans cette salle intime.

Haymarket Café CAFÉ
(www.haymarketcafe.com ; 185 Main St ; 🛜).
Café branché fréquenté par les bobos et
les amateurs de café.

AMHERST

Cette ville universitaire proche de
Northampton est centrée sur l'immense
University of Massachusetts (www.
umass.edu) et deux petits établissements,
le progressiste **Hampshire College** (www.
hampshire.edu) et le prestigieux **Amherst
College** (www.amherst.edu). Contactez-les
pour une visite du campus et pour obtenir la
liste des événements qui s'y déroulent toute
l'année. Pour vous restaurer, vous trouverez
les restaurants typiques des villes univer-
sitaires dans Main St, dans le centre-ville.

La maison de la poétesse Emily
Dickinson (1830-1886) est ouverte au public,
de même que l'**Emily Dickinson Museum**
(☎413-542-8161 ; www.emilydickinsonmuseum.

À NE PAS MANQUER

LES *DINERS* DE WORCESTER

Worcester est à l'origine d'une icône
américaine : le *diner*. Vous trouverez
ici des dizaines de ces restaurants
préfabriqués blottis entre des hangars,
sous d'anciens ponts de train, ou près
de bars louches. **Miss Worcester
Diner** (300 Southbridge St ; plat 5-8 $;
⏰6h-14h) est un classique du genre.
Construit en 1948, c'était le *diner* de
démonstration de la Worcester Lunch
Car Company, qui produisit 650 *diners*
dans l'usine située en face. Les Harley-
Davidson garées sur le trottoir et le
décor voué aux Red Sox donnent le
ton. Des mets originaux comme du
pain perdu aux bananes complètent le
menu classique de hot dogs. C'est une
savoureuse tranche d'Amérique.

org ; 280 Main St ; adulte/enfant 8/4 $; ⏱11h-16h mer-dim). L'entrée comprend une visite guidée de 40 minutes.

Les Berkshires

Des villes paisibles et une pléthore d'attractions culturelles sont blotties dans ces collines verdoyantes. Depuis plus d'un siècle, les Berkshires sont une retraite estivale pour les Bostoniens et les New-Yorkais fortunés, et même... tout l'orchestre symphonique de Boston. Le **Berkshire Visitors Bureau** (☎413-743-4500 ; www.berkshires. org ; 3 Hoosac St, Adams ; ⏱10h-17h) peut vous renseigner sur toute la région.

GREAT BARRINGTON
De loin le meilleur endroit dans les Berkshires pour se restaurer. Le centre-ville se trouve à l'intersection de Main St (US 7) et de Railroad St, où vous trouverez un mélange intéressant de galeries d'art et de restaurants servant un vaste choix de plats délicieux.

Pour un repas consistant cuisiné avec des ingrédients locaux, l'**Eastern Mountain Cafe** (www.berkshire.coop ; 42 Bridge St ; plat 6-10 $; ⏱8h-19h lun-sam, 10h-17h dim ; 🚸) se trouve dans le Berkshire Co-op Market. Les familles ont toutes les chances d'apprécier le **Baba Louie's** (www.babalouiespizza.com ; 286 Main St ; pizzas 12-18 $; ⏱11h30-21h30 ; 🚸) pour ses pizzas bio et son menu enfant à 6 $. Pour un repas gastronomique, **Allium** (☎413-528-2118 ; www.alliumberkshires.com ; 42 Railroad St ; plat 15-28 $; ⏱17h-21h30) propose de la nouvelle cuisine américaine dans un décor chic.

STOCKBRIDGE
Cette ville intemporelle, sans même un seul feu rouge, semble tout droit sortie d'un dessin de Norman Rockwell (1894-1978). L'illustrateur le plus populaire de l'histoire américaine vécut dans Main St et s'inspira des habitants de Stockbridge pour ses dessins. Vous pourrez admirer les tranches de vie américaine qu'il a croquées au bien nommé **Norman Rockwell Museum** (☎413-298-4100 ; www.nrm.org ; 9 Glendale Rd/MA 183 ; adulte/enfant 15/5 $; ⏱10h-17h).

LENOX
Centre culturel des Berkshires, ce village raffiné organise un des plus prestigieux festivals de musique classique du pays. Le **Tanglewood Music Festival** (☎413-637-5165 ; www.tanglewood.org ; ⏱fin juin à début sept) accueille l'orchestre symphonique de Boston et des artistes invités comme James Taylor et Yo-Yo Ma. Les concerts en plein air, sur une couverture, avec un verre de vin à la main, constituent l'expérience ultime des Berkshires.

Shakespeare & Company (☎413-637-1199 ; www.shakespeare.org ; 70 Kemble St) se produit ici tout l'été dans le répertoire du dramaturge anglais. Le célèbre **Jacob's Pillow Dance Festival** (☎413-243-9919 ; www.jacobspillow.org ; 385 George Carter Rd ; ⏱juin-août), à 16 km à l'est de Lenox, à Becket, offre des spectacles de danse contemporaine.

Le domaine du **Mount** (☎413-551-5111 ; www.edithwharton.org ; 2 Plunkett St, au niveau de l'US 7 ; adulte/enfant 16 $/gratuit ; ⏱10h-17h mai-oct), qui appartenait à la romancière Edith Wharton, propose une visite guidée de 1 heure de la demeure et des jardins.

Les hôtels de charme abondent à Lenox, et le plus ancien d'entre eux, le **Birchwood Inn** (☎413-637-2600 ; www.birchwood-inn.com ; 7 Hubbard St ; ch petit-déj inclus 175-335 $; 🛜), reçut son premier hôte en 1767 et continue d'offrir un accueil chaleureux.

Le **Cornell in Lenox** (☎413-637-4800 ; www.cornellbandb.com ; 203 Main St ; ch petit-déj inclus 150-200 $; @🛜) s'étend sur trois bâtiments historiques et offre un bon rapport qualité/prix.

Plusieurs bistrots chics bordent Church St. Ainsi, le **Bistro Zinc** (☎413-637-8800 ; www.bistrozinc.com ; 56 Church St ; plat 15-30 $; ⏱11h30-15h et 17h30-22h), au décor postmoderne, sert de la nouvelle cuisine américaine d'inspiration française. Pour un repas en famille, visitez l'**Olde Heritage Tavern** (12 Housatonic St ; plat 6-15 $; ⏱8h-22h), un pub vivant dont le menu comprend des gaufres et des steaks.

PITTSFIELD
À l'est de la ville de Pittsfield se trouve le **Hancock Shaker Village** (☎413-443-0188 ; www.hancockshakervillage.org ; US 20 ; adulte/enfant 17/4 $; ⏱10h-17h mai-oct), un musée fascinant consacré à la vie des Shakers, un groupe religieux qui fonda le village en 1783. Les Shakers croyaient en la communauté de biens, au travail et au célibat. Ce dernier point fut d'ailleurs la cause de leur disparition. Leur travail, d'une élégante simplicité, comprend des meubles en bois et 20 bâtiments, dont le plus célèbre est une étable de pierre ronde.

WILLIAMSTOWN ET NORTH ADAMS
Blottie entre les collines des Berkshires, Williamstown offre une image d'Épinal de la ville universitaire de Nouvelle-Angleterre,

avec en son centre le campus boisé du Williams College. Williamstown et sa voisine North Adams offrent trois magnifiques musées d'art qui valent tous le détour.

☉ À voir et à faire

♥ Clark Art Institute
MUSÉE

(☎413-458-2303 ; www.clarkart.edu ; 225 South St, Williamstown ; adulte/enfant juin-oct 15 $/gratuit, nov-mai entrée libre ; ☉10h-17h, fermé le lun sept-juin). Axé sur les maîtres du XIXe siècle, dont Renoir et d'autres impressionnistes français, le musée possède également une belle collection de Winslow Homer, John Singer Sargent et d'autres peintres américains.

GRATUIT Williams College Museum of Art
MUSÉE

(☎413-597-2429 ; www.wcma.org ; 15 Lawrence Hall Dr, Williamstown ; ☉10h-17h mar-sam, 13h-17h dim). Ce musée met en avant les œuvres de Mary Cassett, Edward Hopper, Georgia O'Keeffe et d'autres maîtres américains.

Mass MoCA
MUSÉE

(☎413-662-2111 ; www.massmoca.org ; 87 Marshall St, North Adams ; adulte/enfant 15/5 $; ☉10h-18h juil-août, 11h-17h mer-lun sept-juin ; ☏). Ce musée d'art contemporain, le plus grand des États-Unis, s'étend sur pas moins de 20 000 m². N'oubliez pas vos chaussures de marche ! En plus d'œuvres proprement indescriptibles, le MoCA propose théâtre et danse d'avant-garde.

🌿 Mt Greylock State Reservation
PARC

(☎413-499-4262 ; www.mass.gov/dcr/parks/mtGreylock ; 30 Rockwell Rd, Lanesborough). Situé au sud de North Adams, ce parc offre des sentiers qui mènent au plus haut sommet (1 064 m) du Massachusetts, d'où vous pourrez admirer plusieurs chaînes de montagnes et, par beau temps, pas moins de cinq États. Camping, abris et un chalet rustique dans le parc. Voir le site Internet pour plus de détails.

✹ Fêtes et festivals

Williamstown Theatre Festival
THÉÂTRE

(☎413-597-3400 ; www.wtfestival.org ; 1000 Main St, Williamstown). Ce festival propose des pièces contemporaines et classiques en juillet-août, souvent avec des acteurs connus à l'affiche.

⌂ Où se loger et se restaurer

River Bend Farm
B&B $$

(☎413-458-3121 ; www.windsorsofstonington.com/RBF ; 643 US 7 ; ch petit-déj inclus et sdb commune 120 $). Remontez au XVIIIe siècle dans ce B&B de style georgien meublé d'authentiques meubles anciens et arborant cinq cheminées.

Porches
B&B $$

(☎413-664-0400 ; www.porches.com ; 231 River St ; ch petit-déj inclus 180-250 $; ❄☏☒). Situé en face du MASS MoCA, ce B&B dispose de chambres lumineuses, avec de beaux accords de couleurs.

♥ Mezze Bistro + Bar
FUSION $$$

(☎413-458-0123 ; www.mezzerestaurant.com ; 777 US 7 ; plat 18-27 $; ☉5h-22h). Le chef de ce restaurant chic, Joji Sumi, offre un mélange adroit de cuisine américaine contemporaine avec influences françaises et japonaises. Le menu varie selon la saison et comprend des viandes, des fromages et des légumes bio.

Tunnel City Coffee
CAFÉ $

(www.tunnelcitycoffee.com ; 100 Spring St ; en-cas 2-6 $; ☉6h-18h ; ☏). Ce repaire estudiantin proche du campus du Williams College sert des expressos serrés, des repas légers et d'onctueux desserts.

RHODE ISLAND

Le plus petit État des États-Unis n'en est pas moins riche d'intérêt et compense son manque de terres par 640 km de littoral ciselé, de baies profondément échancrées et de superbes plages. Providence, la charmante capitale de l'État, est à la fois assez petite pour être chaleureuse et assez grande pour offrir restaurants et curiosités touristiques de premier plan. Newport, station balnéaire huppée, regorge de somptueuses demeures, de magnifiques yachts et de festivals de musique prestigieux. Si l'envie de vous aventurer plus loin vous gagne, prendre le ferry jusqu'à l'île de Block Island constitue une excursion d'une journée idéale.

Histoire

Le nom que Roger Williams (1603-1683) donna à la communauté qu'il fonda en 1636 – Providence, rien de moins ! - témoigne de l'optimisme que partageaient ses partisans. Banni de la puritaine Boston pour dissidence religieuse, Williams fonda la colonie sur le principe de la liberté de conscience. C'était un défenseur précoce de la séparation de l'Église et de l'État, concept qui devint par la suite un des fondements de la constitution des États-Unis. La petite colonie progressiste du Rhode Island fut la première du pays à abolir l'esclavage (1774) et la première

LE RHODE ISLAND EN BREF

» **Surnoms :** Ocean State (État de l'Océan), Little Rhody (Petit Rhody)

» **Population :** 1 053 000 habitants

» **Superficie :** 2 706 km^2

» **Capitale :** Providence (178 000 habitants)

» **Autres villes :** Newport (24 700 habitants)

» **TVA :** 7%

» **État de naissance de :** George M. Cohan (1878-1942), compositeur et acteur ; M. Patate (né en 1952), le célèbre jouet !

» **A accueilli :** le premier tournoi de l'US Open de tennis

» **Politique :** majorité démocrate

» **Célèbre pour :** être le plus petit État

» **Oiseau officiel de l'État :** la Rhode-Island, une poule rouge qui a révolutionné l'industrie avicole

» **Distances par la route :** Providence-Newport : 60 km ; Providence-Boston : 80 km

également à déclarer son indépendance de la Grande-Bretagne en 1776.

🛈 Renseignements

Providence Journal (www.projo.com). Principal quotidien de l'État.

Rhode Island Parks (www.riparks.com). Propose des campings dans cinq parcs d'État.

Rhode Island Tourism Division (☎800-250-7384 ; www.visitrhodeisland.com). Fournit des informations touristiques sur tout l'État.

Providence

La politique de relance menée à Providence a transformé cette capitale jadis morne en l'une des plus belles petites villes du Nord-Est. Non seulement un esprit artistique lui a été insufflé, mais elle est aussi la seule ville des États-Unis dont l'ensemble du centre-ville figure au registre national des sites historiques. Des édifices d'époque du centre-ville aux rues bordées de cafés qui encerclent l'université Brown, tout dans cette ville mérite qu'on s'y attarde.

👁 À voir et à faire

Pour vous rendre dans le centre-ville, prenez la sortie 22 de l'I-95. L'université est à quelques minutes à pied vers l'est. La pittoresque enclave italienne de Federal Hill se situe autour de Atwells Ave, à 1,5 km à l'ouest du centre-ville.

Museum of Art   MUSÉE
(☎401-454-6500 ; www.risdmuseum.org ; 224 Benefit St ; adulte/enfant 10/3 $; ☺10h-17h mar-dim). Extraordinairement éclectique, le musée d'art de l'École de design du Rhode Island présente une grande variété d'œuvres, de l'art grec ancien aux peintures et arts décoratifs américains du XXe siècle. Entrée gratuite le dimanche avant 13h.

GRATUIT **State House**   ÉDIFICE HISTORIQUE
(☎401-222-3983 ; 82 Smith St ; ☺8h30-16h30 lun-ven, visites guidées gratuites à 9h, 10h et 11h). Le capitole, édifice majeur de Providence, est couronné d'un des plus grands dômes autoportants en marbre du monde. Regardez le portrait de George Washington réalisé par Gilbert Stuart, puis comparez-le à un de vos billets de 1 $.

GRATUIT **Roger Williams Park**   PARC
(1000 Elmwood Ave ; ♿). Parsemé de très nombreuses touches de l'époque victorienne, comme son carrousel, il a été cité par le National Trust for Historic Preservation (Fondation nationale pour la conservation du patrimoine historique) comme l'un des plus beaux parcs urbains des États-Unis. Il comprend des **jardins botaniques** fleuris et un **zoo** (☎401-785-3510 ; www.rogerwilliamsparkzoo.org ; adulte/enfant 12/8 $; ☺9h-16h ; ♿) abritant des léopards des neiges et des éléphants. Depuis le centre-ville, prendre l'I-95 jusqu'à la sortie 17.

Culinary Archives & Museum   MUSÉE
(☎401-598-2805 ; www.culinary.org ; 315 Harborside Blvd ; adulte/enfant 7/2 $; ☺10h-17h mar-dim). Ce musée décalé détient un demi-million de pièces consacrées à l'histoire des arts de la table, allant des livres de cuisine anciens aux wagons-restaurants du début du XXe siècle. Il est situé dans l'université Johnson and Wales ; prenez l'I-95 jusqu'à la sortie 18, tournez à droite dans Allens Ave puis suivez les panneaux.

Brown University   CAMPUS UNIVERSITAIRE
(www.brown.edu ; 71 George St). À flanc de colline, le campus de la Brown University, qui surplombe l'École de design du Rhode Island, baigne dans le charme de l'Ivy League ("Ligue du lierre", qui regroupe

les plus prestigieuses universités du pays) et invite à la promenade.

🛏 Où se loger

♥ Providence Biltmore
HÔTEL HISTORIQUE **$$**

(☎401-421-0700 ; www.providencebiltmore.com ; 11 Dorrance St ; ch/ste à partir de 159/199 $; ❄🛜). En entrant dans le hall orné d'un superbe lustre de cet hôtel historique du centre-ville, vous aurez l'impression de vivre dans les années 1920. Le charme classique se retrouve dans les chambres dotées de fauteuils damassés, de miroirs dorés et de grands lits.

Edgewood Manor
AUBERGE **$$**

(☎401-781-0099 ; www.providence-lodging.com ; 232 Norwood Ave ; ch petit-déj inclus 139-299 $; 🛜). Si vous avez envie de vous faire plaisir, réservez une chambre dans cette élégante demeure de style néogrec à proximité du parc Roger Williams. Le somptueux hall regorge de meubles et objets anciens dignes d'un musée, tandis que les chambres sont pourvues d'un lit à baldaquin en acajou et d'une salle de bains en marbre.

Christopher Dodge House
B&B **$$**

(☎401-351-6111 ; www.providence-hotel.com ; 11 W Park St ; ch petit-déj inclus 149-190 $; @). Courtepointes douillettes et foyers à gaz ajoutent une note chaleureuse à ce charmant B&B donnant sur le capitole. Si c'est complet, tentez votre chance dans l'auberge sœur, la Mowry-Nicholson House, à une rue seulement.

ART PUBLIC

Providence a embrasé le monde de l'installation d'art public avec **WaterFire** (www.waterfire.org), mis en place sur la rivière qui serpente à travers le centre-ville. Près de 100 braseros flottent sur l'eau, chacun contenant un feu qui crépite après la tombée de la nuit. Les flammes dansent sur l'eau, la musique retentit, des gondoliers vêtus de noir glissent sur l'eau et les spectateurs se pressent sur les berges. Fascinant mariage d'art et de divertissement, WaterFire se déroule une dizaine de fois entre mai et septembre, principalement le samedi, du coucher du soleil à 1h du matin.

🍴 Où se restaurer

Providence regorge de délicieux restaurants. Pour une immersion dans "Little Italy", faites le tour des trattorias qui bordent Atwells Ave sur Federal Hill. Les cafés se situent dans Thayer St, sur la colline au-dessus de l'université Brown.

♥ Costantino's Venda Ravioli
DELI **$**

(www.vendaravioli.com ; 265 Atwells Ave ; plat 6-14 $; ⏰8h30-18h lun-sam, 8h30-17h dim). Installez-vous à l'une des petites tables de ce *deli* animé pour vivre l'expérience culinaire la plus incroyable de Federal Hill. Salamis suspendus au plafond, pains croustillants, antipasti à foison, vraies glaces – vous vous croirez en Italie.

Meeting Street Café
CAFÉ **$$**

(www.meetingstreetcafe.com ; 220 Meeting St ; plat 8-15 $; ⏰8h-23h). Épais sandwichs et savoureux desserts vous attendent dans ce café jovial près de l'université Brown. Viande sans hormones, légumes frais et portions si copieuses que la majorité des plats rassasient deux personnes.

Cassarino's
ITALIEN **$$**

(☎401-751-3333 ; www.cassarinosri.com ; 177 Atwells Ave ; plat 15-20 $; ⏰11h30-22h lun-ven, 12h-23h sam). Bonne cuisine italienne à prix modérés dans un quartier de Federal Hill où Tony Soprano se sentirait chez lui. Nombreux choix alléchants à 10 $ avant 15h du lundi au vendredi.

Caserta Pizzeria
PIZZERIA **$$**

(☎401-621-3618 ; www.casertapizzeria.com ; 121 Spruce St ; pizzas 7-19 $; ⏰9h30-22h30). Restaurant spartiate à l'arrière de Federal Hill qui prépare la meilleure pizza sicilienne de tout le Rhode Island. Le secret : une sauce si épicée qu'elle fera chanter votre bouche.

East Side Pockets
MÉDITERRANÉEN **$**

(www.eastsidepocket.com ; 278 Thayer St ; plat 4-7 $; ⏰10h-1h lun-sam, 10h-22h dim ; ✆). Fabuleux falafels et baklavas à petits prix.

🍷 Où prendre un verre et sortir

Providence Performing Arts Center
ARTS DE LA SCÈNE

(☎401-421-2787 ; www.ppacri.org ; 220 Weybosset St). Concerts, théâtre et comédies musicales de Broadway sont présentés dans ce théâtre Art déco de 1928 superbement restauré.

Lupo's Heartbreak Hotel
MUSIQUE

(☎401-331-5876 ; www.lupos.com ; 79 Washington St). Cette salle de concert légendaire de Providence reçoit les meilleurs groupes de rock et indé.

Trinity Brewhouse MICROBRASSERIE
(☎401-453-2337 ; www.trinitybrewhouse.com ; 186 Fountain St ; ⏰11h30-1h dim-jeu, 12h-14h ven-sam). Cette microbrasserie du quartier des spectacles propose d'excellentes bières de style anglais. Ne ratez pas les bières brunes.

AS220 CLUB
(☎401-831-9327 ; www.as220.org ; 115 Empire St ; ⏰17h-1h). Lieu alternatif en effervescence présentant des groupes de musique expérimentale, des films décalés, des slams (lectures) de poésie – vous ne savez jamais ce qui vous attend.

 Achats

Vous trouverez des boutiques et des magasins originaux pour étudiants le long de Thayer St près de l'université Brown. Dans le centre-ville, **Providence Place** (www.providenceplace.com ; 1 Providence Place) est le plus grand centre commercial du Rhode Island.

🛈 **Renseignements**

Poste (www.usps.com ; 2 Exchange Tce).
Providence Visitor Information Center (☎401-751-1177 ; www.goprovidence.com ; Rhode Island Convention Center, 1 Sabin St ; ⏰9h-17h lun-sam).

🛈 **Depuis/vers Providence**

L'aéroport TF Green (PVD ; www.pvdairport. com ; I-95, sortie 13, Warwick), à 20 minutes au sud du centre-ville de Providence, est desservi par les principales compagnies aériennes américaines et agences de location de voitures.

Les bus de la compagnie **Peter Pan Bus Lines** (www.peterpanbus.com) relient Providence à Boston (8 $, 1 heure 15) et New York (37 $, 3 heures 15). Les trains **Amtrak** (www.amtrak.com) relient aussi Providence aux villes du Nord-Est.

La **Rhode Island Public Transit Authority** (société de transports publics du Rhode Island, RIPTA ; www.ripta.com ; ticket à l'unité 2 $, carte journalière 6 $) gère des bus anciens de style trolley qui sillonnent la ville au départ de Kennedy Plaza, dans le centre-ville ; d'autres bus RIPTA relient Providence à Newport.

Newport

Le nom même de cette ville évoque les manoirs de *Gatsby le Magnifique* et la richesse débridée. Dans les années 1890, Newport devint le lieu de villégiature estival des New-Yorkais fortunés. Ils firent construire de somptueux manoirs (mansions) en bord de mer, chacun essayant de surpasser ce qui avait été fait précédemment. Ces manoirs – surnommés résidences d'été – sont si époustouflants que les gens continuent d'affluer à Newport pour les admirer. Newport est également célèbre pour ses légendaires festivals de musique et ses activités nautiques.

◉ **À voir et à faire**

Preservation Society of Newport County MANOIRS
(☎401-847-1000 ; www.newportmansions.org ; 424 Bellevue Ave ; les 5 sites adulte/enfant 31/10 $, Breakers 16,50/4 $, Breakers plus 1 autre mansion 24/6 $). Cinq des plus somptueux manoirs (*mansions*) sont administrés par la Société de conservation du comté de Newport. Les visites guidées durent environ 1 heure 30 par manoir. D'avril à mi-octobre, "The Breakers" est ouvert de 9h à 17h et les autres manoirs de 10h à 17h. Horaires variables hors-saison – appelez pour les connaître.

Breakers
(44 Ochre Point Ave). Si vous ne devez visiter qu'un seul manoir, optez pour cet extravagant palais de style Renaissance italienne de 70 pièces construit en 1895 pour Cornelius Vanderbilt II, alors patriarche de la plus riche famille des États-Unis.

Rosecliff
(548 Bellevue Ave). Chef-d'œuvre de l'architecte Stanford White datant de 1902, Rosecliff ressemble au Grand Trianon de Versailles. Son immense salle de bal fut la vedette du film *Gatsby le Magnifique*, avec Robert Redford.

Marble House
(596 Bellevue Ave). Le château de Versailles a également inspiré cette demeure de 1892, ornée de mobilier de style Louis XIV.

Elms
(367 Bellevue Ave). Construit en 1901, The Elms est presque identique au château d'Asnières, près de Paris.

Chateau-sur-Mer
(474 Bellevue Ave). Cette demeure victorienne, construite en 1852, fut la première des grandioses résidences d'été de Newport.

Rough Point MANOIR
(www.newportrestoration.com ; 680 Bellevue Ave ; 25 $; ⏰9h45-17h mar-sam). Jadis surnommée la "petite fille la plus riche du monde", Doris Duke (1912-1993) avait seulement 13 ans lorsqu'elle hérita de ce manoir de style anglais de son père. Elle était passionnée de voyages et d'art, et Rough Point abrite une grande partie de son patrimoine, des

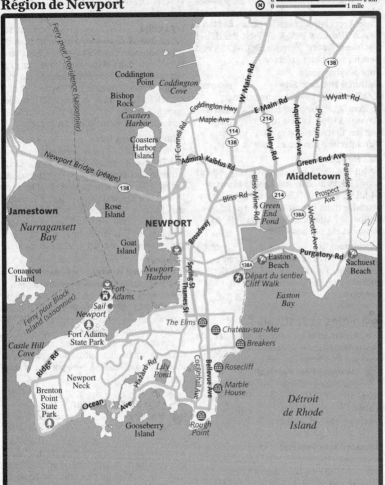

Région de Newport

0 —————— 2 km
0 —————— 1 mile

Ferry pour Providence (saisonnier)

Coddington Point
Coddington Cove
Bishop Rock
Coasters Harbor
Coasters Harbor Island

Coddington Hwy
Maple Ave
W Main Rd
E Main Rd
138
Wyatt Rd
Aquidneck Ave
Turner Rd

114
214
138
Valley Rd
Green End Ave

JT Connell Rd
Admiral Kalbfus Rd

Newport Bridge (péage)
138

Bliss Rd
Bliss Mine Rd
Green End Pond
214
Middletown
138A
Prospect Ave
Paradise Ave
Wolcott Ave

Jamestown
Narragansett Bay
Rose Island
NEWPORT
Goat Island
Newport Harbor

Broadway
Spring St
Thames St
138A
Easton's Beach
Départ du sentier Cliff Walk
Purgatory Rd
Sachuest Beach

Conanicut Island
Easton Bay

Ferry pour Block Island (saisonnier)
Fort Adams
Sail Newport
Fort Adams State Park

The Elms
Château-sur-Mer
Breakers

Castle Hill Cove
Ridge Rd
Newport Neck
Hazard Rd
Lily Pond
Coggeshall Ave
Bellevue Ave
Rosecliff
Marble House

Brenton Point State Park
Ocean Ave
Gooseberry Island
Rough Point

Détroit de Rhode Island

céramiques de la dynastie Ming aux peintures de Renoir. Les jardins sont tout aussi impressionnants.

GRATUIT **Cliff Walk** PROMENADE

Sentier de 5,6 km, le Cliff Walk, qui longe la côte à l'arrière des manoirs, offre une promenade inoubliable. Vous pourrez non seulement profiter de la splendide vue sur l'océan autrefois réservée aux richissimes, mais aussi admirer leurs demeures sur le chemin. Le Cliff Walk s'étend de Memorial Blvd à Bailey's Beach ; Ruggles Avenue, près de The Breakers, constitue un point de départ pittoresque.

International Tennis Hall of Fame MUSÉE

(☏401-849-3990 ; www.tennisfame.com ; 194 Bellevue Ave ; adulte/enfant 11 $/gratuit ; ☺9h30-17h). Le plus grand musée du tennis au monde se trouve dans le club où se déroula, en 1881, le premier tournoi de l'US Open. Pour 90 $, vous pouvez enfiler votre tenue de sport et faire une partie sur ces courts en gazon historiques.

GRATUIT **Fort Adams State Park** PARC

(www.riparks.com ; Harrison Ave ; ☺du lever au coucher du soleil). Site des plus grandes fortifications côtières (vers 1824) des États-Unis, Fort Adams borde le port de Newport et possède de vastes pelouses idéales pour pique-niquer. Vous pouvez nager à cet endroit, mais les plages **Easton's Beach** (Memorial Blvd), ou "First Beach", et **Sachuest Beach** (Purgatory Rd), ou "Second Beach", sont plus agréables.

Touro Synagogue
National Historic Site SYNAGOGUE
(☎401-847-4794 ; www.tourosynagogue.org ; 85 Touro St ; adulte/enfant 5 $/gratuit ; ⏰12h-14h dim-ven). Visitez la plus ancienne synagogue des États-Unis (vers 1763), un joyau d'architecture conciliant faste et austérité.

Sail Newport VOILE
(☎401-846-1983 ; www.sailnewport.org ; 60 Fort Adams Rd ; location de voilier pour 3 heures 64-121 $; ⏰9h-19h). Comme on pourrait s'y attendre dans la patrie de la prestigieuse Coupe de l'America, faire de la voile à Newport est phénoménal.

Adirondack II CROISIÈRE
(☎401-847-0000 ; www.sail-newport.com ; croisière de 75 min 27-35 $; ⏰11h-19h). Cette goélette part de Bowen's Wharf cinq fois par jour.

🎉 Fêtes et festivals
Les événements musicaux estivaux de Newport attirant beaucoup de monde, il est conseillé de s'organiser à l'avance.

❤ Newport Folk Festival MUSIQUE
(www.newportfolkfest.com ; Fort Adams State Park ; 69-77 $). Tous les artistes majeurs de la scène folk ont participé à cet excellent festival, organisé le dernier week-end de juillet.

Newport Jazz Festival MUSIQUE
(www.newportjazzfest.net ; Fort Adams State Park ; 40-100 $). La liste des artistes à l'affiche ressemble au bottin mondain du jazz, avec des musiciens comme Dave Brubeck et Wynton Marsalis. Ce festival se déroule sur un week-end début août.

Newport Music Festival MUSIQUE
(www.newportmusic.org ; 20-40 $). Ce superbe festival organise 17 jours de musique de chambre dans différents manoirs en juillet.

🛏 Où se loger
Stella Maris Inn AUBERGE $$
(☎401-849-2862 ; www.stellamarisinn.com ; 91 Washington St ; ch petit-déj inclus 125-195 $; 📶). Prenez place dans un *rocking-chair* sur la véranda et regardez passer les voiliers dans cette confortable auberge désuète qui occupe un ancien couvent. Hauts plafonds et bois sombre donnent le ton. Quartier calme, non loin du centre-ville.

Ivy Lodge AUBERGE $$$
(☎401-849-6865 ; www.ivylodge.com ; 12 Clay St ; ch petit-déj inclus 169-379 $; ❇📶). Offrez-vous la belle vie dans cette magnifique auberge victorienne à seulement quelques pas des somptueuses demeures de Newport. Toutes les chambres sont ornées de meubles anciens, la plupart ont une cheminée et certaines possèdent même un Jacuzzi.

Admiral Fitzroy Inn AUBERGE $$
(☎401-848-8000 ; www.admiralfitzroy.com ; 398 Thames St ; ch 145-300 $; ❇📶). Cette auberge, qui porte le nom de l'amiral qui navigua avec Darwin, possède tout naturellement une atmosphère marine. Elle donne sur Thames St, une rue animée près du port. La terrasse sur le toit, avec vue panoramique sur l'océan, compense la gêne que peut provoquer le bruit des bars alentours.

Newport
International Hostel AUBERGE DE JEUNESSE $
(☎401-369-0243 ; www.newporthostel.com ; 16 Howard St ; dort avec sdb commune et petit-déj inclus 35-89 $; @). Cette auberge de jeunesse centrale située dans une maison d'époque ne propose que quelques lits, alors réservez à l'avance. Le sympathique gérant vous donnera toutes les infos pour passer un moment inoubliable à Newport sans vous ruiner.

🍴 Où se restaurer
❤ Mooring PRODUITS DE LA MER $$
(☎401-846-2260 ; www.mooringrestaurant. com ; Sayer's Wharf ; plat 10-36 $; ⏰11h30-22h). Emplacement sur le port et menu très fourni en produits de la mer font de cet établissement un excellent choix pour un repas au bord de l'eau. Conseil : si c'est plein, entrez par la porte sur le côté, installez-vous au bar et commandez le succulent velouté de palourdes (*clam chowder*) et un "*bag of doughnuts*" (beignets de homard relevés).

Salvation Café CAFÉ $$
(☎401-847-2620 ; www.salvationcafe.com ; 140 Broadway ; plat 14-25 $; ⏰17h-22h). Décoration éclectique branchée et excellente cuisine vous attendent dans ce café bohème. Très varié, le menu cuisine du monde va du *pad thaï* à l'agneau épicé marocain et saura réjouir vos papilles.

Mamma Luisa ITALIEN $$
(☎401-848-5257 ; www.mammaluisa.com ; 673 Thames St ; plat 14-25 $; ⏰17h-22h jeu-mar). Fuyez la foule de Newport dans ce

restaurant cosy qui sert des pâtes (raviolis au fromage avec des fèves, spaghettis *alle vongole*), ainsi que des plats de poisson et de viande. À l'étage, on a l'impression de manger chez mamie.

Gary's Handy Lunch
DÎNER $

(462 Thames St ; plat 4-8 $; ⊙5h-15h lun-sam, 5h-13h dim). Les travailleurs de Newport démarrent leur journée par un café et un petit-déjeuner basique dans ce diner à l'ancienne.

Wharf Pub
PUB $$

(☎401-846-9233 ; Bowen's Wharf ; plat 10-18 $; ⊙11h30-23h). Prix raisonnables, portions copieuses et service rapide. Venez y déguster sandwichs, calamars frits ou hamburgers ; accompagnez votre repas d'une bière Newport Storm.

⚑ Où prendre un verre et sortir

Newport Blues Café
CLUB

(☎401-841-5510 ; www.newportblues.com ; 286 Thames St). Atmosphère intime pour l'une des meilleures scènes blues et R&B juste après New York.

Fastnet
BAR

(www.thefastnetpub.com ; 1 Broadway). Ce pub convivial propose une excellente sélection de bières irlandaises pression, une bonne restauration de pub et du rugby en direct.

ⓘ Renseignements

Citizens Bank (☎401-847-4411 ; 8 Washington Sq).

Newport Gateway Transportation & Visitors Center (☎800-976-5122 ; www.gonewport. com ; 23 America's Cup Ave ; ⊙9h-17h). L'office du tourisme de Newport distribue un guide pratique et renseigne sur les possibilités d'hébergement.

Poste (www.usps.com ; 320 Thames St).

ⓘ Depuis/vers Newport

La société de bus **Peter Pan Bus Lines** (www. peterpanbus.com) dessert Boston en bus plusieurs fois par jour (27 $, 1 heure 45). La société de transports publics **RIPTA** (www.ripta.com) propose des bus fréquents (ticket à l'unité 2 $, carte journalière 6 $) de l'office du tourisme aux manoirs, aux plages et à Providence.

Scooter World (☎401-619-1349 ; Christie's Landing ; 30 $/jour ; ⊙9h-19h) loue des vélos.

Plages du Rhode Island

Si vous avez une envie de plage, les villes côtières du sud-ouest du Rhode Island la satisferont. Après tout, on ne le surnomme pas l'État de l'Océan pour rien.

La plage de plus de 1 km **Narragansett Town Beach**, à Narragansett, est l'endroit idéal pour surfer. À proximité, **Scarborough State Beach** est l'une des plus belles plages

---

RHODE ISLAND : SI VOUS AVEZ QUELQUES JOURS DE PLUS

L'île parfaitement préservée de **Block Island**, séparée du reste du Rhode Island par environ 20 km d'océan, offre des plaisirs simples : terres agricoles vallonnées, plages peu fréquentées et kilomètres de paisibles sentiers cyclables et pédestres.

Les ferries accostent à Old Harbor, la ville principale, qui a peu changé depuis que ses maisons pittoresques furent construites à la fin du XIXᵉ siècle. Les plages débutent juste au nord du village. À 3 km au nord se trouve le sentier **Clay Head Nature Trail**, qui longe de hautes falaises d'argile surplombant la plage et où l'on peut observer les oiseaux. La réserve naturelle de **Rodman Hollow**, d'une superficie de 40 ha à l'extrémité sud de l'île, est également sillonnée par d'intéressants sentiers.

D'une longueur de seulement 11 km, Block Island ne demande qu'à être explorée en vélo ; plusieurs endroits en louent pour 25 $ la journée près de l'embarcadère du ferry. La **Block Island Chamber of Commerce** (☎800-383-2474 ; www.blockislandchamber. com), près de l'embarcadère du ferry, peut vous aider à trouver une chambre, mais sachez que la cinquantaine d'auberges affichent souvent complet l'été et exigent une durée de séjour minimum.

Block Island Ferry (☎866-783-7996 ; www.blockislandferry.com ; aller-retour adulte ferry lent/rapide 26/36 $) propose des ferries rapides (30 min) et lents (55 min) au départ du Galilee State Pier, à Point Judith, 4 à 8 fois par jour chacun, ainsi que des ferries lents au départ du parc d'État de Fort Adams, à Newport, 1 fois par jour (2 heures, juillet-août). Les enfants paient moitié prix ; apportez votre vélo pour 6 $ l'aller-retour. Les horaires permettent de faire des excursions d'une journée, grâce aux départs matinaux et aux retours en fin d'après-midi.

du Rhode Island, avec sa large étendue de sable, son superbe pavillon et son agréable promenade du front de mer. **Watch Hill**, à l'extrémité sud-ouest de l'État, est un lieu magnifique où l'on peut remonter le temps grâce à son manège ancien, le Flying Horse Carousel, et son charme victorien. Le **South County Tourism Council** (Office du tourisme du sud du Rhode Island ; ☎800-548-4662 ; www. southcountyri.com) possède des informations sur cette région.

CONNECTICUT

Pris en sandwich entre la ville de New York et les régions pittoresques du nord de la Nouvelle-Angleterre, le Connecticut est souvent visité à la hâte par les voyageurs. Certes, l'imposant couloir littoral de l'autoroute I-95 est en grande partie industriel, mais s'y intéresser de plus près réserve d'agréables surprises. C'est un tout autre monde qui vous attend dans la ville de Mystic, en bord de mer, avec ses attractions nautiques, ainsi que dans les villes historiques qui bordent la Connecticut

---

LE CONNECTICUT EN BREF

» **Surnoms :** Constitution State (État de la Constitution), Nutmeg State (État de la noix de muscade)

» **Population :** 3,6 millions d'habitants

» **Superficie :** 12 560 km²

» **Capitale :** Hartford (124 775 habitants)

» **TVA :** 6%

» **État de naissance de :** John Brown (1800-1859), abolitionniste ; PT Barnum (1810-1891), forain et organisateur de spectacles ; et Katharine Hepburn (1909-2003), actrice

» **Berceau :** de la première Constitution écrite des États-Unis ; de la première sucette ; du premier frisbee ; et du premier hélicoptère

» **Politique :** plutôt démocrate

» **Célèbre pour :** avoir lancé le secteur de l'assurance aux États-Unis et avoir construit le premier sous-marin nucléaire

» **Distances par la route :** Hartford-New Haven : 65 km ; Hartford-Providence : 120 km

---

River ; et les Litchfield Hills, situées au nord-ouest de l'État, dégagent un charme rural typique de la Nouvelle-Angleterre.

La Connecticut River, qui traverse entièrement l'État, lui a donné son nom. Ce dernier vient du mot mohegan difficile à prononcer *quinnehtukqut,* signifiant "site de la longue rivière".

Histoire

En 1633, les Hollandais fondèrent une petite colonie à l'emplacement actuel de la ville de Hartford, mais ce furent les Anglais, arrivant en masse les années suivantes, qui fondèrent le Connecticut.

Grâce au zèle de la population, le colporteur de Nouvelle-Angleterre (*Yankee peddler*) devint un élément incontournable de la jeune société américaine, sillonnant le pays en chariot pour vendre des pendules et autres objets manufacturés. Le Connecticut joua un rôle majeur dans la Révolution industrielle lorsqu'Eli Whitney fit construire un atelier à New Haven en 1798 pour produire des armes à feu avec des pièces interchangeables – les débuts de la production en série.

En 1810, la première compagnie d'assurance américaine vit le jour à Hartford et, dans les années 1870, la ville affichait le revenu par habitant le plus élevé des États-Unis. Deux des grandes figures de la littérature américaine, Harriet Beecher Stowe (1811-1896) et Mark Twain (1835-1910), furent voisines à Hartford pendant 17 ans.

ⓘ Renseignements

Vous trouverez des centres d'accueil des visiteurs (welcome centers) à l'aéroport de Hartford et sur l'I-95 et l'I-84 si vous arrivez dans l'État par la route.

Connecticut Tourism Division (www.ctvisit.com). Fournit des informations touristiques sur tout le Connecticut.

Hartford Courant (www.courant.com). Principal journal de l'État avec le programme des divertissements en ligne.

Côte du Connecticut

La côte du Connecticut est plurielle. L'extrémité ouest est en grande partie une communauté-dortoir reliée à New York par des trains de banlieue. Le côté artistique de l'État éclate au grand jour à l'approche de New Haven. Mystic, ville maritime à l'extrémité est de l'État, met en vedette les grands voiliers et le chant des sirènes de l'océan.

NEW HAVEN

Pour les touristes, la ville de New Haven est surtout connue comme siège de l'université Yale. Débutez votre visite par le parc New Haven Green, orné d'anciennes églises coloniales et des vénérables murs couverts de lierre de Yale. Les meilleurs musées et restaurants de la ville se situent tous à quelques rues seulement du Green. Première ville planifiée des États-Unis (1638), New Haven (129 800 habitants) est aménagée selon un plan quadrillé qui part du Green, il est donc très facile de s'y orienter. **INFO New Haven** (☏203-773-9494 ; www.infonewhaven.com ; 1000 Chapel St ; ☺10h-21h lun-sam, 12h-17h dim), très utile, est l'office du tourisme de la ville.

⊙ À voir et à faire

Yale University   CAMPUS UNIVERSITAIRE

Yale n'est pas seulement l'université dont sont issus cinq présidents des États-Unis, c'est aussi un beau campus aux nombreux édifices gothiques. La flèche la plus impressionnante est la **Harkness Tower**, d'où retentit un carillon à des moments précis de la journée. Pour faire une visite guidée ou vous procurer une carte du campus, passez à l'**office du tourisme** de Yale (☏203-432-2300 ; www.yale.edu/visitor ; 149 Elm St ; ☺9h-16h30 lun-ven, 11h-16h sam-dim), du côté nord du Green. Des visites guidées gratuites ont lieu à 10h30 et 14h en semaine, et à 13h30 le week-end.

GRATUIT **Yale University Art Gallery**   MUSÉE
(☏203-432-0600 ; artgallery.yale.edu ; 1111 Chapel St ; ☺10h-17h mar-sam, 13h-18h dim). Ce musée d'art universitaire, le plus ancien des États-Unis, présente des chefs-d'œuvre de peintres américains comme Winslow Homer, Edward Hopper et Jackson Pollock, ainsi qu'une superbe collection européenne qui comprend *Le Café de nuit* de Vincent van Gogh.

**Peabody Museum
of Natural History**   MUSÉE
(☏203-432-5050 ; www.yale.edu/peabody ; 170 Whitney Ave ; adulte/enfant 9/5 $; ☺10h-17h lun-sam, 12h-17h dim ; ♿). Les paléontologues amateurs seront fascinés par les dinosaures de ce Muséum d'histoire naturelle.

GRATUIT **Yale Center for British Art**   MUSÉE
(☏203-432-2800 ; ycba.yale.edu ; 1080 Chapel St ; ☺10h-17h mar-sam, 12h-17h dim). Recèle la plus importante collection d'art britannique en dehors du Royaume-Uni.

⌂ Où se loger

Study at Yale   HÔTEL **$$$**
(☏203-503-3900 ; www.studyhotels.com ; 1157 Chapel St ; ch à partir de 219 $; ❄☎). Cet élégant *boutique hotel* au beau milieu du campus propose 124 chambres ultra-modernes équipées de surmatelas (en plume), fauteuils en cuir souple, TV à écran plat et stations d'accueil pour iPod.

Touch of Ireland Guest House   B&B **$$**
(☏203-787-7997 ; www.touchofirelandguesthouse.com ; 670 Whitney Ave ; ch avec petit-déj 135-150 $; ❄☎). Partagez des tuyaux avec d'autres voyageurs au coin de la cheminée dans ce B&B convivial situé au nord de la ville. Les 4 chambres arborent un style irlandais et une décoration chaleureuse.

✕ Où se restaurer

♥ **Frank Pepe's**   PIZZERIA **$$**
(☏203-865-5762 ; www.pepespizzeria.com ; 157 Wooster St ; pizza 7-20 $; ☺11h30-22h). Le restaurant le plus réputé de New Haven tire son nom de l'immigrant italien qui a fait voltiger la première pizza des États-Unis, il y a un siècle. C'est vous dire si la recette n'a plus aucun secret pour eux. Pour un repas inoubliable, commandez la spécialité du lieu, une pizza blanche garnie de palourdes à l'ail.

🌿 **Miya's Sushi**   JAPONAIS **$$**
(☏203-777-9760 ; www.miyassushi.com ; 68 Howe St ; plat 18-40 $; ☺12h30-23h mar-sam ; 🌿). Tokyo débarque à Yale dans ce sympathique restaurant qui sert d'excellents sushis, une incroyable sélection de sakés et de succulents plats végétariens. Ne figurent au menu que les espèces non menacées, ce qui a valu au Miya's d'être récompensé par l'aquarium de Monterey Bay. Le menu est varié et inventif – commencez par la soupe miso au potiron.

Louis' Lunch   HAMBURGERS **$**
(www.louislunch.com ; 261 Crown St ; hamburgers 5,25 $; ☺11h-15h45 mar-mer, 12h-2h jeu-sam). Ce célèbre restaurant de hamburgers de New Haven a inventé la cuisine *fast food* emblématique des États-Unis en 1900 et il prépare toujours les hamburgers dans les grils verticaux en fonte d'origine. Des changements se sont produits en un siècle – mais vous ne les verrez pas ici. Ne pensez même pas à demander du ketchup.

Sally's Apizza   PIZZERIA **$$**
(☏203-624-5271 ; www.sallysapizza.com ; 237 Wooster St ; pizza 7-16 $; ☺17h-22h30 mar-dim). Si Pepe's est bondé, essayez ce restaurant à proximité, ouvert par un parent de Frank Pepe en 1938. Tout

comme Pepe's, Sally's est spécialisé dans les excellentes pizzas à pâte fine cuites au feu de bois.

✖ Où sortir

New Haven possède d'excellents théâtres. L'hebdomadaire gratuit *New Haven Advocate* (www.newhavenadvocate.com) répertorie les spectacles en cours.

Toad's Place   MUSIQUE
(☎203-624-8623 ; www.toadsplace.com ; 300 York St). La meilleure scène de concerts juste après New York. De Count Basie à Bob Dylan en passant par U2, ils se sont tous produits dans ce lieu légendaire.

Shubert Theater   THÉÂTRE
(☎203-562-5666 ; www.shubert.com ; 247 College St). Découvrez les grands succès en avant-première au vénérable théâtre Shubert, où sont testées les comédies musicales de Broadway depuis 1914.

Yale Repertory Theatre   THÉÂTRE
(☎203-432-1234 ; www.yale.edu/yalerep ; 1120 Chapel St).

Long Wharf Theatre   THÉÂTRE
(☎203-787-4282 ; www.longwharf.org ; 222 Sargent Dr).

❶ Depuis/vers New Haven

Pour venir en train depuis New York, évitez Amtrak et préférez **Metro North** (www.mta. info ; aller simple 14-19 $), qui propose un train presque toutes les heures et les prix les plus bas. **Greyhound Bus Lines** (www.greyhound. com) relie en bus New Haven à une quantité de villes, dont Hartford (18 $, 1 heure) et Boston (37 $, 4 heures).

MYSTIC ET SES ENVIRONS

Port maritime vieux de plusieurs siècles, Mystic abrite un excellent musée maritime, un aquarium exceptionnel et des auberges d'époque. La bourgade est certes envahie de touristes l'été, mais tout ce monde ne vient pas là par hasard (certains sont des fans du film *Mystic Pizza* de 1988, alors découvrez-la par vous-même. Venez plutôt en semaine pour éviter les foules de touristes du week-end. La **Greater Mystic Chamber of Commerce** (chambre de commerce de l'agglomération de Mystic ; ☎860-572-1102 ; www.mysticchamber. org ; 2 Roosevelt Ave ; ◷9h-16h30), dans l'ancienne gare, fournit des informations touristiques.

◉ À voir et à faire

Mystic Seaport   MUSÉE
(☎860-572-5315 ; www.mysticseaport.org ; 75 Greenmanville Ave/CT 27 ; adulte/enfant 24/15 $; ◷9h-17h ; ♿). L'histoire maritime des États-Unis prend vie lorsque l'on voit des interprètes en costume exercer leur métier dans ce tentaculaire village portuaire du XIXᵉ siècle reconstitué. Vous pouvez monter à bord de plusieurs navires à voile historiques, dont le *Charles W Morgan* (construit en 1841), dernier baleinier en bois du monde. Si l'envie de naviguer vous tiraille, le **Sabino**, un bateau à vapeur de 1908, part toutes les heures (5,50 $) en balade sur la Mystic River.

Mystic Aquarium   AQUARIUM
(☎860-572-5955 ; www.mysticaquarium.org ; 55 Coogan Blvd ; adulte/enfant 26/19 $; ◷9h-18h ; ♿). Abrite toutes sortes de passionnantes créatures des mers, et pas que des poissons. Parmi les résidents se trouvent des pingouins, des lions de mer et même une baleine béluga ! C'est aussi le seul endroit où un enfant peut caresser une raie bœuf (*Rhinoptera bonasus*)...

Foxwoods Resort & Casino   CASINO
(☎800-369-9663 ; www.foxwoods.com ; CT 2, Ledyard). Vous vous sentez en veine ? Dans la ville voisine de Ledyard, des Indiens Mashantucket Pequot gèrent cet extravagant casino, plus grande salle de jeux après celles de Las Vegas.

Mashantucket Pequot Museum & Research Center   MUSÉE
(☎800-411-9671 ; www.pequotmuseum.org ; 110 Pequot Trail, en retrait de CT 214, Mashantucket ; adulte/enfant 15/10 $; ◷10h-16h mer-sam). Ce vaste musée, financé par le casino, présente la reconstitution d'un village amérindien du XVIᵉ siècle.

⌂ Où se loger

Old Mystic Inn   B&B $$
(☎860-572-9422 ; www.oldmysticinn.com ; 52 Main St, Old Mystic ; ch petit-déj inclus 165-215 $; ⊚). Lits à baldaquin, cheminées conviviales et petits-déjeuners gourmets donnent le ton de cette romantique auberge de style colonial de 1784, située près de la source du fleuve Mystic. Occupant une ancienne librairie, les chambres sont décorées d'après des auteurs américains comme Henry David Thoreau et Mark Twain.

Whaler's Inn   AUBERGE $$
(☎860-536-1506 ; www.whalersinnmystic.com ; 20 E Main St ; ch 139-259 $; ✳@⊚). Près du pont à bascule situé dans le centre de Mystic, cet établissement propose une variété

d'hébergements confortables, des chambres classiques dans une demeure victorienne de 1865 aux chambres modernes dans des bâtiments de style motel. Cet établissement est idéalement situé pour découvrir la ville à pied.

✕ Où se restaurer et prendre un verre

S&P Oyster Co PRODUITS DE LA MER $$
(☎860-536-2674 ; www.sp-oyster.com ; 1 Holmes St ; plat 10-25 $; ◔11h30-22h). Rien n'est plus agréable qu'un repas sur le front de mer un jour d'été. Ce bon restaurant de produits de la mer, célèbre pour ses huîtres et ses généreuses portions de *fish and chips*, se situe dans le centre-ville, à l'est du pont à bascule.

Harp & Hound PUB $$
(☎860-572-7778 ; www.harpandhound.com ; 4 Pearl St ; plat 8-15 $; ◔11h30-1h). Ce pub, situé dans un édifice historique à l'ouest du pont à bascule, vous accueillera jusque tard pour une pinte de bière irlandaise ; bonne restauration de pub et foot anglais à la télé.

Mystic Drawbridge Ice Cream GLACIER $
(www.mysticdrawbridgeicecream.com ; 2 W Main St ; cornets 4 $; ◔9h-23h). Il est encore plus agréable de flâner dans la ville un cornet de glace à la main. En plus des glaces faites maison aux parfums sublimes, ce glacier en perpétuelle effervescence sert sandwichs, salades et pâtisseries.

Lower Connecticut River Valley

Plusieurs villes de l'époque coloniale émaillent les rives de la Connecticut River, offrant paisiblement leur charme bucolique. Le **River Valley Tourism District** (☎860-787-9640 ; www.visitctriver.com) fournit des informations sur la région.

ESSEX

Essex, ville raffinée en bordure de fleuve fondée en 1635, constitue un bon point de départ pour découvrir la vallée. Ses rues sont bordées de belles demeures de style fédéral, héritage des fortunes provenant du commerce du tabac et du rhum au XIXᵉ siècle.

Le **Connecticut River Museum** (☎860-767-8269 ; www.ctrivermuseum.org ; 67 Main St ; adulte/enfant 8/5 $; ◔10h-17h mar-dim) présente l'histoire régionale et possède une reproduction du premier sous-marin du monde, un engin propulsé manuellement, construit sur ce lieu en 1776.

Pour découvrir la vallée, l'idéal est de monter à bord de l'**Essex Steam Train & Riverboat** (☎860-767-0103 ; www.essexsteamtrain.com ; 1 Railroad Ave ; adulte/enfant 17/9 $, avec croisière 26/17 $; ◔horaires de départ variables ; ♿), une ancienne locomotive à vapeur qui parcourt 10 pittoresques kilomètres jusqu'à Deep River, d'où vous pourrez embarquer pour une croisière sur un bateau de style Mississippi, avant de rentrer en train.

L'auberge de référence **Griswold Inn** (☎860-767-1776 ; www.griswoldinn.com ; 36 Main St ; ch petit-déj inclus 110-305 $; ❄️🛜), dans le centre-ville, fournit un hébergement confortable de style colonial depuis 1776, ce qui en fait l'une des plus anciennes auberges des États-Unis. C'est aussi un lieu d'exception pour goûter la cuisine traditionnelle de Nouvelle-Angleterre dans un cadre historique.

OLD LYME

Sise près de l'embouchure du Connecticut, la ville d'Old Lyme comptait 60 capitaines au XIXᵉ siècle. Aujourd'hui, sa renommée vient de sa communauté artistique. Au début du XXᵉ siècle, la mécène Florence

---

LE MUSÉE DES DÉCHETS

Visiteurs de musées blasés, ne snobez pas celui-ci. Les déchets deviennent écolo dans ce drôle de musée, le **Trash Museum** (☎860-757-7765, 211 Murphy Rd, Hartford ; entrée libre ; ◔12h-16h mer-ven sept-juin, 10h-14h mar, 10h-16h mer-ven juil-août), situé au beau milieu d'une installation de traitement des déchets. Géré par l'autorité de gestion des ressources du Connecticut (Connecticut Resources Recovery Authority, CRRA), il éclaire les visiteurs sur les techniques de recyclage écologiques. Une plate-forme d'observation donnant sur l'opération de tri tient le devant de la scène tandis que de formidables sculptures faites de déchets et de compost grouillant de vers mettent en valeur le côté écolo de tout cela. Vous découvrirez également le programme de la CRRA de valorisation énergétique des déchets, qui fournit un milliard de kilowatts d'électricité verte par an. Pour vous rendre au musée, prenez l'I-91 jusqu'à la sortie 27.

Griswold ouvrit sa propriété à des artistes de passage, qui furent nombreux à payer leur loyer en peintures. Sa demeure de style géorgien, devenue le **Florence Griswold Museum** (☎860-434-5542 ; www.flogris.org ; 96 Lyme St ; adulte/enfant 9 $/gratuit ; ☺10h-17h mar-sam, 13h-17h dim), expose 6 000 œuvres issues de superbes collections de peintures impressionnistes américaines, sculptures et arts décoratifs.

Le plus bel endroit où loger est l'élégante auberge **Bee & Thistle Inn** (☎860-434-1667 ; www.beeandthistleinn.com ; 100 Lyme St ; ch 180-275 $; 🛜), une ferme hollandaise de style colonial datant de 1756, dont les chambres possèdent meubles et objets anciens et lits à baldaquin.

EAST HADDAM

Deux curiosités touristiques caractérisent cette petite ville sur la rive est du Connecticut. Le château de style médiéval **Gillette Castle** (☎860-526-2336 ; 67 River Rd ; adulte/enfant 10/4 $; ☺10h-16h30 fin mai à mi-oct) est un manoir très original doté de tourelles en pierre et construit en 1919 par l'acteur William Hooker Gillette, qui fit fortune en interprétant Sherlock Holmes. L'historique **Goodspeed Opera House** (☎860-873-8668 ; www.goodspeed.org ; 6 Main St), un music-hall victorien datant de 1876 connu en tant que "lieu de naissance de la comédie musicale américaine", continue de programmer de nombreuses comédies musicales.

Hartford

Le capitale du Connecticut est surtout connue pour être la ville de naissance du secteur de l'assurance – ce qui ne constitue pas vraiment un gage de popularité auprès des visiteurs. Mais si vous regardez au-delà des hautes tours de bureaux, vous découvrirez des curiosités touristiques intéressantes offrant des tranches uniques de culture américaine. Le **Greater Hartford Welcome Center** (centre d'accueil des visiteurs de l'agglomération de Hartford ; ☎860-244-0253 ; www.enjoyhartford. com ; 31 Pratt St ; ☺9h-17h lun-ven) fournit des informations touristiques.

👁 À voir et à faire

Mark Twain House & Museum   MUSÉE
(☎860-247-0998 ; www.marktwainhouse.org ; 351 Farmington Ave ; adulte/enfant 16/10 $; ☺9h30-17h30 lun-sam, 12h-17h30 dim). C'est dans cette ancienne maison de Samuel Langhorne Clemens, alias Mark Twain, que l'auteur légendaire écrivit nombre de ses œuvres maîtresses, dont *Un yankee à la cour du Roi Arthur*. La demeure, de style victorien gothique et ornée de tourelles et de pignons fantaisistes, reflète le caractère excentrique de Twain.

Harriet Beecher Stowe House   MUSÉE
(☎860-522-9258 ; www.harrietbeecherstowe. org ; 77 Forest St ; adulte/enfant 9/6 $; ☺9h30-16h30 mar-sam, 12h-16h30 dim). Non loin de la maison de Mark Twain se situe l'ancienne maison d'Harriet Beecher Stowe, auteur de *La Case de l'oncle Tom*. Ce livre rallia les Américains contre l'esclavage à tel point qu'Abraham Lincoln attribua un jour le début de la guerre de Sécession à Stowe.

Wadsworth Atheneum   MUSÉE
(☎860-278-2670 ; www.wadsworthatheneum. org ; 600 Main St ; adulte/enfant 10 $/gratuit ; ☺11h-17h mer-ven, 10h-17h sam-dim). Le plus ancien musée d'art des États-Unis présente des collections exceptionnelles de peintures et de sculptures de la Hudson River School, réalisées par le célèbre artiste du Connecticut, Alexander Calder (1898-1976).

GRATUIT **State Capitol**   ÉDIFICE HISTORIQUE
(☎860-240-0222 ; angle Capitol Ave et Trinity St ; ☺9h-15h lun-ven). Vous pouvez visiter le capitole, construit en 1879 dans un tel méli-mélo de styles qu'il est parfois surnommé "le plus bel édifice laid du monde". Au pied du capitole, le **Bushnell Park**, d'une superficie de 15 ha, possède un carrousel de 1914 en état de marche, de beaux jardins et accueille des concerts l'été.

Old State House   ÉDIFICE HISTORIQUE
(☎860-522-6766 ; www.ctosh.org ; 800 Main St ; adulte/enfant 6/3 $; ☺10h-17h mar-sam). Ce capitole, véritable trésor des édifices publics du Connecticut, a été dessiné par le célèbre architecte colonial Charles Bulfinch. Édifié en 1796, c'est l'un des plus anciens capitoles des États-Unis.

🛏 Où se loger et se restaurer

Hilton Hartford   HÔTEL $$
(☎860-728-5151 ; www.hilton.com ; 315 Trumbull St ; ch 100-189 $; ✳@🛜). À quelques minutes à pied seulement des sites touristiques du centre-ville, c'est l'hôtel le mieux situé de Hartford. Les chambres sont désuètes mais confortables, et parmi les équipements se trouve une salle de sport dernier cri. Le week-end, quand les tarifs les plus bas sont proposés, c'est une bonne affaire.

Vaughan's Public House   PUB $$
(☎860-882-1560 ; www.irishpublichouse. com ; 59 Pratt St ; restauration de pub 9-16 $;

11h30-1h). Ce pub irlandais convivial propose un menu varié composé de copieux sandwichs et salades, de cabillaud pané à la bière et de frites. Une rivière de Guinness coule ici, et d'intéressants *happy hours* ont lieu de 15 à 19h.

Mo's Midtown Restaurant DÎNER $
(☎860-236-7741 ; 25 Whitney St ; plat 3-7 $; ⏰7h-14h30 lun-ven, 8h-13h30 sam-dim). Venez prendre un fabuleux petit-déjeuner à petit prix dans ce traditionnel *diner*. Le gril déborde de pommes de terre sautées maison, servies avec des piles de pancakes (crêpes) à la farine complète recouverts de fruits de saison. Sert aussi d'excellents *huevos rancheros*.

❶ Depuis/vers Hartford

La gare de Hartford **Union Station** (www.amtrak.com ; 1 Union Pl), située dans le centre, relie la ville par le train à celles du Nord-Est, dont New Haven (aller simple 17 $, 1 heure) et New York (aller simple 52 $, 3 heures).

Litchfield Hills

Émaillée de lacs, de bois et de vignobles, la région vallonnée du nord-ouest du Connecticut offre de nombreuses occasions de se retirer au calme. Le **Litchfield Hills Connecticut Visitors Bureau** (www.litchfieldhills.com) possède des informations sur toute la région.

LITCHFIELD

Fondée en 1719, la ville de Litchfield prospéra grâce au commerce apporté par les diligences voyageant entre Hartford et Albany, et sa myriade de superbes édifices d'époque témoigne de cette période. Promenez-vous dans North St et South St pour voir les plus belles demeures, dont la **Tapping Reeve House and Law School** (☎860-567-4501 ; www.litchfieldhistoricalsociety.org ; 82 South St ; adulte/enfant 5 $/gratuit ; ⏰11h-17h mar-sam, 13h-17h dim), première école de droit des États-Unis, créée en 1773, où 129 membres du Congrès ont fait leurs classes. Le billet d'entrée comprend l'accès au **Litchfield History Museum** (7 South St).

Haight-Brown Vineyard (☎860-567-4045 ; www.haightvineyards.com ; 29 Chestnut Hill Rd, près de CT 118 ; ⏰12h- 17h), premier vignoble du Connecticut, propose visites guidées, dégustations et promenades dans le vignoble.

Si vous avez envie de randonnée, la plus grande réserve du Connecticut, le **White Memorial Conservation Center** (☎860-567-0857 ; www.whitememorialcc.org ; US 202 ; gratuit ; ⏰du lever au coucher du soleil), à 4 km à l'ouest de la ville, possède 56 km d'agréables sentiers où l'on peut observer les oiseaux.

LAKE WARAMAUG

Des dizaines de lacs et étangs des Litchfield Hills, le plus beau est celui de Waramaug. Lorsque vous êtes sur la rive nord, dans North Shore Rd, arrêtez-vous au **Hopkins Vineyard** (☎860-868-7954 ; www.hopkinsvineyard.com ; 25 Hopkins Rd ; ⏰10h-17h lun-sam, 11h-17h dim) pour une dégustation de vins. À proximité se trouve une auberge du XIXe siècle, **Hopkins Inn** (☎860-868-7295 ; www.thehopkinsinn.com ; 22 Hopkins Rd, Warren ; ch à partir de 130 $; ✳🅿🛜), qui possède des chambres avec vue sur le lac et un restaurant apprécié qui sert des plats rustiques aux accents autrichiens. Le **Lake Waramaug State Park** (☎860-868-0220 ; 30 Lake Waramaug Rd ; empl 17-27 $) propose des emplacements de camping au bord du lac, mais il faut réserver longtemps à l'avance.

VERMONT

Fromages artisanaux, seaux de sirop d'érable, glaces Ben & Jerry's… Il n'est guère facile de quitter le Vermont sans quelques kilos supplémentaires. Heureusement, nombreuses sont les occasions de se dépenser : randonnée sur les sentiers des Green Mountains, kayak sur le lac Champlain ou ski sur les pistes enneigées du Vermont.

Dans le Vermont, le mot "rural" prend tout son sens. Sa capitale serait à peine considérée comme une petite ville dans d'autres États, et même sa plus grande ville, Burlington, ne compte que 42 500 âmes bienheureuses. La campagne est parée d'un manteau vallonné verdoyant ; 80% de la surface de l'État est couverte de forêt et le reste est en grande partie occupé par de superbes fermes. Alors prenez votre temps, flânez sur les paisibles petites routes, arrêtez-vous dans les villages pittoresques et goûtez la saveur de la douceur de vivre.

Histoire

Le Français Samuel de Champlain explora le Vermont en 1609 et, fidèle à sa légendaire modestie, donna son nom au plus grand lac du Vermont.

Le Vermont joua un rôle primordial dans la Révolution américaine en 1775 lorsqu'Ethan Allen, à la tête d'une milice locale appelée les Green Mountains Boys, s'empara de

LE VERMONT EN BREF

» **Surnom :** Green Mountain State (État des montagnes vertes)

» **Population :** 625 740 habitants

» **Superficie :** 23 960 km²

» **Capitale :** Montpelier (8 050 habitants)

» **Autres villes :** Burlington (42 500 habitants)

» **TVA :** 6%

» **État de naissance de :** Brigham Young (1801-1877), président de l'Église mormone ; Calvin Coolidge (1872-1933), président

» **Abrite :** plus de 100 ponts couverts

» **Politique :** forte indépendance, plutôt démocrate

» **Célèbre pour :** la glace Ben & Jerry's

» **État le plus mousseux :** détient le plus de microbrasseries par habitant des États-Unis.

» **Distances par la route :** Burlington-Bennington 187 km, Burlington-Portland (Maine) 312 km

Fort Ticonderoga, alors aux mains des Anglais. Quelques années plus tard, Allen adopta une position plus favorable envers les Britanniques, et réfléchit à adresser une requête à la Couronne pour faire du Vermont un État britannique indépendant. En 1791, deux ans après la mort d'Allen, le Vermont entra finalement dans l'Union.

L'esprit indépendant de cet État est aussi ancien et profond qu'un gisement de marbre du Vermont. Longtemps pays de producteurs laitiers, le Vermont est toujours en grande partie agricole et possède la plus petite population de tous les États de Nouvelle-Angleterre.

⊙ Renseignements

Vermont Dept of Tourism (www.vermontvacation.com). Informations en ligne par région, saison et autres catégories pratiques.

Vermont State Parks (www.vtstateparks.com). Gère 40 parcs d'État avec camping.

Sud du Vermont

Le sud du Vermont abrite les plus anciennes villes de l'État, les superbes sentiers de la forêt nationale de Green Mountain, ainsi qu'une ribambelle de petites routes pittoresques qui ne demandent qu'à être explorées.

BRATTLEBORO

Vous êtes-vous déjà demandé où la contre-culture des années 1960 était passée ? Sachez qu'elle est bien vivante dans cette bourgade en bordure de fleuve qui foisonne de magasins d'artisanat et où la teinture aux nœuds (*tie dye*) compte plus d'adeptes que partout ailleurs en Nouvelle-Angleterre.

⊙ À voir et à faire

Commencez par Main St, qui est bordée d'édifices d'époque, dont le superbe Latchis Building, un bâtiment Art déco abritant un hôtel et un théâtre.

Le comté de Windham, qui entoure Brattleboro, possède plusieurs **ponts couverts**. Un guide de l'itinéraire est disponible à la **Brattleboro Area Chamber of Commerce** (☑802-254-4565 ; www.brattleborochamber.org ; 180 Main St ; ◷9h-17h lun-ven).

Brattleboro Museum & Art Center MUSÉE
(www.brattleboromuseum.org ; 10 Vernon St ; adulte/enfant 6 $/gratuit ; ◷11h-17h jeu-lun). Présente les œuvres multimédias d'artistes régionaux.

⊨ Où se loger

Forty Putney Road B&B B&B $$
(☑802-254-6268 ; www.fortyputneyroad.com ; 192 Putney Rd ; ch petit-déj inclus 179-269 $; @⊛). Cette maison transformée en B&B est un lieu très agréable : chambres élégantes, superbes jardins, vue sur la rivière, Jacuzzi, billard et succulent petit-déjeuner. Les propriétaires, passionnés de bière, possèdent même un minuscule pub, idéal pour goûter les bières du Vermont.

Latchis Hotel HÔTEL $$
(☑802-254-6300 ; www.latchis.com ; 50 Main St ; ch 95-160 $; ⊛). Vous ne pourrez pas être plus au cœur de la ville que dans cet hôtel Art déco restauré, qui possède 30 chambres meublées simplement.

✕ Où se restaurer et prendre un verre

Amy's Bakery Arts Café CAFÉ $
(113 Main St ; plat 3-10 $; ◷8h-17h lun-ven, 10h-17h sam, 9h-17h dim). La meilleure adresse où déjeuner. Les pâtisseries sont exquises, mais c'est la cuisine plus diététique (sandwichs mozzarella-tapenade et salades) qui attire les foules.

Brattleboro Food Co-op DELI $
(2 Main St ; ◷8h-21h lun-sam, 9h-21h dim). Cette ville possède évidemment un grand

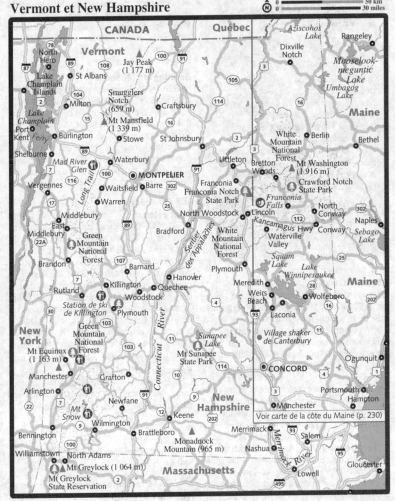

magasin d'alimentation bio, avec tout ce qu'il faut pour organiser un pique-nique "locavore".

McNeill's Brewery PUB $

(90 Elliot St ; ⊙17h-2h lun-jeu, 14h-2h ven-dim). Cette microbrasserie conviviale regorge d'excellentes bières.

WILMINGTON ET MT SNOW

Wilmington, à mi-chemin entre Brattleboro et Bennington, est aux portes de **Mt Snow** (www.mountsnow.com ; VT 100), une station de sports d'hiver familiale. Quand la neige fond, son réseau de pistes et de remontées mécaniques attire randonneurs et vététistes. La **Mt Snow Valley Chamber of Commerce** (☎802-464-8092 ; www.visitvermont.com ; 21 W Main St ; ⊙10h-17h) possède des informations sur les hébergements et les activités.

À Wilmington, l'auberge **Nutmeg Country Inn** (☎802-464-7400 ; www.nutmeginn.com ; 153 VT 9 ; ch petit-déj inclus 99-205 $; ❄🛜), une ferme du XVIIIe siècle, offre une hospitalité montagnarde, avec copieux petit-déjeuner à l'anglaise inclus. Si vous ne faites que passer, l'auberge abrite aussi une petite boulangerie.

LE LABEL "LOCAVORE" DU VERMONT

Le mouvement "locavore", qui prône la consommation de nourriture produite dans un rayon de 100 à 250 km maximum autour de son domicile, est très présent dans le Vermont, et l'État possède son propre label : le partenariat entre agriculteurs et chefs cuisiniers **Vermont Fresh Network** recense les restaurants qui font la part belle à une alimentation durable et locale. Ils sont indiqués par un autocollant carré vert et blanc sur lequel figurent une assiette et des couverts – une façon simple de savoir qu'un restaurant a sûrement acheté ses œufs dans une ferme voisine. Pour connaître la liste complète des restaurants qui ont reçu ce label, consultez le site www.vermontfresh.net.

BENNINGTON

La conviviale Bennington qui, avec seulement 15 000 habitants, est la plus grande ville de la région, montre à quel point le sud du Vermont est rural. Vous trouverez un mélange intéressant de cafés et boutiques dans le centre-ville le long de Main St. La partie de la ville située sur le flanc de colline, appelée Old Bennington, recèle de très anciennes demeures coloniales et trois ponts couverts. Perché sur une colline, un obélisque de granite commémorant la bataille de Bennington de 1777 domine toute la ville, la rendant visible à des kilomètres à la ronde.

La **Bennington Area Chamber of Commerce** (802-447-3311 ; www.bennington. com ; US 7 ; 9h-17h lun-ven, 10h-16h dim), à moins de 2 km au nord du centre-ville, fournit des informations touristiques.

À voir et à faire

Old First Church SITE HISTORIQUE
(angle Monument Ave et VT 9). Ornant le centre d'Old Bennington, cette église historique est célèbre pour son cimetière, qui abrite les dépouilles de cinq gouverneurs du Vermont et du poète Robert Frost, enterré sous l'épitaphe "I Had a Lover's Quarrel with the World" ("J'ai eu une querelle d'amoureux avec le monde").

Bennington Battle Monument SITE HISTORIQUE
(Monument Ave ; adulte/enfant 3/1 $; 9h-17h mi-avr à oct). L'édifice le plus haut du Vermont offre une vue époustouflante à 360 degrés sur la campagne, avec un aperçu des ponts couverts et, de l'autre côté, de l'État de New York. Vous n'aurez pas d'effort musculaire à fournir pour grimper en haut de cet obélisque de 90 mètres : un ascenseur vous hissera au sommet.

Bennington Museum MUSÉE
(802-447-1571 ; www.benningtonmuseum.com ; 75 Main St/VT 9 ; adulte/enfant 10 $/gratuit ; 10h-17h jeu-mar). Le musée de Bennington, qui présente de l'artisanat folklorique, est surtout connu pour détenir la plus grande collection d'œuvres de la célèbre artiste populaire Anna Mary "Grandma" Moses (1860-1961), qui peignit des scènes rurales du Vermont jusqu'à l'âge de 100 ans.

Où se loger

Henry House B&B $$
(802-442-7045 ; www.thehenryhouseinn.com ; 1338 Murphy Rd ; ch petit-déj inclus 90-145 $). Installez-vous dans un rocking-chair et observez les véhicules passer au compte-goutte sur un pont couvert depuis cette maison coloniale construite en 1769 par le héros de la Révolution américaine William Henry. Ce lieu paisible, occupant un terrain de 10 ha, dégage une telle authenticité qu'on pourrait s'attendre à voir le lieutenant Henry, disparu depuis longtemps, déambuler dans le couloir.

Paradise Inn MOTEL $$
(802-442-8351 ; www.theparadisemotorinn. com ; 141 W Main St ; ch 85-145 $; 🅿🖨🛏🌀). Chambres plaisantes, emplacement central mais calme et piscine extérieure chauffée en font un lieu d'un bon rapport qualité/prix. Payez le supplément pour une chambre "Premier" et profitez de votre propre sauna et d'un Jacuzzi.

Où se restaurer et prendre un verre

Blue Benn Diner DÎNER $
(802-442-5140 ; 314 North St ; plat 5-12 $; 6h-16h45 lun-ven, 7h-15h45 sam-dim). Ce traditionnel *diner* typique des années 1950 n'a rien d'une gargote. Au menu fourni figure le petit-déjeuner servi toute la journée et une variété de plats équilibrés américains, asiatiques, mexicains – et même végétariens. Tofu brouillé avec des champignons shiitaké ou pancakes aux framboises et pépites de chocolat ?

Izabella's CAFÉ $
(802-447-4949 ; 351 W Main St ; plat 6-10 $; 8h30-15h mar-ven, 8h30-16h sam). Ce café branché du centre-ville apporte une touche d'innovation aux classiques américains. Le menu "locavore" change selon la

saison. Si vous avez de la chance, la pomme au four et les scones au cheddar ou la soupe piquante de cacahuètes sénégalaise feront partie des choix.

Madison Brewing Co
PUB $$

(☎802-442-7397 ; www.madisonbrewingco.com ; 428 Main St ; plat 9-20 $; ☺11h30-9h30 ; ♿). Microbrasserie familiale, ce pub-restaurant jovial propose de la *root beer* maison (boisson aux extraits de plantes) ainsi que d'enivrantes bières de malt. Les plats vont des hamburgers végétariens aux steaks juteux et il y a même un menu enfant.

🛍 Achats

Bennington Potters
POTERIE

(www.benningtonpotters.com ; 324 County St). Les poteries de Bennington sont des souvenirs prisés. Visitez l'atelier où sont fabriquées depuis plus d'un demi-siècle des poteries en grès moucheté avant de découvrir la boutique attenante.

MANCHESTER

Sise à l'ombre du Mt Equinox, la ville de Manchester est une station estivale cotée depuis le XIXe siècle. Son paysage montagneux, son climat agréable et la Batten Kill River – meilleure rivière à truites du Vermont – continuent toujours d'attirer les vacanciers.

La ville possède deux visages, aussi plaisants l'un que l'autre. Manchester Center, au nord, abrite cafés et boutiques haut de gamme. Au sud se situe l'élégant Manchester Village, qui arbore des trottoirs en marbre, des demeures majestueuses et le très chic hôtel Equinox.

La **Manchester & the Mountains Regional Chamber of Commerce** (☎800-362-4144 ; www.manchestervermont.net ; 5046 Main St, Manchester Center ; ☺9h-17h lun-ven, 10h-17h sam) fournit des informations touristiques.

👁 À voir et à faire

Le **sentier des Appalaches** (Appalachian Trail), qui chevauche le sentier **Long Trail** dans le Vermont, passe juste à l'est de Manchester. Des cartes du sentier et des renseignements sur les randonnées plus courtes sont disponibles au **Green Mountain National Forest office** (☎802-362-2307 ; 2538 Depot St, Manchester Center ; ☺8h-16h30 lun-ven).

Pour profiter du panorama depuis le sommet du **Mt Equinox** (1 163 m), prenez la route VT 7A au sud de Manchester jusqu'à la **Skyline Drive** (☎802-362-1114 ; voiture et conducteur 12 $, passager supplémentaire 2 $; ☺9h-coucher du soleil mai-oct), une route à péage de 8 km.

Hildene
SITE HISTORIQUE

(☎802-362-1788 ; www.hildene.org ; 1005 Hildene Rd/VT 7A ; adulte/enfant 13/5 $; ☺9h30-16h30). Juste au sud de Manchester, ce manoir de style néogeorgien de 24 chambres était la propriété de campagne de Robert Todd Lincoln, fils du président Abraham Lincoln. Vous pouvez visiter la demeure, qui renferme d'authentiques meubles de la famille Lincoln, et flâner dans ses jolis jardins, mais il faut attendre le mois de juin pour les voir en fleurs.

American Museum of Fly Fishing
MUSÉE

(www.amff.com ; 4104 VT 7A ; adulte/enfant 5/3 $; ☺10h-16h mar-sam). Les pêcheurs se rendent en pèlerinage à Manchester pour visiter ce musée, où sont exposées les cannes à pêche ayant appartenu à Ernest Hemingway et à d'autres illustres pêcheurs ; pour faire des achats dans le magasin phare d'**Orvis**, spécialisé dans les articles de pêche ; et pour pêcher la truite à la mouche dans la **Batten Kill River**.

ITINÉRAIRE PANORAMIQUE : LES PONTS COUVERTS

Un circuit de 30 minutes au départ de Bennington vous conduira à trois superbes ponts couverts (*covered bridges*) enjambant la Walloomsac River, du côté nord et rural de la ville. Pour commencer, tournez à gauche sur la route VT 67A, juste au nord de l'office du tourisme, et faites 5,5 km, puis tournez à gauche dans Murphy Rd pour atteindre le **Burt Henry Covered Bridge**. Soufflez, prenez votre temps : vous voilà à l'époque des carrioles tirées par des chevaux. À la sortie de ce pont long de 36 m datant de 1840, prenez le virage à gauche. Peu après, la Murphy Road fait une boucle et passe par le **Paper Mill Bridge**, qui tient son nom du moulin de 1790 qui se trouvait près du pont (cherchez les anciens engrenages le long de la rivière). Ensuite, tournez à droite sur la route VT 67A, faites 1 km puis tournez à droite dans Silk Rd, où vous tomberez sur le **Silk Road Bridge** (vers 1840). Si vous continuez sur Silk Rd pendant 3 km en prenant à gauche à chaque virage, vous arriverez au **Bennington Battle Monument**.

BattenKill Canoe
CANOË-KAYAK

(☎802-362-2800 ; www.battenkill.com ; 6328 VT 7A, Arlington ; locations par jour 40-70 $; ☺9h30-17h30 mai-oct). Loue canoës et kayaks pour aller pagayer dans la Batten Kill River ; situé à 8 km au sud de Manchester.

🛏 Où se loger

Aspen Motel
MOTEL $

(☎802-362-2450 ; www.theaspenatmanchester. com, 5669 Main St/VT 7A ; ch 80-115 $; ❄🖥🏊). Superbe établissement abordable, cet hôtel familial en retrait de la route possède 25 chambres confortables et n'est qu'à quelques minutes à pied de Manchester Center.

Equinox
RESORT $$$

(☎802-362-4700 ; www.equinoxresort.com ; 3567 Main St ; ch 289-689 $; ❄🏊). La grande dame de Manchester depuis 1769 propose 195 chambres, son propre parcours de golf 18 trous, deux piscines, des restaurants et un luxueux spa. Malgré une modernisation, le charme de l'ancien prédomine.

🍴 Où se restaurer

♥ Up for Breakfast
PETIT-DÉJEUNER $

(☎802-362-4204 ; 4935 Main St ; plat 6-14 $; ☺7h-12h30 lun-ven, 7h-13h30 sam-dim). Partez à la recherche de ce petit restaurant au 2e étage, situé à Manchester Center, pour déguster le meilleur petit-déjeuner de la ville : pancakes aux myrtilles, omelette aux câpres et saumon fumé...

Ye Olde Tavern
AMÉRICAIN $$$

(☎802-362-0611 ; www.yeoldetavern.net ; 5183 Main St ; plat 17-28 $; ☺17h-21h30). Dans cette auberge raffinée des années 1790, dîner au coin du feu sublime le repas. Au menu figurent aussi bien des plats traditionnels, comme le rôti de bœuf braisé (*Yankee pot roast*), que des plats comme l'exquis canard rôti au porto.

Spiral Press Café
CAFÉ $

(angle VT 11 et 7A ; plat 6-10 $; ☺7h-18h30 ; 🖥). Arrêtez-vous dans ce café de Manchester Center attenant à la librairie Northshire Bookstore pour savourer croissants et paninis. Bons *latte*.

Centre du Vermont

Niché dans les Green Mountains, le centre du Vermont est typique de la Nouvelle-Angleterre, avec ses petites villes et ses grands espaces. Ses villages traditionnels et ses stations de ski attirent les voyageurs depuis des générations.

WOODSTOCK ET QUECHEE

Ville archétype du Vermont, Woodstock possède des rues bordées d'élégantes demeures de styles georgien et fédéral. La Ottauquechee River, enjambée par un pont couvert, serpente à travers le cœur de la ville. Quechee (se prononce "*kwi*-tchi"), la petite cousine de Woodstock à 11 km au nord-est, regorge de paysages ruraux. La région entière invite à prendre son temps. La **Woodstock Area Chamber of Commerce** (☎802-457-3555 ; www.woodstockvt.com ; 61 Central St ; ☺8h30-16h30 lun-ven) fournit des informations.

👁 À voir et à faire

La Quechee Gorge, une impressionnante crevasse de 50 m de profondeur traversée par la Ottauquechee River, peut être admirée d'en haut ou bien le long de sentiers qui bordent le gouffre de 900 m de longueur. Débutez par le **Quechee Gorge Visitor Center** (☎802-295-6852 ; US 4, Quechee ; ☺9h-17h mai-oct, 10h-16h nov-avr), du côté est des gorges, où vous pouvez vous procurer une carte du sentier.

GRATUIT Marsh-Billings-Rockefeller National Historical Park
PARC

(☎802-457-3368 ; www.nps.gov/mabi). Ancienne propriété de la famille Rockefeller, ce parc national est le seul à raconter l'histoire de la conservation de l'environnement et de la gestion des terres aux États-Unis. Ce parc de 220 ha est sillonné par des sentiers ombragés qui invitent à la promenade et il se situe à moins de 2 km du centre de Woodstock.

🌿 VINS Nature Center
REFUGE DE RAPACES

(☎802-359-5000 ; www.vinsweb.org ; US 4, Quechee ; adulte/enfant 10,50/8,50 $; ☺10h-17h30 ; 🚻). À moins de 2 km des gorges, ce centre s'occupe des pygargues (cousins des aigles) à tête blanche et autres rapaces blessés. Observez de près ces magnifiques oiseaux, puis profitez des 19 ha du centre pour vous balader dans la nature.

Billings Farm & Museum
MUSÉE

(☎802-457-2355 ; www.billingsfarm.org ; VT 12, sur River Rd ; adulte/enfant 12/6 $; ☺10h-17h mai-oct ; 🚻). Découvrez ce qu'était la vie à la ferme au XIXe siècle dans ce musée d'histoire vivante et cette ferme laitière en activité à proximité du Marsh-Billings-Rockefeller National Historical Park.

🛏 Où se loger

Ardmore Inn
B&B $$

(☎802-457-3887 ; www.ardmoreinn.com ; 23 Pleasant St, Woodstock ; ch petit-déj inclus

130-205 $; ✷🛜). Cette agréable auberge, à seulement cinq minutes à pied du centre-ville de Woodstock, occupe une majestueuse demeure de style néogrec de 1867 et propose 5 chambres garnies de meubles et objets anciens et dotées d'une salle de bains en marbre. Le copieux petit-déjeuner maison couronne le tout.

Shire Riverview Motel
MOTEL $$
(☎802-457-2211 ; www.shiremotel.com ; 46 Pleasant St/US 4 ; ch 98-188 $; ✷🛜). Ce motel présente le meilleur rapport qualité/prix du centre-ville de Woodstock. La décoration coloniale est agréable, le propriétaire serviable et la vue sur la rivière Ottauquechee, qui passe à l'arrière du motel, exceptionnelle.

Quechee State Park
CAMPING $
(☎888-409-7579 ; www.vtstateparks.com ; 5800 US 4, Quechee ; empl/abris ouverts 20/27 $). Les campeurs trouveront 45 emplacements à l'ombre des pins et sept abris ouverts en bois dans ce parc de 240 ha qui borde les gorges de Quechee.

✘ Où se restaurer

❤ Simon Pearce
NOUVELLE CUISINE AMÉRICAINE $$
(☎802-295-1470 ; www.simonpearce.com ; 1760 Main St, Quechee ; plat déjeuner 13-17 $, plat dîner 25-32 $; ⏱11h30-14h45 et 18h-21h). Simon Pearce est non seulement un choix imbattable pour un repas gastronomique mais le déjeuner y est étonnamment abordable. Commencez par regarder les artisans souffler le verre et façonner des poteries sur le tour dans les ateliers du sous-sol, puis remontez vous délecter de nouvelle cuisine américaine créative servie dans les pièces confectionnées sur place. Endroit fabuleux, qui produit sa propre électricité à partir de la chute d'eau que le restaurant surplombe.

Prince & the Pauper
AMÉRICAIN $$$
(☎802-457-1818 ; www.princeandpauper.com ; 24 Elm St ; plat de bistrot 14-22 $, menu à prix fixe 49 $; ⏱18h-21h). L'agneau en croûte de feuilletage est un délice dans ce restaurant traditionnel de Nouvelle-Angleterre situé dans le centre de Woodstock. Si vous n'êtes pas tenté par le copieux menu à prix fixe, le menu bistrot propose des plats plus légers et des choix alléchants.

Osteria Pane e Salute
ITALIEN $$
(☎802-457-4882 ; www.osteriapaneesalute.com ; 61 Central St ; plat 14-21 $; ⏱18h-22h jeu-lun). Venez savourer les succulentes pizzas toscanes à pâte fine et les plats traditionnels dignes d'une *mamma* italienne ! Ici,

c'est "slow food", vins italiens de petits producteurs et herbes aromatiques...

KILLINGTON
À une heure de route à l'ouest de Woodstock, la **Killington Resort** (www.killington.com) est la version Nouvelle-Angleterre de la station de ski de Vail (Colorado). Elle offre 140 pistes sur six montagnes, 960 mètres de dénivelé et 22 remontées mécaniques. Grâce au plus important système de fabrication de neige au monde, Killington jouit d'une des plus longues saisons de ski dans l'est du pays. L'été, à la fonte des neiges, vététistes et randonneurs s'approprient les pistes.

Le domaine de Killington compte plus d'une centaine d'hébergements, des douillets chalets aux chaînes hôtelières. La plupart se situe sur Killington Rd, la route de 10 km qui part de la Route US 4 et qui gravit la montagne. La **Killington Chamber of Commerce** (☎802-773-4181 ; www.killingtonchamber.com ; US 4 ; ⏱10h-16h30 lun-sam) donne tous les renseignements nécessaires.

MIDDLEBURY
Cette ancienne ville industrielle a reconverti ses vieux moulins à eau en séduisants musées et restaurants au bord de l'eau. Si l'on ajoute à cela le verdoyant campus du Middlebury College, c'est l'endroit idéal pour flâner un après-midi. Le petit mais varié **Middlebury College Museum of Art** (☎802-443-5007 ; S Main St ; entrée libre ; ⏱10h-17h mar-ven, 12h-17h sam-dim) vous fera voyager, en commençant par un sarcophage égyptien et en terminant par Andy Warhol. La **Addison County Chamber of Commerce** (☎802-388-7951 ; www.addisoncounty.com ; 93 Court St ; ⏱9h-17h lun-ven) dispose de renseignements sur cette région.

L'élégante auberge de style fédéral de 1803 **Inn on the Green** (☎802-388-7512 ; www.innonthegreen.com ; 71 S Pleasant St ; ch petit-déj inclus 149-269 $; @🛜), qui figure au registre national des sites historiques, possède 11 charmantes chambres donnant sur le parc de la ville. Si vous voulez vous faire dorloter, ils servent même le petit-déjeuner au lit.

Pour une tranche de culture américaine rétro, arrêtez-vous au **A&W Drive-In** (1557 US 7 ; plat 3-6 $; ⏱11h-20h), où les serveurs – dont certains en patins à roulette – vous servent *root beer floats* (boisson aux extraits de plante et glace vanille), cheeseburgers, *onion rings* (rondelles d'oignons frits) et autres délices, directement à la vitre de votre voiture.

Pour une belle vue sur la rivière et une bonne cuisine à prix honnête, rendez-vous au **Storm Cafe** (www.thestormcafe.com ; 3 Mill St ; plat 5-22 $; ⏱11h-18h mar-sam), qui sert un menu de café standard composé au déjeuner de soupes, salades et sandwichs, et de plats plus sophistiqués au dîner.

WARREN ET WAITSFIELD

Les villes de Warren et Waitsfield possèdent deux grands domaines skiables : **Sugarbush** (www.sugarbush.com) et **Mad River Glen** (madriverglen.com), dans les montagnes à l'ouest de la route VT 100. Les occasions de faire du vélo, du canoë, de l'équitation, du kayak, du vol à voile et d'autres activités ne manquent pas. Faites un saut à la **Mad River Valley Chamber of Commerce** (☎802-496-3409 ; www.madrivervalley.com ; VT 100, Waitsfield ; ⏱9h-17h lun-ven) pour obtenir une montagne d'informations ; brochures et toilettes sont disponibles 24/24h et 7/7j dans le hall de la chambre de commerce.

Nord du Vermont

Le nord du Vermont, une région d'un vert luxuriant, abrite Montpelier, la ravissante capitale de l'État ; Stowe, la Mecque du ski ; Burlington, une ville universitaire animée ; et les plus hautes montagnes de Nouvelle-Angleterre. Vous y découvrirez quelques-uns des plus beaux paysages du Nord-Est.

MONTPELIER

Plus petite capitale des États-Unis, Montpelier est une ville très agréable peuplée d'édifices anciens et adossée à des collines verdoyantes. Ici, on peut passer la porte d'entrée de la **State House** (www.vtstatehouse.org ; 115 State St ; entrée libre ; ⏱visites guidées 10h-15h30 lun-ven, 11h-14h30 sam juil à fin-oct), ornée d'un dôme doré et construite vers 1836, et ressortir à l'arrière sur un sentier boisé, ce qui démontre son côté village. Les visites guidées ont lieu toutes les demi-heures. La **Central Vermont Chamber of Commerce** (www.centralvt.com) vous fournira des renseignements sur Montpelier.

Si vous êtes de passage à l'heure du repas, dirigez-vous vers le croisement de State St et Main St, où vous trouverez plusieurs restaurants. Mais point de mal bouffe ici – Montpelier est fière d'être la seule capitale d'État du pays à ne posséder aucun McDonald's ! Le café-boulangerie La

Brioche (89 Main St ; en-cas 2-7 $; ⏱6h30-17h lun-ven, 7h-17h sam), tenu par des étudiants de l'Institut culinaire de Nouvelle-Angleterre de Montpelier, obtient un 20/20 pour ses sandwichs innovants et ses viennoiseries françaises. Ou bien frayez-vous un chemin jusqu'au **Hunger Mountain Co-op** (☎802-223-8000 ; 623 Stone Cutters Way ; buffet 8 $; ⏱8h-19h30), magasin d'alimentation bio et deli avec tables de café surplombant une rivière.

STOWE ET SES ENVIRONS

Avec le point culminant du Vermont, le Mt Mansfield (1 339 m), en toile de fond, Stowe est considérée comme la plus belle destination de ski du Vermont. Elle offre tous les plaisirs alpins que vous pourriez souhaiter – ski de fond et ski de descente, avec des pistes faciles pour les novices et de stimulants dénivelés pour les pros. L'été, vélo, randonnée et kayak occupent le devant de la scène. Hébergements et restaurants sont légion le long de la route VT 108 (Mountain Rd), qui continue au nord-ouest du centre de Stowe vers les stations de ski. Le **Stowe Visitors Center** (☎802-253-7321 ; www.gostowe.com ; 51 Main St ; ⏱9h-17h lun-sam) fournit des renseignements.

ROUTE PANORAMIQUE : LA VT 100

Parcourant l'épine dorsale accidentée du Vermont, la route VT 100 serpente à travers le cœur rural de l'État. Cette route de campagne par excellence passe à côté de pâturages vallonnés parsemés de vaches, à travers de minuscules villages ornés d'églises au clocher blanc et le long des Green Mountains sillonnées de sentiers de randonnée et de pistes de ski. C'est l'escapade idéale pour ceux qui veulent ralentir le rythme, respirer l'air chargé d'effluves de pins et s'imprégner de la vie champêtre bucolique qui forme l'âme même du Vermont. Stands de produits fermiers, fermes centenaires reconverties en petites auberges, magasins de poterie, épiceries de campagne et cafés traditionnels vous attendent. Cette route nord-sud va du Canada au Massachusetts. Elle compte quelques sections calmes, mais jamais monotones – rejoignez-la où que vous soyez.

👁 À voir et à faire

La voie verte de 9 km **Stowe Recreation Path**, qui longe la West Branch River au nord-ouest du centre du village, est idéale pour marcher, courir, faire du vélo et du roller.

Le sentier **Long Trail**, qui traverse Stowe, suit la crête des Green Mountains et traverse le Vermont dans toute sa longueur. Il est ponctué de chalets rustiques, d'abris couverts et d'emplacements de camping. L'association qui s'occupe du sentier, le **Green Mountain Club** (☎802-244-7037; www. greenmountainclub.org ; 4711 Waterbury-Stowe Rd, VT 100), est une mine d'informations sur le Long Trail et les randonnées d'une journée dans les environs de Stowe.

Si la neige a fondu, ne manquez pas de traverser le spectaculaire **Smugglers Notch**, au nord-ouest de Stowe sur la VT 108 (route fermée l'hiver). Ce col étroit fend les montagnes, flanqué de chaque côté de falaises de 300 m. Vous trouverez de nombreux endroits où vous arrêter le long de la route pour vous extasier ou marcher un peu.

Ben & Jerry's Ice Cream Factory FABRIQUE DE GLACE
(☎802-882-1240 ; www.benjerrys.com ; 1281 VT 100, Waterbury ; adulte/enfant 3 $/ gratuit ; ⏰9h-17h30, heures d'ouverture prolongées l'été ; 🖥). Découvrez les coulisses de cette multinationale de la crème glacée, lors d'une visite guidée, d'un film sur les fondateurs hippies et, cerise sur le gâteau, d'une dégustation du tout dernier parfum.

Stowe Mountain Resort SKI
(☎802-253-3000 ; www.stowe.com ; 5781 Mountain Rd). Cœur de l'action en hiver, cette station de ski possède une variété de pistes pour tous les niveaux.

AJ's Ski & Sports LOCATION D'ÉQUIPEMENTS SPORTIFS
(☎802-253-4593 ; www.ajssportinggoods.com ; 350 Mountain Rd ; ⏰10h-18h). Loue des skis et des snowboards pour 29 $/jour et des vélos pour 27 $/jour ; à proximité de la voie verte Stowe Recreation Path.

Umiak Outdoor Outfitters CANOË-KAYAK
(☎802-253-2317 ; www.umiak.com ; 849 S Main St ; ⏰9h-18h). Loue canoës (50 $/ jour) et kayaks (40 $/jour), et propose des excursions guidées de deux heures sur la rivière (45 $).

🛏 Où se loger

Fiddler's Green Inn AUBERGE $$
(☎802-253-8124 ; www.fiddlersgreeninn.com ; 4859 Mountain Rd ; ch petit-déj inclus 125 $; 🖥).

À proximité des remontées mécaniques de Stowe, cette ferme des années 1820 possède un charme rustique, avec une cheminée en pierre des champs qui crépite les fraîches soirées et 7 chambres simples idéales pour les adeptes du plein air.

Trapp Family Lodge LODGE $$$
(☎802-253-8511 ; www.trappfamily.com ; 700 Trapp Hill Rd ; ch à partir de 270 $; @🖥📶🏊). Si vous adorez *La Mélodie du bonheur*, vous aimerez ce lodge de montagne de style autrichien fondé par la famille Von Trapp, où vous pourrez faire du ski de fond ainsi que des balades en raquettes et à pied.

Best Western Waterbury-Stowe MOTEL $$
(☎802-244-7822 ; www.bestwesternwaterbury-stowe.com ; VT 100, I-89 sortie 10 ; ch petit-déj inclus 109-149 $; 🖥@🖥🏊🐾). Adapté aux familles, cet hôtel bien situé possède un terrain de jeux, une piscine sous verrière et des équipements sportifs un cran au-dessus des standards habituels. De plus, ce n'est qu'à quelques minutes en voiture de la fabrique de glaces Ben & Jerry's.

Smugglers Notch State Park CAMPING $
(☎802-253-4014 ; 6443 Mountain Rd ; empl/abris ouverts 20/27 $; ⏰mi-mai à mi-oct). Campez au pied du Mt Mansfield, à 15 km au nord-ouest du centre de Stowe sur la route VT 108.

🍴 Où se restaurer

♥ Hen of the Wood AMÉRICAIN $$$
(☎802-244-7300 ; www.henofthewood. com ; 92 Stowe St, Woodbury ; plat 18-32 $; ⏰17h-22h mar-sam). Sans doute le meilleur restaurant du nord du Vermont, il a été couvert de critiques élogieuses pour sa cuisine novatrice à base de produits locaux. L'ambiance dans cet ancien moulin est aussi agréable que le menu, qui propose des plats très parfumés comme le magret de canard fumé et les gnocchis au lait de brebis.

🌿 Pie-casso PIZZERIA $$
(☎802-253-4411 ; www.piecasso.com ; 1899 Mountain Rd ; plat 9-22 $; ⏰11h-21h). Cette pizzeria va bien au-delà de la simple pizza : salade de poulet et de roquette bio, panini aux champignons portobello et pizza au pesto ne sont que quelques-uns des plats du menu. Bar et musique live.

Harvest Market MARCHÉ $
(1031 Mountain Rd ; ⏰7h-17h30). Arrêtez-vous sur ce marché gourmet le matin pour un café et de délicieuses pâtisseries, et pour les fromages du Vermont et les sandwichs avant de partir en montagne.

Burlington

Cette ville universitaire branchée située sur les rives du pittoresque Lake Champlain est l'un de ces endroits où l'on se dit qu'il doit être agréable de vivre. Les cafés et les clubs sont comparables à ceux d'une grande ville, tandis que l'atmosphère paisible et conviviale est celle d'une petite ville. Ici, on peut marcher jusqu'au bout de la rue principale et s'éloigner à bord d'un kayak.

👁 À voir

Il est facile de se repérer dans la plus grande ville du Vermont : la plupart de ses cafés et pubs se situent sur ou près de Church St Marketplace, une zone commerçante piétonne en briques, où la moitié de Burlington vient flâner les jours ensoleillés. Elle se situe à mi-chemin entre l'université du Vermont et le lac Champlain.

Fleming Museum — MUSÉE
(☎802-656-2090 ; www.uvm.edu/~fleming ; 61 Colchester Ave ; adulte/enfant 5/3 $; ☉12h-16h mar-ven 13h-17h sam-dim mai-août, heures d'ouverture prolongées sept-avr). Le superbe musée de style Beaux-Arts de l'université du Vermont (UVM) abrite une galerie amérindienne comptant 2 000 objets ainsi que des œuvres d'artistes américains allant de John James Audubon à Andy Warhol.

Magic Hat Brewery — BRASSERIE
(☎802-658-2739 ; www.magichat.net ; 5 Bartlett Bay Rd, South Burlington ; ☉10h-18h lun-sam, 12h-17h dim). Cette brasserie extrêmement populaire, près de l'US 7, propose des visites guidées gratuites montrant le processus de fabrication de la bière – lors desquelles vous pourrez bien sûr goûter le précieux liquide. Peut-être la brasserie la plus cool que vous verrez jamais.

Shelburne Museum — MUSÉE
(☎802-985-3346 ; www.shelburnemuseum. org ; US 7, Shelburne ; adulte/enfant 20/10 $;

CLASSEMENT HORS NORME

Collectionneurs compulsifs, prenez note. Le **meuble de classement le plus grand du monde** – un sanctuaire de lettres de rebut de 15 m de hauteur – se trouve dans un champ en bordure de route à mi-chemin entre le centre-ville et la brasserie Magic Hat. Tournez vers l'ouest sur Flynn Ave depuis la route US 7/Shelburne Rd et faites 650 m ; c'est sur la droite, à côté du 208 Flynn Ave.

☉10h-17h lun-sam, 12h-17h dim mi-mai à oct). Sur un domaine de 18 ha, à Shelburne, à 11 km au sud de Burlington, ce musée possède une superbe collection d'art populaire américain, d'architecture de Nouvelle-Angleterre et... d'à peu près tout. La collection, très éclectique, va d'une scierie de l'Amérique coloniale au *Ticonderoga*, bateau à vapeur doté de roues à aubes latérales qui naviguait sur le lac Champlain.

🏠 Shelburne Farms — Ferme
(☎802-985-8686 ; www.shelburnefarms. org ; 1611 Harbor Rd, Shelburne ; adulte/enfant 8/5 $; ☉9h-17h 🚶). Vous aurez un aperçu de la vie paysanne dans le Vermont dans cette ferme traditionnelle de 570 ha dessinée par Frederick Law Olmsted, précurseur de l'architecture de paysage au XIXe siècle aux États-Unis. Essayez de traire une vache, nourrissez les poules ou parcourez les longs sentiers à travers les pâturages et le long du lac Champlain.

🏠 ECHO Lake Aquarium & Science Center — AQUARIUM
(☎802-864-1848 ; www.echovermont.org ; 1 College St ; adulte/enfant 10,50/8,50 $; ☉10h-17h ; 🚶). Sur le front de mer, ECHO va ravir les plus jeunes avec ses écosystèmes aquatiques frétillant de créatures marines et ses expositions interactives expliquant les merveilles écologiques du lac Champlain.

Oakledge Park — PARC
(Flynn Ave). Non loin de l'extrémité sud de la piste cyclable Burlington Bike Path, ce parc possède une **plage**, une incroyable **cabane dans les arbres** tout au sud et la **Burlington Earth Clock**, une intéressante horloge solaire s'inspirant de Stonehenge, tout au nord.

🏃 Activités

Envie d'activités de plein air ? Rendez-vous au bord du lac, où vous pourrez, au choix, pagayer sur le **lac Champlain** et faire du vélo ou du patin à roues alignées et marcher sur la piste cyclable de 14 km **Burlington Bike Path**, le long de la rive. Les points de départ et locations d'équipement pour toutes ces activités se trouvent dans le même périmètre, près du bord du lac, à l'extrémité de Main St.

Local Motion — LOCATION DE VÉLOS
(☎802-652-2453 ; www.localmotion.org ; 1 Steele St ; vélo 30 $/jour ; ☉10h-18h). Loue des vélos de qualité.

Waterfront

Boat Rentals LOCATION D'EMBARCATIONS À RAMES
(☎802-864-4858 ; www.waterfrontboatrentals.com ; Perkins Pier ; locations à l'heure 10-16 $; ⊘10h-18h). Loue canoës, kayaks et barques.

Lake Champlain Cruises CROISIÈRE
(☎802-864-7669 ; www.lakechamplaincruises.com ; 1 King St ; excursion d'1 heure 30 adulte/enfant 15/6 $). Pour une croisière abordable sur le lac, montez à bord du *Northern Lights*, réplique d'un bateau à vapeur du XIXᵉ siècle, long de 35 m.

🛏 Où se loger

♥ Willard Street Inn AUBERGE $$
(☎802-651-8710 ; www.willardstreetinn.com ; 349 S Willard St ; ch petit-déj inclus 145-235 $; ❄🐾🛜). Dotée de sols en marbre et d'un solarium-salle à manger, cette élégante auberge, à quelques minutes à pied de l'université du Vermont, est un petit bijou. Les 14 chambres, avec vue sur le lac et cheminée au gaz pour certaines, sont confortables et le petit-déjeuner de gourmet vous fera démarrer la journée agréablement.

Inn at Shelburne Farms AUBERGE $$$
(☎802-985-8498 ; www.shelburnefarms.org ; 1611 Harbor Rd, Shelburne ; ch avec sdb commune 155 $, ch avec sdb privative 260-465 $). Passez des vacances de milliardaire dans ce manoir au bord du lac transformé en auberge. Inscrite au registre national des sites historiques, cette ancienne résidence d'été des Vanderbilt possède 24 chambres remplies de meubles et d'objets anciens et une atmosphère d'antan.

Lang House B&B $$
(☎802-652-2500 ; www.langhouse.com ; 360 Main St ; ch petit-déj inclus 145-245 $; ❄🛜). Des petits plus tels que peignoirs douillets et petit-déjeuner maison ajoutent au charme de cette auberge victorienne chaleureuse. Sise entre le centre-ville et l'université, c'est un point de départ idéal pour explorer Burlington.

Burlington Hostel AUBERGE DE JEUNESSE $
(☎802-540-3043 ; www.theburlingtonhostel.com ; 53 Main St ; dort petit-déj inclus 30 $; ❄@🛜). À seulement quelques minutes des centres d'activités de Church St et du lac Champlain, cette auberge de jeunesse accueille jusqu'à 48 personnes et propose des dortoirs femmes et mixtes.

North Beach Campground CAMPING $
(☎802-862-0942 ; www.enjoyburlington.com ; 60 Institute Rd ; empl 26 $; 🛜). Ce camping de choix au bord du lac borde la piste cyclable Burlington Bike Path et possède une plage de sable avec location de canoës et de kayaks.

🍴 Où se restaurer

🍽 Magnolia Bistro CAFÉ $$
(☎802-846-7446 ; www.magnoliabistro.com ; 1 Lawson Lane ; plat 7-12 $; ⊘7h-15h lun-ven, 8h-15h sam-dim ; 🛜). Magnolia emploie des ingrédients locaux et issus de l'agriculture durable, allant du bœuf de pâturage aux salades vertes, et est certifié par la Green Restaurant Association. Parmi les spécialités, le saumon bio fumé maison et l'omelette aux saucisses au sirop d'érable du Vermont.

🍽 Penny Cluse Café CAFÉ $
(www.pennycluse.com ; 169 Cherry St ; plat 7-10 $; ⊘6h45-15h lun-ven, 8h-15h sam-dim). À une rue à l'est de Church St Marketplace, Penny Cluse attire une foule estudiantine joviale avec ses plats aux accents du Sud-Ouest comme les omelettes de style *ranchero*, les tacos au poisson et les jus de fruits frais pressés. Évitez le week-end, il peut y avoir plus d'une heure d'attente pour une table.

🍽 L'Amante ITALIEN $$$
(☎802-863-5200 ; www.lamante.com ; 126 College St ; plat 23-30 $; ⊘17h-22h lun-sam). Raffiné mais décontracté, L'Amante sert une cuisine d'Italie du Nord haut de gamme : beignets de fleurs de courgette à l'huile de truffe, espadon accompagné de risotto au safran... L'adresse idéale pour une soirée mémorable.

Stone Soup CAFÉ $
(www.stonesoupvt.com ; 211 College St ; plat 5-10 $; ⊘7h-21h lun-ven, 9h-21h sam ; 🐾🛜). Ne vous y trompez pas : derrière les petits prix de ce café décontracté se cache une cuisine copieuse et diététique, en majorité végétarienne et en grande partie biologique. Au menu : sandwichs, soupes et un buffet de salades et de plats chauds.

🍽 August First Bakery & Cafe BOULANGERIE $
(www.augustfirstvt.com ; 149 S Champlain St ; sandwichs 5-9 $; ⊘7h30-17h lun-ven, 8h-15h sam). Épais sandwichs à base de pain bio et pâtisseries alléchantes vous attendent dans cette boulangerie-café à une rue du bord du lac.

Muddy Waters CAFÉ $
(184 Main St ; en-cas 3-6 $; ⊘7h30-18h lun, 7h30-23h mar-dim ; 🐾). Aussi bien lieu de

détente que café, ce repaire d'étudiants bohèmes propose des repas légers tels que le chili végétalien et tout un éventail de boissons allant des expressos et smoothies aux bières du Vermont.

Burlington Farmers Market

MARCHÉ $

(www.burlingtonfarmersmarket.org ; angle St Paul St et Cottage St ; ☺8h30-14h sam). Vous trouverez des fruits et légumes on ne peut plus frais sur ce marché en plein air tenu par des agriculteurs locaux, situé à une rue au sud de Church St Marketplace.

Où prendre un verre et sortir

Nectar's

CLUB

(www.liveatnectars.com ; 188 Main St). C'est dans ce club que le groupe de jam Phish, très connu aux États-Unis, a fait ses débuts, et les groupes continuent de monter sur la scène du Nectar's avec l'espoir d'être la prochaine révélation. Peut-être aurez-vous la chance d'y voir une étoile montante.

Radio Bean

CAFÉ-CONCERT

(www.radiobean.com ; 8 N Winooski Ave ; ☺8h-2h ; 🛜). Haut lieu de la scène musicale, ce café bohème sert du café équitable la journée et se transforme la nuit tombée en une salle de concert intime où se produisent groupes de jazz et de rock indé.

Vermont Pub & Brewery

MICROBRASSERIE

(www.vermontbrewery.com ; 144 College St ; ☺11h30-1h dim-mer, 11h30-2h jeu-sam). La plus ancienne microbrasserie du Vermont attire les foules avec son *beer garden* animé et ses bières charpentées. Goûtez la Dogbite Bitter et hurlez à la lune.

Red Square

CLUB

(www.redsquarevt.com ; 136 Church St). Avec une ambiance branchée digne de Soho, c'est ici que les clubbeurs se retrouvent pour écouter le meilleur de la roadhouse de Burlington, qui se répand dans la cour les chaudes soirées.

Splash at the Boathouse

BAR

(0 College St ; ☺11h30-2h). Rendez-vous dans ce hangar à bateaux flottant au début de College St pour jouir d'une superbe vue sur le lac Champlain. Endroit idéal pour prendre un verre au coucher du soleil.

Achats

Vous trouverez boutiques et magasins d'artisanat sur Church St Marketplace. Ne ratez pas le centre d'artisanat **Frog Hollow Craft Center** (www.froghollow.org ; 85 Church St), une coopérative rassemblant certaines des plus belles œuvres de Burlington.

Renseignements

Fletcher Allen Health Care (☏802-847-0000 ; 111 Colchester Ave ; ☺24/24h). Le plus grand hôpital du Vermont.

Lake Champlain Regional Chamber of Commerce (☏802-863-3489 ; www.vermont.org ; 60 Main St ; ☺8h-17h lun-ven). Cette chambre de commerce régionale tient également un kiosque d'information touristique ouvert 24/24h sur Church St Marketplace.

Poste (www.usps.com ; 11 Elmwood Ave).

Seven Days (www.7dvt.com). Hebdomadaire gratuit avec programme des divertissements et événements.

Depuis/vers Burlington

Lake Champlain Ferries (☏802-864-9804 ; www.ferries.com ; King St Dock ; adulte/enfant/voiture 4,95/2,20/17,50 $). Assure la traversée du lac en ferry plusieurs fois par jour de mi-juin à mi-octobre jusqu'à Port Kent, dans l'État de New York (1 heure).

NEW HAMPSHIRE

Vous allez être séduit par l'État du granite : les villes sont petites et jolies, les montagnes majestueuses et accidentées. Les pics de granite de la White Mountain National Forest sont incontestablement le cœur du New Hampshire. Les adeptes du plein air en tout genre affluent dans la plus haute chaîne de montagnes de Nouvelle-Angleterre (le Mt Washington culmine à 1 916 m) pour skier l'hiver, partir en randonnée l'été et admirer les couleurs éclatantes que revêt la nature à l'automne. Ne vous fiez pas à l'étiquette conservatrice que les gens attribuent à l'État. La devise de celui-ci, "Live Free or Die" ("vivre libre ou mourir"), se lit en effet sur toutes les plaques d'immatriculation des voitures, mais à vrai dire, les habitants d'ici sont plus fiers de leur indépendance d'esprit que des valeurs de droite.

Histoire

Le New Hampshire, baptisé en 1629 d'après le comté anglais de Hampshire, fut l'une des premières colonies américaines à déclarer son indépendance de l'Angleterre en 1776. Lors du boom industriel du XIXe siècle, la ville la plus importante de l'État, Manchester, devint une telle puissance économique que ses usines de textile étaient les plus grandes du monde.

LE NEW HAMPSHIRE EN BREF

» **Surnoms :** Granite State (État du granit), White Mountain State (État des Montagnes blanches)

» **Population :** 1,3 million d'habitants

» **Superficie :** 23 227 km²

» **Capitale :** Concord (42 700 habitants)

» **Autres villes :** Manchester (109 600 habitants)

» **TVA :** aucune

» **État de naissance de :** Alan Shepard (1923-1998), premier astronaute américain ;, Dan Brown (né en 1964), auteur du *Da Vinci Code*

» **Abrite :** les plus hautes montagnes du nord-est des États-Unis

» **Politique :** État le plus républicain de la Nouvelle-Angleterre

» **Célèbre pour ;** être le premier État à voter lors des primaires de la présidentielle, ce qui lui confère un grand rôle politique pour sa taille

» **Devise d'État la plus extrémiste :** "Live Free or Die" ("Vivre libre ou mourir")

» **Distances par la route :** Boston-Portsmouth 95 km, Concord-Hanover 105 km

Le New Hampshire joua un rôle de premier plan en 1944 lorsque le président Franklin D Roosevelt réunit dans la ville isolée de Bretton Woods les dirigeants des 44 nations alliées pour une conférence ayant pour but la reconstruction du capitalisme mondial. Ce fut lors de la conférence de Bretton Woods que la Banque mondiale et le Fonds monétaire international virent le jour.

En 1963, le New Hampshire, célèbre depuis longtemps pour ses positions anti-impôts, trouva un autre moyen de lever des fonds en devenant le premier État du pays à posséder une loterie d'État.

ℹ Renseignements

Les centres d'accueil des visiteurs (welcome centers) sont situés aux principaux passages frontaliers de l'État, dont un ouvert 24/24h et 7/7j à l'extrémité sud de l'I-93.

New Hampshire Division of Parks and Recreation (☎877-647-2757 ; www.nhstateparks. org). Propose des campings dans 19 parcs d'État.

New Hampshire Division of Travel & Tourism Development (☎603-271-2665 ; www.visitnh. gov). Distribue des informations touristiques sur l'État, tout comme les centres d'accueil des visiteurs.

Union Leader (www.unionleader.com). Le plus important quotidien de l'État.

Portsmouth

Une des villes les plus anciennes du pays (1623), Portsmouth est chargée d'histoire. Ses racines se trouvent dans la construction navale, mais l'unique ville côtière du New Hampshire possède également une énergie jeune et branchée. Les anciens docks le long du port abritent désormais cafés et boutiques. D'élégantes maisons d'époque que firent bâtir les magnats de la construction navale ont été reconverties en B&B.

◉ À voir et à faire

Strawbery Banke Museum MUSÉE
(☎603-433-1100 ; www.strawberybanke.org ; angle Hancock St et Marcy St ; adulte/enfant 15/10 $; ◷10h-17h mai-oct). Comprenant tout un quartier de 40 bâtiments d'époque, Strawbery Banke est un musée d'histoire vivante éclectique qui dépeint plusieurs aspects du passé de la ville. Visitez l'ancien bazar, observez le potier tourner l'argile puis offrez-vous une boule de glace artisanale.

USS Albacore MUSÉE
(☎603-436-3680 ; http://ussalbacore.org ; 600 Market St ; adulte/enfant 5/3 $; ◷9h30-17h juin à mi-oct, 9h30-16h jeu-lun mi-oct à mai). Comme un poisson hors de l'eau, ce sous-marin de 62 m de longueur est désormais un musée échoué sur une pelouse. Lancé depuis le chantier naval de Portsmouth en 1953, l'*Albacore* était à l'époque le sous-marin le plus rapide au monde.

Isles of Shoals Steamship Company CROISIÈRE
(☎603-431-5500 ; www.islesofshoals.com ; 315 Market St ; adulte/enfant 28/18 $; ⌨). De mai à septembre, montez à bord d'une réplique de ferry du début du XXᵉ siècle pour une paisible croisière portuaire qui vous fera découvrir trois phares, neuf îles et d'innombrables vues portuaires. Le vendredi, la croisière comprend un *lobster clambake*, sorte de barbecue de homard (adulte/enfant 58/27 $).

🛏 Où se loger

🔖 Ale House Inn   AUBERGE $$

(📞603-431-7760 ; www.alehouseinn.com ; 121 Bow St ; ch 140-239 $, ❄️📶). L'auberge de charme la plus originale de Portsmouth occupe une brasserie pleine de poésie (vers 1880). Le caractère ancien du bois et des briques du bâtiment fusionne parfaitement avec le design contemporain épuré des chambres. Les plus : iPads dans les chambres, vélos à disposition des clients et billets gratuits pour le théâtre de répertoire voisin.

Inn at Strawbery Banke   B&B $$

(📞603-436-7242 ; www.innatstrawberybanke. com ; 314 Court St ; ch avec petit-déj 160-170 $). Propriétaires sympathiques, chambres douillettes et délicieux petit-déjeuner maison sont les caractéristiques de ce B&B de l'époque coloniale, situé à proximité du Strawbery Banke Museum et du centre-ville.

🍴 Où se restaurer et prendre un verre

Rendez-vous au croisement de Market St et Congress St, où restaurants et cafés sont légion.

🔖 Black Trumpet Bistro   INTERNATIONAL $$$

(📞603-431-0887 ; www.blacktrumpetbistro. com ; 29 Ceres St ; plat 17-35 $; ⊙17h30-21h). Le meilleur bistrot de Portsmouth, tenu par un chef et arborant une atmosphère sophistiquée, prépare des plats inventifs tels que noix de Saint-Jacques en croûte de baharat sur mousse de panais et gâteau à l'huile d'olive avec tiramisu et expresso au cognac. Cuisine excellente, niveaux de décibels et d'énergie élevés.

Jumpin' Jay's Fish Café   PRODUITS DE LA MER $$$

(📞603-766-3474 ; www.jumpinjays.com ; 150 Congress St ; plat 20-26 $; ⊙17h30-22h). Les amateurs de poisson apprécient ce restaurant de produits de la mer contemporain et raffiné, qui propose un large choix de poissons saisis agrémentés de délicieuses sauces. Parmi les autres délices de la mer : un buffet d'huîtres de la région.

Breaking New Grounds   CAFÉ $

(14 Market St ; en-cas 2-5 $; ⊙6h30-23h ; 📶). Prenez votre dose de caféine dans ce café situé en plein cœur de la ville. Muffins dodus, croissants croustillants et tables en terrasse idéales pour observer les gens.

Friendly Toast   DÎNER $

(113 Congress St ; plat 7-10 $; ⊙7h-22h dim-jeu, 7h-2h ven-sam ; 📶🅿️). Les meubles originaux plantent le décor de ce *diner* rétro, où l'on peut déguster omelettes farcies, plats tex-mex et végétariens, et petit-déjeuner toute la journée.

Portsmouth Brewery   MICROBRASSERIE $

(www.portsmouthbrewery.com ; 56 Market St ; repas légers 7-12 $; 📶). Cette microbrasserie animée sert des bières spéciales comme la Smuttynose Portsmouth Lager, ainsi que des repas légers, dont le meilleur sandwich au poisson de la ville.

ℹ Renseignements

Greater Portsmouth Chamber of Commerce (chambre de commerce de l'agglomération de Portsmouth ; 📞603-436-3988 ; www.portsmouthchamber.org ; 500 Market St ; ⊙8h30-17h lun-ven, hall 24/24h). Fournit des informations touristiques.

VAUT LE DÉTOUR

CANTERBURY SHAKER VILLAGE

Communauté traditionnelle de shakers depuis 1792, le **village shaker de Canterbury** (📞603-783-9511 ; www.shakers.org ; 288 Shaker Rd, Canterbury ; adulte/enfant 17/8 $; ⊙10h-17h mi-mai à oct), un musée d'histoire vivante, préserve l'héritage shaker. Des comédiens montrent comment vivaient les shakers au quotidien, des artisans fabriquent de l'artisanat shaker, et des sentiers invitent à des promenades au bord de l'étang. La prise de conscience écologique des États-Unis a de profondes racines ici – pendant plus de deux siècles, les abondants jardins des shakers ont produit de façon biologique légumes, herbes médicinales et nombreuses fleurs. Si vous êtes partant pour un divertissement empreint de nostalgie, vous pourrez facilement passer une demi-journée à la ferme, qui couvre près de 280 ha. Ramenez un petit peu de cette nature saine avec vous – il y a un magasin d'artisanat shaker, un stand de produits de la ferme et un excellent restaurant qui sert le genre de plats que nos grand-mères préparaient avec des légumes d'autrefois tout juste cueillis dans le jardin. Le village est à 25 km au nord de Concord ; prenez l'I-93 jusqu'à la sortie 18 puis suivez les panneaux.

L'une des plus belles routes de Nouvelle-Angleterre, la Kancamagus Highway (NH 112) est une magnifique route de 56 km qui traverse la **White Mountain National Forest** entre Conway et Lincoln. Ponctuée d'excellents sentiers de randonnée, de points de vue panoramiques et de ruisseaux où se baigner, c'est la nature à l'état pur. Il n'y a absolument aucune construction le long de cette route, qui atteint son point le plus élevé au col de **Kancamagus Pass** (875 m).

Vous pouvez vous procurer brochures et cartes des sentiers au **Saco Ranger District Office** (☑603-447-5448 ; 33 Kancamagus Hwy ; ☺8h-16h30) à l'extrémité est de la route, près de Conway.

En venant de Conway, à 10 km à l'ouest du poste des rangers de Saco, vous verrez les chutes d'eau de **Lower Falls** du côté nord de la route – arrêtez-vous pour la vue et une baignade. Aucune escapade sur cette route n'est vraiment complète sans la marche de 20 minutes qui mène à l'époustouflante cascade de **Sabbaday Falls** ; le sentier commence au Mile 15 du côté sud de la route. L'endroit idéal pour voir des élans se situe le long des rives de l'étang **Lily Pond** ; arrêtez-vous au point de vue en bordure de route au Mile 18. Au poste des rangers de Lincoln Woods, qui se situe près de la borne du Mile 29, traversez la passerelle suspendue qui enjambe la rivière et parcourez 5 km jusqu'aux **Franconia Falls**, le plus beau lieu de baignade de toute la forêt nationale, et qui possède un toboggan naturel en pierre. Se garer le long de la route coûte 3 $ par jour (système de paiement sur l'honneur) ou 5 $ par semaine ; il suffit de remplir une enveloppe sur n'importe quelle zone de stationnement.

La White Mountain National Forest est idéale pour les campeurs, et vous trouverez plusieurs campings gérés par le service des forêts accessibles depuis la Kancamagus Highway. La plupart fonctionne sur le principe du premier arrivé, premier servi ; procurez-vous une liste au poste des rangers de Saco.

Monadnock State Park

Culminant à 965 m, le **Mt Monadnock** (www.nhstateparks.org ; NH 124 ; adulte/enfant 4/2 $), situé à l'extrême sud-ouest de l'État, est le sommet le plus gravi de Nouvelle-Angleterre. "Montagne isolée" en langue algonquienne, le Mt Monadnock est relativement isolé des autres pics, ce qui signifie que les randonneurs qui vont jusqu'au sommet en effectuant les 8 km aller-retour sont récompensés par une vue dégagée sur trois États.

Manchester

Deux universités et une école d'art donnent de la vitalité à cette ancienne ville industrielle. Plus grande ville du New Hampshire, Manchester devint une puissance industrielle au XIXe siècle en exploitant l'énergie hydraulique de la Merrimack River. Les bâtiments en brique des **Amoskeag Mills** (1838), usines qui s'étendent au bord du fleuve le long de Commercial St sur près de 2 km, abritent désormais des éditeurs de logiciels et autres piliers de l'économie de la ville au XXIe siècle.

Près du parc, sur Elm St, vous trouverez l'office du tourisme ainsi que la majeure partie des restaurants et des pubs. La **Greater Manchester Chamber of Commerce** (chambre de commerce de l'agglomération de Manchester ; ☑603-666-6600 ; www.manchester-chamber.org ; 889 Elm St ; ☺9h-17h) fournit de nombreuses informations touristiques.

À ne pas rater, le **Currier Museum of Art** (☑603-669-6144 ; www.currier.org ; 201 Myrtle Way ; adulte/enfant 10 $/gratuit, sam matin gratuit ; ☺11h-17h dim-lun et mer-ven, 10h-17h sam) présente des œuvres des artistes américains Georgia O'Keeffe et Andrew Wyeth. Il gère également la **Zimmerman House** (visites guidées 15 $), datant de 1950, seule maison de Nouvelle-Angleterre dessinée par le célèbre architecte américain Frank Lloyd Wright (1867-1959) ouverte au public.

Les routes I-93, US 3 et NH 101 traversent toutes Manchester. L'**aéroport de Manchester** (MHT ; www.flymanchester.com) est desservi par les principales compagnies aériennes américaines, dont la compagnie à bas prix Southwest Airlines. La compagnie de bus **Greyhound** (www.greyhound.com) assure la liaison entre Manchester et d'autres villes de Nouvelle-Angleterre.

Concord

La ville de Concord, chargée d'histoire, constitue une agréable escapade. Ne vous laissez pas impressionner par le fait que c'est une capitale d'État – voyez-la comme une petite ville décontractée qui possède une State House (capitole) sur Main St, là où d'autres villes de cette taille auraient une mairie. Tout est concentré autour de la State House – vous trouverez plusieurs *delis* et restaurants à proximité.

Coiffée d'un dôme doré surmonté d'un aigle, la **State House** (107 N Main St ; entrée libre ; ☺8h-16h30 lun-ven), construite en 1819 en granite du New Hampshire, abrite la plus ancienne chambre législative des États-Unis. Ici, point d'importantes mesures de sécurité, c'est exceptionnellement décontracté – vous pouvez entrer directement, regarder le curieux étalage de drapeaux en lambeaux de la guerre de Sécession dans le hall, puis monter au 2e étage pour visiter la Chambre. Le **Museum of New Hampshire History** (☎603-228-6688 ; www.nhhistory.org ; 6 Eagle Sq ; adulte/enfant 5,50/3 $; ☺9h30-17h lun-sam, 12h-17h dim, fermé lun jan-juin), face au capitole, relate l'histoire de "l'État du granite" de façon approfondie. **Pierce Manse** (☎603-225-4555 ; www.piercemanse. org ; 14 Horseshoe Pond Lane ; adulte/enfant 7/3 $; ☺11h-15h mar-sam mi-juin à mi-sept), la maison de Franklin Pierce (1804-1869), seul président américain originaire du New Hampshire, se visite l'été. La **Greater Concord Chamber of Commerce** (chambre de commerce de l'agglomération de Concord ; ☎603-224-2508 ; www.concordnhchamber. com ; 40 Commercial St ; ☺9h-17h lun-ven, 9h-15h sam) possède un kiosque d'information touristique sur le trottoir devant la State House.

Lake Winnipesaukee

Destination estivale prisée des familles citadines en manque de nature, le plus grand lac du New Hampshire s'étend sur 45 km de longueur, compte 274 îles et offre la possibilité de nager, pagayer et pêcher.

WEIRS BEACH

Cette ville au bord du lac révèle un côté tapageur de la culture américaine avec ses célèbres salles de jeux vidéo, ses parcours de minigolf et ses pistes de karting. La **Lakes Region Chamber of Commerce** (☎603-524-5531 ; www.lakesregionchamber.org ; 383 S Main St, Laconia ; ☺8h30-16h30 lun-ven) fournit des informations sur la région.

Mount Washington Cruises (☎603-366-5531 ; www.cruisenh.com ; croisières 27-43 $) propose des croisières pittoresques sur le lac, les plus coûteuses comprenant un brunch au champagne, au départ de Weirs Beach à bord de l'antique MS *Mount Washington*. Pour vivre une expérience unique, montez à bord du MV *Sophie C*, plus ancien bureau de poste flottant des États-Unis, pour une **croisière** (adulte/enfant 24/12 $) de deux heures lors de laquelle le courrier est distribué dans les îles du lac.

Winnipesaukee Scenic Railroad (☎603-279-5253 ; www.hoborr.com ; adulte/enfant 15/11 $) propose des balades en train le long de la rive du lac Winnipesaukee.

WOLFEBORO

De l'autre côté du lac Winnipesaukee, et à des années-lumière du mercantilisme de pacotille de Weirs Beach, se trouve la ville raffinée de Wolfeboro. Se targuant d'être "le plus ancien lieu de villégiature estival des États-Unis", la ville est constellée d'élégants bâtiments d'époque, dont plusieurs sont ouverts au public. La **Wolfeboro Chamber of Commerce** (☎603-569-2200 ; www.wolfeborochamber. com ; 32 Central Ave ; ☺10h-17h lun-sam, 11h-14h dim), dans l'ancienne gare ferroviaire, est une mine d'informations, aussi bien sur les locations de bateaux que sur les plages au bord du lac.

Wolfeboro accueille le **Great Waters Music Festival** (☎603-569-7710 ; www. greatwaters.org ; Brewster Academy, NH 28 ; ☺juil et août), lors duquel des artistes blues, jazz et folk se produisent dans les salles de la ville.

Près de la NH 28, à environ 6 km au nord de la ville, se trouve le camping au bord du lac **Wolfeboro Campground** (☎603-569-9881 ; www.wolfeborocampground. com ; 61 Haines Hill Rd ; empl 30 $), qui compte 50 emplacements boisés.

Pour se loger, l'historique **Wolfeboro Inn** (☎603-569-3016 ; www.wolfeboroinn. com ; 90 N Main St ; ch petit-déj inclus 179-259 $) est la principale auberge de la ville depuis 1812. Certaines des chambres sont dotées d'un balcon donnant sur le lac. Le pub convivial de l'auberge, **Wolfe's Tavern** (90 N Main St ; plat 10-24 $; ☺8h-22h), propose un menu varié allant des pizzas aux produits de la mer. Le traditionnel **Wolfeboro Diner** (5 N Main St ; plat 5-10 $; ☺7h-14h) marque des points avec ses juteux cheeseburgers et ses petits-déjeuners simples à prix honnête.

White Mountains

Les White Mountains sont au New Hampshire ce que les Rocheuses sont au Colorado. La plus haute chaîne de montagnes de Nouvelle-Angleterre attire les aventuriers comme un aimant, que ce soit pour la randonnée, le kayak ou le ski. Ceux qui préfèrent la découvrir depuis le confort de leur voiture ne seront pas non plus déçus car des routes pittoresques serpentent à travers les montagnes accidentées, ponctuées de cascades, de parois rocheuses vertigineuses et de gorges escarpées.

Vous trouverez des informations sur les White Mountains aux postes des rangers dans la **White Mountain National Forest** (www.fs.fed.us/r9/white) et dans les chambres de commerce des différentes villes.

WATERVILLE VALLEY

À l'ombre du Mt Tecumseh, Waterville Valley a été développée comme lieu de villégiature pendant la deuxième moitié du XXᵉ siècle avec la construction d'hôtels, d'immeubles de standing, de cours de golf et de pistes de ski. C'est une ville nouvelle, sans doute un peu trop impeccable, mais qui offre une ribambelle d'activités : tennis, patin à glace en salle, vélo et autres loisirs familiaux. La **Waterville Valley Region Chamber of Commerce** (☑603-726-3804 ; www.watervillevalleyregion.com ; 12 Vintinner Rd, Campton ; ☺9h-17h), près de l'I-93, sortie 28, possède toutes les informations nécessaires.

Comme c'est le cas de nombreux domaines skiables de Nouvelle-Angleterre, le **domaine skiable de Waterville Valley** (www.waterville.com) est ouvert l'été pour le VTT et la randonnée.

MT WASHINGTON VALLEY

S'étirant au nord de l'extrémité est de la Kancamagus Highway, la vallée du Mt Washington comprend les villes de Conway, North Conway, Intervale, Glen, Jackson et Bartlett. Toutes les activités de plein air possibles et imaginables peuvent se pratiquer. North Conway, cœur et plus grande ville de la région, est également connue pour son grand nombre de magasins d'usines, qui comprennent des boutiques de vêtements traditionnels comme LL Bean.

☉ À voir et à faire

Conway Scenic Railroad   CHEMIN DE FER
(☑603-356-5251 ; www.conwayscenic.com ; NH 16, North Conway ; adulte 15-65 $, enfant 10-50 $; ☺tlj mai-oct, sam-dim avr et nov ; ♿). Nostalgie dans toute sa beauté, cet ancien train à vapeur propose une variété d'excursions au départ de North Conway à travers la vallée du Mt Washington et du spectaculaire col de Crawford Notch. C'est une vraie merveille, en particulier à l'automne.

Echo Lake State Park   PARC
(www.nhstateparks.org ; River Rd ; adulte/enfant 4/2 $). À 3 km à l'ouest de North Conway, près de l'US 302, ce parc s'étend au pied d'une paroi rocheuse à pic appelée White Horse Ledge. On y vient pour marcher au bord du lac, pour nager et pour la route qui monte jusqu'à Cathedral Ledge, à 210 m de hauteur, offrant une vue panoramique.

Saco Bound   CANOË-KAYAK
(☑603-447-2177 ; www.sacobound.com ; 2561 E Main/US 302, Conway ; location 26 $/jour). Si vous avez envie d'aventures aquatiques, Saco Bound loue canoës et kayaks et propose des excursions guidées, allant des tranquilles sorties sur un lac placide aux journées entières passées dans les rapides.

Attitash   STATION DE SKI
(☑603-374-2368 ; www.attitash.com ; US 302, Bartlett). Cette station de ski à 8 km à l'ouest de Glen s'occupe l'été du plus long toboggan alpin des États-Unis.

Black Mountain Ski Area   STATION DE SKI
(☑603-383-4490 ; www.blackmt.com ; NH 16B, Jackson). Mecque du ski de fond avec équitation l'été.

🛏 Où se loger

North Conway offre de nombreuses options d'hébergement, des hôtels de tourisme aux auberges douillettes.

♥ Wildflowers Inn   B&B $$
(☑603-356-7567 ; www.wildflowersinn.com ; 3486 White Mountain Hwy, North Conway ; ch petit-déj inclus 99-269 $; ✳🛜🐾). Commencez la journée par un copieux petit-déjeuner gourmet dans cette élégante auberge victorienne. Les plus : jolies chambres avec lit confortable et cheminée, salon doté d'une table de billard et immense terrasse avec vue exceptionnelle. Les chambres les plus coûteuses sont de grandes suites avec Jacuzzi pour deux personnes.

Cranmore Inn   B&B $$
(☑603-356-5502 ; www.cranmoreinn.com ; 80 Kearsarge St, North Conway ; ch petit-déj inclus 89-149 $; ✳🛜🐾🏊). Idéalement situé, cet établissement incontournable de North Conway est une auberge depuis 1863. Les clés de son succès : un bon rapport qualité/prix et un confort convivial.

North Conway Grand Hotel HÔTEL $$

(☎603-356-9300 ; www.northconwaygrand.
com ; NH 16, Settlers' Green, North Conway ; ch
99-229 $; ❄ ❄ ❄). Si vous recherchez tous
les attributs d'un hôtel de tourisme, cet
établissement adapté aux familles possède
des chambres spacieuses bien équipées, avec
des plus comme une vidéothèque gratuite et
des émissions pour enfants.

White Mountains
Hostel AUBERGE DE JEUNESSE $

(☎603-447-1001 ; www.whitemountainshostel.
com ; 36 Washington St, Conway ; dort/ch
23/58 $; ☎). En bordure de la forêt natio-
nale de White Mountain, près de la NH 16,
cette auberge de jeunesse de 45 lits, qui
occupe une ferme reconvertie, est bien
située pour les amateurs de plein air.

Saco River Camping Area CAMPING $

(☎603-356-3360 ; www.sacorivercampingarea.
com ; 1550 NH 16, North Conway ; empl 32 $;
☎❄). Sur la Saco River, loue canoës et
kayaks et possède une piscine chauffée.

✕ Où se restaurer et prendre un verre
♥ Peach's CAFÉ $

(www.peachesnorthconway.com ;
2506 White Mountain Hwy, North Conway ; plat
6-10 $; ⏱7h-14h30). Cette très bonne adresse,
à moins de 1 km au sud de la chambre de
commerce, possède vraiment un charme de
petite ville. Qui peut résister à des gaufres
garnies de fruits, de copieuses omelettes et
des soupes maison servies dans un salon
douillet ?

✎ Flatbread Company PIZZERIA $$

(☎603-356-4470 ; www.flatbreadcompany.
com ; 2760 White Mountain Hwy, North Conway ;
pizzas 11-20 $; ⏱11h30-22h). Pizzeria dotée
d'une conscience sociale, Flatbread utilise
des légumes bio et de la viande sans nitrates,
et reverse une partie de ses bénéfices à des
associations environnementales locales. Les
pizzas délicieusement croustillantes sont
cuites devant vous dans un four à bois en
terre cuite.

Moat Mountain Smoke
House & Brewing Co PUB $$

(☎603-356-6381 ; www.moatmountain.
com ; 3378 White Mountain Hwy ; plat 8-22 $;
⏱11h30-23h). Côtes au barbecue et
hamburgers juteux sont les principaux
plats de ce petit restaurant, qui brasse ses
propres bières sur place.

Café Noche MEXICAIN $$

(www.cafenoche.net ; 147 Main St, Conway ; plat
10-15 $; ⏱11h30-21h). De la cuisine tex-mex
agrémentée d'authentiques sauces vous

attend dans cet établissement central
et jovial de Conway. Les margaritas,
qui se déclinent dans une ribambelle de
parfums, vous ouvriront l'appétit.

❶ Renseignements

**Mt Washington Valley Chamber of Com-
merce** (Chambre de commerce de la vallée
du Mt Washington ; ☎603-356-5701 ; www.
mtwashingtonvalley.org ; 2617 White Mountain
Hwy, North Conway ; ⏱9h-17h). Informations
sur toute la région.

NORTH WOODSTOCK ET LINCOLN

Vous traverserez les villes jumelles de Lincoln
et North Woodstock sur votre route entre
la Kancamagus Highway et le Franconia
Notch State Park : il est donc pratique de s'y
arrêter pour se restaurer ou pour y passer
la nuit. Les deux villes sont traversées par
la Pemigewasset River à l'intersection de la
NH 112 et l'US 3. Si vous avez envie d'un peu
d'action, **Loon Mountain** (☎603-745-8111 ;
www.loonmtn.com ; Kancamagus Hwy, Lincoln)
offre ski et snowboard en hiver et sentiers de
VTT, murs d'escalade et le plus long téléphé-
rique du New Hampshire l'été. Ou bien faites
monter l'adrénaline d'un cran en descendant
comme une flèche 600 m de dénivelé à flanc
de montagne accroché à un câble avec la
tyrolienne d'**Alpine Adventures** (☎603-745-
9911 ; www.alpinezipline.com ; 41 Main St, Lincoln ;
89 $; ⏱9h-16h), à la cime des arbres.

⭐ Où se loger
Woodstock Inn AUBERGE $$

(☎603-745-3951 ; www.woodstockinnnh.com ;
US 3, North Woodstock ; ch petit-déj inclus et
sdb commune 78-129 $, ch avec sdb privative
99-229 $; ❄☎). Répartie sur cinq maisons
anciennes au cœur de North Woodstock,
cette auberge offre une variété de chambres
confortables, avec mobilier ancien pour la
plupart, cheminée et baignoire à remous
pour certaines.

Wilderness Inn B&B $$

(☎603-745-3890 ; www.thewildernessinn.com ;
angle US 3 et NH 112 ; ch petit-déj inclus 85-165 $;
❄☎). Retrouvez d'autres hôtes autour de
la cheminée dans ce B&B centenaire avec
parquet et décoration champêtre. Si vous
voulez avoir votre propre espace, optez
pour le cottage (175 $), avec cheminée et
baignoire à remous immense. Les copieux
petits-déjeuners sont une merveille.

✕ Où se restaurer
♥ Cascade Coffee House CAFÉ $

(115 Main St, North Woodstock ; plat
4-9 $; ⏱7h-15h lun-ven, 7h-17h sam-dim ; ☎).

Cet établissement créatif situé en centre-ville propose de succulentes pâtisseries, des smoothies et des cafés provenant de petits torréfacteurs. Croustillants paninis et salades originales au déjeuner.

Woodstock Inn Station & Brewery PUB $$
(☎603-745-3951 ; US 3, North Woodstock ; plat 9-23 $; ☺11h30-22h). Si votre famille n'arrive pas à se décider, cette microbrasserie assouvit une incroyable variété de fringales, avec de la restauration de pub, des steaks, des pizzas et de la cuisine mexicaine. Spectacles le week-end en été et bières mousseuses de microbrasserie toute l'année.

❶ Renseignements
Lincoln-Woodstock Chamber of Commerce
(chambre de commerce de Lincoln-Woodstock ; ☎603-745-6621 ; www.lincolnwoodstock.com ; Main St/NH 112, Lincoln ; ☺9h-17h lun-ven).

FRANCONIA NOTCH STATE PARK
Franconia Notch est le col de montagne le plus connu de Nouvelle-Angleterre, un col étroit qui s'est formé au fil du temps par un torrent puissant qui a creusé le granite. L'I-93, qui ressemble par endroits davantage à une route de campagne qu'à une autoroute, traverse le parc en ligne droite. Le **Franconia Notch State Park Visitor Center** (☎603-745-8391 ; www.franconianotchstatepark.com ; I-93, sortie 34A), à 6 km au nord de North Woodstock, peut vous fournir des informations sur les randonnées à faire dans le parc, des courtes balades dans la nature aux marches d'une journée.

◉ À voir et à faire
Flume Gorge MARCHE
(www.flumegorge.com ; adulte/enfant 13/10 $; ☺9h-17h mai-oct). Une marche de 3 km au départ de l'office du tourisme du parc vous conduit à travers cette incroyable fissure du socle granitique, qui ne fait plus que 3,5 m de largeur tandis que l'eau se déverse sous vos pieds. Les parois rocheuses vous dominent d'une trentaine de mètres. Une marche idéale lorsqu'il fait chaud.

Frost Place SITE HISTORIQUE
(☎603-823-5510 ; www.frostplace.org ; 158 Ridge Rd, Franconia ; adulte/enfant 5/3 $; ☺13h-17h sam-dim fin mai à juin, 13-17h mer-lun juil à mi-oct). À quelques kilomètres au nord du col de Franconia Notch se trouve la ferme où le poète Robert Frost (1874-1963) écrivit ses poèmes les plus connus. L'endroit conserve la simplicité qu'il arborait du temps de Frost.

Cannon Mountain
Aerial Tramway TRAM AÉRIEN
(☎603-823-8800 ; www.cannonmt.com ; I-93, sortie 34B ; aller-retour adulte/enfant 13/10 $; ☺9h-17h fin mai à mi-oct ; ♿). Ce tram aérien vous transporte jusqu'à un sommet de 1 240 m, où vous serez récompensé par une vue époustouflante sur le col de Franconia Notch et les White Mountains.

Basin Trail MARCHE
Pour une agréable promenade de 20 minutes, arrêtez-vous à la halte routière du Basin, entre les sorties 34A et 34B, où un sentier de 800 m longe un joli ruisseau jusqu'à un bassin de granite façonné dans la montagne par l'activité glaciaire.

Echo Lake PLAGE
(☎603-823-8800 ; I-93, sortie 34C ; adulte/enfant 4/2 $; ☺10h-17h30). Près de la route, un lac où l'on peut se baigner et louer kayaks et canoës.

🛏 Où se loger
Lafayette Place Campground CAMPING $
(☎603-271-3628 ; www.reserveamerica.com ; empl 25 $). Le populaire camping du parc d'État de Franconia Notch est un centre névralgique pour les randonneurs. Les 97 emplacements boisés étant vite complets l'été, il est préférable de réserver à l'avance.

BRETTON WOODS ET CRAWFORD NOTCH
Avant 1944, Bretton Woods était essentiellement connue comme lieu de villégiature paisible pour visiteurs fortunés qui fréquentaient le majestueux Mount Washington Hotel. Après que cet hôtel fut choisi par le président Roosevelt pour accueillir la conférence historique qui établit le nouvel ordre économique international de l'après-guerre, la ville acquit une réputation mondiale. La campagne, dominée par le Mt Washington, est aussi belle aujourd'hui qu'à l'époque. La **Twin Mountain-Bretton Woods Chamber of Commerce** (☎800-245-8946 ; www.twinmountain.org ; angle US 302 et US 3, Twin Mountain) possède des informations sur la région.

Plus grand domaine skiable de la région, la **station de sports d'hiver de Bretton Woods** (☎603-278-3320 ; www.brettonwoods.com ; US 302) offre ski de fond et de descente, et une tyrolienne.

Au sud de Bretton Woods, l'US 302 grimpe vers le col de Crawford Notch (540 m) en passant par un paysage de montagne sensationnel, parsemé d'imposantes cascades. Le **Crawford Notch State**

Park (☎603-374-2272 ; www.nhstateparks.org ; adulte/enfant 4/2 $) possède un vaste réseau de sentiers de randonnée, qui comprend de courtes marches autour d'un étang et vers une cascade, ainsi qu'une randonnée plus longue jusqu'au sommet du Mt Washington.

🛏 Où se loger

Mt Washington Hotel HÔTEL $$$
(☎603-278-1000 ; www.mountwashingtonresort. com ; US 302 ; ch 149-600 $; @🖥🐾🌊). Si les murs pouvaient parler, ceux-là auraient moult choses à raconter. Ouvert en 1902, cet hôtel historique de Nouvelle-Angleterre possède 1 050 ha de terrain, un parcours de golf 27 trous, 12 courts de tennis en terre battue, deux piscines chauffées et un centre équestre.

Dry River Campground CAMPING $
(☎603-271-3628 ; www.reserveamerica.org ; US 302 ; empl 25 $; ☺fin mai-sept). À l'intérieur du parc d'État de Crawford Notch, ce camping bien équipé propose 33 emplacements calmes.

MT WASHINGTON

Au départ du col de Pinkham Notch (620 m), sur la NH 16 à 18 km environ au nord de North Conway, un réseau de sentiers de randonnée permet d'accéder aux merveilles de la nature de la chaîne Presidential Range, dont fait partie l'imposant **Mt Washington** (1 916 m), plus haute montagne à l'est du Mississippi et au nord des Smoky Mountains. Les randonneurs doivent bien se préparer : les conditions météo sur le Mt Washington sont connues pour être difficiles et peuvent changer en un clin d'œil. Habillez-vous chaudement – non seulement cette montagne enregistre les températures les plus froides de Nouvelle-Angleterre (l'été, la température moyenne au sommet est de 7°C), mais la température ressentie est encore plus basse en raison des vents incessants. Le Mt Washington détient même le record de la plus forte rafale de vent des États-Unis, soit 372 km/h !

Pour l'ascension du Mt Washington, l'un des sentiers les plus prisés débute à l'office du tourisme du col de Pinkham Notch géré par l'AMC (Appalachian Mountain CLub) et comprend près de 7 ardus kilomètres jusqu'au sommet, soit 4 à 5 heures de marche pour l'atteindre, et un peu moins au retour.

Si vos quadriceps sont réticents, la route **Mount Washington Auto Road** (☎603-466-3988 ; www.mountwashingtonautoroad. com ; voiture et conducteur 25 $, adulte/enfant supplémentaire 8/6 $; ☺mi-mai à mi-oct) permet d'accéder plus facilement au sommet (si le temps le permet).

Tandis que les puristes marchent et que les moins sportifs prennent leur voiture, la façon la plus pittoresque d'atteindre le sommet est de prendre le train à crémaillère **Mount Washington Cog Railway** (☎603-278-5404 ; www.thecog.com ; adulte/enfant 62/39 $, ☺mai-oct). Depuis 1869, des locomotives à vapeur chauffées au charbon suivent une voie ferrée de 5,5 km à flanc de montagne pour une excursion époustouflante.

Le **Pinkham Notch Visitor Center** (☎603-466-2727 ; www.outdoors.org ; NH 16 ; ☺6h30-22h), géré par l'Appalachian Mountain Club (AMC), est une précieuse source d'informations pour les aventuriers. Vous pouvez aussi y acheter le nécessaire pour partir en randonnée, notamment les cartes topographiques des sentiers et le guide *AMC White Mountain Guide*, très utile.

L'AMC tient le lodge voisin **Joe Dodge Lodge** (☎603-466-2727 ; ch petit-déj inclus et dîner 75 $). **Dolly Copp Campground** (☎603-466-2713 ; www.campsnh.com ; NH 16 ; empl 20 $), un camping de l'USFS (Office des forêts américain) à 10 km au nord des bâtiments de l'AMC du col de Pinkham Notch, possède 176 emplacements basiques.

Hanover

Archétype de la ville universitaire de Nouvelle-Angleterre, Hanover possède un parc entièrement bordé des beaux édifices en briques du Dartmouth College. Presque toute la ville est consacrée à cette université de l'Ivy League. Fondée en 1769, c'est la neuvième plus ancienne université des États-Unis.

Main St, qui part vers le sud depuis le parc, est peuplée de pubs animés, magasins et cafés qui pourvoient aux besoins des nombreux étudiants.

👁 À voir et à faire

Dartmouth College CAMPUS UNIVERSITAIRE
Hanover est une ville universitaire, alors, direction le Dartmouth College ! Faites une **visite du campus** (☎603-646-2875 ; www. dartmouth.edu), gratuite et guidée par des étudiants, ou procurez-vous une carte au bureau des admissions et découvrez-le par vous-même. Ne ratez pas la bibliothèque **Baker-Berry Library**, ornée de la grandiose fresque *Epic of American Civilization*, réalisée par le peintre muraliste mexicain engagé José Clemente Orozco (1883-1949),

qui enseigna à Dartmouth dans les années 1930.

GRATUIT **Hood Museum of Art** MUSÉE
(☏603-646-2808 ; Wheelock St ; ⊙10h-17h mar-sam, 10h-21h mer, 12h-17h dim). Les collections de ce musée d'art couvrent un large spectre allant des bas-reliefs assyriens en pierre datant de 883 av. J.-C. aux œuvres contemporaines américaines des artistes majeurs Jackson Pollock et Edward Hopper.

🛏 Où se loger et se restaurer

Chieftain Motor Inn MOTEL $$
(☏603-643-2550 ; www.chieftaininn.com ; 84 Lyme Rd/NH 10 ; ch 119-140 $; ✳🛜🛅). Du côté nord de la ville, cette auberge rustique en bordure de rivière prête gracieusement des canoës, ce qui en fait un lieu idéal pour combiner une excursion et une nuit sur place.

🌿 **Canoe Club Bistro** CAFÉ $$
(☏603-643-9660 ; www.canoeclub.us ; 27 S Main St ; plat 10-23 $; ⊙11h30-23h30). Cet élégant café sert de bonnes grillades – des hamburgers et des steaks, mais aussi des délices comme le magret de canard avec glaçage aux figues et au porto. Musique live tous les soirs, de l'acoustique au jazz.

Lou's DÎNER $
(www.lousrestaurant.net ; 30 S Main St ; plat 5-10 $; ⊙6h-15h lun-ven, 7h-15h sam-dim). Repaire d'étudiants depuis 1947, Lou's propose de bons sandwichs et pâtisseries, mais tout le monde vient dans ce *diner* sans prétention pour les petits-déjeuners copieux servis jusqu'à la fermeture.

🍷 Où prendre un verre et sortir

Murphy's on the Green PUB
(www.murphysonthegreen.com ; 11 S Main St). Dans ce pub irlandais traditionnel, étudiants et enseignants débattent de sujets importants devant des pintes de bière irlandaise.

**Hopkins Center
for the Arts** ARTS DE LA SCÈNE
(☏603-646-2422 ; www.hop.dartmouth.edu ; Lebanon St). Le "Hop" est la salle de concert raffinée de Dartmouth qui accueille quatuors à cordes, danse moderne et pièces de théâtre.

ℹ Renseignements
Hanover Area Chamber of Commerce
(chambre de commerce de Hanover et ses environs ; ☏603-643-3115 ; www.hanoverchamber. org ; 53 S Main St ; ⊙9h-16h lun-ven). Constitue un bon point de départ pour visiter la ville.

MAINE

Le Maine est un territoire si grand qu'il pourrait ne faire qu'une bouchée des cinq autres États de la région. La mer y occupe une place de choix avec ses kilomètres de plages, ses falaises escarpées et ses paisibles ports. Tandis que les ports de pêche traditionnels et les restaurants de homard en bord de mer font la célébrité du Maine, voyager dans les terres présente aussi d'innombrables attraits. Le paysage accidenté de l'intérieur du Maine est parsemé de puissantes rivières, de forêts denses et de hautes montagnes qui ne demandent qu'à être explorées.

Dans le Maine, les choix qui s'offrent aux voyageurs sont aussi variés que l'est son paysage. Vous pouvez naviguer sereinement le long de la côte sur une belle goélette ou dévaler des rapides en radeau pneumatique, passer la nuit dans une ancienne maison de capitaine reconvertie en B&B ou camper parmi les élans près d'un lac en pleine forêt.

LE MAINE EN BREF

» **Surnom :** Pine Tree State (État du Pin)

» **Population :** 1,3 million d'habitants

» **Superficie :** 91 652 km2

» **Capitale :** Augusta (18 600 habitants)

» **Autres villes :** Portland (66 200 habitants)

» **TVA :** 5%

» **État de naissance de :** Henry Wadsworth Longfellow (1807-1882), poète

» **Patrie de :** Stephen King, auteur de romans d'épouvante

» **Politique :** partagé entre démocrates et républicains

» **Célèbre pour :** ses homards, ses élans, ses myrtilles, le magasin LL Bean

» **Boisson locale :** le Moxie, premier soda pétillant d'Amérique (1884), fut inventé dans le Maine

» **Distances par la route :** Portland-Acadia National Park : 257 km ; Portland-Boston : 241 km

Côte du Maine

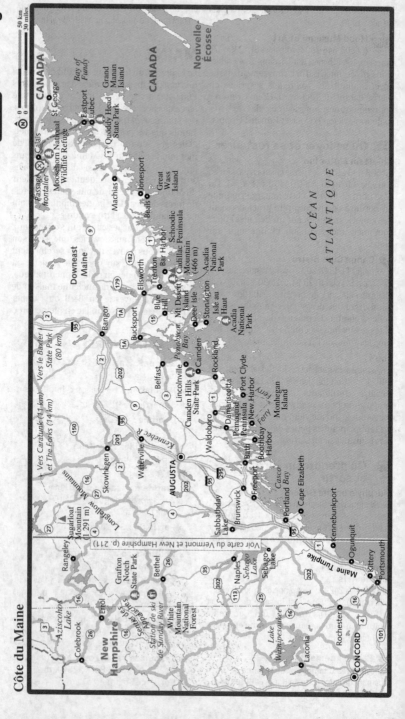

Histoire

On estime que 20 000 Amérindiens de différentes tribus appelés collectivement les Wabanaki ("le peuple du Soleil levant") habitaient le Maine à l'arrivée des premiers Européens. Français et Anglais furent en concurrence pour fonder des colonies dans le Maine tout au long du XVIIe siècle, mais découragés par la rigueur des hivers, ces dernières ne durèrent pas.

En 1652, le Massachusetts annexa le territoire du Maine pour constituer une première ligne de défense contre des attaques potentielles lors des guerres intercoloniales. Et en effet, le Maine devint à plusieurs reprises un champ de bataille entre colons anglais de Nouvelle-Angleterre et forces françaises du Canada. Au début du XIXe siècle, environ 40 ha de terres furent offerts aux colons prêts à cultiver la terre pour coloniser le Maine, alors faiblement peuplé. En 1820, le Maine se sépara du Massachusetts et entra dans l'Union en tant qu'État.

En 1851, le Maine fut le premier État à interdire la vente d'alcool, ce qui marqua le début d'un mouvement pour la tempérance qui se propagea à travers tout le pays. Ce n'est qu'en 1934 que la Prohibition prit fin.

❶ Renseignements

Si vous gagnez l'État par l'I-95 en direction du nord, arrêtez-vous à l'office du tourisme très bien fourni qui se trouve sur l'autoroute.

Maine Bureau of Parks and Land (✆800-332-1501 ; www.maine.gov/doc/parks). Propose des campings dans 12 parcs nationaux.

Maine Office of Tourism (✆888-624-6345; www.visitmaine.com). Vous enverra une brochure pratique sur les destinations du Maine.

Côte sud du Maine

De loin la partie la plus touristique du Maine, cette région côtière attire les visiteurs avec ses plages de sable, ses stations balnéaires et ses magasins d'usine. Le meilleur endroit où trouver ces derniers est à Kittery, à la pointe sud de l'État, où les magasins d'usine sont légion.

OGUNQUIT

Ogunquit porte très bien son nom, qui signifie "Bel endroit en bord de mer" en langue amérindienne abénaqui, et sa plage de près de 5 km attire les estivants depuis longtemps. La plage d'Ogunquit Beach, un cordon littoral sableux, sépare la Ogunquit River de l'océan Atlantique, offrant aux amateurs de baignade l'agréable choix entre les vagues fraîches de l'océan ou l'eau plus chaude et calme de la crique.

Parmi les stations balnéaires de Nouvelle-Angleterre, Ogunquit est la deuxième en nombre de vacanciers gays, juste après Provincetown. Le cœur de la ville se trouve le long de Main St (Route US 1), bordée de restaurants, boutiques et motels. Pour un repas en bord de mer ou participer à des activités nautiques, rendez-vous à Perkins Cove, à l'extrémité sud de la ville.

◉ À voir et à faire

Ne ratez pas la promenade pittoresque de 2,5 km sur **Marginal Way**, le chemin côtier qui longe le bord de mer de Shore Road, près du centre-ville, à Perkins Cove. Superbe portion de littoral prisée des familles, **Ogunquit Beach**, également appelée Main Beach par les habitants, débute en plein centre-ville à l'extrémité de Beach St.

Ogunquit Playhouse   THÉÂTRE
(✆207-646-5511 ; www.ogunquitplayhouse.org ; 10 Main St ; ♿). Ouvert en 1933, on y joue chaque été de flamboyantes comédies musicales de Broadway ainsi que des pièces de théâtre pour enfants.

Finestkind Scenic Cruises   CROISIÈRE
(✆207-646-5227 ; www.finestkindcruises.com ; Perkins Cove ; adulte/enfant à partir de 16/8 $; ♿). Propose différentes croisières en bateau, notamment d'agréables excursions de 50 minutes pour effectuer la levée des casiers à homards.

🛏 Où se loger

♥ Gazebo Inn   B&B $$
(✆207-646-3733 ; www.gazeboinnogt. com ; 572 Main St ; ch petit-déj inclus 109-239 $; ❄🐾🌐). Ses hôtes prévenants, son copieux petit-déjeuner et son style rustique-chic en font un hébergement de premier choix où l'on revient avec joie. Occupant une ferme restaurée reconvertie en B&B, les 14 chambres spacieuses possèdent poutres apparentes et cheminée au gaz.

Ogunquit Beach Inn   B&B $$
(✆207-646-1112 ; www.ogunquitbeachinn.com ; 67 School St ; ch petit-déj inclus 139-179 $; ❄🌐). Très prisé des visiteurs gays, cet agréable B&B du centre-ville se situe à proximité de Main St et de la plage. Les serviables propriétaires offrent des petits plus comme le prêt de fauteuils de plage et une vidéothèque.

Pinederosa Camping   CAMPING $
(✆207-646-2492 ; www.pinederosa.com ; 128 North Village Rd, Wells ; empl 30 $; 🐾). Le camping le plus proche est près de la

Route US 1, à moins de 2 km au nord du centre d'Ogunquit.

✕ Où se restaurer

Vous trouverez des restaurants dans la partie sud d'Ogunquit, à Perkins Cove, ainsi que dans le centre-ville, sur Main St.

Bread & Roses   BOULANGERIE **$**
(www.breadandrosesbakery.com ; 246 Main St ; en-cas 3-9 $; ☺7h-19h ; ✏). Le genre de boulangerie dont rêvent la plupart des petites villes : croissants à la framboise divins, salades diététiques, paninis grillés à la perfection. C'est à emporter, mais il y a des tables en terrasse.

Lobster Shack   PRODUITS DE LA MER **$$**
(110 Perkins Cove Rd ; plat 10-25 $; ☺11h-20h). Si vous voulez de bons produits de la mer et n'êtes pas trop exigeant en matière de vue, cette adresse fiable sert le homard sous toutes ses formes, des *lobster rolls* (petits pains garnis de homard et mayonnaise) aux homards entiers.

Barnacle Billy's   PRODUITS DE LA MER **$$$**
(☎207-646-5575 ; www.barnbilly.com ; 183 Shore Rd ; plat 12-35 $; ☺11h-21h). Pour savourer du homard en jouissant d'une belle vue, ce restaurant de référence donnant sur Perkins Cove est l'idéal. Les prix du homard varient en fonction de son poids, mais comptez de 25 à 30 $ en moyenne.

❶ Renseignements

Ogunquit Chamber of Commerce (chambre de commerce d'Ogunquit ; ☎207-646-2939 ; www. ogunquit.org ; 36 Main St ; ☺9h-17h lun-ven, 10h-15h sam-dim).

KENNEBUNKPORT

Située le long de la Kennebunk River, Kennebunkport se remplit en été de touristes venus admirer les demeures centenaires et faire le plein d'images de bord de mer. Ne manquez pas de faire un tour en voiture le long d'**Ocean Ave**, qui longe le côté est de la Kennebunk River, puis suit une pittoresque portion de l'Atlantique où se trouvent quelques-unes des plus belles demeures de Kennebunkport, dont la résidence d'été de l'ancien président George Bush père.

Les trois plages publiques à l'ouest de la Kennebunk River sont toutes connues sous le même nom de **Kennebunk Beach**. Le centre-ville se situe autour de Dock Sq, qui se trouve le long de la Route ME 9 (Western Ave), du côté est du Kennebunk River Bridge.

La **Kennebunk/Kennebunkport Chamber of Commerce** (☎207-967-0857 ; www.visitthekennebunks.com ; 17 Western Ave ; ☺10h-17h lun-ven toute l'année, 10h-15h sam-dim juin-sept) fournit des informations touristiques.

🛏 Où se loger

Franciscan Guest House   PENSION **$$**
(☎207-967-4865 ; www.franciscanguesthouse. com ; 26 Beach Ave ; ch petit-déj inclus 89-159 $; ❄@✿⊛). La paix règne dans cette pension de 50 chambres simple mais très confortable, située sur le terrain du monastère St Anthony. Profitez de la piscine d'eau de mer en plein air et des 25 ha de sentiers boisés.

Colony Hotel   HÔTEL **$$**
(☎207-967-3331 ; www.thecolonyhotel.com ; 140 Ocean Ave ; ch petit-déj inclus 129-299 $; ❄✿⊛). Construit en 1914, ce splendide hôtel de villégiature rappelle le faste d'autrefois. Les 124 chambres d'époque arborent un papier peint à fleurs et un authentique parquet grinçant. Sachez cependant qu'elles ne sont pas du tout insonorisées - celles du dernier étage sont les plus calmes.

Green Heron Inn   AUBERGE **$$$**
(☎207-967-3315 ; www.greenheroninn.com ; 126 Ocean Ave ; ch petit-déj inclus 190-225 $; ❄@✿). Situé dans un quartier agréable, ce charmant hôtel donnant sur une crique pittoresque possède 10 chambres confortables et se trouve à courte distance d'une plage de sable et de plusieurs restaurants. Petit-déjeuner copieux.

✕ Où se restaurer

Bandaloop   BISTROT **$$$**
(☎207-967-4994 ; www.bandaloop.biz ; 2 Dock Sq ; plat 17-27 $; ☺17h-21h30 ; ✏). Ce bistrot sert toute une gamme de produits locaux, bio et délicieusement innovants, allant du faux-filet grillé au tofu cuit en croûte de graines de chanvre. Pour bien démarrer le repas, commandez les moules poêlées de la baie de Casco et une bière bio Peak.

Hurricane   AMÉRICAIN **$$$**
(☎207-967-9111 ; www.hurricanerestaurant. com ; 29 Dock Sq ; plat 10-45 $; ☺11h30-21h30). Situé juste au bord de l'eau, ce restaurant est spacieux et on y mange bien. Si vous avez le temps de déjeuner tranquillement, demandez le sandwich de pain au levain garni d'excellente chair de crabe du Maine, un verre de vin et profitez de la vue.

Clam Shack   PRODUITS DE LA MER **$$**
(2 Western Ave ; plat 7-20 $; ☺11h-21h30). Près du pont, sur la rive ouest de la rivière Kennebunk, ce petit restaurant est connu à

juste titre pour ses palourdes sautées, mais la vraie merveille ici est le *lobster roll*, plein de succulents morceaux de homard.

Portland

Le poète du XVIIIe siècle Henry Wadsworth Longfellow qualifiait sa ville natale de "joyau en bordure de mer", et grâce à de fortes mesures de relance, Portland rayonne à nouveau. Son front de mer animé, sa scène artistique en plein essor et sa taille raisonnable la rendent passionnante à découvrir. Les gourmets seront ravis : les cafés créatifs et les tables de chef ont fait de Portland la ville où l'on mange le mieux au nord de Boston.

Portland se trouve sur une péninsule vallonnée dont trois côtés sont bordés d'eau : Back Cove, Casco Bay et Fore River. C'est une ville où l'on se repère facilement. Commercial St (US 1A) longe le front de mer en passant par le vieux port (Old Port), tandis que sa parallèle, Congress St, est l'artère principale qui traverse le centre-ville.

⊙ À voir

Old Port   QUARTIER
C'est dans le vieux port que bat le cœur de Portland ; ici, la brise iodée, les trottoirs en briques et les rues éclairées aux lampadaires à gaz sont un appel à la promenade. Ce quartier rénové du front de mer comprend les magnifiques bâtiments du XIXe siècle le long de Commercial St et les petites rues étroites qui s'en éloignent de quelques *blocks*. Accueillant jadis les immenses entrepôts et quartiers marchands d'un port bouillonnant d'activité, le quartier a délaissé les activités maritimes pour le shopping. À faire : manger de succulents fruits de mer, boire une bière locale et découvrir les nombreuses galeries.

Portland Museum of Art   MUSÉE
(☎207-775-6148 ; www.portlandmuseum.org ; 7 Congress Sq ; adulte/enfant 10/4 $, 17h-21h ven gratuit ; ⊙10h-17h sam-jeu, 10h-21h ven, fermé lun mi-oct à mai). Sont exposées ici les œuvres des peintres Winslow Homer, Edward Hopper et Andrew Wyeth, tous originaires du Maine. Ce musée d'art, le plus beau du Maine, possède d'importantes collections d'art contemporain, des œuvres de Picasso, Monet et Renoir, et une magnifique collection de verrerie d'art de Portland. Si vous aimez les maisons d'époque, ne manquez pas la visite de la **McLellan House**, une demeure restaurée de 1801, dont l'accès se fait par le musée et qui est comprise dans le prix du billet.

🖋 Fort Williams Park   PHARE
(entrée libre ; ⊙du lever au coucher du soleil). Envie de pique-niquer dans un cadre idyllique ? À environ 7 km au sud du centre de Portland se situe la ville de Cape Elizabeth qui abrite ce parc de 36 ha ainsi que le phare **Portland Head Light** (☎207-799-2661 ; www.portlandheadlight.com ; 1000 Shore Rd, Cape Elizabeth ; musée du phare adulte/enfant 2/1 $; ⊙10h-16h juin-oct), le plus photographié de Nouvelle-Angleterre et le plus ancien (1791) des quelque 60 phares du Maine.

Portland Observatory Museum   SITE HISTORIQUE
(☎207-774-5561 ; www.portlandlandmarks.org ; 138 Congress St ; adulte/enfant 8/5 $; ⊙10h-17h fin mai-début oct). Les férus d'histoire seront comblés par cette tour reconvertie en musée, construite en 1807 sur les hauteurs de la ville pour guider les bateaux entrant dans le port. Sa fonction était comparable à celle d'une tour de contrôle aérienne de nos jours. Du haut de cet observatoire, dernier du genre aux États-Unis, vous serez gratifié d'une vue panoramique sur la baie de Casco.

Longfellow House   ÉDIFICE HISTORIQUE
(☎207-879-0427 ; www.mainehistory.org ; 489 Congress St ; adulte/enfant 12/3 $; ⊙10h-17h lun-sam, 12h-17h dim mai-oct). La maison d'enfance de Henry Wadsworth Longfellow (1807-1882), qui a conservé son caractère d'origine, est ornée du mobilier de la famille du poète. L'entrée comprend l'accès au **Maine Historical Society Museum** voisin, qui propose des expositions sur l'histoire de l'État.

Children's Museum of Maine   MUSÉE
(☎207-828-1234 ; www.childrensmuseumofme.org ; 142 Free St ; 9 $; ⊙10h-17h lun-sam, 12h-17h dim, fermé lun sept-mai ; ♿). Les adultes accompagnés d'enfants passeront un bon moment dans ce musée très divertissant situé à côté du Portland Museum of Art.

Maine Narrow Gauge Railroad Co & Museum   CHEMIN DE FER
(☎207-828-0814 ; www.mngrr.org ; 58 Fore St ; adulte/enfant 10/6 $; ⊙10h-16h mi-mai à oct, horaires restreints hors saison ; ♿). Empruntez un ancien train à vapeur le long de la baie de Casco ; départ toutes les heures.

🏃 Activités

Pour découvrir Portland et la Casco Bay sous un tout autre angle, montez à bord d'un des bateaux proposant des croisières commentées pittoresques au départ de Portland Harbor.

Casco Bay Lines · CROISIÈRE

(207-774-7871 ; www.cascobaylines.com ; 56 Commercial St ; adulte 13-24 $, enfant 7-11 $). Cette compagnie propose différentes croisières qui durent de 1 heure 45 à 6 heures pour découvrir la côte de Portland et les îles de la baie de Casco.

Maine Island Kayak Company · KAYAK

(207-766-2373 ; www.maineislandkayak. com ; 70 Luther St, Peaks Island ; excursion 70 $; mai-nov). Vous pouvez vous rendre à Peaks Island avec Casco Bay Lines puis faire une excursion en kayak d'une demi-journée dans la baie avec Maine Island Kayak Company.

Portland Schooner Company · CROISIÈRE

(207-776-2500 ; www.portlandschooner.com ; 56 Commercial St ; adulte/enfant 35/10 $; mai-oct). Laissez-vous porter par le vent pour une traversée de deux heures à bord d'une belle goélette centenaire en bois.

Où se loger

En plus des possibilités de logement dans le centre-ville, vous trouverez plusieurs chaînes hôtelières au sud, non loin de l'aéroport.

Morrill Mansion · B&B $$

(207-774-6900 ; www.morrillmansion.com ; 249 Vaughan St ; ch petit-déj inclus 149-239 $;). Ancienne maison de Charles Morrill, créateur des haricots blancs à la sauce tomate B&M, ce B&B dispose de 7 ravissantes chambres meublées dans un style classique soigné. Les copieux petits-déjeuners maison et les petits gâteaux de l'après-midi ajoutent au lieu une touche de convivialité. Renseignez-vous sur les réductions de dernière minute.

Inn at St John · AUBERGE $$

(207-773-6481 ; www.innatstjohn.com ; 939 Congress St ; ch petit-déj inclus 79-169 $;). Construit en 1897 pour loger les passagers des trains arrivant à l'ancienne gare Union Station, cet hôtel victorien a conservé son caractère d'époque avec style. Sachez cependant que l'emplacement, en face de la gare routière et de l'hôpital, peut être bruyant. Demandez une chambre en retrait de Congress St si vous avez le sommeil léger.

La Quinta Inn · HÔTEL $$

(207-871-0611 ; www.laquinta.com ; 340 Park St ; ch petit-déj inclus 75-149 $;). Membre d'une chaîne hôtelière présentant le meilleur rapport qualité/prix, La Quinta possède des chambres bien entretenues

et est bien situé, en face du terrain de base-ball des Sea Dogs de Portland, équipe filiale des Red Sox de Boston.

Portland Harbor Hotel · HÔTEL $$$

(207-775-9090 ; www.portlandharborhotel. com ; 468 Fore St ; ch à partir de 269 $;). Le plus bel hôtel de Portland dégage un charme d'antan, de la réception impeccable aux chambres aménagées dans un style classique avec des murs jaune d'or et des couvre-lits en toile bleue.

Où se restaurer

Green Elephant · VÉGÉTARIEN $$

(207-347-3111 ; www.greenelephant-maine.com ; 608 Congress St ; plat 9-13 $; 11h30-14h30 mar-sam et 17h-21h30 mar-dim ;). Même les carnivores devraient goûter à l'excellente cuisine végétarienne de ce café de style thaïlandais zen et chic. Commencez par les croustillants *wonton* (raviolis) aux épinards, puis passez aux exotiques créations au soja, comme le "canard" au gingembre accompagné de champignons shiitaké. Gardez un peu de place pour l'incroyable tarte à la mousse orange chocolat.

Hugo's · FUSION $$$

(207-774-8538 ; www.hugos.net ; 88 Middle St ; plat 24-30 $; 17h30-21h mar-sam). Le chef Rob Evans, récompensé par le prix James Beard, préside le temple de la gastronomie moléculaire. Formé au French Laundry, restaurant d'élite de la Nappa Valley, Evans fusionne magistralement influences californiennes et ingrédients frais de Nouvelle-Angleterre. Vous prendrez bien un peu de homard en croûte de pistache ?

Great Lost Bear · PUB $$

(www.greatlostbear.com ; 540 Forest Ave ; plat 8-16 $; 12h-23h ;). Décoré d'objets kitch glanés aux puces, ce bar très animé est une institution à Portland. Vous y trouverez des dizaines de bières régionales à la pression, de gros hamburgers juteux et tous les plats de pub habituels. Évitez la cuisine tex-mex, plutôt fade.

Standard Baking Co · BOULANGERIE $

(75 Commercial St ; encas 2-4 $; 7h-18h lun-ven, 7h-17h sam-dim). Pour un petit-déjeuner sucré, venez dans cette boulangerie du vieux port et commandez un scone à la myrtille et un croissant au chocolat. C'est également ici que sont préparés les meilleurs pains rustiques bio de Portland.

Portland Lobster Co · PRODUITS DE LA MER $$

(www.portlandlobstercompany.com ; 180 Commercial St ; plat 10-23 $; 11h-21h).

Ragoût de homard, petit pain garni de homard (lobster roll) et assiette de homard sont au menu de ce restaurant sur le port. Prenez votre repas sur la terrasse et regardez les bateaux arriver tout en vous régalant.

J's Oyster PRODUITS DE LA MER **$$**
(www.jsoyster.com ; 5 Portland Pier ; plat 6-24 $; ⏲11h30-23h30 lun-sam, 12h-22h30 dim). Ce restaurant très apprécié propose les huîtres les moins chères de la ville. Dégustez-les sur la terrasse donnant sur l'embarcadère. Pour ceux qui n'aiment pas les huîtres, il y a des sandwichs et des fruits de mer.

🍷 Où prendre un verre et sortir

Gritty McDuff's MICROBRASSERIE
(www.grittys.com ; 396 Fore St ; ⏲11h-1h). Cette microbrasserie du vieux port a tout ce qu'il faut : vue sur le port, une bonne énergie, une bonne restauration de pub et d'excellentes bières. Commandez une pinte de bière brune Black Fly et joignez-vous à la foule.

Big Easy Blues Club CLUB
(www.bigeasyportland.com ; 55 Market St). Musique live tous les soirs dans ce club de musique intime où se produisent groupes de blues, jazz et rock.

Blackstone's BAR
(www.blackstones.com ; 6 Pine St). Le plus ancien bar gay de Portland est un lieu agréable où boire un verre.

🛍 Achats

Les galeries sont légion sur Exchange St et Fore St.

Edgecomb Potters OBJETS D'ART
(www.edgecombpotters.com ; 49 Exchange St). Poterie, verre et sculpture dominent ici.

Abacus ARTISANAT
(www.abacusgallery.com ; 44 Exchange St). Pour les bijoux, les articles en verre et les cadeaux bariolés.

Maine Potters Market POTERIE
(www.mainepottermarket.com ; 376 Fore St). Coopérative d'excellents potiers du Maine.

ℹ Renseignements

Greater Portland Convention & Visitors Bureau (☎207-772-5800 ; www.visitportland. com ; 14 Ocean Gateway Pier ; ⏲9h-17h lun-ven toute l'année, 9h-16h sam-dim juil-août). Distribue des guides gratuits sur Portland.

Maine Medical Center (☎207-662-0111 ; 22 Bramhall St ; ⏲24/24h). Centre médical.

Portland Phoenix (www.thephoenix.com/ portland). Hebdomadaire non-conventionnel régional gratuit, couvrant événements et divertissements.

Portland Public Library (www.portlandlibrary. com ; 5 Monument Sq ; ⏲10h-19h lun-jeu, 10h-18h ven, 10h-17h sam ; @🛈). La bibliothèque publique offre un accès gratuit à Internet.

Poste (www.usps.com ; 400 Congress St ; ⏲8h-19h lun-ven, 9h-13h sam).

ℹ Depuis/vers Portland

L'aéroport Portland international Jetport (PWM ; www.portlandjetport.org) dessert des villes à l'est des États-Unis via des vols directs.

Les bus **Greyhound** (www.greyhound.com) et les trains **Amtrak** (☎800-872-7245 ; www. amtrak.com) relient Portland à Boston ; la durée est d'environ 2 heures 30 et le coût de 20 à 24 $ l'aller pour les deux.

Le bus local **Metro** (www.gpmetrobus.com ; tickets 1,50 $), qui circule à travers la ville, a son terminus principal à Monument Sq, à l'intersection de Elm St et Congress St.

Côte centrale du Maine

La côte centrale du Maine est le point de rencontre des montagnes et de la mer. Vous trouverez des péninsules escarpées qui s'avancent loin dans l'océan Atlantique, de séduisants villages de bord de mer et des possibilités infinies de randonnée, de navigation et de kayak.

FREEPORT

La gloire et la fortune de Freeport, à 25 km au nord-est de Portland, débutèrent il y a un siècle lorsque Leon Leonwood Bean ouvrit une boutique pour vendre du matériel aux chasseurs et pêcheurs qui partaient dans les étendues sauvages du nord du Maine. La qualité de ses articles lui valut de fidèles clients et, au fil des ans, le magasin **LL Bean store** (www.llbean.com ; Main St ; ⏲24/24h) s'agrandit pour ajouter les vêtements de sport ou décontractés à l'équipement de plein air. Bien qu'une centaine d'autres magasins aient depuis vu le jour, le très populaire LL Bean est toujours l'épicentre de la ville.

L'ironie, c'est que ce lieu, qui constituait une halte pour les vigoureux adeptes du plein air, est désormais entièrement dédié au shopping citadin, et consiste en une rue interminable (Main St - US 1) bordée de magasins qui vendent de tout, de la vaisselle aux chaussures. La **Freeport Merchants Association** (☎207- 865-1212 ; www.freeportusa.com ; 23 Depot St ; ☺9h-17h lun-ven) pourra vous fournir des informations.

L'auberge victorienne **White Cedar Inn** (☎207-865-9099 ; www.whitecedarinn.com ; 178 Main St ; ch petit-déj inclus 150-185 $; 🐾) est située tout près des magasins. Ancienne maison de l'explorateur de l'Arctique Donald MacMillan, elle possède 7 chambres pleines de charme, avec lits en laiton et cheminées en état de marche.

Très prisé des chalands, **Lobster Cooker** (☎207-865-4349 ; www.lobstercooker.net ; 39 Main St ; plat 9-22 $; ☺11h-19h), juste au sud de LL Bean, sert de généreux sandwichs au poisson, des veloutés de fruits de mer et des homards cuits à la vapeur.

Établissement sur le port décontracté et à l'ambiance excellente, **Harraseeket Lunch & Lobster Co** (☎207-865-4888 ; www. harraseeketlunchandlobster.com ; 36 Main St, South Freeport ; plat 10-25 $; ☺11h-19h45, 11h-20h45 juil-août), à 5 km au sud du centre de Freeport, est réputé pour ses homards, ses palourdes cuites à la vapeur et ses fruits de mer sautés. Dégustez votre repas sur des tables de pique-nique à deux pas de la baie.

BATH

La ville de Bath est réputée pour ses activités de construction navale depuis la période coloniale, qui restent sa raison d'être aujourd'hui. **Bath Iron Works**, l'un des plus grands chantiers navals des États-Unis, construit des frégates en acier et autres bateaux pour l'US Navy. Le grand **Maine Maritime Museum** (☎207-443-1316 ; www. mainemaritimemuseum.org ; 243 Washington St ; adulte/enfant 12/9 $; ☺9h30-17h), au sud de Bath Iron Works et au bord de la Kennebec

River, retrace plusieurs siècles d'histoire maritime de la ville, dont fait partie la construction de la goélette à six mâts *Wyoming,* plus grand navire en bois jamais bâti aux États-Unis.

BOOTHBAY HARBOR

Dans un port profond comme un fjord, ce village de pêcheurs on ne peut plus pittoresque avec ses rues étroites et sinueuses se remplit de touristes en été. Outre manger du homard, l'activité principale ici est la promenade en bateau. **Balmy Days Cruises** (☎207-633-2284 ; www.balmydayscruises.com ; Pier 8) propose des visites du port de 1 heure (adulte/enfant 15/8 $) et des excursions d'une journée à l'île de Monhegan Island (adulte/enfant 32/18 $). **Cap'n Fish's Boat Trips** (☎207-633-3244 ; www.mainewhales.com ; Pier 1 ; 🐾) organise des expéditions d'observation des baleines de 4 heures (adulte/ enfant 38/25 $). **Tidal Transit** (☎207-633-7140 ; www.kayakboothbay.com ; 18 Granary Way) propose des sorties en kayak de 3 heures (45 à 50 $) le long de la côte, où la faune est riche. La **Boothbay Harbor Region Chamber of Commerce** (☎207-633-2353 ; www.boothbayharbor.com ; 192 Townsend Ave ; ☺8h-17h lun-ven) fournit des informations touristiques.

🛏 Où se loger et se restaurer

Tugboat Inn HÔTEL **$$**
(☎207-633-4434 ; www.tugboatinn.com ; 80 Commercial St ; ch petit-déj inclus 100-240 $; ✳@🛜). Construites sur pilotis, les ailes de cet hôtel sont littéralement suspendues au-dessus de l'eau, offrant la vue sur l'océan la plus incroyable que l'on puisse avoir sans être sur un bateau. Vous pourriez pêcher à la ligne depuis votre porte. Les chambres,

---

PEMAQUID PENINSULA

Ornant la pointe sud de la péninsule de Pemaquid, **Pemaquid Point** est l'un des endroits les plus époustouflants du Maine, avec ses formations de roches magmatiques tourmentées battues par une mer fougueuse. Perché au sommet des rochers dans le parc de 3 ha **Lighthouse Park** (☎207-677-2494 ; www.bristolparks.org ; Pemaquid Point ; adulte/enfant 2 $/gratuit ; ☺du lever au coucher du soleil) se trouve le phare de Pemaquid, d'une puissance de 11 000 bougies et édifié en 1827. Si vous grimpez jusqu'au sommet, vous serez récompensé par une superbe vue sur la côte. Il est la vedette des 61 phares encore debout le long de la côte du Maine. Vous pourriez bien porter une image du phare de Pemaquid dans votre poche sans le savoir – c'est la merveille représentée au dos de la pièce de 25 cents du Maine. La maison du gardien de phare est désormais un musée, le **Fishermen's Museum** (☺9h-17h15 mi-mai à mi-oct), qui expose des photos d'époque, du matériel de pêche ancien et tout l'équipement du phare. L'accès au musée est compris dans le billet du parc. La péninsule de Pemaquid se trouve à 24 km au sud de l'US 1 par la ME 130.

HISSEZ LES VOILES !

Sentez le vent dans vos cheveux et l'histoire à vos côtés à bord d'un élégant bateau à plusieurs mâts. Les grands voiliers, d'anciens navires ou des répliques, se rassemblent dans les ports voisins de Camden et de Rockland pour emmener des passagers en excursion, de quelques heures à plusieurs jours.

Les croisières de deux heures se font dans la baie de Penobscot de juin à octobre pour environ 35 $ et vous pouvez généralement réserver votre place le jour même. Sur le front de mer de Camden, cherchez le bateau en bois de 26 m **Appledore** (☎20 7-236-8353 ; www.appledore2.com) et la goélette à deux mâts **Olad** (☎207-236-2323 ; www. maineschooners.com).

D'autres goélettes organisent des croisières de 2 à 6 jours, lors desquelles vous pourrez observer la faune (phoques, baleines et macareux) et qui comprennent généralement des escales dans l'Acadia National Park, dans de petites villes côtières et sur des îles proches du littoral pour un pique-nique de homard.

Vous pouvez vous procurer toutes les informations nécessaires auprès de la **Maine Windjammer Association** (☎800-807-9463 ; www.sailmainecoast.com), qui représente 13 grands voiliers traditionnels, dont beaucoup ont été classés au Patrimoine historique national. Parmi eux se trouve l'ancêtre de la goélette marchande, le *Lewis R French*, plus ancien grand voilier américain (1871). Les tarifs vont de 400 $ pour une croisière de 2 jours à 1 000 $ pour un voyage de 6 jours, une affaire quand on songe qu'ils comprennent les repas et l'hébergement. Il est impératif de réserver pour les croisières de plusieurs jours. C'est au cœur de l'été que les prix sont les plus élevés. Au mois de juin, les jours sont longs, les ports peu fréquentés et les tarifs plus bas, mais il peut faire frais. Fin septembre, quand les arbres se parent des couleurs automnales, le paysage est à l'apogée de sa beauté.

simples, n'ont rien d'exceptionnel – tout est dans le cadre.

Topside Inn B&B $$
(☎207-633-5404 ; www.topsideinn.com ; 60 McKown St ; ch petit-déj inclus 155-275 $). Perchée au sommet d'une colline, cette maison de capitaine du XIXᵉ siècle reconvertie en B&B possède 21 chambres confortables, des propriétaires hospitaliers et un emplacement calme. Pour jouir d'un panorama exceptionnel, demandez une chambre à l'étage dans la maison principale.

Gray Homestead CAMPING $
(☎207-633-4612 ; www.graysoceancamping. com ; 21 Homestead Rd, Southport ; empl 37 $). Laissez-vous bercer par le bruit des vagues dans ce camping au bord de l'océan, à 6 km au sud de Boothbay Harbor par la ME 27 et 238.

Lobster Dock PRODUITS DE LA MER $$
(www.thelobsterdock.com ; 49 Atlantic Ave ; plat 10-25 $; ⊘11h30-20h30). Boothbay Harbor regorge de restaurants de homard. Celui-ci est l'un des meilleurs et des moins chers. Du ragoût de homard au homard entier cuit au court-bouillon, cet établissement de bord de mer cuisine à la perfection le crustacé fétiche du Maine sous toutes ses formes.

Blue Moon Cafe CAFÉ $
(54 Commercial St ; plat 5-8 $; ⊘7h30-14h30). Dégustez un petit-déjeuner à 5 $ en jouissant d'une vue de rêve depuis la terrasse de ce café familial qui sert omelettes, pancakes aux myrtilles et sandwichs.

MONHEGAN ISLAND

Cette petite île granitique avec ses hautes falaises et ses vagues déferlantes, à 15 km au large de la côte du Maine, attire des estivants venus passer la journée, des artistes et des amoureux de la nature inspirés par ses paysages spectaculaires et le charme de son isolement. Bien entretenue et facile à explorer, Monhegan ne fait que 2,5 km de longueur et 800 m de largeur. Le **Monhegan Island Visitor's Guide** (www.monheganwelcome.com), guide touristique de l'île disponible en ligne, fournit des informations et des liens vers des hébergements. Les chambres affichant généralement complet l'été, réservez si vous comptez rester plus d'une journée.

En plus de ses quelque 20 km de sentiers de randonnée, l'île possède un **phare** de 1824 avec un petit musée occupant l'ancienne maison du gardien et plusieurs ateliers d'artistes auxquels on peut jeter un œil.

Les 28 chambres de la **Monhegan House** (☎207-594-7983 ; www.monheganhouse.com ; s/d petit-déj inclus 87/155 $; 🛜), qui date de 1870, ont des salles de bains communes mais offrent une belle vue sur l'océan et le phare. Le café de la Monhegan House vend pizzas, sandwichs et glaces.

Depuis Port Clyde, **Monhegan Boat Line** (☎207-372-8848 ; www.monheganboat.com ; aller-retour adulte/enfant 32/18 $) propose trois départs par jour pour Monhegan de fin mai à mi-octobre, et un par jour le reste de l'année. **MV Hardy III** (☎800-278-3346 ; www.hardyboat.com ; aller-retour adulte/enfant 32/18 $; ⏱mi-juin à sept) part pour Monhegan deux fois par jour depuis New Harbor, du côté est de la péninsule de Pemaquid. Les deux bateaux mettent environ une heure et organisent des départs tôt le matin et des retours en fin d'après-midi, ce qui est idéal pour les excursions d'une journée.

CAMDEN

Avec des collines ondulantes en toile de fond et un port rempli de voiliers, Camden est une vraie merveille. Patrie de la flotte de grands voiliers du Maine, célèbres à juste titre, elle attire les amateurs de nautisme.

Pour avoir une superbe vue sur la belle ville de Camden et ses environs, gravissez le Mt Battie (45 min de marche) dans le **Camden Hills State Park** (☎207-236-3109 ; 280 Belfast Rd/US 1 ; adulte/enfant 4,50/1 $; ⏱7h-coucher du soleil), du côté nord de Camden.

Les fans de homard ne voudront pas rater le **Maine Lobster Festival** (www.mainelobsterfestival.com), l'hommage suprême de la Nouvelle-Angleterre au crustacé, qui se tient début août dans la commune voisine de Rockland.

La **Camden-Rockport-Lincolnville Chamber of Commerce** (☎207-236-4404 ; www.camdenme.org ; 2 Public Landing ; ⏱9h-17h), près du port, fournit des informations touristiques sur la région.

🛏 Où se loger

Camden Maine Stay Inn　　　　B&B **$$**
(☎207-236-9636 ; www.camdenmainestay.com ; 22 High St ; ch petit-déj inclus 135-270 $; 🛜). Cette majestueuse maison de 1802 possède de beaux jardins, une agréable atmosphère d'époque et un emplacement idéal, à seulement quelques rues des restaurants et du front de mer. Les sympathiques proprié-taires proposent 8 chambres joliment aménagées et peuvent vous donner une profusion d'informations sur la région.

Whitehall Inn　　　　　　　AUBERGE **$$**
(☎207-236-3391 ; www.whitehall-inn.com ; 52 High St ; ch petit-déj inclus 119-219 $; ⏱mai-oct ; 🛜). La poétesse Edna St Vincent Millay, qui grandit à Camden, fit ses débuts en récitant de la poésie aux hôtes dans cet hôtel d'été centenaire. Les 45 chambres ont un air de pension rétro, certaines sont dotées de lavabo sur pied et de baignoire à pattes de lion.

Captain Swift Inn　　　　　　B&B **$$**
(☎207-236-8113 ; www.swiftinn.com ; 72 Elm St ; ch petit-déj inclus 119-245 $; ✳🛜). Pain perdu et crème brûlée ? Ce n'est qu'un avant-goût de ce qui vous attend dans ce B&B où l'on vous bichonne. Occupant une demeure de 1810 de style fédéral, les huit chambres confortables sont de qualité variable, mais possèdent parquet, lit à baldaquin et cheminée.

🖉 Camden Hills State Park　　CAMPING **$**
(☎207-624-9950 ; www.campwithme.com ; 280 Belfast Rd/US 1 ; empl 27 $; ⏱mi-mai à mi-oct). Ce parc populaire compte 107 emplacements boisés et 48 km de sen-tiers de randonnée pittoresques ; réserva-tions recommandées en plein été.

🍴 Où se restaurer

Camden Deli　　　　　　　　DELI **$**
(www.camdendeli.com ; 37 Main St ; plat 6-10 $; ⏱7h-22h). Camden Deli, une affaire familiale, possède un toit-terrasse donnant sur le port de Camden, et propose tout, des pancakes aux myrtilles aux sandwichs italiens garnis d'une montagne de salami et de piments. Entre 16 et 19h, les amuse-gueules sont offerts et les bières pression à 3 $.

Cappy's　　　　　PRODUITS DE LA MER **$$**
(www.cappyschowder.com ; 1 Main St ; plat 8-15 $; ⏱11h-23h ; 🛜). La star du Cappy's est le succulent velouté de palourdes (*clam chowder*), vendu à la tasse, au bol ou à la pinte. Vous pouvez aussi commander hamburgers, sandwichs au poisson et petits pains au homard (*lobster rolls*) mais vous devez assurément commencer par le velouté de palourdes riche et crémeux. Bonnes pâtisseries.

Waterfront　　　　PRODUITS DE LA MER **$$**
(☎207-236-3747 ; www.waterfrontcamden.com ; 40 Bayview St ; plat 10-28 $; ⏱11h30-21h). Perché sur l'eau, ce restaurant sur le port est spécialisé dans les produits de la mer agrémentés d'un zeste de fantaisie. Fondue d'artichaut et de tourteau local, haddock noirci (enrobé d'épices et poêlé : spécialité cajun), risotto de homard. Miam !

BLUE HILL

Émaillée de demeures d'époque, Blue Hill est une charmante ville côtière qui accueille artistes et artisans. Débutez votre visite par Main St et la rue adjacente Union St, où vous trouverez plusieurs galeries de qualité vendant peintures, sculptures et poteries de Blue Hill.

Depuis 1902, le **Kneisel Hall Chamber Music Festival** (☎207-374-2203 ; www. kneisel.org ; Pleasant St/ME 15 ; billets 20-30 $; ⏰ven-dim fin juin-août) attire des visiteurs d'un peu partout pour ses séries de concerts de musique de chambre estivaux. La **Blue Hill Peninsula Chamber of Commerce** (☎207-374-3242 ; www.bluehillpeninsula.org ; 107 Main St ; ⏰10h-16h lun-ven) possède des informations touristiques.

Amuse-gueules près de la cheminée le soir et petit-déjeuner de gourmet ne sont que deux des avantages du **Blue Hill Inn** (☎207-374-2844 ; www.bluehillinn.com ; 40 Union St ; ch petit-déj inclus 145-225 $; ✹@☎), le B&B de référence de la ville depuis 1840.

Toutes les enclaves d'artistes possèdent un excellent magasin bio : sur ces collines, c'est le **Blue Hill Co-op** (http://bluehill.coop ; 4 Ellsworth Rd ; plat 5-8 $; ⏰7h-19h), qui sert également une bonne restauration de café, telle que muesli, falafels et café bio.

Acadia National Park

Seul parc national de Nouvelle-Angleterre, Acadia est une étendue sauvage parfaitement préservée de montagnes côtières ondulantes, falaises maritimes imposantes, plages fouettées par les vagues et paisibles étangs. Le spectaculaire paysage offre une pléthore d'activités aussi bien pour les randonneurs dilettantes que pour les accros à l'adrénaline.

Le parc fut fondé en 1919 sur les terres que John D. Rockefeller donna au réseau des parcs nationaux pour les sauver des intérêts de l'envahissante industrie forestière. Désormais, vous pouvez marcher et faire du vélo sur les chemins jadis empruntés à cheval et en carriole par Rockefeller. Le parc couvre une superficie de plus de 160 km², dont une grande partie de l'île montagneuse de Mount Desert Island ainsi que des portions de la Schoodic Peninsula et de l'Isle au Haut, et abrite une grande diversité d'espèces sauvages, notamment des élans, des macareux et des pygargues à tête blanche.

❶ Renseignements

Montagnes de granite et panoramas côtiers vous accueillent à votre arrivée dans l'**Acadia**

National Park (www.nps.gov/acad). Il est ouvert toute l'année, mais Park Loop Rd et la plupart des installations sont fermées l'hiver. L'entrée est payante du 1er mai au 31 octobre. Celle-ci, valable pendant sept jours consécutifs, est de 20 $ par véhicule entre mi-juin et début octobre, 10 $ de mai à mi-juin et en octobre, et 5 $ si vous êtes à vélo ou à pied.

Commencez votre exploration au **Hulls Cove Visitor Center** (☎207-288-3338 ; ME 3 ; ⏰8h-16h30 mi-avr à mi-juin et oct, 8h-18h mi-juin à août, 8h-17h sept), d'où part la route de 32 km **Park Loop Rd** qui fait le tour de la partie est du parc.

❂ À voir et à faire
PARK LOOP ROAD

Park Loop Rd, principale route touristique du parc, mène aux points d'intérêt majeurs du site. Pour une baignade vivifiante ou simplement une promenade sur la plus longue plage du parc d'Acadia, arrêtez-vous à **Sand Beach**. À environ 1 km de Sand Beach vous arriverez à **Thunder Hole**, où les puissantes vagues de l'Atlantique s'abattent dans un gouffre profond et étroit avec tant de force que cela provoque un bruit assourdissant, à son paroxysme pendant les marées montantes. Regardez vers le sud pour voir les falaises **Otter Cliffs**, un site d'escalade prisé qui se dresse à la verticale de la mer. À l'étang **Jordan Pond**, choisissez entre un sentier de 800 m faisant une boucle autour de la partie sud de l'étang ou un sentier de 5,5 km qui fait tout le tour de l'étang. Une fois l'appétit ouvert, récompensez-vous en prenant un thé relaxant l'après-midi sur la pelouse de la Jordan Pond House. Vers la fin de Park Loop Rd, une bifurcation mène à la Cadillac Mountain.

CADILLAC MOUNTAIN

La majestueuse pièce maîtresse du parc national d'Acadia est le Mt Cadillac (466 m), plus haut sommet côtier de l'est des États-Unis, auquel on accède par une petite route de 5,5 km qui part de Park Loop Rd. Quatre **sentiers** différents mènent au sommet, si vous préférez la randonnée. La vue à 360 degrés sur l'océan, les îles et les montagnes est particulièrement magique à l'aube, lorsque le soleil se lève sur la Frenchman Bay.

AUTRES ACTIVITÉS

Quelque 200 km de **sentiers de randonnée** sillonnent le parc national d'Acadia, des promenades courtes et faciles aux randonnées en montagne sur un chemin raide et rocailleux. L'**Ocean Trail**, un sentier très prisé de 5 km aller-retour, va de Sand Beach à Otter Cliffs et relie les sites côtiers les plus intéressants du parc. Procurez-vous un guide détaillé de tous les sentiers à l'office du tourisme.

Les 72 km de voies carrossables du parc sont idéales pour faire du **vélo**. Vous pouvez louer des VTT de qualité, remplacés par des neufs à chaque début de saison, à **Acadia Bike** (☎207-288-9605 ; www.acadiabike.com ; 48 Cottage St, Bar Harbor ; 22 $/jour ; ⊗8h-20h).

L'**escalade** sur les falaises et montagnes du parc est à couper le souffle. Adressez-vous aux **Acadia Mountain Guides** (☎207-288-8186 ; www.acadiamountainguides.com ; 228 Main St, Bar Harbor ; sortie d'une demi-journée 75-140 $; ⊗mai-oct) ; les tarifs comprennent un guide, les instructions et l'équipement.

Une myriade d'**activités organisées par des rangers**, dont sorties nature, observation des oiseaux et promenades éducatives pour enfants, sont disponibles dans le parc. Consultez le programme à l'office du tourisme. Pour des renseignements sur le kayak et d'autres activités, voir la partie de ce chapitre consacrée à Bar Harbor.

🛏 Où se loger et se restaurer

Le parc possède deux campings boisés et avec l'eau courante, des douches et des espaces barbecue. S'ils sont complets, vous trouverez plusieurs campings privés juste à la sortie du parc national d'Acadia.

Bar Harbor compte une multitude de restaurants, d'auberges et d'hôtels, à 1 km seulement du parc.

Blackwoods Campground CAMPING $
(☎877-444-6777 ; www.recreation.gov ; ME 3 ; empl 20 $; ⊗toute l'année). Ce camping de 279 emplacements, à 8 km au sud de Bar Harbor, accepte les réservations.

Seawall Campground CAMPING $
(www.recreation.gov ; ME 102A ; empl 14-20 $; ⊗fin mai-sept). Ce camping de 210 emplacements, à 6 km au sud de Southwest Harbor, fonctionne principalement sur la base du premier arrivé, premier servi, mais accepte aussi quelques réservations.

Jordan Pond House AMÉRICAIN $$
(☎207-276-3316 ; www.thejordanpondhouse. com ; thé de l'après-midi 9 $, plat 10-25 $; ⊗11h30-21h mi-mai à oct). Pour une pause mémorable l'après-midi, asseyez-vous sur la pelouse donnant sur l'étang et commandez un thé servi avec des petits gâteaux chauds (*popovers*) et de la confiture de fraise maison. Le seul restaurant du parc propose également des petits pains garnis

de homard (*lobster rolls*) au déjeuner et des côtes de bœuf au dîner.

ℹ Depuis/vers l'Acadia National Park

Les navettes **Island Explorer** (www.exploreacadia.com ; gratuit ; ⊗fin juin-début oct), pratiques, desservent huit itinéraires différents dans le parc national d'Acadia et à destination de la ville voisine de Bar Harbor, reliant points de départ des sentiers, campings et logements.

Bar Harbor

Sise aux portes du parc national d'Acadia, cette jolie ville côtière rivalisa jadis avec Newport (Rhode Island) comme destination estivale prisée des riches Américains. Aujourd'hui, de nombreux anciens manoirs ont été reconvertis en charmantes auberges, et la ville attire désormais les adeptes du grand air. La **Bar Harbor Chamber of Commerce** (☎207-288-5103 ; www.barharbormaine.com ; 1201 Bar Harbor Rd/ME 3, Trenton ; ⊗8h-18h fin mai à mi-oct, 8h-17h lun-ven mi-oct à fin mai) possède un centre d'accueil des visiteurs juste avant le pont qui mène à Mount Desert Island.

◉ À voir et à faire

🖻 **Abbe Museum** MUSÉE
(☎207-288-3519 ; www.abbemuseum. org ; 26 Mount Desert St ; adulte/enfant 6/2 $; ⊗10h-17h). Ce musée présente de façon passionnante les tribus amérindiennes originaires de cette région et possède des milliers d'objets, allant de poteries datant de plus d'un millénaire à des sculptures en bois et paniers contemporains.

🖻 **Bar Harbor Whale Watch** CROISIÈRE
(☎207-288-2386 ; www.barharborwhales. com ; 1 West St ; adulte 32-62 $, enfant 20-32 $; ⊗mi-mai à oct ; ♿). Cette compagnie propose une variété de croisières touristiques, notamment pour observer les baleines ou les macareux. Elle organise également une excursion guidée par des rangers pour Baker Island, une île de 52 ha qui fait partie du parc national d'Acadia mais qui est seulement accessible en bateau.

Coastal Kayaking Tours KAYAK
(☎207-288-9605 ; www.acadiafun.com ; 48 Cottage St ; excursions 2 heures 30/4 heures 38/48 $; ⊗8h-20h). Les excursions en kayak se déroulent également dans les îles de Frenchman Bay ou du côté ouest de Mount Desert Island, en fonction de la direction du

vent. Cette agence propose des excursions personnalisées pour six kayaks maximum.

Downeast Windjammer Cruises CROISIÈRE
(✆207-288-4585 ; www.downeastwindjammer. com ; 27 Main St ; adulte/enfant 38/28 $). Pour une croisière chic, montez à bord du quatre-mâts *Margaret Todd*, qui fait voile trois fois par jour.

Acadian Nature Cruises CROISIÈRE
(✆207-288-2386 ; www.acadiannaturecruises. com ; 1 West St ; adulte/enfant 27/16 $; ◷mi-mai à oct). Observez pygargues (aigles) à tête blanche, phoques et paysages côtiers lors de ces croisières commentées de deux heures.

🛏 Où se loger

Il n'y a pas de pénurie d'hébergements à Bar Harbor, où vous trouverez aussi bien des B&B occupant des demeures d'époque que les chaînes hôtelières habituelles.

Holland Inn B&B $$
(✆207-288-4804 ; www.hollandinn.com ; 35 Holland Ave ; ch petit-déj inclus 95-175 $; ❄🛜). Neuf chambres gaies décorées sans fioritures, un petit-déjeuner copieux et des propriétaires qui vous font vous sentir chez vous : voilà ce qui vous attend dans ce B&B situé à quelques minutes à pied du centre-ville et du bord de mer.

Anne's White Columns Inn B&B $$
(✆207-288-5357 ; www.anneswhitecolumns.com ; 57 Mount Desert St ; ch petit-déj inclus 75-165 $; ❄). Le nom de ce B&B, jadis église de la Science chrétienne, fait référence aux théâtrales colonnes de l'entrée. Les chambres, au charme victorien original, sont décorées de motifs floraux et de bibelots. Arrivez à temps pour l'apéritif au vin et fromage du soir.

Aysgarth Station Inn B&B $$
(✆207-288-9655 ; 20 Roberts Ave ; www.aysgarth. com ; ch petit-déj inclus 115-155 $; ❄). Dans une petite rue calme, ce B&B de 1895 propose 6 chambres douillettes et chaleureuses. Demandez la chambre Tan Hill, au 3e étage, pour la vue sur le Mt Cadillac.

Acadia Park Inn MOTEL $$
(✆207-288-5823 ; www.acadiaparkinn.com ; ME 3 ; ch petit-déj inclus 109-169 $; ❄🛜). Ce motel, une bonne base pour explorer le parc national, offre des chambres rénovées confortables à seulement 3 km au nord de l'entrée principale du parc.

Aurora Inn MOTEL $$
(✆207-288-3771 ; www.aurorainn.com ; 51 Holland Ave ; ch 89-169 $; ❄🛜). Motel

rétro possédant 10 chambres simples, bien situé dans le centre-ville.

🍴 Où se restaurer et prendre un verre

❤ Cafe This Way AMÉRICAIN $$
(✆207-288-4483 ; www.cafethisway.com ; 14½ Mount Desert St ; petit-déj 6-9 $, dîner 15-24 $; ◷7h-11h30 lun-sam, 8h-11h30, 17h30-21h tlj ; 🌱). Le meilleur endroit de Bar Harbor pour prendre son petit-déjeuner. Œufs Bénédicte au saumon fumé et, pour les végétaliens, tofu brouillé et sa profusion de légumes. Produits de la mer le soir.

🌱 McKays AMÉRICAIN $$
(✆207-288-2002 ; www.mckayspublichouse. com ; 231 Main St ; plat 10-20 $; ◷16h30-21h30 mar-dim). McKays est l'un des restaurants du Maine qui favorisent les produits bio et locaux. Cet établissement de style pub sert des *crab cakes* (croquettes de crabe), du poulet fermier et de bons vieux *fish and chips* panés à la bière : plats concoctés avec des produits du Maine.

Trenton Bridge Lobster Pound PRODUITS DE LA MER $$
(ME 3, Ellsworth ; homards 10-15 $; ◷10h30-20h lun-sam). Installez-vous à une table de pique-nique et décortiquez un homard au court-bouillon dans cette cantine de homard qui borde la route reliant l'île Mount Desert Island au continent.

🌱 Finback Alehouse BISTROT $$
(✆207-288-0233 ; www.finbackalehou-seme.com ; 30 Cottage St ; plat 10-20 $; ◷11h-1h). Bistrot de cuisine du Maine proposant des produits de la mer pêchés dans la région et de juteux hamburgers d'aloyau (bœuf nourri à l'herbe). Musique live le week-end.

2 Cats CAFÉ $$
(✆207-288-2808 ; www.2catsbarharbor.com ; 130 Cottage St ; plat 8-17 $; ◷7h-13h ; 🌱). L'endroit idéal pour se délecter de scones et de thé les jours de bruine. Prépare aussi d'excellentes omelettes au homard.

🌱 Havana AMÉRIQUE LATINE $$$
(✆207-288-2822 ; www.havanamaine. com ; 318 Main St ; plat 19-29 $; ◷17h-22h). Cet élégant restaurant du soir propose des produits de la mer accommodés à la cubaine. Excellente carte des vins.

Côte est du Maine

Les plus de 1 450 km de littoral au nord-est de Bar Harbor sont faiblement peuplés, ont un rythme plus lent et sont plus brumeux que le sud et l'ouest du Maine. Ne manquez pas la **Schoodic Peninsula**, dont la pointe fait partie du parc national d'Acadia ; les villages de pêcheurs de homard de **Jonesport** et **Beals** ; et l'île de **Great Wass Island**, une réserve naturelle sillonnée de sentiers d'où l'on peut observer les oiseaux, notamment les macareux, avec un peu de chance.

Machias, qui abrite une branche de l'université du Maine, est le centre économique de cette portion de côte. **Lubec** est la ville la plus à l'est des États-Unis ; les gens aiment regarder le soleil se lever dans le **Quoddy Head State Park**, à proximité, pour pouvoir dire qu'ils étaient les premiers du pays à voir les rayons du soleil.

Calais, à l'extrémité nord de l'US 1, est la ville jumelle de St Stephen, dans le New Brunswick, au Canada. Au sud-ouest de Calais se trouve la réserve naturelle **Moosehorn National Wildlife Refuge** (moosehorn. fws.gov ; US 1, Baring ; gratuit ; ☉du lever au coucher du soleil), qui possède des sentiers de randonnée et offre l'occasion d'observer des pygargues (aigle) à tête blanche, l'oiseau national des États-Unis.

Intérieur du Maine

Le nord et l'ouest du Maine, faiblement peuplés, sont un territoire accidenté où les activités de plein air sont reines. Le rafting en rivière, les sentiers de randonnée sur la plus haute montagne du Maine et la station de ski de Bethel font de cette région un aimant à aventuriers.

AUGUSTA

Augusta devint la capitale du Maine en 1827, mais c'est une petite ville qui n'a, à vrai dire, pas beaucoup d'intérêt. La **Kennebec Valley Chamber of Commerce** (☎207-623-4559 ; www.augustamaine.com ; 21 University Dr ; ☉8h30-17h lun-ven) fournit des renseignements sur Augusta. Si vous la traversez, jetez un coup d'œil à la **State House** (1829), en granite, puis arrêtez-vous au musée voisin, le **Maine State Museum** (☎207-287-2301 ; www.mainestatemuseum.org ; State House Complex, State St ; adulte/enfant 2/1 $; ☉9h-17h mar-ven, 10h-16h sam ; ♿), trésor d'expositions passionnantes retraçant l'histoire culturelle et naturelle de l'État.

BANGOR

Ville en plein essor au XIXe siècle, époque où l'industrie forestière était florissante dans le Maine, Bangor fut ravagée par un immense incendie en 1911. Aujourd'hui, c'est une ville moderne ordinaire, qui est peut-être surtout connue pour l'un de ses habitants, l'auteur de romans d'épouvante Stephen King (cherchez sa demeure – elle possède un portail orné de chauves-souris et de toiles d'araignée – parmi les superbes résidences de West Broadway). Vous ne pourrez pas rater la **Bangor Region Chamber of Commerce** (☎207-947-0307 ; www.bangorregion.com ; 519 Main St ; ☉9h-17h lun-ven), installée dans l'ombre d'une statue de près de 10 m (eh oui !) de Paul Bunyan, le bucheron géant du folklore américain.

SABBATHDAY LAKE

La seule communauté shaker active du pays se trouve à Sabbathday Lake, à 40 km au nord de Portland. Une poignée d'adeptes maintient en vie la tradition shaker, fondée au début du XVIIIe siècle, et qui consiste à vivre simplement, travailler dur et fabriquer de l'artisanat. Le **Shaker Museum** (☎207-926-4597 ; www.shaker.lib.me.us ; adulte/enfant 6,50/2 $; ☉10h-16h30 lun-sam fin mai à mi-oct) propose des visites guidées de plusieurs bâtiments. Pour vous y rendre, prenez l'autoroute à péage du Maine jusqu'à la sortie 63 et continuez vers le nord pendant 13 km sur la ME 26.

BETHEL

La communauté rurale de Bethel, nichée dans les collines boisées du Maine à moins de 20 km à l'est du New Hampshire sur la ME 26, offre une combinaison séduisante de paysages de montagne, d'escapades en plein air et d'hébergements d'un bon rapport qualité/prix. La **Bethel Area Chamber of Commerce** (☎207-824-2282 ; www.bethelmaine.com ; 8 Station Pl ; ☉9h-17h lun-ven) fournit des informations touristiques.

🏃 Activités

Bethel Outdoor Adventure   CANOË-KAYAK
(☎207-824-4224 ; www.betheloutdooradventure.com ; 121 Mayville Rd/US 2 ; par jour kayak/canoë 45/65 $; ☉8h-18h). Tout près des rives de l'Androscoggin River, cet établissement loue canoës et kayaks ; les tarifs comprennent une navette qui vous dépose en amont, vous permettant ainsi de revenir en pagayant à votre rythme. Loue des vélos, organise des sorties de pêche à la mouche et propose des emplacements de camping.

Grafton Notch State Park   MARCHE
(☎207-824-2912 ; ME 26). Si vous avez envie de marcher, rendez-vous dans ce parc au nord de Bethel : beaux paysages montagneux,

cascades et nombreux sentiers de longueurs différentes vous attendent.

Sunday River Ski Resort   SKI
(☏800-543-2754 ; www.sundayriver.com ; ME 26 ; 🏂). Située à 10 km au nord de Bethel, Sunday River est l'une des stations de ski les plus familiales de la région. Elle possède huit sommets reliés entre eux et 120 pistes.

🛏 Où se loger et se restaurer

Chapman Inn   B&B $
(☏207-824-2657 ; www.chapmaninn.com ; 2 Church St ; petit-déj inclus dort 35 $, ch 89-129 $; ✱@🛜). Lieu idéal pour partager ses impressions avec d'autres voyageurs, ce chaleureux B&B de 1865 est central et possède 10 chambres champêtres ainsi qu'un dortoir de style auberge de jeunesse. Atouts supplémentaires : petit-déjeuner gourmet, billard, deux saunas et vélos gratuits à disposition.

Sudbury Inn & Suds Pub   AUBERGE $$
(☏207-824-2174 ; www.sudburyinn.com ; 151 Main St ; ch petit-déj inclus 99-159 $; ✱). Lieu de choix dans le centre-ville de Bethel, cette ancienne auberge possède 17 chambres et un pub proposant 29 bières pression, des pizzas et des spectacles le week-end. Elle abrite également un excellent restaurant du soir servant une cuisine locale (plats de 18 à 26 $).

White Mountain National Forest   CAMPING $
(☏877-444-6777 ; www.recreation.gov ; empl 18 $). La partie de cette forêt nationale côté Maine compte plusieurs campings basiques près de Bethel.

CARATUNK ET THE FORKS
Pour le meilleur du rafting en eaux vives, direction la **Kennebec River**, en aval du Harris Dam, où l'eau passe en trombe à travers une gorge spectaculaire de près de 20 km. Avec des noms de rapides tels que Whitewasher (Tornade blanche) et Magic Falls (Chutes magiques), vous savez qu'une montée d'adrénaline vous attend.

Les villages voisins de Caratunk et The Forks, sur l'US 201 au sud de Jackman, sont au centre des activités de rafting sur la Kennebec River. Les options vont des rapides bouillonnants et descentes à couper le souffle aux eaux plus calmes convenant aux enfants à partir de 7 ans. Les tarifs sont compris entre 75 et 130 $/pers pour une excursion d'une journée. Des forfaits de plusieurs jours avec camping ou chalet sont aussi disponibles.

Les agences suivantes sont fiables :

Crab Apple Whitewater   RAFTING
(☏800-553-7238 ; www.crabapplewhitewater. com)

Three Rivers Whitewater   RAFTING
(☏877-846-7238 ; www.threeriverswhitewater. com)

Northern Outdoors   RAFTING
(☏800-765-7238 ; www.northernoutdoors.com)

BAXTER STATE PARK
Situé dans les lointaines forêts du nord du Maine, le **Baxter State Park** (☏207-723-5140 ; www.baxterstateparkauthority.com ; 14 $ par voiture) se situe autour du Mt Katahdin (1 606 m), plus haute montagne du Maine et terminus nordique des 3 500 km de l'**Appalachian Trail** (www.nps.gov/appa). Ce vaste parc de 84 782 ha est conservé à l'état sauvage – ni électricité, ni eau courante (apportez votre eau ou prévoyez un moyen de purifier l'eau des cours d'eau) – et vous avez de bonnes chances de voir élans, cerfs et ours noirs. Baxter possède de longs sentiers de randonnée, dont plusieurs mènent au sommet du Mt Katahdin, que vous pouvez parcourir dans la journée (aller-retour) si vous êtes en bonne condition physique et que vous partez de bonne heure.

Les 10 campings de Baxter comptent 1 200 emplacements (30 $ par jour), mais ils se remplissent vite, alors mieux vaut réserver.

À Millinocket, au sud du Baxter State Park, vous trouverez motels, campings, restaurants et agences spécialisées dans le rafting et kayak en eaux vives sur la Penobscot River. Vous pouvez vous procurer des informations à la **Katahdin Area Chamber of Commerce** (☏207-723-4443 ; www.katahdinmaine.com ; 1029 Central St, Millinocket).

Washington et sa région

Le top des restaurants

» Minibar at Café Atlantico (p. 265)

» Blue Hill Tavern (p. 280)

» Robert Morris Inn (p. 286)

» Fat Canary (p. 305)

» Local (p. 312)

Le top des hébergements

» Hay-Adams (p. 262)

» Bellmoor Inn & Spa (p. 292)

» Colonial Williamsburg Historic Lodging (p. 304)

» Martha Washington Inn (p. 318)

» Greenbrier (p. 323)

Pourquoi y aller

Monuments emblématiques, immenses musées et restaurants servant des cuisines du monde entier : difficile de ne pas tomber sous le charme de la capitale du pays. Et il y a bien d'autres choses à découvrir : des quartiers ombragés aux rues pavées, de vastes marchés, des lieux de sortie nocturne offrant une grande diversité culturelle, des parcs verdoyants, sans compter bien sûr les coulisses du pouvoir...

Au-delà du Beltway (périphérique), les paysages variés du Maryland, de la Virginie, de la Virginie-Occidentale et du Delaware incitent le voyageur à quitter la cité de marbre. Montagnes aux contours accidentés, rivières jaillissantes, immenses réserves naturelles, plages étincelantes, bourgades historiques et la magnifique Chesapeake Bay, le plus grand estuaire du pays, sont propices à la voile, à la randonnée, au camping ou simplement à des festins de poisson et de fruits de mer. C'est une région où les traditions sont profondément enracinées, du berceau de la nation en Virginie à la scène musicale bluegrass toujours florissante

Quand partir
Washington

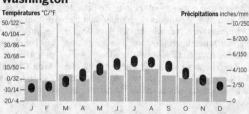

Mars-avr
Les cerisiers en fleur attirent la foule lors de la fête la plus populaire de Washington.

Juin-août
Plages prises d'assaut et hébergements chers et souvent complets.

Sept-oct
Prix en baisse, températures agréables et couleurs chatoyantes.

Transports

La région est desservie par trois grands aéroports : le Washington Dulles International Airport (IAD), le Ronald Reagan Washington National Airport (DCA) et le Baltimore/Washington International Thurgood Marshall Airport (BWI). Le Norfolk International Airport (ORF) et le Richmond International Airport (RIC), plus petits, sont des carrefours aériens régionaux.

Le voyage en train, assuré par **Amtrak** (www.amtrak.com), est possible dans certaines zones. Les principales villes reliées par le chemin de fer au départ de Washington sont Baltimore (Maryland), Wilmington, (Delaware), Harpers Ferry (Virginie-Occidentale), ainsi que Manassas, Fredericksburg, Richmond, Williamsburg, Newport News et Charlottesville (Virginie).

**VISITE DE WASHINGTON :
LES ASTUCES**

Il est impossible de visiter tous les musées de la capitale, même en passant deux semaines sur place. Certains sites – comme le Washington Monument ou l'US Holocaust Memorial Museum – n'accueillent qu'un nombre limité de visiteurs. Soyez sur place tôt pour être sûr d'y avoir accès.

Hormis dans le Museum of the American Indian, les possibilités de restauration sont limitées le long du Mall. Passez d'abord à l'Eastern Market acheter de quoi pique-niquer, au bord du Tidal Basin par exemple.

Si possible, passez-vous de votre voiture. Le métro fonctionne très bien, et conduire en ville peut revenir cher (les parkings facturent jusqu'à 25 $ la nuit).

Le top des parcs nationaux

» Le New River Gorge National River (p. 322), paradisiaque, est peuplé de cerfs de Virginie et d'ours noirs. Il compte aussi des rapides de tout premier rang parfaits pour le rafting en eaux vives.

» Le Shenandoah National Park (p. 313) offre un paysage spectaculaire le long des Blue Ridge Mountains. L'idéal pour randonner et camper, notamment le long du sentier des Appalaches (Appalachian Trail).

» L'Assateague Island National Seashore (p. 288) et Chincoteague (p. 309), superbes environnements côtiers, sont le fief du grand héron bleu, du balbuzard pêcheur, du crabe bleu et des chevaux sauvages.

» La George Washington National Forest et la Jefferson National Forest (p. 314), forêts protégées, couvrent plus de 3 885 km² de paysages forestiers et alpins en bordure de la Shenandoah Valley.

» Les célèbres champs de bataille de Virginie comptent aussi parmi les parcs nationaux. Antietam (p. 289) et Manassas (p. 298) permettent de se replonger dans les heures les plus sombres de la nation.

Avec la Chesapeake Bay à sa porte, cette région est le paradis des amateurs de fruits de mer. Au Maine Avenue Fish Market (p. 265) de Washington, à Baltimore, Annapolis et tout le long de l'Eastern Shore dans le Maryland, vous trouverez des poissons et fruits de mer de tout premier choix.

En bref

» Habitants : 622 000 (Baltimore), 602 000 (Washington), 440 000 (Virginia Beach)

» Distances depuis Washington : Baltimore (64 km), Williamsburg (245 km), Abingdon (582 km)

» Fuseau horaire : Eastern Time Zone (heure de l'Est, UTC-05)

» États couverts dans ce chapitre (Washington, D.C. dépend de l'État fédéral). : Maryland, Delaware, Virginie, Virginie-Occidentale

Le saviez-vous ?

» La Virginie compte plus de 192 domaines viticoles et nombre de ses vins sont primés.

Sites Internet

» Washington (www.washington.org) : informations sur la ville

» The Crooked Road (www.thecrookedroad.org) : portail du patrimoine musical de Virginie

» Virginia Wine (www.virginiawine.org) : pour planifier son itinéraire à travers le pays du vin

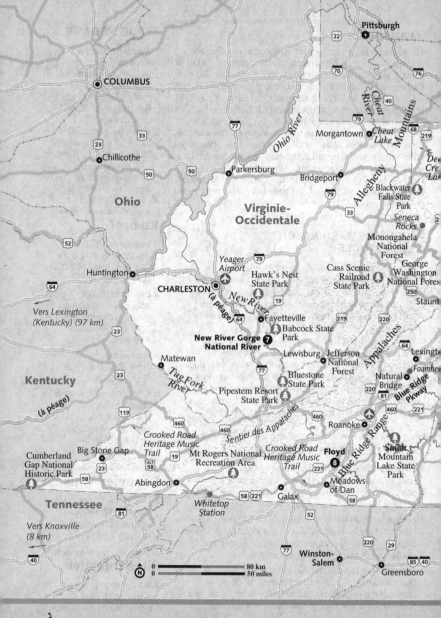

À ne pas manquer

1 La visite des **musées de la Smithsonian Institution** (p. 253) à Washington, puis le coucher du soleil sur le **Lincoln Memorial** (p. 256).

2 Une plongée dans l'histoire américaine à **Colonial Williamsburg** (p. 303).

3 La découverte du passé maritime de la région dans les pubs du quartier portuaire de **Fells Point** (p. 281), à Baltimore.

4 Une balade le long du **Skyline Drive** (p. 313), puis une randonnée et une nuit

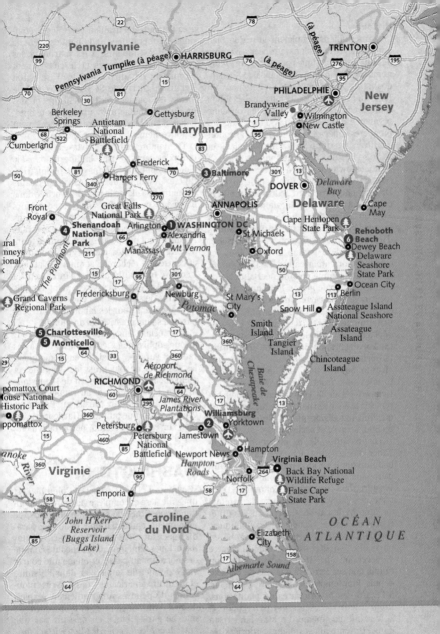

Histoire

Les Amérindiens peuplaient la région bien avant l'arrivée des colons européens. Nombre de lieux emblématiques portent encore leurs noms indiens, comme Chesapeake, Shenandoah, les Appalaches et le Potomac. En 1607, un groupe de 108 colons anglais fonda Jamestown, première colonie européenne permanente du Nouveau Monde. Dans les premières années, les colons durent affronter des hivers rigoureux, la famine, la maladie et parfois l'hostilité des Amérindiens.

Jamestown survécut à ces épreuves, et la colonie royale de Virginie naquit en 1624. Dix ans plus tard, lord Baltimore fonda la colonie catholique du Maryland à St Mary's City, où un médecin juif espagnol soigna un conseil municipal composé entre autres d'un marin portugais noir et de Margaret Brent, première femme à voter dans les élections nord-américaines. Le Delaware fit ses débuts comme colonie néerlandaise de chasseurs de baleines en 1631, fut pratiquement rayé de la carte par les Amérindiens, et fut de nouveau colonisé ensuite par les Britanniques. Les Irlandais et Ecossais déplacés de Grande-Bretagne gagnèrent les Appalaches, où ils créèrent une culture farouchement indépendante encore très vivante aujourd'hui. Les querelles territoriales aux frontières du Maryland, du Delaware et de la Pennsylvanie débouchèrent sur la création de la ligne Mason-Dixon, qui finit par démarquer le Nord industriel du Sud agricole et esclavagiste.

Les batailles de la guerre d'Indépendance s'achevèrent ici avec la reddition britannique à Yorktown en 1781. Puis, afin d'atténuer les tensions régionales, on fit de Washington, District of Columbia (D.C.), terre centrale et marécageuse, la capitale de la nouvelle nation. Cependant, les différences de classe, raciales et économiques, restaient très marquées, et cette zone en particulier se déchira pendant la guerre de Sécession : la Virginie sortit de l'Union tandis que ses fermiers pauvres de l'Ouest, depuis longtemps pleins de ressentiment à l'égard des propriétaires de plantations, firent à leur tour sécession par rapport à la Virginie elle-même. Le Maryland resta dans l'Union tandis que ses Blancs propriétaires d'esclaves se soulevèrent contre les troupes du Nord, tandis que des milliers de Noirs du Maryland rejoignaient l'armée de l'Union.

Culture locale

Cette région s'est longtemps définie en fonction des tensions Nord-Sud, mais elle a également été tiraillée entre les prétentions aristocratiques de la haute société de Virginie, les mineurs et les mariniers, les quartiers d'immigrants et le changement permanent des dirigeants de Washington Depuis la guerre de Sécession, l'économie locale est passée de l'agriculture et des produits manufacturés aux hautes technologies et aux services, fournissant également le gouvernement fédéral en personnel.

De nombreux Noirs, esclaves ou évadés qui pensaient trouver la liberté dans le Nord, se sont établis dans cette région frontalière. Aujourd'hui, les Afro-Américains demeurent la classe la plus défavorisée dans beaucoup de grandes villes, avec à leurs côtés des immigrants latino-américains venant principalement d'Amérique centrale. À l'autre bout du spectre, de véritables tours d'ivoire (universités d'envergure mondiale et centres de recherche comme le National Institute of Health) attirent l'intelligentsia du monde entier. Les lycées sont remplis d'enfants de scientifiques et de consultants qui travaillent pour les laboratoires d'idées parmi les plus prestigieux du monde.

Tout cela a engendré une culture tour à tour sophistiquée, étroitement liée à ses racines rurales, ainsi qu'en témoignent les festivals de bluegrass de Virginie, et pleinement intégrée à l'esprit de l'Amérique urbaine (que l'on songe au rappeur Tupac Shakur, à la Go Go Music, au Baltimore Club et au groupe punk DC Hardcore). Avec bien sûr en toile de fond, perpétuellement, la politique...

WASHINGTON

Washington, D.C. (District of Columbia) est une ville fière et complexe (la faute à la politique) constituée de grands boulevards, de monuments emblématiques et de vues paradisiaques sur le Potomac. Ses musées et sites historiques témoignent de la beauté comme des horreurs du passé, et même une courte visite permet de se plonger dans l'histoire et la culture américaines, des œuvres émouvantes de peintres amérindiens à l'exploit de Neil Armstrong, premier homme à avoir marché sur la Lune, en passant par une autre *moonwalk*, celle de Michael Jackson.

Évidemment, "D.C." est bien davantage qu'un musée à ciel ouvert ou un décor d'arrière-plan pour le journal télévisé du soir. On trouve pêle-mêle des quartiers arborés, une scène théâtrale dynamique, des restaurants de cuisines du monde, une atmosphère pleine de vitalité, des marchés de plus en

WASHINGTON EN BREF

- » **Surnom :** D.C., Chocolate City ("D.C., ville chocolat")
- » **Population :** 602 000 habitants
- » **Superficie :** 177 km²
- » **TVA :** 5,75%
- » **État de naissance de :** Duke Ellington (1899-1974), Marvin Gaye (1939-1984), Dave Chappelle (né en 1973)
- » **Politique :** massivement démocrate
- » **Célèbre pour :** les Redskins, les cerisiers en fleur, les grandes institutions du gouvernement américain, la criminalité, les stagiaires fêtards, la lutte pour la représentation au Congrès
- » **Devise officieuse (inscrite sur les plaques d'immatriculation) :** Taxation Without Representation (Contribuable sans représentation électorale)
- » **Distances par la route :** Washington-Baltimore : 64 km ; Washington-Virginia Beach : 338 km

les berges du Potomac. Le Maryland et la Virginie donnèrent pour cela des terres (que la Virginie reprit au XIXe siècle).

Washington, à l'origine sous la gouvernance du Congrès, fut incendiée par les Britanniques au cours de la guerre anglo-américaine de 1812, et perdit le port à esclaves d'Alexandria, situé sur la rive sud, au profit de la Virginie en 1846 (époque où le débat abolitionniste faisait rage dans la capitale). Au fil des ans, Washington évolua sur des chemins divergents : temple de marbre du gouvernement fédéral et ville résidentielle peuplée d'employés gouvernementaux d'une part, elle était aussi un ghetto urbain pour les Noirs venus du Sud et les immigrants.

La ville finit par avoir son propre maire en 1973 (Walter Washington, l'un des premiers maires afro-américains d'une grande ville américaine). Sempiternellement privés de subventions fédérales, les habitants de l'actuelle Washington sont imposés comme les autres citoyens américains, sans être représentés au Congrès. Un gouffre sépare la bourgeoisie éduquée des indigents laissés pour compte. Près de la moitié de la population possède un diplôme universitaire et pourtant, un tiers est pratiquement analphabète.

Avec l'élection de Barack Obama en 2008, Washington est devenue tendance : désormais, ce sont les New-Yorkais qui viennent à Washington, et non l'inverse ! Les habitudes du président Obama (faire des parties improvisées de basket-ball, fréquenter les restaurants) en font une sorte d'oiseau rare : un président qui ne se contente pas de vivre à Washington, mais qui est aussi un Washingtonien.

◉ À voir

La capitale a été imaginée par deux urbanistes de manière à ce qu'il soit facile de s'y déplacer. Hélas, les rues en diagonale baptisées du nom des États américains imaginées par Pierre Charles L'Enfant viennent contrarier le plan en damier conçu par Andrew Ellicott (NB : les rues est-ouest portent une lettre, les rues nord-sud un numéro). Pour couronner le tout, la ville est divisée en quatre quadrants avec des adresses identiques dans différentes subdivisions – F et 14th NW amène près de la Maison-Blanche, quand F et 14th NE conduit à Rosedale Playground.

La majorité des sites se trouve dans le quadrant nord-ouest (NW), et les quartiers les plus délabrés sont principalement regroupés dans le quadrant sud-est (SE).

plus nombreux, des rues pavées historiques et un riche patrimoine afro-américain (les Noirs représentent en effet près de 50% de la population).

Bien plus que la ville des politiciens, Washington est celle d'habitants installés ici depuis plusieurs générations, et de nouveaux immigrants venus du Salvador. Artistes et créateurs sont attirés par son incroyable énergie intellectuelle, et travaillent aux côtés de talents très nombreux pour une ville de cette taille.

Histoire

Comme souvent dans l'histoire américaine, l'histoire du District de Columbia (D.C.) est celle d'un compromis. Et dans ce cas précis, il s'agit d'un compromis entre les politiciens du Nord et du Sud qui souhaitaient établir une ville fédérale entre leurs sièges de pouvoir respectifs. Les capitales potentielles comme Boston, Philadelphie et Baltimore ayant été rejetées par les propriétaires des plantations du Sud car trop industrialisées à leurs yeux, on décida qu'une nouvelle ville serait créée au beau milieu des Treize Colonies, sur

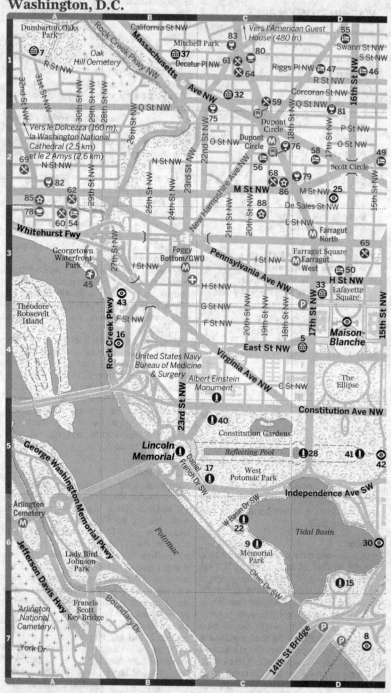

WASHINGTON ET SA RÉGION WASHINGTON

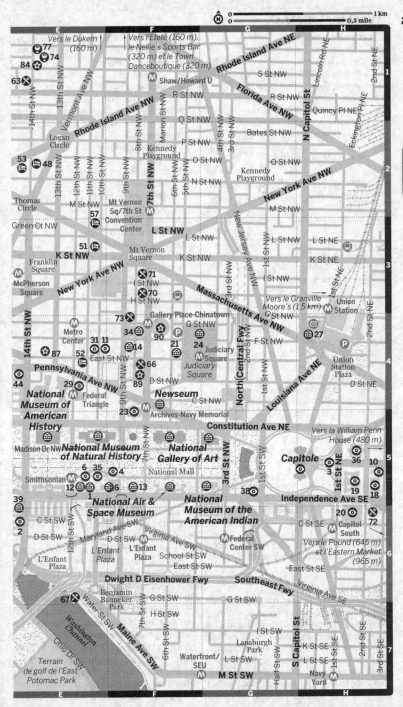

0   1 km
0   0,5 mile

Vers le Dukem (160 m)
Vers l'Etete (160 m), le Nellie's Sports Bar (320 m) et le Town Danceboutique (320 m)

Rhode Island Ave NE

77
74
84
63

Vermont Ave NW
13th St NW
14th St NW

Shaw/Howard U

Rhode Island Ave NW

Florida Ave NW

S St NW
R St NW
Q St NW
P St NW
O St NW
N St NW

Lincoln Rd NE
Quincy Pl NE
Eckington Pl NE
1st St NE
2nd St NE

Marion St NW
8th St NW
9th St NW
7th St NW
6th St NW
5th St NW
4th St NW
3rd St NW

Bates St NW

N Capitol St

New York Ave NW

Logan Circle

53 48

Thomas Circle
Green Ct NW

Kennedy Playground

Kennedy Playground

M St NW

New York Ave NW

12th St NW
11th St NW
10th St NW

57

Mt Vernon Sq/7th St Convention Center

L St NW

L St NW
L St NW
L St NE

K St NE

Franklin Square
51

K St NW

Mt Vernon Square

K St NW

McPherson Square

New York Ave NW

New Jersey Ave NW

Massachusetts Ave NW

I St NW
I St NW
H St NW
1st St NW
3rd St NW

Vers le Granville Moore's (1,5 km)

G St NW
F St NW

71
70

73
34 90
31 11
52 14
87

Metro Center

East St NW

Pennsylvania Ave NW

66
29
89

Gallery Place-Chinatown

21
24
Judiciary Square

Judiciary Square

North/Central Fwy

27

Union Station

Union Station Plaza

D St NE

2nd St NE
1st St NE

44

National Museum of American History

Federal Triangle

23

D St NW

Newseum

C St NW

Archives-Navy Memorial

Louisiana Ave NE

Constitution Ave NE

Vers la William Penn House (480 m)

Madison Dr NW

National Museum of Natural History

National Gallery of Art

Capitole

Smithsonian

6 35
4

National Mall

36 10
3
19
18

39

12 16 13

1

National Air & Space Museum

National Museum of the American Indian

38

2nd St NW
7th St NW
3rd St NW
1st St NW
1st St SW

1st St NE

Independence Ave SE

2
C St SW
D St SW

Maryland Ave SW

Virginia Ave SW

Federal Center SW

C St SE

20
72
Capitol South

Vers le Pound (645 m) et l'Eastern Market (965 m)

L'Enfant Plaza
L'Enfant Plaza
L'Enfant Plaza

School St SW
East St SW

East St SE

Virginia Ave SE

Dwight D Eisenhower Fwy

Southeast Fwy

67

Waterfront/SEU

Benjamin Banneker Park

G St SW
H St SW
I St SW

G St SW

Washington Channel

Maine Ave SW
Water St SW
7th St SW
6th St SW

Lansburgh Park

S Capitol St
Half St SW
1st St SE
2nd St SE
3rd St SE

Ohio Dr SW

Terrain de golf de l'East Potomac Park

Waterfront/SEU

M St SW

K St SE
L St SE

Navy Yard

Si vous sortez le soir, montrez-vous vigilant, et attendez-vous à côtoyer une foule nombreuse lors de grandes manifestations comme le Cherry Blossom Festival (fête des cerisiers en fleur). Le Potomac coule au sud et à l'ouest ; le Maryland s'étend au nord et à l'est ; et le Beltway, périphérique de la capitale, encercle le tout.

NATIONAL MALL

Des édifices en marbre aux allures de temples grecs, Abe Lincoln et un miroir d'eau, des monuments commémorant les tragiques conflits du passé... Le Mall est tout cela et bien davantage. C'est l'espace public de la nation par excellence, où les citoyens viennent manifester contre le gouvernement, courir au milieu d'un beau paysage, visiter des musées et communier avec les icônes les plus révérées du pays. Cette esplanade verdoyante de 3 km est bornée d'un côté par le Lincoln Memorial, de l'autre par la colline du Capitole. Ponctuée par un miroir d'eau et le mémorial de la Seconde Guerre mondiale, elle a pour centre le Washington Monument.

Nul autre symbole n'incarne aussi bien l'idéal national qui veut que la voix du peuple uni conduise au changement radical, du fameux discours de Martin Luther King Jr. "I Have a Dream" en 1963 aux manifestations antimondialisation des années 1990. Cependant, des centaines d'autres rassemblements ont lieu ici chaque année. Le Mall, bordé de grands monuments et musées, parcouru de touristes, de gens qui promènent leur chien et d'idéalistes de tous bords, est un peu le porte-voix de toutes les causes.

WASHINGTON ET SA RÉGION

Musées de la Smithsonian Institution

Aussi imposants par la taille que par l'ambition dont ils témoignent, les 19 **musées de la Smithsonian** (☎202-633-1000 ; www.si.edu), galeries d'art et zoo (tous gratuits) forment le plus grand ensemble de musées et de recherche au monde. On pourrait passer des semaines à déambuler dans d'interminables couloirs et à admirer les inestimables trésors qu'ils abritent : squelettes de dinosaures, modules lunaires et œuvres d'art des quatre coins de la planète. Il faut en rendre grâce à l'Anglais James Smithson, qui ne visita jamais les États-Unis mais donna 500 000 $ à la nation afin qu'elle fonde un "établissement pour l'expansion et la diffusion du savoir" en 1826.

Tout dernier chantier de la Smithsonian, le **National Museum of African American History and Culture** (www.nmaahc.si.edu ; Constitution Ave et 14th St NW), d'un montant de 500 millions de dollars, doit ouvrir ses portes en 2015. En attendant, on peut jeter un coup d'œil à ses galeries temporaires au 1er étage du National Museum of American History.

Tous les musées ouvrent tous les jours (excepté le jour de Noël) de 10h à 17h30, sauf mention contraire. Certains restent ouverts plus longtemps en été. Attendez-vous à faire la queue et à ce que l'on fouille vos sacs.

GRATUIT **National Air & Space Museum** MUSÉE (angle 6th St et Independence Ave SW). Le plus populaire des musées de la Smithsonian Institution. On y voit le premier engin volant des frères Wright, le *Bell X-1* de Chuck Yeager, le *Spirit of St Louis* de Charles Lindbergh et le module de commande d'*Apollo 11*. Une salle IMAX, un planétarium et un simulateur de vol complètent l'ensemble (adulte/enfant 9/7,50 $). D'autres engins d'aviation vous attendent en Virginie au Steven F Udvar-Hazy Center (p. 297), annexe renfermant le surplus de ce musée.

GRATUIT **National Museum of Natural History** MUSÉE
(angle 10th St et Constitution Ave SW). Favori des enfants, le Muséum d'histoire naturelle expose des squelettes de dinosaures, une collection d'archéologie/anthropologie, des merveilles de l'océan, des pierres et minéraux peu communs, dont le diamant "Hope Diamond" de 45 carats.

GRATUIT **National Museum of American History** MUSÉE
(angle Constitution Ave et 14th St NW). Châles de prière pour la synagogue, pancartes de manifestation, machines à égrener le coton font partie du bric-à-brac d'objets de la vie quotidienne à travers lequel ce musée retrace l'histoire du peuple américain. Également : la Bannière étoilée d'origine ainsi que les pantoufles de Dorothy (dans *Le Magicien d'Oz*) et la marionnette de Kermit la Grenouille.

GRATUIT **National Museum of the American Indian** MUSÉE
(angle 4th St et Independence Ave SW). Ce musée offre une excellente introduction à l'histoire des peuples natifs du continent américain, grâce à des costumes, des vidéos, des enregistrements audio et des objets culturels. Ne manquez pas le menu de plats régionaux d'inspiration amérindienne que sert le Café Mitsitam au rez-de-chaussée.

GRATUIT **Hirshhorn Museum & Sculpture Garden** MUSÉE
(angle 7th St et Independence Ave SW ; ⊙musée 10h-17h30, jardin 7h30-crépuscule). Ce musée en forme de beignet présente une immense collection de sculptures modernes, régulièrement renouvelées. On admire notamment les œuvres de Rodin, Henry Moore et Ron Mueck, ainsi que des peintures d'O'Keeffe, Warhol, Man Ray et Kooning.

GRATUIT **National Museum of African Art** MUSÉE
(950 Independence Ave SW). Ce musée présente des masques, des tissus et des céramiques d'Afrique sub-saharienne, ainsi que des œuvres de tout le continent africain, aussi bien contemporaines qu'anciennes.

GRATUIT **Arthur M Sackler Gallery** GALERIE D'ART
(1050 Independence Ave SW). Admirer des manuscrits anciens et des paravents en soie japonais est un bon moyen de passer un après-midi paisible dans cette galerie, ainsi que dans la **Freer Gallery of Art** (angle Jefferson Dr et 12th St SW) attenante. Les deux collections constituent le musée national

LA CAPITALE ET SA RÉGION EN...

Une semaine

Optez pour l'une ou l'autre version de l'itinéraire de 2 jours à Washington (voir ci-contre), puis passez une journée à explorer **Baltimore**, injustement sous-estimée, ou bien la ville historique d'**Annapolis** avant de rejoindre le sublime **Eastern Shore** du Maryland et les **plages du Delaware**. Ensuite, dirigez-vous vers le sud et franchissez le pont-tunnel de la Chesapeake Bay et faites un bond dans le passé en Virginie. Faites d'abord une petite visite à **Jamestown**, berceau de la nation, puis promenez-vous à travers le XVIIIe siècle à **Williamsburg**, avant de rejoindre l'**Appomattox Court House**, théâtre de la réconciliation nationale post-guerre de Sécession. Remontez ensuite au nord via **Richmond**, dont les quartiers étudiants, aristocratiques et afro-américains forment un fascinant ensemble, avant de rentrer à Washington.

Deux semaines

Rendez-vous à **Charlottesville** pour goûter à l'ambiance aristocratique de la Virginie (ainsi qu'aux plaisirs de ses bons restaurants et B&B), puis descendez sa crête montagneuse en passant par **Staunton**, **Lexington** et **Roanoke**. Suivez ensuite la **Crooked Road** le temps d'un week-end pour assister à certains des meilleurs concerts de bluegrass du pays. Traversez la Virginie-Occidentale et marquez une pause pour randonner, faire du VTT ou du ski dans la **Monongahela National Forest**. Partez ensuite faire du rafting dans la **New River Gorge** avant de rentrer à Washington via les champs de bataille d'**Antietam**.

Deux jours

Commencez l'aventure washingtonienne par le Mall avec la visite de l'**Air & Space Museum** et du **National Museum of Natural History**. À l'heure du déjeuner, rendez-vous au **National Museum of the American Indian**, pour profiter des expositions sur les Amérindiens et vous offrir un délicieux repas. Descendez le **Mall** jusqu'au **Lincoln Memorial** et au **Vietnam Veterans Memorial**. Avant d'être rompu de fatigue, empressez-vous de gagner **U Street** pour dîner et boire un verre.

Le lendemain, visitez l'**US Holocaust Memorial Museum**, l'**Arthur M Sackler Gallery** et la **Freer Gallery of Art**. Attendez le soir pour voir s'illuminer la **Maison-Blanche** et le tout nouveau **Martin Luther King Jr National Memorial**. Au dîner, furetez dans **Penn Quarter**, où abondent les restaurants.

Quatre jours

Le 3e jour, cap sur **Georgetown** pour une balade matinale le long du Potomac, suivie d'une séance de lèche-vitrines puis d'un déjeuner à la **Martin's Tavern**. Après quoi, visitez les ravissants jardins de **Dumbarton Oaks**, puis promenez-vous dans le **Rock Creek Park**. Rejoignez **Dupont Circle** au dîner, et terminez la soirée par un verre à l'**Eighteenth Street Lounge**.

Le dernier jour, visitez le **Newseum**, le **Capitole** et la **bibliothèque du Congrès**, puis baladez-vous jusqu'à l'**Eastern Market** afin d'y manger un morceau. Pour terminer en beauté, rendez-vous dans H Street NE, une jolie rue bohème, en commençant la soirée au **Granville Moore's**, une excellente adresse.

d'Art asiatique. De manière plutôt incongrue, la galerie Freer expose aussi plus de 1 300 œuvres du peintre américain James Whistler.

Smithsonian Castle VISITOR CENTER
(1000 Jefferson Dr SW ; ⊙8h30-17h). Ce château à tourelles rouges n'a rien d'intéressant en soi. C'est en revanche le centre d'accueil des visiteurs pour tous les musées.

Autres musées et monuments

GRATUIT **National Gallery of Art** MUSÉE
(www.nga.gov ; Constitution Ave NE, entre 3rd St et 4th St NW ; ⊙10h-17h lun-sam, 11h-18h dim). Occupant deux édifices imposants, la galerie d'Art nationale est constituée d'une impressionnante collection (plus de 100 000 pièces), du Moyen Âge à nos jours. De style néoclassique, l'**aile ouest** expose des œuvres d'art européennes (jusqu'au XIXe siècle), notamment de la Renaissance italienne (en particulier le seul tableau de Léonard de Vinci conservé aux États-Unis). Quant à l'**aile est**, dont les formes géométriques ont été conçues par l'architecte Ieoh Ming Pei, elle fait la part belle à l'art moderne, avec Picasso, Matisse, Pollock et un énorme mobile de Calder suspendu dans le hall d'entrée. Un passage souterrain relie les deux bâtiments.

GRATUIT **US Holocaust Memorial Museum** MUSÉE
(www.ushmm.org ; 100 Raoul Wallenberg Pl ; ⊙10h-17h20). À voir absolument, pour une véritable compréhension de l'Holocauste. Dans l'espace d'exposition principal (déconseillé aux moins de 11 ans qui peuvent visiter sur place une exposition distincte, également gratuite), chaque visiteur se voit délivrer la carte d'identité d'une victime des nazis, qui l'accompagne pendant la visite à travers les projections poignantes montrant les ghettos, les wagons de trains de déportation et les camps de la mort. Présentez-vous tôt, car seul un nombre limité de visiteurs est admis chaque jour.

GRATUIT **Washington Monument** MONUMENT
(⊙9h-22h juin-août, 9h-17h sept-mai). Avec 170 m, le Washington Monument est l'édifice le plus haut du District. Il fut construit en deux étapes, ce qui explique la différence de couleur dans la pierre. L'entrée est gratuite mais il faut se procurer un billet au **kiosque** (15th St, entre Madison St et Jefferson Dr SW ; ⊙8h30-16h30), à moins de le réserver par téléphone auprès du **National Park Service** (☑877-444-6777 ; www.recreation. gov ; billets 1,50 $).

GRATUIT **Bureau of Engraving & Printing** SITE D'INTÉRÊT

(www.moneyfactory.gov ; angle 14th St et C St SW ; ☺8h30-15h lun-ven). C'est dans le Bureau des estampes et des gravures qu'est dessiné le papier-monnaie des États-Unis. Près de 32 millions de dollars en billets de banque sortent de ses presses chaque jour. Intégrez la file d'attente tôt devant le kiosque à billets de Raoul Wallenberg Place.

GRATUIT **Lincoln Memorial** MONUMENT

(☺24h/24). Bornant l'extrémité ouest du Mall, le monument dédié à Abraham Lincoln le montre posant un regard paisible sur le miroir d'eau qui s'étend au-dessous de sa demeure néoclassique à colonnes doriques. À gauche de Lincoln, on peut lire les mots de la *Gettysburg Address*, son fameux discours. La salle située au-dessous est bien sûr consacrée à d'autres de ses citations. C'est depuis les marches du monument que Martin Luther King Jr prononça son célèbre discours "I Have a Dream".

GRATUIT **Vietnam Veterans Memorial** MONUMENT

(Constitution Gardens ; ☺24h/24). Antithèse de l'étincelante blancheur du marbre qui caractérise Washington, ce "V" noir peu élevé est l'expression de la blessure psychologique laissée par la guerre du Vietnam. Le monument est en pente et sa pointe s'enfonce dans le sol. Les noms des 58 267 soldats disparus au combat (indiqués par ordre de décès) sont ciselés dans sa face sombre. À la fois subtil et plein de profondeur, il a été dessiné par une jeune étudiante âgée de 21 ans, Maya Lin, en 1981.

GRATUIT **Korean War Veterans Memorial** MONUMENT

(Constitution Gardens ; ☺24h/24). Ce mémorial élaboré représente des soldats en acier pareils à une armée de fantômes qui avancent le long d'un mur sur lequel sont gravés des visages de combattants. De loin, les portraits sur le mur dessinent les contours des montagnes de Corée.

GRATUIT **National WWII Memorial** MONUMENT

(17th St, entre Constitution Ave et Independence Ave ; ☺24h/24). Dressé à l'une des extrémités du miroir d'eau (et au centre du Mall, ce qui ne manque pas de susciter la controverse car c'est l'unique monument à jouir de ce privilège), le mémorial de la Seconde Guerre mondiale rend hommage aux 400 000 morts américains, et aux 16 millions de soldats américains qui ont servi sous les drapeaux lors de ce conflit.

D'émouvantes citations sont visibles çà et là sur le monument.

Corcoran Gallery MUSÉE

(www.corcoran.org ; angle 17th St et New York Ave NW ; adulte/enfant 10 $/gratuit ; ☺10h-17h mer-dim, 10h-21h jeu). Le plus ancien musée d'art de Washington doit batailler ferme face à la concurrence des musées fédéraux gratuits situés tout près, ce qui ne l'empêche pas d'accueillir l'une des collections les plus éclectiques du pays.

Newseum MUSÉE

(www.newseum.org ; 555 Pennsylvania Ave NW ; adulte/enfant 22/13 $). Certes, il faut acquitter un droit d'entrée dans ce musée de la presse très interactif, mais on en a pour son argent. On se plonge ainsi dans les grands événements de l'histoire récente (chute du mur de Berlin, 11-Septembre, ouragan Katrina), et l'on passe des heures à regarder d'émouvants extraits de films, à observer les photos couronnées par le prix Pulitzer et à lire les reportages poignants de journalistes tués dans leur quête de vérité.

CAPITOL HILL

Le Capitole se dresse, comme il se doit, au sommet de Capitol Hill (la colline du Capitole, ce que L'Enfant appelait "un piédestal attendant son monument"), de l'autre côté d'une esplanade au bout de laquelle se trouvent, presque aussi majestueuses, la Cour suprême et la bibliothèque du Congrès. Les bureaux du Congrès bordent l'esplanade. Un agréable quartier résidentiel s'étend d'E Capitol St à Lincoln Park. Les stations de métro Union Station, Capitol South et Eastern Market desservent le secteur.

Capitole MONUMENT

Depuis 1800, c'est ici que le Congrès, branche législative du système de gouvernement américain, élabore et vote les lois du pays. La Chambre des représentants, ou chambre basse (435 membres), et le Sénat ou chambre haute (100 sénateurs), se réunissent respectivement dans l'aile sud et dans l'aile nord du bâtiment.

Le **Visitor Center** (www.visitthecapitol.gov ; 1st St et E Capitol St NE ; ☺8h30-16h30 lun-sam) expose en détail les origines de ce bâtiment historique s'il en est. En réservant à l'avance (via le site https://tours.visitthecapitol. gov), vous pourrez participer à une visite gratuite du bâtiment, dont l'intérieur, aussi intimidant que la façade, peut néanmoins sembler un peu chargé, tant les bustes, statues et effets personnels des générations de membres du Congrès sont nombreux.

Pour voir le Congrès au travail, les citoyens américains peuvent demander un laissez-passer à leurs représentants ou sénateurs (☏202-224-3121) ; les touristes étrangers doivent montrer leur passeport dans la galerie de la Chambre concernée. Si vous vous intéressez au fond des travaux, essayez plutôt d'assister à une réunion de commission car les débats y sont plus intéressants et plus fouillés que lors des séances plénières. Vous trouverez les renseignements (ordre du jour, lieu et huis clos éventuel – ce n'est généralement pas le cas) sur les sites www.house.gov et www.senate.gov.

GRATUIT **Library of Congress** SITE D'INTÉRÊT
(www.loc.gov ; 1st St SE ; ☺8h30-16h30 lun-sam). Afin de prouver aux Européens que l'Amérique elle aussi était cultivée, John Adams installa la plus grande bibliothèque du monde sur la colline du Capitole. Avec au fondement de tout l'idée d'universalité, au sens où toute connaissance est utile. Impressionnants par leur étendue et leur architecture, l'intérieur baroque et les ornements néoclassiques de la Bibliothèque du Congrès sont mis en valeur par la salle de lecture principale (Main Reading Room) évoquant une fourmilière où l'on consulte perpétuellement le fonds de 29 millions d'ouvrages. Vous trouverez le centre des visiteurs et les visites guidées des salles de lecture dans le **Jefferson Building**, immédiatement derrière le Capitole.

GRATUIT **Supreme Court** SITE D'INTÉRÊT
(www.supremecourt.gov ; 1 1st St NE ; ☺9h-16h30 lun-ven). Inutile de suivre des études de droit pour être impressionné par la Cour suprême, la plus haute juridiction des États-Unis. Arrivez tôt pour assister aux débats (selon le calendrier de la Cour, du lundi au mercredi, d'octobre à avril). Possibilité de visiter les expositions permanentes et de voir les deux grands escaliers hélicoïdaux autoportants toute l'année.

GRATUIT **Folger Shakespeare Library** BIBLIOTHÈQUE
(www.folger.edu ; 201 E Capitol St SE ; ☺10h-17h lun-sam). La plus importante collection au monde de documents sur Shakespeare.

GRATUIT **National Postal Museum** MUSÉE
(www.postalmuseum.si.edu ; 2 Massachusetts Ave NE ; ☺10h-17h30). La plus grande collection de timbres au monde, un ancien avion postal et d'émouvantes lettres de guerre. Une microbrasserie correcte est installée au-dessus du musée.

GRATUIT **US Botanic Garden** JARDINS
(www.usbg.gov ; 100 Maryland Ave SW ; ☺10h-17h). Chaleur humide et verdure pour ce jardin botanique exposant plus de 4 000 espèces de plantes.

TIDAL BASIN

Rien de plus agréable que de se promener autour de ce bassin artificiel et de voir les lumières des monuments scintiller de l'autre côté du Potomac. Le spectacle est particulièrement magnifique lors du Cherry Blossom Festival (p. 262), festival annuel des cerisiers en fleur ornant le bassin d'une composition florale où dominent le rose et le blanc. Les arbres d'origine, donnés par la ville de Tokyo, ont été plantés en 1912. Possibilité de louer un pédalo (1501 Maine Ave SW ; pédalo 2 places 12 $/heure) à l'abri à bateaux.

GRATUIT **Jefferson Memorial** MONUMENT
(900 Ohio Dr SW ; ☺24h/24). Dans ce mémorial coiffé d'une coupole sont gravés les écrits les plus célèbres des Pères fondateurs. Les historiens critiquent cependant les modifications des textes (dues, semble-t-il, au manque de place).

GRATUIT **DR Memorial** MONUMENT
(Memorial Park ; ☺24h/24). Ce parc de quelque 3 ha est un hommage à Franklin Delano Roosevelt mais aussi à la période pendant laquelle il exerça le pouvoir (la plus longue pour un chef d'État américain). Un sentier bien conçu et aménagé guide le visiteur à travers la Grande Dépression, le New Deal et la Seconde Guerre mondiale. Mieux vaut le visiter le soir : la pierre, les fontaines et les lumières du Mall offrent alors un spectacle enchanteur.

GRATUIT **Martin Luther King Jr National Memorial** MONUMENT
(www.mlkmemorial.org). Au terme de vingt-cinq années de conception et de collecte de fonds, le Martin Luther King Jr National Memorial a été inauguré en août 2011, sur les berges du Tidal Basin. C'est le premier mémorial du Mall dédié à la fois à quelqu'un qui ne fut pas président, et à un Afro-américain. Il rend un émouvant hommage (à travers des extraits d'une bonne dizaine de ses discours) à ce grand avocat de la paix.

DOWNTOWN

Au début, le centre-ville de Washington correspondait à ce qui s'appelle aujourd'hui le Federal Triangle (triangle fédéral), mais il s'est depuis étendu au nord et à l'est, englobant le secteur situé à l'est de la Maison-Blanche jusqu'à Judiciary Square à

WASHINGTON ET SA RÉGION

hauteur de 4th St, et du Mall au nord jusqu'à M St, approximativement. Les sites ci-après sont ouverts tous les jours de 10h à 17h30, sauf mention contraire.

GRATUIT **National Archives** MONUMENT
(www.archives.gov ; 700 Constitution Ave NW ; ☉10h-19h mi-mars à début sept, 10h-17h30 sept à mi-mars). Les Archives nationales sont un peu le saint des saints puisqu'elles renferment les trois grands documents fondateurs de la nation : la Déclaration d'indépendance, la Constitution et le Bill of Rights (Déclaration des droits ou 10 premiers amendements), ainsi que l'un des quatre exemplaires de la Grande Charte (Magna Carta) : à eux tous, ils démontrent clairement à quel point l'expérience américaine était radicale pour son époque.

GRATUIT **Reynolds Center
for American Art** MUSÉE
(angle F St et 8th St NW). Ne manquez pas le Reynolds Center for American Art, qui réunit la **National Portrait Gallery** (www.npg.si.edu) et l'**American Art Museum** (http://americanart.si.edu). Depuis les tableaux envoûtants montrant la ville "intra-muros" et les terres rurales jusqu'aux visions autodidactes de voyageurs itinérants, le centre s'attache à saisir l'optimisme et l'auto-évaluation critique de l'art américain. Et il y réussit pleinement.

International Spy Museum MUSÉE
(www.spymuseum.org ; 800 F St NW ; adulte/enfant 18/15 $; ☉10h-18h sept à mi-avr, 9h-19h mi-avr à août). Si vous aimez James Bond, le musée de l'Espionnage international vous enchantera. Tous les gadgets d'agent secret exposés ici raviront les passionnés d'histoire. Présentez-vous tôt.

National Building Museum MUSÉE
(www.nbm.org ; 401 F St NW ; adulte/enfant 8/5 $; ☉10h-17h lun-sam, à partir de 11h dim). Consacré à l'architecture et à l'urbanisme, ce musée injustement sous-estimé occupe un magnifique édifice du XIXe siècle conçu sur le modèle du palais Farnèse de Rome, de style Renaissance. Trois étages de balcons ornementés flanquent l'atrium de 96 m de large, et les colonnes corinthiennes dorées s'élèvent à près de 23 m de haut. Les expositions régulièrement renouvelées sur les divers aspects de l'habitat urbain sont cachées dans les salles proches de l'atrium.

GRATUIT **Renwick Gallery** MUSÉE
(angle 17th St et Pennsylvania Ave NW). Près de la Maison-Blanche, la Renwick Gallery occupe une grandiose demeure de 1859 et présente une superbe collection d'artisanat et d'arts décoratifs américains. Parmi les pièces-maîtresses, citons les œuvres exubérantes d'artistes comme Larry Fuente et son *Game Fish*, d'un kitch extravagant, ainsi que Beth Lipman et son délicat *Bancketje (Banquet)*.

GRATUIT **Old Post Office Pavilion** BELVÉDÈRE
(www.oldpostofficedc.com ; 1100 Pennsylvania Ave NW ; ☉10h-20h lun-sam, 12h-19h dim avr-août, 10h-19h lun-sam, 12h-18h dim sept-mars). Si vous ne voulez pas vous infliger les files d'attente du Washington Monument, optez pour ce bâtiment de 1899 peu fréquenté de style néoroman, dont la tour d'observation, haute de 96 m, offre une vue remarquable sur le centre-ville. Tout en bas vous attendent un atrium inondé de lumière et un espace de restauration international.

GRATUIT **Ford's Theatre** SITE HISTORIQUE
(www.fordstheater.org ; 511 10th St NW ; ☉9h-16h). Le 14 avril 1865, John Wilkes Booth assassina Abraham Lincoln dans une loge de ce théâtre, encore en activité aujourd'hui. On peut aussi en faire la visite, et s'informer sur les événements de cette tragique nuit d'avril. Vous trouverez aussi un **Lincoln Museum** récemment rénové, consacré à la présidence de Lincoln, qui est inclus dans la visite. Arrivez tôt car seul un nombre limité de visiteurs est admis chaque jour.

GRATUIT **Peterson House** SITE HISTORIQUE
(www.fordstheater.org ; 516 10th St NW ; ☉9h30-17h30). La maison où Lincoln exhala son dernier soupir le lendemain matin a récemment subi de grands travaux de rénovation et a rouvert au public en octobre 2011.

**Marian Koshland Science
Museum of the National
Academy of Sciences** MUSÉE
(www.koshland-science-museum.org ; angle 6th St et E St NW ; adulte/enfant 5/3 $; ☉10h-18h mer-lun). Grand musée aux nombreuses expositions interactives et pédagogiques. Parfait pour les enfants.

MAISON-BLANCHE ET FOGGY BOTTOM
Un vaste parc appelé l'Ellipse borde le Mall ; du côté est s'étend la célèbre Pennsylvania Avenue, cœur du pouvoir. Foggy Bottom (littéralement "fond brumeux") tient son nom des fumées que crachaient autrefois les usines à gaz. Aujourd'hui berceau du Département d'État et de la George Washington University, c'est un quartier huppé (quoique sans grande

animation) où se retrouvent étudiants et hauts fonctionnaires.

Maison-Blanche (White House) MONUMENT

La Maison-Blanche a survécu au feu (les Britanniques l'ont incendiée en 1814 et seul un orage l'a sauvée d'une complète destruction) et aux insultes (Jefferson a maugréé qu'elle était "assez grande pour deux empereurs, un pape et le grand Lama"). Si sa façade n'a guère changé depuis 1924, l'intérieur a subi de fréquentes rénovations. Franklin Roosevelt y a ajouté une piscine. Truman l'a réaménagée de fond en comble (jetant au passage bon nombre de ses objets historiques de sorte que les pièces d'aujourd'hui sont des reproductions). Jacqueline Kennedy y a rapporté du mobilier ancien et des éléments historiques. Nixon a fait construire une piste de bowling. Carter a fait installer des panneaux solaires sur le toit, que Reagan a ensuite fait démonter. Clinton a ajouté une piste de jogging. George W. Bush a inclus à l'ensemble un terrain de T-ball (base-ball pour enfants), et Michelle Obama a fait aménager un potager. Les voitures étant désormais interdites à la circulation devant la Maison-Blanche dans Pennsylvania Avenue, la voie est libre pour les groupes scolaires (immortalisés sur de belles photos) et pour les militants pacifistes.

Une **visite** (☎202-456-7041 ; ⊙7h30-11h mar-sam) sans guide fait découvrir le rez-de-chaussée et le 1er étage, mais les 2e et 3e étages sont interdits au public. Ces visites doivent se prévoir à l'avance (jusqu'à six mois). Les citoyens américains doivent en faire la demande via l'un de leurs représentants au Congrès, les autres visiteurs doivent s'adresser au consulat américain de leur pays d'origine, ou à leur propre consulat à Washington Si cela semble trop fastidieux, contentez-vous d'un tour au **White House Visitor Center** (www.whitehouse.gov ; angle 15th St et E St NW ; ⊙7h30-16h). Un compromis qui offre un bon aperçu des lieux.

En bordure de fleuve, le **complexe Watergate** (2650 Virginia Ave NW) comprend des appartements, des boutiques et les tours de bureaux qui ont fait du mot "Watergate" le synonyme de scandale politique lorsqu'on apprit que les "plombiers" du président Nixon avaient truffé le siège du Parti démocrate de micros en 1972.

ADAMS MORGAN, SHAW ET U STREET

S'il n'est pas l'heure de faire la fête à Adams Morgan, c'est qu'il est temps de s'offrir un déjeuner pour récupérer de la veille dans un *diner* éthiopien ou d'Amérique centrale. Ce quartier multiethnique (en particulier 18th St) devient un haut lieu de la fête les soirs de week-end. Le secteur n'est pas facilement accessible en métro. Tâchez de prendre le bus n°98 qui circule entre les stations Adams Morgan et U St.

À l'est, Shaw s'étend en gros de Thomas Circle à Meridian Hill Park et de N Capitol St à 15th St NW.

Lincoln Theatre SITE D'INTÉRÊT

(☎202-328-6000 ; 1215 U St NW). À son ouverture en 1922, le Lincoln Theatre fut l'une des premières pierres angulaires de la renaissance afro-américaine. De grandes stars comme Duke Ellington, natif de Washington, ainsi que Louis Armstrong, Ella Fitzgerald, Billie Holiday, Sarah Vaughn et bien d'autres ont tous illuminé sa scène de leur présence. En 1968, l'assassinat de Martin Luther King Jr déclencha des émeutes qui dévastèrent le quartier commerçant. Ce secteur a depuis vécu une seconde renaissance et l'on y trouve quantité d'excellents restaurants et bars.

DUPONT CIRCLE

Une population aisée qui mêle diplomates et communauté gay, c'est la vie urbaine par excellence. D'excellents restaurants, bars, librairies et cafés, une architecture fascinante et l'énergie fébrile d'un quartier véritablement habité font de Dupont Circle un endroit où il fait bon s'attarder. Les demeures historiques ont dans leur majeure partie été transformées en ambassades, de sorte qu'Embassy Row (tronçon de Massachusetts Ave) traverse de part en part le bouillonnant cœur gay de Washington.

Phillips Collection MUSÉE

(www.phillipscollection.org ; 1600 21st St NW ; collection permanente entrée libre, expos temporaires adulte/enfant 12 \$/gratuit ; ⊙10h-17h mar-sam, 10h-20h30 jeu été, 11h-18h dim). Le premier musée d'art moderne du pays (inauguré en 1921) abrite une exquise petite collection d'œuvres européennes et américaines, notamment de Gauguin, Van Gogh, Matisse, Picasso, O'Keefe, Hopper et bien d'autres. Il occupe trois bâtiments contigus dont une demeure de style néogeorgien magnifiquement rénovée.

Textile Museum MUSÉE

(www.textilemuseum.org ; 2320 S St NW ; don conseillé 8 \$; ⊙10h-17h mar-sam, à partir de 13h dim). Aménagé dans deux demeures anciennes du quartier de Kalorama, le musée du Textile, souvent mésestimé, expose de superbes créations du monde entier, dont des tissus précolombiens, des courtepointes américaines et des broderies ottomanes.

GRATUIT **National Geographic Society's Explorer Hall** GALERIE D'ART
(1145 17 St NW ; ⊙9h-17h lun-sam, 10h-17h dim). Expositions régulièrement renouvelées sur les expéditions menées dans le monde entier.

GEORGETOWN

Ce quartier huppé et verdoyant est celui des étudiants, des professeurs d'université et des diplomates. Le soir, l'artère commerçante M St, encombrée de voitures, prend des allures étranges, à la fois lieu de drague pour lycéens et temple du shopping de luxe.

Renseignez-vous sur son histoire au **Visitor Center** (☎202-653-5190 ; 1057 Thomas Jefferson St NW ; ⊙9h-16h30 mer-dim), ou participez à un itinéraire à thème historique d'une heure en compagnie de guides costumés sur une barge tirée par des mulets le long du **chemin de halage du C&O Canal** (adulte/enfant 8/5 $; ⊙avr à mi-août).

Dumbarton Oaks JARDINS
(www.doaks.org ; angle ch St et 31st St NW). Un musée gratuit présentant une belle collection d'arts byzantin et précolombien occupe cette demeure historique. Mais l'on est encore plus séduit par les 4 ha de **jardins** (adulte/enfant 8/5 $ avr-oct, gratuit nov-mars ; ⊙14h-18h mar-dim) superbement dessinés, tout simplement magiques au printemps. Visitez-les en semaine pour éviter la foule.

Georgetown University UNIVERSITÉ
(www.georgetown.edu ; 37th St et O St NW). Quand on sait que Bill Clinton a étudié ici, on peut se faire une idée des étudiants qui fréquentent ce campus : des cerveaux qui travaillent dur mais savent aussi faire la fête.

UPPER NORTHWEST DC

GRATUIT **National Zoological Park** ZOO
(http://nationalzoo.si.edu ; 3000 Connecticut Ave NW ; ⊙10h-18h avr-oct, 10h-16h30 nov-mars). Peuplé de plus de 2 000 animaux (représentant 400 espèces différentes) vivant dans des habitats naturels reconstitués, ce zoo de 66 ha est réputé pour ses pandas géants, Mei Xiang et Tian Tian. Il ne faut pas pour autant oublier ses lions d'Afrique, ses éléphants d'Asie et ses orangs-outans qui évoluent à 15 m au-dessus du sol, accrochés à des câbles en acier reliant des tours entre elles (la "O Line", pont de singe).

Washington National Cathedral ÉGLISE
(☎202-537-6200 ; www.nationalcathedral. org ; 3101 Wisconsin Ave NW ; don conseillé 5 $; ⊙10h-17h30 lun-ven, 10h-16h30 sam, 8h-17h dim). Cette cathédrale de style gothique, aussi majestueuse que ses homologues européennes, compte des trésors architecturaux mariant le sacré et le profane. Les vitraux sont splendides (admirez la "Space Window" dans laquelle est enchâssée un fragment de roche lunaire). Il vous faudra des jumelles pour admirer la gargouille à l'effigie de Dark Vador sur la façade. Les visites guidées spécialisées mettent l'accent sur l'ésotérisme. Téléphonez ou renseignez-vous en ligne sur les horaires.

ANACOSTIA

Le trajet de Georgetown à Anacostia, d'environ 30 minutes, réclame suffisamment de patience pour supporter les profondes inégalités économiques qui s'offrent au regard. En effet, ses rangées de maisons en brique délabrées se trouvent à quelques kilomètres à peine du Mall : le contraste est des plus saisissants. Pour autant, c'est un quartier à l'identité forte et bien marquée. Les touristes ont commencé à le fréquenter davantage dès le 1er jour de la saison de baseball 2008, avec l'inauguration du Nationals Stadium, entraînant de fait un phénomène d'embourgeoisement à double tranchant. Le résultat des investissements effectués dans la rénovation du quartier se voit déjà à certains carrefours plus coquets qu'avant.

Frederick Douglass National Historic Site SITE HISTORIQUE
(www.nps.gov/frdo ; 1411 W St SE ; ⊙9h-16h). Abolitionniste, écrivain et homme politique, Frederick Douglass vécut dans cette maison à l'emplacement superbe, en haut d'une colline, de 1878 à sa mort en 1895. Ses meubles d'origine, ses livres, ses photographies et autres effets personnels brossent le fascinant portrait de l'homme privé et public. La maison est accessible uniquement par une visite guidée ; composez le ☎877-444-6777 pour connaître les horaires et réserver une place (1,50 $ de frais de réservation par billet).

GRATUIT **Anacostia Community Museum** MUSÉE
(☎202-633-4820 ; www.anacostia.si.edu ; 1901 Fort Pl SE ; ⊙10h-17h). Ce musée de la Smithsonian est implanté au cœur de la communauté qui est le sujet même de sa mission pédagogique, et abrite d'excellentes expositions temporaires consacrées aux Noirs américains. Renseignez-vous par

téléphone car le musée ferme environ un mois pour chaque installation.

🏃 Activités

Gérés par le National Park Service (NPS), les 710 ha du **Rock Creek Park** suivent les méandres du Rock Creek à travers le nord-ouest de la ville. Le parc renferme des kilomètres de sentiers à parcourir à vélo, à pied et à cheval, et l'on y voit même quelques coyotes. Le C&O Canal est bordé de parcs avec sentiers de cyclisme et de randonnée au bord de l'eau, et le ravissant **Capital Crescent Trail** (www.cctrail.org), long de 18 km, relie Georgetown au nord à Silver Spring (Maryland), avec au passage de splendides panoramas sur le Potomac. À 24 km au nord de Washington, le **Great Falls National Park** (www.nps.gov/grfa ; 5 $/véhicule), magnifique portion de nature sauvage, est idéal pour faire du rafting ou de l'escalade sur les belles falaises qui surplombent le Potomac.

Le **Potomac Heritage National Scenic Trail** (www.nps.gov/pohe) relie la Chesapeake Bay aux Alleghany Highlands via un réseau de 1 336 km de sentiers incluant le chemin de halage du C&O Canal, le Mt Vernon Trail long de 27 km (Virginie) et le Laurel Highlands Trail long de 121 km (Pennsylvanie).

Thompson Boat Center LOCATION DE BATEAUX (☎202-333-9543 ; www.thompsonboatcenter. com ; angle Virginia Ave et Rock Creek Pkwy NW ; ⏲8h-17h). À l'extrémité de Rock Creek Park côté Potomac ; loue des canoës (12 $/heure), des kayaks (simple/double 10/17 $ l'heure) et des vélos (7/28 $ par heure/journée).

Big Wheel Bikes LOCATION DE VÉLOS (☎202-337-0254 ; www.bigwheelbikes.com ; 1034 33rd St NW ; 7/35 $ par heure/jour ; ⏲11h-19h mar-ven, 10h-18h sam-dim). Bonne agence de location de vélos.

Capitol Bikeshare LOCATION DE VÉLOS (☎877-430-2453 ; www.capitolbikeshare. com). Conçu sur le modèle du système de vélos en libre service européen (du type Vélib'), Capitol Bikeshare possède plus de 1 000 vélos répartis dans quelque 100 stations dans tout Washington Pour retirer un vélo, choisissez la durée d'emprunt (5 $ les 24 heures, 15 $ les 5 jours), insérez votre carte de crédit, et en route ! Les 30 premières minutes sont gratuites. Le tarif augmente ensuite de façon exponentielle (1,50/3/6 $ pour 30/60/90 min supplémentaires). Pour des renseignements détaillés, téléphonez ou consultez le site Internet.

Washington pour les enfants

La destination familiale par excellence est sans conteste le zoo (ci-contre), d'autant qu'il est gratuit. Les musées éduquent et divertissent les enfants de tous âges. Mais si vous, ou vos enfants, avez envie de grand air, d'innombrables espaces verts vous attendent, comme l'**East Potomac Park** (Ohio Dr SW), parc de 133 ha avec terrain de jeu, piscine découverte, minigolf et aires de pique-nique ; le parc s'étend au sud-est du Tidal Basin.

Le site Internet **Our Kids** (www.our-kids. com) de la région de Washington comporte des listes détaillées (spectacles et manifestations pour enfants, restaurants familiaux) et mille idées d'activités.

Nombre d'hôtels proposent un service de baby-sitting, mais vous pouvez aussi faire appel à **Mothers' Aides** (☎703-250-0700 ; www.mothersaides.com), agence réputée dont les tarifs s'élèvent à 15-20 $ l'heure.

LE MALL

Les grands espaces du Mall se prêtent idéalement à des moments passés en famille et au grand air, qu'il s'agisse de jouer au Frisbee, de pique-niquer, de faire un tour de **carrousel** (billets 2,50 $) à l'ancienne ou de visiter les musées.

Les enfants apprécieront les dinosaures et les insectes du National Museum of Natural History (p. 254). Le Kennedy Center (p. 270) propose quant à lui des divertissements pour les tout-petits, et le National Air & Space Museum (p. 253) recèle des roches lunaires, des films IMAX et un simulateur de vol.

Le National Theatre (p. 270) propose des spectacles gratuits le samedi matin, allant des marionnettes aux claquettes (réservation obligatoire).

Discovery Theater THÉÂTRE (☎202-633-8700 ; www.discoverytheater.org ; 1100 Jefferson Dr SW ; adulte/enfant 6/5 $). Au sous-sol du Ripley Center, spectacles divertissants pour un jeune public.

GREATER DC (GRAND WASHINGTON)
National Children's Museum MUSÉE (☎301-686-0225 ; www.ncm.museum ; 112 Waterfront St, National Harbor, MD). Doit rouvrir ses portes après des travaux d'agrandissement en 2013 dans le National Harbor Complex, à 16 km au sud du Mall.

Six Flags America PARC DE LOISIRS (☎301-249-1500 ; www.sixflags.com/america ; adulte/enfant de plus de 2 ans 50/35 $; ⏲mai-oct). À 24 km à l'est du centre-ville, à Largo (Maryland) ; choix complet de montagnes russes et autres manèges plus calmes pour enfants.

👉 Circuits organisés

DC Metro Food Tours
CIRCUITS PÉDESTRES
(☎800-979-3370 ; www.dcmetrofoodtours. com ; 27-60 $ par pers). Ces visites guidées centrées sur la richesse gastronomique de Washington font découvrir divers quartiers, avec pauses gourmandes en route. Au choix entre autres : Eastern Market, U Street, Little Ethiopia, Georgetown et Alexandria (Virginie).

DC by Foot
CIRCUITS PÉDESTRES
(www.dcbyfoot.com). Les guides de ces visites gratuites (paiement par pourboire) livrent anecdotes étonnantes et éléments d'histoire sur divers itinéraires avec pour sujet le National Mall, le cimetière d'Arlington et l'assassinat de Lincoln.

Old Town Trolley Tours
CIRCUITS EN TROLLEY
(☎888-910-8687 ; www.trolleytours.com ; adulte/ enfant 35/25 $). Ce bus ouvert sur les côtés, avec descente et montée à volonté, fait le tour des principaux sites de Washington Également : circuit "monuments au clair de lune" et circuit "DC Ducks" à bord d'un véhicule amphibie qui navigue sur le Potomac.

Bike and Roll
CIRCUITS À VÉLO
(☎202-842-2453 ; www.bikethesites.com ; adulte/enfant à partir de 40/30 $; ☺mars-nov). Propose quelques circuits à vélo de jour et en soirée dans la ville (plus des excursions vélo et bateau à destination de Mt Vernon).

City Segway Tours
SEGWAY (GYROPODE)
(☎202-626-0017 ; www.citysegwaytours.com/ washington-dc). Un moyen très amusant et décontracté de voir les principaux sites du Mall et Penn Quarter (70 $).

🎆 Fêtes et festivals

National Cherry Blossom Festival
CULTURE
(www.nationalcherryblossomfestival.org). De fin mars à début avril, la floraison des cerisiers japonais offre un spectacle de toute beauté.

Smithsonian's Folklife Festival
CULTURE
(www.festival.si.edu). Amusante fête familiale organisée sur 2 week-ends en juin et juillet : arts folkloriques régionaux, artisanat, ripailles et musique.

Independence Day
CULTURE
Fête particulièrement importante ici, bien sûr, célébrée le 4 juillet avec un défilé, un concert en plein air et un feu d'artifice tiré au-dessus du Mall.

🛏 Où se loger

Pour des adresses de B&B et appartements privés dans toute la ville, contactez **Bed & Breakfast Accommodations** (☎877-893-3233 ; www.bedandbreakfastdc.com).

Si vous venez en voiture, prévoyez au moins 20 $/ jour pour un accès libre (entrée et sortie à volonté) au parking de votre hôtel (à moins de loger à Arlington ou Alexandria, où certains hôtels ont un parking gratuit). Les tarifs ci-après s'entendent sans la lourde taxe hôtelière de 14,5% pratiquée à Washington.

CAPITOL HILL

William Penn House
PENSION $
(☎202-543-5560 ; www.williampennhouse.org ; 515 E Capitol St SE ; dort petit-déj inclus à partir de 40 $; ❄@). Dans une rue calme à 5 *blocks* à l'est du Capitole, accueillante auberge tenue par des Quakers, avec des jardins et des dortoirs propres et bien entretenus (on ne serait pas contre quelques sdb supplémentaires). Les curieux ou ceux qui ont une fibre religieuse peuvent assister à l'office de 7h30.

DOWNTOWN ET SECTEUR DE LA MAISON-BLANCHE

Hay-Adams
HÔTEL DE LUXE $$$
(☎202-638-6600 ; www.hayadams-dc.com ; 800 16th St NW ; ch à partir de 379 $; P❄🛜🏊). L'un des magnifiques hôtels historiques de la ville tient son nom des deux demeures qui occupaient jadis cet emplacement (propriétés respectives du secrétaire d'État John Hay et de l'historien Henry Adams) et attiraient l'élite politique et intellectuelle de Washington. Aujourd'hui, l'hôtel abrite une réception digne d'un palais, et sans doute les meilleures chambres de luxe à l'ancienne, avec lits à baldaquin garnis d'épais matelas douillets et de pompons dorés.

Morrison-Clark Inn
BOUTIQUE HÔTEL $$$
(☎202-898-1200 ; www.morrisonclark.com ; 1015 L St NW ; ch à partir de 220 $; P❄🛜). Inscrite au Register of Historic Places (registre des établissements historiques), cette élégante auberge compte deux maisons de 1864 remplies de beaux objets anciens, de lustres, de tentures aux couleurs chaudes et d'autres éléments de décoration évoquant le Sud d'avant la guerre de Sécession. Certaines chambres possèdent un balcon privatif

ou des cheminées décoratives en marbre. Personnel aux petits soins et emplacement hyper-central.

Chester Arthur House
B&B $$

(☎877-893-3233 ; www.chesterarthurhouse.com ; 1339 14th St NW ; ch 175-250 $; ▩⌂). Tenue par un couple adorable qui a beaucoup voyagé (tous deux ont écrit pour le magazine *National Geographic*), voici une bonne adresse pour ceux qui ne se contenteront pas de voir Washington en surface. La belle maison de Logan Circle emplie d'objets anciens et de souvenirs de voyage rapportés par les hôtes compte 3 chambres.

HI-Washington, DC
AUBERGE DE JEUNESSE $

(☎202-737-2333 ; 1009 11th St NW, à hauteur de K St ; dort petit-déj inclus à partir de 35 $; ▩@⌂). Meilleure adresse parmi les établissements bon marché, cette grande et sympathique auberge de jeunesse attire une clientèle internationale décontractée et comporte de nombreux équipements (salons, table de billard, circuits et soirées films gratuits, cuisine et laverie).

Hotel Harrington
HÔTEL $$

(☎202-628-8140 ; www.hotel-harrington.com ; 436 11th St NW ; s/d à partir de 125/145 $; ▩⌂). L'une des adresses les plus abordables à proximité du Mall. Cet hôtel familial vieillissant abrite de petites chambres sommaires et propres, mais qui ont vraiment besoin d'être rafraîchies. Le personnel serviable et l'excellent emplacement en font un hôtel d'un très bon rapport qualité/prix pour ceux qui ne rechignent pas à vivre un peu à la dure.

District Hotel
HÔTEL $$

(☎202-232-7800 ; www.thedistricthotel.com ; 1440 Rhode Island Ave NW ; ch 120-140 $; ⌂). Des chambres parmi les plus exiguës de Washington, spartiates et confortables à condition de ne pas être trop regardant. Emplacement correct d'où l'on peut rejoindre à pied le centre-ville et Dupont.

ADAMS MORGAN

American Guest House
B&B $$

(☎202-588-1180 ; www.americanguesthouse.com ; 2005 Columbia Rd NW ; ch 160-220 $; ▩⌂). Les atouts de ce B&B de 12 chambres : service chaleureux et sympathique, bons petits-déjeuners et chambres élégamment meublées. La décoration couvre un large éventail, du style victorien (chambre n°203) au cottage Nouvelle-Angleterre (chambre n°304) en passant par le nid d'amour de

style colonial (chambre n°303). Certaines sont assez petites.

Adam's Inn
B&B $$

(☎202-745-3600 ; www.adamsinn.com ; 1746 Lanier Pl NW ; ch avec sdb commune/privée à partir de 109/139 $; ▣▩@). Dans une jolie rue arborée proche d'Adams Morgan, cette maison de ville abrite des chambres petites mais joliment décorées. Les murs sont minces, et l'on entend parfois ses voisins.

DUPONT CIRCLE

Carlyle Suites
HÔTEL $$$

(☎202-234-3200 ; www.carlylesuites.com ; 1731 New Hampshire Ave NW ; ch à partir de 220 $; ▩@⌂). Ce petit bijou Art déco ne comporte que des suites. Chambres assez grandes, meublées avec goût, garnies de linge d'une blancheur étincelante, de luxueux matelas et de cuisines toutes équipées. Mention spéciale au personnel, extrêmement accueillant. Les petits plus : accès gratuit aux ordinateurs portables et accès offert au Washington Sports Club.

Akwaaba
B&B $$

(☎877-893-3233 ; www.akwaaba.com ; 1708 16th St NW ; ch 150-265 $; ▩). Appartenant à une petite chaîne de B&B qui met l'accent sur le patrimoine afro-américain, cette enseigne de Dupont, bien placée, possède des chambres à la décoration unique aménagées dans une demeure de la fin du XIXe siècle. Accueil chaleureux et excellents petits-déjeuners avec plats cuisinés.

Dupont Collection
B&B $$

(☎202-467-6777 ; www.thedupontcollection.com ; ch 100-260 $; ▣▩⌂) Brookland Inn (3742 12th St NE) ; Inn at Dupont Circle North (1620 T St NW) ; Inn at Dupont Circle South (1312 19th St NW). Si vous rêvez d'un hébergement douillet en B&B au cœur de la capitale, rendez-vous dans ces trois magnifiques édifices historiques. Les plus centraux sont ceux de Dupont North et South ; le premier fait penser à la maison moderne d'un ami fortuné, quand le second a un charme plus désuet (chintz et napperons). Le Brookland Inn est à l'extrême nord-est (mais accessible en métro).

Tabard Inn
HÔTEL $$

(☎202-785-1277 ; www.tabardinn.com ; 1739 N St NW ; ch avec sdb commune/privée à partir de 120/165 $; ▣▩⌂). Installé dans trois maisons du XIXe siècle, cet hôtel compte de belles chambres remplies d'objets anciens avec çà et là des fioritures (lits en fer forgé, fauteuils à oreilles, cheminées ornementales). Excellent restaurant sur place, avec jardin.

LE TOP DES CAFÉS

Tryst
CAFÉ **$**

(2459 18th St NW ; ☺6h30-tard ; 🛜). À Adams Morgan, ce café élégant doté de quelques tables et canapés attire en journée une clientèle qui vient tapoter sur son ordinateur portable (Wi-Fi gratuit), et une foule plus bavarde en soirée. Concerts de jazz du lundi au mercredi (à partir de 20h), *happy hour* (15h-17h30), cafés, petites assiettes et desserts décents.

Baked & Wired
CAFÉ **$**

(1052 Thomas Jefferson St NW ; plat 3 $; ☺7h-20h lun-ven, 8h-20h sam-dim ; 🛜). Petit café coquet de Georgetown servant des cafés préparés avec art et d'exquis desserts ; l'adresse idéale pour converser, en vrai ou virtuellement (Wi-Fi gratuit, bien sûr) avec des étudiants.

Ching Ching Cha
SALON DE THÉ **$$**

(1063 Wisconsin Ave NW ; thés 6-12 $; ☺11h-21h). Ce spacieux salon de thé d'allure zen semble à mille lieues de l'agitation de M Street, rue commerçante de Georgetown. Offrez-vous un thé rare (plus de 70 variétés) mais aussi des raviolis à la vapeur, des desserts ou un menu de 3 plats au déjeuner, simple mais savoureux (14 $).

Pound
CAFÉ **$**

(621 Pennsylvania Ave SE ; plat 5-8 $; ☺7h-21h30 lun-sam, 8h-20h dim ; 🛜). À Capitol Hill, cafés de qualité servis dans un cadre à l'élégance rustique (brique nue et bois, plafonds d'origine en plâtre, planchers et œuvres d'art joliment éclairées). Mention spéciale aux *quesadillas* du petit-déjeuner, aux paninis et aux spécialités du jour pour le déjeuner, ainsi qu'au *latte* au Nutella.

Filter
CAFÉ **$**

(1726 20th St NW ; ☺7h-19h lun-ven, à partir de 8h sam-dim ; 🛜). Dans une rue calme de Dupont, ce tout petit établissement avec un patio minuscule à l'avant accueille une clientèle branchée armée d'ordinateurs portables mais sert surtout un excellent café.

Hotel Helix BOUTIQUE HOTEL **$$$**
(☎202-462-9001 ; www.hotelhelix.com ; 1430 Rhode Island Ave NW ; ch à partir de 240 $; P❋@🛜). Tendance et très coquet, l'Helix affiche une décontraction espiègle – l'hôtel parfait pour la clientèle internationale qui correspond au quartier de Dupont Circle.

GEORGETOWN

Hotel Monticello HÔTEL **$$$**
(☎202-337-0900 ; www.monticellohotel.com ; 1075 Thomas Jefferson St NW ; ch à partir de 220 $; P❋🛜). Au cœur de Georgetown, chambres spacieuses avec lustres en laiton et cristal, reproductions de meubles de la période coloniale, matelas haut de gamme confortables et jolies compositions florales. Le personnel est serviable.

Où se restaurer

Comme on peut s'y attendre dans l'une des villes les plus cosmopolites du monde, le choix en matière de gastronomie est très éclectique, avec d'excellents restaurants servant des cuisines du monde : Éthiopie, Inde, Asie du Sud-Est, France, Italie, etc.,

et bien sûr, de bons vieux plats à l'ancienne typiques du Sud.

CAPITOL HILL

Sonoma INTERNATIONAL **$$$**
(☎202-544-8088 ; 223 Pennsylvania Ave SE ; plat 12-38 $; ☺11h30-14h30 lun-ven, 17h-22h lun-sam, 17h-21h dim). Éclairage tamisé pour cette adresse élégante où savourer de la cuisine de bistrot haut de gamme accompagnée d'excellents vins (plus de 50 crus servis au verre). Outre les poissons de saison, le magret de canard rôti, les pizzas et les pâtes, les convives peuvent se régaler de petites assiettes, de charcuterie et de fromage. Les vins de Californie dominent la carte. Les avis sur le service sont mitigés.

Granville Moore's AMÉRICAIN MODERNE **$$**
(1238 H St NE ; plat 12-16 $; ☺17h-24h dim-jeu, 17h-3h ven-sam). L'un des piliers du quartier bohème d'Atlas District (qui s'étend le long d'H St NE), cet établissement se présente comme un pub gastronomique avec une passion pour la Belgique. Il sert de fait plus de 70 bières belges en bouteille et au moins 7 à la pression. Également : bonne cuisine

de pub (nous recommandons les moules), *happy hour* animé, et une clientèle sympa presque chaque soir.

Eastern Market
MARCHÉ **$**

(225 7th St SE ; ☺7h-19h mar-ven, 7h-18h sam, 9h-17h dim). L'une des icônes de Capitol Hill. Cette arcade déborde de produits exquis et l'ambiance y est des plus agréables le week-end. Les beignets au crabe du stand Market Lunch sont divins.

Jimmy T's Place
DINER **$**

(501 E Capitol St SE ; plat 6-10 $; ☺7h-15h mar-dim). Un établissement de quartier de la vieille école, où l'on s'entasse pour lire le *Washington Post*, manger un hamburger ou une omelette, ou boire un café et bavarder avec les serveurs derrière le comptoir.

DOWNTOWN ET SECTEUR DE LA MAISON-BLANCHE

♥ **Minibar at Café Atlantico**
LATINO-AMÉRICAIN **$$$**

(☎202-393-0812 ; www.cafeatlantico.com ; 405 8th St NW ; menu dégustation 150 $; ☺18h et 20h30, mar-sam). Le Minibar du Café Atlantico est le paradis des passionnés de gastronomie. Les six chanceux (6 places, pas plus) qui sont admis ici se retrouvent à déguster des morceaux de viande enrobés de barbe à papa ou des cocktails mousseux comme des nuages. Le menu dégustation, entièrement concocté par le chef, est souvent délicieux et ne déçoit jamais. Réservation exactement un mois à l'avance.

Maine Avenue Fish Market
PRODUITS DE LA MER **$**

(1100 Maine Ave SW ; ☺8h-21h). Si vous aimez les poissons et fruits de mer, cet immense marché au poisson sera une étape incontournable de votre itinéraire. Ici, plus d'une douzaine de marchands vendent le poisson le plus frais des États-Unis (c'est-à-dire à peine déchargé du bateau). Grosses huîtres charnues (7 $ les six), beignets au crabe, crabes à carapace molle, crabes à la vapeur, crevettes à décortiquer... Et ce n'est qu'un début !

Hill Country
BARBECUE **$$**

(www.hillcountrywdc.com ; 410 7th St NW ; plat 10-20 $; ☺8h-21h ; ♿). Arrivé tout droit du Texas, le Hill Country a rencontré un rapide succès dès son ouverture en 2011. Les côtelettes, le poulet et les saucisses au barbecue sont très corrects, mais la poitrine (à commander "moist", c'est-à-dire moelleuse) est à se damner. Cet espace immense résonne chaque soir des conversations bruyantes de la clientèle, le tout dans une ambiance très informelle. Commandez

viande et accompagnements à la livre aux maîtres du barbecue installés dans le fond. Concerts (en sous-sol) du mardi au samedi.

Zaytinya
MÉDITERRANÉEN **$$**

(☎202-638-0800 ; 701 9th St NW ; mezze 7-11 $; ☺11h30-23h30 mar-sam, 11h30-22h dim et lun). C'est l'un des bijoux gastronomiques du chef José Andrés. Ce restaurant au succès jamais démenti sert de superbes mezze grecs, turcs et libanais dans une longue salle étroite très haute de plafond dotée d'immenses baies vitrées. Ne manquez pas la formule spéciale *happy hour* à 4 $ (16h30 à 18h30).

Ping Pong
ASIATIQUE **$$**

(☎202-506-3740 ; 900 7th St NW ; dim sum 5-7 $; ☺11h30-23h lun-sam, 11h-22h dim). Ici, on se régale de délicieux *dim sum* à tout moment, mais l'élégante salle à espace décloisonné est particulièrement animée le soir. Au menu, entièrement asiatique, figurent entre autres des raviolis à la vapeur, des brioches au porc rôti au miel, des cassolettes de poisson et fruits de mer, et bien d'autres classiques, à accompagner de vin de prune et de cocktails de saké à la fleur de sureau.

Matchbox Pizza
PIZZERIA **$$**

(☎202-289-4441 ; 713 H St NW ; pizza 14-21 $; ☺11h-22h30 dim-jeu, 11h-1h ven-sam). L'une des pizzerias les plus prisées de Washington sert de délicieuses pizzas à pâte fine et croustillante (par exemple la "fire & smoke" épicée au poivron rôti et au gouda fumé), et d'excellents *sliders* (ou miniburgers ; commandez-les avec du gorgonzola). Il y a foule le week-end.

Jaleo
ESPAGNOL **$$**

(☎202-628-7949 ; 480 7th St NW ; tapas 7-12 $, plat au dîner 16 $; ☺11h30-23h30 mar-sam, 11h30-22h dim et lun). Au milieu de fresques murales vintage et d'une ambiance bouillonnante, on mange des tapas parmi les meilleures de Washington. Citons notamment les *gambas al ajillo* (gambas à l'ail), la salade de betteraves aux pistaches et la saucisse de porc de fabrication maison aux haricots blancs. Mention spéciale au *happy hour* du bar (4 $ les tapas et la sangria).

Georgia Brown's
CUISINE DU SUD **$$**

(☎202-393-4499 ; 950 15th St NW ; plat 16-32 $; ☺11h30-22h lun-jeu, 12h-23h ven-sam, 10h-14h30 et 17h-22h dim). Avec les modestes ingrédients du Sud (crevettes, farine de maïs, poisson-chat, gruau et saucisse), on concocte ici de délicieux plats sophistiqués comme les beignets de tomates vertes garnis de fromage de chèvre aux herbes et le poulet frit mariné dans du thé sucré. Le *jazz* brunch avec son incroyable buffet est sans doute le meilleur de Washington.

ADAMS MORGAN, SHAW ET U STREET

Busboys & Poets
INTERNATIONAL $$

(☎203-387-7638 ; www.busboysandpoets.com ; 2021 14th St NW ; plat 8-16 $; ◷8h-24h lun-ven, 9h-24h sam-dim ; 🛜). Cette icône culturelle (qui tient son nom d'un poème de Langston Hughes) attire une clientèle éclectique qui vient pour les nourritures terrestres (café, plats de bistrot tels que pizzas, hamburgers, beignets au crabe) et spirituelles : dédicaces, lectures de poèmes, projections de films.

Etete
ÉTHIOPIEN $$

(☎202-232-7600 ; 1942 9th St NW ; plat 10-20 $; ◷11h30-23h ; 🖋). Dans la petite enclave parfois surnommée "Little Ethiopia", ce restaurant sert une cuisine authentique et de grande qualité : *yebeg wat* (ragoût d'agneau) très pimenté, tendres *golden tibs* (plat de côte de bœuf mariné), copieuses assiettes de légumes et *injera* (pain plat). Son grand rival, le **Dukem** (1114 U St NW), est plus haut dans la rue.

Cork
AMÉRICAIN MODERNE $$

(1720 14th St NW ; petites assiettes 7-15 $; ◷17h-1h). Ce bar à vin sombre et douillet est à la fois le rendez-vous des gourmets et un sympathique petit établissement de quartier. Plus de 50 vins au verre, accompagnant parfaitement les petites assiettes et la sélection de fromages.

Pasta Mia
ITALIEN $$

(1790 Columbia Rd NW ; plat 10-15 $; ◷18h30-22h lun-sam). Même le froid glacial ne dissuade pas la clientèle fidèle de faire la queue pour obtenir une table couverte d'une nappe à carreaux et se régaler de plats italiens gargantuesques à prix raisonnables. On n'accepte ni les réservations, ni les cartes de crédit, ni les pots-de-vin pour remonter plus vite la file d'attente…

Diner
AMÉRICAIN $$

(2453 18th St NW ; plat 8-16 $; ◷24h/24 ; 🚼). L'adresse idéale pour un petit-déjeuner tardif, un *Bloody Mary brunch* le week-end (bondé), ou encore chaque fois que l'on a envie de bons plats américains sans chichis (omelettes, pancakes garnis, *mac'n'cheese*, sandwichs aux champignons grillés, hamburgers et autres). Parfait également pour les enfants qui pourront accrocher au mur les coloriages qu'ils auront faits sur place.

Ben's Chili Bowl
RESTAURATION RAPIDE $

(1213 U St NW ; plat 4-9 $; ◷11h-2h lun-jeu, 11h-4h ven-sam, 11h-23h dim). L'une des adresses emblématiques de Washington. Cette devanture à l'ancienne de U St sert des hamburgers, des frites et les très prisées *half-smokes* (saucisses de porc et de bœuf) nappées de sauce au piment depuis plus de 50 ans.

DUPONT CIRCLE

♥ Bistro Du Coin
FRANÇAIS $$

(☎202-234-6969 ; 1738 Connecticut Ave NW ; plat 12-27 $; ◷11h30-23h dim-mer, 11h30-1h jeu-sam). Pour un rapide voyage gastronomique outre-Atlantique, rendez-vous au Bistro Du Coin, adresse animée et très courue. Au menu : une excellente soupe à l'oignon, le classique steak-frites, du cassoulet, des tartines et neuf recettes de moules. Les moules bretonnes (au homard) sont un pur délice.

Malaysia Kopitiam
MALAIS $

(1827 M St NW ; plat 10-15 $; ◷12h-22h). Tout petit restaurant parfait pour se régaler de plats malais, notamment des *laksa* (soupes de nouilles au curry), du *roti canai* (pain plat servi avec du poulet au curry) et de la salade au poulpe croustillante. Les photos du menu aident à passer commande.

Afterwords
AMÉRICAIN $$

(☎202-387-3825 ; 1517 Connecticut Ave NW ; plat 12-20 $; ◷7h30-1h dim-jeu, 24h/24 ven-sam ; 🛜). Différent des cafés-librairies habituels, ce lieu animé déborde d'une animation enjouée tant ses tables et son patio extérieur ne désemplissent pas. Ses savoureux plats de bistrot et son grand choix de bières en font l'adresse idéale pour le *happy hour*, un brunch, et n'importe quel moment de la journée le week-end.

Dolcezza
GLACES $

(1704 Connecticut Ave NW ; glaces 4-7 $; ◷8h-23h lun-sam, 8h-20h dim ; 🛜). Le meilleur glacier de Washington propose plus d'une dizaine de parfums uniques et absolument délicieux (lait de coco thaï, miel de fleurs sauvages et mangue/champagne). Bons cafés, décoration vintage-chic et Wi-Fi gratuit. Autre enseigne à Georgetown.

GEORGETOWN

Citronelle
AMÉRICAIN MODERNE $$$

(☎202-625-2150 ; 3000 M St NW ; menu dégustation à partir de 105 $; ◷18h-22h mar-sam). Le chef Michel Richard est à l'origine de ce restaurant de Georgetown. Le tendre carré d'agneau avec une pointe de sauce piment *jalapeño*-cumin, le saumon sauvage dans un bouillon homard-safran et les autres délices qu'il concocte lui valent les commentaires les plus élogieux. Si vous préférez ne pas débourser trop d'argent en optant pour le menu de 10 plats, dînez à la carte dans le lounge plus informel.

Martin's Tavern
AMÉRICAIN $$

(☎202-333-7370 ; 1264 Wisconsin Ave NW ; plat au déj 12-15 $, dîner 13-30 $; ☺à partir de 11h30). Adresse de Georgetown prisée des étudiants comme des présidents américains, qui tous apprécient la salle de taverne à l'ancienne et les classiques sans chichis (épais hamburgers, beignets au crabe et côte de bœuf).

Dolcezza
GLACES $

(1560 Wisconsin Ave NW ; glaces 4-7 $; ☺12h-22h lun-sam, 12h-21h dim). Excellentes glaces proposées sur une carte renouvelée chaque semaine. Parmi les succès récents, citons le parfum citron vert/coriandre, café mexicain et citron/ricotta/cardamome.

UPPER NORTHWEST DC

2 Amys
PIZZERIA $

(3715 Macomb St NW ; plat 3-7,25 $; ☺12h-14h30 mar-dim, 17h-23h tlj ; 🖅). Un peu en retrait (mais à deux pas de la Washington National Cathedral), 2 Amys sert d'excellentes pizzas à pâte fine et croustillante. Garnies de produits frais du marché, elles sont cuites à la perfection dans un four à bois. Évitez la foule du week-end.

COLUMBIA HEIGHTS ET SES ENVIRONS

Toujours plus de restaurants et de bars ouvrent à Columbia Heights et Petworth, au nord sur la Green Line.

W Domku
INTERNATIONAL $$

(☎202-722-7475 ; 821 Upshur St NW ; plat 12-18 $; ☺18h-23h mar-jeu, 12h-24h ven, 10h-24h sam, 10h-22h dim). Un vrai petit bijou au cœur d'un tronçon de Petworth sans grâce, qui propose un savant et large mélange de plats polonais, russes et scandinaves, allant du goulasch au ragoût de poisson et au gravlax en passant par l'aquavit maison. Le mobilier rétro et l'ambiance décontractée ajoutent encore au charme du lieu.

Palena
AMÉRICAIN MODERNE $$$

(☎202-537-9250 ; 3529 Connecticut Ave NW ; menus à partir de 75 $; ☺11h30-14h et 17h30-22h mar-sam, 10h30-14h dim). Nichée dans Cleveland Park, au nord-ouest sur la Red Line, voici l'une des grandes tables de Washington. Le rouget à l'ail des bois et aux pleurotes, le risotto à l'artichaut et la soupe de céleri aux crevettes et aux amandes sont les actuels favoris. Réservez ou bien prenez votre repas dans le café plus décontracté (plat 14-26 $).

🍷⚓ Où prendre un verre et sortir

L'hebdomadaire *Washington City Paper* (www.washingtoncitypaper.com) ou le supplément du week-end du *Washington Post* (www.washingtonpost.com) fournissent la liste exhaustive des lieux de sortie. Bien situé dans l'Old Post Office Pavilion, **Ticketplace** (www.culturecapital.tix.com ; 407 7th St NW ; ☺11h-18h mer-ven, 10h-17h sam) vend places de concert et de spectacle pour le jour même à moitié prix (pas de vente pas téléphone).

Bars et discothèques
CAPITOL HILL ET DOWNTOWN

Hawk & Dove
BAR

(329 Pennsylvania Ave SE ; ☺à partir de 10h). L'archétype du bar de Capitol Hill. Un repaire d'éminences grises, avec alcôves intimistes idéales pour siroter une pinte de bière et provoquer le prochain scandale du District !

Red Palace
MUSIQUE LIVE

(☎202-399-3201 ; www.redpalacedc.com ; 1212 H St NE ; ☺à partir de 17h). Pilier de H St connu pour son agitation effrénée, le Red Palace et ses 3 bars proposent un choix correct de bières artisanales. Les diverses salles du lieu accueillent un mélange de groupes de musiciens et de spectacles de variétés. Le rock indépendant et la musique expérimentale prédominent.

ADAMS MORGAN, SHAW ET U STREET

Marvin
LOUNGE

(2007 14th St NW ; ☺17h30-2h). D'une élégance sans prétention, ce lounge à l'éclairage tamisé et aux plafonds voûtés accueille des DJ qui passent de la soul et des rythmes assez inhabituels pour le plus grand plaisir de la clientèle mélangée de 14th St. La terrasse sur le toit ne désemplit pas été comme hiver, car on peut alors se pelotonner sous les chauffages de terrasse pour siroter cocktails et bières belges. Bonne cuisine de bistrot également.

Cafe Saint-Ex
BAR

(1847 14th St NW ; ☺11h-1h30). Dessins encadrés du *Petit Prince* et hélices en bois pour ce bar douillet qui tient son nom d'Antoine de Saint-Exupéry. On y sert de solides plats de bistrot, un bon choix de bières au bar, et des DJ se chargent de l'ambiance dans le lounge en sous-sol, le Gate 54. Optez pour les tables en terrasse par les chaudes soirées.

Bar Pilar
BAR

(1833 14th St NW ; ☺à partir de 17h lun-ven, à partir de 11h sam-dim). Sympathique adresse de quartier très prisée, qui sert des tapas bio de saison et d'excellents cocktails dans une petite salle joliment conçue. Les murs jaune moutarde et les collections de curiosités (chapeaux, souvenirs d'Hemingway) lui confèrent un petit côté agréablement désuet.

Chi-Cha Lounge   LOUNGE
(1624 U St NW ; ☺à partir de 17h). Franchissez la double porte à miroir, pelotonnez-vous dans un canapé bas et commandez un narghilé aux saveurs fruitées. Entre les bougies et le bar à l'éclairage tamisé, la clientèle branchée sirote des cocktails tropicaux et grignote des tapas d'inspiration andine.

Madam's Organ   MUSIQUE LIVE
(www.madamsorgan.com ; 2461 18th St NW ; entrée 3-7 $; ☺17h-2h dim-jeu, 17h-3h ven-sam). Une adresse très appréciée, avec une clientèle animée, des boissons bon marché, un intérieur vaste, une terrasse sur le toit, un billard gratuit et des groupes tous les soirs.

Dan's Café   BAR
(2315 18th St NW ; ☺à partir de 19h30 dim-jeu). Bar d'autant plus louche qu'il se trouve en plein cœur de 18th St et de son défilé de mini-jupes. À peine indiqué, il baigne dans la pénombre, et accueille une clientèle populaire de vieux habitués et de jeunes BCBG. Consommations bon marché.

DUPONT CIRCLE

♥ ### Eighteenth Street Lounge   LOUNGE
(www.eighteenthstreetlounge.com ; 1212 18th St NW ; entrée 5-15 $; ☺à partir de 21h30 sam-dim, à partir de 17h30 mar-ven). Lustres, canapés en velours, papier peint ancien et clientèle aimant danser, voilà pour cette demeure à plusieurs étages. Les DJ qui passent ici du funk, de la soul, des rythmes brésiliens, sont absolument phénoménaux. Normal puisque Eric Hilton (de Thievery Corporation) est copropriétaire du lieu.

Russia House   LOUNGE
(1800 Connecticut Ave NW ; ☺à partir de 17h lun-ven, à partir de 18h sam-dim). Les russophiles se pressent dans ce petit bijou de Dupont à l'élégance fanée, avec lustres en laiton, salles éclairées de bougies et un choix ahurissant de vodkas. Une excellente adresse pour bavarder entre amis, manger un peu de caviar, ou alors des classiques plus consistants comme les *pelmeni* (raviolis), le lapin braisé à l'étouffée et les chachliks (brochettes de viande grillée).

Cafe Citron   LOUNGE
(1343 Connecticut Ave NW ; ☺à partir de 16h lun-sam). Lounge à l'ambiance festive avec un faible pour la musique latino. On vient y danser au son de la salsa ou d'autres musiques du monde, et le mojito et la margarita coulent à flots. Cours de salsa gratuits le mercredi et spectacles de flamenco le lundi, sans jamais avoir à payer de droit d'entrée.

Bier Baron   BAR
(1523 22nd St NW ; ☺à partir de 11h30 jeu-dim, à partir de 16h30 lun-mer). Depuis qu'il a changé de nom et de propriétaire, l'ancien Brickskeller propose une meilleure cuisine, un meilleur service, le tout dans la même ambiance de pub sombre. Également : superbe choix de bières (plus de 500 !) en bouteille ou à la pression.

Current Sushi   LOUNGE
(1215 Connecticut Ave NW ; entrée 10-15 $; ☺à partir de 22h jeu-sam). Au-dessus d'un restaurant de sushis moderne et raffiné, ce club est une adresse de choix pour danser du jeudi au samedi soir. La piste est envahie d'une clientèle compacte de gens élégants.

Science Club   BAR
(www.scienceclubdc.com ; 1136 19th St NW ; ☺à partir de 17h). Dans le dédale de pièces d'une maison de ville, le Science Club attire une clientèle mélangée de stagiaires, d'expatriés ou d'Américains venant d'ailleurs, et de jeunes marginaux.

GEORGETOWN

Tombs   BAR
(1226 36 St, à hauteur de P St NW ; ☺à partir de 11h30 lun-sam, à partir de 9h30 dim). Si l'endroit vous paraît familier, repensez aux années 1980 : il a servi de décor au film *St Elmo's Fire*. Aujourd'hui, ce bar douillet et sans fenêtres est l'adresse favorite des étudiants et des assistants de l'université de Georgetown.

Mie N Yu Lounge   LOUNGE
(3125 M St NW ; ☺à partir de 16h). Mie N Yu (prononcez "Me an you") joue à fond la carte du snobisme et du lounge fusion-asiatique, de sorte que le prix des consommations donne lui aussi dans l'excès. Pour autant, la décoration complètement déjantée (salles à thème comme le lounge tibétain, la tente turque ou le bazar marocain) crée un cadre bigarré agréable pour boire un verre.

COLUMBIA HEIGHTS ET SES ENVIRONS
Red Derby   BAR
(3718 14th St NW ; ☺17h-2h lun-jeu, 17h-3h ven, 11h-3h sam-dim). Pas d'enseigne pour le Red Derby qui attire une amusante clientèle très éclectique grâce à une carte des plats et des boissons très satisfaisante (épais

BARS ET CLUBS GAYS ET LESBIENS

Dupont Circle et ses alentours sont l'un des secteurs de Washington rassemblant des bars gays.

Cobalt
BAR

(www.cobaltdc.com ; 1639 R St NW ; dim-jeu entrée gratuite, ven-sam 5-8 $). Une bonne dose de lotions capillaires et de corps musclés enduits d'autobronzant, le tout affichant la trentaine. La clientèle, plutôt bien mise, vient participer à de folles et bruyantes *dance parties* toute la semaine. Barmen séduisants, bon DJ et cocktails du jour sont les autres atouts du lieu.

Nellie's Sports Bar
BAR

(www.nelliessportsbar.com ; 900 U St NW). Ambiance tranquille, parfaite pour évoluer au milieu d'une clientèle sympathique, savourer de bons en-cas de bar, participer à des soirées à thème (notamment le mardi avec la soirée Drag Bingo) ou siroter les cocktails du jour. Douze écrans plasma retransmettent des matchs. Également : terrasse sur le toit et jeux de société.

Town Danceboutique
BAR

(www.towndc.com ; 2009 8th St NW ; dim-jeu entrée gratuite, ven-sam 5-12 $). Avec son excellente sono et ses bons DJ, ses deux niveaux et ses diverses salles (dont une zone fumeur en extérieur), c'est l'adresse parfaite pour aller danser. Spectacles de drag-queens hilarants le week-end.

JR's
BAR

(www.myjrsdc.com ; 1519 17th St NW). Adresse gay très courue, voire souvent bondée, idéale pour le *happy hour*. Le karaoké du lundi soir est très drôle.

---

hamburgers, frites de patate douce, et des dizaines de bières exotiques servies en canettes). Terrasse ouverte sur le toit (avec chauffages extérieurs), projections de films sur le mur, et beaucoup de monde pour le brunch (la raison : les cocktails mimosa à 2 $ et les Bloody Mary). Pour commencer la soirée en vous mettant tout de suite dans l'ambiance, commandez un Schlitz & Shot Combo (bière + alcool) à 5 $.

Wonderland
BAR

(1101 Kenyon St NW ; 17h-2h lun-ven, 11h-2h sam-dim). Dans un secteur résidentiel de Columbia Heights, bar sympathique doté d'un vaste patio à l'avant avec de grands bancs en bois. L'idéal par les chaudes soirées. La piste de danse de l'étage, animée par des groupes et des DJ, est bondée le week-end.

Looking Glass Lounge
BAR

(3634 Georgia Ave NW ; à partir de 17h). La meilleure adresse nocturne de Petworth est un bar de quartier à la décoration artistique agrémenté d'un superbe jukebox. DJ le week-end et agréable patio extérieur.

Raven
BAR

(3125 Mt Pleasant Ave NW ; à partir de 12h). Clientèle tatouée, consommations bon marché, toilettes couvertes de graffitis… Laissez vos préjugés de côté, et vous déciderez peut-être que c'est la meilleure adresse de D .C. pour une Schlitz à 2 $.

Musique live
Black Cat
MUSIQUE LIVE

(www.blackcatdc.com ; 1811 14th St NW ; 20h-2h dim-jeu, 19h-3h ven-sam). Pilier de la scène musicale de Washington depuis les années 1990, ce club vieilli a accueilli tous les grands noms de ces dernières années (White Stripes, Strokes et Arcade Fire entre autres). Si vous n'avez pas envie de dépenser 20 $ pour entendre un groupe sur la scène principale de l'étage (ou sur la Backstage, plus petite, au-dessous), installez-vous dans la Red Room. Au programme : jukebox, billard et cocktails fortement dosés en alcool.

9:30 Club
MUSIQUE LIVE

(www.930.com ; 815 V St NW). Salle spacieuse de 2 étages avec une scène de taille moyenne (regardez le spectacle depuis le balcon ou rejoignez ceux qui dansent dans la fosse). Excellente programmation. Arrivez tôt pour obtenir une place de choix.

Blues Alley
MUSIQUE LIVE

(www.bluesalley.com ; 1073 Wisconsin Ave NW ; à partir de 20h). L'élégant club de jazz (où l'on dîne) de Georgetown reçoit de grands noms, ainsi que des musiciens mineurs de *smooth jazz* (une variante plus accessible). Entrée dans la ruelle proche de M, au sud de Wisconsin.

Verizon Center SALLE DE CONCERT
(☎202-628-3200 ; www.verizoncenter.
com ; 601 F St NW). La grande salle de
Washington, à la fois stade et salle de
concert où se produisent les stars de la
musique.

Arts de la scène
Kennedy Center ARTS DE LA SCÈNE
(☎800-434-1324 ; www.kennedy-center.org ;
2700 F St NW). Perché sur un domaine de
6,5 ha au bord du Potomac, le magnifique Kennedy Center accueille un choix
impressionnant de spectacles. Plus de
2 000 ont lieu chaque année dans ses
diverses salles, dont le Concert Hall
(berceau du National Symphony), l'Opera
House et l'Eisenhower Theater. La
Millennium Stage propose des spectacles
gratuits tous les jours à 18h.

**Wolf Trap Farm Park
for the Performing Arts** ARTS DE LA SCÈNE
(☎703-255-1900 ; www.wolftrap.org ;
1645 Trap Rd, Vienna, VA). Ce parc situé à
40 minutes du centre-ville de Washington
accueille en été les concerts du National
Symphony et d'autres ensembles de musique
et de théâtre très réputés.

National Theatre THÉÂTRE
(☎202-628-6161 ; www.nationaltheatre.org ;
1321 Pennsylvania Ave NW). Le théâtre le plus
ancien de Washington ayant fonctionné
en continu.

Shakespeare Theatre THÉÂTRE
(☎202-547-1122 ; www.shakespearedc.org ;
450 7th St NW). La toute première troupe
shakespearienne du pays présente des
pièces de cet auteur magistralement
mises en scène, ainsi que des œuvres
de George Bernard Shaw, Oscar Wilde,
Ibsen, Eugene O'Neill et d'autres grands
noms.

**Carter Barron
Amphitheatre** ARTS DE LA SCÈNE
(☎202-426-0486 ; www.nps.gov/rocr ; angle
16th St et Colorado Ave NW). Ravissant cadre
boisé (dans Rock Creek Park) où assister
à un mélange de pièces de théâtre, de
spectacles de danse et de concerts (jazz,
salsa, classique, reggae). Certains sont
gratuits.

Sports
Washington Redskins FOOTBALL AMÉRICAIN
(☎301-276-6800 ; www.redskins.com).
L'équipe de la ville joue au **FedEx Field**
(1600 Fedex Way, Landover, MD ; billets 40-
500 $), à l'est de Washington dans le

Maryland. La saison s'étend de septembre
à février.

Washington Nationals BASE-BALL
(☎202-675-6287 ; http://washington.nationals.
mlb.com). L'équipe de Washington joue au
Nationals Park (1500 S Capitol St SE), au
bord de l'Anacostia dans le sud-est de la
ville. La saison va d'avril à octobre.

DC United FOOTBALL
(☎202-587-5000 ; www.dcunited.com). Le
DC United joue au **Robert F Kennedy
(RFK) Memorial Stadium**
(2400 E Capitol St SE). La saison court de
mars à octobre.

Washington Capitals HOCKEY
(☎202-397-7328 ; http://capitals.nhl.com).
L'équipe de hockey de la ville joue
d'octobre à avril au **Verizon Center**
(601 F St NW).

Washington Wizards BASKET-BALL
(☎202-661-5050 ; www.nba.com/wizards).
La saison de la NBA dure d'octobre à
avril. Les matchs à domicile se jouent
au **Verizon Center** (601 F St NW). L'équipe
WNBA de Washington, les **Washington
Mystics** (☎877-324-6671 ; www.wnba.com/
mystics), joue également ici de mai à
septembre.

❶ Renseignements
Accès Internet
Kramerbooks (1517 Connecticut Ave NW,
Dupont Circle ; ◷7h30-1h dim-jeu, 24h/24 ven-
sam). Un ordinateur avec accès Internet gratuit
dans le bar.

Offices du tourisme
Destination DC (☎202-789-7000 ; www.
washington.org ; 901 7th St NW, 3ᵉ ét.).
Quantité d'informations en ligne, par téléphone
ou sur place. Emplacement pratique en centre-
ville.

Disability Guide (☎301-528-8664 ; www.
disabilityguide.org). Renseignements utiles
sur les musées, hôtels et transports pour les
voyageurs handicapés. Publie aussi chaque
année un guide d'accessibilité (5 $, disponible
en ligne).

International Visitors Information Desk
(◷9h-17h lun-ven). Centre d'information pour
visiteurs étrangers au terminal des arrivées du
Washington Dulles Airport. Renseignements
utiles donnés par un personnel polyglotte dans
ce centre géré par le Meridian International
Center.

Poste
Poste (2 Massachusetts Ave NE ; ◷9h-19h lun-
ven, 9h-17h sam-dim)

Services médicaux
CVS Pharmacy (☏202-785-1466 ; 6 Dupont Circle NW ; ⏱24h/24)

George Washington University Hospital (☏202-715-4000 ; 900 23rd St NW)

Sites Internet
Renseignements touristiques en ligne (www. washington.org, www.thedistrict.com)

Washington City Paper (www. washingtoncitypaper.com). Hebdomadaire gratuit d'avant-garde avec listes de spectacles et de restaurants.

Washington Post (www.washingtonpost.com). Quotidien de la ville (et du pays) réputé. Son édition au format tabloïd, *Express*, quotidienne, est gratuite. Spectacles et sorties consultables en ligne.

ℹ️ Depuis/vers Washington
Avion
Le **Washington Dulles International Airport** (IAD ; ☏703-572-2700), à 42 km à l'ouest du centre-ville, et le **Ronald Reagan Washington National Airport** (DCA ; ☏703-417-8000), à 7 km au sud, sont les principaux aéroports desservant Washington, mais l'on peut aussi compter sur le **Baltimore/Washington International Thurgood Marshall Airport** (BWI ; ☏410-859-7111), à 48 km au nord-est. Ces trois aéroports, notamment le Dulles et le National, sont d'importants carrefours aériens pour les vols du monde entier.

Bus
Outre les bus Greyhound, il existe de nombreuses liaisons bon marché à destination de New York, Philadelphie et Richmond. La plupart facturent environ 20 $ l'aller simple pour New York (4-5 heures). Les arrêts, disséminés dans toute la ville, sont systématiquement accessibles en métro. Il faut en principe acheter ses billets en ligne, mais c'est aussi possible à bord du bus s'il y a de la place.

Bolt Bus (☏877-265-8287 ; www.boltbus. com ; 📶). La meilleure compagnie pour petits budgets. Départs du niveau supérieur de Union Station.

DC2NY (☏202-332-2691 ; www.dc2ny.com ; 20th St et Massachusetts Ave NW)

Greyhound (☏202-589-5141 ; www.greyhound. com ; 1005 1st St NE). Liaisons à travers tout le pays. La gare routière est à quelques pâtés de maisons au nord de Union Station ; prenez un taxi à la nuit tombée.

Megabus (☏877-462-6342 ; www.us.megabus. com ; 📶). Départs depuis la gare routière au niveau haut de Union Station.

New Century (☏202-789-8222 ; www.2001bus.com ; 513 St NW)

Peter Pan Bus Lines (☏800-343-9999 ; www. peterpanbus.com). Dessert le nord-est des États-Unis, depuis une gare routière située juste en face de celle de Greyhound.

WashNY (☏866-287-6932 ; www.washny.com ; 1333 19th St NW)

Train
Amtrak (☏800-872-7245 ; www.amtrak. com). Dans la magnifique Union Station de style Beaux-Arts. Les trains desservent tout le pays, notamment New York (à partir de 76 $, 3 heures 30), Chicago (à partir de 106 $, 18 heures), Miami (à partir de 163 $, 24 heures) et Richmond, VA (31 $, 3 heures).

Train MARC (Maryland Rail Commuter ; ☏866-743-3682 ; www.mtamaryland.com). Ce réseau ferré régional couvrant la zone métropolitaine Washington/Baltimore assure de fréquentes liaisons avec Baltimore (7 $, 1 heure 11) et d'autres villes du Maryland (4-12 $) ; dessert aussi Harpers Ferry, en Virginie-Occidentale (15 $, 1 heure 20).

ℹ️ Comment circuler
Depuis/vers l'aéroport
Si vous utilisez le Baltimore/Washington International Airport (BWI), vous pouvez circuler entre Union Station et le terminus du BWI soit en train MARC (6 $, 40 min), soit en train Amtrak (14 $, 40 min).

Metrobus 5A (www.wmata.com). Circule de Dulles à la station de métro Rosslyn (35 min) et au centre de Washington (L'Enfant Plaza, 48 min) ; départ toutes les 30 à 40 min. Le trajet combiné bus/métro coûte environ 8 $.

Metrorail (www.wmata.com). Le National Airport possède sa propre ligne de métro, rapide et bon marché (environ 2,50 $).

Supershuttle (☏800-258-3826 ; www. supershuttle.com). Navette porte à porte reliant le centre-ville de Washington aux aéroports Dulles (29 $), National (14 $) et BWI (37 $).

Washington Flyer (www.washfly.com). Départ toutes les 30 min de Dulles pour la station de métro West Falls Church (10 $).

Taxi
Appelez au choix **Capitol Cab** (☏202-636-1600), **Diamond** (☏202-387-6200) ou **Yellow Cab** (☏202-544-1212).

Transports publics
Metrorail (☏202-637-7000 ; www.wmata. com). L'un des meilleurs systèmes de transports du pays. Il conduit à la plupart des sites, des quartiers d'hôtels et d'affaires, ainsi que dans les banlieues du Maryland et de Virginie. Les trains circulent à partir de 5h du lundi au vendredi (à partir de 7h le week-end) ; dernier

service vers minuit du dimanche au jeudi, et à 3h les vendredis et samedis. Les distributeurs dans les gares vendent des billets ; comptez à partir de 1,60 $ le billet (gratuit pour les moins de 5 ans). Des forfaits avec déplacements illimités sont aussi disponibles (1 jour/7 jours à partir de 9/33 $).

Circulator (www.dccirculator.com). Ces bus desservent des itinéraires pratiques, notamment entre Union Station et Georgetown. L'aller simple coûte 1 $.

Metrobus (www.wmata.com). Bus circulant dans toute la ville et en banlieue. Ayez sur vous la somme exacte (actuellement 1,70 $).

MARYLAND

Le Maryland est souvent présenté, à juste titre, comme "l'Amérique en miniature". Ce petit État renferme en effet ce que le pays a de plus beau, des Appalaches à l'ouest aux plages de sable blanc à l'est. Mariant la sophistication urbaine du Nord à la simplicité sans prétention du Sud, c'est l'État-frontière qui a peut-être le mieux réussi à créer une osmose entre les deux. Sa ville principale, Baltimore, est une ville portuaire rude et sans concession ; l'Eastern Shore ("littoral oriental") accueille un mélange de citadins échappés de la ville, aimant l'art et les objets anciens, et de pêcheurs ; et les banlieues de Washington sont le fief des employés du gouvernement et employés de bureau en quête de verdure, ainsi que des populations pauvres attirées par des loyers plus bas. Le tout fonctionne à merveille, cimenté par un goût commun pour les crabes bleus, la bière Natty Boh et les beaux paysages de Chesapeake.

Histoire

George Calvert fonda le Maryland pour en faire le refuge des catholiques persécutés en Angleterre en 1634, en achetant St Mary's City aux Indiens Piscataway, avec lesquels il avait d'abord tenté de cohabiter. Les réfugiés puritains (des protestants) écartèrent ensuite Piscataway et catholiques du pouvoir, lequel fut transféré à Annapolis. De leurs persécutions constantes à l'égard des catholiques naquit le Tolerance Act, loi certes marquée de défauts mais néanmoins progressiste, qui autorisait la liberté de tout culte chrétien au Maryland – une première en Amérique du Nord.

Cet engagement en faveur de la diversité caractérise depuis toujours l'État, malgré une histoire en demi-teinte en matière d'esclavagisme. S'il fut divisé pendant la guerre de Sécession, c'est à Antietam en 1862 que fut arrêtée l'avancée des Confédérés. Après la guerre, le Maryland tira profit de sa main-d'œuvre noire, blanche et immigrée, divisant l'économie entre l'industrie et le transport maritime de Baltimore, et les besoins plus tardifs en services de Washington Aujourd'hui, à la question "Qu'est-ce qui fait un habitant du Maryland ?", la réponse est tout naturellement : "Tout et son contraire" : L'État marie comme presque aucun autre riches, pauvres, immigrés, sophistication citadine et ruralité.

LE MARYLAND EN BREF

» **Surnoms :** The Old Line State ("L'État de la Vieille Ligne", en référence aux troupes militaires ou *Line troops*), The Free State ("L'État libre")

» **Population :** 5,8 millions d'habitants

» **Superficie :** 32 134 km²

» **Capitale :** Annapolis (36 600 habitants)

» **TVA :** 6%

» **État de naissance de :** Frederick Douglass (abolitionniste, 1818-1895), Babe Ruth (grand joueur de base-ball, 1895-1948), David Hasselhoff (acteur, né en 1952), Tom Clancy (écrivain, né en 1947), Michael Phelps (nageur, né en 1985)

» **Berceau :** de la Bannière étoilée (Star-Spangled Banner), des Baltimore Orioles, des séries TV *Sur écoute* (*The Wire*) et *Homicide* (*Homicide : Life on the Street*)

» **Politique :** démocrates fervents

» **Célèbre pour :** les crabes bleus, la crosse (sport), la Chesapeake Bay

» **Sport préféré de l'État :** les joutes verbales

» **Distances par la route :** Baltimore-Annapolis : 47 km ; Baltimore-Ocean City : 236 km

---

Baltimore

Jadis ville portuaire parmi les plus importantes d'Amérique, Baltimore – ou "Bawlmer" comme disent ses habitants – est la ville des contradictions. Elle conserve en effet un côté vilain petit canard de par sa nature de ville ouvrière rebelle, un peu mal famée, et très attachée à son passé maritime. Pourtant, ces dernières années, le vilain petit canard s'est transformé en cygne, et Baltimore compte désormais des musées d'envergure internationale, des boutiques tendance, des restaurants de cuisines du monde, des *boutique hotels* et une vie culturelle et sportive des plus dynamiques. Le tout sans se départir jamais d'une certaine malice. Après tout, n'a-t-elle pas engendré Billie Holiday et John Waters ? Et malgré tout, elle reste indéfectiblement liée à l'eau, qu'il s'agisse de son Inner Harbor (port intérieur) aux allures de Disneyland, des rues pavées de Fells Point au nord du port ou des rives de Fort McHenry, berceau de l'hymne national, "The Star-Spangled Banner" (*La Bannière étoilée*). Baltimore se montre tout à fait à la hauteur de son surnom de "Charm City".

◉ À voir et à faire

HARBORPLACE ET INNER HARBOR

C'est ici que l'essentiel des touristes débutent, et achèvent hélas, leur visite de Baltimore. L'Inner Harbor, vaste et rutilant complexe réhabilité au bord de l'eau, rassemble centres commerciaux climatisés brillant de mille feux et bars clinquants. Il parvient tout de même à saisir le cœur maritime de la ville, mais d'une façon destinée à plaire à un public familial. Ce n'est toutefois que la partie émergée de l'iceberg Baltimore...

♥ National Aquarium of Baltimore   AQUARIUM

(www.aqua.org ; 501 E Pratt St ; adulte/enfant 25/20 $; ◉9h-17h dim-jeu, 9h-20h ven, 9h-18h sam). Haut de 7 étages et coiffé d'une pyramide en verre, cet aquarium est largement considéré comme le meilleur d'Amérique. Il recèle 16 500 spécimens de 660 espèces différentes, une forêt tropicale sur le toit, un bassin à raies au centre et un aquarium à requins sur plusieurs niveaux. On y voit aussi une reproduction de l'Umbrawarra Gorge australienne (dans le Territoire du Nord) dotée d'une cascade de 11 m, de falaises rocheuses et d'oiseaux et de lézards évoluant en liberté. Les enfants adorent le spectacle de dauphins et le tout nouveau Immersion Theater en 4D (5 $ supplémentaires à eux deux). Allez-y en semaine pour éviter la foule.

Baltimore Maritime Museum   MUSÉE

(www.baltomaritimemuseum.org ; quais n°1, 3 et 5, à côté d'E Pratt St ; 1/2/4 navires 11/14/18 $;

◉10h-17h30). Les passionnés d'histoire maritime pourront visiter quatre navires historiques : un bateau de garde-côtes, un bateau-phare, un sous-marin et l'**USS Constellation**, l'un des derniers navires de guerre à voile construit en 1797 par la marine américaine. L'entrée du phare Seven Foot Knoll Lighthouse (1856) sur le quai n°5 est gratuite.

Top of the World Observation Deck   BELVÉDÈRE

(www.viewbaltimore.org ; 401 E Pratt St ; adulte/enfant 5/4 $; ◉10h-18h mer-jeu, 10h-19h ven-sam, 11h-18h dim). Pour une vue plongeante sur Baltimore, rendez-vous sur la plate-forme d'observation du World Trade Center.

DOWNTOWN ET LITTLE ITALY

Il est facile de se rendre du centre-ville (downtown) à Little Italy, mais suivez bien le chemin balisé car on franchit au passage un ensemble de logements sociaux un peu mal famé.

National Great Blacks in Wax Museum   MUSÉE

(www.greatblacksinwax.org ; 1601 E North Ave ; adulte/enfant 12/10 $; ◉9h-17h mar-sam, 12h-17h dim). East Baltimore abrite l'un des meilleurs musées d'histoire du pays consacré aux Noirs, avec des expositions sur Frederick Douglass, Jackie Robinson, Martin Luther King Jr et Barack Obama, ainsi que des personnages moins connus comme l'explorateur Matthew Henson. Le musée traite aussi de l'esclavage, de la ségrégation raciale (et des lois Jim Crow) et des grands leaders africains, le tout de manière un peu désuète avec des mannequins en cire comme ceux de Madame Tussauds.

Star-Spangled Banner Flag House   MUSÉE

(www.flaghouse.org ; 844 E Pratt St ; tarif plein/réduit 7/5 $; ◉10h-16h mar-sam). C'est dans cette demeure historique, construite en 1793, que Mary Pickersgill cousit le gigantesque drapeau qui a inspiré l'hymne national américain, la fameuse Bannière étoilée. Interprètes en costume et objets du XIXe siècle ramènent le visiteur à l'époque de la Guerre anglo-américaine de 1812. Également : galerie interactive pour les enfants.

Reginald F Lewis Museum of Maryland African American History & Culture   MUSÉE

(www.africanamericanculture.org ; 830 E Pratt St ; tarif plein/réduit 8/6 $; ◉10h-17h mer-sam, 12h-17h dim). Peu d'États se définissent autant que le Maryland par leur population

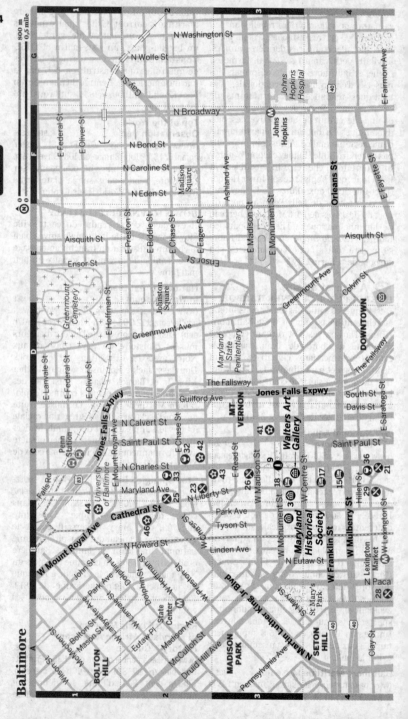

Baltimore

800 m
0,5 mile

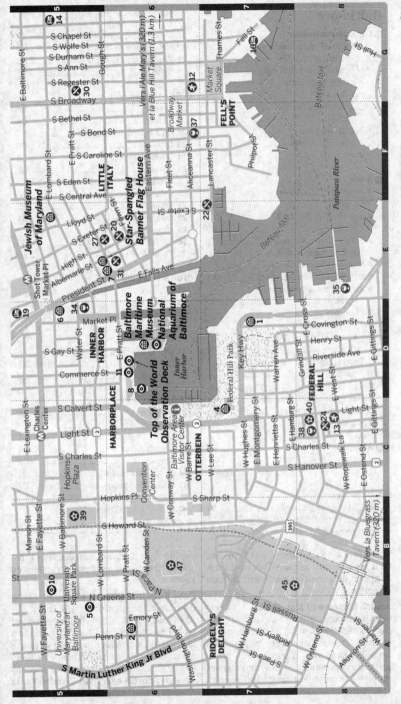

S Chapel St
S Wolfe St
S Durham St
S Ann St
S Regester St
E Baltimore St
Gough St
S Broadway

Vers l'Ale Mary's (320 m)
et la Blue Hill Tavern (1,3 km)

Market
Square
Thames St
Fell St

Bateau-taxi

Patapsco River

S Bethel St
S Bond St
E Pratt St
S Caroline St

Broadway
Market

FELL'S
POINT

Philpot St

Jewish Museum
of Maryland
E Lombard St
S Eden St
LITTLE
ITALY
S Central Ave
Eastern Ave

Fleet St
Aliceanna St
Lancaster St

Lloyd St
S Exeter St
Star-Spangled
Banner Flag House
S Exeter St
S Fawn St

Bateau-taxi

High St
Albemarle St
E Falls Ave

Shot Tower
Market Pl
President St

INNER
HARBOR
Market Pl
Water St
E Pratt St
Baltimore
Maritime
Museum
National
Aquarium of
Baltimore

S Gay St

Commerce St
HARBORPLACE
Top of the World
Observation Deck

Inner
Harbor

E Cross St
Covington St

S Calvert St
Baltimore Area
Visitor Center
Federal Hill Park
Key Hwy

Henry St

Riverside Ave

E Gittings St

S Charles St
W Conway St
OTTERBEIN
W Barre St
W Lee St

W Hughes St
W Montgomery St
Warren Ave

Grindall St

FEDERAL
HILL
E West St
Light St

S Lexington St
M Charles
Center
Light St
E Hamburg St
S Charles St

E Henrietta St
E Hamburg St

E Ostend St

Hopkins
Plaza
S Hanover St
W Ropewalk La
E Gittings St

E Fayette St
Convention
Center
Hopkins Pl
S Sharp St

Vers la Bluegrass
Tavern (320 m)

Marion St
W Baltimore St
S Howard St
W Camden St

University
Square Park
N Greene St
W Lombard St
W Pratt St

University of
Maryland at
Baltimore
Penn St
Emory St
S Paca St
Washington Blvd

RIDGELY'S
DELIGHT

W Fayette St

S Martin Luther King Jr Blvd

W Hamburg St
Russell St
Ridgely St
W Ostend St
Alluvion St
Warner St

W Hamburg St
S Paca St
W Ostend St

afro-américaine. Ce musée situé en face d'un marché aux esclaves datant d'avant la guerre de Sécession relate leur histoire complexe.

Jewish Museum of Maryland   MUSÉE
(www.jewishmuseummd.org ; 15 Lloyd St ; tarif plein/réduit/enfant 8/4/3 $; ⊙12h-16h mar-jeu et dim). Traditionnellement, le Maryland accueille l'une des communautés juives les plus importantes et les plus actives du pays. Ce musée est donc idéal pour en apprendre davantage sur l'histoire des Juifs

en Amérique. Il abrite aussi deux des synagogues historiques les mieux préservées du pays.

Babe Ruth Birthplace & Museum   MUSÉE
(www.baberuthmuseum.com ; 216 Emory St ; adulte/enfant 6/3 $; ⊙10h-17h, 10h-19h pendant les matchs à domicile des Orioles). Un musée à la gloire du fils de Baltimore qui se trouve aussi être le plus grand champion de baseball de l'histoire. À quatre pâtés de maisons à l'est, le **Sports Legends at Camden Yards** (Camden Station, angle Camden St et Sharp St ;

B&O Railroad Museum MUSÉE
(☑410-752-2490 ; www.borail.org ; 901 W Pratt St ; adulte/enfant 14/8 $; ☺10h-16h lun-sam, 11h-16h dim). La ligne Baltimore & Ohio fut (sans doute) le premier train de passagers d'Amérique, et ce musée rend hommage avec amour à cette ligne et aux chemins de fer américains dans leur ensemble. Les amateurs seront aux anges à la vue de plus de 150 locomotives différentes. Le trajet en train coûte 3 $ supplémentaires ; renseignez-vous par téléphone sur les horaires.

Edgar Allan Poe House & Museum MUSÉE
(☑410-396-7932 ; 203 N Amity St ; adulte/enfant 4 $/gratuit ; ☺12h-15h30 mer-sam avr-nov). C'est dans cette demeure qu'Edgar Allan Poe, plus célèbre fils adoptif de Baltimore, résida de 1832 à 1835. C'est ici également que le poète et écrivain connut la gloire pour la première fois en recevant un prix de 50 $ pour avoir remporté un concours de nouvelles. Après avoir beaucoup bougé, Poe revint à Baltimore en 1849, où il mourut dans de mystérieuses circonstances. On peut voir sa tombe à proximité dans le **Westminster Cemetery** (angle W Fayette St et Greene St ; entrée libre). La maison de Poe se situe dans un quartier où la criminalité fait rage, aussi mieux vaut s'y rendre en voiture ou en taxi ; vérifiez les horaires d'ouverture par téléphone au préalable.

National Museum of Dentistry MUSÉE
(☑410-706-0600 ; www.dentalmuseum.org ; 31 S Greene St ; tarif plein/réduit/enfant 7/5/3 $; ☺10h-16h mer-sam, 13h-16h dim). Parmi les plus insolites du pays, ce musée interactif retrace l'histoire du soin dentaire de l'Égypte ancienne à nos jours. Ne manquez pas d'admirer les prothèses dentaires de George Washington (en ivoire, pas en bois), du dentifrice ancien, ou encore la "brosse à dents" de la reine Victoria.

Light Street Cycles LOCATION DE VÉLOS
(☑410-685-2234 ; 1124 Light St ; location 25-50 $/jour ; ☺10h-20h lun-ven, 10h-18h sam, 11h-15h dim). Loue des vélos hybrides, des VTT et des vélos de course.

MT VERNON

GRATUIT Walters Art Gallery MUSÉE
(www.thewalters.org ; 600 N Charles St ; ☺10h-17h mer-dim). Ne manquez pas cette galerie couvrant 5 500 ans d'histoire de l'art, de l'art antique à l'art contemporain, et présentant d'excellentes expositions de trésors asiatiques, de livres rares et de manuscrits enluminés, ainsi qu'une collection très complète de tableaux français.

GRATUIT Contemporary Museum MUSÉE
(www.contemporary.org ; 100 W Centre St ; ☺12h-17h mer-dim). Tellement moderne qu'il en serait presque postmoderne, ce musée fait la part belle à l'avant-garde. En sus des expositions présentées sur place, il se donne pour mission d'emmener l'art dans les lieux les plus inattendus de la ville.

Maryland Historical Society MUSÉE
(www.mdhs.org ; 201 W Monument St ; adulte/enfant 6/4 $; ☺10h-17h mer-sam, 12h-17h dim). Avec plus de 5,4 millions d'objets, c'est l'une des plus importantes collections sur tout ce qui a trait à l'Amérique dans le monde. On y voit notamment le manuscrit original de l'hymne national "Star-Spangled Banner" écrit par Francis Scott Key. Le musée accueille souvent d'excellentes expositions temporaires. Sa collection permanente retrace de façon fascinante l'histoire maritime du Maryland.

Washington Monument MONUMENT
(699 Washington Pl ; don conseillé 5 $; ☺10h-17h mer-dim). Pour profiter de la plus belle vue sur Baltimore, grimpez les 228 marches de la colonne dorique haute de 54 m dédiée à George Washington, Père fondateur de la nation. C'est l'œuvre de Robert Mills, à qui l'on doit aussi le Washington Monument de Washington, D.C. Le musée du rez-de-chaussée est consacré à la vie de Washington.

FEDERAL HILL ET SES ENVIRONS
Sur un promontoire surplombant le port, **Federal Hill Park** donne son nom à l'agréable quartier se déployant autour de Cross St Market et qui s'anime à la nuit tombée.

♥ Fort McHenry National Monument & Historic Shrine SITE HISTORIQUE
(www.nps.gov/fomc ; 2400 E Fort Ave ; adulte/enfant 7 $/gratuit ; ☺8h-16h45, 8h-19h45 en été). Les 13 et 14 septembre 1814, ce fort en forme d'étoile réussit à repousser l'assaut de la marine britannique au cours de la bataille de Baltimore. Après une longue nuit de canonnades, le prisonnier Francis Scott Key vit, "à la première lueur du jour", le drapeau en lambeaux continuer de flotter, ce qui lui inspira "The Star-Spangled Banner" (écrit sur la musique d'une chanson à boire).

American Visionary Art Museum MUSÉE
(AVAM ; www.avam.org ; 800 Key Hwy ; adulte/
enfant 16/10 $; ☺10h-18h mar-dim). L'AVAM
est la vitrine des artistes autodidactes (ou
encore de l'art "outsider"), une célébration
de la créativité la plus débridée totalement
libérée de la prétention des arts de la scène.
Certaines œuvres proviennent d'établissements de santé mentale, d'autres sont la
création de visionnaires inspirés, et le tout
offre un tableau captivant méritant amplement un après-midi de visite.

FELL'S POINT ET CANTON

Autrefois centre de la construction navale de
Baltimore, ce quartier historique aux rues
pavées est devenu un quartier bourgeois
composé de demeures du XVIIIe siècle, de
restaurants, de bars et de commerces. Il a
servi de lieu de tournage à plusieurs films
et séries télévisées, en particulier *Homicide*.
Plus à l'est se déploient les rues un peu plus
sophistiquées de Canton, dont la place
verdoyante est entourée d'excellents bars et
restaurants. Le week-end, les deux quartiers
sont souvent pris d'assaut par les noceurs
qui sortent de bar en bar.

NORTH BALTIMORE

Le terme "Hon", abréviation de "honey" ou
"honeybun", mot avec lequel on s'adresse à
quelqu'un pour lui exprimer son affection,
est typique de Baltimore. Souvent imité
mais jamais avec un réel succès, il est né à
Hampden, le quartier branché par excellence. Passez un après-midi de farniente
dans les boutiques d'objets kitch, d'objets
anciens et de vêtements éclectiques de
l'**Avenue** (aussi appelée W 36th St).

Pour rejoindre Hampden, empruntez
l'I-83 N, puis engagez-vous dans Falls Rd
(direction nord) et tournez à droite dans
l'Avenue. La prestigieuse **Johns Hopkins
University** (3400 N Charles St) est à proximité.

Baltimore Museum of Art MUSÉE
(www.artbma.org ; 10 Art Museum Dr, angle
31st St et N Charles St ; collection permanente
gratuite ; ☺10h-17h mer-ven, 11h-18h sam-dim).
La gigantesque collection (les galeries
consacrées aux arts premiers d'Amérique,
d'Asie et d'Afrique sont particulièrement
impressionnantes) et le ravissant jardin de
sculptures de ce musée sont à tout à fait en
mesure de rivaliser avec leurs cousins de la
Smithsonian au sud.

Baltimore pour les enfants

Baltimore aime les enfants, comme le
montrent ses musées, ses promenades au
bord de l'eau et ses restaurants familiaux.
La plupart des curiosités et attractions sont
rassemblées dans l'Inner Harbor, dont le
National Aquarium of Baltimore (p. 273),
qui ravira les petits. Ceux-ci pourront courir
et se défouler de l'autre côté des remparts
du Fort McHenry National Monument &
Historic Shrine (p. 277).

Port Discovery Children's Museum MUSÉE
(www.portdiscovery.org ; Power Plant Live,
35 Market Pl ; 13 $; ☺10h-17h lun-sam, 12h-17h
dim). Se balancer dans une cabane de jungle
à trois niveaux, réaliser un show télévisé,
résoudre des énigmes dans la Mystery
House... Ce ne sont que quelques-unes des
activités qui attendent les enfants dans cet
immense musée conçu pour eux.

Maryland Zoo in Baltimore ZOO
(www.marylandzoo.org ; Druid Hill Park ; adulte/
enfant 16/11 $; ☺10h-16h). Grenouilles sautant
sur les feuilles de nénuphar, tortues, toilet-
tage des animaux en direct... De quoi passer
une excellente journée. Prix légèrement
moins élevés en semaine.

Maryland Science Center MUSÉE
(www.mdsci.org ; 601 Light St ; adulte/enfant
15/12 $; ☺10h-17h lun-ven, 10h-18h sam, 11h-17h
dim). Ce superbe centre comporte un atrium
à 3 niveaux, quantité d'expositions interactives sur les dinosaures, l'espace et le corps
humain, ainsi que l'incontournable salle
IMAX (4 $ en supplément). Les horaires
changent avec les saisons, renseignez-vous
par téléphone ou en ligne au préalable.

☞ Circuits organisés

Baltimore Ghost Tours FANTÔMES
(☎410-357-1186 ; www.baltimoreghosttours.
com ; adulte/enfant 15/10 $; ☺19h ven-sam
mars-nov). Organise plusieurs visites à pied
pour explorer le côté bizarre et effrayant de
Baltimore. Très apprécié, le circuit sur les
fantômes de Fells Point part de Max's dans
Broadway, 731 S Broadway. Également :
tournée des pubs hantés de Fell's Point
(20 $, âge minimum : 21 ans) et circuit dans
Mt Vernon.

✦ Fêtes et festivals

Preakness COURSE HIPPIQUE
(www.preakness.com). Le 3e dimanche de
mai, le "Freakness" est la deuxième des
trois manches de la course hippique Triple
Crown (Triple Couronne américaine).

Honfest CULTURE
(www.honfest.net). Prenez l'accent de
"Bawlmer" et mettez le cap sur Hampden

pour cette fête qui célèbre en juin le kitch, les chignons sixties, les lunettes ornées de strass et autres excentricités typiques de Baltimore.

Artscape
CULTURE

(www.artscape.org). La plus grande fête des arts gratuite d'Amérique se déroule à la mi-juillet. Au programme : expos, concerts, pièces de théâtre, spectacles de danse, stands de cuisines du monde, etc.

🛏 Où se loger

Les B&B stylés aux prix abordables se trouvent essentiellement dans les quartiers du centre-ville comme Canton, Fell's Point et Federal Hill.

Inn at Henderson's Wharf
HÔTEL **$$$**

(☎410-522-7777 ; www.hendersonswharf.com ; 1000 Fell St ; ch à partir de 209 $; P❋@🛜). La bouteille de vin offerte à l'arrivée donne le ton dans cet hôtel de Fell's Point merveilleusement situé, ancien entrepôt à tabac datant du XVIIIe siècle. Invariablement désigné comme l'une des meilleures adresses de la ville.

Inn at 2920
B&B **$$**

(☎410-342-4450, 877-774-4450 ; www.theinn2920.com ; 2920 Elliott St ; ch petit-déj inclus 175-235 $; ❋@🛜). Aménagé dans une ancienne maison close, ce B&B de charme comporte 5 chambres individuelles, des draps de grande qualité et une décoration avant-gardiste. En outre, la vie nocturne du quartier de Canton est ici à vos portes. Les Jacuzzi et la sensibilité écologiste des propriétaires sont un plus très agréable.

Blue Door on Baltimore
B&B **$$**

(☎410-732-0191 ; www.bluedoorbaltimore.com ; 2023 E Baltimore St ; ch 140-180 $; ❋@🛜). Dans une rangée de maisons datant du début des années 1900, cette auberge impeccable abrite 3 chambres élégamment meublées, chacune dotée d'un lit immense, d'une baignoire à pieds (et d'une douche séparée), et agrémentée de petits détails charmants (fontaine et fleurs fraîches). Immédiatement au nord de Fells Point.

Peabody Court
HÔTEL **$$**

(☎410-727-7101 ; www.peabodycourthotel.com ; 612 Cathedral St ; ch à partir de 120 $; P❋🛜). En plein milieu de Mt Vernon, hôtel haut de gamme de 104 chambres spacieuses très joliment aménagées, avec sdb tout en marbre et un service d'excellente qualité. Prix souvent très intéressants proposés en ligne.

Sleep Inn
HÔTEL **$$**

(☎410-779-6166 ; www.sleepinn.com ; 301 Fallsway ; d/ste à partir de 130/150 $; P❋@🛜).

Bien qu'appartenant à une chaîne, ce nouvel hôtel (inauguré en 2011) ravissant offre une ambiance de *boutique hotel* : chambres spacieuses, matelas de qualité supérieure, grandes fenêtres et intéressants éléments de décoration (gravures noir et blanc encadrées dans les chambres, vieille machine à écrire fonctionnant encore à la réception). Emplacement correct, à 10 minutes à pied de l'Inner Harbor.

Mount Vernon Hotel
HÔTEL **$$**

(☎410-727-2000 ; www.mountvernonbaltimore.com ; 24 W Franklin St ; d 150 $; P❋🛜). Cet hôtel historique de 1907 offre un bon rapport qualité/prix : chambres confortables de style ancien, bon emplacement à proximité des restaurants de Charles St, et copieux petits-déjeuners avec plats cuisinés, ce qui ne gâte rien.

HI-Baltimore Hostel
AUBERGE DE JEUNESSE **$**

(☎410-576-8880 ; www.hiusa.org/baltimore ; 17 W Mulberry St ; dort/d petit-déj inclus 25/65 $; ❋@🛜). Dans une demeure de 1857 magnifiquement restaurée, l'HI-Baltimore abrite des dortoirs de 4, 8 et 12 places, ainsi qu'une chambre double individuelle. Gérants serviables, bel emplacement et style classique chic font de cette auberge de jeunesse l'une des meilleures de la région.

🍴 Où se restaurer

De par sa diversité ethnique, Baltimore est un peu une malle aux trésors des cuisines du monde, que viennent encore enrichir la cuisine familiale et rustique du Sud et l'innovation culinaire avant-gardiste du Nord-Est. Tout un programme...

DOWNTOWN ET LITTLE ITALY

Charleston
CUISINE DU SUD **$$$**

(☎410-332-7373 ; 1000 Lancaster St ; 3/6 plat 74/109 $; ⏰17h30-22h lun-sam). L'un des restaurants les plus encensés de Baltimore. On y sert des plats aux accents du Sud préparés avec art, dans un cadre luxueux. Longue carte des vins et excellents desserts (toujours compris).

Vaccaro's Pastry
ITALIEN **$**

(222 Albemarle St ; desserts 7 $; ⏰9h-22h dim-jeu, 9h-24h ven-sam). Des desserts et un café parmi les meilleurs de la ville. Les *cannoli* sont tout bonnement divins, mais les *gelati* et le tiramisu sont également délicieux.

Isabella's
PIZZERIA **$$**

(221 S High St ; sandwich 7-9 $, pizza 13-15 $; ⏰11h-21h lun-sam, 11h-17h dim). Ce petit restaurant de quartier décontracté ne comporte

que quelques tables, mais cela vaut la peine de s'y entasser pour goûter aux excellents sandwichs et pizzas italiens concoctés avec des produits frais du marché de tout premier choix.

Amicci's
ITALIEN $$

(☎410-528-1096 ; 231 S High St ; plat déj 8-10 $, dîner 14-18 $; ⏱11h-22h dim-jeu, 11h-24h ven-sam; 🖥). Institution locale, cette adresse sert une cuisine italienne simple à des prix raisonnables. Les amateurs de fruits de mer et les végétariens seront particulièrement comblés.

MOUNT VERNON

Helmand
AFGHAN $$

(☎410-752-0311 ; 806 N Charles St ; plat 13-15 $; ⏱17h-22h dim-jeu, 17h-23h ven-sam). Adresse prisée de longue date pour son *kaddo borawni* (potiron dans une sauce au yaourt et à l'ail), ses assiettes de légumes et ses boulettes de viande de bœuf ou d'agneau pleines de saveur, suivies d'une glace à la cardamome. Prix corrects mais il faut se mettre sur son trente et un.

Cazbar
TURC $$

(☎410-528-1222 ; 316 N Charles St ; plat déj 8-10 $, dîner 16-20 $; ⏱11h-24h lun-jeu, 11h-2h ven-sam, 16h-24h dim). Dans une partie de Charles St jalonnée de restaurants, le Cazbar propose une savoureuse cuisine turque (houmous crémeux, agneau grillé et autres viandes notamment) à déguster dans un cadre aux couleurs vives illuminé de lampes multicolores. Une danseuse orientale se produit le week-end. L'étage se transforme en lounge les vendredis et samedis avec au programme DJ, narghilés et petite piste de danse.

City Cafe
CAFÉ $$

(1001 Cathedral St ; plat déj 10-14 $, dîner 15-29 $; ⏱7h30-22h lun-ven, 10h-22h sam, 10h-20h dim ; 🛜). Café pimpant et accueillant avec grandes baies vitrées. Desserts et sandwichs raffinés ; cuisine de bistrot haut de gamme servie dans l'arrière-salle.

Dukem
ÉTHIOPIEN $$

(☎410-385-0318 ; 1100 Maryland Ave ; plat 12-16 $; ⏱11h-22h30). Délicieuse cuisine éthiopienne, notamment du poulet épicé, de l'agneau et des plats végétariens, à déguster avec une galette de pain plat. Concerts certains soirs.

Mekong
VIETNAMIEN $

(105 W Saratoga St ; plat 8-10 $; ⏱11h-21h mar-sam). Petit restaurant très couru servant un *pho* (soupe au bœuf et aux nouilles de riz) absolument exquis.

Lexington Market
RESTAURATION RAPIDE $

(400 W Lexington St ; ⏱9h-17h lun-sam). Depuis environ 1782, Lexington Market est très réputé mais assez négligé. Pour autant, ne manquez pas les *crab cakes* (cakes au crabe) servis au stand **Faidley's** (www.faidleyscrabcakes.com).

FEDERAL HILL ET SES ENVIRONS

Centro Tapas Bar
ESPAGNOL $

(☎443-869-6871 ; 1444 Light St ; petites assiettes 4-10 $; ⏱18h-22h mar-sam). Adresse élégante très aimée dans le quartier, où l'on vient se délecter d'assiettes à partager (croquettes au homard, poitrine de porc rôtie, champignons sauvages sautés) et d'excellents vins au verre. On mange dans le patio arrière par les chaudes soirées. Mention spéciale au menu tapas à 3 $ du mardi.

Bluegrass Tavern
AMÉRICAIN MODERNE $$

(☎410-244-5101 ; 1500 S Hanover St ; plat 12-28 $; ⏱17h-22h mar-mer, 17h-23h jeu-sam, 10h-22h dim). Chaleur du bois et bourbons haut de gamme donnent le ton dans ce bar accueillant qui est aussi un restaurant de luxe. Charcuterie maison, bières et cocktails d'un genre unique, et plats concoctés avec des produits frais du marché aux saveurs du Sud. Excellents brunchs le dimanche (beignets frais notamment).

Cross Street Market
MARCHÉ $

(1065 Cross St, entre Light St et Charles St ; ⏱7h-19h lun-sam). Bel emplacement pour ce marché alimentaire dont les étals appétissants proposent des huîtres, des *crab cakes*, des sushis, des spécialités cuites au four, du poulet rôti, quantité de fruits et légumes, et tout ce qu'il faut pour pique-niquer – en plus de la bière (de grandes marques) près de l'entrée de Charles St.

FELL'S POINT ET CANTON

♥ Blue Hill Tavern
AMÉRICAIN MODERNE $$$

(☎443-388-9363 ; 938 S Conkling St ; plat 25-31 $; ⏱11h30-14h30 et 17h-22h lun-jeu, 17h-23h ven, 17h-23h sam, 16h-21h dim). Les tissus bleus moirés et les meubles en bois sombre ornant la salle de restaurant offrent un cadre tout en subtilité aux plats audacieux et pleins de saveurs que sert cet établissement récompensé. Ces derniers temps, le poulpe grillé sur lit d'endives aux clous de girofle et la côte d'agneau longuement mijotée remportent un franc succès. Service agréable (on vous aide dans le choix des vins) et bar en plein air sur le toit en terrasse en été.

Obrycki's
PRODUITS DE LA MER $$$

(☎410-732-6399 ; 1727 E Pratt St ; plat 19-30 $; ⏱11h30-22h lun-jeu, 11h30-23h ven-sam, 11h30-21h30 dim mars-nov). Malgré sa réputation de restaurant à touristes, celui-ci est incontournable quand on adore le crabe sous toutes ses formes (soupe, boulettes, cakes, à la vapeur, à carapace molle, etc.).

HAMPDEN ET NORTH BALITMORE
Cafe Hon
DINER $$

(1002 W 36th St ; plat 7-17 $; ⏱7h-21h lun-ven, 9h-21h sam-dim). Il n'est pas nécessaire de porter des lunettes en strass et une coiffure bouffante pour manger ici, mais vous marquerez des points. Plats américains classiques et ambiance chaleureuse pour cet établissement où les végétariens ne sont pas oubliés. Après le dîner, rendez-vous au Hon Bar attenant.

PaperMoon Diner
DINER $$

(227 W 29th St ; plat 7-16 $; ⏱7h-24h dim-jeu, 7h-2h ven-sam). *Diner* aux couleurs pimpantes typique de Baltimore, décoré de quantité de vieux jouets, d'effrayants mannequins et autres babioles insolites. Son véritable atout : le petit-déjeuner servi à toute heure (avec pain perdu, bacon croustillant et bagels au saumon fumé).

🍷 Où prendre un verre et sortir
Le week-end, Fell's Point et Canton se transforment en temples de l'alcoolisation à outrance. Mt Vernon et North Baltimore semblent un peu plus civilisés, mais quel que soit le quartier de Baltimore, on déniche toujours un petit pub douillet. Le Power Plant Live ! est un ensemble de discothèques appartenant à des chaînes. À Federal Hill, Cross St est émaillée d'établissements où se restaurer et boire un verre. Sauf mention contraire, tous ferment à 2h.

Bars et discothèques
DOWNTOWN ET LITTLE ITALY
Mick O'Shea's
PUB

(328 N Charles St ; ⏱à partir de 11h30). Le pub irlandais classique, avec concerts de musique irlandaise les vendredis et samedis.

Howl at the Moon
MUSIQUE LIVE

(22 Market Pl, Power Plant Live ; entrée jeu/ven-sam 5/7 $; ⏱à partir de 19h mer-sam). Ce club se distingue du lot parmi ceux du complexe Power Plant Live ! grâce à son thème novateur : duel de pianos et groupe de reprises qui joue à la demande du public (et tout le monde reprend en chœur !).

MT VERNON
♥ Brewer's Art
BAR

(1106 N Charles St ; ⏱à partir de 16h lun-sam, à partir de 17h dim). Une cave où l'on est véritablement subjugué par le choix de bières. Au rez-de-chaussée, salle de restaurant élégante où l'on sert des clients respectables...

Club Charles
BAR

(1724 N Charles St ; ⏱à partir de 18h). La clientèle (jeunes branchés en uniforme jeans moulants/T-shirt vintage mais aussi des gens de tous milieux) se presse dans ce bar à cocktails Art déco des années 1940 pour profiter de la bonne musique et de consommations bon marché.

13th Floor
BAR À COCKTAILS

(1 E Chase St ; ⏱à partir de 17h mer-ven, à partir de 18h sam). Tout en haut du Gothic Belvedere Hotel, cet établissement emblématique mais daté offre une vue fantastique sur Baltimore. Également dans le Belvedere, l'**Owl Bar** est comme une plongée nostalgique dans le Baltimore des années 1950 : les clients viennent boire des martinis accoudés à son long bar en bois.

FEDERAL HILL
Little Havana
BAR

(1325 Key Hwy ; ⏱à partir de 11h30). Bonne adresse où se retrouver après le travail, ou bien siroter des mojitos sur la terrasse au bord de l'eau. Cet ancien entrepôt en brique attire les foules par les journées ensoleillées (surtout à l'heure du brunch le week-end).

8x10
MUSIQUE LIVE

(www.the8x10.com ; 10 E Cross St ; entrée 10-20 $; ⏱à partir de 19h). *La* salle de concert de Baltimore depuis 1983 reçoit des stars et des talents locaux dans un espace assez particulier, donnant à la fois une impression d'immensité et d'intimité.

Pub Dog
PUB

(20 E Cross St ; ⏱17h-2h). Des photos de chiens ornent cet espace douillet (où les chiens en chair et en os n'ont plus droit de cité). Délicieuses bières (2 pour 4 $), savoureuses pizzas et plats de bistrot.

FELL'S POINT ET CANTON
One-Eyed Mike's
PUB

(708 S Bond St ; ⏱11h-2h). Poignée de main et accueil chaleureux, de quoi se sentir immédiatement comme chez soi dans ce bar populaire décoré sur le thème des pirates. Avec ses plafonds en étain martelé et ses éléments de décoration vieille Europe, c'est aussi l'une des plus anciennes tavernes de Baltimore. Plats

de pub haut de gamme et patio/espace fumeurs en extérieur.

Ale Mary's
BAR
(1939 Fleet St ; ⏰à partir de 16h lun-jeu, à partir de 11h30 ven-dim). Le nom d'enseigne et la décoration (croix, rosaires, objets religieux un peu partout) rendent hommage aux racines catholiques du Maryland. Le kitch mis à part, l'Ale Mary's attire une clientèle aimant s'amuser et sert une cuisine roborative : *crab cakes*, *tater tots* (beignets de pommes de terre rapées), pudding de pain perdu.

Lieux de sortie gays et lesbiens
La scène gay de Baltimore est remarquablement dynamique et multiculturelle. Le droit d'entrée des clubs s'élève à 5-10 $.

Grand Central
GAY ET LESBIEN
(www.centralstationpub.com ; 1001 N Charles St ; ⏰21h-2h mer-dim). Tenant davantage du grand ensemble que du club, le Central a de quoi satisfaire tous les goûts : piste de danse, pub et Sappho's (entrée libre pour les dames). Sans doute les meilleures pistes de danse de Baltimore.

Hippo
GAY
(www.clubhippo.com ; 1 W Eager St ; ⏰à partir de 16h). Ce club gay qui semble exister depuis toujours demeure l'un des plus grands de la ville (même si certains soirs, la piste de danse est déserte), et propose des soirées à thème (bingo, karaoké, hip-hop).

Arts de la scène et théâtre
L'Orchestre symphonique de Baltimore se produit au **Meyerhoff Symphony Hall** (☎410-783-8000 ; www.bsomusic.org ; 1212 Cathedral St). L'opéra de Baltimore donne ses représentations à la **Lyric Opera House** (☎410-685-5086 ; www.lyricoperahouse.com ; 140 W Mt Royal Ave).

Côté théâtre, rendez-vous à la **Center Stage** (☎410-332-0033 ; www.centerstage.org ; 700 N Calvert St) pour assister à des pièces de Shakespeare, Wilde, Miller et à des œuvres contemporaines. Quant au **Charles Theatre** (☎410-727-3456 ; www.thecharles.com ; 1711 N Charles St), il propose la meilleure programmation de cinéma d'auteur de la ville.

Sports
Les habitants de Baltimore aiment le sport, tous les sports. La ville joue et fait la fête sans vergogne, avant ou après les matchs, et assiste avec ferveur aux retransmissions télévisées.

Baltimore Orioles
BASE-BALL
(☎888-848-2473 ; www.orioles.com). L'équipe des Orioles joue à l'**Oriole Park at**

Camden Yards (333 W Camden St), sans conteste le meilleur stade de base-ball d'Amérique. Des visites du stade (entrée 9 $) sont organisées chaque jour en saison d'entraînement normal (avril à octobre).

Baltimore Ravens
FOOTBALL AMÉRICAIN
(☎410-261-7283 ; www.baltimoreravens.com). Les Ravens jouent au **M&T Bank Stadium** (1101 Russell St) de septembre à janvier.

Homewood Field
CROSSE
(☎410-516-7490 ; hopkinssports.cstv.com ; Homewood Field sur la University Pkwy). Le Maryland est le berceau de la crosse, un sport collectif d'origine amérindienne dont les habitants sont sans nul doute les plus fervents adeptes. Le Homewood Field de la Johns Hopkins University est le meilleur stade où assister à un match de "lax", l'autre nom de la crosse.

Baltimore Blast
FOOTBALL EN SALLE
(☎410-732-5278 ; www.baltimoreblast.com). L'équipe de la National Indoor Soccer League joue au **1st Mariner Arena** (☎410-347-2020 ; 201 W Baltimore St) d'octobre à avril.

Pimlico
COURSES HIPPIQUES
(www.pimlico.com ; 5201 Park Heights Ave). La course hippique bat son plein d'avril à fin mai, surtout à Pimlico, qui accueille le Preakness (p. 278). L'hippodrome est à environ 11 km au nord du centre-ville.

ℹ Renseignements

Accès Internet
Enoch Pratt Free Library (400 Cathedral St ; ⏰10h-20h lun-mer, 10h-17h jeu-sam, 13h-17h dim ; ☎)

Médias
Baltimore Sun (www.baltimoresun.com). Quotidien de la ville.

City Paper (www.citypaper.com). Hebdomadaire alternatif gratuit.

Office du tourisme
Baltimore Area Visitor Center (☎877-225-8466 ; www.baltimore.org ; 401 Light St ; ⏰9h-18h lun-ven). Dans l'Inner Harbor. Vend l'Harbor Pass (adulte/enfant 60/45 $), qui donne accès à 6 grands sites d'intérêt de Baltimore.

Poste
Poste (900 E Fayette St)

Services médicaux
University of Maryland Medical Center (☎410-328-8667 ; 22 S Greene St). Service d'urgences 24h/24.

ℹ️ Depuis/vers Baltimore

Le **Baltimore/Washington International Thurgood Marshall Airport** (BWI ; ☎410-859-7111, www.bwiairport.com) est à 16 km au sud du centre-ville via l'I-295.

Les compagnies de bus **Greyhound** et **Peter Pan Bus Lines** (☎410-752-7682 ; 2110 Haines St) assurent de nombreuses liaisons au départ de Washington (environ toutes les 45 min, 1 heure, 11 à 16 $) ; au départ de New York, comptez 14 à 35 $ (12 à 15/jour, 4 heures 30). La **BoltBus** (☎877-265-8287 ; www.boltbus.com ; 1610 St Paul St ; 📶) assure 7 trajets par jour depuis/vers New York (3 heures 30, 13 $ à 19 $).

Penn Station (1500 N Charles St) est dans le nord de Baltimore. La MARC fait circuler des trains de banlieue en semaine depuis/vers Washington (7 $, 1 heure 11). Les trains **Amtrak** (☎800-872-7245 ; www.amtrak.com) desservent la côte Est et au-delà.

ℹ️ Comment circuler

Le **Light Rail** (billets 1,60 $; ⏱6h-23h) circule de l'aéroport BWI à Lexington Market et Penn Station. Il y en a toutes les 5-10 minutes. Les trains MARC circulent toutes les heures entre Penn Station et l'aéroport BWI en semaine (4 $). **SuperShuttle** (☎800-258-3826 ; www.supershuttle.com) assure la navette en minibus de l'aéroport BWI à l'Inner Harbor pour 14 $. Renseignez-vous auprès de la **Maryland Transit Administration** (MTA ; www.mtamaryland.com) sur les itinéraires et tarifs des transports en commun locaux.

Le **Baltimore Water Taxi** (Bateau-Taxi ; ☎410-563-3901 ; www.baltimorewatertaxi.com ; Inner Harbor ; forfait journée adulte/enfant 10/5 $) dessert tous les sites d'intérêt et les quartiers du port.

Annapolis

Annapolis est une capitale d'État des plus charmantes. Son architecture coloniale, ses pavés, ses réverbères scintillants et ses rangées de maisons en brique évoquent les romans de Dickens, mais sans que cela semble le moins du monde artificiel. En effet, plutôt que de le créer de toutes pièces, cette ville a su préserver son patrimoine.

Annapolis étant perchée au bord de la Chesapeake Bay, toute la vie de la ville tourne autour de ses riches traditions maritimes (ce dont témoigne sa devise : "Come Sail Away", ou "Prenons la mer"). Elle abrite l'US Naval Academy, dont les "middies" (apprentis enseignes de vaisseau) déambulent dans les rues en uniforme blanc amidonné. La navigation n'est pas ici un simple hobby mais bien un mode de vie, et les quais regorgent de navires de toutes sortes. Les marins d'eau douce goûteront quant à eux les plaisirs de la table, et boiront une bière sur la jetée rafraîchie par une agréable brise marine.

Un **Visitor Center** (www.visitannapolis.org ; 26 West St ; ⏱9h-17h) et un kiosque d'information ouvert en saison vous attendent au City Dock. Le **Maryland Welcome Center** (☎410-974-3400 ; 350 Rowe Blvd ; ⏱9h-17h), dans le capitole d'État (State House), organise des visites guidées gratuites du bâtiment.

👁️ À voir et à faire

Annapolis compte plus d'édifices du XVIIIe siècle que toute autre ville d'Amérique, et notamment les demeures des quatre signataires de la Déclaration d'indépendance, tous originaires du Maryland.

L'essentiel des sites d'intérêt se déploient autour du capitole d'État, et conduisent à City Dock et au front de mer historique.

US Naval Academy UNIVERSITÉ
L'Académie navale d'Annapolis est l'une des universités les plus sélectives d'Amérique. Vous pourrez vous plonger dans son histoire et réserver des visites guidées au **Armel-Leftwich Visitor Center** (porte n°1, entrée City Dock ; visites adulte/enfant 9,50/7,50 $; ⏱9h-17h). En semaine, à 12h05 précises, les 4 000 aspirants et aspirantes enseignes de vaisseau font un défilé militaire de 20 minutes dans la cour. Il faut présenter une pièce d'identité avec photo pour pouvoir entrer. Si vous avez un faible pour l'histoire navale américaine, le **Naval Academy Museum** (118 Maryland Ave ; entrée libre ; ⏱9h-17h lun-sam, 11h-17h dim) devrait vous combler.

GRATUIT **Maryland State House** SITE HISTORIQUE
(25 State Circle ; ⏱9h-17h lun-ven, 10h-16h sam-dim). Plus ancien capitole d'État du pays où l'on ait légiféré en continu, la grandiose State House de 1772 servit aussi de capitale nationale de 1733 à 1734. Le Sénat du Maryland s'y réunit en séances de janvier à avril. Le gigantesque gland renversé qui coiffe le dôme représente la sagesse. Pièce d'identité avec photo exigée à l'entrée.

Hammond-Harwood House SITE HISTORIQUE
(www.hammondharwoodhouse.org ; 19 Maryland Ave ; adulte/enfant 6/3 $; ⏱12h-17h mar-dim avr-oct). Des nombreuses maisons historiques de la ville, la HHH datant de 1774 est celle qu'il faut visiter. Elle comporte une superbe collection d'arts décoratifs, notamment du mobilier, des tableaux et des documents datant du XVIIIe siècle, et c'est

l'une des plus belles demeures coloniales britanniques d'Amérique.

St John's College
UNIVERSITÉ

(www.stjohnscollege.edu ; angle College Ave et King George St). On peut se promener dans les jardins de cette université, fondée en 1696, qui était à l'origine une *preparatory school* (école préparatoire privée), la King William's School. C'est l'un des plus anciens établissements d'enseignement supérieur du pays.

Kunta Kinte-Alex Haley Memorial
MONUMENT

Au City Dock, le Kunta Kinte-Alex Haley Memorial marque l'emplacement où Kunta Kinte – l'ancêtre d'Alex Haley, l'auteur de *Racines* – débarqua comme esclave venu d'Afrique. Haley reçut en 1977 le prix Pulitzer (catégorie littérature) pour son roman.

William Paca House & Garden
SITE HISTORIQUE

(www.annapolis.org ; adulte/enfant 8/5 \$; ⏱10h-17h lun-sam, 12h-17h dim). Un incontournable d'Annapolis, cette demeure créée au XVIIIᵉ siècle hébergea William Paca, un des signataires de la Déclaration d'indépendance.

☞ Circuits organisés

Four Centuries Walking Tour
CIRCUITS PÉDESTRES

(www.watermarkcruises.com ; adulte/enfant 16/10 \$). Un guide bénévole costumé vous accompagne tout au long de cette excellente introduction à l'histoire et à la culture d'Annapolis. La visite de 10h30 part du centre des visiteurs, et celle de 13h30 du kiosque d'information du City Dock. Les sites visités varient légèrement de l'une à l'autre, mais toutes deux couvrent la plus grande concentration d'édifices du XVIIIᵉ siècle du pays, le patrimoine afro-américain et l'histoire coloniale britannique. La **Pirates of the Chesapeake Cruise** (adulte/enfant 16/13 \$; ⏱fin mai-début sept), croisière d'une heure associée à cette visite, plaira particulièrement aux enfants.

Watermark Cruises
CROISIÈRE

(www.watermarkcruises.com ; City Dock ; 40 min adulte/enfant 13/5 \$). Le meilleur moyen de découvrir l'histoire maritime de la ville est bien de faire une croisière. Watermark, qui organise le Four Centuries Walking Tour, propose divers types de croisières ; départs fréquents.

Woodwind
CROISIÈRE

(☎410-263-7837 ; www.schoonerwoodwind.com ; 80 Compromise St ; croisière au couchant adulte/ enfant 39/25 \$; ⏱mai-oct). Cette magnifique goélette de 22,50 m vous emmène en croisière de 2 heures en journée et au couchant. Vous pouvez aussi opter pour la formule "bateau et petit-déjeuner" du Woodwind (chambres 295 \$, petit-déj inclus), l'un des hébergements les plus exceptionnels de la ville.

🛏 Où se loger

Historic Inns of Annapolis
AUBERGE **\$\$**

(☎410-263-2641 ; www.historicinnsofannapolis. com ; 58 State Circle ; ch 100-170 \$; ❄🛜). Les Historic Inns comprennent trois pensions de charme différentes, chacune aménagée dans un édifice historique au cœur de la vieille ville d'Annapolis. Ce sont le Maryland Inn, la Governor Calvert House et la Robert Johnson House. Les parties communes sont abondamment décorées d'éléments d'époque, et les plus belles chambres s'agrémentent d'objets anciens, d'une cheminée et d'un beau point de vue (les moins chères sont petites et auraient besoin d'être rénovées).

1908 William Page Inn
B&B **\$\$\$**

(☎410-263-1506 ; www.1908-williampageinn. com ; 8 Martin St ; ch petit-déj inclus 175-235 \$; 🅿❄🛜). Pour une escapade romantique, nulle meilleure adresse que ce B&B victorien. Belle décoration, chambres confortables, délicieuse hospitalité et petit-déjeuner savoureux.

ScotLaur Inn
B&B **\$\$**

(☎410-268-5665 ; www.scotlaurinn.com ; 165 Main St ; ch 95-140 \$; 🅿❄🛜). L'équipe du *diner* Chick & Ruth's Delly propose 10 chambres assez simples décorées en rose et bleu, avec sdb, dans son B&B (*bed and bagel*) situé à l'étage de la boutique.

Country Inn & Suites
HÔTEL **\$**

(☎410-571-6700 ; www.countryinns.com ; 2600 Housley Rd, au croisement de la Hwy 450 ; ch à partir de 86 \$; 🅿❄🛜). Tout à fait charmant pour un hôtel de chaîne. Navettes gratuites à destination du quartier historique.

🍴 Où se restaurer et prendre un verre

Installée au bord de la Chesapeake Bay, Annapolis est évidemment le paradis des poissons et fruits de mer.

Middleton Tavern
PRODUITS DE LA MER **\$\$**

(2 Market Space ; plat 10-33 \$; ⏱11h30-1h30 lun-sam, 10h-1h30 dim). L'un des plus anciens pubs du pays n'ayant jamais cessé son activité. Comme il se doit dans un pub en bord de mer, le menu propose des poissons

et fruits de mer d'une extrême fraîcheur. Concerts presque chaque soir.

49 West
CAFÉ $$

(☑410-626-9796 ; 49 West St ; plat déj 8-10 $, dîner 15-23 $; ☺8h-23h). Cette petite cachette remplie d'œuvres d'art propose une cuisine éclectique – classiques du petit-déjeuner, sandwichs gastronomiques et salades au déjeuner, poisson, fruits de mer et plats de bistrot le soir (thon à la poêle avec du pesto, poulet déglacé au mojito), ainsi que de bons vins et cocktails. Concerts presque chaque soir.

Galway Bay
PUB $$

(☑410-263-8333 ; 63 Maryland Ave ; plat 8-15 $; ☺11h-24h lun-sam, 10h30-24h dim). La quintessence du bar où se retrouvent les hommes d'influence. Ce pub irlandais, tenu par des Irlandais, est le genre d'endroit où les affaires politiques se négocient autour d'un whisky Jameson, de bières brunes et d'alléchantes formules à base de produits de la mer.

Chick & Ruth's Delly
DINER $

(165 Main St ; plat 6-10 $; ☺6h30-22h dim-jeu, 6h30-23h30 ven-sam). Une institution à Annapolis, à l'ambiance à la fois insolite et affable. Le menu, très fourni, propose beaucoup de sandwichs et plats de petit-déjeuner. Les patriotes récitent le serment d'allégeance au drapeau (Pledge of Allegiance) à 8h30 en semaine (9h30 le week-end).

Annapolis Ice Cream Company
GLACES $

(196 Main St ; glaces 4-5 $; ☺11h-22h). Glaces crémeuses faites maison avec des produits bio. Choix assez varié, avec parfums de saison, et portions très copieuses.

City Dock Cafe
CAFÉ $

(18 Market Space ; ☺6h30-22h ; 🖥). Adresse très prisée pour ses excellents cafés et le Wi-Fi gratuit.

Rams Head Tavern
PUB $$$

(www.ramsheadtavern.com ; 33 West St ; plat 10-30 $; ☺à partir de 11h). Sert des plats de pub et de rafraîchissantes bières artisanales dans une belle salle lambrissée de chêne, dotée d'une scène où se produisent des groupes (billets 15 $ à 55 $).

ℹ Comment s'y rendre et circuler

Des bus Greyhound rallient Washington (1/jour, 16 $). **Dillon's Bus** (www.dillonbus.com ; billets 5 $) assure 26 liaisons en semaine uniquement (bus de banlieue) entre Annapolis et Washington, permettant une correspondance avec diverses lignes de métro de Washington. **Annapolis Transit** (☑410-263-7964) assure les transports locaux.

Des **vélos** (5 $/jour ; ☺9h-20h) bon marché sont disponibles à la location à la capitainerie du City Dock.

Eastern Shore

De l'autre côté du Chesapeake Bay Bridge, à une courte distance en voiture de la vaste conurbation du couloir Baltimore-Washington, le paysage du Maryland opère une spectaculaire volte-face. Les banlieues quelconques et les routes embouteillées cèdent la place à des zones humides peuplées d'oiseaux s'étendant à perte de vue, à de paisibles paysages maritimes, à d'immenses champs de maïs et à de sympathiques petites bourgades. Le terrain plat des plaines côtières se prête idéalement au cyclotourisme. Pour l'essentiel, l'Eastern Shore conserve tout son charme malgré l'afflux grandissant de jeunes cadres citadins et d'excursionnistes d'un jour. L'eau est ici un élément-clé : les bourgades vivent de ce que leur apportent la Chesapeake Bay et ses affluents. Navigation, pêche classique, pêche au crabe et kayak font partie intégrante des habitudes de vie. C'est l'Amérique authentique.

ST MICHAELS, TILGHMAN ISLAND ET OXFORD

St Michaels, le plus ravissant petit village de l'Eastern Shore, s'annonce comme "le cœur et l'âme de la baie de Chesapeake", et c'est bien le cas. Mariant les vieilles maisons victoriennes, les B&B pittoresques, les petits commerces et une activité portuaire, c'est le refuge des artistes de Washington et le fief des vieux loups de mer pêcheurs de crabe. Le week-end, il y a parfois forte affluence de plaisanciers. Pendant la Guerre anglo-américaine de 1812, les habitants ont installé des lanternes dans une forêt voisine et plongé tout le village dans le noir. Les canonniers des vaisseaux britanniques ont donc tiré sur les arbres, et c'est ainsi que St Michaels a échappé à la destruction. L'édifice qu'on appelle aujourd'hui la **Cannonball House** (Mulberry St) est le seul à avoir été touché.

Au phare, le **Chesapeake Bay Maritime Museum** (www.cbmm.org ; 213 N Talbot St ; adulte/enfant 13/6 $; ☺9h-18h en été) explore les liens très étroits unissant les gens du Shore et le plus grand estuaire d'Amérique. Les croisières commentées d'une heure à bord du **Patriot** (☑410-745-3100 ; www.patriotcruises.com ; Navy Point ; adulte/enfant

ITINÉRAIRE PANORAMIQUE : LE MARYLAND MARITIME

Le Maryland et la Chesapeake Bay sont étroitement imbriqués depuis toujours, et par endroits, le mode de vie à l'ancienne au bord de la baie semble n'avoir guère changé malgré le passage du temps.

À environ 240 km au sud de Baltimore, en lisière de l'Eastern Shore, **Crisfield** est la plus grande agglomération du Maryland dont l'activité soit centrée sur l'eau. Renseignez-vous au **Visitor Center** (☎410-968-2501 ; 3 9th St ; ☺10h-16h lun-sam). Où que vous mangiez, les poissons et fruits de mer seront de premier choix, néanmoins, pour faire l'expérience d'un établissement vraiment typique du Shore, optez pour le légendaire **Watermen's Inn** (☎410-968-2119 ; 901 W Main St ; plat 12-20 $; ☺11h-21h mer-ven, 8h-21h sam-dim). Dans un cadre simple et sans prétention, on se régale de la pêche du jour que propose le menu renouvelé au gré des arrivages.

Laissez ensuite la voiture pour embarquer à destination de **Smith Island** (www.visitsmithisland.com), unique île habitée de l'État. Plusieurs petits bateaux effectuent la traversée, notamment le **Captain Jason II** (☎410-425-2771 ; www.smithislandcruises.com ; adulte/enfant aller-retour 25/13 $; ☺12h30 mi-juin à sept) ; renseignez-vous par téléphone sur les horaires hors saison. Colonisée par des pêcheurs venus du West Country anglais (actuelle région administrative de l'Angleterre du Sud-Ouest) il y a quelque 400 ans, l'île compte une poignée d'habitants qui s'expriment encore avec un accent que les linguistes considèrent comme le plus proche de l'accent des Cornouailles du XVIIe siècle. Le site Internet de l'île comporte des informations sur les B&B, les restaurants et les activités. Les ferries vous ramèneront sur le continent et à l'époque moderne à 15h45.

25/13 $) partent du quai proche du Crab Claw plusieurs fois par jour.

Le **Parsonage Inn** (☎410-745-8383 ; www.parsonage-inn.com ; 210 N Talbot St ; ch petit-déj inclus 150-210 $; P✴), édifice victorien en brique rouge, fait la part belle aux motifs floraux (rideaux, couettes). On dort dans des lits aux montants de laiton et l'accueil est des plus chaleureux.

Juste à côté du musée maritime, le **Crab Claw** (☎410-745-2900 ; 304 Burns St ; plat 15-30 $; ☺11h-22h) dispose d'une superbe terrasse au bord de l'eau. Offrez-vous un festin de délicieux crabes à la vapeur (36 $ à 60 $ la douzaine) installé à une table de pique-nique, ou optez pour la salle de l'étage si vous souhaitez mangez des plats de poisson et fruits de mer plus raffinés.

Au bout de la route, de l'autre côté du pont mobile de la Hwy 33, le front de mer de la minuscule **Tilghman Island** est toujours en activité. Les capitaines emmènent les visiteurs draguer les huîtres à bord de gracieux sharpies (sorte de voiliers à fond plat typiques des États-Unis) ; le **Rebecca T Ruark** (☎410-829-3976 ; www.skipjack.org ; croisière 2 heures adulte/enfant 30/15 $), construit en 1886, est le plus ancien bateau du genre vraiment authentique.

L'histoire du petit village d'**Oxford**, bel ensemble de rues verdoyantes et de maisons au bord de l'eau, remonte aux années 1600.

Bien qu'on puisse s'y rendre en voiture par l'US-333, cela vaut vraiment la peine de prendre le vieux **ferry** (☎410-745-9023 ; www.oxfordbellevueferry.com ; aller simple voiture/passager supp/piéton 11/1/3 $; ☺9h-crépuscule avr-nov) qui part de Bellevue. Tâchez d'arriver au coucher du soleil pour profiter d'une vue magnifique.

À Oxford, ne laissez pas passer votre chance de manger au **Robert Morris Inn** (☎410-226-5111 ; www.robertmorrisinn.com ; 314 N Morris St ; plat 17-29 $; ☺7h30-10h, 12h-14h30 et 17h30-21h30) près du débarcadère du ferry. Cakes au crabe, poissons de roche grillés et médaillons d'agneau de lait, tous plus délicieux les uns que les autres, se marient à merveille avec les vins proposés. La *pavlova* aux baies et autres desserts achèvent le repas en beauté. On peut aussi loger dans l'une des chambres de style ancien de l'auberge (à partir de 200 $).

BERLIN ET SNOW HILL

Ces deux petits villages de l'Eastern Shore sont des plus ravissants. La plupart de leurs bâtiments sont préservés ou rénovés de façon à ce qu'on pense qu'ils sont d'époque. Les amateurs d'antiquités et objets anciens devront prévoir du temps s'ils veulent faire le tour des antiquaires qui sont légion dans le coin.

À Berlin, le **Globe Theater** (☑410-641-0784 ; www.globetheater.com ; 12 Broad St ; plat déj 6-12 $, dîner 11-25 $; ☺11h-22h ; 🛜), théâtre restauré avec amour, fait aussi office de restaurant, de bar, de galerie d'art et de salle de concerts (tous les soirs) ; on y mange un choix éclectique de plats américains aux parfums d'ailleurs (*burritos* aux fruits de mer, rouleaux garnis de poulet à la jamaïcaine). À proximité, le **salon de coiffure** (17 N Main St), encore en activité, a servi de décor au film *Just married (ou presque)* datant de 1999.

Les B&B sont légion, mais si vous avez envie de changer, essayez l'**Atlantic Hotel** (☑410-641-3589 ; www.atlantichotel.com ; 2 N Main St ; ch 115-245 $; 🅿🌀). Ce ravissant hôtel du Gilded Age (période de reconstruction et de prospérité qui suivit la guerre de Sécession) fait faire un bond dans le passé tout en offrant tout le confort moderne, et le **Drummer's Cafe** (plat déj 9-14 $, dîner 17-34 $; ☺11h-15h et 17h-22h lun-sam, 10h-15h dim) attenant sert des spécialités locales.

À quelques kilomètres de Berlin, Snow Hill bénéficie d'un cadre splendide et paradisiaque au bord de la Pocomoke River, sur laquelle vous pourriez naviguer grâce à la **Pocomoke River Canoe Company** (☑410-632-3971 ; 312 N Washington St ; canoë par heure/jour 15/40 $). Le personnel vous emmène même en amont de sorte que vous n'ayez plus qu'à pagayer tranquillement au fil de l'eau. Non loin, **Furnace Town** (☑410-632-2032 ; www.furnacetown.com ; Old Furnace Rd ; adulte/enfant 5/3 $; ☺10h-17h avr-oct), au bord de la Rte 12, est un musée d'histoire vivante marquant l'emplacement d'une ancienne ville de hauts fourneaux du XIXᵉ siècle. À Snow Hill même, passez une agréable demi-heure dans le **Julia A Purnell Museum** (☑410-632-0515 ; 208 W Market St ; adulte/enfant 2 $/50 ¢ ; ☺10h-16h mar-sam, 13h-16h dim avr-oct), minuscule musée aux airs de grenier rassemblant des objets typiques de l'Eastern Shore.

Pour loger sur place, cap sur le **River House Inn** (☑410-632-2722 ; 201 E Market St ; www.riverhouseinn.com ; ch 160-190 $, cottage 250-300 $; 🅿🌀) de Snow Hill, dont le luxuriant jardin, à l'arrière, surplombe un méandre de la **Palette River** (☑410-632-0055 ; 104 W Market St ; plat 18-2 $; ☺11h-15h mar-mer, 11h-21h jeu-sam, 10h-14h dim) sert un menu régulièrement renouvelé de cuisine américaine moderne, préparée avec des produits bio de la région.

Ocean City

"The OC", ou la station balnéaire américaine clinquante dans toute sa splendeur… Au programme : manèges à donner le frisson, T-shirts barrés de slogans obscènes et beuveries dans des bars à thème ringards. L'animation se concentre le long des 4 km de la promenade en bois, qui s'étend du bras de mer à 27th St. La plage est jolie mais envahie d'ados électrisés par leurs hormones et de foules compactes et bruyantes. Les plages

LE CRABE BLEU : UNE SPÉCIALITÉ DU MARYLAND

Manger dans une cabane à crabes, où le code vestimentaire de rigueur se résume à un short et des tongs, c'est l'expérience typique et incontournable de la Chesapeake Bay. Pour les gens du coin, le crabe est une affaire sérieuse. Ils peuvent d'ailleurs débattre pendant des heures de la meilleure manière de le décortiquer, de le cuisiner, et des endroits où pêcher les meilleurs spécimens. Les habitants du Maryland tombent tous d'accord sur un point : il faut que ce soit des crabes bleus (*Callinectes sapidus*), une espèce endémique et l'une des plus grandes richesses économiques de la baie.

Les crabes à la vapeur sont préparés très simplement, avec de la bière et de l'assaisonnement Old Bay. L'une des meilleures cabanes à crabes de l'État, **Jimmy Cantler's Riverside Inn** (458 Forest Beach Rd, Annapolis ; ☺11h-23h dim-jeu, 11h-24h dim), propose un crabe à la vapeur véritablement exquis – à manger comme il se doit avec les doigts, et en principe accompagné d'un épi de maïs au naturel et d'une bière très fraîche. Autre excellente adresse, le Crab Claw (p. 286) se trouve de l'autre côté de la baie.

Bien que le nombre de crabes bleus soit en baisse par rapport à son record historique (à cause de la surpêche et de la pollution de l'eau), des études récentes ont montré que ces crustacés pourraient faire leur grand retour. En 2009, on a calculé qu'environ 223 millions de crabes bleus adultes vivaient dans la baie, soit une augmentation de 70% par rapport à 2008. C'était aussi la première fois en près de 20 ans que cette population dépassait le nombre de 200 millions de crabes.

ASSATEAGUE ISLAND

À seulement 13 km au sud d'Ocean City mais semblant à mille lieues, Assateague Island offre un paysage nu et sauvage de dunes de sables et de superbes plages désertes. Cette île-barrière sans constructions est peuplée de l'unique harde de chevaux sauvages de la côte Est.

L'île est subdivisée en trois parties. Au Maryland, on trouve l'**Assateague State Park** (☎410-641-2918 ; Rte 611 ; entrée/empl tente 4/31 $; ☉camping ouvert fin avr à oct) et l'**Assateague Island National Seashore** (☎410-641-1441 ; www.nps.gov/asis ; Rte 611 ; entrée/véhicules/empl tente 3/15 $/20 ; ☉centre des visiteurs 9h-17h), placé sous administration fédérale. Le Chincoteague National Wildlife Refuge (voir p. 309) se trouve en Virginie.

Côté loisirs, voici le programme : baignade, bronzage, observation des oiseaux, kayak, canoë, pêche au crabe ou pêche classique. La partie de l'île qui se trouve dans le Maryland ne compte aucune infrastructure. Apportez eau et victuailles, et surtout, n'oubliez pas votre répulsif anti-insectes : les moustiques et les taons sont particulièrement voraces !

au nord de la promenade sont bien plus tranquilles.

Le **Visitor Center** (☎800-626-2326 ; www.ococean.com ; ☉9h-17h), dans le palais des congrès de la Coastal Hwy à hauteur de 40th St, peut vous aider à trouver un hébergement. En été, la petite ville passe de 7 100 habitants à plus de 150 000 ; la circulation automobile est très dense et les places de stationnement se font rares.

🛏 Où se loger

King Charles Hotel   PENSION **$$**
(☎410-289-6141 ; www.kingcharleshotel. com ; 1209 N Baltimore Ave, à hauteur de 12th St ; ch 115-170 $; P❄🛜). Ce pourrait être un pittoresque cottage d'été, à ceci près qu'il se trouve à deux pas du cœur de l'animation de la promenade. Les chambres, datées mais propres, ont de petites vérandas, et le lieu est paisible (les propriétaires dissuadent les jeunes fêtards de loger sur place).

Spinnaker Motel   HÔTEL **$$$**
(☎410-289-5444 ; www.ocmotels.com/ spinnaker ; angle 18th St et Baltimore Ave ; ch 160-250 $; P❄🛜♿). Plus économique que la plupart des hôtels du front de mer. Personnel sympathique, lits confortables et balcons avec vue sur l'océan. Vu l'emplacement, en plein cœur de l'animation, l'hôtel peut être bruyant.

🍴 Où se restaurer et prendre un verre

Les plats mariant viande et produits de la mer ainsi que les buffets à volonté sont la norme. Les discothèques se concentrent à l'extrémité sud de la promenade en bois.

♥ **Liquid Assets**   AMÉRICAIN MODERNE **$$**
(☎410-524-7037 ; www.la94.com ; 94th St et Coastal Hwy ; plat 10-26 $; ☉11h30-23h). Ce bistrot et caviste, véritable petit bijou, est niché dans une rue commerçante du nord d'OC. Le menu propose un mélange innovant de poisson et fruits de mer, viandes grillées et classiques régionaux (porc de Caroline au barbecue, burger de thon Ahi).

Fager's Island   AMÉRICAIN MODERNE **$$$**
(☎410-524-5500 ; www.fagers.com ; 60th St ; plat 19-36 $; ☉à partir de 11h). La nourriture est plus ou moins bonne selon les plats, mais l'endroit est parfait pour boire un verre et profiter de la vue sur l'Isle of Wight Bay. Groupes et DJ attirent les jeunes femmes célibataires en goguette le week-end.

Seacrets   BAR
(www.seacrets.com ; angle W 49th St et la Bay ; ☉8h-2h). Bar à thème jamaïcain où le rhum coule à flots, semblant tout droit sorti des programmes télévisés montrant les séjours clubbing des étudiants lors du fameux "Spring Break" (vacances de printemps). En clair : le lieu de drague le plus célèbre d'OC.

ℹ Comment s'y rendre et circuler

Des bus **Greyhound** (☎410-289-9307 ; 12848 Ocean Gateway) effectuent chaque jour le trajet depuis/vers Washington (62 $, 4 heures) et Baltimore (55 $, 3 heures 30).

L'**Ocean City Coastal Highway Bus** (forfait journée 3 $) fait la navette tout le long de la plage de 6h à 3h.

Ouest du Maryland

La partie ouest du Maryland est un territoire montagneux. Les pics des Appalaches s'élèvent à 900 m au-dessus du niveau de la mer, et les vallées environnantes fourmillent de paysages sauvages et de champs de bataille de la guerre de Sécession. C'est *la* région du Maryland propice aux sports de plein air (randonnée, ski, escalade et rafting), et elle n'est qu'à un court trajet de Baltimore.

FREDERICK

À mi-chemin entre les champs de bataille de Gettysburg (Pennsylvanie), et Antietam, Frederick est une étape populaire sur l'itinéraire consacré à la guerre de Sécession. Son quartier historique couvrant 50 pâtés de maisons abonde en édifices des XVIIIᵉ et XIXᵉ siècles qui en sont à des stades divers de rénovation. Le **Visitor Center** (☎301-600-2888 ; 151 S East St), en face de la gare ferroviaire MARC, est à 10 minutes à pied du quartier historique.

Le **National Museum of Civil War Medicine** (www.civilwarmed.org ; 48 E Patrick St ; adulte/enfant 6,50/4,50 $; ☺10h-17h lun-sam, 11h-17h dim) offre un aperçu fascinant, parfois terrifiant, des blessures et maladies auxquelles ont dû faire face soldats et médecins pendant la guerre de Sécession, et des importantes avancées médicales nées du conflit.

Le **Hollerstown Hill B&B** (☎301-228-3630 ; www.hollerstownhill.com ; 4 Clarke Pl ; ch 135-145 $; P❄🛏) compte 4 chambres à la décoration chargée et une élégante salle de billard. Les hôtes, sympathiques, sont très documentés.

Dans Market St, bordée de restaurants, **Volt** (☎301-696-3658 ; 228 N Market St ; plat 29-40 $; ☺12h-22h) est l'une des meilleures tables de Frederick. Elle propose des plats de saison à base de produits régionaux et un service de qualité lui assurant la fidélité de la clientèle qui vient de Washington et au-delà. L'établissement occupe une demeure du XIXᵉ siècle magnifiquement restaurée. Réservez des mois à l'avance la fameuse formule Table 21 (21 plats pour 121 $, servis dans la cuisine). Le menu du déjeuner (3 plats, 25 $) est d'un excellent rapport qualité/prix.

Frederick est accessible en bus **Greyhound** (☎301-663-3311) et avec les **trains MARC** (☎301-682-9716) ; gare en face du centre des visiteurs au 100 S East St.

ANTIETAM NATIONAL BATTLEFIELD

Le site du jour le plus sanglant de l'histoire américaine est, suprême ironie,

extrêmement paisible et désert, si l'on excepte les plaques commémoratives et les statues. Le 17 septembre 1862, la première invasion du Nord par les troupes du général Robert E. Lee fut stoppée ici, lors d'une bataille qui fit plus de 23 000 morts, blessés et disparus, soit plus de victimes qu'en additionnant celles de tous les conflits qu'avait précédemment connus l'Amérique. Nombre des tombes du champ de bataille sont gravées de noms allemands et irlandais, ceux des immigrants qui ont péri en luttant pour leur nouvelle terre d'accueil.

Le **Visitor Center** (☎301-432-5124 ; State Rd 65 ; forfait 3 jours individuel/familial 4/6 $; ☺8h30-18h, 8h30-17h en basse saison) vend un choix d'ouvrages et autres documents, dont des itinéraires en voiture ou à pied sur le champ de bataille.

À 16 km au sud-est d'Antietam, au bord de l'I-67 à **Burkittsville**, le **Gathland State Park** (☎301-791-4767 ; entrée libre ; ☺8h-crépuscule) comporte un accès au sentier des Appalaches (Appalachian Trail). Burkittsville est aussi célèbre car c'est là qu'a été tourné le film *Le Projet Blair Witch*.

CUMBERLAND

Au bord du Potomac, l'avant-poste de Fort Cumberland (à ne pas confondre avec le Cumberland Gap séparant la Virginie du Kentucky) était pour les pionniers le lieu de passage à travers les Allegheny Mountains à destination de Pittsburgh et de la Ohio River. La Cumberland d'aujourd'hui s'est spécialisée dans le loisir de plein air pour faire connaître aux visiteurs les rivières, les forêts et les montagnes de la région. Les sites ci-après sont à une courte distance à pied des rues du centre-ville, très agréables pour les piétons.

◉ À voir et à faire

C&O Canal National Historic Park SENTIER Merveille d'ingénierie, le Chesapeake & Ohio (C&O) Canal fut conçu pour suivre le cours du Potomac de la Chesapeake Bay jusqu'à la Ohio River. On commença à creuser le canal en 1828 mais les travaux furent arrêtés net par les Appalaches à cet endroit en 1850. Le couloir de 298 km qui passe dans le parc protégé comporte un chemin de halage/sentier de randonnée et piste cyclable large de 3,50 m, qui part d'ici et va jusqu'à Georgetown, dans le District of Columbia. Les expositions du **C&O Canal Museum** (☎301-739-4200 ; 15 Canal Pl ; ☺9h-17h lun-ven) montrent l'importance du commerce fluvial dans l'histoire maritime de la côte Est.

Great Allegheny Passage SENTIER

(GAP ; www.atatrail.org). Cette autre excellente piste de randonnée pédestre et cycliste suit une voie ferrée qui passe par des vallées, le long de rivières et par de petites bourgades, sur 217 km au nord-ouest jusqu'à Duquesne, en Pennsylvanie. Encore en construction, le GAP une fois terminé ira jusqu'à Pittsburgh. Le sentier débute près de Baltimore St et du canal ; de là, il rejoint le sentier du C&O Canal, à 200 m au sud.

Western Maryland Scenic Railroad TRAIN

(☎800-872-4650 ; www.wmsr.com ; 13 Canal St ; adulte/enfant 30/16 $; ☺11h30 ven-dim mai-oct, sam-dim nov-déc). Devant le centre des visiteurs du comté d'Allegheny, près du départ du C&O Canal, on peut faire un tour en locomotive à vapeur. Le trajet aller-retour jusqu'à Frostburg (3 heures 30) fait traverser des forêts et de profonds ravins.

Cumberland
Trail Connection CYCLOTOURISME

(☎301-777-8724 ; www.ctcbikes.com ; 14 Howard St, Canal Pl ; demi-journée/journée/ sem à partir de 15/25/120 $; ☺10h-18h). Emplacement pratique près du départ du C&O Canal pour cette agence qui loue des vélos (de ville, de cyclotourisme, VTT), et assure une navette vers toute destination de Pittsburgh à Washington Il est question qu'elle loue bientôt des canoës.

Allegany Expeditions CIRCUIT AVENTURE

(☎301-722-5170 ; www.alleganyexpeditions.com; 10310 Columbus Ave/Rte 2). Circuits aventure, notamment escalade, canoë, ski de fond et pêche à la mouche.

✗ Où se restaurer

Queen City Creamery & Deli DINER $

(☎301-777-0011 ; 108 Harrison St ; plat 6-8 $; ☺7h-21h). Ce *diner* rétro avec fontaine à soda ramène immédiatement aux années 1940 : milk-shakes crémeux, *frozen custard* (dessert glacé à la crème et aux œufs) maison, sandwichs épais et petits-déjeuners roboratifs.

DEEP CREEK LAKE

Dans l'extrême ouest du *panhandle* (terme qui désigne une extension de terre, ou "queue de poêle" en rapport avec la géographie particulière de la frontière de certains États du pays, en l'occurence ici, il s'agit de la partie la plus occidentale du Maryland), le plus grand lac d'eau douce de l'État est un excellent terrain de jeu en toutes saisons. Les tons cuivre et écarlate des Allegheny Mountains attirent les foules en octobre lors de l'**Autumn Glory Festival** (www.autumngloryfestival.com), et offrent un spectacle digne des couleurs de l'automne de la Nouvelle-Angleterre. À McHenry, le **Garrett County Visitor Center** (☎301-387-4386 ; www.visitdeepcreek.com ; 15 Visitor Center Dr), côté nord de l'US 219, renseigne sur toutes les activités de plein air, y compris sur la station de ski voisine de **Wisp** (☎301-387-4911 ; www.wispresort.com).

DELAWARE

Le délicieux Delaware, deuxième État le plus petit du pays (155 km de long et 56 km de large tout au plus) est éclipsé par ses voisins et négligé par les visiteurs de la région de la capitale. C'est fort dommage, car il a bien plus à offrir que des magasins hors taxes et des fermes d'élevage de poulets.

Le Delaware, ce sont aussi de vastes plages de sable blanc, de jolis villages coloniaux, une campagne paisible et un charme provincial. Cet État à explorer est encore célèbre pour avoir été le premier à ratifier la Constitution américaine, d'où son slogan : "It's Good Being First" (C'est bon d'être le premier).

LE DELAWARE EN BREF

» **Surnom :** The First State ("Le Premier État")

» **Population :** 900 000 habitants

» **Superficie :** 3 189 km²

» **Capitale :** Dover (36 000 habitants)

» **TVA :** nulle

» **État de naissance de :** George Thorogood (né en 1952), musicien de rock ; Valerie Bertinelli (née en 1960), actrice ; et Ryan Phillippe (né en 1974), acteur

» **Berceau :** du vice-président Joe Biden, de la famille Du Pont, de l'entreprise DuPont, des sociétés de cartes bancaires et d'innombrables poulets

» **Politique :** généralement démocrate

» **Célèbre pour :** ses magasins hors taxes et ses belles plages

» **Oiseau officiel :** la Poule bleue

» **Distances par la route :** Wilmington-Dover : 84 km ; Dover-Rehoboth Beach : 69 km

Histoire

Durant la période coloniale, le Delaware faisait l'objet d'une querelle territoriale agressive entre les colons hollandais, suédois et britanniques. Les premiers importaient les concepts de la classe moyenne d'Europe du Nord, tandis que les derniers voulaient instaurer une aristocratie basée sur les plantations, ce qui explique en partie pourquoi le Delaware reste aujourd'hui encore un hybride culturel du centre du littoral atlantique.

Le 7 décembre 1787, il joua un rôle historique décisif en étant le premier État à ratifier la Constitution américaine et donc le premier État de l'Union. Il resta dans l'Union pendant la guerre de Sécession, bien qu'il soutînt l'esclavage. Pendant cette période, ainsi que pendant la plus grande partie de son histoire, l'industrie chimique joua un rôle clé dans l'économie. C'est ici qu'en 1802, l'immigrant français Eleuthère Irénée du Pont créa sa poudrerie. L'entreprise DuPont est aujourd'hui le deuxième plus grand fabricant de produits chimiques au monde. Au cours du XXᵉ siècle, la faible fiscalité attira d'autres entreprises (notamment des sociétés de cartes bancaires), stimulant ainsi la prospérité de l'État.

Plages du Delaware

Les 45 km de plages de sable du Delaware sur l'Atlantique invitent à la flânerie. Toutes les entreprises et services répertoriés ici sont ouverts toute l'année, sauf mention contraire, et tous les prix indiqués sont ceux de la haute saison (juin-août). En basse saison, les bonnes affaires ne manquent pas.

LEWES

En 1631, les Hollandais baptisèrent cette colonie baleinière du joli nom de Zwaanendael ("vallée des cygnes"), avant d'être massacrés par le peuple autochtone des Nanticoke. Le nom de la ville devint Lewes (prononcer LOU-iss) lorsque William Penn prit le contrôle de la région. Aujourd'hui, ce joyau de bord de mer se caractérise par un mélange d'architectures anglaise et hollandaise.

Le **Visitor Center** (www.leweschamber. com ; 120 Kings Hwy ; ⊙9h-17h lun-ven) vous indiquera les points d'intérêt, comme le **Zwaanendael Museum** (102 Kings Hwy ; entrée libre ; ⊙10h-16h30 mar-sam, 13h30-16h30 dim), dont le personnel accueillant vous expliquera tout sur les racines hollandaises du Premier État.

LE JUNCTION AND BREAKWATER TRAIL À VÉLO

Louez un vélo et suivez le superbe Junction and Breakwater Trail, entre Rehoboth et Lewes (10 km). Cet espace vert régulier et nivelé doit son nom à la ligne ferroviaire qui passait ici dans les années 1800 et comprend des terrains découverts et boisés, des marais côtiers et des terres agricoles. À Rehoboth, procurez-vous une carte au centre des visiteurs ou à **Atlantic Cycles** (www.atlanticcycles. net ; 18 Wilmington Ave), qui propose des tarifs de location de vélos intéressants (demi-journée/journée à partir de 12/18 $). À Lewes, essayez **Ocean Cycles** (www.oceancycles.com ; 514 E Savannah Rd) au Beacon Motel.

Fisherman's Wharf (☑302-645-8862 ; www.fishlewes.com ; 7 Anglers Rd) propose divers types de sorties en mer : croisières au coucher du soleil (adulte/enfant 15/10 $), observation des dauphins (adulte/enfant 35/20 $) et sorties de pêche (demi-journée/journée 45/85 $).

Pour plus d'action, louez un kayak chez **Quest Fitness Kayak** (☑302-745-2925 ; www. questfitnesskayak.com ; Savannah Rd ; kayak 2/8 heures 25/50 $), qui dispose d'un point de location à côté du Beacon Motel et propose également des circuits panoramiques à la rame autour du Cape Henlopen (adulte/enfant 65/35 $).

Vous trouverez des hôtels et des restaurants dans le petit centre-ville historique, notamment l'**Hotel Rodney** (☑302-645-6466 ; www.hotelrodneydelaware.com ; 142 2nd St ; ch 140-250 $; P❋◉☎), beau *boutique hotel* doté d'une superbe literie et de meubles anciens. De l'autre côté du canal, le **Beacon Motel** (☑302-645-4888 ; www.beaconmotel. com ; 514 Savannah Rd ; ch 95-190 $; P❋◉☎) dispose de chambres vastes et calmes à 10 minutes à pied de la plage.

De charmants restaurants et cafés parsèment 2nd St. Près du pont mobile qui enjambe le canal, le **Striper Bites Bistro** (☑302-645-4657 ; 107 Savannah Rd ; plat déj 10-12 $, dîner 16-24 $; ⊙11h30-tard lun-sam), dans un bâtiment en bardeaux, propose des plats de poisson originaux comme la rascasse de Lewes et les tacos de poisson. De l'autre côté du pont mobile, le **Wharf** (☑302-645-7846 ; 7 Anglers Rd ; plat 10-24 $; ⊙7h-1h) jouit d'un emplacement en bord de canal invitant à la détente et propose un vaste choix de poisson et fruits de mer, ainsi que de la cuisine de pub. Concerts le week-end.

Chaque jour, les bateaux de **Cape May-Lewes Ferry** (☎800-643-3779 ; www.capemaylewesferry.com ; 43 Cape Henlopen Dr ; voiture/adulte/enfant 36-44/10/5 $) partent pour le New Jersey (1 heure 30), au départ du terminal, à moins de 2 km du centre-ville de Lewes. Pour les passagers à pied, un bus navette saisonnier (4 $) relie le terminal des ferries à Lewes et Rehoboth Beach. Les tarifs sont plus bas du dimanche au jeudi. Réservation recommandée.

CAPE HENLOPEN STATE PARK

À moins de 2 km à l'est de Lewes, plus de 1 618 hectares de dunes, de forêts de pins et de zones humides sont protégés dans ce joli **parc d'État** (☎302-645-8983) apprécié des ornithologues et des amateurs de plage (6 $/voiture immatriculée hors de l'État). Vous verrez jusqu'à Cape May depuis la tour d'observation. La **plage des North Shores** attire de nombreux couples homosexuels. **Le camping** (☎877-987-2757 ; empl 30-32 $; ☻mars-nov) comprend des emplacements boisés ou en bordure d'océan.

REHOBOTH BEACH ET DEWEY BEACH

Rehoboth, plage la plus proche de Washington (195 km), est souvent qualifiée de "capitale d'été du pays". Fondée en 1873 en tant que camp balnéaire chrétien, Rehoboth est aujourd'hui un brillant exemple de tolérance. Cette destination appréciée aussi bien des familles que des homosexuels est d'ailleurs dotée d'une communauté lesbienne particulièrement importante. Elle compte même une plage gay, Poodle Beach, située au bout de Queen St.

Dans le centre-ville de Rehoboth se côtoient des maisons victoriennes et des "maisons en pain d'épice", des rues bordées d'arbres, des B&B de charme et des boutiques tendance, des restaurants chics, des aires de jeux pour enfants et de vastes plages et leur promenade. Rehoboth Avenue, l'artère principale, compte de nombreux restaurants et les habituelles boutiques de souvenirs. Elle va du **Visitor Center** (☎302-227-2233 ; www.beach-fun.com ; 501 Rehoboth Ave ; ☻9h-17h lun-ven, 9h-13h sam-dim) au rond-point menant à la promenade. À l'extérieur de la ville, la Rte 1 aligne les chaînes de restaurants et d'hôtels, et les magasins d'usine, où les chasseurs de bonnes affaires viennent profiter des prix hors taxes du Delaware.

À moins de 3 km au sud sur la Hwy 1 se trouve le petit hameau de Dewey Beach. Sa plage, haut lieu de l'hédonisme (hétéro), est bien connue pour sa vie nocturne vouée à la fête.

🛏 Où se loger

Comme ailleurs sur la côte, les prix explosent en haute saison (juin-août). Vous trouverez des établissements plus abordables sur la Rte 1.

♥ Bellmoor Inn & Spa · BOUTIQUE HOTEL $$$

(☎800-425-2355 ; www.thebellmoor.com ; 6 Christian St ; ch à partir de 260 $; P❄@☎). S'il ne s'agissait pas d'une question d'argent, nous nous offririons une chambre dans l'"auberge" la plus luxueuse de Rehoboth. Avec son style campagnard anglais, ses cheminées, son jardin paisible et son emplacement à l'écart, on est loin des établissements habituels de la côte. Avec spa complet.

Hotel Rehoboth · BOUTIQUE HOTEL $$$

(☎302-227-4300 ; www.hotelrehoboth.com ; 247 Rehoboth Ave ; ch 290-390 $; P❄@☎☎). Le dernier né des hôtels de charme de Rehoboth doit sa réputation à ses installations luxueuses et à son excellent service, notamment une navette gratuite jusqu'à la plage.

Crosswinds Motel · MOTEL $$$

(☎302-227-7997 ; www.crosswindsmotel.com ; 312 Rehoboth Ave ; ch 150-250 $; P❄☎). Au cœur de Rehoboth Ave, ce motel simple propose un bon rapport qualité/prix et des équipements appréciables (mini-réfrigérateur, cafetière, télé écran plat). À 12 min à pied de la plage.

Walls Apartments · APPARTEMENTS $

(☎302-227-2999 ; angle Christian St et Rehoboth Ave ; ch à partir de 97 $; P). Cet ensemble vieillissant de chalets et d'appartements meublés de manière rustique n'est qu'à quelques pâtés de maisons de la plage. Les prix sont imbattables, mais l'ameublement en piteux état en décourage plus d'un – de plus, certains appartements ont une baignoire mais pas de douche (mais il y a des douches en extérieur). Espèces uniquement.

✕ Où se restaurer et prendre un verre

Parmi les spécialités bon marché de la promenade, ne manquez pas les frites de Thrasher, les pizzas de Grotto et les caramels à l'eau de mer de Dolle. Pour un repas plus classique, optez pour l'un des accueillants restaurants de Wilmington Ave.

♥ Planet X
FUSION $$$

(☎302-226-1928 ; 35 Wilmington Ave ; plat 16-33 $; ☺à partir de 17h ; ✍). Cet établissement élégant laisse transparaître des influences asiatiques dans sa carte et son décor – lanternes rouges et bouddhas sur les murs ; curry rouge thaï, beignets de crevettes et de crabe, et nouilles au sésame épicées dans les assiettes. Possibilité de manger sur la véranda ouverte sur l'extérieur.

Henlopen City Oyster House
FRUITS DE MER $$$

(50 Wilmington Ave ; plat 21-26 $; ☺à partir de 15h). Les amateurs d'huîtres et de fruits de mer se pressent dans ce restaurant raffiné pour son alléchant bar à huîtres et ses jolies assiettes (crabes à carapace molle, bouillabaisse, macaronis au fromage et homard). Arrivez tôt ; pas de réservations. La bonne carte de bières artisanales, cocktails et vins en fait un endroit idéal pour commencer la soirée.

Cultured Pearl
JAPONAIS $$$

(☎302-227-8493 ; 301 Rehoboth Ave ; plat 16-33 $; ☺16h30-tard). Ambiance zen pour ce restaurant asiatique prisé par les habitants, doté d'un bassin de carpes koï à l'entrée et d'une terrasse sur le toit. Sushis et entrées de premier choix. Concerts la plupart des soirs.

Royal Treat
GLACIER $

(4 Wilmington Ave ; glace 3,50 $; ☺8h-23h30). Il y a toujours la queue devant cet incontournable café-glacier qui sert des préparations crémeuses et gigantesques. Également réputé pour ses petits-déjeuners.

Starboard
RESTAURANT, BAR $$

(2009 Hwy 1, Dewey Beach ; plat 6-18 $; ☺9h-tard avr-oct). Cet établissement emblématique de Dewey Beach depuis 1960 sert les meilleurs brunchs de la région. Essayez les Eggs Del Marva – œufs Bénédicte recouverts de crabe. Le soir, le Starboard devient l'endroit incontournable pour faire la fête sur la plage, avec spectacles et alcool à gogo.

Dogfish Head
MICROBRASSERIE $$

(www.dogfish.com ; 320 Rehoboth Ave ; plat 9-23 $; ☺12h-tard). Ou lorsqu'une brasserie artisanale programme certains des meilleurs concerts de la côte atlantique...

❶ Comment s'y rendre et circuler

Le **Jolly Trolley** (aller 2,50 $; ☺8h-2h été) relie Rehoboth à Dewey avec de nombreux arrêts entre les deux. Malheureusement, Rehoboth n'est plus desservie par les bus longue distance.

BETHANY BEACH ET FENWICK ISLAND

Vous en avez assez du tumulte ? Les villes côtières de Bethany et Fenwick, à mi-chemin environ de Rehoboth et d'Ocean City, sont surnommées "les stations tranquilles". Elles offrent une atmosphère familiale et paisible.

Vous n'y trouverez que quelques restaurants et très peu d'hôtels et la plupart des visiteurs louent des appartements ou des maisons sur la plage. Pour changer des restaurants de poisson et fruits de mer, essayez **Bethany Blues BBQ** (☎302-537-1500 ; www.bethanyblues.com ; 6 N Pennsylvania Ave ; plat 14-24 $; ☺16h30-21h), qui sert des côtes bien tendres et des sandwichs au porc braisé.

Nord et Centre du Delaware

La grisaille de Wilmington est compensée par les collines ondulantes et les résidences grandioses de la Brandywine Valley, en particulier l'imposante propriété de Winterthur. Dover est jolie, accueillante et s'anime un peu à la sortie des bureaux.

WILMINGTON

De par son terreau culturel unique (Noirs, Juifs, Antillais, etc.) et sa scène artistique dynamique, Wilmington est une ville qui vaut le détour. Le quartier commercial central se trouve autour de Market St et les anciens entrepôts et autres sites industriels de Riverfront ont été transformés en magasins, restaurants et musées. Le **Visitor Center** (☎800-489-6664 ; www.visitwilmingtonde.com ; 100 W 10th St ; ☺9h-17h lun-ven) est dans le centre-ville.

Le **Delaware Art Museum** (www.delart.org ; 800 S Madison St ; adulte/enfant 12/6 $, dim gratuit ; ☺10h-16h mer-sam, 12h-16h dim) renferme des œuvres d'artistes de la Brandywine School, dont Edward Hopper, John Sloan et les trois générations de Wyeth. Le **Delaware Center for the Contemporary Arts** (☎302-656-6466 ; www.thedcca.org ; 200 S Madison St ; entrée libre ; ☺10h-17h mar et jeu-sam, 12h-17h mer et dim) confère une nouvelle ouverture culturelle au quartier de Riverfront. Dans un ancien magasin Woolworth Art déco, le **Delaware History Museum** (www.hsd.org ; 200 S Madison St ; adulte/enfant 6/4 $; ☺11h-16h mer-sam) prouve que le Delaware peut se targuer de bien plus que d'avoir été le Premier État.

L'**Hotel du Pont** (☎302-594-3100 ; www.hoteldupont.com ; angle Market St et 11th St, ch 230-460 $; P✳🛜), premier hôtel de l'État, est suffisamment luxueux et élégant pour satisfaire la famille éponyme (l'une des plus prospères du pays). Au bord de la rivière, l'**Iron Hill Brewery** (☎302-472-2739 ; 710 South Madison St ; plat 10-24 $; ☺11h-23h), ancien entrepôt de brique, est un vaste espace réparti sur plusieurs étages. Les bières artisanales (essayez la bière belge de saison) accompagnent parfaitement les plats copieux (pizzas, sandwichs, poulet rôti à la poêle et crevettes grillées).

Les compagnies Greyhound et Peter Pan Bus Lines desservent Wilmington depuis Washington (20 $, 3 heures) et New York (30 $, 2 heures 30). Elles s'arrêtent au **Wilmington Transportation Center** (101 N French St). Les **trains Amtrak** (100 S French St) relient Wilmington à Washington (45 $, 1 heure 30), Baltimore (37 $, 45 min) et New York (56 $, 1 heure 45).

BRANDYWINE VALLEY

Après avoir fait fortune, les descendants de la famille française Du Pont firent de la Bran-dywine Valley une sorte de vallée de la Loire américaine. Aujourd'hui, elle attire toujours les plus aisés. Le **Brandywine Valley Tourist Information Center** (☎610-719-1730 ; www.brandywinevalley.com), à l'extérieur des Longwood Gardens, à Kennett Square (Pennsylvanie), fournit des informations sur les trois célèbres châteaux et jardins de la région : Winterthur, Longwood Gardens et Nemours.

👁 À voir

Winterthur   SITE HISTORIQUE
(☎302-888-4600 ; www.winterthur.org ; Hwy 52 ; adulte/enfant 18/5 $; ☺10h-17h mar-dim). À 10 km au nord-ouest de Wilmington, la propriété de campagne de 175 pièces de l'industriel Henry Francis du Pont renferme l'une des plus grandes collections au monde d'antiquités et d'art américain.

Hagley Museum   MUSÉE
(☎302-658-2400 ; www.hagley.org ; Hwy 141 ; adulte/enfant 11/4 $; ☺9h30-16h30). Autre haut lieu de l'héritage de la famille Du Pont, ce vaste musée en plein air contient les ruines des anciennes fabriques DuPont et propose des démonstrations de forgerons et des expositions sur les inventions de l'entreprise DuPont, comme le nylon.

NEW CASTLE

New Castle est un réseau de rues pavées et de bâtiments du XVIIIᵉ siècle bien conservés au bord de l'eau. La zone alentour, cepen-dant, a des airs de décharge urbaine. Les principaux points d'intérêt sont l'**Old Court House** (☺fermé lun), l'arsenal du "Green", les églises et cimetières du XVIIᵉ siècle et les maisons historiques.

Le **Terry House B&B** (☎302-322-2505 ; www.terryhouse.com ; 130 Delaware St ; ch 90-110 $; 🅿🛜) propose 5 chambres idéale-ment situées dans le quartier historique. Le propriétaire joue du piano pendant que ses hôtes dégustent un copieux petit-déjeuner.

Tout près, **Jessop's Tavern** (114 Delaware St ; plat 12-22 $; ☺11h30-21h) sert du *Dutch pot roast* (bœuf braisé), du *Pilgrim's feast* (dinde rôtie et sa garniture), ainsi que des *fish and chips* et autres plats de pub, dans une atmosphère coloniale – personnel costumé, planchers grinçants et décoration ancienne.

DOVER

Le centre de Dover est doté d'imposants bâtiments en brique et de boulevards ombragés qui demanderont bien une demi-journée d'exploration.

Longez la **State House** (25 The Green) pour trouver le **Visitor Center** (☎302-739-4266 ; 406 Federal St ; ☺8h30-16h30 lun-sam, 13h30-16h30 dim) et des expositions historiques, au bout d'une longue place. Renseignez-vous ici pour des circuits gratuits avec guides costumés. Des visites gratuites de la State House sont également proposées.

Le **Johnson Victrola Museum** (angle Bank St et New St ; entrée libre ; ☺9h-16h30 mer-sam) met à l'honneur Eldridge Johnson, le pionnier de la "machine parlante", et comprend une exposition sur l'emblème de RCA Records, le chien Nipper. Le **Delaware Agriculture Museum and Village** (☎302-734-1618 ; www.agriculturalmuseum.org ; 866 N Dupont Hwy ; adulte/enfant 5/3 $; ☺10h-15h mar-sam) est un musée d'histoire vivante comprenant notamment la reconstitution d'une communauté agricole des années 1890.

Au sud-est de la ville, la Dover Air Force Base est la plus grande base aérienne du pays et la première destination des soldats morts au combat. L'**Air Mobility Command Museum** (☎302-677-5938 ; www.amcmuseum. org ; angle Hwy 9 et Hwy 1 ; entrée libre ; ☺9h-16h mar-dim) est empli de vieux avions et autres éléments d'aviation.

Les fans de la NASCAR connaîtront forcé-ment le **Dover International Speedway** (☎302-883-6500 ; www.doverspeedway.com ; 1131 N Dupont Hwy), considéré comme l'un des meilleurs circuits du pays. Consultez le site Internet pour les dates des courses et l'achat des billets. Au même endroit se trouve l'autre grande curiosité de Dover,

le **Dover Downs Casino** (☎302-674-4600 ;
www.doverdowns.com ; ◷8h-4h lun-sam, 12h-4h
dim), énorme centre de divertissement avec
machines à sous, courses de chevaux, hôtel,
spa et salle de concert.

Le **State Street Inn** (☎302-734-2294 ; 228
N State St ; ch 110-135 $) est un établissement
bien situé à côté de la State House, comptant
4 chambres claires avec parquets et meubles
d'époque.

Non loin de la State House, **Frazier's**
(☎302-674-8875 ; 9 E Lockerman St ; plat 8-19 $;
◷à partir de 11h) est un restaurant lambrissé
avec des tables à l'extérieur donnant sur
la rivière. On y sert de bons hamburgers,
sandwichs, poissons et fruits de mer.

Le bar de quartier **WT Smithers** (☎302-
674-8875 ; 140 S State St ; plat 8-16 $; ◷à partir de
11h lun-sam) attire aussi bien les étudiants que
les employés de la State House avec ses ailes
de poulet et son excellente bière à la pression.

VIRGINIE

Belle, passionnée et charmante, la Virginie
est imprégnée d'histoire. C'est le berceau
de l'Amérique, là où les Anglais établirent la première colonie permanente du
Nouveau Monde en 1607. À partir de là, le
Commonwealth de Virginie joua un rôle
majeur dans presque tous les événements
qui marquèrent l'Amérique : guerres d'indépendance et de Sécession, mouvement des
droits civiques ou encore 11 septembre 2001.

Les paysages de Virginie sont aussi
divers que son histoire et sa population.
Chesapeake Bay et les vastes plages de
sable embrassent l'océan Atlantique. Forêts
de pins, marécages et collines verdoyantes
façonnent les courbes douces de la région
centrale du Piedmont, avec les sommets des
Appalaches et la magnifique Shenandoah
Valley en toile de fond.

C'est ici que se trouve la ligne invisible
séparant le nord du sud du pays, quelque
part vers Richmond. Vous saurez que vous
êtes dans le Sud dès que vous entendrez
une douce voix traînante vous proposant
assiettes de petits pains (*biscuits*) et jambon
de Virginie. Il y en a pour tous les goûts, et
il sera facile d'apprécier le slogan de l'État :
"Virginia is for Lovers" (La Virginie est faite
pour les amoureux).

Histoire

L'homme est arrivé en Virginie il y a au moins
5 000 ans. Plusieurs milliers d'Amérindiens
vivaient déjà ici en 1607, lorsque le capitaine
James Smith et son équipage remontèrent

» **Surnom :** The Old Dominion
("Le Vieux Dominion")

» **Population :** 8 millions d'habitants

» **Superficie :** 42 774 km²

» **Capitale :** Richmond
(202 000 habitants)

» **TVA :** 5%

» **État de naissance de :**
huit présidents des États-Unis dont
George Washington (1732-1799) ;
Robert E. Lee (1807-1870), général
en chef des armées des États
confédérés ; Arthur Ashe (1943-
1993), champion de tennis ; Tom
Wolfe (1931), écrivain ; et Sandra
Bullock (née en 1964), actrice.

» **Accueille :** le Pentagone, la CIA et
plus de travailleurs du secteur des
technologies que dans tout autre État

» **Politique :** républicain

» **Célèbre pour :** son rôle dans l'histoire
américaine, le tabac, les pommes, le
Shenandoah National Park

» **Boisson officielle :** le lait

» **Distances par la route :** Arlington-
Shenandoah : 182 km ; Richmond-
Virginia Beach : 174 km

Chesapeake Bay et fondèrent Jamestown,
la première colonie anglaise permanente
du Nouveau Monde. Le territoire occupait à
l'origine la majorité de la côte est de l'Amérique et fut nommé en l'honneur de la "reine
vierge" Elizabeth I. En 1610, la plupart des
colons, en quête d'or, étaient morts de faim.
C'est alors que le colon John Rolfe (le mari
de Pocahontas) découvrit la vraie richesse
de la Virginie : le tabac.

L'exploitation de celui-ci entraîna le
développement d'une aristocratie féodale
qui donna naissance à bon nombre des
Pères fondateurs, dont George Washington.
Au XIXe siècle, le système de plantations
basé sur l'esclavage prit de l'ampleur et
devint de plus en plus incompatible avec le
Nord industrialisé. La Virginie fit sécession
en 1861 et devint l'épicentre de la Guerre
civile. Après sa défaite, l'État connut d'importantes tensions culturelles, accumulant
les identités, des vieux aristocrates aux
travailleurs ruraux et urbains, en passant
par les vagues d'immigrants et, aujourd'hui,

l'extension des banlieues de Washington vouées aux hautes technologies. L'État a su tirer le meilleur parti de son histoire et cherche toujours à avoir un rôle de pionnier. Ainsi, si la Virginie a aboli la ségrégation à contrecœur dans les années 1960, elle abrite aujourd'hui l'une des populations les plus variées du Nouveau Sud.

Nord de la Virginie

La "NOVA" (Northern Virginia), entourée de zones suburbaines, mêle charme provincial et élégance métropolitaine. Les villages coloniaux et les champs de bataille côtoient les gratte-ciel, les centres commerciaux et les centres artistiques de renommée internationale.

Vous découvrirez une nature inattendue au **Great Falls National Park** (⚇703-285-2965 ; www.nps.gov/grfa ; ☺7h-coucher du soleil), un espace sauvage qui survit on ne sait comment à quelques minutes d'un grand réseau urbain. Ce parc renferme une forêt magnifique et bien entretenue traversée par le Potomac, dont les eaux blanches déferlent dans une succession de rapides. Il est donc idéal pour pratiquer le kayak (personnes expérimentées uniquement), l'escalade, la randonnée et la pêche.

ARLINGTON

Juste en face de Washington, sur l'autre rive du Potomac, le comté d'Arlington faisait autrefois partie de Washington avant qu'il ne soit rendu à la Virginie en 1847. Ces dernières années, ses quartiers embourgeoisés ont vu naître une intéressante scène nocturne et culinaire.

❂ À voir et à faire

GRATUIT Arlington National Cemetery SITE HISTORIQUE (www.arlingtoncemetery.mil ; ☺8h-19h avr-sept, 8h-17h oct-mars). Le site touristique le plus connu du comté est ce triste lieu où reposent plus de 300 000 militaires et membres de leur famille, avec des vétérans de toutes les guerres menées par les États-Unis, de la guerre d'Indépendance à la guerre en Irak. Le cimetière s'étend sur 248 hectares vallonnés. Au départ du centre des visiteurs, les circuits de **Tourmobiles** (⚇202-554-5100 ; www.tourmobile.com ; adulte/enfant 8,50/4,25 $) sont un bon moyen de visiter les lieux.

Une grande partie du cimetière fut construite sur le terrain d'**Arlington House**, l'ancienne demeure de Robert E. Lee et de sa femme Mary Anna Custis Lee, une descendante de Martha Washington. Lorsque Lee partit pour commander l'armée de Virginie pendant la guerre de Sécession, les troupes de l'Union confisquèrent sa propriété pour y enterrer leurs morts. La **Tomb of the Unknowns (tombe des Soldats inconnus)** renferme les restes de militaires américains non identifiés des deux guerres mondiales et de la guerre de Corée. Des gardes militaires assurent une surveillance permanente et la relève de

---

ITINÉRAIRE PANORAMIQUE : LA HORSE COUNTRY

À environ 64 km à l'ouest de Washington, l'étalement urbain laisse place aux terres agricoles, aux vignobles, aux villages pittoresques, aux domaines imposants et aux chevaux. Vous êtes dans la "Horse Country", là où les Washingtoniens aisés viennent faire de l'équitation.

Pour vous rendre au Shenandoah National Park, il existe un bel itinéraire. De Washington, prenez la Rte 50 vers l'ouest jusqu'à **Middleburg**, adorable ville truffée de B&B, tavernes, cavistes et boutiques. La **National Sporting Library** (⚇540-687-6542 ; www.nsl.org ; 102 The Plains Rd ; ☺10h-16h mar-ven, 13h-16h sam) est un musée et centre de recherche consacré aux chevaux et aux sports de plein air comme la chasse au renard, le dressage, le steeple-chase (course d'obstacles) et le polo.

La so british **Griffin Tavern** (⚇540-675-3227 ; 659 Zachary Taylor Hwy ; plat 9-20 $; ☺11h30-21h) sert des bières et des plats anglais et irlandais. Dirigez-vous vers le sud-ouest sur la Rte 522 puis prenez la 211 pour Flint Hill.

À 10 km sur la Rte 211, **Little Washington** est une autre ville charmante où vous trouverez l'un des meilleurs B&B-restaurants du pays, l'**Inn at Little Washington** (⚇540-675-3800 ; www.theinnatlittlewashington.com ; angle Middle St et Main St ; ch à partir de 425 $). Plus loin sur la route, sur les contreforts des Blue Ridge Mountains, **Sperryville** compte de nombreuses galeries et boutiques. Continuez sur 15 km à l'ouest pour arriver à l'entrée de la Skyline Drive à Thornton Gap, dans le Shenandoah National Park (p. 313).

la garde (toutes les 30 minutes de mars à sept, toutes les heures d'octobre à février) est toujours un moment émouvant. Une flamme éternelle indique la **tombe de John F Kennedy**, qui jouxte celles de Jacqueline Kennedy Onassis et de leurs deux enfants morts prématurément. Le **Women in Military Service for America Memorial** (☎800-222-2294 ; www.womensmemorial.org) rend hommage aux 2 millions de femmes ayant servi dans les forces armées américaines. À ne pas manquer non plus, le **Cairn Pan Am Flight 103** et le **mémorial Space Shuttle Challenger**.

Au nord du cimetière, le **Marine Corps Memorial** (N Meade St et 14th St) représente six soldats plantant le drapeau américain sur l'île d'Iwo Jima. La sculpture signée Felix de Weldon se base sur une photo emblématique de Joe Rosenthal, alors photographe pour l'Associated Press.

Artisphere   CENTRE ARTISTIQUE
(www.artisphere.com ; 1101 Wilson Blvd ; 🚇). Dans un tout autre genre, visitez l'une des excellentes expositions de ce centre moderne réparti sur plusieurs niveaux, ouvert en 2011. Ses salles de théâtre accueillent des spectacles (souvent gratuits) – musiques du monde, cinéma, théâtre expérimental. On y trouve aussi un bar-restaurant. À quelques minutes à pied de la station de métro Rosslyn.

Pentagone   BÂTIMENT
Le Pentagone, au sud du cimetière d'Arlington, est le plus grand bâtiment de bureaux du monde. Il n'est pas ouvert au public, mais à l'extérieur, vous pourrez visiter le **Pentagon Memorial** (www.whs.mil/memorial ; entrée libre ; ⏰24h/24) : 184 bancs illuminés en hommage aux personnes mortes lors des attaques du 11-Septembre sur le Pentagone. À côté, les trois arcs élancés de l'**Air Force Memorial** (☎703-247-5805 ; www.airforcememorial.org) évoquent les traînées blanches des avions.

🛏 Où se loger et se restaurer
Des dizaines d'hôtels, de bars et de restaurants chics bordent Clarendon Blvd et Wilson Blvd, à côté des stations de métro Rosslyn et Clarendon.

Whitlow's on Wilson   AMÉRICAIN $$
(☎703-276-9693 ; 2854 Clarendon Blvd ; plat 8-21 $; ⏰11h-2h lun-ven, 9h-2h sam-dim). On y sert le meilleur brunch dominical du quartier. Offres spéciales pour le *happy hour* en semaine et concerts le week-end.

STEVEN F UDVAR-HAZY CENTER

Le **Steven F Udvar-Hazy Center** (☎703-572-4118 ; ⏰10h-17h30), à Chantilly, à côté de l'aéroport de Dulles, est un immense hangar où sont stockés les avions et engins spatiaux qui ne rentreraient pas dans le Smithsonian National Air & Space Museum de Washington. Parmi les plus connus, citons la navette spatiale *Enterprise*, le B-29 *Enola Gay*, le SR-71 *Blackbird* et un Concorde supersonique. Le musée est gratuit mais le parking coûte 15 $.

Ray's Hell-Burger   HAMBURGERS $
(1713 Wilson Blvd ; hamburgers à partir de 7 $; ⏰12h-22h mar-dim, 17h-22h lun). Dans un centre commercial sans intérêt, au milieu des bancs en bois et dans un cadre minimaliste, Ray's est célèbre pour ses hamburgers de près de 300 grammes, servis avec un large choix d'accompagnements. Essayez les frites de patates douces. C'est ici que Barack Obama invita Dmitri Medvedev (ils auraient opté pour le cheeseburger au cheddar).

Iota   MUSIQUE LIVE
(☎703-522-8340 ; www.iotaclubandcafe.com ; 2832 Wilson Blvd ; entrée libre-15 $; ⏰7h-2h lun-ven, 9h-2h sam-dim ; 🚇). Le meilleur endroit d'Arlington pour écouter des groupes locaux et nationaux (la nourriture n'est pas mal non plus). Norah Jones et John Mayer s'y produisirent.

ALEXANDRIA
Le charmant village colonial d'Alexandria n'est qu'à 8 km de Washington, mais semble être resté 250 ans en arrière. Cette ancienne ville portuaire – appelée "Old Town" par les habitants – est aujourd'hui un ensemble des plus chics de maisons coloniales en briques, de rues pavées aux lanternes à gaz, et de promenades sur le front de mer. King St compte de nombreux magasins, cafés avec terrasses, et bars et restaurants de quartier. Le **Visitor Center** (☎703-838-5005 ; www.visitalexandriava.com ; 221 King St ; ⏰9h-17h) vend des permis de stationnement et des billets en tarif réduit pour les sites historiques.

Le **George Washington Masonic National Memorial** (www.gwmemorial.org ; 101 Callahan Dr et King St ; entrée libre ; ⏰9h-17h) est une tour imposante de 100 m de haut conçue sur le modèle du phare d'Alexandrie, en Égypte, en l'honneur du premier président des États-Unis, membre de la franc-maçonnerie. Le **Gadsby's Tavern Museum** (www.gadsbystavernmuseum.us ; 134 N Royal St ; adulte/enfant 5/3 $; ⊙10h-17h mar-sam, 13h-17h dim-lun) contient des expositions sur la vie coloniale et reste un pub-restaurant en activité. George Washington et Thomas Jefferson firent partie de la clientèle. À côté du front de mer, le **Torpedo Factory Art Center** (www.torpedofactory.org ; 105 N Union St ; entrée libre ; ⊙10h-18h ven-mer, 10h-21h jeu) est une ancienne usine de munitions abritant aujourd'hui des dizaines de galeries et d'ateliers.

La **Brabo Tasting Room** (1600 King St ; plat environ 15 $; ⊙11h30-23h lun-sam, 11h30-22h dim), nouvellement installée, propose, dans un cadre élégant et ensoleillé, ses fameuses moules, de savoureuses tartes cuites au feu de bois, des sandwichs gastronomiques (entre autres, bœuf Angus doucement rôti et champignons caramélisés) et une bonne sélection de bières et de vins. À côté, le restaurant haut de gamme **Brabo** (☎703-894-3440 ; plat 28-38 $; ⊙à partir de 17h30) sert une superbe cuisine de saison.

Le **Hank's Oyster Bar** (1026 King St ; plat 6-28 $; ⊙17h30-21h30 mar-jeu, 11h30-24h ven-sam, 11h-21h30 dim), qui ne paie pourtant pas de mine, est l'un des meilleurs restaurants de poisson et fruits de mer de la ville : poisson du jour, Saint-Jacques poêlées, petit pain au homard, *crab cakes*, sans oublier les huîtres. **Momo Sushi & Cafe** (☎703-299-9092 ; 212 Queen St ; sushis 10-23 $; ⊙11h30-14h30 et 16h-22h lun-ven, 12h-22h sam, 16h-22h dim) ne compte que 13 places mais fait d'excellents sushis.

Si la nourriture y est médiocre et le choix de bières limité, la **Tiffany Tavern** (☎703-836-8844 ; 1116 King St ; plat 10-20 $; ⊙17h-24h lun-jeu, 17h-2h ven-sam) est célèbre pour ses concerts de bluegrass (à partir de 20h30 ven-sam).

Au nord d'Old Town, à côté de la station de métro Braddock Rd, se trouve l'un des premiers music-halls d'Amérique, l'emblématique **Birchmere** (☎703-549-7500 ; www.birchmere.com ; 3701 Mt Vernon Ave ; billets 25-70 $). La programmation éclectique va de Shawn Colvin à Eric Benét, sans oublier des légendes du passé comme Doc Watson ou America.

Pour vous rendre à Alexandria depuis le centre-ville de Washington, descendez à la station de métro King St. De là, un tramway vous emmènera gratuitement jusqu'au front de mer (1,5 km ; toutes les 20 minutes, 11h30-22h).

MOUNT VERNON

Mount Vernon (☎703-780-2000 ; www.mountvernon.org ; adulte/enfant 15/7 $; ⊙9h-17h, 9h-16h nov-fév), l'un des sites les plus visités du pays, était la demeure bien-aimée de George et Martha Washington, qui vécurent ici de leur mariage en 1759 à la mort de Washington en 1799. Le domaine appartient aujourd'hui à la Mount Vernon Ladies Association et offre un aperçu de la vie agricole au XVIIIe siècle ainsi que de la vie du premier président en tant que planteur. Le recours à l'esclavagisme par le Père fondateur n'est pas éludé et les visiteurs peuvent voir les logements des esclaves et l'endroit où ils étaient inhumés.

Découvrez aussi **la distillerie** et le **moulin à grain** (www.tourmobile.com ; adulte/enfant 4/2 $; combiné avec Mount Vernon 30/15 $) de Washington, à 5 km au sud du domaine. Aux beaux jours, vous pourrez faire une **croisière** (adulte/enfant 9/5 $; ⊙mar-dim mai-août, sam-dim avr et sept) de 40 minutes.

Mount Vernon est à 26 km au sud de Washington, à l'écart de la Mount Vernon Memorial Hwy. En transports en commun, prenez le métro jusqu'à Huntington puis le bus 101 de Fairfax Connector. **Tourmobile** (☎202-554-5100 ; www.tourmobile.com ; adulte/enfant entrée comprise 32/16 $; ⊙mi-juin à août) dessert Mount Vernon une fois par jour depuis l'Arlington National Cemetery. **Grayline** (☎202-289-1995 ; www.grayline.com ; adulte/enfant entrée comprise, à partir de 55/30 $) propose toute l'année des départs quotidiens depuis Union Station (Washington).

Plusieurs compagnies proposent des excursions saisonnières en bateau de Washington à Alexandria. La moins chère est la **Potomac Riverboat Company** (☎703-684-0580 ; www.potomacriverboatco.com ; adulte/enfant entrée comprise 40/20 $). Vous pouvez aussi opter pour une belle promenade à vélo le long du Potomac depuis Washington (29 km).

MANASSAS

Le 21 juillet 1861, les soldats de l'Union et des États confédérés s'affrontèrent lors de la première bataille terrestre de la guerre de Sécession. Attendant une victoire rapide, les partisans de l'Union se rassemblèrent ici pour pique-niquer et assister à la première bataille de Bull Run (appelée par les sudistes première bataille de Manassas). La victoire inattendue du Sud élimina tout espoir d'une issue rapide de la guerre. Les soldats de l'Union et des États confédérés s'affrontèrent au même endroit lors de la seconde bataille de Manassas en août 1862, de plus grande ampleur ; le Sud fut à nouveau victorieux. Aujourd'hui, le **Manassas National Battlefield Park** renferme un paysage vallonné vaguement divisé par des champs d'herbes et de fleurs sauvages délimités par des clôtures en bois. Commencez par le **Henry Hill Visitor Center** (☑703-361-1339 ; www.nps.gov/mana ; adulte/enfant 3 $/gratuit ; ☺8h30-17h) pour voir la vidéo d'orientation et obtenir des cartes du parc et des sentiers.

Les trains d'**Amtrak** (www.amtrak. com ; aller 15-21 $) et de **Virginia Railway Express** (VRE ; www.vre.org ; aller 9 $; ☺lun-ven) desservent quotidiennement la gare d'Old Town Manassas (9431 West St) depuis Union Station (Washington). Le trajet dure 50 minutes. Vous devrez ensuite prendre un taxi jusqu'au parc (10 km). Vous trouverez plusieurs restaurants et bars autour de la gare de Manassas, mais le reste de la ville se résume à des centres commerciaux et des zones suburbaines.

Fredericksburg

Fredericksburg est une jolie ville dont le quartier historique est très représentatif des bourgades américaines traditionnelles. C'est ici que grandit George Washington et la guerre de Sécession fit rage dans la cité et alentour. Aujourd'hui, la rue principale est une agréable enfilade de librairies, gastro-pubs et cafés.

👁 À voir

Fredericksburg & Spotsylvania National Military Park   SITE HISTORIQUE
Plus de 13 000 Américains furent tués lors des 4 batailles de la guerre de Sécession qui eurent lieu dans un rayon de 27 km couvert par le parc et entretenu par le NPS. Ne manquez pas le site où repose le bras amputé de Stonewall Jackson, à côté du **Fredericksburg Battlefield Visitor Center** (1013 Lafayette Blvd ; entrée libre, vidéo 2 $; ☺9h-17h).

Le **Visitor Center** (www.visitfred.com ; 706 Caroline St ; ☺9h-17h) propose un pass "Timeless Fredericksburg" comprenant

l'entrée pour 9 sites locaux (adulte/enfant 32/10 $).

James Monroe Museum & Memorial Library   SITE HISTORIQUE
(908 Charles St ; adulte/enfant 5/1 $; ☺10h-17h lun-sam, 13h-17h dim). Celui qui donna son nom à ce musée fut le 5e président du pays.

Mary Washington House   SITE HISTORIQUE
(1200 Charles St ; adulte/enfant 5/2 $; ☺11h-17h lun-sam, 12h-16h dim). Demeure du XVIIIe siècle où vécut la mère de George Washington.

Rising Sun Tavern   SITE HISTORIQUE
(1304 Caroline St ; adulte/enfant 5/2 $; ☺10h-17h lun-sam, 12h-16h dim). Musée avec serveuses en costume.

🛏 Où se loger et se restaurer

Caroline St et William St comptent des dizaines de restaurants et de cafés.

Richard Johnston Inn   B&B $$
(☑540-899-7606 ; www.therichardjohnstoninn. com ; 711 Caroline St ; ch 115-225 $; ℗✳🛜). Dans une demeure en brique du XVIIIe siècle, ce B&B douillet se démarque en termes d'emplacement, de confort et d'accueil (notamment de la part des deux terriers écossais). Un petit-déjeuner complet est servi le week-end.

Griffin Bookshop & Cafe   CAFÉ $
(106 Hanover St ; ☺10h-18h lun-sam, 10h-17h dim ; 🛜). Bonne adresse pour les amateurs de livres : personnel agréable, Wi-Fi gratuit, bons cafés et pâtisseries, terrasse et superbe sélection d'ouvrages.

Kybecca Wine Bar   TAPAS $$
(☑540-373-3338 ; 400 William St ; tapas 6-21 $; ☺17h-23h lun-jeu, 15h-24h ven-sam, 11h-20h dim). Kybecca donne du piquant à la scène culinaire de Fredericksburg grâce à de savoureuses assiettes à partager (côtes braisées au xérès, bouchées bison-bleu, thon poêlé) et une excellente carte de bières et de vins. Tables sur le trottoir et concerts acoustiques en soirée du jeudi au samedi.

ℹ Depuis/vers Fredericksburg

Des trains VRE (11 $, 1 heure 30) et **Amtrak** (23-33 $, 1 heure 15) partent de la gare de Fredericksburg (200 Lafayette Blvd) et desservent Washington **Greyhound** propose des liaisons depuis/vers Washington (15 $, 5 bus/j, 1 heure 30) et Richmond (18 $, 3 bus/j, 1 heure). La **station Greyhound** (☑540-373-2103 ; 1400 Jefferson Davis Hwy) est à environ 2,5 km à l'ouest du quartier historique.

Richmond

Richmond fut la capitale du Commonwealth de Virginie à partir de 1780. C'est ici, pendant la Révolution américaine, que le patriote Patrick Henry prononça sa fameuse phrase "Give me Liberty, or give me Death!" (Donnez-moi la liberté ou donnez-moi la mort !). Mais Richmond est surtout connue comme l'ancienne capitale des États confédérés d'Amérique pendant la guerre de Sécession, de 1861 à 1865. Ironiquement, c'est aujourd'hui une ville aux influences ethniques diverses dotée d'une importante communauté noire. Bien sûr le vernis de la diversité ne tarde pas à se craqueler pour laisser entrevoir de terribles inégalités de revenus. Ainsi, la plupart des quartiers noirs semblent en piteux état par rapport aux zones aisées aux extrémités est et ouest du centre. La ville doit également répondre à la question de la mémoire d'une histoire controversée. Malgré tout, Richmond est une ville du Sud traditionnelle et chaleureuse qui se fait doucement absorber par l'environnement international du corridor du Nord-Est.

👁 À voir

La James River traverse Richmond, dont la plupart des points d'intérêt se trouvent au nord. Les quartiers résidentiels chics comprennent le Fan, au sud de Monument Ave, et Carytown, à l'extrémité ouest. Dans le centre-ville, Court End renferme le Capitole et plusieurs musées. Dans E Cary St, entre 12th St et 15th St, d'anciens entrepôts de Shockœ Slip abritent boutiques et restaurants. Shockoe Bottom commence juste après le pont routier en forme de chevalet. Au nord de Court End se trouve le quartier noir historique de Jackson Ward. Cary St fait plus de 8 km de long ; E Cary St est dans le centre-ville et W Cary St est à Carytown.

Monument Avenue, boulevard bordé d'arbres au nord-est de Richmond, est ornée de **statues** de héros du Sud vénérés, comme JEB Stuart, Robert E. Lee, Matthew Fontaine Maury, Jefferson Davis, Stonewall Jackson et, de façon controversée, le champion de tennis noir Arthur Ashe.

Jackson Ward, quartier noir surnommé "Little Africa" à la fin du XIXe siècle, est maintenant un quartier historique d'importance nationale. En effet, ce quartier difficile jouit aussi d'un héritage culturel majeur.

Le **Canal Walk**, promenade de 2 km au bord du canal entre la James River et les canaux Kanawha (ka-now) et Haxall, est une belle manière de découvrir une dizaine de lieux clés de l'histoire de Richmond.

♥ Museum & White House of the Confederacy SITE HISTORIQUE
(www.moc.org ; angle 12th St et Clay St ; adulte/enfant 12/7 $; ⏰10h-17h lun-sam, 12h-17h dim). Retrace l'histoire des États confédérés d'Amérique grâce à la plus grande collection d'objets civils et militaires de la Confédération. Un incontournable pour les passionnés d'histoire et de la guerre de Sécession. À côté, la White House, datant de 1818, était la demeure de Jefferson Davis, le président des États confédérés.

American Civil War Center at Historic Tredegar MUSÉE
(www.tredegar.org ; 500 Tredegar St ; adulte/enfant 8/2 $; ⏰9h-17h). Dans une fonderie de canons de 1861, ce site fascinant présente les causes et l'évolution de la guerre de Sécession du point de vue de l'Union, des États confédérés et de la population noire. Il s'agit de l'un des 13 sites protégés qui composent le **Richmond National Battlefield Park** (www.nps.gov/rich).

GRATUIT Virginia State Capitol BÂTIMENT
(www.virginiacapitol.gov ; angle 9th St et Grace St, Capitol Sq ; ⏰9h-17h lun-sam, 13h-16h dim). Conçu par Thomas Jefferson, le bâtiment du Capitole fut achevé en 1788 et abrite le plus ancien corps législatif de l'hémisphère occidental, l'Assemblée législative de Virginie, établie en 1619. Visites gratuites.

Virginia Historical Society MUSÉE
(www.vahistorical.org ; 428 N Blvd ; tarif plein/étudiant 6/4 $; ⏰10h-17h mar-sam, 13h-17h sam). Des expositions temporaires et permanentes retracent l'histoire du Commonwealth de la préhistoire à nos jours.

St John's Episcopal Church ÉGLISE
(www.historicstjohnschurch.org ; 2401 E Broad St ; visites adulte/enfant 7/5 $; ⏰10h-16h, 13h-16h dim). C'est ici que le rebelle Patrick Henry prononça son fameux cri de bataille : "Give me Liberty, or give me Death!" lors de la deuxième convention de Virginie en 1775. Son discours est mis en scène chaque dimanche d'été à 14h.

GRATUIT Virginia Holocaust Museum MUSÉE
(www.va-holocaust.com ; 2000 E Cary St ; ⏰9h-17h lun-ven, 11h-17h sam-dim). Le musée se présente sous la forme d'une reconstitution interactive de l'expérience des survivants de l'Holocauste qui

s'installèrent ici après la Seconde Guerre mondiale. Malgré quelques notes kitchs, l'aspect vivant des expositions en fait un musée intéressant. Déconseillé aux enfants de moins de 11 ans.

Black History Museum & Cultural Center of Virginia
MUSÉE

(www.blackhistorymuseum.org ; 3 E Clay St ; adulte/enfant 5/3 $; ⊙10h-17h mar-sam). Ce musée consacré aux réalisations des Noirs de Virginie contient des collections d'œuvres d'art, de textiles et d'objets africains.

GRATUIT Virginia Museum of Fine Arts
MUSÉE

(VMFA ; www.vmfa.state.va.us ; 2800 Grove Ave ; ⊙10h-17h sam-mer, 10h-21h jeu-ven). Renferme une remarquable collection d'œuvres européennes, d'art sacré de l'Himalaya et l'une des plus grandes collections d'œufs de Fabergé exposées hors de Russie. Propose également d'excellentes expositions temporaires (entrée libre-20 $).

Science Museum of Virginia
MUSÉE

(www.smv.org ; 2500 W Broad St ; adulte/enfant 11/10 $, avec IMAX 16/15 $; ⊙9h30-17h lun-sam, 11h30-17h dim). Expositions interactives et ludiques qui raviront les enfants.

Poe Museum
MUSÉE

(www.poemuseum.org ; 1914-16 E Main St ; tarif plein/étudiant 6/5 $; ⊙10h-17h mar-sam, 11h-17h dim). Renferme la plus importante collection au monde de manuscrits et de souvenirs du poète et écrivain Edgar Allan Poe, qui vécut et travailla à Richmond.

GRATUIT Hollywood Cemetery
CIMETIÈRE

(hollywoodcemetery.org ; entrée angle Albemarle St et Cherry St ; ⊙8h-17h, 8h-18h été). Ce paisible cimetière, juché au-dessus des rapides de la James River, abrite les tombes de deux présidents des États-Unis (James Monroe et John Tyler), du président des États confédérés (Jefferson Davis) et de 18 000 soldats des États confédérés. Des visites gratuites sont organisées à 10h du lundi au samedi.

🛏️ Où se loger

♥ Jefferson Hotel
HÔTEL DE LUXE $$$

(☎804-788-8000 ; www.jeffersonhotel.com ; 101 W Franklin St ; ch à partir de 250 $; P❄🚭🐾). L'hôtel le plus luxueux de Richmond et l'un des meilleurs du pays. Ce bâtiment de style Beaux-Arts de 1895 fut commandé par Lewis Ginter, magnat du tabac et figure des États confédérés. Chambres somptueuses, service impeccable et l'un des meilleurs restaurants de Richmond. Le magnifique escalier du hall aurait servi de modèle pour le célèbre escalier d'*Autant en emporte le vent*.

Linden Row Inn
BOUTIQUE HOTEL $$

(☎804-783-7000 ; www.lindenrowinn.com ; 100 E Franklin St ; ch petit-déj inclus 109-159 $, ste 239 $; P❄🚭🐾). Ce joyau datant d'avant la guerre de Sécession compte 70 belles chambres (avec meubles de l'époque victorienne) réparties dans des *townhouses* de style néogrec bien situées en centre-ville. L'hospitalité du personnel et les délicates attentions (notamment un service de navette gratuit) rendent la note moins salée.

Museum District B&B
B&B $$

(☎804-359-2332 ; www.museumdistrictbb.com ; 2811 Grove Ave ; ch 100-195 $; P❄🚭). Bien situé à proximité des bars et restaurants de Carytown, cet imposant B&B en brique des années 1920 séduit ses hôtes grâce à un accueil chaleureux. Chambres confortables, vaste véranda, salon douillet avec cheminée, savoureux petits-déjeuners, et vin et fromage le soir.

Berkeley Hotel
HÔTEL $$

(☎804-780-1300 ; www.berkeleyhotel.com ; 1200 E Cary St ; ch à partir de 175 $; P❄🚭). Cet hôtel quatre-étoiles de style européen, dans Shockoe Slip, dispose de chambres spacieuses avec meubles en bois de cerisier et d'un personnel attentif. Plusieurs chambres offrent une belle vue sur le centre-ville. Le restaurant est également de qualité.

Omni Hotel
HÔTEL $$$

(☎804-344-7000 ; www.omnihotels.com ; 100 S 12th St ; ch à partir de 250 $; P❄🚭🏊). Dans un immeuble de 19 étages surplombant la James River, cet hôtel haut de gamme propose des chambres confortables et de nombreux agréments (dont une piscine intérieure chauffée). Bien situé au cœur de Shockoe Slip.

Holiday Inn Express
HÔTEL $$

(☎804-788-1600 ; www.hiexpress.com ; 201 E Cary St ; ch à partir de 103 $; P@🚭). L'Holiday Inn est l'un des établissements les plus économiques du centre-ville, réputé en outre pour la propreté de ses chambres et la disponibilité de son personnel.

🍴 Où se restaurer

Des dizaines de restaurants bordent les rues pavées de Shockoe Slip et Shockoe Bottom. Plus à l'ouest, à Carytown (W Cary St entre S Blvd et N Thompson St), le choix est encore plus vaste.

♥ Millie's Diner AMÉRICAIN MODERNE $$$

(2603 E Main St ; petit-déj et déj 7-10 $, dîner 20-32 $; ⏱11h-14h30 et 17h30-22h30 mar-ven, 10h-15h et 17h30-22h30 sam-dim). Que ce soit pour le petit-déjeuner, le déjeuner ou le dîner, le Millie's ne vous décevra pas. Mais cet établissement emblématique est surtout réputé pour son brunch dominical et son légendaire "Devil's Mess" ("désordre du diable") – omelette, saucisse épicée, curry, légumes, fromage et avocat.

Julep's AMÉRICAIN MODERNE $$$

(☎804-377-3968 ; 1719 E Franklin St ; plat 18-32 $; ⏱17h30-22h lun-sam). Ce restaurant, qui est l'un des meilleurs de Richmond, sert une cuisine du Sud moderne et opulente dans une salle élégante à l'ancienne, à l'intérieur d'un bâtiment de 1817. Commencez par un *mint julep*, des tomates vertes frites ou une soupe aux gros morceaux de crabe, et enchaînez avec les fameuses *shrimp and grits* avec une andouille grillée.

Tarrants AMÉRICAIN MODERNE $$$

(☎804-225-0035 ; 1 W Broad St ; plat 9-24 $; ⏱11h-22h dim-jeu, 11h-24h ven-sam). Avec ses alcôves en bois, ses luminaires d'un autre âge et son plafond en cuivre, Tarrants est un lieu accueillant où l'on aime s'attarder après le repas. La carte est bien fournie. À ne pas manquer : tacos de poisson, pizzas et *crab cakes*, sans oublier les cocktails.

Ipanema Café AMÉRICAIN $$

(917 W Grace St ; plat 8-17 $; ⏱11h-23h lun-ven, 17h30-23h sam-dim ; ▱). Cette tanière en sous-sol est très appréciée d'une clientèle bohème et estudiantine pour ses alléchants plats végétariens et végétaliens (sandwichs au "bacon" de *tempeh*, currys de légumes et autres plats du jour) et ses *moules-frites*, sandwichs fondants au thon et autres plats non végétariens. Les desserts végétaliens sont fabuleux.

Edo's Squid ITALIEN $$$

(☎804-864-5488 ; 411 N Harrison St ; plat 12-30 $). De loin le meilleur restaurant italien de Richmond, l'Edo's sert une cuisine savoureuse et authentique : aubergines au parmesan, pâtes *diavolo* aux crevettes épicées, plats du jour, sans oublier les calamars (*squid*). L'endroit est parfois bondé et très bruyant.

17th Street Farmers Market MARCHÉ $

(angle 17th St et E Main St ; ⏱10h-19h jeu, 17h-21h ven, 10h-16h sam, 9h-16h dim). Pour bien manger à petit prix, faites un tour dans ce marché animé, ouvert de début mai à octobre. Les antiquaires y sont présents le dimanche.

🍷 Où prendre un verre et sortir

Lift CAFÉ

(218 W Broad St ; ⏱7h-19h lun-ven, 8h-20h sam, 9h-19h dim ; 🛜). Le Lift, à la fois café et galerie d'art, sert de délicieux cafés crème corsés, sandwichs et salades. Tables à l'extérieur.

Tobacco Company Restaurant BAR

(☎804-782-9555 ; www.thetobaccocompany. com ; 1201 E Cary St ; ⏱à partir de 11h30). On se croirait revenu à l'époque du tabac roi dans ce bar-restaurant sur trois niveaux à l'ambiance de maison close, où l'on vient plus pour le décor que pour la nourriture. Allez-y plutôt pour prendre un verre et écouter les concerts (à partir de 21h30 mer-sam).

Capital Ale House BAR

(623 E Main St ; ⏱11h-1h30). Ce pub du centre-ville fait fureur auprès des conseillers politiques du Capitole tout proche, et peut se targuer d'un superbe choix de bières (plus de 50 à la pression et 250 en bouteilles) et d'une bonne nourriture. L'abreuvoir de glace sur le bar permet de garder vos bières au frais.

Byrd Theater CINÉMA

(☎804-353-9911 ; www.byrdtheatre.com ; 2908 W Cary St ; billets 2 $). Les tarifs de ce cinéma classique de 1928 sont imbattables. Vous y verrez des films en nouvelle diffusion. Les projections du samedi soir sont précédées d'un concert à l'orgue Wurlitzer.

Richmond Centerstage THÉÂTRE

(☎804-592-3400 ; www.richmondcenterstage. com ; 600 E Grace St). En 2009, Richmond leva le rideau sur la première salle de concerts, danse et théâtre des environs, où sont notamment programmées des productions de Broadway.

ℹ Renseignements

Médias

Richmond-Times Dispatch (www2. timesdispatch.com). Quotidien.

Office du tourisme

Richmond Visitor Center (☎804-783-7450 ; www.visitrichmondva.com ; 405 N 3rd St ; ⏱9h-17h).

Poste

Poste (700 E Main St ; ⏱7h30-17h lun-ven).

Services médicaux

Johnston-Willis Hospital (☎804-330-2000 ; 1401 Johnston-Willis Dr).

Richmond Community Hospital (☎804-225-1700 ; 1500 N 28th St).

ⓘ Comment s'y rendre et circuler

En taxi, comptez environ 26 $ pour rejoindre Richmond depuis le **Richmond International Airport** (RIC ; ☑804-226-3000), à 16 km à l'est de la ville.

Les trains **Amtrak** (☑800-872-7245) s'arrêtent à la gare principale (7519 Staples Mill Rd), à 11 km au nord de la ville (le bus 27 vous mènera ensuite au centre-ville). Des trains s'arrêtent aussi dans le centre-ville, à la Main Street Station (1500 E Main St), mais ils sont moins fréquents.

Le service local de bus est assuré par la **Greater Richmond Transit Company** (GRTC ; ☑804-358-4782 ; www.ridegrtc.com ; tarif de base 1,50 $, montant exact exigé).

Gare routière Greyhound/Trailways (☑804-254-5910 ; www.greyhound.com ; 2910 N Blvd).

Petersburg

La petite ville de Petersburg, à environ 40 km au sud de Richmond, joua un rôle clé dans la guerre de Sécession en tant que carrefour ferroviaire majeur où transitaient les soldats et le ravitaillement des États confédérés. Les troupes de l'Union l'assiégèrent pendant 10 mois en 1864-1865, soit le plus long siège tenu en sol américain. Le **Siege Museum** (☑804-733-2404 ; 15 W Bank St ; adulte/enfant 5/4 $, avec Old Blandford Church 11/9 $; ☉10h-17h) relate la souffrance des civils pendant cette période. À plusieurs kilomètres à l'est de la ville, le **Petersburg National Battlefield** (US 36 ; véhicule/piéton 5/3 $; ☉9h-17h) est l'endroit où les soldats de l'Union posèrent des explosifs sous un parapet des Sudistes, provoquant la bataille du Cratère (qui fut l'objet du roman et du film *Retour à Cold Mountain*). À l'ouest du centre-ville, au Pamplin Historical Park, l'excellent **National Museum of the Civil War Soldier** (☑804-861-2408 ; adulte/enfant 6-12 ans 10/5 $; ☉9h-17h) illustre la détresse des soldats des deux camps. Au sud de la ville, l'**Old Blandford Church** (☑804-733-2396 ; 319 S Crater St ; adulte/enfant 5/4 $; ☉10h-17h) contient la plus importante collection de vitraux Tiffany rassemblée en un même lieu. Chacun des magnifiques panneaux rend hommage à un État confédéré et à ses victimes de guerre. Plus de 30 000 soldats sudistes reposent autour de l'église.

Historic Triangle

C'est le berceau de l'Amérique. À aucun autre endroit du pays une région si petite n'a joué un rôle aussi déterminant dans le destin de l'Amérique. Les racines de cette dernière furent plantées à Jamestown, première colonie anglaise permanente du Nouveau Monde. La flamme de la Révolution américaine fut avivée dans la capitale coloniale de Williamsburg, et c'est à Yorktown que l'Amérique finit par obtenir son indépendance de la Grande-Bretagne.

Consacrez au moins deux jours au Triangle. Une navette gratuite relie quotidiennement le centre des visiteurs de Williamsburg, Yorktown et Jamestown.

WILLIAMSBURG

Si vous ne devez visiter qu'une seule ville historique en Virginie, optez pour Williamsburg, qui abrite le Colonial Williamsburg, l'un des musées d'histoire vivante les plus stupéfiants et authentiques du monde. Les enfants n'auront aucun mal à faire un retour dans le passé, et même les adultes y trouveront leur compte.

La vraie Williamsburg, qui fut la capitale de la Virginie de 1699 à 1780, est une ville imposante. Le prestigieux campus du College of William & Mary apporte un peu de jeunesse avec des cafés, des pubs bon marché et des boutiques de mode.

⊙ À voir et à faire

🖤 **Colonial Williamsburg** SITE HISTORIQUE (www.history.org ; adulte/enfant 38/19 $; ☉9h-17h). La capitale restaurée de la plus grande colonie anglaise du Nouveau Monde est un incontournable, et ce quel que soit votre âge. Il ne s'agit pas de l'un de ces piètres parcs de loisirs clôturés, mais d'un musée d'histoire où l'on vit, respire et travaille dans l'atmosphère authentique des années 1700. Cette zone de 122 ha renferme 88 bâtiments originaux du XVIIIe siècle et plusieurs centaines de reproductions fidèles (maisons, tavernes, magasins et édifices publics). Le drapeau britannique flotte à tous les coins de rue. Les "comédiens" et les habitants en costume exercent sous nos yeux des métiers coloniaux : forgerons, apothicaires, imprimeurs, barmaids, soldats et patriotes, et ne sortent de leur rôle que pour poser pour une photo. Des patriotes costumés comme Patrick Henry et Thomas Jefferson prônent avec passion la liberté et la démocratie devant les tavernes sur des tribunes improvisées. Les enfants adoreront les activités et expositions interactives, ainsi que les parodies hilarantes de procès de sorcellerie et de supplices du goudron et des plumes.

Parmi les bâtiments à ne pas manquer : le **Capitol Building** et le **Governor's Palace**, qui ont été reconstruits, et la **Bruton Parish Church** et la **Raleigh Tavern**. La promenade dans le quartier historique et l'accès aux commerces sont gratuits, mais la visite des bâtiments et de la plupart des expositions est réservée aux détenteurs de billets. Beaucoup de monde, d'attente et d'enfants capricieux, surtout en été.

Pour vous garer et acheter des billets, suivez les panneaux pour le **Visitor Center** (757-229-1000 ; 8h45-17h), au nord du quartier historique entre la Hwy 132 et le Colonial Pkwy ; location de costumes d'époque pour les enfants (25 $/j). Commencez par une vidéo de 30 minutes sur Williamsburg et parcourez le journal *Williamsburg This Week*, où vous trouverez le programme de la journée. La plupart des activités en journée sont comprises dans le prix d'entrée. Les événements en soirée (circuits fantômes, procès de sorcellerie, musique de chambre) coûtent généralement autour de 12 $.

Le parking est gratuit. Des navettes desservent fréquemment le centre historique ; sinon, empruntez le sentier bordé d'arbres. Vous pouvez aussi acheter vos billets au **Merchants Square information booth** (guichet ; 9h-17h) à l'extrémité ouest de Duke of Gloucester St.

Reconnu en 1693, le **College of William & Mary** (www.wm.edu) est le deuxième établissement d'enseignement supérieur le plus ancien du pays et comprend le plus vieux bâtiment académique des États-Unis resté en fonction en continu, le Sir Christopher Wren Building. Il compte parmi ses anciens étudiants Thomas Jefferson, James Monroe et le comédien Jon Stewart.

GRATUIT **Williamsburg Winery** VIGNOBLE
(757-229-0999 ; www.williamsburgwinery.com ; 5800 Wessex Hundred ; visites de dégustation 10 $; 11h-18h). À 6 km au sud-ouest du centre-ville, le plus grand vignoble de Virginie produit 360 000 bouteilles par an, issues de 11 cépages différents. Déjeunez sur place à la Gabriel Archer Tavern, où l'on vous servira de savoureux sandwichs et wraps, ou bien encore réservez une table pour un dîner au luxueux Cafe Provencal (plat déj/dîner à partir de 10/25 $; restaurants ouverts 11h-16h et 18h-21h).

Où se loger

La **Williamsburg Hotel & Motel Association** (800-446-9244 ; www.gowilliamsburg.com), installée dans le centre des visiteurs,

vous aidera gratuitement à trouver et à réserver un hébergement. Les pensions de Colonial Williamsburg proposent des billets d'entrée en tarif réduit (adulte/enfant 30/15 $).

Colonial Williamsburg Historic Lodging PENSION $$$
(757-253-2277 ; www.history.org ; ch 150-270 $). Pour une véritable immersion dans le XVIIIe siècle, dormez dans l'une des 26 maisons coloniales d'origine du quartier historique. La taille et le style varient de l'une à l'autre, les meilleurs étant dotées de meubles d'époque, de lits à baldaquin et de cheminées.

Williamsburg White House B&B $$
(757-229-8580 ; www.awilliamsburgwhitehouse.com ; 718 Jamestown Rd ; ch 150-200 $; P ⊛). Ce B&B romantique et joliment meublé, aux drapeaux rouge, blanc et bleu, se trouve de l'autre côté du campus de William & Mary, à quelques minutes à pied de Colonial Williamsburg.

Williamsburg Inn AUBERGE $$$
(757-253-2277 ; www.colonialwilliamsburg.com ; 136 E Francis St ; ch à partir de 320 $; P ⊛ 🛜 🛋). Elizabeth II séjourna à deux reprises dans cette auberge prestigieuse. La première propriété de Williamsburg se distingue par ses tarifs pas si coloniaux que cela et un soin constant du bien-être des hôtes.

Woodlands Hotel HÔTEL $$
(757-253-2277 ; www.history.org ; 105 Visitor Center Dr ; ch 110-210 $; P ⊛ 🛜 🛋 🛝). Juste à côté du centre des visiteurs, cet immense complexe est doté de chambres claires et bien équipées et d'excellentes installations. Très apprécié des familles pour ses deux piscines, son mini-golf et ses espaces de jeux pour enfants. Le petit kilomètre qui le sépare de la zone coloniale est paisible et arboré.

Governor's Inn HÔTEL $
(757-253-2277 ; www.history.org ; 506 N Henry St ; ch 60-110 $; P ⊛ 🛋). L'établissement "économique" officiel de Williamsburg est un bâtiment comme tant d'autres, mais les chambres sont propres et les clients peuvent utiliser la piscine et les installations du Woodlands Hotel. À seulement trois pâtés de maisons du quartier historique.

Williamsburg & Colonial KOA Resorts CAMPING $
(800-562-1733 ; www.williamsburgkoa.com ; 4000 Newman Rd, I-64 sortie 234 ; empl 22-37 $, cabins 52-70 $; 🛜 🛋). Ces deux terrains qui n'en forment qu'un offrent de superbes

équipements comme une piscine, des salles de jeux, des films et une laverie.

✖ Où se restaurer

On trouve de nombreux restaurants, cafés et pubs sur Merchants Sq, adjacent à Colonial Williamsburg.

Fat Canary AMÉRICAIN MODERNE **$$$**
(☎757-229-3333 ; 410 Duke of Gloucester St, Merchants Sq ; plat 28-36 $; ☺17h-22h). Le meilleur endroit du Triangle historique où s'offrir un bon repas. Service impeccable, excellents vins et desserts divins se font doubler de peu par une cuisine de saison sensationnelle (derniers plats favoris en date : Saint-Jacques saisies et pleurotes, caille croustillante et *tamales* au chèvre, côtelette de porc de race traditionnelle et pudding de pain perdu au gruyère, blettes, pommes et bacon). Dînez sur la terrasse élégante ou dans la salle à l'ambiance feutrée.

Cheese Shop ÉPICERIE FINE **$**
(410 Duke of Gloucester St, Merchants Sq ; plat 6-7 $; ☺10h-20h lun-sam, 11h-18h dim). Attenant au Fat Canary, cette épicerie fine vend de savoureux sandwichs et antipasti, ainsi que des baguettes, des pâtisseries, du vin, de la bière et de fabuleux fromages.

King's Arms Tavern AMÉRICAIN **$$**
(☎757-229-2141 ; 416 E Duke of Gloucester St ; plat déj 13-15 $, dîner 31-37 $; ☺11h30-14h30 et 17h-21h). Des quatre restaurants de Colonial Williamsburg, celui-ci est le plus chic et sert une cuisine américaine ancienne comme la tourte au gibier – chevreuil, lapin et canard cuits dans une sauce au Porto.

Aromas CAFÉ **$**
(431 Prince George St; plat 5-15 $; ☺7h-22h lun-sam, 8h-20h dim ; 🛜). À un pâté de maisons au nord de Merchants Sq, Aromas est un café accueillant où vous choisirez parmi un vaste choix de plats, à accompagner de vin ou de bière. Tables à l'extérieur et concerts de temps à autre.

❶ Comment s'y rendre et circuler

Williamsburg Transportation Center (☎757-229-8750, angle Boundary St et Lafayette St). Deux fois par jour, des trains Amtrak partent d'ici en direction de Washington (40 $, 4 heures), Richmond (20 $, 50 min) et New York (84 $, 8 heures). Les bus Greyhound desservent Richmond (18 $, 1 heure) 5 fois par jour. Pour aller ailleurs, vous devrez faire un changement à Richmond.

LES PARCS DE LOISIRS DU TRIANGLE

À 5 km à l'est de Williamsburg sur la Hwy 60, **Busch Gardens** (☎800-343-7946 ;

www.buschgardens.com ; adulte/enfant 64/54 $; ☺avr-oct) est un parc d'attractions sur le thème du continent européen. Il compte certaines parmi les meilleures montagnes russes de la côte Est. Un peu plus loin, à côté de la Hwy 199 à l'est de Williamsburg, le **Water Country USA** (☎800-343-7946 ; www.watercountryusa.com ; adulte/enfant 47/40 $; ☺mai-sept), véritable paradis des enfants, renferme toboggans sinueux, rapides déchaînés et piscines à vagues. Un pass 3 jours pour les deux parcs coûte 75 $. Comptez 13 $ de stationnement pour chaque parc.

JAMESTOWN

La mise en place de la première colonie anglaise permanente d'Amérique du Nord fut une terrible lutte qui, pour beaucoup, eut une issue tragique. Le 14 mai 1607, 104 Anglais débarquèrent sur cette île marécageuse avec une charte de la Virginia Company of London les enjoignant à chercher de l'or et d'autres richesses. À la place, ils trouvèrent famine et maladies. En janvier 1608, seule une quarantaine de colons étaient encore en vie. La colonie survécut au "Starving Time" grâce au commandement du capitaine James Smith et à l'aide des Powhatan. En 1619, la chambre élue des Bourgeois de Virginie se réunit, formant le premier gouvernement démocratique des Amériques.

Le **Historic Jamestowne** (☎757-856-1200 ; www.historicjamestowne.org ; adulte/enfant 10 $/gratuit ; ☺8h30-16h30), géré par le NPS, est le site d'origine de Jamestown. Commencez par le musée et admirez les statues de John Smith et de Pocahontas. Les ruines de Jamestown furent redécouvertes en 1994 et l'on peut voir les fouilles archéologiques en cours.

Le **Jamestown Settlement** (☎757-253-4838 ; www.historyisfun.org ; adulte/enfant 16/8 $, avec Yorktown Victory Center 20/10 $; ☺9h-17h), géré par l'État, réjouira les enfants. Il renferme une reconstitution de James Fort en 1607, un village d'amérindiens et des répliques grandeur nature des premiers navires des colons de Jamestown, ainsi que des expositions multimédias et des comédiens en costume du XVIIᵉ siècle.

YORKTOWN

C'est ici que le 19 octobre 1781, le général britannique Cornwallis capitula devant George Washington, mettant fin à la Révolution américaine. Accablés par l'armement massif des Américains et isolés de la mer par les Français, les Britanniques étaient face à une situation désespérée. Bien que Washington se fût préparé à un siège plus long, ce barrage mit rapidement Cornwallis en position de faiblesse et il se rendit en quelques jours.

Le **Yorktown Battlefield** (☎757-898-3400 ; avec Historic Jamestowne adulte/enfant 10 \$/gratuit ; ☉9h-17h), géré par le NPS, fut le théâtre de la dernière grande bataille de la Révolution américaine. Commencez votre visite au centre des visiteurs et découvrez la vidéo d'introduction et la tente de Washington. Le circuit de 11 km de la Battlefield Rd vous fera passer devant les principaux sites. Ne manquez pas les derniers sites défensifs britanniques, les redoutes 9 et 10.

Le **Yorktown Victory Center** (☎757-253-4838 ; www.historyisfun.org ; adulte/enfant 10/5 \$; ☉9h-17h), géré par l'État, est une musée d'histoire vivante interactif consacré à la reconstitution et à l'impact de la Révolution sur les populations qui l'ont vécue. Dans le cantonnement, des soldats costumés tirent des coups de canon et discutent de cuisine et de médecine.

La ville de Yorktown proprement dite est un agréable village donnant sur la York River et doté d'un bel ensemble de boutiques, restaurants et pubs. Dans une maison de caractère de 1720, le **Carrot Tree** (☎757-988-1999 ; 411 Main St ; plat 10-16 \$; ☉11h-15h30 tlj, 17h-20h30 jeu-sam) propose des plats judicieusement baptisés, comme le *Lord Nelson's BBQ* et le *Battlefield beef Stroganoff*, à un prix raisonnable. Enchaînez avec une bière au **Yorktown Pub** (112 Water St ; plat 8-22 \$; ☉11h-24h), qui organise des concerts le week-end. Pour quelque chose de plus chic, le **Nick's Riverwalk Restaurant** (☎757-875-1522 ; 323 Water St ; plat déj 10-16 \$, dîner 18-32 \$; ☉11h30-14h30 et 17h-21h) sert une cuisine américaine moderne au bord de l'eau.

JAMES RIVER PLANTATIONS

Les grandes demeures de l'aristocratie esclavagiste illustraient bien le clivage des classes à cette époque. On peut en voir plusieurs sur la belle Hwy 5, sur la rive nord du fleuve (seules quelques-unes sont ouvertes au public). Les 3 demeures ci-après s'enchaînent d'est en ouest.

Sherwood Forest (☎804-829-5377 ; sherwoodforest.org ; 14501 John Tyler Memorial Hwy), la plus longue maison à ossature de bois du pays, fut la demeure de John Tyler, 10e président des États-Unis. Visites sur rendez-vous ; 35 \$/personne. La propriété (comprenant un touchant cimetière pour animaux) est en **visite libre** (adulte/enfant 10 \$/gratuit ; ☉9h-17h).

Berkeley (☎804-829-6018 ; www.berkeleyplantation.com ; 12602 Harrison Landing Rd ; adulte/enfant 11/7,50 \$; ☉9h30-16h30) fut le théâtre du premier Thanksgiving officiel en 1619. C'est ici que naquit et vécut Benjamin Harrison V, l'un des signataires de la Déclaration d'indépendance, ainsi que son fils William Henry Harrison, 9e président des États-Unis.

Shirley (☎800-232-1613 ; www.shirleyplantation.com ; 501 Shirley Plantation Rd ; adulte/enfant 11/7,50 \$; ☉9h-17h), dans un cadre pittoresque au bord de l'eau, est la plus ancienne plantation de Virginie (1613) et peut-être le meilleur exemple des premières plantations sur le modèle britannique, avec maisons de service en brique – remise à outils, cabane à glace, laverie, etc. – menant à la grande maison.

Hampton Roads

La région de Hampton Roads (qui doit son nom non pas à l'asphalte, mais à la confluence des James, Nansemond et Elizabeth Rivers avec la Chesapeake Bay) a toujours été prisée des constructeurs immobiliers. La confédération des Powhatan pêchait dans ces eaux et chassait sur les avancées longilignes de la côte de la Virginie depuis des milliers d'années quand John Smith arriva en 1607. C'est ici que le pirate Barbe Noire fut tué et que sa tête fut plantée sur un mât, et que les flottes de deux continents jonchèrent la zone d'épaves pendant les guerres d'Indépendance et de Sécession. Aujourd'hui, Hampton Roads est célèbre pour ses routes terriblement encombrées, ainsi que pour son histoire confuse, ses forces militaires et sa scène artistique.

NORFOLK

Norfolk abrite la plus grande base navale du monde, rien d'étonnant alors qu'elle ait une réputation de ville portuaire tapageuse aux marins ivres. Ces dernières années, elle s'est efforcée de se forger une nouvelle image en encourageant l'urbanisme, l'embourgeoisement et une scène artistique florissante. C'est aujourd'hui la deuxième plus grande ville de l'État, avec une population diversifiée de 243 000 âmes. Elle reste néanmoins axée sur sa base militaire, comme en attestent les navires de guerre au large et le vrombissement des avions de combat.

Il y a 2 centres des visiteurs : **Interstate** (I-64 sortie 273 ; ☉9h-17h ; ☎) et **Downtown** (centre-ville ; www.visitnorfolktoday.com ; 232 E

Main St ; ☺9h-17h lun-ven). Le quartier historique de Ghent, à l'ouest du centre-ville, attire en masse les "réfugiés" bohèmes, gourmets et amateurs de capuccinos.

◉ À voir

Naval Station Norfolk
BASE NAVALE

(☎757-444-7955 ; www.cnic.navy.mil/norfolksta ; 9079 Hampton Blvd ; adulte/enfant 10/5 $). La plus grande base navale du monde, qui abrite aussi l'un des aérodromes les plus actifs du pays, est un incontournable. Dans le port, vous verrez peut-être des porte-avions, destroyers, frégates, navires d'assaut amphibie et sous-marins. Les circuits en bus de 45 minutes sont assurés par le personnel de la marine. Réservation nécessaire (horaires variables). Les adultes devront présenter une pièce d'identité avec photo. Sinon, découvrez les quais lors d'une croisière commentée de 2 heures à bord du **Victory Rover** (☎757-627-7406 ; www.navalbasecruises.com ; adulte/enfant 18/10 $; ☺mars-déc).

Nauticus
MUSÉE

(www.nauticus.org ; 1 Waterside Dr ; adulte/enfant 12/10 $; ☺10h-17h mai-août, 10h-17h mar-sam, 12h-17h dim sept-avr). Cet imposant musée interactif consacré à l'océan renferme des expositions sur l'exploration sous-marine, la vie aquatique de la Chesapeake Bay et la marine américaine. La partie phare du musée est le parcours parmi les ponts et les couloirs de l'**USS Wisconsin**. Ce cuirassé de 1943 est le plus long (270 m) et le dernier construit par la marine américaine.

GRATUIT Chrysler Museum of Art
MUSÉE

(www.chrysler.org ; 245 W Olney Rd ; ☺10h-21h mer, 10h-17h jeu-sam, 12h-17h dim). Un ensemble spectaculaire et éclectique allant de l'Égypte antique à nos jours – avec, entre autres, des œuvres de Monet, Matisse, Renoir, Warhol et une collection de haut rang de verre soufflé Tiffany – est exposé dans un cadre somptueux.

GRATUIT MacArthur Memorial
MUSÉE

(www.macarthurmemorial.org ; MacArthur Sq ; ☺10h-17h lun-sam, 11h-17h dim). C'est ici que reposent le général Douglas MacArthur, héros de la Seconde Guerre mondiale, et sa femme Jean. Comprend un musée, un théâtre et des expositions d'objets militaires et personnels ayant appartenu au général.

☷ Où se loger

Une foule d'hébergements, allant des établissements économiques aux hôtels de milieu de gamme, bordent Ocean View Ave (le long de la baie).

Page House Inn
B&B $$$

(☎757-625-5033 ; www.pagehouseinn.com ; 323 Fairfax Ave ; ch 150-230 $; ℙ❋☎). En face du Chrysler Museum of Art, ce luxueux B&B est un symbole de l'élégance de la ville.

Residence Inn
HÔTEL $$

(☎757-842-6216 ; 227 W Brambleton Ave ; ch 140-160 $; ℙ❋☎☲). À quelques minutes à pied de Granby St, cet agréable hôtel de chaîne a des airs d'établissement de charme grâce à des chambres spacieuses avec kitchenettes et de superbes équipements.

Tazewell Hotel
HÔTEL $$

(☎757-623-6200 ; www.thetazewell.com ; 245 Granby St ; ch 100-200 $; ❋☎). Le Tazewell, dans un édifice historique de 1906, donne en plein sur les restaurants et pubs de Granby St. Chambres petites et basiques (certaines auraient besoin d'un coup de neuf).

Best Western
MOTEL $$

(☎757-583-2621 ; 1330 E Ocean Ave ; ch à partir de 120 $; ℙ❋☎☲). Établissement fiable et confortable donnant sur la Chesapeake Bay.

✗ Où se restaurer

Granby St, dans le centre-ville, et Colley Ave, à Ghent, font partie des meilleurs quartiers où manger.

Luna Maya
LATINO-AMÉRICAIN $$

(☎757-622-6986 ; 2010 Colley Ave, Ghent ; plat 13-19 $; ☺16h30-22h mar-sam ; ✑). Dans une rue de Ghent bordée de restaurants, Luna Mayasert, installé dans un espace ouvert à la fois élégant et rustique, sert une délicieuse cuisine latino-américaine au sens large et des mojitos à profusion. Les deux sœurs boliviennes qui le tiennent ont notamment ramené de leur pays d'origine le *pastel de choclo con chorizo*, plat à base de maïs et de saucisse de poulet épicée.

Press 626 Cafe & Wine Bar
AMÉRICAIN MODERNE $$$

(☎757-282-6234 ; 150 W Main St ; plat 19-35 $; ☺11h-23h lun-ven, 17h-23h sam, 10h30-14h30 dim ; ✑). Press 626 s'inscrit dans le mouvement Slow Food avec sa petite carte haut de gamme (à titre d'exemple, espadon poêlé et polenta aux tomates séchées), ainsi que ses savoureux fromages et assiettes à partager. Il occupe une maison raffinée et les tables sont réparties dans des pièces à l'éclairage tamisé et dans la véranda. Bonne sélection de vins.

Todd Jurich's Bistro
AMÉRICAIN MODERNE $$$

(☎757-622-3210 ; Boush St et W Main St ; plat 19-35 $; ☺11h30-14h30 lun-ven, 17h30-22h lun-sam). Ce bistrot primé propose une cuisine régionale créative, comme le bar de Virginie et les morceaux de crabe Norfolk aux légumes verts revenus et citron confit.

Cutty Sark Marina PRODUITS DE LA MER **$$**
(☎757-362-2942 ; 4707 Pretty Lake Ave ; plat 8-15 $; ⏱11h30-14h30 lun-ven, 17h30-22h lun-sam). Offrez-vous une bonne tranche de Maryland dans cette gargote de bord de mer en dégustant crevettes cuites à la vapeur, *crab cakes* maison et fruits de mer frits. Chantier naval oblige, vous n'échapperez pas aux vieux loups de mer et à un service sans chichis. À 4 pâtés de maisons au sud d'East Ocean View Ave, près de Shore Dr (US 60).

Doumar's DINER **$**
(1919 Monticello Ave, sur E 20th St, Ghent ; plat 2-4 $; ⏱8h-23h lun-sam). Dans cet établissement au pur style américain, on fabrique les cornets de glace sous les yeux des clients depuis 1904. Excellent grill.

🍸 Où prendre un verre et sortir

Elliot's Fair Grounds CAFÉ
(806 Baldwin Ave, Ghent ; ⏱7h-22h lun-sam, 8h-22h dim ; 📶🍴). Ce minuscule café à la chaude ambiance attire aussi bien les étudiants que les marins. La carte comprend des plats végétaliens et kasher comme le Boca burger.

Taphouse Grill at Ghent PUB
(931 W 21st St, Ghent). Bonnes bières artisanales et bons groupes locaux font de ce petit pub un endroit chaleureux.

ℹ️ Comment s'y rendre et circuler

La région est desservie par le **Norfolk International Airport** (NIA ; ☎757-857-3351), à 11 km au nord-est du centre-ville. **Des bus Greyhound** (☎757-625-7500 ; www.greyhound. com ; 701 Monticello Ave) vont à Virginia Beach (14 $, 35 min), Richmond (28 $, 2 heures 45) et Washington (45 $, 6 heures 30).

Hampton Roads Transit (☎757-222-6100 ; www.hrtransit.org) couvre toute la région de Hampton Roads. Les bus (1,50 $) circulent dans toute la ville et jusqu'à Newport News et Virginia Beach. **Norfolk Electronic Transit** (NET ; ⏱6h30-23h lun-ven, 12h-24h sam, 12h-20h dim) est un service de bus gratuit qui relie les principaux lieux d'intérêt du centre-ville de Norfolk, dont le Nauticus et le Chrysler Museum.

NEWPORT NEWS ET HAMPTON

Newport News est un exemple géant d'étalement suburbain. La ville compte néanmoins plusieurs points d'intérêt, comme le fascinant **Mariners' Museum** (☎757-596-2222 ; www.marinersmuseum.org ; 100 Museum Dr ;

adulte/enfant 12/7 $; ⏱10h-17h mer-sam, 12h-17h dim), l'un des musées maritimes les plus importants et complets du monde. Il comprend l'**USS Monitor Center** qui abrite la carcasse du *Monitor,* qui date de la guerre de Sécession et fut l'un des premiers navires de guerre blindés au monde, ainsi qu'une réplique grandeur nature du bateau d'origine.

Le **Virginia Living Museum** (☎757-595-1900 ; thevlm.org ; 524 J Clyde Morris Blvd ; adulte/enfant 17/13 $; ⏱9h-17h) présente la vie terrestre et aquatique de la Virginie grâce à la reproduction d'écosystèmes naturels. Comprend des enclos pour animaux à ciel ouvert, une volière, des jardins et un planétarium.

Tout près, à Hampton, le **Virginia Air & Space Center** (☎757-727-0900 ; www.vasc. org ; 600 Settlers Landing Rd ; adulte/enfant 12/10 $; ⏱10h-17h lun-mer, 10h-19h jeu-dim) fascinera les astronautes et pilotes en herbe avec, notamment, le module de commande d'*Apollo 11* et l'avion de ligne DC-9. IMAX non inclus dans le prix de base.

Virginia Beach

Avec ses 56 km de plages de sable, sa promenade de 5 km longeant l'océan et ses activités de plein air, rien d'étonnant à ce que Virginia Beach soit une importante destination touristique et la plus grande ville de l'État (438 000 habitants). Ces dernières années, la ville a souhaité se débarrasser de sa réputation de "Redneck Riviera" ("riviera de ploucs") tapageuse. Grâce à un lifting de 300 millions de dollars, la plage est plus large et plus propre qu'elle ne l'a jamais été et les dauphins batifolent au large. Les policiers en nombre (ainsi que des affiches contre le blasphème !) visent à dissuader les fauteurs de trouble. L'attrait de la ville reste cependant limité : les hauts bâtiments des hôtels sans cachet dominent l'horizon, et les plages et rues bondées sont loin d'être idylliques.

L'I-264 vous mènera tout droit au **Visitor Center** (☎800-822-3224 ; www.visitvirginia-beach.com ; 2100 Parks Ave ; ⏱9h-17h) et à la plage. Le surf est autorisé à l'extrémité sud de la plage, à côté de Rudee Inlet et près de la jetée de 14th St.

👁️ À voir

Virginia Aquarium & Marine Science Center AQUARIUM
(www.virginiaaquarium.com ; 717 General Booth Blvd ; adulte/enfant 21/15 $; ⏱9h-18h). C'est

l'un des meilleurs aquariums du pays. Des sorties en bateau sont également organisées pour observer les dauphins (adulte/enfant 21/15 $, avr-oct) ou les baleines (adulte/enfant 28/24 $, jan-mars) au plus près.

GRATUIT **Mt Trashmore** PARC
(310 Edwin Dr ; ☉7h30-coucher du soleil). Sortie 17B sur l'I-64. Ce parc judicieusement construit sur une ancienne décharge s'étend sur 67 ha et est très apprécié pour pique-niquer et faire du cerf-volant. Il compte 2 lacs, des terrains de jeu, un skate-park et d'autres espaces de loisirs.

Fort Story SITE HISTORIQUE
(angle 89th St et Pacific Ave). Cette base militaire active de Cape Henry comprend l'**Old Cape Henry Lighthouse** (adulte/enfant 5/3 $), phare de 1791 offrant un panorama spectaculaire depuis sa terrasse d'observation. Les samedis d'été, vous pourrez découvrir la reconstitution d'un village amérindien et d'un avant-poste colonial du XVIIᵉ siècle aux **Historic Villages at Cape Henry** (www.firstlandingfoundation.com ; adulte/enfant 8/5 $; ☉14h-18h juin-août). Les adultes devront présenter une pièce d'identité avec photo.

First Landing State Park RÉSERVE NATURELLE
(☎800-933-7275 ; 2500 Shore Dr ; 4-5 $/véhicule). Le parc d'État le plus visité de Virginie est une vaste forêt de 1 169 ha avec 32 km de sentiers de randonnée et des possibilités de camping, cyclisme, pêche, kayak et baignade.

Contemporary Arts Center of Virginia MUSÉE
(www.cacv.org ; 2200 Parks Ave ; adulte/enfant 7/5 $; ☉10h-17h mar-ven, 10h-16h sam, 12h-16h dim). Ce bâtiment ultramoderne propose d'excellentes expositions tournantes et une remarquable collection d'œuvres internationales et locales sublimées par la lumière naturelle.

Back Bay National Wildlife Refuge RÉSERVE NATURELLE
(www.fws.gov/backbay ; par véhicule/piéton 5/2 $ avr-oct, gratuit nov-mars ; ☉lever-coucher du soleil). C'est en décembre, pendant la période de migration des oiseaux, que cet espace sauvage et marécageux de 3 743 ha est le plus fascinant.

GRATUIT **Great Dismal Swamp National Wildlife Refuge** RÉSERVE NATURELLE
(☉lever-coucher du soleil). À environ 48 km au sud-ouest de Virginia Beach, ce refuge de 45 325 ha, qui s'étend jusqu'en Caroline du Nord, renferme une faune et une flore abondantes, dont des ours noirs, des lynx et plus de 200 espèces d'oiseaux.

🛏 Où se loger

Angie's Guest Cottage & Hostel AUBERGE DE JEUNESSE $
(☎757-491-1830 ; www.angiescottage.com ; 302 24th St ; dort 23-31 $, s/d 52/64 $, cottages à partir de 650 $/semaine ; ℗ ❄). À seulement un pâté de maisons de la plage, cette auberge affiliée HI-USA compte 5 dortoirs, 2 chambres et une cuisine commune.

First Landing State Park CAMPING $
(☎800-933-7275 ; dcr.virginia.gov ; Cape Henry ; empl 24-30 $, chalets à partir de 75 $). On ne peut rêver cadre plus joli pour un camping que ce terrain en bord de baie. Les chalets, cependant, ne donnent pas sur l'eau.

ITINÉRAIRE PANORAMIQUE : LA CÔTE EST DE LA VIRGINIE

De l'autre côté du pont-tunnel de la Chesapeake Bay (27 km ; 12 $), la côte est de la Virginie donne une impression d'isolement maritime avec ses villages de pêcheurs et ses paisibles refuges naturels de faible altitude. Comptez un peu plus d'une heure pour faire le tour de la péninsule en voiture.

Derrière la venteuse Assateague Island (p. 288), la ville de **Chincoteague** (chink-o-tig), sur l'île du même nom, est la destination principale de la côte est de la Virginie. Elle est réputée pour ses huîtres et pour ses poneys sauvages, qui, fin juillet, quittent Assateague et traversent le canal "à la nage" pour la vente aux enchères annuelle.

La **chamber of commerce** (☎757-336-6161 ; www.chincoteaguechamber.com ; 6733 Maddox Blvd ; ☉9h-16h30 lun-sam) vous fournira des cartes des pistes de randonnée et de vélo autour et à l'intérieur du paisible **Chincoteague National Wildlife Refuge** (8 $/véhicule ; ☉6h-20h), belle zone humide appréciée des oiseaux aquatiques migrateurs. À 8 km à l'ouest de Chincoteague, faites une halte à la **NASA Wallops Flight Facility** (☎757-824-1344 ; entrée libre ; ☉10h-16h jeu-lun), où vous pourrez découvrir les activités du complexe grâce à des expositions et peut-être assister au lancement d'une fusée.

LES VIGNOBLES DE LA VIRGINIE

La Virginie, aujourd'hui 5e producteur de vin des États-Unis, compte 192 vignobles, dont beaucoup dans les belles collines autour de Charlottesville. Les vins issus du cépage viognier de Virginie sont particulièrement remarquables. Pour plus d'informations sur le vin de la Virginie, consultez le site www.virginiawine.org (en anglais).

Jefferson Vineyards
VIGNOBLE
(☎434-977-3042 ; www.jeffersonvineyards.com ; 1353 Thomas Jefferson Pkwy, Charlottesville). Ce domaine connu pour la qualité constante de ses vins fut créé en 1774 par le président qui lui donna son nom.

Keswick Vineyards
VIGNOBLE
(☎434-244-3341 ; www.keswickvineyards.com ; 1575 Keswick Winery Dr, Keswick). Le Keswick a reçu une foule de récompenses pour son premier millésime et vinifie depuis une grande variété de cépages. En retrait de la Rte 231.

Kluge Estate
VIGNOBLE
(☎434-977-3895 ; www.klugeestateonline.com ; 100 Grand Cru Dr, Charlottesville). Les amateurs de vin déclarent régulièrement son vin comme le meilleur de l'État.

Cutty Sark Motel
MOTEL $$
(☎757-428-2116 ; www.cuttysarkvb.com ; 3614 Atlantic Ave ; ch 140-160 $, app à partir de 1 000 $/semaine ; P❄). Les chambres du Cutty Sark sont dotées de balcons privatifs et de kitchenettes. Assurez-vous cependant que la vôtre ne donne pas sur un parking.

✖ Où se restaurer et prendre un verre

La promenade et Atlantic Ave ne manquent pas de restaurants – la plupart servent poissons et fruits de mer locaux. Il y a une foule de bars et de clubs entre 17th St et 23rd St, autour de Pacific Ave et d'Atlantic Ave.

Catch 31
PRODUITS DE LA MER $$$
(☎757-213-3474 ; 3001 Atlantic Ave ; plat 18-35 $; ◷7h-23h). Ce restaurant de poisson, parmi les meilleurs de la promenade, a un intérieur raffiné et une terrasse très prisée de ceux qui aiment regarder passer les gens et prendre l'air du large. Dans le Hilton.

Mahi Mah's
PRODUITS DE LA MER $$$
(☎757-437-8030 ; www.mahimahs ; 615 Atlantic Ave ; plat 18-30 $; ◷17h-tard lun-ven, 7h-tard sam-dim). Cet établissement en bord d'océan se trouve dans le Ramada Inn et sert des sushis dont la qualité remarquable compensera le service extra-lent. C'est aussi l'un des lieux nocturnes les plus populaires de la plage.

Mary's Restaurant
DINER $
(616 Virginia Beach Blvd ; plat 4-9 $; ◷6h-15h). Vous apprécierez cette institution vieille de plus de 40 ans pour ses petits-déjeuners savoureux, copieux et bon marché. Ses gaufres moelleuses aux brisures de chocolat sont particulièrement réputées.

ⓘ Comment s'y rendre et circuler

Des bus **Greyhound** (☎757-422-2998 ; www.greyhound.com ; 971 Virginia Beach Blvd) partent plusieurs fois par jour pour Richmond (33 $, 3 heures 30) et s'arrêtent à Norfolk et Newport News. Pour Washington, Wilmington, New York et au-delà, changez à Richmond. Les bus partent de Circle D Food Mart, à 1,5 km à l'ouest de la promenade. **Hampton Roads Transit** gère le Virginia Beach Wave (billets 1 $), qui fait la navette sur Atlantic Ave en été.

Piedmont

Les paysages ondulants et verdoyants de la Virginie centrale séparent les basses terres côtières de la frontière montagneuse. La vallée fertile abrite des dizaines de vignobles, villages et grands domaines coloniaux.

CHARLOTTESVILLE

Charlottesville, à l'ombre des Blue Ridge Mountains, est régulièrement classée parmi les endroits du pays où il est le plus agréable de vivre. Cette ville de 45 000 habitants au riche patrimoine culturel abrite la University of Virginia (UVA), qui attire aussi bien bourgeois du Sud que gauchistes bohèmes. Avec son campus universitaire et son centre-ville piétonnier empli d'étudiants, de couples, de professeurs et parfois de célébrités, le tout sous un ciel d'azur, "C-ville" frôle la perfection.

Le **Charlottesville Visitor Center** (☎877-386-1103 ; www.visitcharlottesville.org ; 610 E Main St ; ◷9h-17h), en plein centre-ville, est très utile.

MONTICELLO ET SES ENVIRONS

Le chef-d'œuvre d'architecture qu'est **Monticello** (☎434-984-9822 ; www.monticello.org ; adulte/enfant 22/8 \$; ⊙9h-18h mars-oct, 10h-17h nov-fév) fut conçu et habité par Thomas Jefferson, Père fondateur et 3ᵉ président des États-Unis. Il lui fallut 40 ans pour faire naître la maison de ses rêves, achevée en 1809. Il déclara : "Je ne suis aussi heureux nulle part ailleurs ni dans toute autre société, et tous mes souhaits prennent fin là où, je l'espère, mes jours prendront fin : à Monticello". Aujourd'hui, c'est la seule demeure du pays inscrite au patrimoine mondial de l'humanité. Cet édifice de style néoclassique romain était l'élément central d'une plantation de 2 000 hectares où travaillaient 150 esclaves. Le rôle de Jefferson en tant que propriétaire d'esclaves n'est pas éludé, tout comme la possibilité qu'il ait eu des enfants avec l'une de ses esclaves, Sally Hemings ; un passé compliqué pour un homme qui affirma dans la Déclaration d'indépendance que "tous les hommes sont créés égaux". Lui et sa famille reposent dans une petite parcelle boisée à côté de la maison.

Cette dernière n'est accessible que dans le cadre d'une visite guidée ; les anciennes plantations, les jardins et le cimetière sont en visite libre. Un centre d'exposition dernier cri, ouvert en 2009, vous fera découvrir l'univers de Jefferson plus en profondeur – expositions sur l'architecture, l'instruction par l'éducation et l'idée complexe de liberté. Dans la **Griffin Discovery Room**, les enfants pourront tester les astucieuses inventions de Jefferson – comme son polygraphe. Des navettes régulières mènent à la maison depuis le centre d'information. Sinon, empruntez le sentier boisé.

Des visites sont également proposées pour la **Michie Tavern** (☎434-977-1234 ; www.michietavern.com ; 683 Thomas Jefferson Pkwy ; adulte/enfant 9/7 \$; ⊙9h-16h20) voisine (1784), et pour **Ash Lawn-Highland** (☎434-293-8000 ; www.ashlawnhighland.org ; adulte/enfant 12/6 \$; ⊙9h-18h avr-oct, 11h-17h nov-mars), la propriété de James Monroe, à 4 km à l'est de Monticello. Billet combiné pour les 3 domaines à 36 \$. Visitez la Michie Tavern à l'heure du déjeuner pour profiter du buffet de spécialités du Sud (poulet frit, petits pains, etc.) de son restaurant l'**Ordinary** (repas 17 \$; ⊙11h15-15h30).

UNIVERSITY OF VIRGINIA

L'**université de Virginie**, fondée par Thomas Jefferson, est l'un des plus beaux campus du pays, et il serait dommage de le manquer. Le domaine et les bâtiments de style classique incarnent l'esprit d'apprentissage et de vie en communauté imaginé par Jefferson. L'élément central est la **Rotunda** (☎434-924-7969), réplique du Panthéon de Rome signée Jefferson. Des visites gratuites du bâtiment sont assurées tous les jours par des étudiants. Départ dans l'entrée principale à 10h, 11h, 14h, 15h et 16h. L'**Art Museum** (155 Rugby Rd ; entrée libre ; ⊙12h-17h mar-dim) renferme une collection intéressante et éclectique d'œuvres américaines, européennes et asiatiques.

🛏 Où se loger

Il y a un bon choix de chaînes de motels économiques et de gamme moyenne sur Emmet St/US 29 au nord du centre-ville. Si vous cherchez un service de réservation, essayez **Guesthouses** (☎434-979-7264 ; www.va-guesthouses.com ; ch à partir de 150 \$), qui propose des cottages et des chambres en B&B dans des maisons privées. Le week-end, la durée minimum est souvent de 2 nuitées.

Inn at Monticello　　　　B&B \$\$\$
(☎434-979-3593 ; www.innatmonticello.com ; 1188 Scottsville Rd ; ch 215 \$; 🅿✳🛜). Ce B&B victorien, en face de Monticello, est adossé aux collines du Piedmont. Les 5 chambres douillettes rappellent la grandeur coloniale. Excellents petits-déjeuners maison.

South Street Inn　　　　B&B \$\$\$
(☎434-979-0200 ; www.southstreetinn.com ; 200 South St ; ch petit-déj inclus 160-255 \$; 🅿✳). Au cœur du centre-ville, cet élégant bâtiment de 1856 fut d'abord une école pour jeunes filles, un pensionnat, puis une maison close. Il abrite aujourd'hui des chambres de style ancien dotées d'antiquités et de cheminées. Vins et fromages sont servis le soir.

Alexander House　　　　PENSION \$
(☎434-327-6447 ; www.alexanderhouse.us ; 1205 Monticello Rd ; dort/ch 30/75 \$; 🅿@🛜). Cette pension chaleureuse et décontractée compte 3 chambres confortables et un dortoir de 6 lits pour les petits budgets. Ceux qui optent pour les chambres partagent la salle de bains mais ont accès aux parties communes. Situé dans le quartier paisible de Belmont – où restaurants et cafés se multiplient –, à 15 minutes à pied de la zone piétonne du centre-ville.

English Inn　　　　HÔTEL \$\$
(☎434-971-9900 ; www.englishinncharlottesville.com ; 2000 Morton Dr ; ch petit-déj inclus 100-160 \$; 🅿🛜✳). Décor et hospitalité

britanniques caractérisent cet hôtel unique à la façade Tudor. À 2,5 km au nord de l'UVA. Tarifs plus bas en semaine.

White Pig
B&B **$$**

(434-831-1416 ; www.thewhitepig.com ; 5120 Irish Rd, Schuyler ; ch 160-185 $; P). Les végétariens et végétaliens ne manqueront pas de faire un pèlerinage au White Pig, à environ 35 km au sud-ouest de Monticello. Situé sur la Biar Creek Farm, ferme de 70 ha, ce B&B/ refuge pour animaux propose l'une des cartes végétariennes les plus originales de l'État. Les chambres donnent sur la prairie et le jardin, et les hôtes peuvent profiter du Jacuzzi.

Où se restaurer et prendre un verre

Le Downtown Mall, zone piétonne bordée de boutiques et de restaurants, est idéal pour observer les passants et manger en terrasse. Le soir, les bars de University Ave attirent étudiants et jeunes.

Local
AMÉRICAIN MODERNE **$$**

(434-984-9749 ; 824 Hinton Ave ; plat 11-25 $; 17h30-22h dim-jeu, 17h30-23h ven-sam). Cet établissement de la scène culinaire montante de Belmont en a séduit plus d'un avec sa carte pour "locavores" (macaronis au fromage et à la truffe noire, canard rôti à l'orange sanguine) et son intérieur élégant et feutré aux murs de brique ornés de tableaux colorés. Possibilité de manger en extérieur, côté rue ou sur le toit. Excellents cocktails.

Blue Moon Diner
AMÉRICAIN **$$**

(512 W Main St ; plat 10-20 $; 8h-22h lun-ven, 9h-22h sam, 9h-15h dim). L'une des meilleures adresses de Charlottesville pour un petit-déjeuner ou un brunch le week-end. Ce joyeux *diner* de style rétro sert une nourriture délicieuse faite de produits locaux. Vous apprécierez également les bières de Virginie à la pression, le vieux rock à la radio et les concerts occasionnels.

Continental Divide
MEXICAIN **$$**

(811 W Main St ; plat 10-15 $; 17h30-22h). Ce restaurant gai et accueillant n'a pas d'enseigne (cherchez le néon "Get in Here" en vitrine), mais sa cuisine mexicaine fusion mérite bien une petite investigation – tacos au porc tendre, *tostadas* au thon, *nachos* et chili de bison, et les meilleures margaritas de C-ville.

Zocalo
FUSION **$$$**

(434-977-4944 ; 201 E Main St ; plat 19-26 $; 17h30-2h mar-dim). Ce bar-restaurant raffiné propose de superbes plats d'inspiration latine (tartare de thon épicé, Saint-Jacques saupoudrées de chili, porc grillé au roucou).

Vous apprécierez la terrasse par temps chaud et la cheminée crépitante en hiver.

Mudhouse
CAFÉ **$**

(213 W Main St ; 7h-22h lun-jeu, 7h-23h ven-sam, 7h-19h dim ;). Faites comme les jeunes branchés en venant profiter des expressos vivifiants, du Wi-Fi et des événements artistiques quotidiens.

Splendora's Gelato Cafe
GLACIER **$**

(317 E Main St ; 9h-22h lun-sam, 12h-22h dim ;). Choisissez parmi les glaces crémeuses du Splendora : pistache, noisette, confiture de lait ou encore *gianduja*.

Christian's Pizza
PIZZERIA **$$**

(118 W Main St ; parts 2-4 $, pizza 10-16 $; 11h-21h). Cette institution de C-ville, dans le Downtown Mall, sert des pizzas savoureuses à la pâte fine et croustillante.

South Street Brewery
CUISINE DU SUD **$$**

(106 W South St ; plat 9-18 $; à partir de 17h lun-sam). Dans un entrepôt restauré des années 1800, vous vous délecterez de bières artisanales, d'une cuisine de bistrot typique du Sud (porc braisé au barbecue, truite farcie aux écrevisses et aux champignons) et des concerts occasionnels (actuellement le mercredi soir à partir de 22h). À quelques minutes à pied du centre-ville.

Backyard
BAR

(20 Elliewood Ave ; 11h-2h lun-sam). Bar étudiant animé doté d'un vaste espace extérieur plein à craquer le week-end. Situé dans une ruelle étroite parsemée de restaurants et de cafés, tout près de University Ave.

Comment s'y rendre et circuler

Amtrak (www.amtrak.com ; 810 W Main St). Deux trains/jour pour Washington (30 $, 3 heures).

Charlottesville Albemarle Airport (CHO ; 434-973-8342 ; www.gocho.com). À 16 km au nord du centre-ville ; vols régionaux.

Gare routière Greyhound/Trailways (434-295-5131 ; 310 W Main St). Trois bus partent chaque jour pour Richmond (20 $, 1 heure 15) et pour Washington (23 $, 3 heures).

Tramway (6h40-23h30 lun-sam, 8h-17h dim). Navette gratuite entre W Main St et l'UVA.

APPOMATTOX COURT HOUSE ET SES ENVIRONS

C'est à la McLean House, dans la ville d'Appomattox Court House, que le général Robert E. Lee remit la reddition de l'armée de Virginie du Nord au général Ulysses S. Grant, mettant fin à la guerre de Sécession. Plutôt que de vous y rendre directement, suivez la **retraite de Lee** (Lee's

Retreat ; ☎800-673-8732 ; www.varetreat.com) grâce à un circuit sinueux de 25 étapes commençant à la Southside Railroad Station (River St et Cockade Alley) de Petersburg et traversant parmi les paysages les plus pittoresques de l'État. Procurez-vous une carte routière détaillée, le circuit n'étant pas toujours très bien indiqué. Vous arriverez à l'**Appomattox Court House National Historic Park** (☎434-352-8987 ; www.nps. gov/apco ; été 4 $, sept-mai 3 $; ☉8h30-17h) qui s'étend sur 690 ha. La plupart des 27 bâtiments restaurés sont ouverts aux visiteurs.

Shenandoah Valley

D'après la légende locale, Shenandoah vient d'un mot amérindien signifiant "la fille des étoiles". Que cela soit vrai ou non, il ne fait aucun doute qu'il s'agit d'une région divine, l'une des plus belles des États-Unis. La vallée de 322 km et ses Blue Ridge Mountains sont truffées de merveilles, des petites villes et vignobles aux terrains de bataille et aux grottes. C'était autrefois la frontière occidentale de l'Amérique coloniale et elle était occupée par des colons écossais et irlandais qui avaient été chassés des Highlands (Highland Clearance). La Shenandoah Valley offre un vaste choix d'activités de plein air dont la randonnée, le camping, la pêche, l'équitation et le canoë.

SHENANDOAH NATIONAL PARK
Shenandoah (☎540-999-3500 ; www.nps. gov/shen ; forfait semaine par voiture mars-nov 15 $, déc-fév 10 $) est l'un des parcs nationaux les plus beaux du pays. La nature y est en constante activité : au printemps et en été, on assiste à une explosion de fleurs sauvages, et en automne, les feuilles se colorent de teintes éclatantes, avant de laisser place à l'hiver et à une période d'hibernation froide et splendide. Il n'est pas rare de voir des cerfs de Virginie. Avec un peu de chance, vous apercevrez peut-être un ours noir, un lynx ou un dindon sauvage. Le parc se trouve à seulement 120 km à l'ouest de Washington. Ne manquez pas la visite de ce parc au paysage enchanté.

◉ À voir et à faire
Le parc a deux centres des visiteurs : **Dickey Ridge** (Km 7,4 ; ☉8h30-17h mi-avr à oct) au nord, et **Harry F Byrd** (Km 82 ; ☉8h30-17h ; 31 mars-27 oct) au sud. Vous y trouverez des cartes, des permis de camping rustique (*backcountry permits*) et des renseignements sur la pratique de l'équitation, du

deltaplane, du cyclisme (uniquement sur les routes publiques) et d'autres activités. Shenandoah compte plus de 800 km de pistes de randonnée, dont 162 km de l'Appalachian Trail (sentier des Appalaches). Les sentiers décrits dans cette partie sont répertoriés du nord au sud.

♥ Skyline Drive　　ROUTE PANORAMIQUE
Ce trajet de 170 km dévalant les Blue Ridge Mountains redéfinit la notion de "route panoramique". Si la vue est à couper le souffle tout du long, gardez à l'esprit que la voie est sinueuse, lente (vitesse limitée à 56 km/h – 36 miles/h) et encombrée (en haute saison).

Old Rag Mountain　　RANDONNÉE
Ce circuit difficile de 13 km se termine par une escalade dans les rochers requérant une bonne condition physique. L'arrivée au sommet de l'Old Rag Mountain sera votre récompense et le chemin offre certaines des plus belles vues de la Virginie.

Skyland　　RANDONNÉE
Comprend 4 sentiers faciles avec quelques parties escarpées ; aucun ne fait plus 2,6 km de long. Le Stony Man Trail offre de superbes panoramas pour une difficulté raisonnable.

Big Meadows　　RANDONNÉE
Zone très connue renfermant 4 circuits de difficulté facile à intermédiaire. Les sentiers de Lewis Falls et de Rose River vous feront passer devant les cascades les plus impressionnantes du parc ; le premier rejoint le sentier des Appalaches.

Bearfence Mountain　　RANDONNÉE
Ce court chemin mène à un point de vue spectaculaire à 360°. La randonnée ne fait que 2 km, mais comprend une escalade ardue dans les rochers.

Riprap　　RANDONNÉE
Trois sentiers de difficultés variables. Le Blackrock Trail est une boucle facile de 1,5 km aux superbes paysages. Sinon, vous pouvez soit suivre le Riprap Trail jusqu'à Chimney Rock pour une randonnée de 5,5 km de difficulté moyenne, soit prendre le circuit assez physique de 16 km qui rejoint le sentier des Appalaches.

🛏 Où se loger et se restaurer
On peut camper sur 4 **terrains du NPS** (☎877-444-6777 ; www.recreation.gov) : **Mathews Arm** (Km 35,6 ; empl 15 $), **Big Meadows** (Km 82,5 ; empl 20 $), **Lewis Mountain** (Km 92,5 ; empl 15 $; pas de réservation) et **Loft Mountain** (Km 127,9 ; empl 15 $). La plupart sont ouverts de mi-mai à octobre.

Pour camper ailleurs, vous devrez disposer d'un permis de camping rustique, fourni gratuitement dans les centres des visiteurs.

Pour plus de confort, allez au **Skyland Lodge** (Km 67,1 ; ch 87-200 $), au **Big Meadows** (Km 82,4 ; ch 99-159 $) ou au **Lewis Mountain** (Km 92,5 ; chalets à partir de 76 $), tous ouverts de début mars à mi-novembre. Réservations par téléphone au ☏800-999-4714 ou par Internet sur le site www.visitshenandoah.com.

Skyland et Big Meadows disposent tous deux de restaurants et de bars avec concerts. Big Meadows est l'établissement le plus beau et le plus grand du parc, et propose les services les plus complets (notamment station-service, laverie et épicerie). Mieux vaut apporter votre propre nourriture dans le parc si vous campez ou si vous faites une longue randonnée.

❶ Comment s'y rendre et circuler

Chaque jour, un train Amtrak part de Washington pour Staunton, dans la Shenandoah Valley (66 $, 4 heures). Vous devrez être véhiculé pour pouvoir explorer le parc d'un bout à l'autre. L'accès à celui-ci se fait depuis plusieurs sorties sur l'I-81.

FRONT ROYAL ET SES ENVIRONS

L'extrémité nord de la Skyline Drive ne se résume au début qu'à une triste brochette de stations-service, mais elle se trouve à proximité d'une rue principale assez accueillante et de quelques grottes. Arrêtez-vous au **Visitor Center** (☏800-338-2576 ; 414 E Main St ; ☉9h-17h) et à la **Shenandoah Valley Travel Association** (☏800-847-4878 ; www.visitshenandoah.org ; US 211 W, I-81 sortie 264 ; ☉9h-17h) avant de mettre le cap sur la vallée.

Front Royal est célèbre pour ses **Skyline Caverns** (grottes ; ☏540-635-4545 ; www.skylinecaverns.com ; US 340 ; adulte/enfant 16/8 $; ☉9h-17h lun-ven, 9h-18h sam-dim et été), qui renferment de rares *anthodites* à pointes blanches – formations minérales délicates ressemblant à des oursins. Les enfants apprécieront le petit train (3 $) et le labyrinthe de miroirs (5 $).

Woodward House on Manor Grade (☏540-635-7010 ; www.acountryhome.com ; 413 S Royal Ave/US 320 ; ch 110-155 $, cottage 225 $; P🛜) est un B&B encombré comptant 7 jolies chambres et 2 cottages indépendants (avec poêles à bois). Prenez votre café sur la terrasse et profitez de la vue sur les Blue Ridge Mountains sans vous laisser distraire par l'animation de la rue.

Element (☏540-636-9293 ; jsgourmet.com ; 206 S Royal Ave ; plat 12-18 $; ☉11h-15h et 17h-22h mar-sam) est bien connu des gourmets pour sa bonne cuisine de bistrot. La petite carte du soir se renouvelle souvent avec des plats comme le vivaneau rouge au raifort. À midi, on vient pour les sandwichs (8-10 $), soupes et salades gastronomiques.

À l'étage, **Apartment 2G** (☏540-636-9293 ; jsgourmet.com ; 206 S Royal Ave ; 5 plat 50 $; ☉à partir de 18h30 sam) propose de superbes dîners de 5 plats le samedi soir dans une salle douillette (on se croirait invité chez des amis). Réservation indispensable. Consultez le site Internet pour d'autres événements culinaires.

Soul Mountain Cafe (☏540-636-0070 ; 1303 117 E Main St ; plat 12-24 $; ☉12h-21h lun-sam, 12h-16h dim) sert une cuisine savoureuse et éclectique (thon poêlé, porc braisé au barbecue) devant un grand portrait de Bob Marley.

À 40 km au nord, à Winchester, le **Museum of the Shenandoah Valley** (☏888-556-5799 ; www.shenandoahmuseum.org ; 901 Amherst St ; tarif plein/étudiant 12/10 $; ☉10h-16h mar-dim) se compose d'un musée-maison du XVIIIe siècle, d'un jardin de 2,5 ha, d'un musée multimédia sur l'histoire de la vallée et d'un café.

Si vous ne pouvez visiter qu'une grotte, optez pour les célèbres **Luray Caverns** (☏540-743-6551 ; www.luraycaverns.com ; I-81 sortie 264 ; adulte/enfant 23/11 $; ☉9h-18h, 9h-19h été, 9h-16h hiver), à 40 km au sud de Front Royal, où vous pourrez entendre le "Stalacpipe Organ", qualifié de plus grand instrument du monde.

GEORGE WASHINGTON FOREST ET JEFFERSON NATIONAL FOREST

S'étendant sur toute la bordure occidentale de la Virginie, ces deux gigantesques **forêts** (www.fs.fed.us/r8/gwj ; empl 12 $ environ, camping rustique gratuit) couvrent plus de 2 500 km² de terrains montagneux le long de la Shenandoah Valley. Elles offrent des sentiers de randonnée pour tous les niveaux, dont 530 km du **sentier des Appalaches** (www.appalachiantrail.org) et des pistes de VTT. On y trouve des centaines de terrains de camping aménagés (la plupart ouverts de mi-mai à mi-sept). Le **siège de l'USDA Forest Service** (☏540-265-5100 ; 5162 Valleypointe Pkwy ; ☉8h-16h30 lun-ven), près de la Blue Ridge Pkwy à Roanoke, gère une dizaine de postes de rangers.

STAUNTON ET SES ENVIRONS

Cette jolie petite ville surgit des montagnes avec sa petite université (Mary Baldwin), ses avenues d'antan et, curieusement, l'une des premières compagnies de théâtre shakespearien du pays. Le **Visitor Center** (www.visitstaunton.com ; 35 S New St ; ⏰9h-18h) se trouve dans le petit centre-ville historique.

L'excellent **Frontier Culture Museum** (📞540-332-7850 ; donne sur l'I-81 sortie 222 ; tarif plein/étudiant/enfant 10/9/6 $; ⏰9h-17h mi-mars à nov, 10h-16h déc à mi-mars) renferme d'authentiques bâtiments historiques d'Allemagne, d'Irlande et d'Angleterre, ainsi que des reconstitutions d'habitations d'Afrique de l'Ouest. Une partie séparée comprend des habitations de l'époque de la conquête de l'Ouest sur un terrain de plus de 40 hectares. Des comédiens costumés (ainsi que du bétail) interprètent avec brio la vie des ancêtres disparates des habitants actuels de la Virginie.

La **Woodrow Wilson Presidential Library** (www.woodrowwilson.org ; 18-24 N Coalter St ; tarif plein/étudiant/enfant 14/7/5 $; ⏰9h-17h lun-sam, 12h-17h dim) présente la vie du 28e président et fondateur de la Société des Nations, ainsi que les périodes ayant précédé et suivi la Première Guerre mondiale.

Ne partez pas sans avoir vu une pièce de l'American Shakespeare Center à la **Blackfriars Playhouse** (📞540-851-1733 ; www.americanshakespearecenter.com ; 10 S Market St ; billets 20-42 $), théâtre de 300 places reproduisant de manière époustouflante le théâtre de Shakespeare.

En plein centre-ville, l'accueillante **Frederick House** (📞540-885-4220 ; www.frederickhouse.com ; 28 N New St ; ch petit-déj inclus 130-240 $; P✳🛜), toute de mauve vêtue, se compose de 5 résidences historiques avec 25 chambres et suites variées, chacune avec salle de bains privative, et certaines avec meubles anciens et terrasse.

À côté, la **Miller House** (📞540-886-3186 ; www.millerhousebandb.com ; 210 N New St ; ch petit-déj inclus 155-175 $; P✳) renferme de belles chambres d'hôtes avec lustres, lits à baldaquin et cheminées décoratives dans une maison victorienne joliment restaurée.

Le **Howard Johnson Express** (📞540-886-5330 ; www.hojo.com ; 268 N Central Ave ; ch 58 $; P✳🏊) propose des chambres propres et bon marché à quelques minutes à pied du quartier historique.

West Beverley Street est parsemée de restaurants et de cafés. Emblématique de la renaissance culinaire de Staunton, **Zynodoa** (📞540-885-7775 ; 115 E Beverley St ; plat 21-28 $; ⏰17h-23h30 mer-sam, 12h-20h dim) propose une délicieuse cuisine de saison dans une démarche de développement durable. Dernières créations en date : bœuf rôti aux haricots noirs épicés et crabes à carapace molle du Sud frits.

Autre bonne adresse "de la ferme à la table" : le **Staunton Grocery** (📞540-886-6880 ; 105 W Beverley St ; plat déj/dîner à partir de 9/18 $; ⏰11h-14h mer-sam, 17h30-21h mar-sam) sert une cuisine innovante aux accents du Sud (poisson-chat rôti aux lentilles beluga et vinaigrette au bacon).

Le **Split Banana** (7 W Beverley St ; glace à partir de 3,15 $; ⏰11h-23h ; ♿) est un café-glacier accueillant au style rétro. Les 18 glaces différentes sont toutes artisanales.

Véritable institution dans la vallée depuis 1947, **Mrs Rowe's** (📞540-886-1833 ; I-81 sortie 222 ; plat 5-16 $; ⏰7h-20h lun-sam, 7h-19h dim) propose une cuisine du Sud et un accueil chaleureux.

LEXINGTON ET SES ENVIRONS

C'est l'endroit tout indiqué pour voir la bourgeoisie du Sud dans tout son éclat, lorsque les officiers du Virginia Military Institute passent en jogging devant la prestigieuse Washington & Lee University. Le **Visitor Center** (📞540-463-3777 ; 106 E Washington St ; ⏰9h-17h) dispose d'un parking gratuit.

Vous pourrez en savoir plus sur l'un des anciens résidents préférés de Lexington à la **Stonewall Jackson House** (8 E Washington St ; adulte/enfant 8/6 $; ⏰9h-17h lun-sam, 13h-17h dim). Stonewall Jackson vécut (et dansa la polka) dans cette maison de 1851 à 1861 avant de devenir général des États confédérés et d'entrer dans l'histoire.

Vous serez partagé entre un sentiment de pitié et d'admiration pour les officiers disciplinés du **Virginia Military Institute** (VMI ; Letcher Ave ; ⏰9h-17h lorsque le campus et le musée sont ouverts), la seule université ayant envoyé la totalité de ses diplômés au combat (les plaques en l'honneur des étudiants morts à la guerre sont touchantes et omniprésentes). Les officiers défilent en uniforme la plupart des vendredis à 16h30 pendant l'année universitaire. Sur le campus, le **George C Marshall Museum** (📞540-463-7103 ; tarif plein/étudiant 5/2 $; ⏰9h-17h mar-sam, 13h-17h dim) rend hommage au créateur du Plan Marshall, visant à la reconstruction de l'Europe après la Seconde Guerre mondiale. Le **VMI Cadet Museum** (📞540-464-7334 ; entrée libre ; ⏰9h-17h) abrite la carcasse empaillée du cheval de Stonewall Jackson, un drapeau américain fait par un ancien étudiant prisonnier pendant la guerre du Vietnam, et un hommage aux officiers du VMI tués au cours de la guerre contre le terrorisme. Contactez le musée pour faire la visite gratuite du campus à 12h.

Fondée en 1749, la Washington & Lee University, au bâtiment à colonnades, est l'une des petites universités majeures du pays. La **Lee Chapel & Museum** (⌫540-458-8768 ; ⊙9h-16h, 13h-16h dim) renferme la dépouille de Robert E. Lee. Son cheval, Traveller, est enterré à l'extérieur. L'un des quatre drapeaux des États confédérés entourant la tombe de Lee est hissé sur un mât d'origine, une branche qu'un soldat rebelle transforma en étendard improvisé.

Historic Country Inns (⌫877-283-9680 ; 11 N Main St ; ch 110-145 $; ste 170-190 $; P ❄) gère deux auberges en centre-ville et une à l'extérieur de la ville. Chaque bâtiment a une signification historique ayant trait à Lexington, et la plupart des chambres sont décorées de manière unique avec des meubles anciens. À 12 minutes de route au sud-est de Lexington, la charmante ferme **Applewood Inn & Llama Trekking** (⌫800-463-1902 ; www.applewoodbb.com ; 242 Tarn Beck Lane ; ch 155-165 $; P ❄) propose, dans un esprit de respect de l'environnement, de nombreuses activités de plein air.

Réservez suffisamment à l'avance pour un repas mémorable au **Red Hen** (⌫540-464-4401 ; 11 E Washington St ; plat 17-25 $; ⊙17h30-21h mar-sam). Sa carte originale vous fera découvrir la production locale (rôti de porc et pain perdu à la bière et pleurotes).

Le **Bistro on Main** (8 N Main St ; plat 9-24 $; ⊙11h30-14h30 et 17h-21h mar-sam) est un bar-restaurant clair et accueillant avec de grandes fenêtres donnant sur la rue principale et une cuisine de bistrot savoureuse.

Pour du divertissement à l'ancienne, allez voir un film au **Hull's Drive-in** (⌫540-463-2621 ; http://hullsdrivein.com ; 2367 N Lee Hwy/US 11 ; 6 $/pers ; ⊙19h jeu-dim mai-oct), à 9 km au nord de la ville.

NATURAL BRIDGE ET FOAMHENGE

Oui, c'est un piège à touristes ultra-kitch, et non, vous ne pourrez éviter les créationnistes proférant qu'il s'agit de l'œuvre de Dieu, mais le **Natural Bridge** (www.naturalbridgeva.com ; adulte/enfant pont 18/10 $, pont et grottes 24/14 $; ⊙9h-coucher du soleil), pont naturel haut de 65 m, n'en vaut pas moins le détour. Il est situé à 24 km de Lexington. George Washington l'arpenta lorsqu'il avait 16 ans et aurait gravé ses initiales sur la paroi. Le pont appartint jadis à Thomas Jefferson. Vous pourrez également y visiter des grottes d'une profondeur exceptionnelle.

En haut de la route, jetez un œil à **Foamhenge** (Hwy 11 ; entrée libre), une superbe réplique de Stonehenge grandeur nature en polystyrène. La vue y est belle et vous croiserez sûrement l'enchanteur des lieux. À 1,5 km au nord de Natural Bridge.

Blue Ridge Highlands et le sud-ouest de la Virginie

L'extrémité sud-ouest de la Virginie est la région la plus accidentée de l'État. Prenez la Blue Ridge Pkwy ou une autre route secondaire et vous plongerez immédiatement dans l'obscurité des cornouillers et des sapins, croisant ruisseaux rapides et cascades tumultueuses. Vous verrez à coup sûr des drapeaux des États confédérés dans les petites villes, mais une grande hospitalité se cache derrière cette volonté d'indépendance affichée.

BLUE RIDGE PARKWAY

La **Blue Ridge Parkway** (www.blueridgeparkway.org, www.nps.gov/blri) prend le relais de la Skyline Drive. La route est tout aussi belle et va du sud des Appalaches, dans le Shenandoah National Park, jusqu'en Caroline du Nord, dans le Great Smoky Mountains National Park, 755 km plus loin. Les fleurs sauvages abondent au printemps et les couleurs automnales sont spectaculaires. Soyez très prudent sur la route les jours de brouillard. Arrêtez-vous à l'un des nombreux centres des visiteurs de la Pkwy pour commencer votre périple sur de bonnes bases. Pour plus de détails, voir p. 340.

◉ À voir et à faire

On trouve toutes sortes de points d'intérêt le long de la Pkwy. En voici quelques-uns, répertoriés du nord au sud :

Humpback Rocks RANDONNÉE
(Km 9,3). Visitez des fermes du XIXe siècle ou prenez le sentier escarpé menant aux Humpback Rocks pour une vue spectaculaire à 360°

Sherando Lake Recreation Area BAIGNADE
(près du Km 25,7 ; ⌫540-291-2188). La George Washington National Forest (p. 314) renferme deux jolis lacs (l'un pour la baignade, l'autre pour la pêche), des sentiers de randonnée et des campings. Pour vous y rendre, prenez la Rte 664 W.

James River et Kanawha Canal SITE HISTORIQUE
(Km 103). Un sentier mène aux écluses de ce canal du XIXe siècle, et, si vous avez le

temps, à une agréable promenade sur les berges du fleuve.

Peaks of Otter
RANDONNÉE

(Km 138). Des chemins mènent au sommet de ces montagnes : Sharp Top, Flat Top et Harkening Hill. Pour aller en haut de Sharp Top, vous aurez le choix entre la navette ou une randonnée assez physique (5 km aller-retour).

Mabry Mill
SITE HISTORIQUE

(Km 283,2). Ce moulin, qui est l'un des bâtiments les plus photographiés de l'État, est niché dans un vallon si verdoyant que l'on se croirait dans un roman de Tolkien.

🛏 Où se loger

Il y a 9 **campings** (☎877-444-6777 ; www. recreation.gov ; empl 16 $; ☺mai-oct), dont 4 en Virginie. La date d'ouverture des terrains change chaque année, mais l'on peut généralement compter dessus d'avril à novembre. Deux hébergements couverts agréés par le NPS sont sur la Pkwy côté Virginie.

Peaks of Otter
PAVILLON $$

(☎540-586-1081 ; www.peaksofotter.com ; Km 138,4, 85554 Blue Ridge Pkwy ; ch 110-140 $; ✱). Joli pavillon entouré de clôtures de bois. Il donne sur un petit lac niché entre deux des montagnes dont il tire son nom. Il y a un restaurant, mais pas de téléphone public ni de couverture réseau.

Rocky Knob Cabins
CABINS $

(☎540-593-3503 ; Km 280, 256 Mabry Mill Rd ; cabins avec sdb commune 65 $; ☺mai-oct). Chalets rustiques perdus dans les bois. Apportez de quoi manger, les possibilités de restauration étant limitées le long de la Pkwy.

ROANOKE ET SES ENVIRONS

Roanoke, illuminée par l'étoile géante au sommet de Mill Mountain, est la plus grande ville de la vallée. Elle s'est autoproclamée "Capitale des Blue Ridge". Ses curiosités sont concentrées autour du **Historic City Market** (213 Market St ; ☺7h30-16h30 lun-sam), marché de producteurs animé, somptueux et alléchant en intérieur et en extérieur. Pour tout savoir sur les environs, adressez-vous au **Roanoke Valley Visitor Information Center** (☎540-342-6025 ; www.visitroanoke va. com ; 101 Shenandoah Ave NE ; ☺9h-17h) dans la vieille gare ferroviaire Norfolk & Western Railway.

Le saisissant **Taubman Museum of Art** (www.taubmanmuseum.org ; 110 Salem Ave SE ; adulte/enfant 7/4 $; ☺10h-17h mar-sam, 10h-20h ven, 12h-17h dim), ouvert en 2008, se trouve dans un édifice sculptural en verre et acier rappelant le musée Guggenheim de Bilbao (il n'y a là aucune coïncidence, puisque l'architecte Randall Stout fut jadis associé à Frank Gehry). Il renferme une superbe collection d'œuvres couvrant 3 500 ans (les artistes américains des XIXe et XXe siècles sont particulièrement représentés).

Le **Center in the Square** (☎540-342-5700 ; www.centerinthesquare.org ; 1 Market Sq ; ☺10h-17h mar-sam, 13h-17h dim), actuellement en rénovation dans le cadre d'un projet de 27 millions de dollars, est le pouls culturel de la ville. Il compte un musée scientifique et un planétarium (adulte/enfant 8/6 $), un musée sur l'histoire locale (3/2 $) et un théâtre. Le site du **Harrison Museum of African American Culture** (entrée libre) fut le premier lycée public pour Noirs aux États-Unis. Il renferme des éléments de la culture afro-américaine et des œuvres d'art africaines traditionnelles et contemporaines.

À environ 48 km à l'est de Roanoke, la minuscule Bedford, ville ayant subi le plus de pertes par habitant pendant la Seconde Guerre mondiale, abrite l'émouvant **National D-Day Memorial** (☎540-586-3329 ; US 460 et Hwy 122 ; adulte/enfant 7/5 $; ☺10h-17h). Autour de son arche imposante et de son jardin fleuri sont réparties des statues de bronze illustrant la prise de la plage, ainsi que des jets d'eau symbolisant la pluie de balles qui s'abattit sur les soldats. Des visites guidées (3 $) partent toutes les heures entre 10h30 et 15h30.

Rose Hill (☎540-400-7785 ; www.bandbrosehill.com ; 521 Washington Ave ; ch 100-125 $) est un accueillant B&B de 3 chambres, dans le quartier historique de Roanoke.

Market Street compte plusieurs restaurants, dont le familial et très apprécié **Thelma's Chicken & Waffles** (315 Market St ; plat 4-10 $; ☺7h-22h mar-sam, 10h-21h dim-lun), qui sert de savoureuses spécialités du Sud : mac 'n' cheese, meatloaf et, bien sûr, poulet frit et gaufres.

MT ROGERS NATIONAL RECREATION AREA

Cette zone d'une grande beauté séduira à coup sûr les passionnés de plein air. Randonnée, pêche ou ski de fond au milieu des feuillus anciens, et le plus haut sommet de l'État. Adressez-vous au **park headquarters** (bureau central du parc ; ☎276-783-5196 ; Hwy 16, Marion) pour obtenir des cartes et des adresses de prestataires. Le NPS gère 5 campings. Contactez le bureau central du parc pour en savoir plus.

ABINGDON

Abingdon, l'une des villes les plus photogéniques de Virginie, possède un quartier historique à l'architecture fédérale et victorienne et accueille le **Virginia Highlands Festival**, qui met la musique bluegrass à l'honneur la première quinzaine d'août. Le **Visitor Center** (☎800-435-3440 ; 335 Cummings St ; ⊙9h-17h) propose des expositions sur l'histoire locale.

Le **Fields-Penn 1860 House Museum** (208 W Main St ; adulte/enfant 3/2 $; ⊙11h-16h mer, 13h-16h jeu-sam) présente la vie au XIXe siècle dans le sud-ouest de l'État. Fondé pendant la Grande Dépression, le **Barter Theatre** (☎276-628-3991 ; www.bartertheatre. com ; 133 W Main St ; spectacles à partir de 20 $) permettait au public de payer ses places en nourriture. C'est ici que les acteurs Gregory Peck et Ernest Borgnine (ainsi que Wayne Knight, le "Newman" de la série *Seinfeld*) firent leurs preuves.

Le **Virginia Creeper Trail** (www.vacreepertrail.org) suit le chemin d'une ancienne voie ferrée et parcourt 53 km entre Whitetop Station, à côté de la frontière avec la Caroline du Nord, et le centre-ville d'Abingdon. Plusieurs commerces louent des vélos, organisent des excursions et assurent des navettes, notamment **Virginia Creeper Trail Bike Shop** (☎276-676-2552 ; www.vacreepertrailbikeshop.com ; 201 Pecan St ; 2 heures/journée 10/20 $; ⊙9h-18h dim-ven, 8h-18h sam), à côté du point de départ.

Le **Martha Washington Inn** (☎276-628-3161 ; www.marthawashingtoninn.com ; 150 W Main St ; ch à partir de 225 $; [P][✳][❀][@][🛎]), en face du Barter, est le premier hôtel historique de la région. Ses chambres élégantes et ses excellents équipements (bibliothèque, Jacuzzi en extérieur, piscine d'eau salée, courts de tennis) s'inscrivent dans le style victorien.

Faites un voyage dans le passé au **Pop Ellis Soda Shoppe** (217 W Main St ; plat 8-11 $; ⊙11h-16h lun, 11h-21h mar-sam), dont l'intérieur joliment restauré rappelle les *soda fountains* des années 1920. Les épais hamburgers, wraps et *nachos* accompagneront parfaitement vos milkshakes et sodas.

Zazzy'z (380 E Main St ; plat environ 5 $; ⊙8h-18h lun-sam, 9h-15h dim), à la fois café et bibliothèque, sert des quiches, lasagnes et paninis bon marché, ainsi que du bon café.

CROOKED ROAD

Le mariage des violons et quadrilles écossais et irlandais avec les banjos et percussions des Noirs donna naissance à la *mountain music* américaine, ou musique "old-time", allant de la country au bluegrass. Ce dernier genre est toujours prédominant dans les Blue Ridge, et la **Crooked Road** (www.thecrookedroad.org), route de 400 km de découverte du patrimoine musical de la Virginie, vous permettra de découvrir 9 sites ayant trait à cette histoire, ainsi que de magnifiques paysages montagneux. Vous ne regretterez pas de faire un détour pour vous joindre aux amateurs de musique de tous âges qui viennent taper du pied (beaucoup portent des claquettes). Le temps d'un concert, vous verrez les anciens se retrouver autour de profondes racines culturelles, et une nouvelle génération de musiciens respectant et développant cet héritage.

FLOYD

Ce village de carte postale se résume à un carrefour entre la Hwy 8 et la 221, mais tout s'anime le vendredi soir au **Floyd Country Store** (☎540-745-4563 ; www.floydcountrystore. com ; 206 S Locust St ; ⊙10h-23h ven, 10h-17h30 sam). Le vendredi à partir de 18h30, pour 5 $, vous aurez droit à 4 concerts de bluegrass pendant 4 heures, lors desquels une joyeuse foule replonge dans son patrimoine régional. Ici, on ne fume ni ne boit, mais la danse (inspirée des styles irlandais) et la bonne humeur sont à l'honneur. Les weekends, on trouve des tas de concerts dans les environs.

Créé en 2007 à partir de matériaux et meubles écologiques, l'**Hotel Floyd** (☎540-745-6080 ; www.hotelfloyd.com ; 120 Wilson St ; ch 100-160 $; [P][✳][❀]) est l'un des hôtels les plus "verts" de la Virginie, et un modèle de développement durable. Chacune des 14 chambres a été décorée de manière unique par des artisans locaux. À 13 km à l'ouest de Floyd, **Miracle Farm B&B** (☎540-789-2214 ; www.miraclefarmbnb.com ; 179 Ida Rose Lane ; ch 125-155 $; [P][✳][❀]) dispose de jolis chalets construits dans une nature luxuriante, avec un grand respect de l'environnement.

Lorsque vous n'en pourrez plus de danser, rendez-vous à l'**Oddfella's** (110 N Locust St ; plat déj 7-14 $; dîner 8-21 $; ⊙11h-14h30 mer-sam, 17h-21h jeu-dim, 10h-15h dim), qui propose une cuisine bio, principalement tex-mex, et de bonnes bières artisanales de la Shooting Creek Brewery locale.

Au-dessus du magasin d'aliments naturels Harvest Moon, le **Natasha's Market Cafe** (☎540-745-2450 ; 227 N Locust St ; plat déj/dîner à partir de 8/16 $; ⊙11h-15h mar-sam, 17h30-21h jeu-sam) sert des produits bio locaux dans un cadre clair et gai.

GALAX

Si Galax revendique le statut de capitale mondiale de la *mountain music*, une fois sorti du cœur de la ville, qui est inscrit au Registre national des sites historiques, elle ressemble à n'importe quel autre endroit. Le principal point d'intérêt est le **Rex Theater** (☎276-236-0329 ; www.rextheatergalax.com ; 113 E Grayson St), autrefois légendaire, et aujourd'hui un peu poussiéreux. Des groupes de bluegrass s'y produisent souvent, mais c'est le vendredi soir, lors des soirées live (gratuites) de la radio WBRF 98.1, que vous aurez le plus de chance de pouvoir vous mêler à la foule venue des montagnes.

Pour profiter du grand air, faites une randonnée à pied ou à vélo sur le **New River Trail**, espace vert de 92 km longeant une ancienne voie ferrée menant à Pulaski, au nord. Il suit la New River sur 63 km.

Tom Barr, de la **Barr's Fiddle Shop** (105 S Main St), est le Stradivarius des montagnes, un maître artisan connu des joueurs de violon et de mandoline du monde entier. L'**Old Fiddler's Convention** (www.oldfiddlersconvention.com) se tient le deuxième week-end d'août à Galax et c'est l'un des plus importants festivals de *mountain music* au monde.

Doctor's Inn (☎276-238-9998 ; thedoctorsinnvirginia.com ; 406 W Stuart Dr ; ch 140-150 $; P❋⊚) est une pension accueillante avec meubles anciens et excellents petits-déjeuners.

Le **Galax Smokehouse** (101 N Main St ; plat 5-14 $; ⊙11h-21h lun-sam, 11h-15h dim) sert des plats de barbecue à la mode de Memphis.

CARTER FAMILY FOLD

Dans un hameau du sud-ouest de la Virginie anciennement appelé Maces Spring (rattaché aujourd'hui à Hiltons), vous trouverez l'un des berceaux de la *mountain music*. Le **Carter Family Fold** (☎276-386-6054 ; www.carterfamilyfold.org ; AP Carter Hwy/Rte 614 ; adulte/enfant 7/1 $; ⊙19h30 sam) perpétue la tradition musicale initiée en 1927 par la talentueuse famille Carter. Tous les samedis soir, l'espace de 900 places accueille des groupes de gospel et de bluegrass de haut vol. On peut aussi voir un musée renfermant des souvenirs de famille et le chalet du milieu des années 1800 où naquit AP Carter. Pas d'hébergement aux alentours ; prenez une chambre à Abingdon (48 km à l'est), Kingsport, TN (19 km au sud-ouest) ou Bristol (40 km au sud-est).

VIRGINIE-OCCIDENTALE

Cet État sauvage et merveilleux est souvent délaissé par les Américains et les étrangers. Malgré une image négative qui lui colle à la peau, la Virginie-Occidentale est l'un des plus beaux États de l'Union. Avec sa ligne continue de montagnes verdoyantes, ses rivières tumultueuses et ses stations de ski enneigées, c'est un paradis pour les amateurs de plein air.

La population de cet État qui rompit avec les États confédérés se considère encore aujourd'hui comme l'héritière de misérables mineurs. Toutefois, l'"État de la Montagne" est également en train de s'embourgeoiser. Dans les vallées, les arts prospèrent, et certaines villes offrent une coupure bienvenue à la multitude d'activités de plein air qui se présentent au visiteur.

WASHINGTON ET SA RÉGION BLUE RIDGE HIGHLANDS ET LE SUD-OUEST DE LA VIRGINIE

LA VIRGINIE-OCCIDENTALE EN BREF

» **Surnom :** Mountain State ("État de la Montagne")

» **Population :** 1,9 million d'habitants

» **Superficie :** 38 986 km^2

» **Capitale :** Charleston (52 000 habitants)

» **TVA :** 6%

» **État de naissance de :** Mary Lou Retton (née en 1968), championne olympique de gymnastique ; Pearl S Buck (1892-1973), écrivain ; Chuck Yeager (né en 1923), pionnier de l'aviation

» **Accueille :** l'Observatoire national de radioastronomie et une bonne part de l'industrie houillère du pays

» **Politique :** État républicain

» **Célèbre pour :** ses montagnes, la chanson *Take Me Home, Country Roads* de John Denver, et les affrontements historiques entre les clans Hatfield et McCoy

» **Devise :** "Wild and Wonderful" ("Sauvage et merveilleux")

» **Distances par la route :** Harpers Ferry-Fayetteville : 450 km ; Fayetteville-Morgantown : 238 km

Histoire

La Virginie était jadis le plus grand État du pays, divisée entre les plantations des aristocrates de la côte et les montagnes de l'actuelle Virginie-Occidentale. Ces dernières furent colonisées par des paysans endurcis qui investirent des terrains en propriété libre d'un côté à l'autre des Appalaches. Toujours pleins de ressentiment envers leurs camarades de l'Est pour leur recours à la main-d'œuvre bon marché (l'esclavagisme), les montagnards de la Virginie-Occidentale se séparèrent de la Virginie quand celle-ci tenta de sortir de l'Amérique pendant la guerre de Sécession.

Cet esprit de défense de l'indépendance à tout prix fut à nouveau mis à l'épreuve fin XIXe-début XXe, lorsque des mineurs se rassemblèrent en unions de coopératives et affrontèrent leurs employeurs lors de batailles parmi les plus sanglantes de l'histoire ouvrière du pays. Ce mélange de rejet de l'autorité et de souci d'autrui caractérise toujours la Virginie-Occidentale, bien que la fadeur insidieuse des banlieues menace cette culture régionale.

❶ Renseignements

La **West Virginia Division of Tourism** (☏800-225-5982 ; www.wvtourism.com) gère des centres d'accueil aux frontières inter-États et à **Harpers Ferry** (☏304-535-2482). Consultez le site www.adventuresinwv.com pour connaître les innombrables activités qui s'offrent à vous.

Beaucoup d'hôtels et de motels facturent 1 $ pour le coffre-fort, remboursable sur demande à votre départ. Alors si vous n'utilisez pas ce coffre, faites-vous rembourser !

Eastern Panhandle

La partie la plus accessible de l'État a toujours été une destination de montagne prisée des habitants de Washington.

HARPERS FERRY

Cette belle ville chargée d'histoire est faite de rues pavées escarpées épousant le relief des Shenandoah Mountains et la confluence des cours d'eau tumultueux des Potomac et Shenandoah Rivers. La ville basse est un véritable musée en plein air, avec plus d'une dizaine de bâtiments qui vous feront replonger dans la vie du XIXe siècle de cette petite cité. Des expositions expliquent le rôle de premier plan que joua la ville dans l'expansion vers l'Ouest, l'industrie américaine et, plus notoirement, le débat sur l'esclavage. En 1859, le vieux John Brown tenta de provoquer ici un soulèvement d'esclaves, ce qui

lui valut d'être pendu. L'incident attisa les tensions entre le Nord et le Sud qui devaient déboucher sur la guerre de Sécession.

Prenez un pass pour visiter les bâtiments historiques au **Harpers Ferry National Historic Park Visitor Center** (☏304-535-6029 ; www.nps.gov/hafe ; 171 Shoreline Dr ; véhicule/piéton 6/4 $; ◷8h-17h), près de la Hwy 340. On peut se garer et prendre la navette gratuite. Les possibilités de stationnement sont très limitées à Harpers Ferry même.

◉ À voir et à faire

Il y a de belles randonnées à faire dans la région : escalade de 3 heures sur le Maryland Heights Trail jusqu'au point de vue panoramique, fortifications de la guerre de Sécession sur le Loudoun Heights Trail, ou encore sentier des Appalaches. Vous pouvez aussi suivre le chemin de halage longeant le Chesapeake and Ohio Canal (C&O Canal), à pied ou à vélo.

Master Armorer's House   BÂTIMENT

Parmi les sites gratuits du quartier historique, cette maison de 1858 permet de comprendre comment la technologie des fusils développée ici a révolutionné l'industrie des armes à feu.

Appalachian Trail Conservancy RANDONNÉE (☏304-535-6331 ; www.appalachiantrail.org ; angle Washington St et Jackson St ; ◷9h-17h lun-ven avr-oct). Le sentier des Appalaches (3 475 km) est géré par ce centre d'information d'une valeur inestimable pour les randonneurs.

Storer College building   MUSÉE

Bien avant d'être un musée consacré à l'histoire des Noirs de la ville, ce lieu était une école normale pour esclaves affranchis.

John Brown Museum   MUSÉE

(http://johnbrownwaxmuseum.com ; 168 High St ; adulte/enfant 7/5 $; ◷9h-16h30). Ce musée un peu médiocre retrace l'histoire de la vie de Brown à travers de la musique, des enregistrements et des personnages de cire.

River Riders   SENSATIONS FORTES

(☏800-326-7238 ; www.riverriders.com ; 408 Alstadts Hill Rd). L'endroit tout indiqué pour faire du rafting, du canoë, du kayak, descendre le fleuve en chambre à air (tubing), et partir pour des excursions à vélo sur plusieurs jours. Location de vélos (4 heures 20 $) également.

O Be Joyfull   CIRCUITS À PIED

(☏732-801-0381 ; www.obejoyfull.com ; 175 High St ; adulte/enfant à partir de 8/5 $).

Propose divers circuits historiques dans Harpers Ferry, dont une balade nocturne de 90 minutes à vous glacer le sang.

Où se loger et se restaurer

Jackson Rose
B&B $$

(304-535-1528 ; www.thejacksonrose.com ; 1167 W Washington St ; ch en semaine/le week-end 135/150 $; ✳🛜). Cette merveilleuse résidence en brique du XVIIIe siècle aux jardins imposants compte 3 belles chambres, dont une où Stonewall Jackson séjourna brièvement pendant la guerre de Sécession. Des meubles anciens et de vieux bibelots sont dispersés dans la maison. Le petit-déjeuner maison est excellent. Le quartier historique est à 600 m en contrebas. Pas d'enfants de moins de 12 ans.

Town's Inn
B&B $$

(304-702-1872, 877-489-2447 ; www.thetownsinn.com ; 175 et 179 High St ; ch 70-140 $; ✳). Réparti sur deux résidences datant d'avant la guerre de Sécession, le Town's Inn propose des chambres exiguës et minimalistes, d'autres au style ancien et cossu. Au centre du quartier historique. Dispose également d'un restaurant en intérieur et en extérieur.

HI-Harpers Ferry Hostel
AUBERGE DE JEUNESSE $

(301-834-7652 ; www.hiusa.org ; 19123 Sandy Hook Rd, Knoxville, MD ; dort 20 $; mi-avr à mi-oct ; P✳@🛜). À 3 km du centre-ville sur la rive du Potomac côté Maryland, cette auberge accueillante propose une foule d'équipements (cuisine, laverie, salle de détente avec jeux et livres, etc.).

Canal House
AMÉRICAIN $$

(1226 Washington St ; plat 7-14 $; 11h-15h mer-sam, 17h30-20h30 jeu-sam, 12h-18h dim ; 🛜). À environ 1,5 km à l'ouest (et en haut) du quartier historique, dans une maison en pierre à la façade fleurie, Canal House s'est forgé une solide réputation grâce à ses délicieux sandwichs et son service convivial. Tables en extérieur.

Anvil
AMÉRICAIN $$

(304-535-2582 ; 1270 Washington St ; plat déj 8-12 $, dîner 15-24 $; 11h-21h mer-dim). À Bolivar, tout près, cette élégante salle de style fédéral rivalise d'excellence avec la truite au beurre de miel et noix de pécan.

❤ Beans in the Belfry
AMÉRICAIN $$

(301-834-7178 ; 122 W Potomac St, Brunswick, MD ; 9h-21h lun-sam, 9h-19h dim ; @🛜🛜). À Brunswick, de l'autre côté du fleuve (à environ 16 km à l'est), cette ancienne église de brique rouge se caractérise par ses canapés dépareillés, sa décoration kitch, sa nourriture légère (chilis, sandwichs, quiches) et sa minuscule scène où se produisent la plupart des soirs des groupes de folk, blues et bluegrass. Ne manquez pas le brunch jazz du dimanche (16 $).

❶ Comment s'y rendre et circuler

Des trains Amtrak (www.amtrak.com) desservent la Union Station de Washington (1 train/j, 1 heure 11, 14 $). Des trains MARC (mta.maryland.gov) s'y rendent 3 fois par jour, du lundi au vendredi (11 $).

BERKELEY SPRINGS

La première ville thermale des États-Unis (George Washington venait s'y reposer) est un étrange mélange de spiritualité, d'expression artistique et de centres de spa. Agriculteurs en pick-up arborant des drapeaux des États confédérés et acupuncteurs en blouses *tye-dye* se toisent sur les routes de Bath (toujours le nom officiel de la ville).

Les **Roman Baths** (304-258-2711 ; 2 S Washington St ; thermes 22 $; 10h-18h) du Berkeley Springs State Park ne sont pas très engageants (les bains sont dans des pièces carrelées séparées à l'éclairage blafard), mais ce sont les moins chers de la ville – n'oubliez pas de remplir votre bouteille du liquide magique que contient la fontaine à l'extérieur. Pour une expérience plus plaisante, réservez un soin (massage, soin du visage, aromathérapie) chez **Bath House** (800-431-4698 ; www.bathhouse.com ; 21 Fairfax St ; massage 1 heure 75 $; 10h-17h), de l'autre côté du parc.

Le **Inn & Spa at Berkeley Springs** (304-258-2210 ; thecountryinnatberkeleysprings.com ; ch à partir de 110 $; P🛜), juste à côté du parc, propose une large gamme d'hébergements allant de chambres claires et confortables avec parquet à des suites plus élégantes. Bon spa sur place.

Le **Cacapon State Park** (304-258-1022 ; 818 Cacapon Lodge Dr ; lodge/cabin à partir de 85/91 $) propose des chambres simples en *lodge*, ainsi que des *cabins* modernes et rustiques (avec cheminée) dans un cadre boisé et paisible, à 15 km au sud de Berkeley Springs (près de l'US 522). Possibilité de randonnée, baignade dans le lac et golf.

Le **Tari's** (33 N Washington St ; déj 8-10 $, dîner 15-2 $; 11h-21h) est un endroit décontracté servant des salades et sandwichs gourmets en journée et une nourriture plus copieuse le soir (poisson, côtes, agneau au thym). Le **Lot 12 Public House** (304-258-6264 ;

MYSTÈRES DE BORD DE ROUTE

Les limites de la force de gravité et de la ringardise sont mises à l'épreuve au **Mystery Hole** (☎304-658-9101 ; 16724 Midland Trail, Ansted, WV ; adulte/enfant 6/5 $; ☺10h30-18h), l'une des grandes curiosités qui bordent les routes américaines. A l'intérieur du bâtiment, rien n'est à la verticale ! À 1,5 km à l'ouest du Hawks Nest State Park. Appelez pour connaître les jours d'ouverture.

117 Warren St ; plat 23-30 $; ☺à partir de 17h jeu-dim), à mi-chemin en montant la colline, est un restaurant primé servant une cuisine de haut vol dans un cadre élégant (réservez).

Monongahela National Forest

Sur la carte, on voit que près de la moitié de la partie est de la Virginie-Occidentale est couverte d'espaces verts, le tout dépendant de cette époustouflante forêt nationale. Ses 2 253 km² renferment des rivières sauvages, des grottes et le plus haut sommet de l'État (Spruce Knob). Les sentiers (plus de 1 368 km) comprennent l'**Allegheny Trail** (200 km), idéal pour la randonnée, et le **Greenbrier River Trail** (121 km), longeant une ancienne voie ferrée, apprécié des cyclistes.

Elkins, à l'extrémité ouest de la forêt, constitue une bonne base. Les **National Forest Service Headquarters** (☎304-636-1800 ; 200 Sycamore St ; empl 5-30 $, camping sauvage gratuit) distribuent des annuaires de loisirs, notamment pour la randonnée, le vélo et le camping. Faites le plein de fruits secs, barres énergétiques et ondes positives à **Good Energy Foods** (214 3rd St ; ☺9h-17h30 lun-sam).

À l'extrémité sud de la forêt, le **Cranberry Mountain Nature Center** (☎304-653-4826 ; angle Hwy 150 et Hwy 39/55 ; ☺9h-16h30 jeu-lun mai-oct) dispose de données scientifiques sur la forêt.

Les paysages surréalistes de **Seneca Rocks**, à 56 km au sud-est d'Elkins, attirent les varappeurs avec leurs roches gréseuses de 274 m de haut. Le **Seneca Shadows Campground** (☎877-444-6777 ; empl 11-30 $; ☺avr-oct) se situe à 1,5 km à l'est.

Une portion de 13 km de l'Allegheny Trail relie 2 parcs d'État offrant un service complet, à 48 km au nord-est d'Elkins : **Canaan Valley Resort** (☎304-866-4121 ; www.canaanresort.com), une station de ski alpin, et **Blackwater Falls State Park** (☎304-259-5216 ; www.blackwaterfalls.com), où l'on peut faire du ski de fond. Plus au sud, **Snowshoe Mountain** (☎877-441-4386 ; www.snowshoemtn.com ; remontées tarif plein/étudiant/enfant 79/76/66 $) est la plus grande station de ski de descente et de snowboard de l'État et renferme un joli village piéton d'inspiration alpine. Du printemps à l'automne, les vététistes prennent le relai.

À côté, le **Cass Scenic Railroad State Park** (☎304-456-4300 ; www.cassrailroad.com ; circuits à partir de 18 $) fait circuler des trains à vapeur depuis un ancien village de bûcherons jusqu'au sommet des montagnes. Tous les jours en été et au plus beau de l'automne. Parmi les hébergements, on trouve cottages (103-122 $) et anciens wagons (85-119 $).

Le **National Radio Astronomy Observatory** (☎304-456-2150 ; www.gb.nrao.edu ; Green Bank ; entrée et visite gratuites ; ☺9h-18h été, 10h-18h jeu-lun le reste de l'année) abrite le Green Bank Telescope, le plus grand radiotélescope orientable du monde (100 m). Le centre se trouve dans la seule zone fédérale du pays dépourvue de fréquences radio, ce qui explique que vous ne captiez aucune station sur 40 km à la ronde.

Sud de la Virginie-Occidentale

Cette partie de l'État s'est forgé une solide réputation de capitale des sports à sensations fortes du littoral est.

NEW RIVER GORGE NATIONAL RIVER

Malgré son nom, la New River est l'un des plus anciens cours d'eau du monde, et la forêt primitive qu'elle traverse est l'une des plus belles des Appalaches. Le NPS protège une portion de la New River qui dévale avec un dénivelé de 229 m sur 80 km, un ensemble de rapides (certains de Classe V) étant concentrés à l'extrémité nord.

Le **Canyon Rim Visitor Center** (☎304-574-2115 ; ☺9h-17h), au nord de l'impressionnant pont des gorges, est le seul centre des visiteurs du NPS sur le cours d'eau. Vous y trouverez des renseignements sur les circuits panoramiques, les structures de loisirs et les possibilités d'escalade, de randonnée et de VTT, ainsi que de descente en eaux vives au nord de la Gauley River. Les chemins autour du canyon et des gorges sont dotés de beaux paysages. Il existe plusieurs terrains de camping basiques et gratuits.

Tout près, le **Hawks Nest State Park** offre de beaux panoramas depuis son **lodge** (☎304-658-5212 ; www.hawksnestsp.com ; ch 77-84 $; ✳🛜) au sommet. De juin à octobre, prenez le tramway aérien (fermé mer) jusqu'à la rivière et embarquez pour une petite croisière.

Le **Babcock State Park** (☎304-438-3004 ; www.babcocksp.com ; cabins 77-88 $, empl 20-23 $) propose randonnée, canoë, équitation, et hébergement en camping ou en *cabin*. Le photogénique Glade Creek Grist Mill (moulin) est l'élément phare du parc.

FAYETTEVILLE ET SES ENVIRONS

Qualifiée de petite ville parmi les plus cool du pays, la minuscule Fayetteville sert de point de départ à ceux qui s'apprêtent à partir à l'assaut de la New River. Le 3e samedi d'octobre, des centaines de *base jumpers* sautent en parachute du New River Gorge Bridge (267 m) à l'occasion du **Bridge Day Festival**.

Parmi les nombreux prestataires de sports nautiques de la région agréés par l'État, **Cantrell Ultimate Rafting** (☎800-470-7238 ; www.ultimaterafting.com ; forfaits tout compris à partir de 60 $) propose de fantastiques sorties de rafting en eaux vives. Pour les varappeurs, **Hard Rock** (☎304-574-0735 ; www.hardrockclimbing.com ; 131 South Court St ; demi-journée/journée à partir de 75/140 $) organise des sorties et des cours.

L'**Exhibition Coal Mine** (☎304-256-1747 ; www.beckleymine.com ; adulte/enfant 20/12 $; ⏲10h-18h avr-oct), à Beckley, toute proche, est un musée sur l'histoire houillère de la région. Vous pourrez descendre dans une ancienne mine de charbon à 457 m sous terre. Apportez une veste, car il fait froid sous terre !

Le **River Rock Retreat Hostel** (☎304-574-0394 ; www.riverrockretreatandhostel.com ; Lansing-Edmond Rd ; dort 23 $; Ⓟ✳), à moins de 1,5 km au nord du New River Gorge Bridge,

dispose de dortoirs basiques et propres et de vastes espaces communs. La propriétaire Joy Marr connaît parfaitement la région. À 3 km au sud du pont, le **Rifrafters Campground** (☎304-574-1065 ; www.rifrafters.com ; Laurel Creek Rd ; empl 12 $/pers, cabins d/qua 40/80 $) propose des emplacements de camping rustique, des *cabins* confortables et des sanitaires avec douche et eau chaude.

❤ **Pies & Pints** (219 W Maple Ave ; petite/grande pizza 13/22 $; ⏲11h30-21h ; ✳) sert des pizzas délicieuses et originales (porc à la cubaine ou aubergine et poivron rouge grillé) et un immense choix de bières (essayez la blonde locale à la pression de Bridge Brew Works).

Commencez la journée par un petit-déjeuner derrière les vitraux du **Cathedral Café & Bookstore** (134 S Court St ; plat 5-8 $; ⏲8h-16h ; @🛜).

GREENBRIER VALLEY

Nichée entre les Allegheny Mountains, la Greenbrier Valley offre une nature resplendissante et des stations thermales rassemblées autour de la ville raffinée et bohème de Lewisburg. L'attraction phare de la vallée est le **Greenbrier** (☎800-453-4858 ; www.greenbrier.com ; 300 W Main St, White Sulphur Springs ; ch à partir de 279 $; Ⓟ✳@🛜), hôtel et centre de spa luxueux hors pair. Surnommé la "Reine des spas du Sud", il fut construit en 1778 pour dorloter les riches habitants du Sud. Au XXe siècle, le Greenbrier abrita une installation plus secrète : un **bunker nucléaire**. Dans les années 1950, au plus fort de la guerre froide, le gouvernement construisit cet imposant bunker sur le Greenbrier pour accueillir le Congrès en cas de catastrophe nucléaire. Son existence resta secrète jusqu'en 1992, lorsque *The Washington Post* vendit la mèche ; le bunker ferma trois ans plus tard. Aujourd'hui, les visiteurs peuvent découvrir, lors d'une **visite guidée du bunker** (adulte/enfant 30/15 $, fermé jan-mars), ce pan unique et fascinant de l'histoire américaine.

Le Sud

Le top des hébergements

» Ansonborough Inn (p. 348)

» Music City Hostel (p. 371)

» 21c (p. 381)

» Kate Shepard House (p. 412)

» Shack Up Inn (p. 415)

Le top des restaurants

» Husk (p. 349)

» Prince's Hot Chicken (p. 372)

» Cochon (p. 433)

» Doe's Eat Place (p. 416)

» Commander's Palace (p. 434)

Pourquoi y aller

Plus que toute autre région du pays, le Sud a une identité très marquée : un accent chantant, une histoire politique tourmentée, et la fierté de partager une culture faisant fi des frontières des États.

Nourri par un long passé et façonné par les épreuves, le Sud est le berceau d'une part emblématique de la culture américaine, qui touche à la fois la littérature, avec des écrivains comme William Faulkner et Flannery O'Connor, la musique, avec le blues et le rock'n'roll, ou encore la gastronomie, avec les spécialités typiques que sont le barbecue, le bourbon et le Coca-Cola. Sans compter les joyaux *antebellum,* La Nouvelle-Orléans et Savannah, ou encore les grandes villes du "New South" comme Atlanta et Charlotte.

Mais c'est surtout la légendaire hospitalité des habitants du Sud qui fait tout l'attrait d'un voyage dans cette région. Par ici, on *adore* bavarder. Gageons qu'en vous attardant suffisamment, vous serez certainement invité à manger chez quelqu'un.

Quand partir
La Nouvelle-Orléans

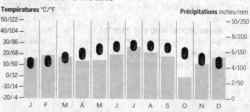

Nov-fév
L'hiver est généralement clément, et Noël est *la* fête que l'on célèbre entre toutes.

Avr-juin
Au printemps s'épanouissent le jasmin, les gardénias et les tubéreuses.

Juil-sept
L'été, lourd et humide, pousse les habitants vers les plages.

Comprendre la culture du Sud

Les habitants du Sud (*Southerners*) sont depuis longtemps la cible des moqueries de leurs compatriotes : désespérément nonchalants, ils boivent sec, parlent d'une drôle de façon et passent leur temps à réparer leurs pick-up. S'il est vrai que les habitants du Sud sont décontractés, le cliché du péquenot à l'accent traînant tient bien plus de l'exception que de la norme. Les habitants du Sud aiment le sport, surtout le football, le basket-ball universitaire et le stock-car, mais l'art n'est pas oublié dans les villes historiques telles Charleston et Savannah. Quant aux villes universitaires comme Chapel Hill, Knoxville et Athens, elles sont réputées pour leur scène musicale indépendante. La religion est un sujet de la plus haute importance. La *Bible Belt* ("ceinture de la Bible") passe en plein cœur du Sud, dont environ la moitié des habitants se revendiquent chrétiens évangéliques.

LA MUSIQUE DU SUD

L'histoire de la musique américaine est celle de la musique du Sud : blues, bluegrass, jazz, gospel, country et rock'n'roll sont tous nés ici. Parmi les hauts lieux de la musique, citons Nashville, berceau de la musique country et des *honky-tonks*, ces bars emblématiques du Sud ; Memphis, où les bluesmen jouent dans les clubs de Beale St ; et La Nouvelle-Orléans, où l'on peut écouter du jazz, du blues et du zydeco (mélange de musique traditionnelle cajun et de R&B). Asheville, en Caroline du Nord, est au cœur de la renaissance de la musique des Appalaches (*Appalachian music*), et le bluegrass appartient au Kentucky.

Spécialités incontournables

» Barbecue (surtout en Caroline du Nord et dans le Tennessee)

» Boudin (saucisse de porc et de riz ; sud de la Louisiane)

» Collards (chou cavalier, un légume vert souvent cuisiné avec du jambon ; dans toute la région)

» Cornbread (pain de maïs ; dans toute la région)

» Fried chicken (poulet frit ; dans toute la région)

» Gumbo/jambalaya/étouffée (ragoût de fruits de mer ou de viande avec du riz ; sud de la Louisiane)

» Hot tamales (papillote de farine de maïs garnie de bœuf ou de porc épicé ; delta du Mississippi)

» Po'boy (sandwich traditionnellement aux fruits de mer frits ou à la viande ; sud de la Louisiane)

» Shrimps and grits (crevettes et gruau de maïs ; Caroline du Sud et côtes de la Géorgie)

» Pecan pie, coconut cake, sweet-potato pie (tarte aux noix de pécan, à la noix de coco, à la patate douce ; dans toute la région)

» Bourbon (Kentucky)

LE SAVIEZ-VOUS ?

Le Sud connaît la plus forte croissance démographique des États-Unis, avec 14,3% de la population du pays.

En bref

» Surnom : Dixie

» Trois plus grandes villes : Atlanta, Charlotte, Memphis

» Fuseaux horaires : Eastern Time Zone (UTC-05), Central Time Zone (UTC-06)

Le top des routes panoramiques

» Blue Ridge Parkway : de la Caroline du Nord à la Virginie (www. blueridgeparkway.org)

» Natchez Trace : du Tennessee au Mississippi (www.nps. gov/natr)

» Hwy 12 : Outer Banks, en Caroline du Nord

» Country Music Hwy/ US 23 : dans le Kentucky (countrymusichighway. com)

» Cherokee Foothills Scenic Hwy/SC 11 : en Caroline du Sud (www.discover-southcarolina.com)

» Great River Road : de la Louisiane au Minnesota (www.experiencemissis-sippiriver.com)

Sites Internet

» www.visitsouth.com

» www.discoversouthca-rolina.com

» www.visitnc.com

» www.tnvacation.com

» www.louisianatravel.com

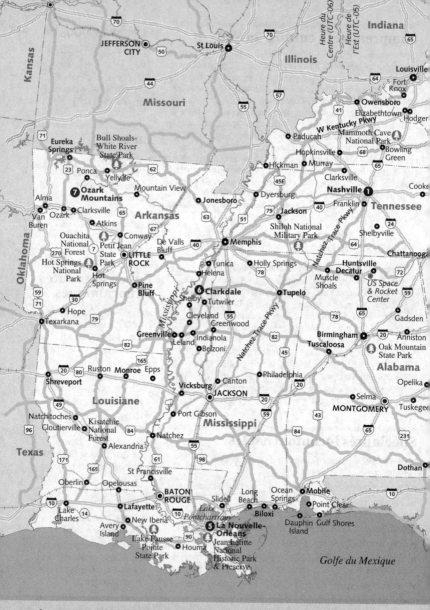

À ne pas manquer

❶ Une soirée de musique country au **Tootsie's Orchid Lounge** (p. 373), à Nashville

❷ Une randonnée et du camping dans le magnifique

Great Smoky Mountains National Park (p. 343)

❸ Une balade en voiture sur la Hwy 12 le long des **Outer Banks** (p. 329) de Caroline du

Nord, et la traversée en ferry jusqu'à Ocracoke Island

❹ La visite des grandioses demeures et plantations de coton *antebellum* à **Charleston** (p. 346)

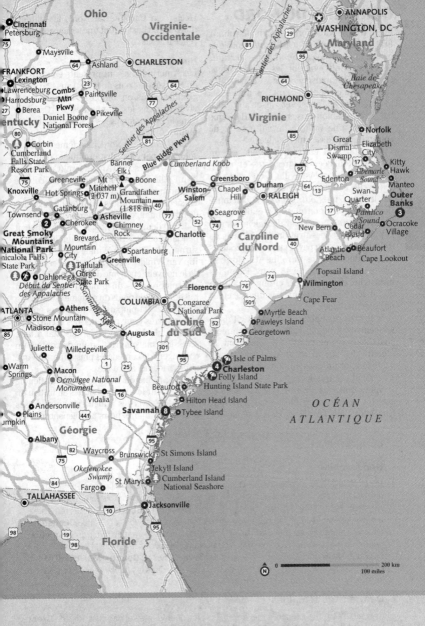

Ohio

Virginie-
Occidentale

Cincinnati
Petersburg
75
Maysville
FRANKFORT
Lexington
Lawrenceburg Combs 23
Harrodsburg Mtn Paintsville
27 Berea Pkwy
Daniel Boone Pikeville
entucky National Forest
80
Corbin
Cumberland
Falls State
Resort Park
75
Knoxville Hot Springs
Gatlinburg
Townsend
Great Smoky
Mountains
National Park
nicalola Falls
State Park
Dahlonega
Début du Sentier
des Appalaches
ATLANTA Athens
Stone Mountain
85 Madison 20
Juliette Milledgeville
1
Warm
Springs Macon
Ocmulgee National
Monument
Vidalia
Andersonville
Plains
umpkin
Géorgie
Albany
82 Waycross
75 Brunswick
Okefenokee
Swamp
84 St Marys
TALLAHASSEE Fargo
10
98
19
98
Floride

Ashland CHARLESTON

81
64
RICHMOND
Virginie

CHARLESTON

77
297

Banner Blue Ridge Pkwy
Elk Cumberland Knob
Greeneville Mt Boone
Mitchell Grandfather Greensboro
(2 037 m) Mountain Winston- Chapel Durham
Cherokee (1 818 m) Salem Hill RALEIGH
Asheville 77 52
Chimney 74 1
Brevard Rock Charlotte
Mountain Spartanburg
City Greenville
Tallulah
Gorge 26
State Park Florence 76
COLUMBIA Congaree
National Park
Caroline
du Sud 52
Augusta
301
25
95

29 ANNAPOLIS
WASHINGTON, DC
Maryland
95
Baie de
Chesapeake
64

Norfolk
Great
Dismal Elizabeth
Swamp City
95 17 Kitty
Edenton Albemarle Hawk
13 Manteo
Swan Outer
Quarter Banks
17 Pamlico 3
New Bern Sound Ocracoke
Cedar Village
Island
Atlantic Beaufort
Beach Cape Lookout
Topsail Island
74
Wilmington
Cape Fear

Myrtle Beach
Pawleys Island
Georgetown
17

Isle of Palms
Charleston
Folly Island
Hunting Island State Park
Beaufort
Hilton Head Island
Savannah Tybee Island

OCÉAN
ATLANTIQUE

95

St Simons Island
Jekyll Island
Cumberland Island
National Seashore

Jacksonville
95

0   200 km
N 100 miles

5 La cuisine cajun et créole
de **La Nouvelle-Orléans**
(p. 432), l'un des paradis
gastronomiques du pays

6 L'âme, le rythme et
l'histoire du **blues du Delta**

(p. 414) à Clarksdale, dans
le Mississippi

7 Les grottes, les
montagnes, les rivières et les
forêts des **Ozark Mountains**

(p. 449), en Arkansas, où la
musique folk règne en maître

8 Les contes et légendes
et l'hospitalité de la superbe
Savannah (p. 401), en Géorgie

CAROLINE DU NORD

En Caroline du Nord (North Carolina), État où le Vieux Sud (*Old South*) côtoie le Nouveau Sud (*New South*), les terrains de caravaning jouxtent les *McMansions*, ces grandes maisons toutes construites sur le même modèle. Dans les anciennes montagnes à l'ouest et jusqu'aux îles-barrières sablonneuses de l'Atlantique se déploie une infinité de cultures et de communautés assez inclassables.

Cet État à la croissance rapide est un patchwork d'idées progressistes et rétrogrades : alors qu'Asheville a été désignée "Nouvelle capitale américaine du bizarre" par le magazine *Rolling Stone*, la cohabitation de couples non mariés y était illégale jusqu'en 2006. Le secteur de Raleigh abrite la plus haute concentration de diplômés de niveau doctorat du pays et pourtant, concernant l'éducation, la Caroline du Nord se classe régulièrement au 48e rang. Parmi les industries d'importance, citons la culture du tabac, l'élevage de porcs, la finance et les nanotechnologies.

Si le gros des habitants de l'État vit dans les centres urbains d'affaires et commerciaux de la région centrale de Piedmont, la plupart des voyageurs se cantonnent aux routes panoramiques qui longent la côte et traversent les Appalaches.

Venez donc savourer un bon barbecue et assister à un match de basket-ball opposant les Duke Blue Devils et les Carolina Tar Heels : en Caroline du Nord, les paniers marqués au basket font une sérieuse concurrence à Jésus.

Histoire

Les Amérindiens sont présents en Caroline du Nord depuis plus de 10 000 ans. Parmi les grandes tribus, on compte les Cherokees, qui vivaient dans les montagnes, les Catawba dans le Piedmont, et les Waccamaw dans la plaine côtière.

La Caroline du Nord, deuxième territoire colonisé par les Britanniques, doit son nom à Charles Ier d'Angleterre (Carolus en latin). Elle fut toutefois la première colonie à se prononcer en faveur de l'indépendance. Plusieurs importantes batailles de la guerre d'Indépendance se sont déroulées ici.

L'État demeura un État agricole somnolent pendant tout le XIXe siècle, ce qui lui valut le surnom de "Rip Van Winkle State" ("État de Rip Van Winkle", une référence au personnage de la nouvelle éponyme de Washington Irving qui sombre dans un profond sommeil). En raison du faible poids du système esclavagiste dans l'État (la plupart des habitants étaient trop pauvres pour posséder des esclaves), la Caroline du Nord fut le dernier État à faire sécession, mais fournit en fin de compte un contingent de confédérés plus important que n'importe quel autre État.

La Caroline du Nord fut un haut lieu de la lutte pour les droits civiques au milieu du XXe siècle, avec les fameux sit-in organisés par des étudiants noirs à Greensboro, et la

---

LE SUD EN...

Une semaine

Après avoir atterri à La **Nouvelle-Orléans**, dégourdissez-vous les jambes en faisant une balade dans le légendaire quartier français avant de consacrer le temps restant à célébrer l'histoire du jazz et à faire la fête toute la nuit dans **Bourbon St**. Puis remontez tranquillement le cours languide du delta du Mississippi, en vous arrêtant à **Clarksdale** pour une soirée blues dans les *juke joints* (clubs typiques) avant de rejoindre **Memphis** pour marcher sur les traces du King à **Graceland**. De là, descendez la Music Hwy direction **Nashville** pour admirer la Cadillac en or d'Elvis au **Country Music Hall of Fame** et vous entraîner à danser sur des airs country dans les *honky-tonks* (bars où l'on joue de la musique country) du **District**.

Deux à trois semaines

Cap vers l'est pour randonner au milieu des pics déchiquetés et des cascades du **Great Smoky Mountains National Park**. Ensuite, offrez-vous une nuit reposante à **Asheville**, ville de montagne à l'ambiance bohème, et visitez le **Biltmore Estate**, plus grande propriété privée d'Amérique à l'exubérante opulence. Il est maintenant temps d'aller tout droit vers la côte pour vous prélasser sur les îles-barrières des **Outer Banks**, avant de descendre le long du littoral pour terminer le voyage en profitant des plaisirs de **Charleston**, notamment sa gastronomie et sa ravissante architecture.

fondation de l'influent Student Nonviolent Coordinating Committee (SNCC, Comité de coordination non-violent des étudiants) à Raleigh. Au tournant du XXIe siècle, le développement de la finance à Charlotte, ainsi que celui de la technologie et de la médecine dans le secteur de Raleigh-Durham, ont entraîné un formidable essor de la population et intensifié la diversité culturelle.

ⓘ Renseignements

North Carolina Division of Tourism (☎919-733-8372 ; www.visitnc.com ; 301 N Wilmington St, Raleigh). Cartes et renseignements, et guide de voyage annuel, l'*Official Travel Guide*.

North Carolina State Parks (☎919-733-4181 ; www.ncparks.gov). Renseigne sur les 40 parcs naturels de l'État, dont certains sont équipés pour le camping (gratuit, ou jusqu'à plus de 20 $/nuit selon les cas).

Côte de la Caroline du Nord

Des îles-barrières battues par les vents, de beaux villages coloniaux jadis fréquentés par des pirates, des stations balnéaires décontractées où abondent petits glaciers locaux et motels tranquilles... La côte de la Caroline du Nord, relativement peu construite, est agréablement dépourvue de villes touristiques clinquantes avec immenses centres commerciaux et autres restaurants de chaînes nationales. De sorte que même les plages les plus prisées des vacanciers conservent une atmosphère paisible. Si vous êtes en quête de solitude, mettez le cap sur les Outer Banks (abrégés en OBX), où les pêcheurs continuent de vivre de la pêche à la crevette, et où les habitants les plus âgés parlent un anglais un peu archaïque teinté d'un accent du terroir *so british*. Plus au sud, Wilmington est réputée pour être un centre de production cinématographique et télévisuelle, et les plages des alentours sont très appréciées des touristes et des étudiants lors du fameux "Spring Break" (vacances de printemps).

OUTER BANKS

Ces fragiles rubans de sable, qui suivent le tracé de la côte sur 160 km, sont séparés du continent par divers détroits et bras d'eau. Du nord au sud, les îles-barrières de Bodie, Roanoke, Hatteras et Ocracoke, pour l'essentiel de larges bancs de sable, sont reliées par des ponts et des ferries. À l'extrême nord, les villages de **Corolla**, **Duck** et **Southern Shores**, anciens domaines de chasse au canard pour les fortunés du

LA CAROLINE DU NORD EN BREF

» **Surnom :** Tar Heel State ("État au talon goudronné", en référence à la résine de pin)

» **Population :** 9,4 millions d'habitants

» **Superficie :** 126 161 km²

» **Capitale :** Raleigh (400 000 habitants)

» **Autres villes :** Charlotte (730 000 habitants)

» **TVA :** 7%, plus une taxe hôtelière montant jusqu'à 6%

» **État de naissance de :** James K Polk (président, 1795-1849), John Coltrane (jazzman, 1926-1967), Richard Petty (pilote de la NASCAR, né en 1937), Tori Amos (chanteuse et pianiste, née en 1963)

» **Berceau de :** la première université d'État américaine, la Biltmore House, les *doughnuts* (beignets) Krispy Krem

» **Politique :** conservatrice dans les zones rurales, de plus en plus libérale en zone urbaine

» **Célèbre pour :** le premier vol en avion au monde, le basket-ball universitaire

» **Surnom cocasse :** Les habitants sont surnommés "tar heels" ("talons de goudron"), surnom d'origine incertaine qui aurait un lien avec la production locale de goudron de pin et l'entêtement légendaire des gens du coin.

» **Distances par la route :** Asheville-Raleigh : 398 km ; Raleigh-Wilmington : 211 km

Nord-Est, sont paisibles et cossus. Les villes pratiquement contiguës de **Kitty Hawk**, **Kill Devil Hills** et **Nags Head**, sur Bodie Island, sont très construites et baignent dans une atmosphère plus populaire, avec gargotes servant du poisson frit, bars en plein air, motels et innombrables boutiques de tongs et d'écran solaire. **Roanoke Island**, à l'ouest de Bodie Island, se distingue par ses nombreux édifices coloniaux et la pittoresque ville de **Manteo**, en bord de mer.

Plus au sud, le littoral protégé de **Hatteras Island**, beau paysage sauvage, comporte une poignée de minuscules villages. Tout en bas des Outer Banks, sur **Ocracoke Island**, uniquement accessible en ferry, les chevaux sauvages s'ébattent en liberté tandis que les habitants les plus âgés ouvrent des huîtres ou tissent des hamacs.

Le parcours sinueux de la Hwy 12, qui relie entre eux la plupart des Outer Banks, est un trajet presque aussi mythique que les grandes routes américaines, qu'on l'effectue dans la solitude désolée de l'hiver ou sous le soleil estival.

⊙ À voir

Les sites ci-après sont indiqués du nord au sud.

Currituck
Heritage Park   MONUMENTS HISTORIQUES

Bâtisse jaune tournesol de style Art nouveau, le **Whalehead Club** (www.whaleheadclub.org ; Corolla ; visites guidées 9 $; ⊙aube-crépuscule) fut construit dans les années 1920 comme "pavillon" de chasse pour un industriel de Philadelphie. C'est la pièce maîtresse de ce parc très soigné de Corolla. On peut aussi grimper dans le **phare de Currituck Beach** (www.currituckbeachlight.com ; adulte/enfant 7 $/gratuit) et visiter la maison de style victorien du gardien, ou bien faire un tour à l'**Outer Banks Center for Wildlife Education** (entrée libre ; ⊙9h-17h), où l'on projette un film intéressant sur l'histoire de la région et où l'on trouve des renseignements sur les sentiers de randonnée. On y apprend aussi à sculpter des leurres pour appâter les canards.

Wright Brothers
National Memorial   PARC, MUSÉE

(www.nps.gov/wrbr ; Kitty Hawk ; 4 $; ⊙9h-17h, 9h-18h en été). Ce site historique se trouve au milieu des dunes de Kitty Hawk, là même où les ingénieurs autodidactes Wilbur et Orville Wright réussirent le premier vol d'avion au monde le 17 décembre 1903 (le vol dura 12 secondes). Un gros rocher marque désormais l'endroit d'où la machine prit son envol. En haut de la colline voisine, où les deux frères avaient expérimenté d'autres vols auparavant, la vue sur la mer et le bruit des vagues sont fantastiques. Le **Wright Brothers Visitor Center** abrite une reproduction de l'engin volant de 1903, et propose expositions et conférences sur l'histoire de l'aviation.

Fort Raleigh
National Historic Site   MONUMENTS HISTORIQUES

À la fin des années 1580, trois décennies avant que les Pères pèlerins débarquent à Plymouth Rock, un groupe de 116 colons britanniques installé à Roanoke Island disparut sans laisser de traces. Ont-ils été décimés par la sécheresse ? Se sont-ils enfuis avec une tribu d'Indiens ? Ont-ils hissé les voiles pour rentrer chez eux et chaviré ? Le sort de la "Colonie perdue" (*Lost Colony*) demeure l'un des plus grands mystères d'Amérique, et le **Visitor Center** (www.nps.gov/fora ; 1401 National Park Dr, Manteo ; ⊙9h-17h, 9h-18h en été), à travers ses expositions, ses objets, ses cartes et son film gratuit, offre de quoi nourrir l'imagination à ce sujet.

Sur place, on peut notamment assister à la **Lost Colony Outdoor Drama** (www.thelostcolony.org ; adulte/enfant 20/10 $; ⊙20h lun-sam juin-août). "La Colonie perdue" est une comédie musicale très appréciée de longue date, que l'on doit au dramaturge Paul Green, originaire de Caroline du Nord et lauréat du prix Pulitzer, retrace l'histoire de ces colons. La pièce se joue tout l'été en plein air au Waterside Theater.

Les **Elizabethan Gardens** (jardins élisabéthains ; www.elizabethangardens.org ; adulte/enfant 8/5 $; ⊙9h-20h tlj en été, horaires restreints automne-printemps), de style XVIe siècle, comportent un potager d'herbes aromatiques et des rangées de superbes parterres de fleurs.

North Carolina Aquarium   AQUARIUM

(www.ncaquariums.com/roanoke-island ; 374 Airport Rd, Roanoke Island ; adulte/enfant 8/6 $; ⊙9h-17h ; ♿). Donnez-vous le frisson en regardant les requins-tigres ou le bassin des alligators, ou bien caressez le ventre des raies (auxquelles on a ôté leur dard) dans leur aquarium. Idéal pour les enfants.

Cape Hatteras National Seashore   ÎLES

S'étendant sur près de 113 km du sud de Nags Head jusqu'à la pointe sud d'Okracoke Island, ce fragile chapelet d'îles reste délicieusement préservé de l'urbanisation intensive. On peut y admirer des oiseaux aquatiques endémiques et migrateurs, des marais, des bois, des dunes et des kilomètres de plages désertes. Ne manquez pas le **phare de Bodie Island**, édifice à rayures haut de 48 m se dressant au sud de Nags Head. Impossible d'y monter, mais il est terriblement photogénique. Les sites d'intérêt suivants sont indiqués du nord au sud.

Pea Island National Wildlife Refuge (www.fws.gov/peaisland ; ⊙9h-16h, 9h-17h en été). À la pointe nord de Hatteras Island, cette réserve de 2 361 ha est le paradis des ornithologues. Elle comporte des sentiers de découverte et 21 km de plage sauvage.

S'ORIENTER DANS LES OUTER BANKS

La Hwy 12, également appelée Virginia Dare Trail ou "the coast road" ("la route côtière"), s'étire au bord de l'Atlantique sur toute la longueur des Outer Banks. L'US 158, généralement appelée "the Bypass" ("le contournement"), débute immédiatement au nord de Kitty Hawk et se confond avec l'US 64 au moment de traverser en direction de Roanoke Island. Les lieux sont en principe indiqués selon un système de "mile posts" (Mile ou MP, équivalent de la borne kilométrique), en commençant par le Mile 0 au pied du Wright Memorial Bridge à Kitty Hawk.

Chicamacomico Lifesaving Station
(www.chicamacomico.net ; village de Rodanthe ; 6 $; ⊙10h-17h lun-ven avr-oct). Construite en 1874, cette station de sauvetage fut la première de l'État. C'est aujourd'hui un musée empli d'objets éclairant sur les activités des premiers garde-côtes.

Cape Hatteras Lighthouse
(www.nps.gov/caha ; ascension avec guide adulte/enfant 7/3,50 $; ⊙9h-16h30, 9h-17h30 avr-oct). Haut de près de 64 m, ce phare à rayures blanches et noires est le plus haut phare en brique des États-Unis, et l'un des plus emblématiques de Caroline du Nord. Grimpez ses 248 marches et passez au centre des visiteurs (ouvert toute l'année).

Graveyard of the Atlantic Museum
(www.graveyardoftheatlantic.com ; Hatteras ; don apprécié ; ⊙10h-16h). Ce musée consacré à l'histoire maritime des Outer Banks propose des expositions sur les épaves, la piraterie et les objets récupérés dans les bateaux.

Ocracoke Island ÎLE

Accessible grâce au ferry gratuit entre Hatteras et Ocracoke, **Ocracoke Village** (www.ocracokevillage.com) se situe à l'extrémité sud de l'île d'Ocracoke, longue de 23 km. Dans ce drôle de petit village, surpeuplé l'été et désert en hiver, les habitants les plus âgés parlent encore le dialecte britannique du XVIIe siècle appelé "Hoi Toide" (prononciation particulière de *high tide*, "marée haute"). Edward Teach, pirate plus connu sous le nom de Barbe-Noire, avait pour habitude de se cacher dans le coin. Il y fut tué en 1718. Vous pourrez camper sur la plage où courent les chevaux sauvages,

manger un sandwich au poisson dans un pub, faire une balade en scooter ou à vélo de location dans les rues étroites du village, et visiter l'**Ocracoke Lighthouse**. Datant de 1823, ce phare est le plus ancien encore en activité en Caroline du Nord.

L'île fait l'objet d'une superbe excursion d'une journée depuis Hatteras Island, mais il est possible d'y passer la nuit. Elle comporte quelques B&B, un camping NPS (National Parks Service) et des cottages à louer. À moins d'opter pour l'**Island Inn** (☎252-928-4351, 877-456-3466 ; www.ocracokeislandinn. com ; 25 Lighthouse Rd, Ocracoke ; ch à partir de 99 $, villas à partir de 199 $; P❉❐☎⊠), superbe auberge début XXe siècle en bardeaux entièrement construite avec du bois d'épave. Les chambres au style savamment négligé sont dotées de couvre-lits dépareillés, de portraits à l'huile et de lavabos sur pied. Les "villas" modernes à étage de l'autre côté de la rue, pimpantes, évoquent des maisons de plage.

Si vous avez un petit creux, achetez une tranche du célèbre gâteau aux figues à la **Fig Tree Bakery** (Ocracoke Village ; plat 2-6 $; ⊙8h-21h en été, horaires variables hors saison), ou rendez-vous au **Howard's Pub** (Ocracoke Village ; plat 6-16 $; ⊙11h-22h lun-jeu, 11h-24h ven-sam), grand et vieux pub en bois où l'on vient traditionnellement boire de la bière et manger des poissons et fruits de mer frits depuis les années 1850.

🏃 Activités

Le vent fort qui aida les frères Wright à faire voler leur biplan propulse aujourd'hui les planches à voile, bateaux et autres deltaplanes. Le kayak, la pêche, le vélo, les balades à cheval et la plongée sont aussi très prisés (les stations balnéaires du Nord hébergent tous les clubs et équipements nécessaires). Généralement calmes, les eaux s'agitent d'août à octobre, et sont alors idéales pour la pratique du body-surf.

♥ Kitty Hawk Kites SENSATIONS FORTES
(☎252-441-4124, 877-359-2447 ; www. kittyhawk.com ; 3933 Croatan Hwy, Nags Head ; location vélo/kayak 25/39 $ par jour). Possède des agences dans tous les *banks* ; cours débutants de *kiteboard* (3 heures, 200 $) et cours de deltaplane à Jockey's Ridge State Park (à partir de 89 $). On peut aussi y louer kayaks, bateaux à voile, vélos et rollers ; tout un éventail de circuits et de cours sont proposés.

Wild Horse Adventure Tours CIRCUITS EN 4X4
(☎252-489-2020 ; wildhorsetour.com ; circuit 2 heures adulte/enfant 44/29 $). Circuits en 4x4

dans les dunes et la forêt maritime pour voir les fameux mustangs des Outer Banks.

Outer Banks Dive Center PLONGÉE
(☎252-449-8349 ; www.obxdive.com ; 3917 S Croatan Hwy, Nags Head ; plongée sur épaves 120 $). Emploie des moniteurs certifiés NAUI qui organisent aussi bien des cours de base que des plongées guidées dans le "Graveyard (cimetière) of the Atlantic", où sont échouées bien des épaves.

🛏 Où se loger

Il y a foule en été, pensez à réserver. Le secteur compte peu de grands hôtels de chaîne, mais une myriade de petits hôtels, studios et B&B ; le centre des visiteurs en détient la liste. Consultez également le site www.outer-banks.com.

♥ Roanoke Island Inn B&B $$$
(☎252-473-5511 ; www.roanokeislandinn. com ; 305 Fernando St, Manteo ; ch à partir de 198 $; P✱🎧🏊 ; ☺avr-nov). L'une des plus ravissantes auberges historiques du centre-ville de Manteo. Ce vaste cottage blanc se déploie au milieu d'un jardin caché aux regards et doté d'un bassin à carpes. Les clients peuvent paresser sur les vérandas, ou emprunter des vélos pour se promener. Lorsque la soirée fraîchit, on se replie dans sa chambre à la décoration rustique-chic pour se pelotonner sous une couette matelassée artisanale.

Sanderling Resort & Spa RESORT $$$
(☎252-261-4111, 877-650-4812 ; www.thesan-derling.com ; 1461 Duck Rd, Duck ; ch 349-459 $; P✱🎧🏊✱). L'établissement le plus luxueux des Outer Banks. Chambres au goût impeccable avec terrasse et TV à écran plat, plusieurs restaurants et bars, et spa proposant des massages en bord d'océan.

Buccaneer Motel MOTEL $$
(☎252-261-2030, 800-442-4412 ; www.bucca-neermotelouterbanks.com ; Mile 5 Kitty Hawk ; ch à partir de 99 $; P✱🎧🏊✱). L'un des nombreux motels délicieusement rétro bordant la Coast Rd. Chambres propres aux sols carrelés, avec épées de pirate en bois sur la porte, à des tarifs défiant toute concurrence.

Campings CAMPING $
(☎800-365-2267 ; www.nps.gov/caha/planyour-visit/campgrounds.htm ; empl tente 20-23 $). Le National Park Service gère 4 campings ouverts uniquement en été sur les îles, avec douches froides et toilettes. Emplacements : Oregon Inlet, près du Bodie Island Lighthouse, Cape Point et Frisco, tous deux près du Cape Hatteras Lighthouse, et

Ocracoke (☎800-365-2267 ; www.recreation. gov) à Oregon Inlet (près du Bodie Island Lighthouse). Seuls les emplacements du camping d'Ocracoke peuvent se réserver ; les autres fonctionnent selon le système du premier arrivé, premier servi.

🍴 Où se restaurer et prendre un verre

La principale artère touristique de Bodie Island concentre l'essentiel des restaurants et lieux de sortie nocturne ; beaucoup d'établissements ne sont ouverts qu'entre Memorial Day et le début de l'automne.

Awful Arthur's Oyster Bar PRODUITS DE LA MER $$$
(www.awfularthursobx.com ; Mile 6 ; plat 6-23 $; ☺11h-22h30). Sympathique restaurant et bar où l'on mange des huîtres, d'excellents sandwichs au crabe et de délicieuses *key lime pies* (sorte de tarte au citron merin-guée) maison.

John's Drive-In PRODUITS DE LA MER, AMÉRICAIN $$
(3716 Virginia Dare Trail, Kitty Hawk ; plat 5-13 $; ☺11h-18h en été, horaires restreints au printemps et en automne, fermé en hiver). Véritable institution de Kitty Hawk réputée pour ses paniers de mahi-mahi et de rascasse frits à la perfection, à déguster à des tables de pique-nique, accompagnés d'un milk-shake (à choisir parmi des centaines de variétés).

Jolly Roger ITALIEN, AMÉRICAIN $$$
(www.jollyrogerobx.com ; Mile 6,5, Kill Devil Hills ; plat 10-24 $; ☺6h-tard). L'atmosphère de cette institution des Outer Banks évoque assez une "maison close pour pirates" avec ses lumières de Noël, ses fresques murales représentant des sirènes et ses soirées karaoké. Venez déguster de gargantuesques petits-déjeuners du Sud, des assiettes de *fettuccine* aux crevettes, ou un burger tard le soir au bar.

Rundown Cafe CARIBÉEN, INTERNATIONAL $
(MP1, Kitty Hawk ; plat 6-11 $; ☺11h30-21h, horaires restreints automne-printemps). Les adeptes de *kiteboard* et de surf se régalent de *rundown* (ragoût jamaïcain), de beignets de conque, de *nachos*, de *wonton* et autres spécialités exotiques à grignoter dans cette grande cabane de plage bleue.

ℹ Renseignements

Les principaux centres des visiteurs sont les meilleures sources de renseignements. Les plus petits ne sont souvent ouverts qu'en saison. Voir aussi le site www.outerbanks.org. L'intégralité du front de mer de Manteo possède une connexion Wi-Fi.

Corolla public library (1123 Ocean Trail/Hwy 12). La bibliothèque publique offre un accès Internet gratuit.

Visitor Centers (⊘9h-17h) Hatteras (☎252-441-5711 ; ⊘avr-oct) ; Kitty Hawk (☎252-261-4644) ; Manteo (☎252-473-2138, 877-629-4386) ; Ocracoke (☎252-928-4531)

ⓘ Depuis/vers les Outer Banks

Aucun transport en commun ne circule à destination de, ou dans, les Outer Banks. Toutefois, le **North Carolina Ferry System** (☎800-293-3779 ; www.outer-banks.com/ferry) propose plusieurs itinéraires, dont la traversée Hatteras-Ocracoke en car-ferry gratuit (40 min) ; il circule au moins 1 fois/heure de 5h à 22h et il n'est pas nécessaire de réserver. Les ferries North Carolina naviguent aussi entre Ocracoke et Cedar Island (aller simple 15 $, 2 heures 15), et entre Ocracoke et Swan Quarter sur le continent (15 $, 2 heures 30) environ toutes les 2 heures ; réservation conseillée en été.

CRYSTAL COAST

Ce surnom de "côte de cristal" donné au secteur sud des Outer Banks est surtout un slogan touristique. Moins accidentées que les plages du Nord, ces côtes comportent quelques villes historiques, une poignée d'îles très peu peuplées, et des plages parfaites pour les vacances.

Un tronçon sans grâce de l'US 70, bordée d'usines et de commerces, traverse **Morehead City**, où abondent hôtels et restaurants de chaînes. Faites une halte au légendaire **El's Drive-In** (3706 Arendell St ; plat 3-6 $; ⊘10h30-22h), où les serveurs vous apportent votre hamburger aux crevettes à votre voiture.

Plus loin sur la route, **Beaufort**, troisième plus ancienne ville de l'État, se distingue par sa charmante promenade en bois et ses innombrables B&B. Le pirate Barbe-Noire fréquenta régulièrement les lieux au début des années 1700. En 1996, on découvrit l'épave de son vaisseau principal, le *Queen Anne's Revenge*, au fond du Beaufort Inlet. Allez voir des objets récupérés dans le vaisseau et rencontrez les constructeurs navals d'aujourd'hui au **North Carolina Maritime Museum** (www.ncmaritimemuseum.org ; 315 Front St ; entrée libre ; ⊘9h-17h lun-sam, 13h-17h dim). Barbe-Noire aurait vécu dans la Hammock House proche de Front St. Impossible d'y entrer, mais il paraît qu'on entend encore la nuit les cris de l'épouse du pirate assassinée.

De petits ferries partent régulièrement de la promenade en bois de Beaufort à destination des îles du **Cape Lookout National Seashore** (www.nps.gov/calo ; ferries 14-25 $). Il ne faut surtout pas manquer **Shackleford Banks**, banc de sable inhabité où l'on trouve de spectaculaires coquillages et des hardes de chevaux sauvages, ni le **Cape Lookout Lighthouse**, phare orné de motifs en diamant. Le camping sauvage est autorisé par endroits. **Portsmouth Island** est le lieu le plus agréable car on peut flâner dans un village abandonné du XVIIIe siècle et dormir sur la plage. Louez un ferry privé au départ de Beaufort ou Ocracoke et prévoyez beaucoup de répulsif anti-insectes : les moustiques s'en donnent à cœur joie. Vous trouverez aussi de rustiques **bungalows** (☎South Core 252-241-6783, North Core 252-732-4424 ; www.nps.gov/calo ; à partir de 73 $) de plusieurs chambres, appréciés des pêcheurs.

Les **Bogue Banks**, de l'autre côté du détroit (Sound), en face de Morehead City par l'Atlantic Beach Causeway, comptent plusieurs villages très fréquentés. Essayez Atlantic Beach si vous aimez l'odeur de l'huile solaire à la noix de coco et celle des beignets. Pine Knoll Shores abrite le **North Carolina Aquarium** (www.ncaquariums.com ; 1 Roosevelt Blvd ; adulte/enfant 8/6 $; ⊘9h-17h ; ⓦ), qui propose une exposition fascinante recréant les naufrages de la région. À Atlantic Beach, le fort reconstruit datant de la guerre de Sécession et installé dans le **Fort Macon State Park** (www.ncparks.gov ; gratuit ; ⊘8h-21h en été, horaires restreints en hiver) attire les foules.

WILMINGTON

Contrairement à Charleston et Savannah, le nom de Wilmington n'évoque pas immédiatement la guerre de Sécession. Pourtant, la plus grande ville de l'est de la Caroline du Nord comporte de beaux quartiers historiques, des jardins remplis d'azalées et quantité de ravissants cafés. Si l'on ajoute à cela le prix raisonnable des hôtels et l'absence des foules, Wilmington est un vrai petit bijou. Le soir, le centre historique en bord de fleuve devient le terrain de jeu favori des étudiants, des touristes et, de temps à autre, d'une célébrité hollywoodienne. Les studios de cinéma sont si nombreux ici que la ville est surnommée "Wilmywood".

⊙ À voir

Wilmington se tient à l'embouchure de la Cape Fear River, à environ 13 km de la plage. Le quartier historique du **bord du fleuve** est peut-être le plus intéressant à voir, avec ses nombreuses boutiques et promenades en bois.

Un **trolley gratuit** circule à travers le quartier historique du matin au soir.

 Cape Fear Serpentarium VIVARIUM DE SERPENTS (www.capefearserpentarium.com ; 20 Orange St ; 8 $; ⊙11h-17h lun-ven, 11h-18h sam-dim). Vous resterez bouche bée devant les vipères de Schlegel, frissonnerez en lisant les symptômes qu'inflige la morsure mortelle du Lachésis muet. À 15h les samedis et dimanches, Dean Ripa, sorte de Monsieur Loyal/herpétologiste, vient nourrir de souris une grosse centaine de serpents, à la main.

Battleship North Carolina BATEAU HISTORIQUE (www.battleshipnc.com ; adulte/enfant 12/6 $; ⊙8h-17h, 8h-20h en été). Prenez un bateau-taxi (5 $ aller-retour) ou traversez le Cape Fear Bridge pour y parvenir. Vous pourrez alors parcourir les ponts de cet immense vaisseau de 45 000 tonnes, qui remporta 15 batailles dans le Pacifique au cours de la Seconde Guerre mondiale avant d'être désarmé en 1947.

Screen Gems Studios STUDIO DE CINÉMA (☎910-343-3433 ; www.screengemsstudios.com ; 1223 N 23rd St ; adulte/enfant 12/5 $; ⊙12h et 14h sam-dim été). Amusante visite guidée d'une heure dans les coulisses de ce studio en activité où furent notamment tournés des séries comme *Dawson* et *Les Frères Scott*.

Airlie Gardens JARDIN (www.airliegardens.org ; 300 Airlie Rd ; adulte/enfant 5/3 $; ⊙9h-17h, fermé dim en hiver). 28 ha ponctués de splendides massifs de fleurs, de lacs et de sentiers.

Où se loger et se restaurer

Les hôtels bon marché ne manquent pas dans Market St, immédiatement au nord du centre-ville. Les restaurants donnant sur l'eau sont souvent bondés et médiocres. Mieux vaut s'enfoncer de deux *blocks* à l'intérieur de la ville pour dénicher les meilleures adresses de restaurants et lieux de sortie.

Graystone Inn B&B $$$ (☎910-763-2000 ; www.graystoneinn.com ; 100 S 3rd St ; ch petit-déj inclus 169-379 $; P🅿🛜). Construite à l'origine pour un magnat des chemins de fer du début du XXᵉ siècle, cette imposante demeure de style Renaissance comporte 9 chambres splendides avec mobilier d'époque.

Clarendon Inn HÔTEL $$ (☎910-343-1990 ; www.clarendoninn.com ; 117 S Second St ; ch à partir de 99 $; P❄🛜). Ni vraiment hôtel ni vraiment B&B, ce sympathique établissement de 11 chambres bénéficie d'un excellent emplacement, de lits douillets, et est décoré d'une pléthore de statues d'anges. Bon rapport qualité/prix.

Crow Hill AMÉRICAIN MODERNE $$ (☎910-228-5332 ; www.crowhillnc.com ; 9 Front St ; plat 13-20 $; ⊙17h-22h mar-dim, 17h-1h ven-sam ; brunch 10h-14h dim). L'actuel

PLAGES PROCHES DE WILMINGTON

Si Wilmington ne possède pas de plage, il existe quantité d'étendues de sable à proximité. Les suivantes sont indiquées du nord au sud :

» Surf City : petite station balnéaire tranquille.

» Topsail Beach : plage de sable blanc abritant un centre de protection des tortues marines.

» Wrightsville Beach : la plus proche de Wilmington ; nombreuses gargotes servant du poisson frit, boutiques de lunettes de soleil, et foule estivale compacte.

» Carolina Beach : eau chaude, passerelle en bois et parasols à perte de vue.

» Kure Beach : appréciée pour la pêche, berceau du North Carolina Aquarium à Fort Fisher.

» Southport : une plage impropre à la baignade, mais la ville pittoresque regorge de boutiques d'antiquités.

» Bald Head Island : accessible en ferry depuis Southport. Les voitures sont interdites dans cette réserve de tortues marines. Difficile de se déplacer si on ne loue pas une voiturette de golf.

» Caswell Beach : plage tranquille à proximité d'un golf.

» Oak Island : le plus grand village de bord de mer de Caroline du Nord, avec 3 jetées.

LE BARBECUE TRAIL

Le *pulled pork* (viande de porc cuite à l'étouffée au barbecue) est une institution en Caroline du Nord, et la rivalité est vive entre l'Eastern Style (style de l'Est, avec une sauce claire au vinaigre) et le Western Style (style de l'Ouest, avec une sauce tomate plus douce). La North Carolina Barbecue Society propose une **carte interactive du Barbecue Trail** (www.ncbbqsociety.com), indiquant aux amateurs les meilleures adresses du "sentier du Barbecue". Il ne reste plus qu'à goûter aux deux styles et à vous décider.

chouchou gastronomique de la ville, grâce à son approche saisonnière de la cuisine du Sud (crabes de Caroline du Nord avec crème de pois, joues de porc aux tomates vertes frites...). La décoration marie à la fois rusticité et tendance : tables de ferme de récupération en bois, vieux fers à cheval aux murs. Excellent brunch.

Front Street Brewery PUB $
(www.frontstreetbrewery.com ; 9 N Front St ; plat 7-14 $; ☺11h30-22h dim-mer, 11h30-2h jeu-sam). Ce pub du centre-ville remporte un succès fou grâce à sa nourriture simple (hamburgers et *crab cakes*) et ses bières de microbrasserie. Dégustation de bière gratuite et visites de la brasserie tous les jours de 15h à 17h.

❶ Renseignements
Le **Visitor Center** (☎910-341-4030, 800-222-4757 ; 505 Nutt St ; ☺8h30-17h lun-ven, 9h-16h sam, 13h-16h dim), situé dans entrepôt des années 1800, propose une carte avec itinéraires de balade à pied.

Le Triangle

La région centrale de Caroline du Nord, appelée Piedmont, abrite un pôle universitaire connu sous le nom de *Triangle* (les villes de Raleigh, Durham et Chapel Hill forment grossièrement un triangle). Trois grandes universités de recherche – Duke University, University of North Carolina et North Carolina State University – sont installées ici, de même que le Research Triangle Park, campus de 28 km^2 consacré à l'informatique et aux biotechnologies. Peuplées d'informaticiens surdoués, de

militants pacifistes barbus et de jeunes familles branchées, ces villes ont chacune une personnalité unique, bien qu'elles soient séparées de quelques kilomètres à peine. Au mois de mars, la fièvre du basket-ball universitaire frappe absolument *tout le monde.*

❶ Comment s'y rendre et circuler
Le **Raleigh-Durham International Airport** (RDU ; ☎919-840-2123 ; www.rdu.com), important carrefour des transports, est à 25 min de route (24 km) au nord-ouest du centre-ville de Raleigh. **Carolina Trailways/Greyhound** Raleigh (☎919-834-8275 ; 314 W Jones St) ; Durham (☎919-687-4800 ; 820 W Morgan St) desservent Raleigh et Durham. La **Triangle Transit Authority** (☎919-549-9999 ; www.triangletransit.org ; adulte 2 $) gère les bus reliant Raleigh, Durham et Chapel Hill entre elles et avec l'aéroport.

RALEIGH
Fondée en 1792 dans le but de servir de capitale de l'État, Raleigh reste un siège de gouvernement assez guindé, confronté à de grands problèmes d'expansion. Cependant, le joli centre historique comporte de beaux musées et galeries (gratuits !). Quant à la gastronomie et à la scène musicale, elles sont sur la pente ascendante.

◉ À voir
Le **State Capitol** (1840), situé dans Edenton St, est l'un des plus beaux exemples architecturaux de style néogrec. Il est possible de le visiter en se joignant à une visite guidée.

♥ North Carolina Museum of Art MUSÉE
(www.ncartmuseum.org ; 2110 Blue Ridge Rd ; entrée libre ; ☺9h-17h mar-jeu et sam, 9h-21h ven, 10h-17h dim). Le bâtiment à lui seul mérite le détour : le West Building (bâtiment Ouest) inondé de lumière, en verre et acier anodisé, a été applaudi par les critiques en architecture de tout le pays lors de son inauguration en 2010. La collection très étendue (des sculptures de la Rome antique aux œuvres de Raphaël en passant par les graffeurs) mérite elle aussi le coup d'œil, de même que les sculptures en plein air. À quelques kilomètres à l'ouest du centre-ville.

GRATUIT North Carolina Museum of Natural Sciences MUSÉE
(www.naturalsciences.org ; 11 W Jones St ; ☺9h-17h lun-sam, 12h-17h dim). Venez admirer Willo, unique dinosaure au monde pourvu d'un cœur (fossilisé) dans ce vaste muséum de sciences naturelles. Vous verrez aussi un

squelette d'acrocanthosaure, 5 dioramas montrant des habitats naturels, et quantité d'animaux naturalisés.

GRATUIT North Carolina Museum of History — MUSÉE

(http://ncmuseumofhistory.org ; 5 E Edenton St ; ⏱9h-17h lun-sam, 12h-17h dim). Ce musée d'histoire renferme toutes sortes d'objets ; photos de la guerre de Sécession, artisanat cherokee, costumes du XIXᵉ siècle, et une exposition consacrée aux courses de stock-cars.

🛏 Où se loger et se restaurer

Le centre-ville est assez calme le soir et le week-end, à l'exception du secteur du City Market, au croisement d'E Martin St et de S Person St. Au nord-ouest, Glenwood South compte cafés, bars et discothèques. Vous trouverez nombre d'hôtels de chaîne aux tarifs modérés aux alentours de la sortie n°10 de l'I-440, et à proximité de l'I-40 près de l'aéroport.

Umstead Hotel & Spa — HÔTEL $$$

(☎919-447-4000 ; www.theumstead.com ; 100 Woodland Pond, Cary ; ch à partir de 279 $; P❄@🛜🏊). Dans ce nouveau *boutique hotel*, les puces électroniques insérées dans les plateaux en argent du room-service préviennent les grooms qu'il faut débarrasser les restes sans tarder. Le sens du détail... Situé dans une zone de bureaux boisée, en banlieue, l'Umstead accueille des PDG des biotechnologies dans des chambres somptueuses. Spa à l'ambiance zen.

Poole's Downtown Diner — AMÉRICAIN MODERNE $$

(www.poolesdowntowndiner.com ; 426 S McDowell St ; plat 9-15 $; ⏱18h-24h mer-sam, brunch 10h30-15h sam). Le chef Ashley Christensen fait sauter la viande de ses hamburgers dans de la graisse de canard et concocte le *mac'n'cheese* le plus crémeux du monde dans son établissement mi-*diner* du Sud, mi-bistrot parisien, dont toute la ville parle. Ne manquez pas les recettes classiques américaines comme les *pies* revisitées façon grande cuisine. Mention spéciale pour celle à la crème de banane.

Raleigh Times — PUB $

(www.raleightimesbar.com ; 14 E Hargett St ; plat 8-11 $; ⏱11h30-2h). Pub populaire du centre-ville ; assiettes de *nachos* au barbecue et pintes de bières artisanales locales.

ℹ Renseignements

Le **Raleigh Convention & Visitors Bureau** (☎866-724-8687 ; www.visitraleigh.com ; 220 Fayetteville St ; ⏱10h-17h lun-sam) fournit cartes et renseignements.

DURHAM ET CHAPEL HILL

Distantes de 16 km, ces deux villes universitaires ont chacune une équipe de basket-ball (rivales) et une tradition démocrate. La similitude s'arrête toutefois là. Chapel Hill est une jolie petite ville universitaire centrée sur les 30 000 étudiants de la prestigieuse University of North Carolina. Fondée en 1789, elle fut la première université d'État du pays. Ville insolite et avant-gardiste, Chapel Hill est réputée pour sa scène rock indépendante et sa culture hippie, revendiquée haut et fort. Pas très loin, Durham, ville un peu lugubre anciennement liée à la culture du tabac et au chemin de fer, s'est effondrée dans les années 1960 ; elle commence tout juste à renaître de ses cendres. Si elle est fondamentalement restée une ville ouvrière, la présence de la Duke University, université de haut rang, attire depuis longtemps une population progressiste dans le secteur, et Durham est en train de devenir le rendez-vous des gourmets, des artistes, et de la communauté homosexuelle.

L'ancienne ville ouvrière de **Carrboro**, aujourd'hui branchée, se trouve à l'ouest. L'immense pelouse du **Weaver Street Market** (www.weaverstreetmarket.com), qui vend des produits d'épicerie, fait office de place de la ville. Le Wi-Fi est gratuit et on y donne des concerts.

À Durham, l'animation se concentre autour des entrepôts à tabac rénovés du joli centre-ville. Pour le shopping et les tables en terrasse, rendez-vous sur Brightleaf Square et à l'American Tobacco Campus.

👁 À voir

♥ Duke Lemur Center — ZOO

(☎919-489-3364 ; www.lemur.duke.edu ; ♿). Un endroit parmi les plus sympathiques et les moins connus de Durham. Ce centre des lémuriens abrite la plus grande collection de primates prosimiens (une espèce menacée) en dehors de Madagascar, leur terre d'origine. Téléphonez longtemps à l'avance pour participer aux visites guidées, sur rendez-vous uniquement du lundi au samedi.

Duke University — UNIVERSITÉ, MUSÉE

(www.duke.edu). Financée par la fortune de la famille de cigarettiers Duke, l'université possède un campus (à l'est) de style georgien et un campus (à l'ouest) de style néogothique qui se distingue par son imposante chapelle des années 1930. Le **Nasher Museum of Art**

(2001 Campus Dr ; 5 $), ainsi que les paradisiaques jardins **Sarah P Duke Gardens** (426 Anderson St ; entrée libre), s'étendant sur près de 23 ha, méritent le coup d'œil.

University of North Carolina UNIVERSITÉ (www.unc.edu). La plus ancienne université publique d'Amérique possède une cour intérieure bordée de poiriers en fleur et d'édifices antérieurs à la guerre de Sécession. Ne manquez pas l'Old Well ("vieux puits") dont l'eau porterait bonheur aux étudiants qui la boivent.

Durham Bulls Athletic Park MATCHS (www.dbulls.com ; 409 Blackwell St ; billets 7-9 $; 🖕). Pour passer un après-midi typiquement américain. Au programme : bière et baseball, lors d'un match des Durham Bulls, équipe de deuxième division qui joue d'avril à septembre.

🛏 Où se loger

Les motels de chaînes bon marché abondent tout près de l'I-85 dans le nord de Durham.

♥ Inn at Celebrity Dairy B&B $$ (📞919-742-5176 ; www.celebritydairy.com ; 144 Celebrity Dairy Way ; ch petit-déj inclus 90-150 $; P❋🛜). À 48 km à l'ouest de Chapel Hill, dans le comté de Chatham, cet élevage de chèvres offre un hébergement de type B&B dans une ferme de style néogrec. Régalez-vous d'une omelette au fromage de chèvre au petit-déjeuner puis allez caresser les animaux.

🖋 King's Daughters Inn AUBERGE $$ (📞919-354-7000 ; thekingsdaughtersinn. com ; 204 N Buchanan Blvd ; ch petit-déj inclus à partir de 165 $; P❋🛜). Ancien foyer pour femmes âgées, cet édifice de 1926 de style néocolonial récemment rénové a été transformé en auberge respectant l'environnement. Celle-ci comporte 11 chambres élégantes et une superbe véranda. En lisière du campus de Duke, c'est l'adresse favorite des professeurs en visite.

Duke Tower HÔTEL $ (📞919-687-4444, 866-385-3869 ; www.duketower. com ; 807 W Trinity Ave ; ste 85 $; P❋🛜). Pour moins cher qu'une chambre d'hôtel ou à peu près, on loge ici dans une résidence contemporaine, dont les suites ont parquet, cuisine équipée et TV à écran plat. Dans le quartier des usines à tabac du centre historique de Durham.

🍴 Où se restaurer

Durham et Chapel Hill ont récemment été nommées *"America's Foodiest Small Town"* ("petites villes les plus gastronomes des États-Unis") par le magazine *Bon Appétit*,

pour une raison simple : les restaurants gastronomiques y abondent. Le centre-ville de Durham héberge quantité d'excellents restaurants, *coffee shops* et bars. La plupart des meilleures tables de Chapel Hill se trouvent dans Franklin St.

♥ Scratch BOULANGERIE $ (www.piefantasy.com ; 111 Orange St, Durham ; plat 5-10 $; 🕐7h30-16h mar-ven, 9h-15h sam-dim). Phoebe Lawless fait des merveilles dans sa petite boulangerie encensée dans tout le pays et réputée pour ses tourtes de saison (lavande fraîche au printemps, raisin muscadine en automne), ainsi que ses exquis sandwichs et salades.

Allen & Son's Barbecue BARBECUE $ (6203 Millhouse Rd, Chapel Hill ; plat 7-10 $; 🕐10h-17h mar-mer, 10h-20h jeu-sam). Le propriétaire Keith Allen fend son propre bois pour cuire ce que beaucoup considèrent comme le meilleur porc au barbecue de l'État. Mangez-le sur un petit pain, surmonté de salade de chou cru et accompagné de *hush puppies* (boulettes de farine de maïs frites), et terminez par une tranche de *peanut butter pie* (tarte au beurre de cacahuètes) glacée.

Watts Grocery NOUVELLE CUISINE DU SUD $$$ (📞919-416-5040 ; 1116 Broad St, Durham ; plat 16-23 $; 🕐11h-14h30 et 17h30-22h). Le restaurant tendance "produits de la ferme" le plus branché de Durham sert de la haute cuisine à base de produits locaux (poitrine de porc glacée au bourbon, rondelles d'oignons frites au babeurre). Les bols de gruau à la saucisse et à l'avocat pourraient bien constituer le meilleur brunch de la ville.

Lantern ASIATIQUE $$$ (📞919-969-8846 ; www.lanternrestaurant. com ; 243 W Franklin St, Chapel Hill ; plat 17-26 $; 🕐17h30-22h lun-sam). Le poulet fumé au thé et les boîtes *bento* garnies d'ingrédients pour faire ses sushis soi-même ont fait pleuvoir les récompenses sur ce restaurant asiatique moderne.

Sunrise Biscuit Kitchen PETIT-DÉJEUNER, CUISINE DU SUD $ (1305 E Franklin St, Chapel Hill ; plat 2-4 $; 🕐6h-14h). Les *fried chicken biscuits* ("biscuits au poulet frit") accompagnés de thé sucré sont un authentique et excellent petit-déjeuner américain. C'est pour eux que ce très ancien *drive-in* est toujours bondé à 7h.

🍷 Où sortir et prendre un verre

Chapel Hill compte une excellente scène musicale, avec des concerts presque chaque soir. Pour connaître les diverses sorties et manifestations, procurez-vous l'hebdomadaire gratuit *Independent* (www.indyweek.com).

Fullsteam Brewery
MICROBRASSERIE

(www.fullsteam.ag ; 726 Rigsbee Ave, Durham). Le Fullsteam est connu dans tout le pays pour son audace : il fabrique et propose par exemple de la bière blonde à la patate douce, ou encore de la brune au kaki, deux produits typiques du Sud.

Top of the Hill
PUB

(100 E Franklin St, Chapel Hill). Le patio à l'étage de ce restaurant et microbrasserie du centre-ville est *le* lieu où il faut voir et être vu à Chapel Hill, après un match de football, quand on est bon chic bon genre.

Cat's Cradle
MUSIQUE

(www.catscradle.com ; 300 E Main St, Carrboro). De Nirvana à Arcade Fire, tout le monde joue ou a joué au Cradle, qui accueille la crème de la musique indépendante depuis 30 ans.

ℹ️ Renseignements

Visitor Center Durham (☎919-687-0288, 800-446-8604 ; www.durham-nc.com ; 101 E Morgan St ; ⊙8h30-17h lun-ven, 10h-14h sam) ; Chapel Hill (501 W Franklin St ; www.visitchapelhill.org). Renseignements et cartes.

Charlotte

Plus grande ville de Caroline du Nord et plus importante place bancaire américaine après New York, Charlotte ressemble aux autres métropoles du Nouveau Sud. Mais si la Queen City, comme on l'appelle, est d'abord une ville d'affaires, elle comporte quelques musées intéressants, de beaux quartiers anciens et quantité de bonnes tables.

Animée, Tryon St traverse Uptown, la "partie haute" de Charlotte, emplie de gratte-ciel, de banques, d'hôtels, de musées et de restaurants. Les usines textiles rénovées du quartier de NoDa (qui tient son nom de son emplacement, dans N Davidson St) et l'insolite mélange de boutiques et de restaurants de Plaza-Midwood, au nord-est d'Uptown, ont une ambiance plus branchée.

👁 À voir et à faire

GRATUIT Billy Graham Library
RELIGION

(www.billygrahamlibrary.org ; 4330 Westmont Dr ; ⊙9h30-17h lun-sam). Ceux qui s'intéressent au mouvement chrétien évangélique en Amérique seront fascinés (ou irrités) par cette "bibliothèque" multimédia, hommage à l'évangéliste superstar et "pasteur des présidents" Billy Graham, natif de Charlotte. Au début de la visite (1 heure 30), une vache animée accueille les visiteurs par un prêche. À la fin, on doit remplir un questionnaire qui demande si l'on a été convaincu d'accepter le Christ.

Mint Museum of Art
MUSÉE

(www.mintmuseum.org ; 2730 Randolph Rd ; adulte/enfant 10/5 $; ⊙10h-21h mar, 10h-17h mer-sam, 12h-17h dim). Dans l'imposant palais de la Monnaie américaine du XIXᵉ siècle, les salles feutrées de ce musée exposent des cartes et plans historiques, des peintures américaines et une impressionnante collection de statues de saints sanglants datant de l'Espagne coloniale.

Levine Museum of the New South
MUSÉE

(www.museumofthenewsouth.org ; 200 E 7th St ; adulte/enfant 6/5 $; ⊙10h-17h lun-sam, 12h-17h dim). La collection permanente de cet élégant musée renseigne sur l'histoire et la culture du Sud après la guerre de Sécession.

❤️ US National Whitewater Center
SENSATIONS FORTES

(www.usnwc.org ; 500 Whitewater Center Pkwy ; forfait tous sports à la journée adulte/enfant 49/39 $, activités individuelles 15-25 $, circuit 3 heures dans la canopée 89 $; ⊙10h-18h, plus tard en été). Fantastique hybride de centre nature et de parc aquatique, ce centre de 162 ha abrite la plus grande rivière à rapides artificielle au monde. C'est là que viennent s'entraîner les équipes olympiques de canoë et de kayak. Participez à une sortie de rafting guidée, ou essayez-vous à d'autres activités : tyroliennes, mur d'escalade en plein air, multiples parcours de cordes, *paddleboard*, circuits dans la canopée, randonnées dans les bois et sentiers de VTT.

Charlotte Motor Speedway
CIRCUIT AUTOMOBILE

(www.charlottemotorspeedway.com ; circuits 9 $; ⊙circuits 9h30-15h30 lun-sam, 13h30-15h30 dim). Les courses de la NASCAR, nées dans le Sud-Est et objet d'un véritable engouement, ont lieu sur ce circuit automobile visible de l'espace et situé à 20 km au nord-est de la ville. Pour ressentir le frisson de votre vie en roulant à 265 km/h dans un vrai stock-car, contactez le **Richard Petty Driving Experience** (☎800-237-3889 ; www.1800bepetty.com ; à partir de 149 $).

🛏 Où se loger et se restaurer

Les hôtels d'*uptown* sont si nombreux à accueillir une clientèle d'affaires que les tarifs baissent souvent le week-end. Les établissements de chaînes, meilleur marché, se concentrent aux abords de l'I-85 et de l'I-77. La clientèle des bars et restaurants d'Uptown se compose surtout de jeunes banquiers BCBG. On voit davantage de tatouages dans les pubs et bistrots décontractés de NoDa.

Duke Mansion   B&B **$$**
(☎704-714-4400 ; www.dukemansion.com ; 400 Hermitage Rd ; ch à partir de 179 $; P✳@🛜). Nichée dans un quartier résidentiel s'étendant à l'ombre des chênes, cette grandiose auberge à colonnes blanches fut la demeure de James B. Duke, cigarettier qui fit fortune au XIXᵉ siècle. Elle conserve l'ambiance feutrée d'une luxueuse résidence privée. La plupart des chambres possèdent de hauts plafonds et leurs propres vérandas.

Hotel Sierra   HÔTEL **$$**
(☎704-373-9700 ; www.hotel-sierra.com ; 435 E Trade St ; ch à partir de 148 $; P✳@🛜). Avec ses couleurs futuristes et son étincelante réception remplie de voyageurs d'affaires tapotant frénétiquement leur BlackBerry, ce tout nouvel hôtel est typique de Charlotte.

♥ Price's Chicken Coop CUISINE DU SUD **$**
(1614 Camden Rd ; plat 5-10 $; ⊙10h-18h mar-sam). Véritable institution, cet établissement un peu négligé figure régulièrement sur la liste du "Meilleur poulet frit d'Amérique". Entrez dans la file d'attente pour commander votre *dark quarter* ("quart") ou votre *white half* ("demi-poulet") à l'armée de cuisiniers en blanc, puis repartez le déguster à l'extérieur (pas de places assises).

Bar-B-Q King   BARBECUE **$**
(2900 Wilkinson Blvd ; plat 4-9 $; ⊙10h30-22h30 mar-jeu, 10h-23h30 ven et sam). Vieux drive-in rétro, où les serveurs apportent des plateaux de viande de porc émincée et de sandwichs à la truite frite à la perfection jusqu'à la voiture.

Rí Rá   PUB **$$**
(www.rira.com ; 208 N Tryon St ; plat 11-19 $; ⊙11h-2h). Pub irlandais d'Uptown de style victorien, où une clientèle sympathique de tous âges vient boire de la Guinness et manger des *fish and chips*.

❶ Renseignements

Le **Visitor Center** (☎704-331-2700, 800-231-4636 ; www.charlottesgotalot.com ;

339

330 S Tryon St ; ⊙8h30-17h lun-ven, 9h-15h sam) du centre-ville édite des cartes et un guide. La **public library** (College St) dispose de 90 ordinateurs connectés gratuitement à Internet. Consultez l'hebdomadaire alternatif *Creative Loafing* (www.clclt.com) pour connaître les sorties et manifestations.

❶ Comment s'y rendre et circuler

Le **Charlotte Douglas International Airport** (CLT ; ☎704-359-4027 ; www.charmeck. org/departments/airport ; 5501 Josh Birmingham Pkwy) est un carrefour aérien de la compagnie US Airways, avec vols directs en provenance d'Europe et du Royaume-Uni. La **gare routière Greyhound** (601 W Trade St) et la **gare ferroviaire Amtrak** (1914 N Tryon St) sont pratiques pour rejoindre Uptown. **Charlotte Area Transit** (www.charmeck.org) gère les réseaux de bus et tramways locaux. Sa gare principale se trouve au 310 E Trade St.

Montagnes de Caroline du Nord

Depuis des siècles, ces montagnes attirent toutes sortes de personnes. Les Cherokees venaient déjà y chasser, les immigrants irlando-écossais en quête d'une vie meilleure s'y établirent dans les années 1700, les fugitifs qui voulaient échapper à la loi s'y cachaient, les malades venaient prendre un bol d'air pur, et les naturalistes arpentaient les sentiers escarpés.

Les Appalaches, dans la partie ouest de l'État, englobent les massifs Great Smoky, Blue Ridge, Pisgah et Black Mountain. Tapissées de ciguës bleu-vert, de pins et de chênes, ces montagnes sont peuplées de cougars, de cerfs, d'ours noirs, de dindons sauvages et de grands-ducs d'Amérique. Les possibilités de randonnée, de camping, d'escalade et de rafting sont nombreuses, tout comme les occasions de prendre de superbes photos.

HIGH COUNTRY

L'angle nord-ouest de l'État est appelé "High Country" ("haut pays"). Boone, Blowing Rock et Banner Elk, ses principales agglomérations, sont toutes à une courte distance en voiture de la Blue Ridge Pkwy. **Boone**, ville universitaire animée, abrite l'Appalachian State University (ASU). **Blowing Rock** et **Banner Elk** sont des destinations touristiques proches des domaines skiables.

ROUTE PANORAMIQUE : LA BLUE RIDGE PARKWAY

Le président Franklin D. Roosevelt avait lancé ce chantier de travaux publics pendant la Grande Dépression. Aujourd'hui, la splendide Blue Ridge Pkwy traverse le sud des Appalaches du Shenandoah National Park, situé au Mile 0 en Virginie, jusqu'au Great Smoky Mountains National Park, situé au Mile 469. La portion de cette voie rapide qui passe en Caroline du Nord serpente à travers 422 km de paysages de montagne d'une beauté à couper le souffle. Les **campings et centres des visiteurs** (✆877-444-6777 ; www.blueridgeparkway.org ; empl tente 16 $), administrés par le National Park Service (NPS), sont ouverts de mai à octobre. L'accès à la route est gratuit. Attention : les toilettes et les stations-service sont rares et assez éloignées les unes des autres. Parmi les sites incontournables et les campings, citons :

Cumberland Knob (Mile 217,5). Centre des visiteurs du NPS, promenade facile jusqu'au site où débuta la construction de la route.

Doughton Park (Mile 241,1). Essence, alimentation, sentiers et camping.

Blowing Rock (Mile 291,8). Petite ville touristique tirant son nom d'une falaise escarpée, avec vue superbe, et une love-story amérindienne associée au lieu.

Moses H Cone Memorial Park (Mile 294,1). Ravissante propriété ancienne avec belles allées de promenade et boutique d'artisanat.

Julian Price Memorial Park (Mile 296,9). Camping.

Grandfather Mountain (Mile 305,1). Immensément populaire en raison de sa vertigineuse passerelle suspendue.

Linville Falls (Mile 316,4). Courts sentiers de randonnée jusqu'aux chutes, emplacements de camping.

Linville Caverns (Mile 317). Grotte de calcaire dotée de belles formations rocheuses et de cours d'eau souterrains ; visites guidées : 7 $.

Little Switzerland (Mile 334). Station de montagne à l'ancienne.

Crabtree Meadows (Mile 339,5). Camping.

Mt Mitchell State Park (Mile 355,5). Plus haut sommet du Mississippi (2 037 m) ; randonnée et camping.

Craggy Gardens (Mile 364). Les sentiers de randonnée sont couverts de rhododendrons en fleur en été.

Folk Art Center (Mile 382). Vente d'artisanat local.

Mount Pisgah (Mile 408,8). Randonnée et camping.

👁 À voir et à faire

La Hwy 321 entre Blowing Rock et Boone est jalonnée de mines de pierres précieuses et autres attractions touristiques.

Tweetsie Railroad PARC DE LOISIRS
(www.tweetsie.com ; adulte/enfant 34/22 $; 👶).
Parc d'attractions sur le thème du Far West. Horaires variables en fonction de la saison.

Grandfather Mountain RANDONNÉE
(www.grandfather.com ; Blue Ridge Pkwy Mile 305 ; adulte/enfant 15/7 $; ⊘8h-18h). Le lieu attire de nombreux touristes qui viennent se donner le frisson en traversant son vertigineux pont suspendu. Échappez à la foule en empruntant l'un des 11 sentiers de randonnée, dont le plus difficile comporte des montées très escarpées à gravir à quatre pattes.

River and Earth Adventures ACTIVITÉS DE PLEIN AIR
(✆828-963-5491 ; www.raftcavehike.com ; 1655 Hwy 105, Boone ; rafting demi-journée/journée complète à partir de 65/100 $). Toutes sortes d'activités familiales, des sorties spéléo aux excursions de rafting sur des rapides de niveau V à Watauga Gorge. Les guides, soucieux d'écologie, emportent même des déjeuners bio. Location de vélos et de kayaks.

🛏 Où se loger et se restaurer

Les motels de chaînes abondent à Boone. Vous trouverez des campings privés et des B&B disséminés partout dans les montagnes.

Mast Farm Inn
B&B $$

(☑828-963-5857, 888-963-5857 ; www.mastfarm-inn.com ; 2543 Broadstone Rd, Blowing Rock ; ch/cottages à partir de 99/149 $; P✳️📶). Dans le magnifique hameau de Valle Crucis, cette ferme restaurée est l'incarnation du chic rustique : vieux planchers, baignoires sur pieds, et bonbons au caramel maison sur la table de chevet. La cuisine de montagne haut de gamme que sert le restaurant de l'auberge, Simplicity, mérite à elle seule le détour.

Hob Nob Farm Cafe
CAFÉ $$

(www.hobnobfarmcafe.com ; 506 West King St, Boone ; plat 7-14 $; ⊙10h-22h mer-dim). Dans ce cottage peint de couleurs vives, une clientèle de type hippie vient se régaler de *tempeh* à l'avocat, de bols de curry thaï et de hamburgers à base de viande de bœuf locale. Brunch servi jusqu'à 17h.

Knights on Main
CUISINE DU SUD $$

(www.knightsonmainrestaurant.com ; 870 Main St, Blowing Rock ; plat 7-17 $; ⊙7h-20h30, 7h-14h30 dim). Ce *diner* familial lambrissé est l'adresse incontournable pour goûter à la spécialité locale, le *livermush*, un pâté de foie de porc.

❶ Renseignements

Le **Visitor Center** (☑828-264-1299, 800-438-7500 ; www.highcountryhost.com ; 1700 Blowing Rock Rd, Boone ; ⊙9h-17h) du High Country renseigne sur les possibilités d'hébergement et les organismes proposant des activités de plein air.

ASHEVILLE

Cette ville associée au mouvement du Jazz Age (années 1920) semble surgir comme un mirage des brumes des Blue Ridge Mountains. Longtemps ville de villégiature des gens fortunés de la côte Est (F. Scott Fitzgerald en était fou), la ville compte désormais une importante population d'artistes et de hippies purs et durs. Les édifices Art déco du centre-ville sont restés pratiquement tels que dans les années 1930, mais le secteur se distingue aussi par ses boutiques et restaurants résolument modernes, ses boutiques vintage et ses magasins de disques. Une visite à Asheville pourrait bien vous donner envie d'y revenir.

👁 À voir

Le centre-ville, compact, se parcourt aisément à pied. Côté shopping, entre les magasins de bougies, les boutiques de fripes et autres objets vintage et les galeries d'art haut de gamme, c'est le paradis. La partie ouest de la ville (West Ashville), encore un peu "brute", est néanmoins très sympathique et promise à un bel avenir.

🖤 Biltmore Estate
MAISON, JARDINS

(www.biltmore.com ; adulte/moins de 17 ans 59/5 $; ⊙9h-16h30). Avec ses 43 salles de bains, ses 65 cheminées et un bowling privé, cette propriété datant du Gilded Age ("âge d'or", après la guerre de Sécession) est un vrai Versailles américain. Plus grande résidence privée du pays et attraction phare d'Asheville, elle fut construite en 1895 pour George Washington Vanderbilt II, héritier de la riche famille d'armateurs, qui l'imagina sur le modèle des grands châteaux visités lors de ses séjours en Europe. La visite de la maison et du domaine (une centaine d'hectares impeccablement entretenus) nécessite plusieurs heures. Vous trouverez sur place de nombreux cafés, une boutique de souvenirs de la taille d'un petit supermarché, un hôtel d'allure prétentieuse et une superbe cave primée offrant des dégustations gratuites.

Chimney Rock Park
PARC

(www.chimneyrockpark.com ; adulte/enfant 14/6 $; ⊙8h30-16h30). À 32 km de route au sud-est d'Asheville, le drapeau américain flotte au-dessus du monolithe de granite (96 m de haut) du parc. Un ascenseur conduit les visiteurs au sommet du *chimney* ("cheminée"), mais le plus amusant reste la randonnée sur les falaises jusqu'à une cascade haute de 123 m.

Thomas Wolfe Memorial
MAISON

(www.wolfememorial.com ; 52 N Market St ; 1 $; ⊙9h-17h mar-sam, 13h-17h dim). En centre-ville, la maison d'enfance de Thomas Wolfe, auteur de *L'Ange exilé*, expose des objets personnels de cet écrivain mort à l'aube de ses 40 ans.

🛏 Où se loger

L'**Asheville Bed & Breakfast Association** (☑877-262-6867 ; www.ashevillebba.com) s'occupe des réservations dans de nombreux B&B, de la petite maison au chalet alpin.

Sweet Peas
AUBERGE DE JEUNESSE $

(☑828-285-8488 ; www.sweetpeashostel.com ; 23 Rankin Ave ; dort/"pod"/ch 28/35/60 $; P✳️@📶). L'auberge de jeunesse la plus récente d'Asheville semble tout droit sortie d'un catalogue IKEA : lits superposés en acier aux lignes impeccables, chambres individuelles et "pods" (ou "cosses", des lits de type couchette de train) en bois blond munis de rideaux et liseuses. L'espace étant décloisonné comme dans un loft, l'endroit est parfois bruyant (d'autant qu'il y a un pub au rez-de-chaussée). Mais ce que l'on perd en calme et en intimité est compensé par le style, la propreté, la convivialité et l'emplacement imbattable, en plein centre-ville.

Grove Park Inn
Resort & Spa
RESORT $$
(☎828-252-2711 ; www.groveparkinn.com ; 290 Macon Ave ; ch à partir de 135 $; P✴🛜⛲). Construit en 1913, ce gigantesque cottage en pierre de style Arts & Crafts est accroché à flanc de montagne. Il abrite 510 chambres richement meublées, 4 restaurants, de nombreuses boutiques et un spa aménagé dans une grotte souterraine, avec piscines en pierre et cascade intérieure.

Campfire Lodgings
CAMPING $$
(☎828-658-8012 ; www.campfirelodgings.com ; 116 Appalachian Village Rd ; empl tente 38 $, yourtes à partir de 115 $; P✴🛜). Offrez-vous une nuit élégante dans l'une de ces tentes meublées à plusieurs pièces, au flanc d'une colline jouissant d'une splendide vue sur la vallée. Également : bungalows et emplacements de tente.

Lion and the Rose
B&B $$$
(☎828-546-6988 ; www.lion-rose.com ; 276 Montford Ave ; ch 135-225 $; P✴🛜). Recette pour un B&B parfait : une belle demeure de style Queen Anne (fin XIXe) dans un quartier historique, un ravissant jardin anglais, un décor grandiose mais sans chichis, de sympathiques propriétaires et un fox-terrier encore plus accueillant.

Bon Paul & Sharky's
Hostel
AUBERGE DE JEUNESSE $
(☎828-350-9929 ; www.bonpaulandsharkys. com ; 816 Haywood Rd ; empl tente 15 $/ pers, dort/ch 24/65 $; P✴@🛜). Dans le quartier branché de West Asheville, ce cottage baigne dans une atmosphère sympathique de dortoir d'université, et dispose d'agréables équipements : baby-foot, vélos et possibilité de planter sa tente dans le jardin à l'arrière.

✕ Où se restaurer
Asheville est une ville de fins gourmets. Certains visiteurs ne viennent d'ailleurs que pour y manger !

❤ Admiral
AMÉRICAIN MODERNE $$$
(☎828-252-2541 ; www.theadmiralnc. com ; 400 Haywood Rd ; plat 17-26 $; ⊙17h-23h lun-sam). Cet établissement ne payant pas de mine (à dessein), installé à West Asheville, est l'un des meilleurs restaurants de nouvelle cuisine américaine de l'État (et peut-être même du pays). On y sert des plats d'une folle originalité comme les magrets de canard au *pimento cheese* (préparation à base de cheddar râpé, de mayonnaise et de piments, typique du Sud), le steak tartare à l'aïoli de Sriracha (sauce au piment) et le gâteau banane-Nutella-marshmallow accompagné de tempuras aux pommes. En téléphonant une semaine avant pour réserver, peut-être aurez-vous la chance d'avoir une table.

French Broad
Chocolate Lounge
BOULANGERIE, DESSERTS $
(www.frenchbroadchocolates.com ; 10 S Lexington ; en-cas 2-6 $; ⊙11h-23h, 11h-24h ven-sam). Mini-gâteaux au chocolat bio parfum thé épicé ou orange-fenouil, épaisses tranches de *maple cake* (gâteau au sirop d'érable) au sel fumé, pintes de bière brune locale servies "à la mode" avec de la glace à la vanille, etc.

Salsa's
CARIBÉEN $$
(www.salsas-asheville.com ; 6 Patton Ave ; plat 9-17 $; ⊙11h30-14h30 et 17h30-21h). Minuscule établissement aux couleurs vives où l'on sert une audacieuse cuisine latine *fusion* (*empanadas* à l'agneau avec fromage de chèvre et sauce à la banane, par exemple).

Rosetta's Kitchen
VÉGÉTARIEN $
(www.rosettaskitchen.com ; 116 N Lexington Ave ; plat 7-10 $; ⊙11h-23h lun-jeu, 11h-3h ven-sam, 11h-21h dim ; ✎). Véritable institution d'Asheville, on peut y commander un bol de tofu au beurre de cacahuète (délicieux malgré son allure peu ragoûtante) à 2h du matin.

Tupelo Honey
NOUVELLE CUISINE DU SUD $$
(☎828-255-4863 ; www.tupelohoneycafe. com ; 12 College St ; plat 9-22 $; ⊙9h-22h). Adresse prisée de longue date pour sa nouvelle cuisine du Sud, par exemple les côtes de porc à la sauce aux pêches. Nous apprécions particulièrement ce bistrot douillet au petit-déjeuner (mention spéciale aux *pancakes* à la patate douce).

Grove Arcade
ÉPICERIE
(Page Ave). Cet imposant bâtiment de style gothique vend des produits d'épicerie fine.

🍷 Où sortir et prendre un verre
Le centre-ville d'Asheville abrite toutes sortes de bars et de cafés, des grandes brasseries bruyantes fréquentées par

les étudiants aux petits bars à narghilé hippies. West Asheville baigne dans une atmosphère plus paisible et citadine.

♥ Southern BAR
(www.southernkitchenandbar.com ; 41 N Lexington Ave). Fantastique nouvelle adresse servant une cuisine de pub haut de gamme et typique du Sud comme les *truffled deviled eggs* (œufs mimosa aux truffes), ou le *chicken'n'waffles* (poulet et gaufres). Grand patio, et un long bar proposant élégants cocktails rétro et bières locales.

Jack of the Wood PUB
(www.jackofthewood.com ; 95 Patton Ave). Ce pub celtique est une bonne adresse pour se mêler à la jeunesse du coin (20-30 ans) en buvant une bouteille de bière bio.

Asheville Pizza &
Brewing Company BRASSERIE, CINÉMA
(www.ashevillebrewing.com ; 675 Merrimon Ave ; films 3 $; ⊘projections 13h, 16h, 19h et 22h). Un lieu unique pour aller voir un film puisque le cinéma est dans la brasserie.

Orange Peel MUSIQUE LIVE
(www.theorangepeel.net ; 101 Biltmore Ave ; billets 10-25 $). Musique *live* dans cette salle immense, qui accueille les grands noms de l'indie et du punk.

Grey Eagle MUSIQUE LIVE
(www.thegreyeagle.com ; 185 Clingman Ave ; billets 8-15 $). Au programme : bluegrass et jazz.

ⓘ Renseignements
Le tout nouveau Visitor Center (☏828-258-6129 ; www.exploreasheville.com ; 36 Montford Ave ; ⊘9h-17h) se trouve à la sortie n°4C de l'I-240.

La **public library** (67 Haywood Ave) dispose d'ordinateurs avec accès gratuit à Internet.

ⓘ Comment s'y rendre et circuler
Asheville Transit (www.ashevilletransit.com ; billets 1 $) gère 24 lignes de bus locales circulant de 6h à 23h30 du lundi au samedi. À 20 min au sud de la ville, l'**Asheville Regional Airport** (AVL ; ☏828-684-2226 ; www.flyavl.com) a quelques vols directs, notamment depuis/vers Atlanta, Charlotte et New York. La gare **Greyhound** (2 Tunnel Rd) est au nord-est du centre-ville.

GREAT SMOKY MOUNTAINS NATIONAL PARK
Plus de 10 millions de personnes visitent chaque année ce majestueux parc, l'un des endroits au monde présentant la plus grande biodiversité : forêts sombres d'épicéas, prairies ensoleillées tapissées de marguerites, et larges rivières aux eaux brunes. On peut randonner et camper à loisir, mais également faire des balades à cheval, louer des vélos et pêcher à la mouche. Côté Caroline du Nord, la circulation est moins dense que du côté Tennessee, de sorte que même en plein cœur de l'été, vous aurez suffisamment de place. Pour plus de précisions sur le secteur du parc s'étendant dans le Tennessee, voir p. 377.

La récente Gap Rd/Hwy 441, unique route traversant le Great Smoky Mountains National Park, serpente à travers les montagnes de Gatlinburg (Tennessee) jusqu'à la ville de Cherokee et au **Oconaluftee Visitor Center** (☏865-436-1200 ; Hwy 441) dans le sud-est. C'est là que vous devrez vous procurer vos permis de camper. L'Oconaluftee River Trail, l'un des deux seuls sentiers du parc où les animaux en laisse sont autorisés, part du centre des visiteurs et longe la rivière sur 2,5 km.

Parmi les curiosités situées à proximité, citons le **Mingus Mill** (entrée libre ; ⊘9h-17h 15 mars-1er déc), à 3 km à l'ouest de Cherokee. Ce moulin de 1886, alimenté en électricité par une turbine, moud encore du blé et du

RANDONNÉES DANS LES SMOKY MOUNTAINS

Voici quelques-unes de nos (petites) randonnées dans le parc, côté Caroline du Nord :

Big Creek Trail Balade facile d'à peine plus de 3 km jusqu'aux Mouse Creek Falls, mais l'on peut continuer sur encore 5 km jusqu'au camping. Le départ du sentier est proche de l'I-40, à la lisière nord-est du parc.

Boogerman Trail Boucle de 11 km de difficulté modérée passant par de vieilles fermes ; accès via Cove Creek Rd.

Chasteen Creek Falls Au départ du camping de Smokemont, ce sentier de 6,5 km aller-retour passe par une petite cascade.

Shustack Tower Au départ de l'imposant barrage de Fontana, grimpez près de 6 km pour jouir d'une vue imprenable du haut d'une ancienne tour d'incendie.

maïs comme autrefois. Sur place, le **Mountain Farm Museum**, ferme du XIXe siècle restaurée, comporte une grange, une boutique de forgeron et un fumoir à viande. Le tout est constitué par l'assemblage d'éléments d'origine provenant de bâtiments disséminés dans le parc. À quelques kilomètres de là, le **Smokemont Campground** (www.nps.gov/grsm ; empl tente et camping-car 20 $) est l'unique camping de l'État ouvert toute l'année.

À l'est, la lointaine **Cataloochee Valley** compte plusieurs édifices historiques. Elle est peuplée d'élans et d'ours noirs.

SUD-OUEST DE LA CAROLINE DU NORD

La pointe la plus occidentale de l'État est couverte de parcs nationaux et émaillée de petites bourgades de montagne. L'endroit est marqué par la riche mais dramatique histoire des Amérindiens. Nombre des Cherokees qui habitaient là ont été contraints d'abandonner leurs terres dans les années 1830 et de se rendre dans l'Oklahoma, en empruntant la Trail of Tears (sentier des Larmes). Les descendants de ceux qui ont réussi à s'échapper sont devenus l'Eastern Band of the Cherokee ("clan oriental de la nation cherokee"). Environ 12 000 d'entre eux vivent désormais sur un territoire de 226 km² appelé Qualla Boundary et situé en bordure du Great Smoky Mountains National Park.

La ville sans charme de **Cherokee**, centre de gravité du Qualla Boundary, compte des boutiques de souvenirs d'objets amérindiens sans authenticité, des *fast-foods* et le **Harrah's Cherokee Casino** (www.harrahs.com). Le **Museum of the Cherokee Indian** (www.cherokeemuseum.org ; angle Hwy 441 et Drama Rd ; adulte/enfant 10/6 $; 9h-17h), musée moderne abritant une exposition sur le sentier des Larmes et des dioramas d'un réalisme poignant, est le plus intéressant à voir.

Au sud de Cherokee, la **Pisgah National Forest** et la **Nantahala National Forest**, deux forêts contiguës, abritent plus de 40 000 km² de feuillus, de montagnes battues par les vents, et des rapides. L'Appalachian Trail passe dans chacune de ces forêts. Dans celle de Pisgah, il ne faut pas manquer les sources chaudes du village de **Hot Springs** (www.hotspringsnc.org), le toboggan aquatique naturel de **Sliding Rock**, et l'**Art Loeb Trail**, sentier de 48 km qui contourne la fameuse Cold Mountain du livre et du film *Retour à Cold Mountain*. Nantahala compte nombre de lacs servant de bases de loisirs et quantité de chutes d'eau, dont plusieurs sont aisément accessibles via la **Mountain Waters Scenic Byway**.

Un hébergement haut de gamme vous attend à **Brevard**, ravissante bourgade de montagne fourmillant de B&B, à la lisière est de Pisgah. Sinon, allez au nord de Nantahala jusqu'à la pittoresque **Bryson City**, camp de base idéal pour des activités de plein air. Vous y trouverez le **Nantahala Outdoor Center** (828-488-2176, 828-586-8811 ; www.noc.com ; 13077 Hwy 19/74 ; rafting avec guide 37-177 $), centre immense et vivement recommandé, qui a pour spécialité les excursions sur l'eau et le rafting sur les Nantahala, French Broad, Pigeon et Ocoee Rivers. Le centre loue aussi vélos, kayaks, etc., et possède même un lodge et un restaurant. Au départ de la gare de Bryson City, le **Great Smoky Mountain Railroad** (800-872-4681 ; www.gsmr.com ; excursion à la Nantahala Gorge adulte/enfant 53/31 $) permet d'effectuer de belles excursions en train dans les gorges.

CAROLINE DU SUD

Il suffit de franchir la frontière de la Caroline du Sud (South Carolina) pour faire un bond dans le passé. Pour le voyageur qui descend le long du littoral est, la Caroline du Sud marque l'entrée dans le Deep South (Sud profond), où l'air est plus chaud, les accents plus prononcés et les traditions respectées avec ferveur.

Commençant avec les sables argentés de la côte atlantique, l'État part de la plaine côtière et grimpe vers l'ouest à travers le Piedmont pour s'enfoncer dans les Blue Ridge Mountains. La plupart des voyageurs se cantonnent à la côte, dotée de splendides villes antérieures à la guerre de Sécession et de plages frangées de palmiers. Cependant, l'intérieur recèle une profusion de vieilles bourgades endormies, de parcs d'État à la nature sauvage, de marais et de bras de rivière qui n'attendent que d'être explorés en canoë. Dans la région des îles côtières sont implantés les Gullah, descendants d'anciens esclaves dont la culture et la langue sont restées fortement attachées, malgré le passage du temps, aux traditions d'Afrique de l'Ouest.

Que vous ayez envie d'un week-end romantique dans le raffinement de Charleston où flotte le parfum des gardénias, ou d'une semaine de fête débridée dans la clinquante station balnéaire de Myrtle Beach, la Caroline du Sud a tout pour vous combler.

LA CAROLINE DU SUD EN BREF

» **Surnom :** Palmetto State
(État du Palmier)

» **Population :** 4,5 millions
d'habitants

» **Superficie :** 77 982 km²

» **Capitale :** Columbia
(130 000 habitants)

» **Autres villes :** Charleston
(120 000 habitants)

» **TVA :** 5%, plus une taxe hôtelière
montant jusqu'à 10%

» **État de naissance de :** Dizzy
Gillespie (jazzman, 1917-1993),
Jesse Jackson (activiste politique,
né en 1941), Joe Frazier (boxeur, né
en 1944)

» **Berceau :** de la première
bibliothèque publique américaine
(1698), du premier musée public
(1773) et du chemin de fer (1833)

» **Politique :** l'un des 10 États les
plus conservateurs du pays

» **Célèbre pour :** la première bataille
de la guerre de Sécession, à Fort
Sumter (Charleston), en 1861

» **Fête la plus odorante :**
Chitlin'Strut Festival, à Salley, la
fête de l'andouillette ("chitterlings"
ou "chitlins"), une spécialité du Sud

» **Distances par la route :**
Columbia-Charleston : 185 km,
Charleston-Myrtle Beach : 156 km

Histoire

Plus de 28 tribus amérindiennes différentes ont vécu dans ce qui est aujourd'hui la Caroline du Sud, dont beaucoup de Cherokees contraints à l'abandon de leurs terres.

Les Anglais ont fondé la Caroline en 1670. Les colons arrivant de la Barbade, autre colonie britannique, la cité portuaire de Charles Towne s'est imprégnée d'une certaine ambiance caribéenne. On amena ensuite des esclaves d'Afrique de l'Ouest afin de transformer les marais côtiers en rizières. Dès le milieu des années 1700, la région était profondément divisée entre les aristocrates du Lowcountry, propriétaires d'esclaves, et les fermiers pauvres irlando-écossais et allemands de l'arrière-pays rural.

La Caroline du Sud fut le premier État à faire sécession en 1861, et la première bataille de la guerre de Sécession eut lieu à Fort Sumter, dans le port de Charleston. À la fin de la guerre, l'État tout entier était en ruines.

La Caroline du Sud a vendu du coton et des textiles pendant la majeure partie du XXᵉ siècle. Elle demeure un État agraire relativement pauvre, malgré un tourisme côtier florissant.

ℹ Renseignements

South Carolina Department of Parks, Recreation & Tourism (☎803-734-1700 www.discoversouthcarolina.com ; 1205 Pendleton St, Room 505, Columbia). Délivre le guide de tourisme officiel intitulé *South Carolina Smiles*.

South Carolina State Parks (☎888-887-2757 ; www.southcarolinaparks.com). Site répertoriant activités, sentiers de randonnée, et permettant la réservation en ligne d'emplacements de camping.

Charleston

Soyez prêt à vous laisser envoûter par le charme du Sud. Charleston est une ville où il fait bon flâner, admirer l'architecture, s'arrêter le temps de humer le parfum du jasmin en fleurs, et s'attarder de longues heures au dîner, sur une véranda. L'endroit est si romantique que l'on croise à chaque coin de rue une jeune mariée rougissante sur les marches d'une ravissante église.

Désignée "ville la plus hospitalière d'Amérique" pendant onze années d'affilée, Charleston est l'une des destinations touristiques les plus prisées du Sud-Est. En haute saison, le parfum des gardénias et du chèvrefeuille se mêle à l'odeur âcre des chevaux qui promènent les touristes en calèche dans les rues pavées. En hiver, la douceur du climat et la foule moins dense font de Charleston une destination idéale pour un séjour hors saison.

Histoire

Longtemps avant la guerre d'Indépendance, Charles Towne (nom donné en hommage à Charles II d'Angleterre) était l'un des ports les plus animés de la côte Est, une colonie marchande prospère dont l'activité tournait également autour de la riziculture. Sous l'influence des Antilles, de l'Afrique, de la France et d'autres pays européens, elle devint une cité cosmopolite, souvent comparée à La Nouvelle-Orléans.

Les premiers coups de feu de la guerre de Sécession retentirent à Fort Sumter, dans

LES PETITS PLAISIRS DE CHARLESTON

» Une dégustation de crevettes dans un vieil entrepôt à leurres au **Wreck of the Richard & Charlene** (p. 350)

» Les pittoresques maisons peintes de **Rainbow Row** (ci-dessous)

» Une balade dans les anciens cimetières fleuris de la **Gateway Walk** (ci-dessous)

» Un aperçu de la vie des aristocrates du Sud au XIXe siècle à **Middleton Place** (p. 352)

» Le soleil couchant embrasant le fleuve au **Rooftop at Vendue Inn** (p. 351)

le port de Charleston. Après la guerre, la culture intensive du riz n'étant plus rentable sans le travail des esclaves, la ville perdit de son importance. Toutefois, c'est aujourd'hui une ville animée et très bien conservée, pour la plus grande joie des quatre millions de touristes qui la visitent chaque année.

À voir et à faire

HISTORIC DISTRICT

Le quartier au sud de Beaufain St et Hasell St recèle l'essentiel des demeures d'avant la guerre de Sécession, des commerces, des bars et des cafés. À la pointe la plus méridionale de la péninsule se dressent les demeures *antebellum* de la Battery.

Gateway Walk ÉGLISES

Depuis longtemps ville de la diversité culturelle, Charleston a servi de refuge aux protestants français persécutés, aux baptistes et aux juifs, et gagné le surnom de "Ville sainte" ("Holy City") en raison de l'abondance de ses lieux de culte. La Gateway Walk, allée dallée peu connue s'étendant entre Archdale St et Philadelphia Alley, relie quatre des plus belles églises anciennes de la ville : la **St John's Lutheran Church** aux colonnes blanches ; l'**Unitarian Church** de style néogothique ; la splendide **Circular Congregational Church** de style roman, fondée en 1681 ; et la **St Philip's Church**, dotée d'un clocher pittoresque et d'un cimetière du XVIIe siècle, dont certains secteurs étaient jadis réservés aux "étrangers et gens de passage blancs".

Gibbes Museum of Art MUSÉE

(www.gibbesmuseum.org ; 135 Meeting St ; adulte/enfant 9/7 $; ☺10h-17h mar-sam, 13h-17h dim). Ce musée abrite une collection d'œuvres américaines et du Sud. Le plus intéressant consiste à participer à la **visite guidée** (www.oldcharlestontours.com ; visite 20 $) de 2 heures qui intègre d'autres sites d'intérêt artistique à travers la ville.

Old Slave Mart Museum MUSÉE

(www.nps.gov/nr/travel/charleston/osm.htm ; 6 Chalmers St ; adulte/enfant 7/5 $; ☺9h-17h lun-sam). Il s'agit de l'ancien marché aux esclaves de la ville. C'est aujourd'hui un musée retraçant l'histoire de l'esclavage en Caroline du Sud. Les collections, abondamment légendées, expliquent l'esclavage en détail, et quelques objets, dont des fers, donnent particulièrement le frisson.

Old Exchange & Provost Dungeon ÉDIFICE HISTORIQUE

(www.oldexchange.com ; 122 E Bay St ; adulte/enfant 8/4 $; ☺9h-17h ; ♿). Les enfants adorent ce donjon, à l'origine un poste de douane construit en 1771, qui servit par la suite à emprisonner les pirates. Guides costumés.

Kahal Kadosh Beth Elohim SYNAGOGUE

(www.kkbe.org ; 90 Hasell St ; visites 10h-12h et 13h30-15h30 lun-jeu, 10h-12h ven). La plus ancienne synagogue ouverte en continu du pays. Visite gratuite sur rendez-vous.

City Market MARCHÉ

(Market St). Le marché historique, haut lieu touristique du quartier, est empli d'étals de souvenirs.

White Point Park JARDIN

Prenez place sur une chaise dans ce parc ombragé et laissez-vous aller à la rêverie...

Rainbow Row QUARTIER

À deux pas du White Point Park, le tronçon de la partie inférieure d'E Bay St appelé Rainbow Row est l'un des endroits les plus photographiés de la ville, car il est bordé de maisons aux couleurs pastel.

DEMEURES HISTORIQUES

Environ une demi-douzaine de majestueuses demeures historiques sont ouvertes au public. Les billets combinés donnant droit à une réduction, vous serez peut-être tenté d'en voir davantage, mais la plupart des gens se contentent d'une ou deux. Ces maisons sont en principe ouvertes de 10h à 17h du lundi au samedi, de 13h à 17h le dimanche, et les visites guidées ont lieu toutes les 30 minutes. L'entrée coûte 10 $.

Heyward-Washington House
ÉDIFICE HISTORIQUE

(www.charlestonmuseum.org ; 87 Church St).
Construite en 1772, cette maison appartenait à Thomas Heyward Jr, signataire de la Déclaration d'indépendance. Elle renferme de beaux meubles en acajou fabriqués à Charleston et l'unique cuisine d'époque que la ville ait conservée.

Nathaniel Russell House
ÉDIFICE HISTORIQUE

(www.historiccharleston.org ; 51 Meeting St).
Construite par un homme originaire du Rhode Island connu à Charleston comme "le roi des Yankees", cette maison de style fédéral (1808) se distingue par son spectaculaire escalier hélicoïdal autoporteur et son luxuriant jardin à l'anglaise.

Joseph Manigault House
ÉDIFICE HISTORIQUE

(www.charlestonmuseum.org ; 350 Meeting St).
Cette maison était jadis le joyau d'un huguenot français et planteur de riz. Ne manquez pas le minuscule temple néoclassique du jardin.

Aiken-Rhett House
ÉDIFICE HISTORIQUE

(www.historiccharleston.org ; 48 Elizabeth St).
L'unique plantation "urbaine" existant encore offre un fascinant aperçu de la vie avant la guerre de Sécession, y compris du rôle des esclaves.

MARION SQUARE
Ce parc de 4 ha, où se trouvait anciennement l'arsenal de l'État, recèle divers monuments et accueille le samedi un excellent marché de petits producteurs.

Charleston Museum
MUSÉE

(www.charlestonmuseum.org ; 360 Meeting St ; adulte/enfant 10/5 $; ☺9h-17h lun-sam, 13h-17h dim). Créé en 1773, ce musée se targue d'être le plus ancien du pays. Il renferme des expositions consacrées à diverses époques de l'histoire de Charleston, des squelettes de baleine préhistoriques aux médaillons d'esclaves et aux armes de la guerre de Sécession.

Children's Museum of the Lowcountry
MUSÉE POUR ENFANTS

(www.explorecml.org ; 25 Ann St ; 7 $; ☺10h-17h mar-sam, 13h-17h dim ; ⊕). Ce musée abrite huit expositions interactives, notamment la reproduction d'un bateau de pêche à la crevette de 9 m où les enfants peuvent jouer aux capitaines.

AQUARIUM WHARF
Aquarium Wharf, qui entoure la ravissante Liberty Square, est l'endroit idéal pour flâner et regarder les remorqueurs guider les navires dans le septième plus grand port à conteneurs des États-Unis. Du quai ("wharf") partent les circuits à destination de Fort Sumter.

Fort Sumter
SITE HISTORIQUE

Les premiers coups de feu de la guerre de Sécession ont retenti à Fort Sumter, sur une île du port en forme de pentagone. Bastion des confédérés, le fort fut assiégé par les troupes nordistes de 1863 à 1865. Quelques armes et fortifications d'origine rappellent ce moment capital de l'histoire. Un circuit en bateau est l'unique moyen de s'y rendre (☎843-883-3123 ; www.nps.gov/fosu ; adulte/enfant 17/10 $; ☺visites 9h30, 12h et 14h30 été, moins fréquentes en hiver) ; départ également de Patriot's Point à Mt Pleasant, de l'autre côté du fleuve.

South Carolina Aquarium
AQUARIUM

(www.scaquarium.org ; 100 Aquarium Wharf ; adulte/enfant 20/13 $; ☺9h-17h ; ⊕). Ce superbe et massif aquarium donne à voir la diversité de la vie aquatique de l'État, des loutres des Blue Ridge Mountains aux tortues caouannes de l'Atlantique. Le Great Ocean Tank (13 m), clou du spectacle, est un immense réservoir peuplé de requins et de poissons-ballons.

FESTIVALS DE CHARLESTON

Lowcountry Oyster Festival En janvier, les amateurs d'huîtres de Mt Pleasant se régalent de 29 tonnes de ces coquillages.

Charleston Food & Wine Festival Festival assez récent organisé en mars, rassemblant des chefs célèbres et des gourmets fortunés.

Spoleto USA Se déroulant pendant 17 jours en mai, ce festival des arts de la scène est le plus grand événement de Charleston. Au programme : opéras, art dramatique et comédies musicales dans toute la ville. Les stands d'artisans et de nourriture fleurissent dans les rues.

Charleston Harbor Fest En juin, de grands voiliers anciens prennent possession du port ; possibilités de croisières et cours de voile.

MOJA Arts Festival Célébration de la culture afro-américaine deux semaines durant en septembre, avec slam et concerts de gospel.

Arthur Ravenel Jr Bridge PONT
Enjambant le fleuve Cooper tel un immense
instrument à cordes, l'Arthur Ravenel Jr
Bridge, long de 5 km, est une prouesse de
l'ingénierie contemporaine. Le week-end, les
habitants de Charleston aiment faire du vélo
ou du jogging sur l'allée protégée interdite
aux voitures. Vous pourrez louer un vélo à
la **Charleston Bicycle Company** (☏843-
407-0482 ; www.charlestonbicyclecompany.com ;
334 M E Bay St ; vélos 27 $/jour).

👉 Circuits organisés

Les circuits organisés sont pléthoriques
à Charleston. Procurez-vous leur liste
complète au centre des visiteurs.

**Culinary Tours
of Charleston** CIRCUIT GASTRONOMIQUE
(☏800-918-0701 ; www.
culinarytoursofcharleston.com ; circuit
2 heures 30 42 $). Faites le tour à pied des
restaurants et marchés de Charleston
et goûtez au gruau, aux pralines, aux
grillades au barbecue, etc.

Adventure Harbor Tours CROISIÈRES
(☏843-442-9455 ; www.adventureharbortours.
com ; croisière à Morris Island adulte/enfant
55/25 $, croisière "hors des sentiers battus"
adulte/enfant 75/40 $). Amusantes croisières
jusqu'à Morris Island, île inhabitée
idéale pour ramasser des coquillages, et
un circuit historique insolite "hors des
sentiers battus" dans le port.

Charleston Footprints CIRCUIT À PIED
(☏843-478-4718 ; www.charlestonfootprints.
com ; circuit 2 heures 20 $). Visite guidée très
réputée des sites historiques de Charleston.

**Olde Towne
Carriage Company** CIRCUIT EN CALÈCHE
(☏843-722-1315 ; www.oldetownecarriage.
com ; 20 Anson St ; circuit 45 min adulte/
enfant 20/12 $). Les guides de ces circuits
en calèche très populaires font des
commentaires hauts en couleur pendant
la balade.

🛏 Où se loger

Loger dans le centre historique est évidemment très tentant, mais c'est la solution la
plus onéreuse, surtout le week-end et en
haute saison. Les tarifs indiqués ci-après
s'entendent en haute saison (printemps et
début de l'été). Les hôtels de chaînes au bord
des autoroutes pratiquent des tarifs nota-
blement inférieurs. Les parkings d'hôtel en
centre-ville coûtent généralement 15-20 $
la nuit ; les hébergements situés en lisière

du centre-ville offrent souvent le parking
gratuit.

La ville abonde en charmants B&B proposant des petits-déjeuners et une hospitalité
typiques du Sud. Ils affichent rapidement
complet, aussi tâchez de passer par une
agence comme **Historic Charleston B&B**
(☏843-722-6606 ; www.historiccharlestonbe-
dandbreakfast.com ; 57 Broad St).

❤ **Ansonborough Inn** HÔTEL $$$
(☏800-522-2073 ; www.ansonboroughinn.
com ; 1 Maiden Ln ; ch 149-290 $; ❄🐾). Atrium
central orné de boiseries de pin bruni, de
poutres apparentes et de peintures à l'huile
sur le thème nautique : cet hôtel du Historic
District donne l'impression d'être dans un
voilier ancien. Les petites touches néovicto-
riennes comme l'ascenseur vitré avec tapis
persan et le pub britannique de la taille d'un
placard, lui donnent un petit côté amusant.
Les chambres, immenses, marient l'ancien
et le moderne : vieux canapés en cuir et TV
à écran plat.

Battery Carriage House Inn B&B $$$
(☏843-727-3100 ; www.batterycarriagehouse.
com ; 20 S Battery ; ch à partir de 219 $; P❄🐾).
Il faut franchir une grille en fer forgé pour
pénétrer dans ce petit trésor caché de
11 chambres de style victorien, où le jardin
intérieur empli de roses et de buissons
taillés aux formes originales invite à s'asseoir devant une tasse de thé.

Restoration on King HÔTEL $$$
(☏843-518-5100 ; www.restorationonking ;
75 Wentworth St ; ch 299-499 $; ❄🐾). L'éta-
blissement le plus récent de Charleston se
démarque des nombreux hôtels à la décora-
tion traditionnelle de la ville. Les 16 luxueuses
suites ultramodernes tiennent davantage de
l'appartement privé, avec brique apparente,
inox et salle de bains évoquant un spa. Quitte
à dépenser sans compter, optez pour une
chambre avec balcon.

Vendue Inn AUBERGE $$$
(☏843-577-7970 ; www.vendueinn.com ;
19 Vendue Range ; ch petit-déj inclus 145-255 $;
❄🐾). Ce minuscule *boutique hotel*, dans
la partie du centre-ville surnommée le
quartier français, est décoré d'un mélange
tendance de brique apparente et de vieux
objets excentriques. Les chambres sont
bien équipées, avec profondes baignoires
et cheminées au gaz. Mieux encore : le bar
Rooftop, situé sur le toit.

NotSo Hostel AUBERGE DE JEUNESSE $
(☏843-722-8383 ; www.notsohostel.com ;
156 Spring St ; dort/ch 23/60 $; P❄@🐾). À

la lisière nord du centre-ville, trois vieilles maisons ont été aménagées avec des dortoirs et des chambres individuelles, et l'on a installé des hamacs sur les vérandas. Pendant le petit-déjeuner, que le sympathique personnel prend avec les clients, profitez-en pour demander astuces et conseils. Les grands lits doubles et l'ambiance plus calme de la nouvelle annexe située à proximité plairont aux couples.

Mills House Hotel
HÔTEL **$$**

(☎843-577-2400 ; www.millshouse.com ; 115 Meeting St ; ch à partir de 189 $; ✴🛜⛱). Cette vénérable grande dame de 150 ans vient de subir de coûteux travaux de rénovation. C'est aujourd'hui l'une des adresses les plus somptueuses du quartier. Les ascenseurs dorés mènent de l'immense réception en marbre jusqu'à 214 chambres luxueusement aménagées. L'Empire britannique n'est pas mort si l'on en juge par le restaurant Barbados Room, à la belle salle lambrissée.

1837 Bed & Breakfast
B&B **$$**

(☎843-723-7166, 877-723-1837 ; www.1837bb.com ; 126 Wentworth St ; ch petit-déj inclus 109-195 $; 🅿✴🛜). On se croirait ici chez une vieille tante excentrique qui adore les objets anciens. Neuf chambres à la décoration surchargée mais charmante, dont trois aménagées dans l'ancienne remise à calèches.

Palmer Pinckney Inn
AUBERGE **$$$**

(☎843-722-1733 ; www.pinckneyinn.com ; 19 Pinckney St ; ch 150-300 $; 🅿✴🛜). Cette "single house" (littéralement : "maison individuelle", style de bâtiment étroit caractéristique de Charleston) couleur rose bonbon abrite 5 minuscules chambres. Elle est nichée dans une ruelle de l'Historic District.

James Island County Park
CAMPING **$**

(☎843-795-7275 ; www.ccprc.com ; 871 Riverland Dr ; empl tente à partir de 25 $, cottages 8 pers 159 $). Au sud-ouest de la ville, ce camping propose une navette gratuite vers le centre-ville. Réservation recommandée.

Anchorage Inn
AUBERGE **$$**

(☎843-723-8300 ; www.anchoragecharleston.com ; 26 Vendue Range ; ch à partir de 99 $; ✴🛜). L'une des auberges de l'Historic District offrant le meilleur rapport qualité/prix. Les chambres, sombres et exiguës, évoquent des cabines de bateau mais sont tout à fait luxueuses.

✖ Où se restaurer

Charleston est l'une des villes des États-Unis où l'on mange le mieux, et les excellentes tables sont légion. Les établissements "classiques" de Charleston se cantonnent aux poissons et fruits de mer, tandis que nombre de nouvelles adresses tendance réinventent la cuisine du Sud en privilégiant les nombreux produits locaux - notamment les huîtres, le riz et la viande de porc). Le samedi, ne manquez pas l'excellent **farmers market** (marché fermier ; Marion Sq ; ⊙8h-13h sam avr-oct).

♥ Husk
NOUVELLE CUISINE DU SUD **$$$**

(☎843-577-2500 ; www.huskrestaurant.com ; 76 Queen St ; plat 22-26 $; ⊙11h30-14h30 lun-sam, 17h30-22h tlj, brunch 10h-14h30 dim). Idée originale du chef Sean Brock, coqueluche du monde des gourmets, ce restaurant fit grand bruit lors de son inauguration fin 2010, et pour d'excellentes raisons. Absolument *tout* ce qui figure sur le menu est concocté avec des ingrédients produits dans le Sud, comme la soupe de maïs de Géorgie à la confiture de piments *jalapeño*, les huîtres

---

CUISINE DU LOWCOUNTRY

Cuisine traditionnelle des côtes de la Caroline du Sud et de la Géorgie, la cuisine du Lowcountry se compose pour l'essentiel de plats du Sud à base de poisson et fruits de mer très influencés par les saveurs d'Afrique de l'Ouest. En voici une petite sélection :

» *She-crab soup* : soupe au crabe à base de crème relevée au sherry

» *Lowcountry boil/Frogmore stew* : crabes, crevettes, huîtres et autres fruits de mer locaux cuits dans une casserole avec du maïs et des pommes de terre ; se consomme généralement en pique-nique

» *Country Captain* : ragoût de poulet au curry ; recette ramenée par les capitaines de vaisseaux britanniques via l'Inde

» *Perlau* : plat de riz et de viande, cousin du riz pilaf

» *Shrimp and grits* : petit-déjeuner de pêcheur typique de Charleston, à base de crevettes et de gruau de maïs, que l'on consomme désormais partout

» *Hoppin'John* : plat de riz et de haricots, parfois épicé

» *Benne wafers* : cookies aux graines de sésame

du fleuve Cooper parfumées au *yuzu*, ou le lard local entrant dans la composition du "pork butter" servi avec les délicieux rouleaux de printemps au sésame. Le cadre est élégant et sans prétention, et le bar adjacent de style *speakeasy* (voir *Où prendre un verre*) est tout bonnement fantastique.

Wreck of the Richard & Charlene

PRODUITS DE LA MER **$$$**

(www.wreckrc.com ; 106 Haddrell St ; plat 12-25 $; ◷17h30-20h30 dim-jeu, 17h30-21h30 ven-sam). L'endroit est pratiquement introuvable mais persévérez ! Cet entrepôt non indiqué, au bout d'une piste en terre surplombant Shem Creek dans la banlieue de Mt Pleasant, sert ce que beaucoup considèrent comme les meilleurs poissons et fruits de mer frits de l'État. Terminez le repas par un délicieux *key lime bread pudding* (gâteau au citron vert). Les cartes de crédit ne sont pas acceptées.

O-Ku

JAPONAIS **$$$**

(☑843-737-0112 ; www.o-kusushi.com ; 463 King St ; plat 16-29 $; ◷11h30-14h lun-ven, 17h-22h30 dim-jeu, 17h-24h ven-sam). La clientèle branchée se régale d'audacieux sushis (goûtez à ceux concoctés avec des pommes de terre frites), de cuisine de rue japonaise et de somptueux plats de poisson et fruits de mer dans ce nouveau restaurant, vaste espace haut de plafond à la décoration glamour (peinture noire et miroirs). Le *bento* (10 $) du déjeuner est une véritable affaire.

FIG

NOUVELLE CUISINE DU SUD **$$$**

(☑843-805-5900 ; www.eatafig.com ; 232 Meeting St ; plat 28-32 $; ◷17h30-22h30 lun-jeu, 17h30-23h

ven-dim). Les gourmets se pâment devant les plats d'inspiration nouvelle cuisine du Sud tels que les "pig's trotters" (pieds de porc croustillants, issus d'une agriculture locale et sans hormones, il va de soi) au céleri rémoulade, dans cette salle au chic rustique.

Glass Onion

NOUVELLE CUISINE DU SUD **$$**

(☑843-225-1717 ; www.ilovetheglasonion.com ; 1219 Savannah Hwy ; plat 12-19 $; ◷11h-21h lun-sam). Les gourmets avertis se pressent de l'autre côté du pont à West Ashley pour les dîners du mardi soir à base de poulet frit que sert ce *diner* insolite rempli d'œuvres d'art ; l'adresse la plus récente de Charleston où se régaler de recettes du Sud traditionnelles revisitées de façon originale. Idéal pour déjeuner avant de visiter les plantations d'Ashley River.

S.N.O.B.

NOUVELLE CUISINE DU SUD **$$$**

(☑843-723-3424 ; www.mavericksouthernkitchens.com ; 192 E Bay St ; plat 18-34 $; ◷11h30-15h lun-ven, 17h30-tard tlj). Cette adresse haut de gamme mais décontractée à l'enseigne provocatrice (en réalité l'acronyme de "slightly north of Broad" ou "légèrement au nord de Broad" comme dans Broad St) s'attire des commentaires dithyrambiques grâce à son menu éclectique, où abondent le saumon fumé maison ou le magret de pigeonneau sauté sur son lit de gruau au fromage.

Gullah Cuisine

CUISINE DU SUD **$**

(1717 Hwy 17 N, Mt Pleasant ; plat 7-11 $; ◷9h-15h et 17h-21h30). L'endroit ne paie pas de mine,

---

LES MEILLEURES BOULANGERIES DE CHARLESTON

Très européenne, Charleston compte quelques très bonnes boulangeries.

Wildflour Pastry

BOULANGERIE **$**

(73 Spring St ; pâtisseries 1-3 $; ◷6h30-16h mar-ven, 8h-15h sam, 8h-13h dim). Située dans Spring St, cette boulangerie confectionne de délicieux chaussons Nutella-framboise, des scones à la confiture et des *coffee cake muffins* (muffins à la cannelle).

Sugar Bakeshop

BOULANGERIE **$**

(59 Cannon St ; pâtisseries 1-3 $; ◷11h-18h lun-ven, 12h-17h sam). Venez dans cette minuscule boulangerie le jeudi pour le *cupcake* Lady Baltimore, spécialité rétro du Sud aux fruits secs garnie d'un glaçage blanc.

Baked

BOULANGERIE **$**

(160 E Bay St ; pâtisseries 1-5 $; ◷7h30-19h ; ☎). Gâteau au caramel salé, *red velvet whoopie pies* (cookies au chocolat garnis de *cream cheese*) et marshmallows maison pour cette excellente adresse de l'Historic District (nombreuses tables et Wi-Fi gratuit).

Macaroon Boutique

BOULANGERIE **$**

(45 John St ; sachet de macarons 7 $; ◷8h30-18h mar-sam, 8h30-16h dim). À voir les croissants dorés à souhait et les sachets de macarons, on pourrait se croire en France. Pas de places assises.

pourtant ce café de banlieue est la meilleure adresse de Caroline du Sud où savourer la cuisine des Gullah, aux influences ouest-africaines. Allez-y pour le buffet du déjeuner, qui regorge de riz rouge, d'*okra* (gombo), de ragoût de queue de bœuf et de poisson frit, et vous pourrez vous passer de dîner.

Hominy Grill NOUVELLE CUISINE DU SUD **$$**
(www.hominygrill.com ; 207 Rutledge Ave ; plat 7-18 $; ☉7h30-21h lun-ven, 9h-15h sam-dim). Légèrement hors des sentiers battus, ce café de quartier sert une cuisine du Lowcountry moderne comportant des plats végétariens. Le patio ombragé est idéal pour déjeuner.

Gaulart & Maliclet FRANÇAIS **$$**
(www.fastandfrench.org ; 98 Broad St ; plat 8-15 $; ☉8h-16h lun, 8h-22h mar-jeu, 8h-22h30 ven-dim). La clientèle locale se presse aux tables communes de ce minuscule restaurant surnommé "Fast & French", pour se régaler de fromages et de saucisses français, ou de formules du soir (15 $) avec pain, soupe, plat principal et vin.

Où prendre un verre

Les douces soirées de Charleston sont idéales pour siroter un cocktail ou écouter du blues. Consultez l'hebdomadaire *Charleston City Paper* et la rubrique "Preview" du *Post & Courier* qui sort le vendredi.

♥ Husk Bar BAR
(462 King St). Adjacent à l'excellent nouveau restaurant Husk (voir *Où se restaurer*), ce bar intimiste en brique et bois patiné a tout d'un *speakeasy* (bar clandestin du temps de la Prohibition) et sert des cocktails "historiques" comme le Monkey Gland (gin, jus d'orange, sirop de framboise).

Rooftop at Vendue Inn BAR
(23 Vendue Range). Ce bar à deux niveaux installé sur un toit offre la plus belle vue sur le centre-ville, et une foule compacte vient en profiter. Grignotez des *nachos* l'après-midi ou écoutez des concerts de blues tard le soir.

Belmont BAR
(511 King St). La jeunesse branchée vient siroter du bourbon haut de gamme dans ce nouveau lounge, situé dans une étroite boutique à devanture de King St de style années 1930.

Blind Tiger PUB
(36-38 Broad St). Adresse douillette et pleine de cachet, avec plafonds en étain martelé, vieux bar ayant bien vécu et bonne nourriture de pub.

Closed for Business PUB
(535 King St). Le meilleur choix de bières de Charleston et une ambiance bruyante de pub de quartier.

Achats

Le quartier historique regorge de boutiques de souvenirs aux tarifs prohibitifs et de marchés aux puces. Mieux vaut opter pour King St : vous trouverez antiquités et objets anciens dans la partie basse de la rue, quantité de boutiques très cool en son centre, et des boutiques tendance et de souvenirs dans la partie haute. Le tronçon principal de Broad St est surnommé "Gallery Row" en raison de ses nombreuses galeries d'art.

Shops of Historic Charleston Foundation CADEAUX
(108 Meeting St). Bijoux, articles pour la maison et mobilier, tous inspirés des demeures historiques de la ville, par exemple des boucles d'oreille rappelant les grilles en fer forgé de l'Aiken-Rhett House. Offrez-vous une bougie "Charleston", parfumée à la jacinthe, au jasmin blanc et à la tubéreuse.

Carolina Antique Maps & Prints CARTES ET PLANS, ART
(91 Church St). Petite boutique pleine à craquer dans une rue résidentielle ; on y trouve notamment des plans de Charleston d'époque.

Charleston Crafts Cooperative ARTISANAT
(161 Church St). Choix d'artisanat contemporain de Caroline du Sud, par exemple des paniers tressés, ou des soieries teintes à la main. Plutôt cher.

Blue Bicycle Books LIVRES
(420 King St). Excellente librairie offrant un superbe choix de livres sur l'histoire et la culture du Sud.

Renseignements

La ville de Charleston offre l'accès Internet gratuit (Wi-Fi) dans tout le centre-ville.

Charleston City Paper (www.charlestoncitypaper.com). Publié chaque mercredi, cet hebdomadaire alternatif comporte une liste intéressante de lieux de sortie et de restaurants.

Main police station (☎843-577-7434 ; 180 Lockwood Blvd). Poste de police principal.

Post & Courier (www.charleston.net). Le quotidien de Charleston.

Post office (83 Broad St)

Public library (68 Calhoun St). La bibliothèque publique offre un accès Internet gratuit.

University Hospital (MUSC ; ☎843-792-2300 ; 171 Ashley Ave ; ⊘24h/24). Urgences.

Visitor Center (☎843-853-8000 ; www. charlestoncvb.com ; 375 Meeting St ; ⊘8h30-17h). Dans un spacieux entrepôt rénové ; aide concernant l'hébergement et les circuits organisés, et possibilité de regarder une projection de 30 min sur l'histoire de Charleston.

ℹ Comment s'y rendre et circuler

Le **Charleston International Airport** (CHS ; ☎843-767-7009 ; www.chs-airport.com ; 5500 International Blvd) est à 20 km de la ville à North Charleston ; 124 vols quotidiens desservent 17 destinations.

La **gare routière Greyhound** (3610 Dorchester Rd) et la **gare ferroviaire Amtrak** (4565 Gaynor Ave) sont à North Charleston.

CARTA (www.ridecarta.com ; 1,75 $) gère le réseau de bus municipaux ; les tramways DASH, gratuits, parcourent 4 itinéraires en forme de boucle au départ du centre des visiteurs.

Environs de Charleston
MOUNT PLEASANT

De l'autre côté de la Cooper River se trouve la commune résidentielle et de villégiature de Mt Pleasant. C'était à l'origine une des retraites estivales des premiers habitants de Charleston, avec les stations balnéaires insulaires de **Isle of Palms** et **Sullivan's Island**. Bien que le secteur soit de plus en plus saturé de circulation et de centres commerciaux, il conserve un certain charme, en particulier le centre historique appelé **Old Village**. De bons restaurants de poisson et fruits de mer surplombent l'eau à **Shem Creek**, où il est agréable de dîner au bord de l'eau au soleil couchant tout en regardant les pêcheurs décharger leurs prises. L'endroit est parfait pour louer des kayaks afin de se promener sur l'estuaire.

Le **Patriot's Point Naval & Maritime Museum** (www.patriotspoint.org ; 40 Patriots Point Rd ; adulte/enfant 18/11 $; ⊘9h-18h30) abrite l'USS *Yorktown*, gigantesque porte-avions ayant servi pendant la Seconde Guerre mondiale. On peut visiter le poste de pilotage, le pont, les *ready rooms* (salles où se tiennent les pilotes de réserve), et se faire une idée de la vie des marins. Sur place se trouvent également un petit musée, un sous-marin, un destroyer, un bateau de gardes-côtes et la reproduction d'un campement militaire du Vietnam. On peut

également embarquer ici pour la visite de Fort Sumter.

À 11 km de Charleston sur la Hwy 17 N, la **Boone Hall Plantation** (www.boonehall-plantation.com ; 1235 Long Point Rd ; adulte/ enfant 19,50/9,50 $; ⊘9h-17h lun-sam, 12h-17h dim) serait soi-disant la plantation la plus photographiée d'Amérique. Elle est réputée pour sa splendide Avenue of Oaks ("avenue des Chênes") plantée par Thomas Boone en 1743. Boone Hall est encore en activité, mais les fraises, les tomates et les sapins ont remplacé le coton depuis longtemps.

Près de Boone Hall, le **Charles Pinckney National Historic Site** (1254 Long Point Rd ; entrée libre ; ⊘9h-17h) se trouve sur les 11 ha qui restent de Snee Farm, jadis la vaste plantation du politicien Charles Pinckney. Le cottage des années 1820 transformé en musée abrite des expositions archéologiques et historiques, et plusieurs sentiers de promenades serpentent au milieu des magnolias.

PLANTATIONS D'ASHLEY RIVER

À seulement 20 minutes de route de Charleston, trois spectaculaires plantations méritent le détour. Le programme sera très serré si vous comptez toutes les visiter en une fois, mais vous pouvez en visiter deux (prévoyez au moins 2-3 heures pour chacune). Ashley River Rd, également appelée SC 61, est accessible depuis le centre-ville de Charleston via la Hwy 17.

♥ **Middleton Place** PLANTATION (www.middletonplace.org ; 4300 Ashley River Rd ; jardins adulte/enfant 22/10 $, visite de la maison 12 $ en sus ; ⊘9h-17h). Conçus en 1741, les vastes jardins de cette plantation sont les plus anciens des États-Unis. Cent esclaves ont passé dix ans à effectuer des travaux de terrassement et à creuser des canaux selon des motifs géométriques très précis pour le compte du propriétaire, Henry Middleton, politicien de Caroline du Sud. Le domaine, envoûtant, marie le style classique des jardins à la française à de romantiques bosquets et bois, le tout entouré de véritables rizières et de champs peuplés d'espèces rares d'animaux de la ferme (la balade en calèche coûte 15 $). Contrastant avec la maison de la plantation qui date d'avant la guerre de Sécession, l'**auberge** (ch avec entrée plantation à partir de 209 $) du site consiste en un ensemble de cubes en verre modernistes et écologiques donnant sur l'Ashley River. Même si vous ne logez pas sur place, ne manquez pas le déjeuner traditionnel d'une plantation du Lowcountry composé de *she-crab soup* et de haricots à rames servi par le **Middleton Place Restaurant** (déj 11-13 $, dîner 23-32 $; ⏱12h-15h tlj et 18h-20h mar-jeu et dim, 18h-21h ven-sam), très réputé.

Magnolia Plantation   MAISON, JARDINS
(www.magnoliaplantation.com ; 3550 Ashley River Rd ; adulte/enfant 15/10 $, visite de la maison 8 $ en supp ; ⏱8h-17h30). Installée sur un domaine de 2 km² appartenant à la famille Drayton depuis 1676, Magnolia Plantation plaira même à ceux que l'histoire ne passionne pas vraiment. C'est un vrai parc à thème, proposant un circuit en petit train pour découvrir la flore et la faune, des excursions en bateau, une promenade dans les marais, un zoo, un café en plein air et une visite guidée de la maison de la plantation. Ne manquez pas les reproductions des cabanes des esclaves qui cultivaient jadis l'indigo, le coton, le maïs et la canne à sucre.

Drayton Hall   ÉDIFICE HISTORIQUE
(www.draytonhall.org ; 3380 Ashley River Rd ; adulte/enfant 18/8 $; ⏱9h-16h30, horaires restreints en hiver). Cette demeure en brique de style palladien (1738) fut le seul édifice des bords de l'Ashley River à survivre à la guerre d'Indépendance, à la guerre de Sécession et au grand séisme de 1886. Les visites guidées de la maison vide plairont aux passionnés d'histoire et d'architecture.

Lowcountry

Commençant immédiatement au nord de Charleston, la moitié sud de la côte de Caroline du Sud est un enchevêtrement d'îles séparées du continent par des bras de mer et des marais. Ici, les Gullah, descendants des esclaves d'Afrique de l'Ouest, continuent à faire vivre leurs petites bourgades malgré le développement des stations balnéaires et autres terrains de golf. Le paysage oscille entre de jolies plages scintillantes de sable gris et de sauvages forêts maritimes couvertes de mousse.

ÎLES DU COMTÉ DE CHARLESTON

Les îles ci-après sont toutes à 1 heure de route ou moins de Charleston.

À 13 km au sud de Charleston, **Folly Beach** est idéale pour une journée à la plage. Le **Folly Beach County Park** (voitures/piétons 7 $/gratuit ; ⏱10h-18h), sur le côté ouest, comporte des vestiaires publics et propose la location de transats. L'autre extrémité de l'île est appréciée des surfeurs.

Les maisons de vacances chics disponibles à la location et les terrains de golf sont légion

À NE PAS MANQUER

353

LE RESTAURANT DE BOWEN'S ISLAND

Au bout d'une longue piste en terre traversant les marais du Lowcountry près de Folly Beach, cette cabane en bois brut est l'un des plus anciens restaurants de fruits de mer du Sud : empoignez un couteau à huîtres et commencez à les ouvrir ! La bière fraîche et les habitants sympathiques donnent son charme au lieu. Vous trouverez le restaurant (ouvert du mardi au samedi, de 17h à 22h) au 1870 Bowen's Island Rd.

sur **Kiawah Island**, au sud-est de Charleston, tandis qu'à proximité, **Edisto Island** est un lieu de vacances familiales très simple, sans aucun feu de signalisation. À sa pointe sud, l'**Edisto Beach State Park** (5 $; empl tente à partir de 17 $, bungalows meublés à partir de 70 $) compte une plage superbe et peu fréquentée, des sentiers de randonnée à l'ombre des chênes, et des emplacements de camping.

Entre Kiawah et Edisto, l'île de **Wadmalaw Island** abrite la **Charleston Tea Plantation** (www.charlestonteaplantation.com ; 6617 Maybank Hwy ; circuit en trolley/visite de la fabrique 10 $/gratuit ; ⏱10h-16h, 12h-16h dim), unique plantation de thé en activité des États-Unis. Faites une balade en trolley à travers les champs, ou offrez-vous de jolis sachets de thé dans la boutique de souvenirs.

BEAUFORT ET HILTON HEAD

La portion la plus méridionale de la côte de Caroline du Sud est essentiellement prisée d'une clientèle huppée de golfeurs et d'amateurs de B&B. Cependant, le secteur possède un charme insolite qui plaira au plus grand nombre.

Sur Port Royal Island, la ravissante ville coloniale de **Beaufort** sert souvent de cadre aux films hollywoodiens traitant du Sud. Les rues du quartier historique sont bordées de demeures d'avant la guerre de Sécession et de magnolias enveloppés de mousse espagnole. Quant au centre-ville en bord de fleuve, il abonde en cafés et galeries d'art où il fait bon s'attarder. Parmi les quelques B&B de la ville, la **Cuthbert House** (☎843-521-1315 ; www.cuthberthouseinn.com ; 1203 Bay St ; ch à partir de 169 $; 🛜) est le plus romantique : cette somptueuse demeure à colonnes blanches semble tout droit sortie d'*Autant*

LA CULTURE DES GULLAH

De nombreux coins des États-Unis ressemblent aux villes européennes d'où étaient originaires les premiers colons, mais les îles reculées le long des côtes de la Géorgie et de la Caroline du Sud évoquent l'Afrique. De la région appelée "Côte du Riz" (Sierra Leone, Sénégal, Gambie et Angola), les esclaves africains étaient transportés à travers l'Atlantique jusqu'à un paysage ressemblant étrangement à celui de leurs patries : côtes marécageuses, végétation tropicale, étés chauds et humides.

Ces nouveaux Afro-Américains sont parvenus à conserver nombre des traditions de leur terre natale, même après l'abolition de l'esclavage et pendant toute la première moitié du XXe siècle. La culture qui en résulte, celle des Gullah (aussi appelés Geechee), se distingue par sa propre langue (un créole basé sur l'anglais et comportant de nombreux mots et formes syntaxiques africains), et ses traditions, notamment le conte, l'art, la musique et l'artisanat. Chaque année, le **Gullah Festival** (www.gullahfestival.org) célèbre la culture gullah à Beaufort. Pas moins de 70 000 personnes se rassemblent le dernier week-end de mai. Au programme : musique, danse, artisanat, dont les fameux paniers tressés, et plats traditionnels tels que merlan frit, ignames confits et *okra* (gombo).

en emporte le vent. Bay St rassemble l'essentiel des jolis bistrots, mais si vous recherchez des saveurs locales plus "brutes", cap sur l'intérieur des terres et le **Sgt White's** (1908 Boundary St ; plat 6-12 $; ⊙11h-15h lun-ven), où un sergent retraité de la marine sert de juteuses côtelettes au barbecue, du chou cavalier et du pain de maïs.

Au sud de Beaufort, quelque 20 000 jeunes hommes et femmes viennent chaque année au camp d'entraînement du **Marine Corps Recruit Depot** de Parris Island, rendu célèbre par le film de Stanley Kubrick, *Full Metal Jacket.* Le fascinant **musée de la base** (entrée libre ; ⊙10h-16h30) expose des armes et uniformes anciens. Venez le vendredi pour l'intégration : vous verrez alors les marines fraîchement incorporés défiler fièrement devant leurs familles et amis.

À l'est de Beaufort, la Sea Island Pkwy/ Hwy 21 relie un ensemble d'îles rurales marécageuses, notamment **St Helena Island**, considérée comme le cœur du pays gullah. Jadis l'une des premières écoles pour esclaves affranchis de la nation, le **Penn Center** (www.penncenter.com ; adulte/ enfant 5/2 $; ⊙11h-16h lun-sam) abrite un petit musée consacré à la culture gullah. Plus bas sur cette même route, le **Hunting Island State Park** (☎843-838-2011 ; www.huntingisland.com ; adulte/enfant 5/3 $; empl tente/ bungalows à partir de 17/107 $) se compose de vastes étendues de forêts maritimes, de lagunes et d'une plage de sable blanc déserte. Les scènes de guerre du Vietnam de *Forrest Gump* ont été filmées dans le marais, un vrai paradis pour les amoureux de la nature. Les campings affichent rapidement complet l'été.

De l'autre côté du Port Royal Sound, l'élégante **Hilton Head Island** est la plus grande île-barrière de Caroline du Sud et l'un des meilleurs endroits du pays pour jouer au golf. Les terrains sont légion, et beaucoup font partie de luxueux villages résidentiels privés appelés "plantations". Même si la circulation automobile estivale et les kilomètres de feux de signalisation empêchent de voir la forêt (ou même un arbre) le long de la Hwy 278, il existe de luxuriantes réserves naturelles et de vastes plages de sable blanc au sol assez dur pour pouvoir y faire du vélo. À l'entrée de l'île se trouve le **Visitor Center** (⊙9h30-17h). Sur place : un petit musée, des renseignements sur l'hébergement et sur le golf.

Côte nord de la Caroline du Sud

Le littoral s'étendant de la frontière de la Caroline du Nord à la ville de Georgetown s'appelle le Grand Strand. Sur 96 km se succèdent les fast-foods, les stations balnéaires et les boutiques de souvenirs à 2 étages. Ce qui était autrefois un lieu de vacances d'été décontracté pour la classe ouvrière du Sud-Est est devenu l'un des endroits les plus bétonnés du pays. Que vous soyez confortablement installé dans un méga-complexe hôtelier ou que vous dormiez sous la tente dans un parc d'État, tout ce dont vous avez besoin pour profiter du séjour se résume à une paire de tongs, une margarita et des pièces pour le flipper.

MYRTLE BEACH

On aime ou on déteste, en tout cas Myrtle Beach est synonyme de vacances d'été à l'américaine.

Les *bikers* profitent de l'absence de lois obligeant au port du casque pour laisser flotter au vent leur queue-de-cheval grisonnante, les ados en bikini mangent des hot dogs sous les arcades enfumées, et l'on rôtit gaiement en famille sur le sable blanc.

North Myrtle Beach, ville bien distincte et légèrement plus sobre, est le berceau du "shag", une danse ressemblant au *jitterbug* inventée ici dans les années 1940.

L'endroit n'est pas fait pour les amoureux de la nature. Toutefois, entre les immenses centres commerciaux, les innombrables minigolfs, parcs aquatiques, bars à daïquiri et autres boutiques de T-shirts, il y a de quoi bien s'amuser.

👁 À voir et à faire

La plage est assez agréable : large, chaude et plantée d'une mer multicolore de parasols. Beachfront Ocean Blvd rassemble l'essentiel des kiosques à hamburgers et des magasins de souvenirs sans intérêt. La Hwy 17 regorge de terrains de **minigolf** et l'on trouve de tout, des dinosaures animés aux faux volcans crachant des jets d'eau d'un rose criard.

Plusieurs complexes hybrides, à la fois parcs d'attractions et centres commerciaux, voient passer une foule de visiteurs à toute heure du jour.

Brookgreen Gardens JARDINS
(www.brookgreen.org ; adulte/enfant 12/6 $; ☉9h30-17h). Ces jardins magiques, à 25 km au sud de la ville, au bord de la Hwy 17 S, abritent la plus grande collection de sculptures américaines du pays, sur un domaine de 3 650 ha de rizières transformées en jardin d'Éden subtropical.

Wonderworks MUSÉE
(www.wonderworksonline.com ; billets adulte/enfant à partir de 23/15 $; ☉10h-22h ; 👪). Dans un bâtiment construit faussement à l'envers, ce nouveau musée interactif/parc de loisirs résume parfaitement l'ambiance de Myrtle Beach : amusante mais pouvant donner le tournis. Au programme : parcours de cordes, *laser tag* et diverses "expositions scientifiques" avec moult bips et flashs.

Broadway at the Beach CENTRE COMMERCIAL
(www.broadwayatthebeach.com ; 1325 Celebrity Circle). Avec ses magasins, restaurants, discothèques, manèges et sa salle de cinéma IMAX, c'est le centre névralgique de Myrtle Beach.

Family Kingdom PARC D'ATTRACTIONS
(www.family-kingdom.com ; forfait combiné 35 $; 👪). Parc de loisirs et aquatique à l'ancienne, donnant sur l'océan. Horaires variables selon les saisons ; fermé en hiver.

🛏 Où se loger

Les centaines d'hébergements, allant du motel rétro aux gigantesques complexes hôteliers, pratiquent des tarifs variant considérablement en fonction des saisons : une chambre à 30 $ en janvier peut coûter plus de 150 $ en juillet. Les prix ci-après s'entendent en haute saison.

Serendipity Inn AUBERGE **$$**
(☎800-762-3229 ; www.serendipityinn.com ; 407 71st Ave N ; ch petit-déj inclus 89-109 $; P❄🛜🏊). Ce que Myrtle Beach compte de plus ressemblant à un B&B. Cette auberge intimiste de style espagnol se cache à l'écart de l'agitation dans une ruelle calme. Les chambres, décorées de motifs floraux et de babioles, sont douillettes mais pas élégantes.

Myrtle Beach State Park CAMPING **$$**
(☎843-238-5325 ; www.southcarolinaparks. com ; empl tente et camping-car 21-25 $, bungalow et appt 65-176 $; P🛜🏊👪). La plupart des

---

LA DANSE DU SOMBRERO

Oui, c'est bien un sombrero géant qui se dresse au-dessus de l'I-95 le long de la frontière entre la Caroline du Nord et la Caroline du Sud. *Bienvenidos* à **South of the Border**, véritable monument au kitch américain mâtiné d'influences mexicaines. Ce qui était dans les années 1950 un stand de feux d'artifice – la pyrotechnie est illégale en Caroline du Nord – s'est transformé depuis en un espace hybride, à la fois relais routier, centre commercial de souvenirs, motel et parc de loisirs (presque entièrement disparu), vanté sur des centaines de panneaux publicitaires par un personnage de dessin animé appelé Pedro, *le* cliché du Mexicain. Arrêtez-vous le temps de prendre une photo, de manger un bonbon et d'acheter un porte-clés qui lance de l'eau quand on appuie dessus.

campings ressemblent à des parkings pour camping-cars familiaux ; mais pas ici, dans ce parc d'État ombragé à 5 km au sud du centre de Myrtle Beach.

Breakers
RESORT $$

(☎800-952-4507 ; www.breakers.com ; 2006 N Ocean Blvd ; ch 112-195 $; P✳🅿🛜🖥🍴). Ce méga-complexe hôtelier ouvert de longue date comporte 3 tours abritant des suites aux tons jaune, ainsi que divers équipements – dont une piscine en forme de navire de pirates, ou un bar sur le thème des pirates– typique de Myrtle Beach.

✘ Où se restaurer
Les milliers d'établissements sont essentiellement destinés au tourisme de masse (buffets immenses, échoppes à beignets ouvertes 24h/24) et donc pas trop chers. L'ironie veut que les bons poissons et fruits de mer soient denrée rare. Les habitants se rendent pour cela dans le village de pêcheurs voisin de **Murrells Inlet**.

Prosser's BBQ
CUISINE DU SUD $$

(3750 Business Hwy 17 ; buffet déj/dîner 7,50/13 $; 🕐6h-20h30 ; 🍴). La meilleure adresse de Murrells Inlet. Cet établissement familial sert un buffet gargantuesque de poisson et de poulet frits, de patates douces, de *mac'n'cheese* et de *pulled pork* au vinaigre. Horaires variables selon les saisons. Mérite le détour.

Duffy Street
Seafood Shack
PRODUITS DE LA MER $$

(www.duffyst.com ; 202 Main St, North Myrtle Beach ; plat 8-20 $; 🕐16h-tard). Ambiance de bistrot un peu mal famé pour cet établissement dont le bar sert des crevettes à 30 cents pendant le *happy hour*.

🍸 Où sortir et prendre un verre

♥ Fat Harold's Beach Club
DANSE

(www.fatharolds.com ; 212 Main St, North Myrtle Beach). C'est un vrai plaisir de regarder les danseurs aux tempes grisonnantes se mouvoir au son du *doo-wop* et du rock'n'roll du bon vieux temps dans cette institution de North Myrtle qui se targue d'être le "berceau du Shag". Cours gratuit de *shag* à 19h le mardi.

Carolina Opry
SPECTACLES DE VARIÉTÉS

(☎843-913-1400 ; www.thecarolinaopry. com ; 8901a Business 17 N ; 🕐20h lun-sam). Comédies musicales et spectacles de variétés. Billets à partir de 35 $.

❶ Renseignements
Chapin Memorial Library (400 14th Ave N). La bibliothèque offre un accès à Internet.

Visitor Center (☎843-626-7444, 800-496-8250 ; www.myrtlebeachinfo.com ; 1200 N Oak St ; 🕐8h30-17h lun-ven, 10h-14h sam). Cartes et brochures.

LES MARAIS DE CAROLINE DU SUD

Une eau noire comme de l'encre à cause des acides tanniques échappés d'une fabrique en plein délabrement. Des cyprès blancs évoquant des fémurs de géants disparus depuis des lustres. De la mousse espagnole aussi sèche et grise que des cheveux de sorcière... Rien de tel que de faire une randonnée ou du canoë dans un marais de Caroline du Sud pour se sentir comme un personnage de roman gothique sudiste.

À 45 minutes de Charleston, la **Beidler Forest** (www.beidlerforest.com ; 336 Sanctuary Rd, Harleyville ; 🕐9h-17h mar-dim ; adulte/enfant 8/4 $), effrayante forêt de cyprès de Louisiane de 728 ha, est gérée par l'Audubon Society, qui organise des circuits en canoë le week-end au printemps (adulte/enfant 30/15 $).

Près de Columbia, le **Congaree National Park** (www.nps.gov/cong ; 100 National Park Rd, Hopkins ; 🕐8h30-17h), d'une superficie de 90 km², est la plus grande forêt primaire de plaine inondable des États-Unis. On peut y camper et participer à des sorties en canoë gratuites conduites par les rangers (réservez à l'avance ; ☎803-776-4396). Les excursionnistes d'un jour peuvent faire une balade de près de 4 km sur une promenade en planches surélevée.

Entre Charleston et Myrtle Beach, la **Francis Marion National Forest** (5821 Hwy 17 N, Awendaw) recèle au sein de ses 1 050 km² des criques aux eaux sombres, des lieux de camping, et des sentiers de randonnée, notamment le Palmetto Trail (68 km) qui emprunte d'anciennes voies de transport du bois. Basé à Charleston, **Nature Adventures Outfitters** (☎843-568-3222 ; www.natureadventuresoutfitters.com ; adulte/enfant demi-journée 55/39 $) organise des excursions en kayak et en canoë.

Comment s'y rendre et circuler

La circulation automobile de la Hwy 17 Business/Kings Hwy a de quoi rendre fou. Pour éviter les embouteillages, restez sur la rocade de la Hwy 17, ou empruntez la Hwy 31/Carolina Bays Pkwy, qui est parallèle à la Hwy 17 entre la Hwy 501 et la Hwy 9.

Le **Myrtle Beach International Airport** (MYR ; ☑843-448-1589 ; 1100 Jetport Rd) se trouve à la lisière de la ville, tout comme la **gare routière Greyhound** (511 7th Ave N).

ENVIRONS DE MYRTLE BEACH

À 15 minutes de route par l'I-17, **Pawleys Island** consiste en une étroite bande de cottages de bord de mer aux tons pastel, à mille lieues des néons de Myrtle Beach. Kayak ou pêche, il n'y a pas grand-chose d'autre à faire ici, et c'est très bien ainsi. Quinze minutes de trajet supplémentaires vous conduiront à la paisible **Georgetown**, troisième ville la plus ancienne de Caroline du Sud. Déjeunez dans Front St, aux photogéniques devantures du XIXe siècle donnant sur l'eau, ou servez-vous de l'endroit comme base d'exploration de la Francis Marion National Forest.

Columbia

La capitale de l'État de Caroline du Sud est une ville tranquille aux rues larges et ombragées, dotée d'un centre-ville à l'ancienne où l'on aperçoit encore des chapeaux rétro dans les vitrines des boutiques familiales. La University of South Carolina apporte un peu d'animation et de vitalité, et les étudiants font bruyamment la fête dans les bars lorsqu'une équipe remporte un match de basket-ball. Si Columbia est une étape agréable, la plupart des visiteurs, à l'instar des troupes du général Sherman, vont directement sur la côte.

Grandiose édifice aux colonnes corinthiennes, la **State House** (www.scstatehouse.gov ; 1100 Gervais St ; entrée libre ; ☺9h-17h lun-ven, 10h-17h sam) arbore sur son flanc ouest des étoiles de bronze marquant l'impact des boulets de canon tirés par les troupes nordistes.

Le **South Carolina State Museum** (www.museum.state.sc.us ; 301 Gervais St ; adulte/enfant 7/3 $; ☺10h-17h mar-sam, 13h-17h dim) est aménagé dans une ancienne usine de textiles de 1894, l'une des premières au monde à fonctionner à l'électricité. Les expositions sur la science, la technologie, ainsi que l'histoire culturelle et géologique de l'État occupent agréablement les jours de pluie.

Pour la restauration et les sorties, descendez Gervais St jusqu'au Vista, quartier branché d'entrepôts rénovés prisé des jeunes cadres. Vous pourrez boire du café et goûter à des plats exotiques aux côtés des étudiants de l'université à Five Points, où Harden St, Greene St et Devine St rejoignent Saluda Avenue. Faites une pause au **Pawley's Front Porch** (www.pawleys5pts.com ; 827 Harden St ; plat 7-10 $; ☺11h30-22h), une nouvelle adresse, pour goûter au *pimento cheeseburger* (hamburger au fromage, à la mayonnaise et au poivron rouge). Le *pimento cheese* est à Columbia ce que la tranche de pizza est à New York et le hot dog à Chicago.

De nombreux hôtels de chaînes jalonnent l'I-26. À Five Points, l'**Inn at Claussen's** (☑803-765-0440 ; www.theinnatclaussens.com ; 2003 Greene St ; ch 112-154 $; ☎) et ses 28 chambres tentent une audacieuse décoration Art déco, avec un succès... relatif.

TENNESSEE

La plupart des États américains ont un hymne officiel. Si le Tennessee en compte sept, ce n'est pas un pur hasard. Cet État a pour ainsi dire la musique dans la peau. La musique folklorique des Irlando-Écossais des montagnes de l'Est s'est mêlée aux rythmes blues des Noirs du Delta, à l'ouest, donnant naissance à la country music qui fait la célébrité de Nashville.

Ces trois grandes zones géographiques, représentées par les trois étoiles du drapeau du Tennessee, ont chacune leur beauté singulière : les pics embrumés des Great Smoky Mountains, les vertes vallées luxuriantes du plateau central autour de Nashville, et les plaines chaudes, humides et étouffantes proches de Memphis.

Dans le Tennessee, on peut randonner sur des sentiers de montagne ombragés le matin, et faire la fête le soir dans un *honky-tonk* de Nashville, ou encore parcourir les rues de Memphis en compagnie du fantôme d'Elvis.

Des églises rurales, où des montreurs de serpents haranguent encore les foules, aux villes modernes où les directeurs de maisons de disque portent des lunettes de soleil même le soir, les gens du Tennessee sont pour le moins... surprenants !

Histoire

Les colons espagnols furent les premiers à découvrir le Tennessee en 1539. Dès le XVIIe siècle, les négociants français en

LE TENNESSEE EN BREF

» **Surnom :** Volunteer State (État des Volontaires)

» **Population :** 6,3 millions d'habitants

» **Superficie :** 106 751 km²

» **Capitale :** Nashville (630 000 habitants)

» **Autres villes :** Memphis (650 000 habitants)

» **TVA :** 7%, plus des taxes locales pouvant monter jusqu'à 15%

» **État de naissance de :** Davy Crockett (pionnier et trappeur, 1786-1836), Aretha Franklin (diva de la soul, née en 1942), Dolly Parton (chanteuse, née en 1946)

» **Berceau :** de Graceland et de la distillerie Jack Daniel's

» **Politique :** très conservatrice, avec çà et là des poches libérales en zone urbaine

» **Célèbre pour :** la "Tennessee Waltz", la musique country, le Tennessee Walking Horse (une race chevaline)

» **Loi insolite :** dans le Tennessee, il est illégal de tirer sur des animaux sauvages depuis un véhicule en mouvement, hormis sur les baleines.

» **Distances routières :** Memphis-Nashville : 343 km ; Nashville-Great Smoky Mountains National Park : 359 km

parcouraient les fleuves et les rivières. Les pionniers de Virginie fondèrent bientôt leur propre colonie et combattirent les Britanniques lors de la guerre d'Indépendance. Le Tennessee fut le 16ᵉ État à rejoindre les États-Unis en 1796, avec un nom inspiré du village cherokee de Tanasi.

Les Cherokees, eux, furent expropriés brutalement, ainsi que nombre d'autres tribus du Tennessee, au milieu des années 1800, et contraints de prendre le chemin de l'exil vers l'ouest sur le sentier des Larmes.

Le Tennessee fut l'avant-dernier État du Sud à faire sécession, et nombre d'importantes batailles s'y sont déroulées. Immédiatement après la guerre, six vétérans du camp des confédérés, originaires de la ville de Pulaski, formèrent le Ku Klux Klan afin de revendiquer la suprématie des Blancs et terroriser les esclaves noirs qui venaient juste d'être affranchis.

Le textile, le tabac, le bétail et les produits chimiques sont les grandes industries d'aujourd'hui. Quant au tourisme, en particulier à Nashville et à Memphis, il génère des centaines de millions de dollars par an.

ⓘ Renseignements

Department of Environment & Conservation (☎888-867-2757 ; www.state.tn.us/environment/parks). Site très bien conçu pour des infos sur le camping (tarifs : de gratuit à 27 $ et plus), la randonnée et la pêche dans plus de 50 parcs d'État du Tennessee.

Department of Tourist Development (☎615-741-2159, 800-462-8366 ; www.tnvacation.com ; 312 8th Ave N, Nashville). Dispose de centres d'accueil des visiteurs aux frontières de l'État.

Memphis

Memphis n'attire pas seulement des touristes, mais aussi des pèlerins : les amateurs de musique viennent se plonger dans le son des guitares blues de Beale St ; ceux qui aiment les viandes au barbecue viennent se régaler de *pulled pork* et *dry-rubbed ribs* (côtelettes à la marinade sèche). Et les fans d'Elvis affluent de Londres, Reykjavik ou Osaka pour rendre hommage au King à Graceland. On pourrait aisément passer plusieurs jours de musées en sites historiques, en faisant simplement une pause-barbecue au déjeuner, et repartir entièrement satisfait.

Mais lorsqu'on s'éloigne des lumières et des cars de tourisme, Memphis présente un tout autre visage. Tirant son nom de la capitale de l'Égypte ancienne, elle affiche une sorte de délabrement baroque à la fois triste et envoûtant. La pauvreté est omniprésente – les demeures victoriennes côtoient les *shotgun shacks* (style de maisons étroites courant dans le Sud) en ruines, les campus universitaires s'étendent à l'ombre de lugubres usines abandonnées, et des quartiers entiers semblent avoir été repris aux hommes par les vignes kudzu et le chèvrefeuille.

Mais l'âme de cette sauvage ville portuaire se révèle à ceux qui veulent bien se donner la peine de la découvrir. Tout un monde insolite de musées étranges, de délicieux restaurants excentriques, d'effrayants cimetières et de bars louches à l'atmosphère endiablée vous attend.

Histoire

Les troupes de l'Union ont occupé Memphis pendant la guerre de Sécession, mais, dans cette ville portuaire, l'effondrement du négoce du coton, après la guerre, fit encore plus de ravages. Suite à l'épidémie de fièvre jaune qui fit fuir l'essentiel de la population blanche, Memphis fut contrainte de se déclarer en faillite. La communauté noire, emmenée par Robert Church, un ancien esclave, lui redonna vie. Dès le début des années 1900, Beale St devint le centre névralgique de la vie sociale et de l'activisme noirs pour les droits civiques, et par là même le berceau de ce qui allait être le blues. Dans les années 1950 et 1960, les maisons de disque locales enregistrèrent des artistes de blues, de soul, de R&B et de rockabilly comme Al Green, Johnny Cash et Elvis, consolidant ainsi la place de Memphis au firmament de la musique américaine.

⊙ À voir et à faire

DOWNTOWN

🖤 **National Civil Rights Museum** — MUSÉE
(www.civilrightsmuseum.org ; 450 Mulberry St ; adulte/enfant 13/9,50 $; ⊙9h-17h lun et mer-sam, 13h-17h dim sept-mai, 13h-18h juin-août). Le poignant musée national des Droits civiques est aménagé dans le Lorraine Motel, où le révérend Martin Luther King Jr fut assassiné le 4 avril 1968. Situé à 5 *blocks* au sud de Beale St, il abrite de vastes expositions, une frise chronologique détaillée, le tout accompagné de commentaires (avec audioguide) sur la lutte des Noirs pour la liberté et l'égalité. L'apport de Martin Luther King et son assassinat sont les prismes à travers lesquels sont examinés le mouvement des droits civiques, les événements qui l'ont précédé, et son impact indélébile sur la vie américaine. L'extérieur turquoise de ce motel des années 1950 ainsi que deux de ses pièces sont restés quasiment intacts depuis la mort du Révérend, et sont de fait un lieu de pèlerinage.

GRATUIT **Peabody Ducks** — MARCHE DES CANARDS
(www.peabodymemphis.com ; 11h et 17h tlj ; 🏛). Chaque jour à 11h précises, 5 canards sortent à la queue-leu-leu de l'ascenseur doré du Peabody Hotel, se dandinent à travers la réception sur le tapis rouge, et s'éclipsent dans la fontaine en marbre pour passer la journée à barboter joyeusement.

Les canards effectuent le chemin inverse à 17h, moment où ils rentrent dans leur *penthouse* sous la surveillance de leur Duckmaster (maître) en veste rouge. La marche des canards, avatar d'une farce bien arrosée remontant aux années 1930, est devenue une vraie tradition à Memphis. Elle attire toujours une foule nombreuse. Arrivez tôt pour être sûr de pouvoir y assister (la mezzanine offre le meilleur point de vue).

Mud Island — PARC, MUSÉE
(www.mudisland.com ; parc gratuit ; 125 N Front St ; ⊙10h-17h mar-dim avr-oct, plus tard juin-août ; 🏛). Petite péninsule s'avançant dans le Mississippi, Mud Island est l'espace vert le plus prisé du centre-ville de Memphis. La partie haute est un secteur résidentiel, tandis que la partie inférieure est réservée à l'agréable **Mud Island River Park**. Prenez le monorail (4 $, ou bien gratuit avec l'entrée du musée) ou traversez la passerelle à pied jusqu'au parc. Là, vous pourrez faire du jogging, louer des vélos ou patauger dans une réplique miniature du Mississippi, qui se jette dans un "golfe du Mexique" de 5 000 m³ où les visiteurs se promènent en pédalo. Dans le parc, le **Mississippi River Museum** (adulte/enfant 8/5 $; ⊙10h-17h avr-mai et sept-oct, 10h-18h juin-août, fermé lun) abrite une reproduction grandeur nature d'un paquebot et d'autres expositions historiques.

GRATUIT **Center for Southern Folklore** — CENTRE CULTUREL
(☎901-525-3655 ; www.southernfolklore.com ; 119 S Main St ; ⊙11h-18h lun-sam, 11h-17h en hiver). Centre culturel communautaire bien géré avec café, galerie d'artisanat et très souvent, concerts et projections de films (gratuits !).

BEALE STREET

La fête est au rendez-vous 24h/24 dans la partie piétonnière de Beale St. Au programme : *funnel cakes* (sorte de beignets), comptoirs de bière à emporter et de la musique, encore de la musique. Si la population locale ne prise guère l'endroit, les touristes apprécient son atmosphère festive et un peu grivoise.

Memphis Rock'n'Soul Museum — MUSÉE
(www.memphisrocknsoul.org ; angle Lt George W Lee Ave et 3rd St ; adulte/enfant 11/8 $; ⊙10h-19h). Ce musée, à côté du FedEx Forum, retrace la façon dont la musique noire et la musique blanche se sont mêlées dans le delta du Mississippi pour créer un nouveau son. L'audio-tour comporte plus de 100 chansons.

Gibson Beale Street Showcase FABRICANT DE GUITARES
(www.gibson.com ; 145 Lt George W Lee Ave ; 10 $, interdit aux enfants de moins de 5 ans ; ☺visites 11h-16h lun-sam, 12h-16h dim). La fascinante visite guidée de 45 minutes de cette immense usine permet de voir des artisans transformer des blocs de bois en légendaires guitares Gibson.

Orpheum Theatre THÉÂTRE
(www.orpheum-memphis.com ; 203 S Main St). L'Orpheum, restauré, a retrouvé sa splendeur de 1928. Construit à l'origine pour le music-hall, il accueille aujourd'hui de grandes productions et comédies musicales

de Broadway. Possibilité de réserver une visite guidée (☎901-525-7800).

A Schwab's BOUTIQUE HISTORIQUE
(163 Beale St ; ☺9h-17h lun-sam). L'épicerie d'origine abrite aujourd'hui sur 2 étages des poudres vaudoues, des cravates à 1 $ et de petits verres à l'effigie d'Elvis.

EST DE DOWNTOWN
♥ Sun Studio VISITE DU STUDIO
(www.sunstudio.com ; 706 Union Ave ; adulte/enfant 12 $/gratuit ; ☺10h-18h). Elle ne paie pas de mine de l'extérieur, mais cette devanture poussiéreuse est le repaire du rock'n'roll américain. Dès le début des

LE SUD TENNESSEE

Memphis

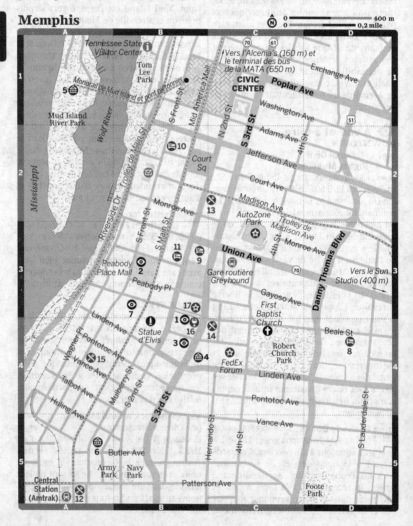

années 1950, le producteur Sam Phillips, du studio Sun, a enregistré des artistes de blues comme Howlin' Wolf, B.B. King et Ike Turner, puis la dynastie rockabilly incarnée par Jerry Lee Lewis, Johnny Cash, Roy Orbison et, bien sûr, le King en personne (qui débuta ici en 1953). Aujourd'hui, les visites guidées surpeuplées (40 min) organisées dans le minuscule studio donnent l'occasion d'entendre les cassettes originales d'enregistrements historiques. Les guides ont une foule d'anecdotes à raconter. Beaucoup sont eux-mêmes musiciens. Posez pour la photo dans l'ancien studio d'enregistrement en vous tenant sur le "X" où s'est jadis tenu Elvis, ou bien achetez un CD du "Million Dollar Quartet", jam-session spontanée avec Elvis, Johnny Cash, Carl Perkins et Jerry Lee Lewis, enregistrée au Sun en 1956.

De là, vous pouvez monter dans la navette gratuite (toutes les heures, 1er départ à 11h15) qui effectue une boucle entre le Sun Studio, Beale St et Graceland.

Pink Palace Museum & Planetarium
MUSÉE, PLANÉTARIUM
(www.memphismuseums.org ; 3050 Central Ave ; adulte/enfant 9,75/6,25 $, ⏲9h-17h lun-sam, 12h-17h dim). L'édifice de 1923 était à l'origine la résidence de Clarence Saunders, fondateur de l'enseigne de grande distribution Piggly Wiggly. En 1996, il est devenu un musée d'histoire naturelle et culturelle. On y voit des fossiles, des expositions sur la guerre de Sécession et une reproduction du Piggly Wiggly d'origine (1916), la toute première supérette du monde.

Children's Museum of Memphis
MUSÉE
(www.cmom.com ; 2525 Central Ave ; 10 $; ⏲9h-17h ; ♿). Les enfants adoreront les expositions interactives de ce musée qui leur est dédié, avec notamment un cockpit d'avion, un générateur de tornades et une roue à aubes.

OVERTON PARK
Tout près de Poplar Avenue à Midtown, de majestueuses demeures bordent Overton Park, oasis de verdure vallonnée de 138 ha en plein centre de cette ville souvent rude. Si Beale St est le cœur de Memphis, Overton Park est son poumon.

Memphis Zoo
ZOO
(www.memphiszoo.org ; 2000 Prentiss Pl ; adulte/enfant 15/10 $; ⏲9h-16h mars-oct, 9h-16h nov-fév ; ♿). À l'angle nord-ouest du parc, ce superbe zoo abrite deux stars, Ya Ya et Le Le, des pandas géants qui vivent dans un espace reconstituant leur habitat naturel. Parmi les autres résidents figurent de nombreuses espèces de singes, des ours polaires, des pingouins, des lions de mer, etc.

Brooks Museum of Art
MUSÉE
(www.brooksmuseum.org ; 1934 Poplar Ave ; adulte/enfant 7/3 $; ⏲10h-16h mer-sam, 10h-20h jeu, 11h-17h dim). En lisière ouest du parc, ce musée d'art réputé renferme une excellente collection permanente allant de sculptures Renaissance aux œuvres impressionnistes (notamment de Renoir) en passant par les expressionnistes abstraits (comme Robert Motherwell).

Levitt Shell
AMPHITHÉÂTRE
(www.levittshell.org). C'est dans ce kiosque à musique en forme d'amphithéâtre qu'Elvis donna son premier concert en 1954. Aujourd'hui, il accueille des concerts gratuits tout l'été.

Memphis

⊙ À voir

🛌 Où se loger

⊗ Où se restaurer

🍷 Où prendre un verre

🎭 Où sortir

🛍 Achats

❤ **Graceland**   DEMEURE D'ELVIS PRESLEY
(☎901-332-3322, 800-238-2000 ; www.
elvis.com ; Elvis Presley Blvd/US 51 ; visites adulte/
enfant maison uniquement 31/14 \$, visite complète
35/17 \$; ☺9h-17h lun-sam, 9h-16h dim, horaires
restreints et fermé mar en hiver). Si vous ne
devez faire qu'une seule étape à Memphis,
que ce soit celle-ci : la demeure bizarre, d'un
kitch sublime, du roi du rock'n'roll.

Bien que né dans le Mississippi, Elvis
Presley fut un véritable enfant de Memphis,
car il a grandi dans les logements sociaux de
Lauderdale Courts, s'est imprégné du blues
dans les clubs de Beale St, et a été découvert
au Sun Studio de Union Avenue. Au printemps 1957, le déjà célèbre jeune homme de
22 ans s'offrit pour 100 000 \$ une demeure
de style colonial baptisée Graceland par ses
anciens propriétaires. Priscilla Presley (qui
divorça d'Elvis en 1973) a autorisé les visites
guidées de Graceland en 1982. Aujourd'hui,
des millions de visiteurs viennent rendre
hommage au King et s'émerveiller devant
cette demeure qu'il fit lui-même redécorer
en 1974. Avec son canapé de 4,50 m, sa
fausse cascade, ses murs peints en jaune et
ses tapis verts à poils longs, c'est un archétype de l'ostentation des années 1970. Elvis
est mort ici même (dans la salle de bains de
l'étage) d'une crise cardiaque en 1977. Une
foule de fans se recueille aujourd'hui encore
sur sa tombe, à côté de la piscine.

La visite commence sur la place high-
tech située de l'autre côté du délabré Elvis
Presley Blvd. Réservez en haute saison pour
être sûr de ne pas avoir à attendre trop
longtemps. La visite basique de la maison
se fait avec un audioguide. On peut entendre
les voix d'Elvis, de Priscilla et de Lisa Marie.
Vous pouvez opter pour la formule incluant
l'intégralité du domaine, ou payer certaines
visites en supplément, pour voir sa collection de costumes de scène, sa collection de
voitures, et deux avions réaménagés sur
mesure (le *Lisa Marie*, un Convair 880,
comporte une salle de bains dans les tons
bleu et or). Le parking coûte 10 \$.

Graceland est à 15 km au sud du centre-
ville au bord de l'US 51, également appelé
"Elvis Presley Blvd". On peut aussi s'y rendre
en prenant le bus n°43 depuis le centre-ville,
ou par la navette gratuite du Sun Studio.

Stax Museum
of American Soul Music   MUSÉE
(www.staxmuseum.com ; 926 E McLemore Ave ;
adulte/enfant 12/9 \$; ☺10h-17h lun-sam, 13h-17h
dim mars-oct, fermé lun nov-mars). Envie de
soul ? Cap sur Soulsville USA, où ce musée

de 1 580 m^2 se tient à l'emplacement de
l'ancien studio d'enregistrement Stax.
Ce lieu fut l'épicentre de la soul dans les
années 1960 : Otis Redding, Booker T. and
the MGs et Wilson Pickett ont enregistré
ici. Plongez-vous dans l'histoire de la soul
grâce aux photos, expositions de vêtements
des années 1960 et 1970, et surtout, à la
Superfly Cadillac 1972 d'Isaac Hayes garnie
de revêtement à poils longs et de décorations
extérieures en or 24 carats.

Full Gospel Tabernacle Church   ÉGLISE
(www.algreenmusic.com ; 787 Hale Rd ; ☺messes
11h30 et 16h dim). Si vous êtes en ville un
dimanche, enfilez votre tenue la plus
correcte et allez assister à la messe à
South Memphis, où Al Green, légende de
la soul devenu révérend, dirige un chœur.
Les visiteurs, bien accueillis, occupent
généralement la moitié des bancs. Chantez
allègrement "Alléluia" mais n'oubliez pas le
tronc des pauvres (1 \$ suffit). Al Green n'est
pas là chaque week-end, ce qui n'empêche
pas cette célébration d'être une expérience
fascinante.

☞ **Circuits organisés**

❤ **American**
Dream Safari   CIRCUIT EN VOITURE
(☎901-527-8870 ; www.americandreamsafari.
com ; promenade à pied 15 \$/pers, circuit en voiture
à partir de 125 \$/véhicule). Fan de la culture
du Sud, Tad Pierson fait découvrir l'aspect
insolite et plus personnel de Memphis (*juke
joints*, églises de gospel, lugubres bâtiments
délabrés) à pied ou dans sa Cadillac rose.
Renseignez-vous sur les excursions à la
journée jusqu'au Delta et les circuits photo.

Memphis Rock Tours   CIRCUIT EN VOITURE
(☎901-359-3102 ; www.shangrilaprojects.com ;
circuit 2 pers 75 \$). Visites insolites des sites
musicaux et des restaurants locaux.

Blues City Tours   CIRCUITS EN BUS
(☎901-522-9229 ; www.bluescitytours.com ;
adulte/enfant à partir de 24/16 \$). Divers
circuits en bus, notamment un circuit
"Elvis".

Memphis Riverboats   EXCURSIONS EN BATEAU
(☎901-527-5694, 800-221-6197 ; www.
memphisriverboats.net ; adulte/enfant à
partir de 20/10 \$). Dîner-croisière sur le
Mississippi.

🎇 **Fêtes et festivals**

International Blues Challenge   MUSIQUE
(www.blues.org). Concours sponsorisé par la
Blues Foundation. Chaque année en janvier/

février, des groupes de blues se défient devant un jury.

Memphis in May
CULTURE

(www.memphisinmay.org). Tous les vendredis, samedis et dimanches de mai, il se passe quelque chose : Beale St Music Festival, concours de barbecue ou symphonie au soleil couchant pour clôturer le festival.

Mid-South Fair
FOIRE

(www.midsouthfair.org). Depuis 1856, on se presse en septembre à cet événement à mi-chemin entre le parc d'attractions et la foire agricole.

📐 Où se loger

On trouve des motels bon marché et encore meilleur marché au bord de l'I-40, sortie n°279, de l'autre côté du fleuve à West Memphis (Arkansas). Les tarifs grimpent lors du festival Memphis in May.

DOWNTOWN

♥ **Talbot Heirs** PENSION **$$**

(☎901-527-9772, 800-955-3956 ; www.talbothouse.com ; 99 S 2nd St ; ste à partir de 130 $; ❄🛜). Discrètement nichée en étage dans une rue animée du centre-ville, cette coquette pension est l'un des secrets les mieux gardés de Memphis. Les suites ressemblent davantage à des studios qu'à des chambres d'hôtel, avec leurs tapis orientaux, leurs œuvres d'art local insolites et leurs cuisines approvisionnées en en-cas. Les gérants, Tom et Sandy, connaissent les meilleurs bars et restaurants du coin. Il suffit de leur demander. Parking 10 $.

Peabody Hotel
HÔTEL **$$$**

(☎901-529-4000 ; www.peabodymemphis.com ; 149 Union Ave ; ch à partir de 209 $; ❄🛜🏊). Le plus légendaire hôtel du delta du Mississippi accueille le gratin de la bourgeoisie du Sud depuis les années 1860. L'édifice actuel, haut de 12 étages et de style néo-Renaissance, date des années 1920. Le Peabody comporte un spa, des boutiques, divers restaurants et un superbe bar en marbre dans le hall de réception. La marche quotidienne des colverts qui barbotent dans la fontaine de la réception (voir p. 359) est une tradition à Memphis.

Inn at Hunt Phelan
B&B **$$**

(☎901-525-8225 ; www.huntphelan.com ; 533 Beale St ; ch à partir de 155 $; P❄🛜). À l'extérieur des grilles, ce ne sont qu'entrepôts et terrains vagues. Mais une fois l'enceinte franchie, on se retrouve en 1828, année de la construction de cette demeure

aristocratique. Sirotez le cocktail du soir offert gracieusement à côté de la fontaine de la cour, flânez dans les 2 ha de jardins, puis regagnez votre lit à baldaquin (ou bien mettez le cap sur les bars de Beale St, juste au bout de la rue).

Sleep Inn at Court Square
HÔTEL **$$**

(☎901-522-9700 ; www.sleepinn.com ; 400 N Front St ; ch à partir de 110 $; ❄🛜). Notre favori parmi les hôtels bon marché du centre-ville. Ce bâtiment trapu abrite des chambres agréables et spacieuses, avec TV à écran plat. Parking 12 $.

MIDTOWN

♥ **Pilgrim House Hostel** AUBERGE DE JEUNESSE **$**

(☎901-273-8341 ; 1000 S Cooper St ; dort/ch 15/30 $; P❄@🛜). Oui, c'est une église, mais nul ne tentera de vous convertir. Le personnel jeune et sympathique pourrait bien plutôt vous inviter à boire une bière au bout de la rue, dans le quartier tendance de Cooper-Young, Midtown. La clientèle internationale joue aux cartes et papote (sans alcool) dans un espace commun ensoleillé. Dortoirs et chambres individuelles propres et dépouillés. Tous les clients effectuent une petite corvée journalière, comme sortir les poubelles.

SECTEUR DE GRACELAND

Heartbreak Hotel
HÔTEL **$$**

(☎901-332-1000, 877-777-0606 ; www.elvis.com/epheartbreakhotel ; 3677 Elvis Presley Blvd ; d à partir de 112 $; P❄@🛜). Au bout de Lonely St et juste en face de Graceland, cet hôtel basique est décoré sur le thème d'Elvis. Le kitch atteint son comble dans les suites, à l'instar de la chambre Burnin'Love, toute de velours rouge vêtue.

Memphis Graceland RV Park & Campground
CAMPING **$**

(☎901-396-7125 ; www.elvis.com ; 3691 Elvis Presley Blvd ; empl tente/cabin à partir de 23/42 $; P🛜🏊). À côté de Graceland, ce terrain appartient à Elvis Presley Enterprises. Vous pouvez y camper ou dormir dans l'une des modestes cabins en rondins (avec sdb communes).

Days Inn Graceland
MOTEL **$**

(☎901-346-5500 ; www.daysinn.com ; 3839 Elvis Presley Blvd ; ch à partir de 85 $; P❄🛜). Avec sa piscine en forme de guitare, sa chaîne de TV branchée 24h/24 sur Elvis, et ses Cadillac en néon sur le toit, le Days Inn surpasse son voisin, le kitchissime Heartbreak Hotel. Chambres propres mais quelconques.

✗ Où se restaurer

Les habitants se déchirent pour déterminer quel établissement prépare les meilleurs *chopped-pork sandwiches* et *dry-rubbed ribs*. On trouve des restaurants à barbecue dans toute la ville ; les façades les plus laides cachent souvent les plats les plus savoureux. Beale St est bordée d'enseignes de chaîne servant des spécialités de barbecue et de *soul food* ; peu d'entre eux valent la peine (ils sont souvent surpeuplés et d'un mauvais rapport qualité/prix). La jeunesse branchée sort dîner ou prendre un verre dans le South Main Arts District ou dans le quartier de Cooper-Young, à Midtown.

DOWNTOWN

♥ Gus's World Famous Fried Chicken POULET $
(☑901-527-4877 ; 310 S Front St ; plat 5-9 $; ⊙11h-21h dim-jeu, 11h-22h ven-sam). Ce bâtiment en briques du centre-ville sert du poulet frit ultra-léger. Les soirs d'affluence, on peut attendre 1 heure ou plus. Mais cela en vaut la peine...

Alcenia's CUISINE DU SUD $
(www.alcenias.com ; 317 N Main St ; plat 6-9 $; ⊙11h-17h mar-ven, 9h-15h sam). Rien n'est plus doux que le fameux "ghetto juice" d'Alcenia's (une boisson aux fruits très sucrée), hormis la propriétaire Betty-Joyce "BJ" Chester-Tamayo. Ne vous étonnez pas si, une fois assis, elle vous donne un baiser sur la tête. Le menu du déjeuner, à l'image de ce petit café insolite, peint en pourpre et or, change chaque jour. Mention spéciale au poulet et au poisson-chat frits, et à la délicieuse tarte à la crème aux œufs.

Charlie Vergos' Rendezvous BARBECUE $$
(☑901-523-2746 ; www.hogsfly.com ; 52 S 2nd St ; plat 7-18 $; ⊙16h30-22h30 mar-jeu, 11h-23h ven-sam). Dans une allée proche de Union Avenue, cette institution en sous-sol vend 5 tonnes de ses exquises *dry-rubbed ribs* (côtelettes à la marinade sèche) par semaine. Service sympathique mais attendez-vous à devoir... attendre.

Arcade DÎNER $
(www.arcaderestaurant.com ; 540 S Main St ; plat 6-8 $; ⊙7h-15h, plus dîner ven). Elvis venait souvent manger dans ce *diner* ultra-rétro, le plus ancien de Memphis. La clientèle continue d'affluer pour se régaler de *pancakes* à la patate douce et de cheeseburgers.

Dyer's RESTAURATION RAPIDE $
(www.dyersonbeale.com ; 205 Beale St ; plat 6-8 $; ⊙11h-1h dim-jeu, 11h-5h ven-sam).

Les légendaires hamburgers de Dyer's, frits dans la même huile (filtrée en continu) depuis 1912, vous paraîtront particulièrement appétissants à 3h du matin.

EST DE DOWNTOWN

♥ Cozy Corner BARBECUE $$
(www.cozycornerbbq.com ; 745 N Pkwy ; plat 5-16 $; ⊙10h30-17h mar-sam, plus tard en été). Affalez-vous dans une vieille alcôve garnie de skaï et dévorez un *Cornish game hen* (coquelet) au barbecue, la spécialité maison de cette adresse culte. La tourte à la patate douce est un régal.

Restaurant Iris NOUVELLE CUISINE DU SUD $$$
(☑901-590-2828 ; www.restaurantiris.com ; 2146 Monroe Ave ; plat 23-34 $; ⊙17h-22h lun-sam, brunch 3ᵉ dim du mois). Les éloges pleuvent sur le chef Kelly English depuis l'ouverture de son restaurant en 2008. Son menu créole d'avant-garde propulse les gourmets au paradis, avec des plats créatifs comme le "Knuckle Sandwich" (au homard parfumé à l'estragon) ou le steak garni d'huîtres. L'établissement, situé dans un pâté de maisons résidentiel de Midtown, est si discret qu'on croirait un bar clandestin.

Sweet Grass CUISINE DU SUD $$
(☑901-278-0278 ; www.sweetgrassmemphis.com ; 937 S Cooper St ; plat 16-23 $; ⊙17h30-tard mar-dim, 11h-14h dim). La cuisine contemporaine du Lowcounty remporte tous les suffrages dans ce nouveau bistrot élégant de Midtown. Mention spéciale au *shrimp and grits*, le petit-déjeuner du pêcheur.

Bar-B-Q Shop BARBECUE $$
(www.dancingpigs.com ; 1782 Madison Ave ; plat 9-16 $; ⊙11h-20h45). Porc émincé servi sur du *Texas toast* (pain de mie épais) grillé et spaghettis au barbecue sont les spécialités maison de ce chaleureux restaurant de quartier, aux spacieuses alcôves prisées des familles.

Payne's Bar-B-Q BARBECUE $
(1762 Lamar Ave ; plat 4-6 $; ⊙11h-18h30 mar-sam). Cette ancienne station-service reconvertie sert sans doute les meilleurs *chopped-pork sandwiches* de la ville.

♦ Où prendre un verre et sortir

À Memphis, nombre de bars et restaurants proposent nourriture, boisson et musique. Rien de plus facile pour transformer un simple repas en vraie fête. À l'évidence, il faut se rendre dans Beale St pour entendre des concerts de blues, de country, de rock et de jazz. L'entrée de la plupart des clubs est gratuite ou ne coûte que quelques dollars. Beale St s'anime tôt, et ses bars sont ouverts toute la journée. En revanche, les clubs de quartier ont tendance à se remplir vers 22h. L'heure limite pour la dernière commande d'alcool est 3h, mais certains soirs plus tranquilles, les bars ferment plus tôt. La clientèle branchée sort dans le quartier de Cooper-Young, où l'on trouve de tout, du bar à margarita au pub irlandais. Consultez la liste des événements et des manifestations sur l'agenda en ligne du Memphis Flyer (www.memphisflyer.com).

Bars

 Earnestine & Hazel's BAR
(531 S Main St). C'est l'un des excellents petits bars du coin. L'étage regorge de vieux sommiers rouillés et de baignoires à pieds, vestiges du temps où l'endroit était une maison de passe. Le week-end, grimpez l'escalier qui craque pour papoter avec Nate, gentleman courtois qui vous régalera d'anecdotes sur le passé de Memphis tout en vous servant un Miller Lite. Le Soul Burger, unique plat disponible, a tout d'une légende. L'ambiance s'échauffe après minuit.

Cove BAR
(www.thecovememphis.com ; 2559 Broad Ave). Loin des foules de Beale St, ce nouveau bar tendance sert des cocktails rétro (*sidecars*, Singapore Slings) dans une décoration au thème nautique et des en-cas de bar haut de gamme (huîtres, frites aux anchois frais). Bonne adresse pour lier connaissance avec les habitants.

Silky O'Sullivan's BAR
(silkyosullivans.com ; 183 Beale St). Pendant que les jeunes font la fête, des chèvres broutent dans la cour de cette immense taverne de Beale St.

Musique live

Wild Bill's BLUES
(1580 Vollentine Ave ; ⊙22h-tard ven-sam). Ne songez pas à vous présenter dans ce petit *juke joint* miteux avant minuit. Commandez un "4oz" (un peu plus d'un litre de bière) et une corbeille d'ailes de poulet, puis profitez de certains des meilleurs groupes de blues de Memphis. Attendez-vous à vous faire dévisager par les habitués.

 Hi-Tone Cafe MUSIQUE LIVE
(www.hitonememphis.com ; 1913 Poplar Ave). Proche d'Overton Park, ce petit bar discret est l'une des meilleures adresses pour écouter des groupes locaux ou de musique indie en tournée.

Young Avenue Deli MUSIQUE LIVE
(www.youngavenuedeli.com ; 2119 Young Ave). Adresse très prisée de Midtown : nourriture, piscine, musique live et une clientèle jeune et branchée.

Rum Boogie BLUES
(www.rumboogie.com ; 182 Beale St). Gigantesque, populaire et bruyant, ce club à thème cajun de Beale St s'anime chaque soir au son des concerts de blues.

Minglewood Hall SALLE DE CONCERT
(www.minglewoodhall.com ; 1555 Madison). Dans une ancienne usine de pain, voici un nouvel espace mi-salle de concert, mi- salon de tatouage, qui possède également un café.

Achats

Les magasins de souvenirs un peu kitch abondent dans Beale St. Vous trouverez boutiques et librairies à Cooper-Young.

Lansky Brothers VÊTEMENTS
(149 Union Ave). Cette boutique des années 1950 a autrefois fourni Elvis en chemises bicolores. Elle vend aujourd'hui une ligne de vêtements rétro pour hommes, des souvenirs et des vêtements pour femme. Dans le Peabody Hotel.

Burke's Book Store LIVRES
(936 S Cooper St). Librairie centenaire délicieusement désordonnée, mettant l'accent sur la littérature du Sud.

Memphis Flea Market MARCHÉ AUX PUCES
(777 Walnut Grove Rd, à hauteur de l'Agricenter). Ce marché aux puces de plus de 1 000 stands se tient le 3e week-end du mois.

Renseignements

Presque tous les hôtels et nombre des restaurants de la ville proposent le Wi-Fi gratuit.

Commercial Appeal (www.commercialappeal. com). Quotidien.

Main post office (555 S 3rd St). Poste principale.

Memphis Flyer (www.memphisflyer.com). Hebdomadaire gratuit publié le jeudi ; sorties et spectacles.

Police (☎901-545-2677 ; 545 S Main St)

Public library (33 S Front St ; ⊙10h-17h lun-ven). La bibliothèque publique dispose d'ordinateurs avec accès Internet gratuit.

Regional Medical Center (☎901-545-7100 ; 877 Jefferson Ave). Unique centre d'urgences de niveau 1 de la région.

Tennessee State Visitor Center (☎901-543-5333, 888-633-9099 ; www.memphistravel. com ; 119 N Riverside Dr ; ⊙9h-17h nov-mars,

9h-18h avr-oct). Brochures touristiques sur tout l'État.

ⓘ Comment s'y rendre et circuler

Le **Memphis International Airport** (MEM ; ☎901-922-8000 ; www.memphisairport.org ; 2491 Winchester Rd) est à 19 km au sud-est du centre-ville par l'I-55 ; la course en taxi jusqu'au centre-ville coûte environ 30 $. **Memphis Area Transit Authority** (MATA, www.matatransit. com ; 444 N Main St ; 1,50 $) gère le réseau de bus locaux ; les bus n°2A et 32A vont à l'aéroport.

Les **trolleys** (1 $, toutes les 12 min) d'époque de la MATA circulent dans Main St et Front St en centre-ville. La gare **Greyhound** (www. greyhound.com ; 203 Union Ave) est en centre-ville, tout comme **Central Station** (www.amtrak. com ; 545 S Main St), le terminal d'Amtrak.

Shiloh National Military Park

"Aucun des soldats qui prit part aux deux jours de combat de Shiloh n'eut envie par la suite de se battre de nouveau" : ce sont les mots d'un vétéran de la sanglante bataille de 1862, qui se déroula au milieu de ces ravissants prés et forêts. Au cours de la bataille, 3 400 soldats périrent, et les confédérés furent finalement repoussés par les troupes de l'Union.

Le **Shiloh National Military Park** (www. nps.gov/shil ; 5 $/véhicule ; ☉parc aube-crépuscule, centre des visiteurs 8h-17h) est au nord de la frontière du Mississippi, près de la ville de Crump (Tennessee). Le centre des visiteurs fournit des plans, projette une vidéo sur la bataille, et vend un audio-tour.

Le parc, immense, ne se visite qu'en voiture. En chemin, on voit notamment le Shiloh National Cemetery, un point de vue au-dessus de la Cumberland River qui vit les troupes de renfort de l'Union arriver par bateau, ainsi que divers monuments et lieux historiques.

Nashville

Pour les fans de musique country, un voyage à Nashville est comme un pèlerinage. N'importe quelle chanson parlant d'un *pickup-truck*, d'une bouteille d'alcool, d'une femme partie sans laisser d'adresse ou d'un vieux chien bâtard disparu et beaucoup pleuré, a toutes les chances d'avoir été écrite à Nashville. Depuis les années 1920, la ville attire des musiciens qui ont fait passer la country de la "hillbilly music" (la musique des montagnes à l'origine de la country) du début du XXᵉ siècle à l'élégant "Nashville sound" des années 1960, puis à l'*alt-country* (country "alternative") mâtinée d'influences punks des années 1990.

Entre le Country Music Hall of Fame, la Grand Ole Opry House, les bars de blues rustiques, les édifices historiques et les grands noms du sport, Nashville a de quoi occuper le visiteur. Sans compter ses habitants sympathiques, sa jeunesse estudiantine dynamique, son excellent poulet frit et ses souvenirs tape-à-l'œil.

Histoire

En 1925, ce port fluvial se fit connaître grâce à son programme radio de musique live *Barn Dance*, surnommé par la suite le *Grand Ole Opry*. Sa popularité s'envola, la ville s'autoproclama "capitale mondiale de la country" et les studios d'enregistrement fleurirent dans Music Row.

Aujourd'hui, Nashville est la deuxième ville la plus peuplée du Tennessee. Elle compte plus d'une dizaine de facultés et universités, et son économie est basée sur la musique, le tourisme, la santé et l'édition.

◉ À voir et à faire

Nashville se tient sur un promontoire au bord de la Cumberland River ; le capitole de l'État est érigé au point le plus haut.

DOWNTOWN

Le quartier d'affaires historique de 2nd Ave N était le centre du négoce du coton dans les années 1870 et 1880, époque où furent construits la plupart des entrepôts victoriens ; on remarquera les façades en pierre et fer forgé. C'est aujourd'hui le cœur du **District** qui rassemble boutiques, restaurants, saloons underground et discothèques. À deux *blocks* à l'ouest, l'étroite allée pavée **Printers Alley** est réputée pour sa vie nocturne depuis les années 1940. Au bord de la Cumberland River s'étend le Riverfront Park, promenade verdoyante où se dresse **Fort Nashborough**, une reproduction de l'avant-poste d'origine de la ville datant des années 1930.

♥ Country Music Hall of Fame & Museum
MUSÉE
(www.countrymusichalloffame.com ; 222 5th Ave S ; adulte/enfant 22/15 $; ☉9h-17h). "La musique tu honoreras" : telle est la devise de ce monumental musée qui reflète l'importance quasi-biblique de la country pour Nashville. Vitrine après vitrine, on admire

la robe de soirée de Patsy Cline, la guitare de Johnny Cash, la Cadillac en or d'Elvis et la photo de Conway Twitty (prise à l'école quand il était encore Harold Jenkins). On trouve aussi des panneaux expliquant les origines de la musique country, des ordinateurs à écran tactile permettant d'accéder aux enregistrements et photos des gigantesques archives de la Country Music Foundation, et des alcôves où écouter de la musique. L'**audiotour** (5 $ en supp), qui fait la part belle aux données factuelles et à la musique, est narré par des musiciens de country contemporains. De là, on peut aussi participer à la **Studio B Tour** (visite 1 heure adulte/enfant 13/11 $), visite du célèbre studio de Music Row appartenant à la Radio Corporation of America (RCA), où Elvis enregistra "Are You Lonesome Tonight ?" et Dolly Parton "I Will Always Love You".

Ryman Auditorium　ÉDIFICE HISTORIQUE
(www.ryman.com ; 116 5th Ave N ; visite en indépendant adulte/enfant 13/6,50 $, visite des coulisses 17/10,50 $; ☉9h-16h). Cet auditorium que l'on appelle l'"église-mère de la musique country" a reçu une foule d'artistes du XXᵉ siècle, de Martha Graham à Elvis en passant par Bob Dylan. L'immense édifice en brique fut construit en 1890 par le riche capitaine Thomas Ryman pour accueillir des célébrations religieuses. Assister aujourd'hui à un spectacle, assis sur l'un des 2 000 sièges, tient d'ailleurs encore de l'expérience spirituelle. Le *Grand Ole Opry* s'est déroulé ici pendant 31 ans, jusqu'à ce qu'il prenne ses quartiers dans le complexe d'Opryland, à Music Valley, en 1974. De nos jours, l'*Opry* revient au Ryman en hiver.

Tennessee State Capitol　ÉDIFICE HISTORIQUE
(Charlotte Ave ; entrée libre ; ☉visites 9h-16h lun-ven). À la lisière nord-est de la ville, le capitole de l'État du Tennessee, édifice de style néogrec de 1845, fut construit avec du calcaire et du marbre de la région. Esclaves et prisonniers travaillèrent à sa construction aux côtés d'artisans européens. À l'arrière, des marches escarpées descendent jusqu'au **Tennessee Bicentennial Mall**. Ses murs extérieurs retracent l'histoire du Tennessee, et l'endroit accueille chaque jour un excellent **Farmers Market** (marché fermier).

GRATUIT **Tennessee State Museum**　MUSÉE
(www.tnmuseum.org ; 5th Ave, entre Union St et Deaderick St ; ☉10h-17h mar-sam, 13h-17h dim). Les passionnés d'histoire apprécieront ce musée modeste et agréable retraçant l'histoire de l'État à travers des objets amérindiens, une cabane en rondins

LES INCONTOURNABLES DE NASHVILLE

» L'incroyable show de musique country du célèbre **Grand Ole Opry** (p. 374)

» Un festin de poulet frit épicé à 3h du matin au **Prince's Hot Chicken** (p. 372)

» Une soirée de fête au **Tootsie's Orchid Lounge** (p. 373), l'ancêtre de tous les *honky-tonks*

» Une séance de shopping pour s'offrir des santiags vintage chez **Katy K's Ranch Dressing** (p. 371)

» La Cadillac en or d'Elvis et les autres trésors du **Country Music Hall of Fame** (ci-contre)

grandeur nature et d'insolites objets historiques comme le chapeau d'investiture du président Andrew Jackson.

Frist Center for the Visual Arts　MUSÉE
(www.fristcenter.org ; 919 Broadway ; adulte/enfant 10 $/gratuit ; ☉10h-17h30 lun-mer et sam, 10h-21h jeu et ven, 13h-17h dim). Accueille des expositions itinérantes de toutes sortes (art folklorique américain, œuvres de Picasso, etc.) dans le majestueux bâtiment rénové de l'ancienne poste.

MIDTOWN

Le long de West End Ave, et commençant à hauteur de 21st Ave, se tient la prestigieuse **Vanderbilt University**, fondée en 1883 par le magnat des chemins de fer Cornelius Vanderbilt. Le campus de 133 ha compte quelque 12 000 étudiants, dont les habitudes et la culture imprègnent énormément l'ambiance de Midtown.

Parthenon　PARC, MUSÉE
(www.parthenon.org ; 2600 West End Ave ; adulte/enfant 6/4 $; ☉9h-16h30 mar-sam, plus dim en été). C'est en effet une reproduction du Parthénon d'Athènes qui se dresse dans le **Centennial Park**. Construite initialement pour la Centennial Exposition du Tennessee (1897), et reconstruite en 1930 à la demande de la population, cette copie en plâtre grandeur nature de l'original abrite aujourd'hui un musée comportant une collection de peintures américaines et une statue de la déesse Athéna haute de 13 m.

Bicentennial Mall

Harrison St

James Robertson Pkwy

5 ⊚

Jo Johnson Ave

Gay St

6 ⊚

Music City Central

Charlotte Ave

Legislative Plaza

Deaderick St

7 🏛

Union St

8 🖶

Arcade

13 ★

9 🖶

Church St

3 ⊚

8th Ave N

Commerce St

4 ⊚

15 21 22
★ ★ 🔒 🔒

17 ★

Broadway

THE DISTRICT

20 🏛

US Courthouse

2 🏛

10 🖶

McGavock St

McGavock St

McGavock St

18 ★

Demonbreun St

Gare routière Greyhound

1 🏛

Clark Pl

16 ★

Shirley St

Franklin St

Howell Park

14 ★

Peabody St

Gleaves St

11 ✕

Lea Ave

12 ★

23 🔒

Lafayette St

Hawkins St

Elm St

South St

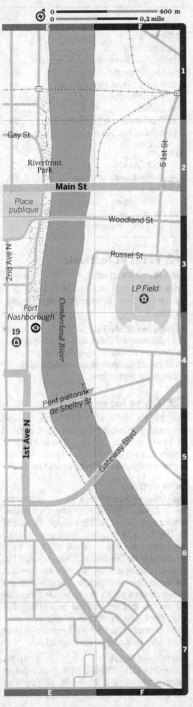

Gay St

Riverfront
Park

Main St

*Place
publique*

Woodland St

Russel St

LP Field

Fort
Nashborough

19

2nd Ave N

Cumberland River

Pont piétonnier
de Shelby St

1st Ave N

Gateway Blvd

S 1st St

0 — 400 m
0 — 0,2 mile

Music Row
QUARTIER

À l'ouest du centre-ville, ce tronçon de 16th Ave et 17th Ave est le fief des labels, agents, managers et publicitaires qui gèrent l'industrie de la country à Nashville. Il n'y a pas grand-chose à voir, mais l'on peut, moyennant finance, enregistrer son propre disque dans les plus petits des studios (de 25 $ à 100 $ l'heure). Avis aux amateurs…

MUSIC VALLEY

Cette zone touristique située à 16 km au nord-est du centre-ville aux sorties n°11 et 12B des Hwy 155/Briley Pkwy est accessible en bus.

Grand Ole Opry House
VISITE, MUSÉE

(☎615-871-6779 ; www.opry.com ; 2802 Opryland Dr ; adulte/enfant 17,50/12,50 $). Ce discret bâtiment moderne en brique accueille 4 400 spectateurs pour le *Grand Ole Opry*, le vendredi et le samedi de mars à novembre. Des visites guidées des coulisses sont proposées chaque jour sur réservation (réservez en ligne jusqu'à 2 semaines avant). De l'autre côté de la place, un petit **musée** (◷10h30-18h mars-déc) gratuit retrace l'histoire de l'émission à travers des mannequins en cire, des costumes bigarrés et des dioramas.

Gibson Bluegrass Showcase
FABRICANT DE GUITARES

(www.gibson.com ; 161 Opry Mills Dr ; ◷10h-21h30 lun-sam, 10h-19h dim). Derrière la vitre, on assiste à la fabrication des banjos, mandolines et guitares à résonateur.

PLANTATIONS

Hermitage
MUSÉE, JARDINS

(www.thehermitage.com ; 4580 Rachel's Lane ; adulte/enfant 18/12 $; ◷8h30-17h avr-oct, 9h-16h30 oct-mars). L'ancienne demeure du 7e président des États-Unis, Andrew Jackson, se situe à 24 km à l'est du centre-ville. La plantation de 405 ha offre un aperçu du quotidien d'un gentleman farmer du Mid-South au XIXe siècle. Visitez la demeure en brique de style fédéral, devenue un musée meublé animé par des interprètes en costumes, ainsi que la cabane en rondins ayant appartenu à Jackson (1804) et l'ancien quartier des esclaves (Jackson eut jusqu'à 150 esclaves ; une exposition spéciale leur est consacrée). Il fait bon flâner dans les jardins et le domaine champêtre, même si la proximité de l'autoroute gâche un peu le plaisir.

Belle Meade Plantation
ÉDIFICE HISTORIQUE

(www.bellemeadeplantation.com ; 5025 Harding Pike ; adulte/enfant 16/8 $; ◷9h-17h lun-sam,

LE SUD NASHVILLE

11h-17h dim). La famille Harding-Jackson a commencé à élever des purs-sang ici (à 10 km à l'ouest de Nashville) au début des années 1800. Chaque cheval ayant participé au Kentucky Derby ces cinq dernières années est un descendant de l'étalon du haras de Belle Meade, Bonnie Scotland, mort en 1880. La demeure de 1853 est ouverte au public, de même que plusieurs dépendances.

👉 Circuits organisés

Procurez-vous au centre des visiteurs la liste des nombreux circuits à thème disponibles à Nashville.

❤ NashTrash CIRCUITS EN BUS
(☎615-226-7300 ; www.nashtrash.com ; 900 8th Ave N ; circuits 1 heure 30 32 $). Les "Jugg Sisters" à l'impressionnante coiffure proposent une visite amusante et théâtrale à travers l'histoire trash de Nashville tandis que les participants sirotent l'alcool qu'ils ont pris soin d'apporter. Attention : les circuits sont souvent complets *des mois* à l'avance.

Tommy's Tours CIRCUITS EN BUS
(☎615-335-2863 ; www.tommystours.com ; circuits à partir de 40 $). Le très drôle Tommy Garmon mène des visites de 3 heures couvrant des sites en lien avec la musique country.

General Jackson Showboat EXCURSIONS EN BATEAU
(☎615-458-3900 ; www.generaljackson.com ; circuits à partir de 46 $). Balades touristiques en bateau à aubes sur la Cumberland River, certaines avec musique et repas.

🎉 Fêtes et festivals

CMA Music Festival MUSIQUE
(www.cmafest.com). Attire des dizaines de milliers de fans de country chaque année en juin.

Tennessee State Fair FOIRE
(www.tennesseestatefair.org). Neuf jours de courses de porcs, concours de mules ou chevaux de trait et de confection de gâteaux en septembre.

🛏 Où se loger

Les motels de chaîne très bon marché cernent littéralement le centre-ville, au bord de l'I-40 et l'I-65. Music Valley abrite une légion d'établissements de chaîne de catégorie moyenne, parfaits pour les familles.

DOWNTOWN

❤ Union Station Hotel HÔTEL $$$
(☎615-726-1001 ; www.unionstation-hotelnashville.com ; 1001 Broadway ; ch à partir de 209 $; P❀❖☎). Cet immense château en pierre de style roman était la gare ferroviaire de Nashville. C'est aujourd'hui l'hôtel le plus emblématique du centre-ville. La réception surmontée d'une voûte est ornée de tons pêche et or, de sols incrustés de marbre et d'un plafond en vitraux. Les chambres sont modernes et décorées avec goût, et comportent des TV à écran plat et de profondes baignoires. Parking 20 $.

Hermitage Hotel HÔTEL $$$
(☎615-244-3121, 888-888-9414 ; www.theher-mitagehotel.com ; 231 6th Ave N ; ch à partir de 259 $; P❀☎). Le premier hôtel de Nashville

à coûter un million de dollars connut un franc succès dans la haute société lors de son inauguration en 1910. La réception ressemble au palais d'un tsar, le moindre centimètre carré disparaissant sous de somptueuses tapisseries et des sculptures ornementées. Les chambres abritent lits luxueux et mobilier en acajou. Parking 20 $.

Indigo Nashville Downtown HÔTEL **$$**
(☎877-846-3446 ; www.ichotelsgroup.com ; 301 Union St ; ch à partir de 139 $; P✳❄🛜). La plupart des hôtels de catégorie moyenne du centre-ville sont de gigantesques établissements impersonnels pour clientèle d'hommes d'affaires. C'est moins le cas dans cette nouvelle adresse, dotée d'une réception moderne haute de plafond, aux couleurs vives, et décorée d'une fresque murale photographique des lieux emblématiques de Nashville allant du sol au plafond. Parking 20 $.

WEST END

❤ **Music City Hostel** AUBERGE DE JEUNESSE **$**
(☎615-692-1277 ; www.musiccityhostel.com ; 1809 Patterson St ; dort/ch 25/70 $; P✳@🛜). Ses bungalows en brique n'ont rien de bien attrayant, mais l'unique auberge de jeunesse de Nashville est animée et accueillante. Location de vélos, cuisine commune, un ordinateur et Wi-Fi gratuit. La clientèle est jeune, internationale et prête à s'amuser : jam-session dans la cour presque chaque soir. Nombre de bars du West End sont situés à une courte distance à pied.

🍃**Hutton Hotel** HÔTEL **$$$**
(☎615-340-9333 ; www.huttonhotel. com ; 1808 West End Ave ; ch à partir de 189 $; P✳@🛜). L'hôtel le plus récent de Nashville est aussi le plus élégant, et joue la carte du modernisme années 1950 avec des murs lambrissés de bambou et d'énormes poufs dans la réception. On trouve des jardins de cactus miniatures dans les chambres aux tons rouille et chocolat.

1501 Linden Manor B&B **$$**
(☎615-298-2701 ; www.nashville-bed-breakfast. com ; 1501 Linden Ave ; ch à partir de 125 $; P✳🛜❄). Le couple qui tient ce cottage victorien aux murs jaunes l'a rempli d'objets anciens rapportés de ses voyages (tapis persans, sculptures d'Asie...). Régalez-vous de soufflés aux œufs maison au petit-déjeuner ou plongez la main dans la "boîte à biscuits sans fond" à tout moment.

MUSIC VALLEY

Gaylord Opryland Hotel RESORT **$$$**
(☎615-889-1000, 866-972-6779 ; www.gaylord-hotels.com ; 2800 Opryland Dr ; ch à partir de 199 $; P✳@ 🛜❄). Ce gigantesque hôtel de 2 881 chambres est un monde en soi. Inutile de sortir quand on peut faire du pédalo sur une rivière artificielle, manger des sushis sous une fausse cascade dans un jardin intérieur, acheter des *bolos* dans

---

VIVA NASHVEGAS !

La clinquante Nashville est fière de son surnom de NashVegas. Chaussez vos santiags ornées de strass et découvrez le visage sauvage et insolite de la ville.

Star de l'Outlaw Country (musique country "hors la loi", un genre musical né dans les années 1960), Willie Nelson a dû vendre tous ses biens au début des années 1990 pour régler 16,7 millions de dollars d'arriérés d'impôts. On peut admirer ces objets au **Willie Nelson Museum** (www.willienelsongeneralstore ; McGavock Pike, Music Valley ; 10 $; ⊗8h30-21h), qui les rassemble tous, sauf peut-être une vieille brosse à dents... Plus haut dans la rue, le **Music City Wax Museum** (2515 McGavock Pike ; 3 $; ⊗8h-22h) expose de lugubres statues à l'effigie de stars de la country, encore vivantes ou non.

Le mardi soir, le show **Doyle and Debbie** donné au Station Inn (p. 374) est une parodie culte d'un duo de chanteurs de country.

Printer's Alley, autrefois le fief du vice à NashVegas, s'est racheté une conduite, mais il reste toutefois un bar dont l'enseigne affiche... "**Nude Karaoke**".

Également en centre-ville, le **Charlie Daniels Museum** (110 2nd Ave N ; entrée libre ; ⊗9h-tard) tient davantage de la boutique de souvenirs que du musée, et vend de tout, du désodorisant au T-shirt à l'effigie du chanteur de "Devil Went Down to Georgia", qui a de vrais airs de Père Noël.

Dans l'insolite quartier de 12th Ave S, une ancienne styliste des drag-queens de New York vend des perruques crépues, des santiags et des *bolos* (la cravate du cow-boy) artisanaux chez **Katy K's Ranch Dressing** (2407 12th Ave S).

VAUT LE DÉTOUR

LA DISTILLERIE JACK DANIEL'S

Ironie de la situation, la **Jack Daniel's Distillery** (www.jackdaniels.com ; Rte 1, Lynchburg ; entrée libre ; ☺9h-16h30) est installée dans un "dry county" (comté où la vente d'alcool est interdite). La distillerie ne peut donc faire déguster son célèbre whisky, néanmoins, elle organise des visites gratuites d'une heure où l'on a tout loisir de humer le breuvage ambré. C'est la plus ancienne distillerie officiellement déclarée aux États-Unis : le personnel fait couler le whisky à travers des couches de charbon puis le fait vieillir dans des fûts en chêne depuis 1866. Elle se trouve au bord de la Hwy 55, à Lynchburg. Tout visiteur qui vient dans cette minuscule ville est là pour la distillerie, ou alors il s'est perdu…

une reproduction de ville du XIXᵉ siècle, ou siroter un scotch dans une demeure *antebellum*, le tout à l'intérieur des trois immenses atriums vitrés de l'hôtel.

Nashville KOA Kampground CAMPING $
(☎615-889-0282, 800-562-7789 ; www.koa.com ; 2626 Music Valley Dr ; empl 39 $, cabins à partir de 60 $, lodges 129 $; ℙ🛜🏊). Apprécié des voyageurs en camping-car, ce camping propre et soigné comporte aussi des emplacements de tente, des *cabins* et des lodges avec kitchenettes, tous en retrait de la route. Également : piscine, salle de jeu et snack-bar.

✗ Où se restaurer

Le plat typique de Nashville, c'est le *meat-and-three*, assiette composée d'une copieuse portion de viande (poulet frit, *meatloaf*, etc.) avec trois accompagnements au choix. Beaucoup de restaurants du District sont de clinquants pièges à touristes, qu'il vaut mieux éviter.

Prince's Hot Chicken POULET $
(123 Ewing Dr ; plat 4-8 $; ☺12h-22h mar-jeu, 12h-4h ven-sam). Du poulet piquant ("hot chicken") frotté au poivre de Cayenne, frit à la perfection et servi sur une tranche de pain blanc avec des pickles, c'est *la* contribution de Nashville à la gastronomie. Ce minuscule restaurant aux couleurs fanées, dans un centre commercial côté nord, est une légende locale encensée par tous, du *New York Times* à *Bon Appétit*. Préparé au choix *mild*, *medium*, *hot* ou *extra hot* (de peu épicé à très épicé), ce poulet-là, vous en redemanderez.

City House NOUVELLE CUISINE DU SUD $$$
(☎615-736-5838 ; cityhousenashville.com ; 1222 4th Ave N ; plat 9-24 $; ☺17h-22h mer-lun). Cet édifice en briques sans enseigne de Germantown, quartier de Nashville en plein embourgeoisement, héberge l'une des meilleures nouvelles adresses du Sud. Les

plats, préparés dans la cuisine ouverte de la salle ressemblant à un entrepôt, sont un mélange explosif de saveurs italiennes et de la nouvelle cuisine du Sud : foies de poulet à la confiture d'oignons rouges, pizza à la poitrine de porc fumée maison, gros gâteau à la *root beer* (boisson à base d'extraits de plante) garni de crème au beurre. La confection des cocktails est ici un art : goûtez au Kubric (whisky du Tennessee, eau-de-vie de poire artisanale, *ginger ale*).

Arnold's CUISINE DU SUD $
(605 8th Ave S ; plat 5-8 $; ☺6h-14h30 lun-ven). Munissez-vous d'un plateau et entrez dans la file d'attente en compagnie des étudiants et des stars de la country chez Arnold's, roi du *meat-and-three*. Les pavés de bœuf rôti sont la spécialité maison, ainsi que les beignets de tomates vertes, deux sortes de pain de maïs, et les épaisses tranches de tarte crème-chocolat. Le fin du fin de la cuisine du Sud.

Family Wash PUB $$
(www.familywash.com ; 2038 Greenwood Ave ; plat 9-15 $; ☺18h-24h mar-sam). Ce pub gastronomique du quartier d'East Nashville permet entre autres de déguster une sublime *roast garlic shepherd's pie* (sorte de parmentier de bœuf à l'ail rôti) et de siroter une bière artisanale en regardant le barman plaisanter avec les habitués. Concerts sur la petite scène à partir de 21h presque chaque soir.

Monell's CUISINE DU SUD $$
(www.monellstn.com ; 1235 6th Ave N ; buffet à volonté 16 $; ☺10h30-14h lun, 10h30-14h et 17h-20h30 mar-ven, 8h30-13h et 17h-20h30 sam, 8h30-16h dim). Dans une vieille maison en brique au nord du District, Monell's est apprécié pour sa cuisine du Sud familiale : tables communes et plats passant de main en main. Les convives auront tous sympathisé avant même d'avoir terminé leur poisson-chat frit.

Marché Artisan Foods
BISTROT $$

(www.marcheartisanfoods.com ; 1000 Main St ; plat 9-16 $; ☺8h-21h mar-sam, 8h-16h dim). À East Nashville, quartier en plein embourgeoisement, ce bistrot spacieux propose un menu pour végétariens à base de plats d'influences française et italienne, préparés avec des produits locaux de saison. Passez déguster une brioche à la cannelle au petit-déjeuner, ou une assiette de gnocchis maison au maïs doux au dîner.

Pancake Pantry
PETIT-DÉJEUNER $

(www.pancakepantry.com ; 1796 21st Ave S ; plat 5-9 $; ☺6h-15h). Depuis plus de 50 ans, la file d'attente ne désemplit pas grâce aux *pancakes* de toutes sortes concoctés ici. Mention spéciale au *pancake* à la patate douce.

Elliston Place Soda Shop
DÎNER $

(2111 Elliston Pl ; plat 3-6 $; ☺7h-19h lun-sam). Ce vénérable restaurant propose fontaine à sodas et *meat-and-threes* aux étudiants de Vandy depuis les années 1930 ; le décor n'a guère changé depuis.

🍷 Où prendre un verre et sortir

La vie nocturne de Nashville est celle d'une ville trois fois plus grande, et vous aurez du mal à dénicher un établissement où il n'y ait *pas* de concert. Étudiants, jeunes hommes bien décidés à enterrer leur vie de garçon, routards danois et hommes d'affaires investissent le centre-ville, où les néons de Broadway évoquent Las Vegas. Les bars et salles de concert à l'ouest et au sud du centre-ville ont tendance à attirer une clientèle plus locale ; la plupart des établissements sont regroupés aux abords de la Vanderbilt University. De nombreux bars restent ouverts jusqu'à 3h du matin quand il y a du monde.

VAUT LE DÉTOUR

FRANKLIN

À 32 km au sud de Nashville, au bord de l'I-65, la ville historique de **Franklin** (www.historicfranklin.com) compte un charmant centre-ville et de ravissants B&B. À la **Puckett's Grocery** (www.puckettsgrocery.com ; 120 4th Ave S ; plat 10-20 $; ☺6h-18h dim-jeu, jusque tard ven-sam), offrez-vous un sandwich au poisson-chat frit, et du bluegrass côté musique.

Bars et discothèques
Cafe Coco
CAFÉ, BAR

(www.cafecoco.com ; 210 Louise Ave ; ☺24h/24). Dans un vieux cottage délabré tout proche d'Elliston Place, le Cafe Coco ressemble à un club d'étudiants particulièrement animé où l'action est au rendez-vous 24h/24. La clientèle, jeune, grignote sandwichs et gâteaux dans la salle de l'avant, fume dans le grand patio, boit au bar et tape sur ordinateur portable dans les anciennes chambres (Wi-Fi gratuit).

Whiskey Kitchen
PUB

(www.whiskeykitchen.com ; 118 12th Ave S). Dans le Gulch, petit ensemble d'entrepôts réhabilités attenant au centre-ville à la réputation montante. Ce pub gastronomique tendance nouvelle cuisine du Sud propose une très longue carte de whiskies. C'est l'une des adresses les plus branchées de Nashville, souvent bondée.

Rumours Wine et Art Bar
BAR

(www.rumourswinebar.com ; 2404 12th Ave S). Dans le quartier de 12th Ave S, branché mais sobre, une adresse bohème parfaite pour siroter un verre de malbec frais.

Tribe
BAR

(www.tribenashville.com ; 1517 Church St). Adresse très sympathique à la clientèle majoritairement gay, mais tout le monde est le bienvenu pour siroter des martinis, regarder des clips vidéo et danser toute la nuit.

Musique live

Côté concerts, Nashville n'a pas son pareil. Outre les grandes salles, la ville compte quantité de *honky-tonks* enfumés, de bars étudiants, de *coffee shops* et de cafés bio où se produisent nombre de talentueux musiciens de country, de folk, de bluegrass, de Southern Rock et de blues. Beaucoup d'établissements sont gratuits du lundi au vendredi, ou si l'on se présente tôt.

❤️ **Tootsie's Orchid Lounge** HONKY-TONK (☎615-726-7937 ; www.tootsies.net ; 422 Broadway). Le plus vénéré des *honky-tonks* du centre-ville résonne du pas des danseurs chaque soir de la semaine. Dans les années 1960, sa propriétaire "Tootsie" Bess y a accueilli des gens comme Willie Nelson, Kris Kristofferson et Waylon Jennings. Aujourd'hui, des musiciens de country au talent prometteur occupent les deux scènes minuscules, et il n'est pas rare que de grandes stars passent à l'improviste faire une jam-session.

LES MEILLEURES GLACES

Les habitants savent où aller par les chauds et humides après-midi typiques du Tennessee : **Las Paletas Gourmet Popsicles** (2907 12th Ave S ; ◷mar-sam 12h-19h, 12h-17h dim), petite boutique vendant toutes sortes de glaces à l'eau aux parfums étonnants tels que chocolat-wasabi, hibiscus et huile d'olive.

Grand Ole Opry   VARIÉTÉS
(☑615-871-6779   ;   www.opry.com   ; 2802 Opryland Dr, Music Valley ; adulte 28-88 $, enfant 18-53 $). Même si l'on peut assister à tout un choix de concerts de country toute la semaine, le *Grand Ole Opry*, hommage à la country classique de Nashville, est *le* spectacle à voir (tous les mardis, vendredis et samedis soir). Le show se déroule comme autrefois au Ryman de novembre à février.

Bluebird Cafe   DISCOTHÈQUE
(☑615-383-1461   ;   www.bluebirdcafe.com   ; 4104 Hillsboro Rd ; entrée gratuite ou jusqu'à 15 $; ◷spectacles 18h et 21h30). L'établissement est dans un centre commercial de la banlieue de South Nashville, mais que cela ne vous rebute pas : certains des meilleurs auteurs-compositeurs de country ont foulé cette scène minuscule. Steve Earle, Emmylou Harris et les Cowboy Junkies ont tous joué au Bluebird. Tentez votre chance lors de la soirée "scène ouverte" du lundi.

Robert's Western World   HONKY-TONK
(www.robertswesternworld.com ; 416 Broadway). Offrez-vous une paire de bottes, une bière ou un hamburger dans cette adresse de Broadway, appréciée de longue date. La musique commence à 11h et dure toute la nuit. Brazilbilly, le groupe maison, met de l'ambiance après 22h le week-end.

Station Inn   CLUB
(☑615-255-3307   ;   www.stationinn.com   ; 402 12th Ave S). Au sud du centre-ville, ce discret bâtiment en pierre est la meilleure adresse de la ville pour entendre de l'authentique bluegrass. Ne manquez pas le spectacle de Doyle et Debbie (voir p. 371) le mardi soir.

Ryman Auditorium   SALLE DE CONCERT
(☑billets   615-458-8700,   renseignements 615-889-3060 ; www.ryman.com ; 116 5th Ave). L'excellente acoustique du Ryman, son charme historique et sa grande capacité d'accueil lui conservent sa place de première

salle de concert de la ville. L'*Opry* s'y déroule en hiver.

Bourbon Street Blues & Boogie Bar   BLUES
(www.bourbonstreetblues.com ; 220 Printer's Alley). Autre club de blues réputé de Printer's Alley, avec plafonds bas et décor qui évoque La Nouvelle-Orléans.

Pour ceux qui sont las de la musique country :

Basement   DISCOTHÈQUE
(www.thebasementnashville.com ; 1604 8th Ave S). Au-dessous de Grimey's Records ; spectacles intimistes de rock alternatif et de musique folk.

Mercy Lounge   DISCOTHÈQUE
(www.mercylounge.com ; 1 Cannery Row). En haut de la rue ; concerts de rock'n'roll arty dans une ancienne conserverie en briques.

Exit/In   DISCOTHÈQUE
(www.exitin.com ; 2208 Elliston Pl). Sur Elliston Place. Cet établissement ouvert en 1971 passe du rock indépendant, du hip-hop, etc.

🔒 Achats

Lower Broadway est le fief des magasins de disques, de bottes et des stands de souvenirs, mais l'on obtient en principe des tarifs plus avantageux ailleurs. Le quartier de 12th Ave South recèle des boutiques ultra-tendance et vintage. Ne manquez surtout pas Katy K's Ranch Dressing (p. 371).

♥ Hatch Show Print   ART, SOUVENIRS
(316 Broadway). L'une des plus vieilles boutiques d'impression des États-Unis. On y utilise des plaques à l'ancienne pour imprimer des affiches depuis les débuts du music-hall. La société a produit des affiches et publicités graphiques pour presque toutes les stars de la musique country.

Ernest Tubb   MUSIQUE
(417 Broadway). Signalé par une immense guitare en néon, voici l'un des meilleurs magasins où acheter des disques de country et de bluegrass. Reste ouvert tard.

Third Man Records   MUSIQUE
(623 7th Ave S). Nouveau magasin de disques minuscule, également studio d'enregistrement, appartenant au leader des White Stripes, Jack White.

Elder's Bookstore   LIVRES
(2115 Elliston Pl). Excellente librairie d'occasion ouverte depuis les années 1930.

Gruhn Guitars · MUSIQUE
(400 Broadway). Boutique réputée
d'instruments d'époque, personnel expert.

Opry Mills Mall CENTRE COMMERCIAL
(⊙10h-21h30 lun-sam, 10h-19h dim). À côté
de l'Opry, vaste centre commercial
comportant un cinéma IMAX, des
restaurants à thème et des dizaines de
grandes enseignes commerciales.

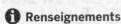 Renseignements

La connexion Wi-Fi est gratuite dans le centre-
ville de Nashville et à Centennial Park, de
même que dans presque tous les hôtels et de
nombreux restaurants et *coffee shops*.

InsideOut (www.insideoutnashville.com).
Hebdomadaire consacré à la scène gay et
lesbienne locale.

Main police station (☑615-862-8600 ;
310 1st Ave S). Poste de police principal.

Nashville Scene (www.nashvillescene.
com). Hebdomadaire alternatif gratuit avec
programme des sorties.

Nashville Visitors Information Center
(☑615-259-4747 ; www.visitmusiccity.com ;
501 Broadway, Sommet Center ; ⊙8h30-
17h30). On trouve dans cette tour de verre des
plans de la ville gratuits. Excellente source
d'informations en ligne.

Poste (1718 Church St)

Public library (www.library.nashville.org ;
615 Church St). La bibliothèque publique offre
un accès Internet gratuit.

Tennessean (www.tennessean.com). Le
quotidien de Nashville.

Vanderbilt University Medical Center (☑615-
322-5000 ; 1211 22nd Ave S). Centre médical.

TROIS PAIRES DE SANTIAGS POUR LE PRIX D'UNE

Les santiags en cuir, uniforme
officieux de Nashville, sont le souvenir
phare de la ville, et des dizaines
de magasins de Lower Broadway
vendent ces bottes aux touristes à
des tarifs excessifs. Les acheteurs
avertis iront plutôt chez **Boot
Country** (304 Broadway) qui propose
une offre légendaire (deux paires
offertes pour une paire achetée) selon
d'innombrables déclinaisons (des
bottes en peau d'alligator aux bottes
d'équitation).

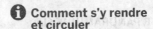 Comment s'y rendre et circuler

Le **Nashville International Airport** (BNS ;
☑615-275-1675 ; www.nashintl.com), à 13 km à
l'est de la ville, n'est pas un important carrefour
des transports aériens. Le bus MTA n°18 relie
l'aéroport et le centre-ville ; le **Gray Line Airport
Express** (www.graylinenashville.com ; aller
simple/aller-retour 12/20 $; ⊙5h-23h) dessert
les grands hôtels du centre-ville et du West
End. Les taxis facturent un prix fixe de 25 $ à
destination du centre-ville ou d'Opryland.

La gare **Greyhound** (1030 Charlotte Ave)
est en centre-ville. La **Metropolitan
Transit Authority** (www.nashvillemta.org ;
1,60 $) gère le réseau de bus municipaux,
basé en centre-ville à **Music City Central**
(400 Charlotte Ave). Des bus express
desservent Music Valley.

Est du Tennessee

Dolly Parton, la plus célèbre chanteuse
originaire de l'est du Tennessee, aime tant sa
région natale que sa carrière s'est construite
sur des chansons parlant toujours de la
même histoire : des jeunes filles qui quittent les Smoky Mountains embaument le
chèvrefeuille, attirées par le scintillement
trompeur de la ville. Mais la désillusion est
toujours au rendez-vous.

Pour l'essentiel une région rurale
parsemée de petites bourgades, de collines
ondoyantes et de vallées, le tiers oriental
de l'État se caractérise par ses habitants
sympathiques, sa solide cuisine rustique et
son charme champêtre.

Les luxuriantes Great Smoky Mountains,
teintées du mauve de la bruyère, se prêtent
idéalement à la randonnée, au camping et
au rafting, tandis que les principales zones
urbaines, Knoxville et Chattanooga, sont
des villes fluviales à la population estudiantine dynamique et à la scène musicale pleine
de vitalité.

CHATTANOOGA

Baptisée "ville la plus sale d'Amérique" dans
les années 1960, Chattanooga a fini par se
débarrasser de sa pollution industrielle et
par s'atteler à la réhabilitation de son centre-
ville. Aujourd'hui, c'est l'une des villes les
plus "vertes" du pays, dotée de kilomètres
de sentiers en bord de fleuve très fréquentés
et de ponts piétonniers enjambant la
Tennessee River. Elle est même sillonnée
par des bus électriques gratuits. Avec à
portée de main de multiples occasions de
faire de l'escalade, de la randonnée, du vélo

ROUTE PANORAMIQUE : LA NATCHEZ TRACE PARKWAY

À 40 km au sud-ouest de Nashville, au bord de la Hwy 100, les conducteurs peuvent emprunter la Natchez Trace Pkwy, qui mène 715 km plus loin au sud-ouest à Natchez (Mississippi). Ce tronçon nord est l'une des parties les plus belles de tout l'itinéraire : les arbres à larges feuilles semblent se pencher au-dessus de la route sinueuse pour former une arche de verdure. On croise trois campings très sommaires en chemin, gratuits et disponibles selon la formule "premier arrivé, premier servi". Près de l'entrée de la voie rapide, faites étape à l'emblématique **Loveless Cafe**, relais routier des années 1950 réputé pour ses *biscuits*, ses conserves maison, son jambon de campagne et son poulet frit.

et des sports aquatiques, c'est une ville du Sud parfaite pour les amateurs de plein air.

Elle fut un important carrefour ferroviaire tout au long des XIXe et XXe siècles, d'où le fameux "Chattanooga Choo-Choo", à l'origine une référence au train de passagers de la Cincinnati Southern Railroad qui reliait Cincinnati à Chattanooga, repris plus tard comme titre de chanson par Glen Miller en 1941.

Le Bluff View Art District, au croisement de High St et E 2nd St, regroupe des boutiques et restaurants haut de gamme donnant sur le fleuve.

◉ À voir et à faire

Sur le North Shore, **Coolidge Park** constitue un bon point de départ pour une balade en bord de fleuve. On y trouve un manège, des terrains de sport et un mur d'escalade de 15 m adossé à l'un des piliers qui soutiennent le **Walnut Street Bridge**.

Lookout Mountain   PLEIN AIR
(www.lookoutmtnattractions.com ; 827 East Brow Rd ; adulte/enfant 46/24 $; 🚻). Certains des sites d'intérêt les plus anciens et les plus courus de Chattanooga se trouvent à 10 km de la ville. Un même billet d'entrée permet l'accès à l'Incline Railway, tortillard qui grimpe une pente escarpée jusqu'au sommet de la montagne, aux Ruby Falls, la plus longue cascade souterraine du monde, et enfin au Rock City, jardin doté

d'un fantastique belvédère au sommet d'une falaise. Les heures d'ouverture varient selon les saisons. La montagne est également un rendez-vous prisé des amateurs de delta-plane. Le personnel du **Lookout Mountain Flight Park** (📞800-688-5637 ; www.hanglide.com ; 7201 Scenic Hwy, Rising Fawn, GA ; vol d'initiation en tandem 199 $) propose des cours.

Tennessee Aquarium   AQUARIUM
(www.tnaqua.org ; 1 Broad St ; adulte/enfant 25/15 $; ⏱10h-18h ; 🚻). Cette pyramide en verre dominant les bords escarpés du fleuve est le plus grand aquarium d'eau douce au monde. Embarquez à bord de son catamaran à grande vitesse pour une excursion de 2 heures à travers la Tennessee River Gorge (adulte/enfant 29/22 $). Profitez aussi du spectacle dans son **cinéma IMAX** (adulte/enfant 8,50/7 $).

Outdoor Chattanooga   ACTIVITÉS DE PLEIN AIR
(📞423-643-6888 ; www.outdoorchattanooga.com). Si vous empruntez la passerelle piétonnière pour rejoindre le centre-ville, vous remarquerez en contrebas le "toit vivant" couvert d'herbe de cette agence gérée par la ville qui propose des loisirs sportifs. Elle organise des sorties randonnée, kayak et vélo. Téléphonez ou consultez le site Internet pour connaître les horaires. C'est également une source d'informations utile pour les activités de plein air.

Hunter Museum of American Art   MUSÉE
(www.huntermuseum.org ; 10 Bluff View ; adulte/enfant 10/5 $; ⏱10h-17h lun, mar et jeu-sam, 12h-17h mer et dim). À l'est de l'aquarium se dresse le hall en verre, tout aussi impressionnant, de ce musée qui abrite une fantastique collection d'œuvres des XIXe et XXe siècles. Ne manquez pas le pont piétonnier en verre, pour le frisson du vert

⌂ Où se loger et se restaurer

De nombreux motels bon marché sont installés au bord de l'I-24 et de l'I-75.

Chattanooga Choo-Choo Holiday Inn   HÔTEL $$
(📞423-266-5000 ; www.choochoo.com ; 1400 Market St ; ch/wagon à partir de 145/179 $; 🅿❄@🛜🏊). L'ancienne gare ferroviaire est devenue un hôtel doté de 48 authentiques wagons victoriens aménagés en chambres, d'un bar rétro datant du Gilded Age ("âge d'or") et de nombreuses boutiques. Les chambres et suites standards, dans des bâtiments distincts, sont propres mais ordinaires.

Stone Fort Inn   B&B $$
(📞423-267-7866 ; www.stonefortinn.com ; 120 E 10th St ; ch à partir de 120 $; 🅿❄🛜). La

brique nue, le mariage élégant d'objets anciens, de publicités et objets Coca-Cola d'époque et de têtes de cerf – pour la petite pointe de kitch –, font de ce *boutique hotel* du centre-ville l'adresse la plus tendance de Chattanooga.

Raccoon Mountain Campground
CAMPING **$**

(☎423-821-9403 ; www.raccoonmountain. com ; 319 W Hills Dr ; empl tente à partir de 18 $). Camping le plus proche de la ville avec emplacements de tente ombragés et équipements bien entretenus, au pied des grottes du même nom (ouvertes à la visite).

♥ Zarzour's
CUISINE DU SUD **$**

(1627 Rossville Ave ; plat 5-8 $; ☺11h-15h30 lun-ven). Ce minuscule *diner* lambrissé est le plus ancien restaurant de Chattanooga. L'humour du personnel et la cuisine familiale – hamburgers, spaghettis au four et *lemon ice box pie* (gâteau glacé à base de laitages et de citron, un classique) – font tout le charme de l'endroit.

Big River Grille & Brewing Works
PUB **$$**

(222 Broad St ; plat 9-20 $; ☺11h-24h dim-jeu, 11h-2h ven-sam). Dans ce vaste espace du centre-ville doté d'un grand patio, la clientèle enjouée boit de la bière et se régale de plats de pub (hamburgers, calamars, pizza au poulet/sauce barbecue).

❶ Renseignements
Le **Visitor Center** (☎423-756-8687, 800-322-3344 ; www.chattanoogafun.com ; 215 Broad St ; ☺8h30-17h30) est immense et moderne, et le personnel sympathique.

❶ Comment s'y rendre et circuler
Le modeste **aéroport** (CHA ; ☎423-855-2202 ; www.chattairport.com ; 1001 Airport Rd) de Chattanooga est à l'est de la ville. La **gare routière Greyhound** (960 Airport Rd) se trouve plus bas sur la route de l'aéroport.

Pour rejoindre les sites touristiques du centre-ville, prenez les **navettes** électriques gratuites qui le sillonnent. Le centre des visiteurs dispose d'un plan des lignes.

KNOXVILLE
Autrefois connue comme la "capitale mondiale des sous-vêtements" en raison de ses nombreuses usines textiles, Knoxville abrite aujourd'hui la University of Tennessee, ainsi qu'une scène musicale et artistique florissante. En centre-ville, **Market Square** se distingue par ses bâtiments du XIXᵉ siècle très ornementés et légèrement délabrés, et ses agréables cafés en plein air à l'ombre des poiriers. Quant

à **Old Town**, quartier bohème d'entrepôts rénovés ayant pour centre névralgique Gay St, il concentre restaurants et lieux de sortie.

Le **Visitor Center** (☎865-523-7263, 800-727-8045 ; www.knoxville.org ; 301 S Gay St ; ☺9h-17h lun-sam, 13h-17h dim) est en centre-ville. Si vous venez à l'heure du déjeuner, ne manquez pas le **Blue Plate Special** (www.wdvx.com ; gratuit ; ☺12h lun-sam), concert organisé tous les jours par WDVX, la vénérable station de radio de musique country et roots de Knoxville. L'événement est sacré !

Au centre du paysage urbain, la **Sunsphere**, globe doré posé au sommet d'une tour, est le principal vestige de l'Exposition universelle de 1982. On peut prendre l'ascenseur jusqu'au sommet pour rejoindre la plate-forme d'observation (généralement déserte), admirer la vue et, pourquoi pas, une exposition sur les vertus civiques de Knoxville.

Impossible de manquer le gigantesque ballon de basket orange qui signale le **Women's Basketball Hall of Fame** (www. wbhof.com ; 700 Hall of Fame Dr ; adulte/enfant 8/6 $; ☺10h-17h lun-sam été, 11h-17h mar-sam hiver), lequel offre un aperçu de ce sport à l'époque où les femmes étaient obligées de jouer en robe longue.

GREAT SMOKY MOUNTAINS NATIONAL PARK
Les Cherokees appelaient ce territoire Shaconage, ce qui signifie approximativement "terre de la fumée bleue", en raison de la brume bleutée qui enveloppe ses sommets. Les Appalaches du Sud alignent à perte de vue des kilomètres de forêt caducifoliée tempérée et humide.

Ce parc de 2 111 km² est le plus visité du pays. Si les principaux axes et curiosités sont très fréquentés, des études ont montré que 95% de visiteurs ne s'aventurent jamais plus loin qu'une centaine de mètres de leur véhicule. Il est donc très facile d'échapper à la foule.

Contrairement à la plupart des autres parcs nationaux du pays, celui des Great Smoky Mountains n'est pas payant et ne le sera jamais. Cette clause figure sur la charte originale du parc comme condition d'attribution d'une subvention de 5 millions de dollars par la famille Rockefeller. Arrêtez-vous à un Visitor Center pour prendre une carte du parc ainsi que son journal gratuit, le *Smokies Guide*. Pour plus de précisions sur la partie du parc se trouvant en Caroline du Nord, voir p. 343.

Cades Cove, l'un des sites les plus visités, comme en témoignent les exaspérants embouteillages en été, abrite les vestiges d'une colonie du XIXᵉ siècle.

Mt LeConte offre quelques-unes des plus belles randonnées du parc, ainsi que l'unique hébergement qui ne soit pas du camping, le **LeConte Lodge** (☎865-429-5704 ; www.leconte-lodge.com ; cabins 79 $/pers). Bien que l'unique moyen de rejoindre ces *cabins* rustiques et sans électricité soit une randonnée de 13 km en montée, ils sont si prisés qu'il faut réserver jusqu'à un an à l'avance. Dîner et petit-déjeuner sont disponibles moyennant 37 $. On peut se rendre en voiture jusqu'aux hauteurs vertigineuses de **Clingmans Dome**, troisième montagne la plus haute à l'est du Mississippi, coiffée d'une tour d'observation futuriste.

Avec 10 campings représentant à eux tous environ 1 000 emplacements, on pourrait croire qu'il est facile de trouver où planter sa tante. Rien de tel en été : on a tout intérêt à s'y prendre à l'avance. Certains sites peuvent faire l'objet de **réservations** (☎800-365-2267 ; www.nps.gov/grsm) ; les autres fonctionnent selon le princicpe du premier arrivé, premier servi. Comptez de 14 à 23 $ la nuit. Sur les 10 campings du parc, seuls ceux de Cades Cove et Smokemont sont ouverts toute l'année ; les autres n'ouvrent que de mars à octobre.

Le **camping rustique (backcountry camping)** (☎réservations 865-436-1231) est une excellente option, qui nécessite un permis (gratuit). Possibilité de réserver et de se procurer un permis aux postes des rangers ou dans les centres des visiteurs.

❶ Renseignements

Les trois centres des visiteurs du parc sont le **Sugarlands Visitor Center** (☎865-436-1291 ; ◷8h-16h30, plus tard au printemps et en été), à l'entrée nord près de Gatlinburg ; le **Cades Cove Visitor Center** (☎877-444-6777 ; ◷9h-16h30, plus tard au printemps et en été), à mi-chemin de la Cades Cove Loop Rd, juste à côté de la Hwy 441 près de l'entrée de Gatlinburg ; et l'Oconaluftee Visitor Center (p. 343), à l'entrée sud, près de Cherokee (Caroline du Nord).

GATLINBURG

La terriblement kitch Gatlinburg, calée à l'entrée du Great Smoky Mountains National Park, attend patiemment le randonneur, prête à l'étourdir avec le parfum du caramel et de la barbe à papa. Les touristes se pressent ici pour prendre les remontées mécaniques, acheter des caleçons aux couleurs du drapeau des confédérés, se marier dans les nombreuses chapelles de cérémonie, et jouer au minigolf. On adore ou on déteste, en tout cas, le village entier est une *roadside attraction* (sorte de parc d'attractions de bord de route) typiquement américaine.

Amusez-vous dans les diverses attractions de Ripley Entertainment (un musée rempli de curiosités, un palais des glaces, une maison hantée, un immense aquarium), au **Salt and Pepper Shaker Museum** (www.thesaltandpeppershakermuseum.com ; Winery Sq ; adulte/enfant 3 $/gratuit ; ◷10h-16h), musée de la salière et de la poivrière unique en son genre, ou en faisant un tour de **téléphérique** (adulte/enfant 11/8,50 $) qui vous conduira 3 km plus loin à la station de ski Ober Gatlinburg à thème... bavarois. Ensuite, dégustation gratuite d'alcool de contrebande à l'**Ole Smoky Moonshine Distillery** (www.olesmokymoonshine.com ; 903 Parkway ; ◷10h-22h), toute première distillerie illégale du pays à avoir obtenu une licence. Vous pourrez terminer la journée dans une roue de hamster géante à **Zorb** (www.zorb.com ; 203 Sugar Hollow Rd, Pigeon Forge ; tour 37 $). On s'amuse bien à Gatlinburg...

Pigeon Forge (www.mypigeonforge.com), à 16 km au nord de Gatlinburg, est un complexe clinquant de motels, de centres commerciaux, de salles de country et de restaurants, qui ont tous grandi à l'ombre de **Dollywood**, parc d'attractions ouvert par la célèbre star de musique country Dolly Parton.

DOLLYWOOD

Dollywood (www.dollywood.com ; 1020 Dollywood Lane ; adulte/enfant 57/46 $; ◷avr-déc) est un parc d'attractions créé par Dolly Parton, accorte chanteuse aux cheveux blonds et star internationale de la musique country. Opération marketing certes, mais qui profite à sa région natale. Le parc comporte des manèges et attractions sur le thème des Appalaches, des montagnes russes Mystery Mine à la réserve de pygargues à tête blanche, en passant par la fausse chapelle baptisée du nom du médecin qui mit Dolly au monde.

KENTUCKY

Avec une économie basée sur le bourbon, les courses de chevaux et la culture du tabac, on serait tenté de prendre le Kentucky pour une sorte de Las Vegas. Ce n'est pas si simple. Pour chaque bar de Louisville où le whisky coule à flots, il semble y avoir un *dry county* où il est impossible de boire quelque chose de plus fort que de la *ginger ale*. Et chaque hippodrome semble avoir en contrepoint un monastère catholique ou une église de la Southern Baptist Convention (baptistes du Sud).

Le Kentucky se définit par ce mariage étrange des contraires. Carrefour géographique et culturel, il offre plusieurs facettes : gentillesse des habitants du Sud, histoire rurale d'un État frontalier avec l'Ouest, industrie du Nord et charme aristocratique de l'Est.

Partout, un beau paysage s'offre au regard. Au printemps, les prairies du centre de l'État se couvrent du bleu des minuscules fleurs du pâturin des prés (*bluegrass*), qui lui ont valu le surnom de "Bluegrass State". Les collines calcaires ondoyantes, terre d'élevage des purs-sang (une industrie de plusieurs millions de dollars), offrent un spectacle d'une beauté presque inégalée. Et même les montagnes, souvent moquées pour être la "hillbilly country" ("terre des péquenauds"), se distinguent par leurs paysages colorés et leur culture.

Histoire

Cherchant à s'emparer des terres fertiles qui étaient jadis le terrain de chasse des Amérindiens, les forces britanniques et françaises se sont affrontées pour la domination du Kentucky au milieu des années 1700.

Le légendaire pionnier Daniel Boone ouvrit la voie à travers le Cumberland Gap et les Britanniques s'engouffrèrent dans les Appalaches en 1775. L'État devint un champ de bataille pendant la guerre d'Indépendance, les Indiens Shawnee s'étant alors alliés avec la Couronne britannique.

Bien qu'étant un État esclavagiste, le Kentucky fut néanmoins déchiré pendant la guerre de Sécession : 30 000 habitants s'étaient rangés du côté des confédérés, tandis que 64 000 autres avaient rejoint le camp de l'Union. Abraham Lincoln, président de l'Union, et Jefferson Davis, président des confédérés, étaient tous deux originaires du Kentucky.

Après la guerre, l'État a construit son économie sur le chemin de fer, la culture du tabac et l'exploitation des mines de charbon.

LE KENTUCKY EN BREF

» **Surnom :** Bluegrass State (État du Bluegrass)

» **Population :** 4,3 millions d'habitants

» **Superficie :** 102 896 km²

» **Capitale :** Frankfort (28 000 habitants)

» **Autres villes :** Louisville (600 000 habitants), Lexington (300 000 habitants)

» **TVA :** 6%

» **État de naissance de :** Abraham Lincoln (16e président américain, 1809-1865), Hunter S. Thompson (journaliste "gonzo", 1937-2005), Mohamed Ali (boxeur, né en 1942), Ashley Judd (actrice, née en 1968)

» **Berceau :** du Kentucky Derby, de la batte de base-ball Louisville Slugger, du bourbon

» **Politique :** globalement conservatrice, ultraconservatrice en zone rurale

» **Célèbre pour :** les chevaux, le bluegrass, le poulet frit, les grottes

» **Noms de lieu insolites :** Monkeys Eyebrow, Chicken Bristle, Shoulderblade, Hippo, Petroleum

» **Distances routières :** Louisville-Lexington : 124 km, Lexington-Mammoth Cave National Park : 217 km

Sa devise d'aujourd'hui, "Unbridled Spirit" (littéralement, "Esprit débridé", dans le sens d'esprit sans entraves) reflète la prédominance de l'élevage de chevaux.

❶ Renseignements

La frontière entre les fuseaux horaires Eastern (UTC-05) et Central (UTC-06) passe en plein milieu du Kentucky.

Kentucky State Parks (☎800-255-7275 ; www.parks.ky.gov). Renseignements sur la randonnée, la spéléologie, la pêche, le camping et bien d'autres activités dans les 52 parcs d'État du Kentucky. Ce que l'on appelle les "Resort Parks" ont des équipements plus haut de gamme du type lodges. Dans les "Recreation Parks", c'est au contraire la vie à la dure.

Kentucky Travel (☎502-564-4930, 800-225-8747 ; www.kentuckytourism.com). On y trouve une brochure détaillée sur les sites et curiosités de l'État.

Louisville

Surtout connue pour être le berceau de la célèbre course hippique du Kentucky Derby, Louisville est une jolie ville largement sous-estimée. Grand centre portuaire d'expéditions de marchandises au bord de la Ohio River à l'époque de l'expansion vers l'Ouest, la plus grande ville du Kentucky baigne aujourd'hui dans une atmosphère animée où la classe ouvrière est bien représentée (salles de billard, bars punk-rock et restaurants drive-in Chili's). Il fait bon y passer un jour ou deux, le temps de visiter ses musées, de flâner dans les vieux quartiers et de boire un peu de bourbon.

👁 À voir

La quartier d'**Old Louisville**, au sud du centre-ville, date de l'époque victorienne et mérite amplement le détour. Ne manquez pas **St James Court**, juste à côté de Magnolia Avenue, et son parc ravissant éclairé aux réverbères à gaz. Plusieurs magnifiques **demeures historiques** (www. historichomes.org) du secteur sont ouvertes à la visite, dont le *shotgun cottage* de Thomas Edison.

💚 **Churchill Downs** HIPPODROME
(www.churchilldowns.com ; 700 Central Ave). Chaque premier samedi de mai, tout le gratin du pays se met sur son trente et un et se coiffe de chapeaux extravagants pour assister aux "deux plus belles minutes sportives", le Kentucky Derby. Après la course, la foule entonne "My Old Kentucky Home" et regarde les roses pleuvoir sur le cheval vainqueur. Ensuite, place à la fête.

En toute honnêteté, la fête a déjà commencé depuis longtemps. Le **Kentucky Derby Festival** (www.kdf.org), avec notamment une course de montgolfières et le plus grand feu d'artifice d'Amérique du Nord, démarre en effet deux semaines avant le derby.

La plupart des places sont uniquement sur invitation ou ont été réservées des années à l'avance. Le jour du derby, débourser 40 $ donnent accès, à condition d'arriver tôt, au paddock (pas de place assise), tellement bondé que l'on ne voit rien de la course ou presque. Mais pas d'inquiétude : d'avril à novembre, moyennement 3 $ la place assise, on peut assister à de nombreuses et passionnantes courses.

VAUT LE DÉTOUR

INTERNATIONAL BLUEGRASS MUSIC MUSEUM

Bill Monroe, originaire du Kentucky, est considéré comme le père fondateur du bluegrass. Son groupe, les Blue Grass Boys, a d'ailleurs donné son nom à ce genre musical. Le bluegrass trouve ses racines dans la musique des montagnes d'antan, qui a emprunté au tempo rapide des chansons africaines, le tout agrémenté d'une pincée de jazz. N'importe quel amateur de banjo ou de violon rustique appréciera les expositions historiques de l'**International Bluegrass Music Museum** (www.bluegrass-museum.org ; 107 Daviess St ; 5 $; ☉10h-17h mar-sam, 13h-16h dim) d'Owensboro. Cette jolie ville au bord de la Ohio River, à 161 km à l'ouest de Louisville, accueille aussi le **ROMP Bluegrass Festival** (www. bluegrass-museum.org/riverofmusic) en juin.

Kentucky Derby Museum
(www.derbymuseum.org ; porte n°1, Central Ave ; adulte/enfant 13/5 $; ☉8h-17h lun-sam, 11h-17h dim). Sur place, le musée expose l'histoire du derby, offre un aperçu de la vie des jockeys et passe en revue les destriers les plus illustres. Également : projection audiovisuelle à 360° sur la course, et visite des coulisses de l'hippodrome (10 $) menant aux quartiers des jockeys et aux luxueuses places VIP.

Louisville Slugger Museum MUSÉE
(www.sluggermuseum.org ; 800 W Main St ; adulte/enfant 10/5 $; ☉9h-17h lun-sam, 12h-17h dim ; ♿). Repérez-vous à la batte de base-ball de 36,50 m appuyée contre le musée : Hillerich & Bradsby Co fabriquent ici depuis 1884 la célèbre batte Louisville Slugger, batte officielle de la Major League Base-ball (MLB). Le droit d'entrée comprend la visite de l'usine, une salle de souvenirs consacrés au base-ball (comme la batte de Babe Ruth), un tunnel de frappe et une mini-*slugger* gratuite. Des battes que l'on peut personnaliser sont en vente dans le hall d'entrée. Attention : pas de production le dimanche, ni le samedi en hiver.

Muhammad Ali Center MUSÉE
(www.alicenter.org ; 144 N 6th St ; adulte/enfant 9/4 $; ☉9h30-17h lun-sam, 12h-17h dim).

C'est le cadeau à Louisville de son enfant le plus célèbre. La visite comprend un film émouvant sur la vie du boxeur, des vidéos montrant ses plus célèbres combats, ainsi que des expositions sur la ségrégation et les problèmes humanitaires qui ont tant touché cet homme connu pour son verbe haut, qui lui a valu le surnom de "Louisville Lip" ("Lèvre de Louisville").

Frazier International History Museum

MUSÉE

(www.fraziermuseum.org ; 829 W Main St ; adulte/enfant 12/9 $; ⊙9h-17h lun-sam, 12h-17h dim). Étonnamment ambitieux pour une ville de taille moyenne, ce musée dernier cri couvre mille ans d'histoire à travers des dioramas montrant des batailles. Des acteurs en costume d'époque font des démonstrations d'épée et mettent en scène de faux débats.

Speed Art Museum

MUSÉE

(www.speedmuseum.org ; 2035 S 3rd St ; adulte/enfant 10/5 $; ⊙10h-17h mar, mer et ven, 10h-21h jeu, 12h-17h dim). Bel édifice de style néogrec abritant plus de 12 000 objets d'art, des sculptures classiques aux "mint julep cups", timbales en argent typiques du Kentucky.

🛏 Où se loger

Les hôtels de chaîne sont rassemblés près de l'aéroport, au bord de l'I-264. Le site Internet www.louisvillebedandbreakfast. org vous renseignera sur les nombreux B&B historiques à prix abordables de la ville.

♥ 21c HÔTEL $$$

(☎502-217-6300 ; www.21chotel.com ; 700 W Main St ; ch à partir de 240 $; P❄❅). Un hôtel qui se double d'un musée d'art contemporain serait considéré comme avant-gardiste n'importe où. Mais à Louisville, cela revient quasiment à entrer dans une autre dimension. Des écrans vidéo projettent votre image déformée sur le mur tandis que vous attendez l'ascenseur. Des lustres fabriqués avec des ciseaux pendent étrangement dans les couloirs. Les sculptures lascives de la réception font rougir les auteurs de guides de voyage les plus aguerris... Et les chambres aux airs de loft sont équipées de stations iPod et de mini-réfrigérateurs contenant de quoi se concocter soi-même un *mint julep* (cocktail bourbon-menthe). Le restaurant de l'hôtel, Proof on Main, est l'un des bistrots de nouvelle cuisine du Sud les plus branchés de la ville. Parking 18

Central Park B&B

B&B $$

(☎502-638-1505, www.centralparkbandb.com ; 1353 S 4th St ; ch petit-déj inclus 135-195 $; P❄❅❆). Cette demeure en pierre de 1884 donnant sur Central Park, à Old Louisville, ramène au Gilded Age ("âge d'or" ; désigne la période de reconstruction qui suivit la guerre de Sécession). La décoration donne dans l'opulence victorienne (lustres, vitraux et gigantesques compositions florales un peu partout).

Brown Hotel

HÔTEL $$$

(☎502-583-1234 ; www.brownhotel.com ; 335 West Broadway ; ch à partir de 250 $; P❄❅❆). Des stars de l'opéra, des reines et des Premiers ministres ont foulé les sols en marbre de ce légendaire hôtel du centre-ville. Restauré pour retrouver tout son glamour des années 1920, il abrite 293 chambres douillettes et un bar élégant. Parking 18 $.

🍴 Où se restaurer

Le secteur des Highlands, aux abords de Bardstown Rd et Baxter Rd, concentre cafés et bars fréquentés par les locaux. En centre-ville, "Fourth Street Live" est un lieu un peu guindé, où l'on vient faire du shopping et manger au restaurant ; de meilleures adresses vous attendent dans le secteur, aussi n'hésitez pas à flâner dans les rues.

610 Magnolia

NOUVELLE CUISINE DU SUD $$$

(☎502-636-0783 ; www.610magnolia.com ; 610 W Magnolia Ave ; menu 3-4 plat 50/60 $;

L'HÔPITAL HANTÉ

Dominant Louisville tel le château d'un roi fou, le Waverly Hills Sanatorium, à l'abandon, accueillit au début du XXe siècle les victimes d'une épidémie de tuberculose. Lorsque les patients mouraient, les employés jetaient leurs cadavres à travers une sorte de vide-ordures qui aboutissait au sous-sol. On ne s'étonnera pas après cela que le sanatorium soit considéré comme l'édifice le plus hanté du pays. Donnez-vous le frisson en participant à une **chasse aux fantômes nocturne** (☎502-933-2142 ; www.therealwaverlyhills.com ; visite 2 heures/chasse aux fantômes 2 heures/nuit sur place 22/50/100 $; ⊙mars-août). Les moins peureux pourront même passer la nuit sur place ! Beaucoup de visiteurs disent que c'est l'endroit le plus effrayant qu'ils aient jamais visité.

☺18h-22h jeu-sam). Ouvert uniquement 3 soirs par semaine, cet élégant bistrot à mi-chemin entre la Scandinavie et le Kentucky est le restaurant le plus tendance de Louisville (et le plus difficile à dénicher : pas d'enseigne, repérez-vous au numéro "610" figurant sur sa façade). Les produits locaux et de saison sont préparés selon des recettes empruntées aux cuisines du monde : poitrine de porc croustillante frottée au piment, sashimis à la sauce bourbon-soja, pudding de pain perdu à la patate douce. Résultat délicieusement étonnant.

Lynn's Paradise Cafe DÎNER $$
(www.lynnsparadisecafe.com ; 984 Barret Ave ; plat 7-15 $; ☺7h-22h lun-ven, 8h-22h sam-dim ; 🏧). On sert le petit-déjeuner toute la journée dans ce *diner* psychédélique, devant lequel est postée une théière de 3 m de haut. Ne manquez pas les *biscuits* maison au sorgho, ou encore le sandwich Hot Brown, un classique de Louisville inventé dans les années 1920 au Brown Hotel.

Doc Crow's Southern Smokehouse & Raw Bar CUISINE DU SUD, BARBECUE $$
(doccrows.com ; 127 W Main St ; plat 7-18 $; ☺11h-22h lun-jeu, 11h-23h ven-sam). Dans une distillerie des années 1880 restaurée, devenue un lieu tendance (brique apparente et bois de récupération), les branchés de Louisville viennent siroter du bourbon, manger des huîtres et des côtelettes au barbecue.

🍷 Où prendre un verre et sortir

L'hebdomadaire gratuit *Leo* (www.leoweekly.com) répertorie les concerts et diverses manifestations. Vous n'aurez aucun mal à dénicher un bar dans le secteur des Highlands.

Old Seelbach Bar BAR
(www.seelbachhilton.com ; 500 4th St). Dans le Seelbach Hilton, datant du Gilded Age, l'adresse haut de gamme de la ville pour siroter un bourbon.

Holy Grale PUB
(www.holygralelouisville.com ; 1034 Bardstown Rd). L'un des bars les plus récents et les plus intéressants de Bardstown est aménagé dans une ancienne église. Menu de plats de pub revisités de manière originale (œufs de caille panés au poulet et au fromage, hot dogs au *kimchee*) et une bonne dizaine de bières rares (allemandes, belges et japonaises) à la pression.

Rudyard Kipling BAR, MUSIQUE
(www.therudyardkipling.com ; 422 W Oak St). Dans Old Louisville, ce lieu est prisé des artistes du coin pour ses concerts intimistes de bluegrass indépendant et sa cuisine de bar du Kentucky (essayez le "snappy cheese").

Actors Theatre of Louisville THÉÂTRE
(www.actorstheatre.org ; 504 W Main St). Ce théâtre très réputé propose aussi bien des pièces de Shakespeare que des comédies musicales contemporaines ; il a accueilli les premières de nombreuses pièces récompensées par le prix Pulitzer.

❶ Renseignements

Public library (301 York St). La bibliothèque publique permet de naviguer gratuitement sur Internet en centre-ville.

Visitor Center (☏502-582-3732, 888-568-4784 ; www.gotolouisville.com ; 301 S 4th St ; ☺10h-18h lun-sam, 12h-17h dim). Abrite une exposition gratuite sur le célèbre Colonel Sanders, fondateur de KFC.

❶ Comment s'y rendre et circuler

Le **Louisville's International Airport** (SDF ; ☏502-367-4636 ; www.flylouisville.com) est à 8 km au sud de la ville sur l'I-65. Allez-y en taxi (environ 18 $) ou avec le bus n°2. La **gare Greyhound** (720 W Muhammad Ali Blvd) est à l'ouest du centre-ville. **TARC** (www.ridetarc.org ; 1000 W Broadway) gère les bus locaux (1,50 $) depuis la gare routière de Union Station.

Bluegrass Country

Il suffit d'un trajet par une journée ensoleillée à travers le Bluegrass Country, dans le nord-est du Kentucky, pour comprendre à quoi devaient songer les Grecs de l'Antiquité lorsqu'ils ont imaginé leurs Champs Élysées, lieu où les âmes vertueuses goûtaient au repos après la mort. Des chevaux paissent sur les collines vert vif émaillées d'étangs, de peupliers et de belles propriétés. Ces bois et prairies autrefois sauvages sont depuis près de 250 ans un lieu consacré à l'élevage équestre. Les dépôts de calcaire naturels de la région ont la réputation de donner des pâturages particulièrement nourrissants. Lexington, la principale ville de la région, est connue comme la "capitale mondiale du cheval".

LEXINGTON
Même la prison a l'air d'un country-club à Lexington, fief de propriétés coûtant des millions de dollars et de chevaux coûtant

encore plus cher. Jadis ville la plus riche et la plus cultivée à l'ouest des Allegheny Mountains, elle était surnommée l'"Athènes de l'Ouest". Elle abrite aujourd'hui la University of Kentucky et constitue le cœur de l'élevage des purs-sang de course. Le petit centre-ville est émaillé de ravissants quartiers victoriens, mais l'essentiel des activités et curiosités se trouve à la campagne, en dehors de la zone métropolitaine.

◉ À voir et à faire

La plupart des sites intéressants de Lexington sont en lien avec les chevaux, ou ont trait à ses nombreux domaines et demeures historiques.

♥ **Headley-Whitney Museum** MUSÉE (www.headley-whitney.org ; 4435 Old Frankfort Pike ; adulte/enfant 10/7 $; ⊙10h-17h mar-ven, 12h-17h sam-dim). Ce musée délicieusement ancien renferme la collection privée de feu le joaillier George Headley, constituée de ses créations en pierres précieuses et de maisons de poupée faites à la main, ainsi qu'un garage étrangement décoré de coquillages.

Kentucky Horse Park MUSÉE, PARC (www.kyhorsepark.com ; 4089 Iron Works Pkwy ; adulte/enfant 16/8 $; ⊙9h-17h tlj mi-mars à oct, mer-dim nov à mi-mars ; 🚹). Ce parc à thème

VAUT LE DÉTOUR

LE MUSÉE NATIONAL DE LA CORVETTE

C'est la voiture de sport favorite de l'Amérique, la Chevrolet Corvette made in Kentucky ! Les passionnés d'automobile se rendront en pèlerinage au **National Corvette Museum** (www.corvettemuseum.com ; I-65, sortie n°28, Bowling Green ; adulte/enfant 10/5 $; ⊙8h-17h), musée futuriste de Bowling Green abritant 80 modèles de Corvette et des dioramas emplis de souvenirs (comme "Main Street", reconstitution des années 1950, quand l'Amérique était amoureuse de la Corvette). À proximité, la **Bowling Green Assembly Plant** (www.bowlinggreenassemblyplant.com ; ⊙visites 8h30, 11h30, 12h45 et 14h lun-jeu) propose des visites guidées de l'usine d'assemblage. Réservez en ligne au moins 9 jours à l'avance, ou présentez-vous 45 min avant la visite et priez pour qu'il y ait encore de la place.

pédagogique et centre équestre occupe un domaine de 486 ha au nord de Lexington. Cinquante races de chevaux différentes vivent dans le parc et participent aux spectacles. Sur place également, le **Museum of the Horse**, musée international du cheval, retrace l'histoire de cet animal à travers de beaux dioramas. La **balade à cheval** (en saison) coûte 22 $. L'**American Saddlebred Museum** adjacent s'intéresse à la première race équine répertoriée en Amérique.

Keeneland Race Course HIPPODROME (www.keeneland.com ; 4201 Versailles Rd ; billets 5 $). Courses d'avril à octobre, et ventes de chevaux toute l'année. De mars à novembre, on peut regarder les champions s'entraîner du lever du soleil jusqu'à 10h du matin.

Red Mile HIPPODROME (www.theredmile.com ; 1200 Red Mile Rd). Pour assister à des courses attelées. Celles-ci se déroulent à l'automne, mais le reste de l'année, on peut voir (et parier sur) celles qui ont lieu dans le monde entier et sont retransmises en duplex.

Thoroughbred Center VISITE GUIDÉE (www.thethoroughbredcenter.com ; 3380 Paris Pike ; adulte/enfant 15/8 $; ⊙visites 9h lun-sam avr-oct, lun-ven nov-mars). La plupart des élevages sont fermés au public, mais on peut voir ici les chevaux de course à l'entraînement, visiter les écuries, les pistes et les paddocks.

Mary Todd-Lincoln House ÉDIFICE HISTORIQUE (www.mtlhouse.org ; 578 W Main St ; adulte/enfant 9/4 $; ⊙10h-15h lun-sam). Cette maison de 1806 recèle des objets remontant à l'enfance de celle qui fut madame Abraham Lincoln.

Waveland ÉDIFICE HISTORIQUE (www.parks.ky.gov/findparks/histparks/wl ; 225 Waveland Museum Lane ; ⊙9h-16h). Plantation du XIXe siècle.

Ashland ÉDIFICE HISTORIQUE (www.henryclay.org ; 120 Sycamore Rd ; adulte/enfant 9/4 $; ⊙10h-16h mar-sam, 13h-16h dim). À 2,5 km à l'est du centre-ville, l'ancienne propriété italianisante du politicien Henry Clay (1777-1852).

Whispering Woods ÉQUITATION (📞502-570-9663 ; www.whisperingwoodstrails.com ; 265 Wright Lane ; randonnée équestre 25 $/heure ; ⊙mars-nov). Il faut téléphoner pour réserver une balade équestre sur les sentiers du domaine, dans la bucolique Georgetown.

CROYEZ-LE OU NON

C'est un fait : près de la moitié des Américains ne croient pas à la théorie de l'évolution. D'où la popularité du nouveau **Creation Museum** (www.creationmuseum.org ; 2800 Bullittsburg Church Rd ; adulte/enfant 25/15 $; ☉10h-18h lun-sam, 12h-18h dim) de Petersburg (Kentucky). Ayant coûté plusieurs millions de dollars, ce musée de la Création propose une visite interactive à travers une interprétation biblique de l'histoire. Les esprits rationalistes fulmineront à coup sûr, mais prendront peut-être plaisir quand même à franchir l'arche de Noé, à voir les dinosaures automates (pour les créationnistes, les dinosaures et les hommes étaient contemporains) et les *zonkeys* (hybrides de zèbre et d'âne) du zoo pour enfants.

🛏 Où se loger et se restaurer

Plusieurs cafés et bars du centre-ville, aux alentours de Main St et de Limestone St, ont des tables en terrasse. S Limestone, en face du campus de l'université du Kentucky, est le haut lieu de la vie nocturne estudiantine.

Kentucky Horse Park　CAMPING $
(☎859-259-4257, 800-370-6416 ; www.kyhorsepark.com ; 4089 Iron Works Pkwy ; empl avec électricité/basique à partir de 29/19 $; ☀). Les 260 emplacements dallés sont ouverts toute l'année. Toilettes, laverie, épicerie, aires de jeu, etc. Camping rustique (*backcountry camping*) possible également.

Gratz Park Inn　HÔTEL $$
(☎859-231-1777 ; www.gratzparkinn.com ; 120 W 2nd St ; ch à partir de 179 $; 🅿❄🌐). Dans une rue tranquille du centre-ville, cet hôtel de 40 chambres évoque un club de chasse distingué (mobilier en acajou et huiles sur toile de la vieille Europe dans de lourds cadres en bois). Le restaurant attenant, Jonathan's, sert une cuisine régionale raffinée.

♥ Holly Hill Inn　NOUVELLE CUISINE DU SUD $$$
(☎859-846-4732 ; www.hollyhillinn.com ; 426 N Winter St, Midway ; menu 3/5 plats au dîner 35-55 $; ☉17h30-22h jeu-sam, 11h-14h dim toute l'année, et 11h-14h ven-sam printemps-été). Les clients dînent ici dans les anciens salons et chambres d'une élégante ferme, à l'ouest de Lexington, dans la ville de Midway. Le couple de propriétaires sert des produits locaux habilement préparés (agneau aux raviolis à la ciboule par exemple) et encensés par les gourmets.

Horse & Barrel　PUB $$
(101 N Broadway ; plat 10-15 $; ☉à partir de 17h). À l'intérieur du restaurant du DeSha, ce pub est une adresse très prisée pour siroter du bourbon (plus de 70 variétés au choix).

ℹ Renseignements

Procurez-vous des cartes et des renseignements sur le secteur au **Visitor Center** (☎859-233-7299, 800-845-3959 ; www.visitlex.com ; 301 E Vine St ; ☉8h30-17h lun-ven, 10h-16h sam). La **bibliothèque publique** (140 E Main St ; ☉10h-17h mar-ven, 12h-17h sam-dim ; 🛜) propose l'accès à Internet gratuit et une connexion Wi-Fi gratuite pour ceux qui ont un ordinateur portable.

ℹ Comment s'y rendre et circuler

Le **Blue Grass Airport** (LEX ; ☎859-425-3114 ; www.bluegrassairport.com ; 4000 Terminal Dr), à l'ouest de la ville, dessert une bonne dizaine de destinations domestiques par vol direct. La gare **Greyhound** (477 W New Circle Rd) est à 3 km du centre-ville. **Lex-Tran** (www.lextran.com) gère le réseau de bus local (le bus n°6 rejoint la gare routière Greyhound).

FRANKFORT

Jolie petite ville de carte postale, tout en brique rouge et ornementations élaborées, la minuscule capitale du Kentucky se situe à 42 km à l'ouest de Lexington, sur les berges de la Kentucky River. Elle est dotée de quelques bâtiments historiques remarquables, dont l'**old state capitol** (entrée libre ; ☉10h-17h mar-sam), l'ancien capitole de l'État, en activité de 1827 à 1910. Tout près, le très beau **Kentucky History Center** (www.history.ky.gov ; 100 W Broadway St ; entrée libre ; ☉8h-16h mar-sam) plaira à ceux que l'histoire de l'État passionne vraiment. Daniel Boone, explorateur des Appalaches et de la région et figure mythique aux États-Unis, est inhumé dans le **Frankfort Cemetery** (E Main St).

Centre du Kentucky

La Bluegrass Pkwy va de l'I-65, dans l'ouest, jusqu'à la Rte 60, dans l'est, et traverse en chemin les pâturages les plus luxuriants du Kentucky.

À 64 km au sud de Louisville, **Bardstown** est "la capitale mondiale du bourbon". Le centre-ville historique s'anime en septembre lors du **Kentucky Bourbon Festival** (www.kybourbonfestival.com). Offrez-vous un repas, du bourbon et une bonne nuit de sommeil à l'**Old Talbott Tavern** (☎502-348-3494 ; www. talbotts.com ; 107 W Stephen Foster Ave ; ch à partir de 59 $; P ✳), qui accueille d'augustes voyageurs, Abraham Lincoln et Daniel Boone notamment, depuis la fin des années 1700.

Suivez la Hwy 31 en direction du sud-ouest et tournez à gauche à hauteur de Monks Rd pour visiter l'**Abbey of Gethsemani**, monastère trappiste beau et sobre où vécut autrefois l'écrivain catholique Thomas Merton. Vous pourrez acheter des caramels fabriqués par les moines dans la **boutique de souvenirs** (⊘9h-17h lun-ven). Continuez ensuite sur la Hwy 31 jusqu'à **Hodgenville** et l'**Abraham Lincoln Birthplace** (www.nps. gov/abli ; entrée libre ; ⊘8h-16h45, 8h-18h45 l'été). Le lieu de naissance d'Abraham Lincoln est un bâtiment néoclassique en marbre érigé autour d'une vieille cabane en rondins.

LA ROUTE DU BOURBON

Le whisky à la robe caramel que l'on appelle bourbon fut probablement distillé pour la première fois dans le comté de Bourbon, au nord de Lexington, vers 1789. Aujourd'hui, 90% du bourbon produit l'est au Kentucky (aucun autre État n'est autorisé à faire figurer cette appellation sur les bouteilles). Un bon bourbon doit contenir au moins 51% de maïs, être filtré à travers du charbon de bois et vieilli en fût de chêne pendant deux ans minimum. Si la plupart des vrais connaisseurs le boivent sec ou avec de l'eau, il ne faut pas se priver de goûter au *mint julep*, le cocktail typique du Sud à base de bourbon, de sirop de canne et de menthe écrasée.

L'**Oscar Getz Museum of Whiskey History** (www.whiskeymuseum.com ; 114 N 5th St ; don apprécié ; ⊘10h-16h lun-sam, 12h-16h dim), à Bardstown, retrace l'histoire du bourbon à travers de vieux alambics et autres objets.

La plupart des distilleries du Kentucky, rassemblées à Bardstown et Frankfort, proposent des visites gratuites. Renseignez-vous sur le **site Internet du Bourbon Trail** (www.kybourbontrail.com), sachant qu'il n'est pas exhaustif.

Distilleries proches de Bardstown :

Heaven Hill (www.bourbonheritagecenter.com ; 1311 Gilkey Run Rd, Bardstown). Pas de visite de la distillerie, mais un Bourbon Heritage Center interactif, avec salle de dégustation aménagée dans un fût géant.

Jim Beam (www.jimbean.com ; 149 Happy Hollow Rd, Clermont). Après un film sur la famille Beam, goûtez des bourbons haut de gamme dans la plus grande distillerie de bourbon du pays.

Maker's Mark (www.makersmark.com ; 3350 Burks Spring Rd, Loretto). Cette distillerie victorienne restaurée ressemble à un parc à thème sur le bourbon, avec son vieux moulin à blé et sa boutique de souvenirs où on peut faire cacheter sa propre bouteille avec de la cire rouge.

Tom Moore (www.1792bourbon.com ; 300 Barton Rd, Bardstown). Le bourbon haut de gamme 1792 Ridgemont Reserve est produit dans cette petite distillerie, la seule dans la ville même de Bardstown.

Distilleries proches de Frankfort/Lawrenceburg :

Buffalo Trace (www.buffalotrace.com ; 1001 Wilkinson Blvd, Frankfort). La plus ancienne distillerie du pays ayant fonctionné en continu propose des visites très réputées et des dégustations gratuites.

Four Roses (www.fourroses.us ; 1224 Bonds Mills Rd, Lawrenceburg). L'un des plus beaux cadres de distillerie, dans un édifice en bord de rivière. Dégustations gratuites.

Wild Turkey (www.wildturkey.com ; Hwy 62 E, Lawrenceburg). Le maître Jimmy Russell fabrique son bourbon extra-sombre depuis 1954. La fabrique est plus industrielle que pittoresque.

Woodford Reserve (www.woodfordreserve.com ; 7855 McCracken Pike, Versailles). Le site historique, au bord d'une crique, a retrouvé sa splendeur des années 1800 ; la distillerie fonctionne encore avec des récipients de cuivre à l'ancienne.

À 10 minutes de là se trouve la maison où "Honest Abe" passa son enfance, à Knob Creek. Plusieurs sentiers de randonnée vous y attendent.

À 40 km (30 minutes) au sud-ouest de Lexington, le **Shaker Village de Pleasant Hill** (www.shakervillageky.org ; 3501 Lexington Rd, Harrodsburg ; adulte/enfant 15/5 $; ☺10h-17h) fut le berceau d'une communauté de shakers jusqu'au début des années 1900. Les 14 édifices à visiter, impeccablement restaurés, se dressent au milieu de prairies parsemées de boutons d'or et de sinueuses allées pavées. Une auberge et restaurant, ainsi qu'une boutique vendant l'artisanat des shakers, vous y attendent.

À 64 km au sud de Lexington, **Berea** est réputé pour son artisanat folklorique. Le **Kentucky Artisan Center** (www.kentuckyartisancenter.ky.gov ; sortie n°77, au bord de la Hwy 75 ; ☺8h-20h) propose un large choix d'objets artisanaux et de la nourriture.

DANIEL BOONE NATIONAL FOREST

Ces 2 860 km² de ravins accidentés et d'arches en grès défiant les lois de l'apesanteur couvrent la majeure partie des contreforts des Appalaches de l'est du Kentucky. La forêt comporte nombre de zones gérées par l'État ou le gouvernement fédéral. Le principal **poste de rangers** (☎859-745-3100 ; www.fs.fed.us/r8/boone) se trouve à Winchester.

À une heure au sud-est de Lexington, les falaises et arches naturelles du secteur de la **Red River Gorge** offrent d'excellentes opportunités d'escalade. **Red River Outdoors** (☎859-230-3567 ; www.redriveroutdoors.com ; 415 Natural Bridge Rd, Slade ; journée complète d'escalade avec guide à partir de 115 $) propose des sorties escalade avec guide. Les grimpeurs peuvent aussi payer 2 $ pour camper derrière **Miguel's Pizza** (1890 Natural Bridge Rd, Slade ; plat 10-14 $; ☺7h-22h lun-jeu, 7h-23h ven-sam) dans le hameau de Slade. Bordant la Red River Gorge, le **Natural Bridge State Resort Park** (☎606-663-2214 ; www.parks.ky.gov ; 2135 Natural Bridge Rd, Slade) se distingue par son arche en grès haute de 23 m. Ce parc est idéal pour les familles. Au programme : camping, plusieurs courts sentiers de randonnée, et une île surnommée *"hoedown island"* ("île du bal de campagne") en raison des bals populaires qui y sont parfois organisés. Plus au sud, le **Cumberland Falls State Resort Park** (☎606-528-4121 ; gratuit ; empl tente 22 $, ch en lodge à partir de 69 $) est l'un des rares endroits au monde où voir un arc-en-ciel lunaire, phénomène naturel se produisant parfois dans la brume de l'automne, la nuit. Le parc possède un lodge rustique et des campings. Vous pouvez profiter de votre séjour pour vous rendre tout près à la **Natural Arch Scenic Area**, afin d'admirer une arche en grès de 27 m de haut et faire de la randonnée (une demi-douzaine de sentiers à disposition). Dans la ville voisine de **Corbin** se trouve le premier restaurant Kentucky Fried Chicken (KFC), décoré d'une statue grandeur nature de son fondateur, le fameux colonel Sanders.

MAMMOTH CAVE NATIONAL PARK

Plus long réseau de grottes souterraines au monde, le **Mammoth Cave National Park** (www.nps.gov/maca ; sortie n°53, au bord de l'I-65 ; ☺8h45-17h15) possède quelque 483 km de galeries répertoriées et renferme des espaces aussi hauts et vastes que des cathédrales, des puits sans fond et d'étranges et ondulantes formations rocheuses. Les grottes ont servi à recueillir du minerai pendant la préhistoire, ont été ensuite exploitées pour leurs réserves de salpêtre afin de fabriquer de la poudre à canon, et ont même été un dispensaire pour tuberculeux. Les touristes ont commencé à les visiter vers 1810, et les visites guidées sont proposées depuis les années 1830. La zone, devenue parc national en 1926, attire désormais près de 2 millions de visiteurs par an.

Les excellentes **visites guidées des rangers** (☎800-967-2283 ; adulte 5-48 $) sont l'unique moyen de visiter les grottes. Il est prudent de réserver, surtout en été. Les visites vont de la petite balade sous terre à la longue et difficile journée de spéléologie. La visite guidée historique est particulièrement intéressante.

Outre les grottes, le parc comporte 113 km de sentiers parfaits pour la randonnée à pied, à cheval ou en VTT. On trouve aussi 3 campings avec toilettes mais sans eau ni électricité (12-30 $), 12 lieux de camping rustique (*backcountry camping*) gratuits, et le **Mammoth Cave Hotel** (☎270-758-2225 ; www.mammothcavehotel.com ; ch 89 $, cottages à partir de 79 $; ℗❄), à côté du centre des visiteurs, qui propose un hébergement en chambres d'hôtel standards et, au printemps et en été, dans des cottages rustiques. Il y a une station-service et une épicerie à proximité du centre des visiteurs. Mais le plus amusant consiste à dormir dans les immense tipis en ciment un peu délabrés de Cave City au **Wigwam Village Inn** (☎270-773-3381 ; www.wigwamvillage.com ;

LES AUTRES GROTTES DU "CAVE COUNTRY"

Dès le début du XXᵉ siècle, Mammoth Cave remportait un tel succès que les propriétaires de grottes plus petites se mirent à en détourner le flot des touristes en prétendant que Mammoth était inondée ou mise en quarantaine. Le conflit qui s'ensuivit, inévitable, est connu comme les "Cave Wars" ("guerres des grottes"). Aujourd'hui encore, quantité de panneaux supplient littéralement le touriste de visiter les autres grottes alentour. Celles qui suivent méritent vraiment le détour :

Cub Run Cave (www.cubruncave.net ; 14 \$; ☺9h30-16h30, horaires restreints en hiver). L'une des grottes les plus "récentes", découverte en 1950 ; abrite quantité de belles formations rocheuses.

Diamond Caverns (visites guidées d'une heure adulte/enfant 16/8 \$). Visites guidées des immenses cathédrales de stalactites et de coulées de calcite nacrées.

Hidden River Cave (www.cavern.org ; 15 \$; ☺9h-17h). Un musée rupestre et une visite guidée d'une heure qui conduit aux vestiges d'une usine hydroélectrique du tournant du XXᵉ siècle. Possibilité d'organiser des circuits aventure hors des sentiers battus à l'avance en été.

Lost River Cave (www.lostrivercave.com ; 15 \$; ☺9h-18h, horaires restreints en hiver). Propose une balade en bateau de 25 min sur une rivière souterraine ; parfait pour les familles. Sur place : 3 km de sentiers de randonnée.

601 N Dixie Hwy, Cave City ; wigwams 40-70 \$; **P**✳), un concentré de pur kitch américain datant de 1937.

GÉORGIE

Région présentant un paysage très varié, la Géorgie est le plus vaste État à l'est du Mississippi. Elle cristallise parfaitement, à tous les points de vue, tout ce que représente le Sud. Au niveau géographique et politique, la Géorgie est l'État où les extrêmes se rencontrent : républicains conservateurs et libéraux idéalistes, petites villes et grandes métropoles, zones montagneuses dans le Nord et, sur la côte, marécages peuplés de crabes violonistes et de spartines ondulantes.

Atlanta est la capitale de la Géorgie et le carrefour principal des transports de l'État ; dans cette métropole tentaculaire, des quartiers résidentiels côtoient les sièges de multinationales comme UPS et Coca-Cola. Commencez donc votre voyage ici, à "ATL", avant de découvrir le reste de la Géorgie. Visitez notamment Savannah, où les chênes centenaires envahis de mousse espagnole, les fruits de mer, les belles demeures *antebellum* (antérieure à la guerre de Sécession) et les nuits humides ne manqueront pas de vous laisser sous le charme. Non loin, les îles-barrières s'étendent le long de la façade maritime de l'État. N'oubliez pas votre smoking lorsque vous vous rendrez à Jekyll Island, destination prisée par les plus grandes fortunes, et vos chaussures de marche pour découvrir la réserve naturelle de Cumberland Island.

Histoire

Les Britanniques établirent en Géorgie la dernière des 13 colonies d'origine en 1733, lorsque James Edward Oglethorpe fonda Savannah dans l'espoir de contrer l'expansionnisme espagnol depuis la Floride. Quand la guerre d'Indépendance éclata, près de la moitié de la population était constituée d'esclaves. La Géorgie fut le théâtre de deux batailles cruciales au cours de la guerre de Sécession : la bataille de Chickamauga, où les troupes de l'Union essuyèrent une défaite, et la bataille d'Atlanta, ville qu'elles parvinrent à conquérir puis à brûler.

La Géorgie se retrouva sur le devant de la scène au cours du XXᵉ siècle grâce à plusieurs enfants du pays qui accédèrent à la célébrité, dans des domaines très différents mais tout aussi symboliques : Margaret Mitchell publia son célèbre roman *Autant en emporte le vent*, qui fut par la suite adapté au cinéma, avec Clark Gable et Vivien Leigh dans les rôles de Rhett Butler et de Scarlett O'Hara ; le révérend Martin Luther King Jr mena le mouvement pour les droits civiques ; Jimmy Carter fut élu 39ᵉ président des États-Unis ; et Atlanta connut une montée en puissance en tant que centre des

LA GÉORGIE EN BREF

» **Surnom :** Peach State
("État de la Pêche")

» **Population :**
9,7 millions d'habitants

» **Superficie :** 153 910 km^2

» **Capitale :** Atlanta (population
de l'agglomération :
5,2 millions d'habitants)

» **Autres villes :** Savannah
(136 286 habitants)

» **TVA :** 7%

» **État de naissance de :** Ty Cobb
(1886-1961), légende du base-ball ;
Jimmy Carter (né en 1924), ancien
président ; Martin Luther King Jr
(1929-1968), leader du mouvement
pour les droits civiques, Ray
Charles (1930-2004), chanteur

» **Abrite :** le siège de Coca-Cola,
l'aéroport le plus fréquenté du
monde, le plus grand aquarium au
monde

» **Politique :** l'État est
majoritairement conservateur ;
Atlanta connaît une alternance
entre républicains et démocrates

» **Célèbre pour :** ses pêches

» **Loi insolite :** il est interdit d'avoir
un âne dans sa baignoire

» **Distances par la route :**
Atlanta-St Marys : 552 km, Atlanta-
Dahlonega : 120 km

LE SUD GÉORGIE

médias et des affaires, qui culmina lors les Jeux olympiques d'été de 1996.

ⓘ Renseignements

Le **Georgia Department of Economic Developement** (☎800-847-4842 ; www.exploregeorgia.org) fournit des renseignements touristiques concernant tout l'État. Pour en savoir plus sur les sites de camping et les activités dans les parcs d'État, contactez le **Georgia Department of Natural Resources** (☎800-864-7275 ; www.gastateparks.org). 41 parcs proposent des emplacements pour tente et camping-car allant de 25 à 28 $ par nuit. La majorité des parcs sont équipés de laveries.

La voiture est le moyen de transport le plus pratique pour parcourir la Géorgie (Atlanta posède un système de transports publics appelé MARTA, mais le service est limité. Certains cyclistes n'hésitent pas à s'aventurer sur les routes de la ville). L'autoroute I-75 traverse l'État du nord au sud, tandis que l'I-20 le traverse d'est en ouest.

Attention : en Géorgie, les hébergements facturent parfois une taxe supplémentaire de 6%.

Atlanta

Cinq millions d'habitants vivent dans l'agglomération d'Atlanta. Celle que l'on appelle la capitale du Sud est en perpétuelle expansion et attire toujours plus de migrants venus du nord du pays ou de l'étranger. La ville est également une destination touristique prisée, notamment grâce à ses deux attractions phares, le Georgia Aquarium et le World of Coca-Cola, ainsi qu'au spectacle des pandas géants de son zoo. Atlanta possède par ailleurs d'autres attraits : une myriade de restaurants exceptionnels, de nombreuses traditions datant de la guerre de Sécession, des kilomètres de sentiers de randonnée et une riche histoire afro-américaine.

En l'absence de frontières naturelles permettant de contenir son expansion, Atlanta continue de croître verticalement et, surtout, horizontalement. L'étalement de la banlieue a transformé la ville en territoire apparemment infini. Les habitants dépendent de plus en plus de leur voiture, ce qui se traduit par de terribles embouteillages et a des conséquences dramatiques sur la pollution.

Malgré cela, Atlanta reste une jolie ville parsemée d'arbres et de maisons élégantes. Les différents quartiers sont autant de petites villes accueillantes. Peu de tensions raciales subsistent dans cette ville qui se targue d'être "trop occupée pour haïr" (*too busy to hate*) et revendique son statut de lieu de naissance du héros des droits civiques, Martin Luther King Jr.

Histoire

Aux origines de son histoire, en 1837, Atlanta était un carrefour ferroviaire. La ville se développa jusqu'à devenir un carrefour des transports et un centre d'approvisionnement en munitions de première importance au moment où éclata la guerre de Sécession. Le général William T. Sherman et ses troupes mirent la Géorgie à feu et à sang en 1864, détruisant plus de 90% des bâtiments d'Atlanta.

Après la guerre, la ville devient la quintessence du "Nouveau Sud", expression impliquant une réconciliation avec le Nord, le développement d'une agriculture industrialisée et une approche progressiste des affaires. À Atlanta, la ségrégation raciale prit fin plus facilement que dans les autres villes du Sud. Le président John F. Kennedy érigea la ville comme modèle pour les autres communautés faisant face aux questions d'intégration.

Lors des Jeux olympiques d'été de 1996, Atlanta revêtit ses plus beaux atours tandis que CNN diffusait des images de la ville dans le monde entier. Cet événement a attiré de nouveaux habitants et des immeubles d'habitations ont jailli un peu partout dans la ville. Depuis, les projets de développement se concentrent sur les quartiers du centre-ville (*downtown*) et de Midtown, qui ont connu un essor ces dernières années. Atlanta est également surnommée "la Motown du Sud" pour sa scène hip-hop et R&B florissante.

⊙ À voir et à faire
DOWNTOWN

Depuis quelques années, les promoteurs immobiliers et les politiciens s'efforcent de rendre le centre-ville attrayant et agréable à vivre. De grandes attractions touristiques ont contribué au succès de leur démarche.

♥ Georgia Aquarium   AQUARIUM
(www.georgiaaquarium.com ; 225 Baker St ; adulte/enfant 25/19 $, avec spectacle de dauphins 38/26 $; ⊙10h-17h dim-ven, 9h-18h sam ; ♿). L'aquarium le plus grand au monde est une attraction incontournable d'Atlanta. Il y a foule, mais cela vaut vraiment la peine de s'y rendre pour y admirer requins baleines, bélugas et la nouvelle AT&T Dolphin Tales Gallery, qui a coûté la modique somme de 110 millions de dollars, et où des acteurs/dresseurs et des grands dauphins majestueux assurent le spectacle (13,50 $ en sus).

World of Coca-Cola   MUSÉE
(www.woccatlanta.com ; 121 Baker St ; adulte/enfant 15/10 $; ⊙10h-18h30 dim-jeu, 9h-18h30 ven-sam). Situé à côté du Georgia Aquarium, ce musée à la gloire de la célèbre multinationale sera sans doute divertissant pour les fans de cette boisson gazeuse et de sa grande commercialisation. Le clou de la visite : une séance de dégustation de produits venus du monde entier. Les visiteurs y trouveront également des œuvres d'Andy Warhol, un

film en 4D, une exposition sur l'histoire de la société et une quantité astronomique de produits dérivés.

CNN Center   STUDIOS TV
(☎404-827-2300 ; www.cnn.com/tour/atlanta ; 1 CNN Center ; visite de 50 min adulte/enfant 15/10 $; ⊙9h-17h). Il s'agit du siège du géant de l'information en continu du câble. Les visiteurs seront tentés par la visite guidée, qui fait découvrir les coulisses de cette chaîne, mais qui se révèle assez décevante. Toutefois, vous serez invité à emprunter un gigantesque escalator qui surplombe un hall de restauration avant de pénétrer dans le bâtiment.

Georgia State Capitol   ÉDIFICE HISTORIQUE
(☎404-463-4536 ; www.sos.ga.gov/archives/ state_capitol ; 214 State Capitol ; ⊙8h-17h lun-ven, visites à 11h30). Ce bâtiment surmonté d'une coupole dorée est le centre politique d'Atlanta. La visite guidée gratuite inclut un film expliquant le processus législatif et un aperçu du bâtiment des communications du gouvernement.

MIDTOWN

Parsemé de bars, de restaurants et de lieux culturels, Midtown est comme un deuxième centre-ville d'Atlanta, mais plus branché.

♥ High Museum of Art   MUSÉE
(www.high.org ; 1 280 Peachtree St NE ; adulte/enfant 18/11 $; ⊙10h-17h mar-mer, ven-sam, 10h-20h jeu, 12h-17h dim). Première antenne du Louvre à l'étranger, le musée d'art moderne d'Atlanta est intéressant autant pour son architecture que pour ses expositions de première classe. Le bâtiment moderne, d'un blanc immaculé, réalisé par l'architecte Richard Meier (et par Renzo Piano pour les nouvelles ailes), abrite, sur plusieurs étages, une collection permanente d'arts décoratifs, d'importantes peintures européennes (notamment des toiles impressionnistes), des œuvres américaines des XIXe et XXe siècles et des pièces issues de traditions populaires.

Atlanta Botanical Garden   JARDIN
(☎404-876-5859 ; www.atlantabotanical-garden.org ; 1 345 Piedmont Ave NE ; adulte/ enfant 18,95/12,95 $; ⊙9h-17h mar-dim, 9h-19h avr-oct). Situé dans la partie nord-ouest de Piedmont Park, ce jardin botanique somptueux de 12 hectares renferme un jardin japonais, des allées sinueuses et le magnifique Fuqua Orchid Center, où vous pourrez admirer des orchidées en provenance du monde entier.

Atlanta

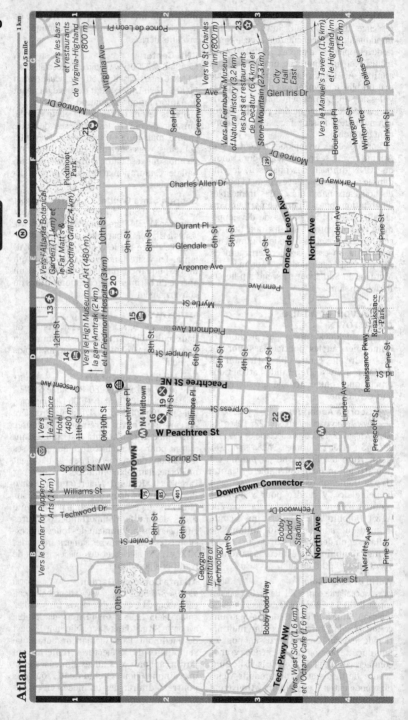

Vers les bars et restaurants de Virginia-Highland (800 m)

Ponce de Leon Pl

Virginia Ave

Monroe Dr

Vers le St Charles Inn (800 m)

23 ✪

Vers le Fernbank Museum of Natural History (3,2 km), les bars et restaurants de Decatur (6,4 km) et Stone Mountain (27,3 km)

Glen Iris Dr

City Hall East

Vers le Manuel's Tavern (1,6 km) et le Highland Inn (1,6 km)

Seal Pl

Greenwood Ave

Dallas St

Monroe Dr

29 8

Morgan St

Winton Tce

Rankin St

Boulevard Pl

Charles Allen Dr

Parkway Dr

21 🏨

Piedmont Park

Durant Pl

9th St

8th St

6th St

5th St

Glendale

Argonne Ave

3rd St

North Ave

Linden Ave

Pine St

Vers l'Atlanta Botanical Garden (1,1 km) et le Fat Matt's & Woodfire Grill (2,4 km)

10th St

Penn Ave

Ponce de Leon Ave

13 ✚

Myrtle St

20 🍴

15 🍴

Piedmont Ave

12th St

Vers le High Museum of Art (480 m), la gare Amtrak (2 km) et le Piedmont Hospital (3 km)

8th St

7th St

5th St

6th St

4th St

3rd St

Renaissance Park

2nd St

Pine St

14 🍴

Juniper St

Peachtree St NE

Crescent Ave

8 🏛

Peachtree Pl

Old 10th St

19 ✕

16

7th St

Biltmore Pl

Cypress St

22 ✪

Prescott St

Renaissance Pkwy

Linden Ave

11th St

Vers le Artmore Hotel (480 m)

M N4 Midtown

W Peachtree St

MIDTOWN

Spring St NW

Spring St

18 ✕

Vers le Center for Puppetry Arts (1 km)

Williams St

Techwood Dr

75 85 401

Downtown Connector

10th St

8th St

6th St

Fowler St

Georgia Institute of Technology

4th St

5th St

Techwood Dr

Bobby Dodd Stadium

North Ave

Luckie St

Merritts Ave

Pine St

Bobby Dodd Way

Tech Pkwy NW

Vers West Side (1,6 km) et l'Octane Cafe (1,6 km)

1 km

0,5 mile

0 0

N

A B C D E F G

1 2 3 4

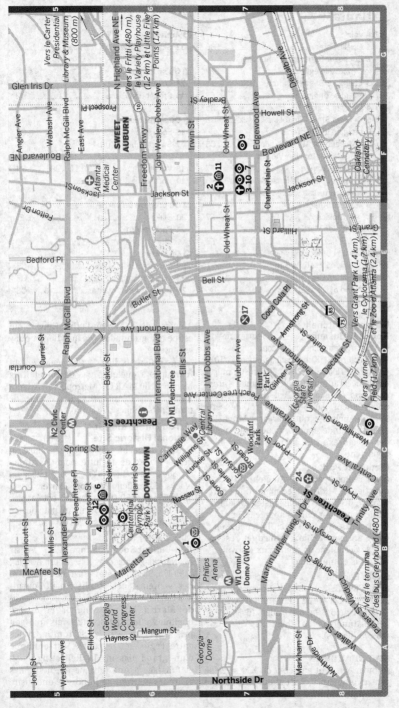

Vers le Carter Presidential Library & Museum (800 m)

Glen Iris Dr

Angier Ave

Wabash Ave

Ralph McGill Blvd

East Ave

Prospect Pl

Boulevard NE

N Highland Ave NE
Vers le Fritti (480 m),
le Variety Playhouse
(1,2 km) et Little Five
Points (1,4 km)

SWEET
AUBURN

Freedom Pkwy

John Wesley Dobbs Ave

Bradley St

Irwin St

Old Wheat St

Howell St

Edgewood Ave

Boulevard NE

Oakland
Cemetery

Atlanta
Medical
Center

Jackson St

9

2
11

3 10 7

Jackson St

Chamberlain St

Felton Dr

Jackson St

Bedford Pl

Old Wheat St

Hilliard St

Grant St

Bell St

Vers Grant Park (1,4 km),
le Cyclorama (1,7 km)
et le Zoo d'Atlanta (2,4 km)

Butler St

Piedmont Ave

Ralph McGill Blvd

Currier St

Courtland

Baker St

International Blvd

Ellis St

J W Dobbs Ave

Peachtree Center Ave

Auburn Ave

Coca Cola Pl

Armstrong St

Butler St

Decatur St

Piedmont Ave

Gilmer St

85

75

17

N2 Civic
Center

Spring St

Peachtree St

N1 Peachtree

Central
Library

Woodruff
Park

Hurt
Park

Georgia
State
University

Central Ave

Vers Turner
Field (1,7 km)

Baker St

W Peachtree Pl

Carnegie Way

Williams St

Luckie St

Forsyth St

Broad St

Fairlie St

Peachtree St

Pryor St

Washington St

5

Hunnicutt St

Mills St

Alexander St

Simpson St

W Peachtree St

DOWNTOWN

12

6

4

Centennial
Olympic
Park

Nassau St

Cone St

24

Pryor St

Trinity Ave

McAfee St

Marietta St

Philips
Arena

1

Forsyth St

Martin Luther King Jr Dr

Spring St

Peters St Viaduct

Vers le terminal
des bus Greyhound (480 m)

Georgia World
Congress
Center

Mangum St

Haynes St

W1 Omni/
Dome/GWCC

Elliott Ave

Western Ave

John St

Georgia
Dome

Walker St

Northside Dr

Markham St

Northside Dr

LE SUD GÉORGIE

Margaret Mitchell House & Museum ÉDIFICE HISTORIQUE
(www.margaretmitchellhouse.com ;
990 Peachtree St, 10th St ; adulte/enfant 13/10 $;
⊙10h-17h30 lun-sam, 12h-17h30 dim). Ce musée est dédié à l'auteur du célèbre roman *Autant en emporte le vent*. C'est dans son petit appartement, situé au sous-sol de cette maison ancienne, que Margaret Mitchell a écrit sa grande épopée. Cependant, aucun des objets exposés à l'intérieur ne lui a appartenu.

Piedmont Park PARC
(www.piedmontpark.org). Au cœur du quartier de Midtown, ce magnifique parc dispose de remarquables pistes cyclables, d'une zone pour chiens appréciée et d'agréables espaces verts. Il accueille en outre un marché bio le samedi et c'est ici que se déroulent de nombreux festivals culturels et musicaux.

Skate Escape LOCATION DE VÉLOS
(☎404-892-1292 ; www.skateescape.com ;
1 086 Piedmont Ave NE). Location de vélos (à partir de 6 $/heure), rollers (6 $/heure), tandems (12 $/heure) et VTT (25 $/3 heures).

SWEET AUBURN
Auburn Ave était au début du XXe siècle le centre commercial et artistique de la culture noire-américaine. Aujourd'hui, Sweet Auburn célèbre Martin Luther King Jr, qui est né et a grandi dans ce quartier, et qui y est enterré.

Les différents lieux à sa mémoire sont regroupés à quelques pas de l'arrêt King Memorial du MARTA (Metropolitan Atlanta Rapid Transit Authority, le système de transports publics d'Atlanta).

Martin Luther King Jr National Historic Site SITE HISTORIQUE
Dédié à la vie, au travail et à l'héritage du grand leader de la lutte pour les droits civiques. Le centre s'étend sur plusieurs *blocks*. L'excellent **Visitor Center** (www.nps.gov/malu ; 450 Auburn Ave NE ; entrée libre ; ⊙9h-17h, 9h-18h en été) fournit un plan du site ainsi qu'une brochure sur les expositions.

King Center for Non-Violent Social Change MUSÉE
(www.thekingcenter.org ; 449 Auburn Ave NE ; ⊙9h-17h, 9h-18h en été). En face du centre des visiteurs, cet établissement fournit des renseignements sur la vie et le travail de Martin Luther King Jr et expose quelques effets personnels tels que son prix Nobel de la paix. Sa **tombe**, située entre l'église et le centre, est entourée d'un grand bassin, la Reflecting Pool, et fait face à une flamme éternelle. Les visiteurs peuvent se joindre à une visite guidée (30 min) du **Martin Luther King**

Jr Birthplace (501 Auburn Ave ; entrée libre), son lieu de naissance.

Ebenezer Baptist Church ÉGLISE GRATUIT (www.historicebenezer.org ; 407 Auburn Ave NE ; ☉visites 9h-18h lun-sam, 13h30-18h dim). C'est dans cette église que prêchaient Martin Luther King Jr et, avant lui, son père et son grand-père, tous les trois pasteurs. C'est également ici que sa mère a été assassinée en 1974. La restauration, qui a coûté plusieurs millions de dollars, s'est achevée en 2011. La visite est libre. Le service du dimanche se tient dans la nouvelle église Ebenezer de l'autre côté de la rue.

GRANT PARK
Grant Park PARC
(www.grantpark.org). Grande oasis de verdure, ce parc est situé à la lisière du centre-ville et abrite le **Zoo Atlanta** (www.zooatlanta.org ; adulte/enfant 20/16 $; ☉9h30-17h30 lun-ven, 9h30-18h30 sam-dim ; 🖼) où les visiteurs peuvent apercevoir des flamants roses, des éléphants, des kangourous et des tigres. Les pandas géants sont le joyau du zoo. Leurs petits sont adorables. Soyez prêt à faire la queue pour les apercevoir.

Les passionnés d'histoire apprécieront le bâtiment du **Cyclorama** dans la partie sud de Grant Park. Ils pourront y voir une grande peinture murale, *Battle of Atlanta*, qui relate l'histoire de cette grande bataille.

LITTLE FIVE POINTS ET EAST ATLANTA

Ces deux quartiers bohèmes d'Atlanta sont assez proches l'un de l'autre, tout en étant très éloignés de l'atmosphère conventionnelle qui règne à Atlanta. Ce sont des quartiers jeunes, branchés et alternatifs, centrés autour d'une artère principale (**Euclid Ave** à Little Five Points (L5P) et **Flat Shoals Ave** à East Atlanta), et dotés de salles de concert populaires (respectivement Variety Playhouse et EARL). C'est également dans ces quartiers que l'on trouve le plus grand nombre de boutiques originales. Les grandes chaînes de magasins abondent sur la section de Moreland Ave qui sépare les deux quartiers, que l'on peut facilement visiter à pied et qui offrent de nombreuses possibilités de restauration.

VIRGINIA-HIGHLAND
Le quartier le plus huppé d'Atlanta abrite des maisons charmantes (et très chères) et des boutiques magnifiques (également très chères). Highland Ave, qui traverse le cœur du quartier, est un lieu de promenade très apprécié.

POINTS EAST ET DECATUR
Carter Presidential Library & Museum BIBLIOTHÈQUE, MUSÉE
(☎404-865-7100 ; www.jimmycarterlibrary.org ; 441 Freedom Pkwy ; adulte/enfant 8 $/gratuit ; ☉9h-16h45 lun-sam, 12h-16h45 dim). Situé sur une colline surplombant le centre-ville, ce musée-bibliothèque retrace les moments

LE HÉROS DES DROITS CIVIQUES

Martin Luther King Jr est la figure centrale du mouvement pour la défense des droits civiques. Fils d'un pasteur d'Atlanta, il est né en 1929. Un héritage important qui le mène à suivre les traces de son père au sein de l'église baptiste Ebenezer et se reflète dans ses discours empreints d'accents religieux.

En 1955, King est le leader du "boycott des bus" à Montgomery (Alabama). Un an plus tard, la Cour suprême des États-Unis met fin aux lois ségrégationnistes, notamment dans les bus. Après cet épisode victorieux, King et sa voix morale deviennent une inspiration dans la lutte pour les droits civiques.

Son approche non violente en faveur de l'égalité raciale et de la paix rend son décès d'autant plus symbolique : en 1968, King est assassiné alors qu'il se tient sur le balcon d'un hôtel de Memphis, 4 ans après son prix Nobel de la paix et 5 ans après son discours légendaire de Washington, "I have a Dream".

King reste une des personnes les plus célèbres et respectées du XXᵉ siècle. Pendant plus de 10 ans, il a mené un mouvement qui a permis de mettre fin à un système officiel discriminatoire en vigueur depuis l'aube des États-Unis. À Atlanta, le Martin Luther King Jr National Historic Site et le King Center for Non-Violent Social Change (centre pour un changement social non violent) témoignent de sa vision morale, de sa capacité à inspirer les autres et de l'impact durable de son œuvre sur les fondements de la société américaine.

ATLANTA GAY ET LESBIEN

Atlanta est l'une des rares villes de Géorgie, voire du Sud, où la communauté homosexuelle est visible et active. Le centre de la vie gay se trouve à Midtown et plus précisément à Piedmont Park et à l'intersection entre 10th St et Piedmont Ave. La communauté lesbienne est très présente dans la banlieue de Decatur, à l'est du centre-ville d'Atlanta. Pour plus d'informations, procurez-vous le journal *Southern Voice* (www.sovo.com) ou consultez le site www.gayatlanta.com.

L'**Atlanta Pride Festival** (www.atlantapride.org) est une grande fête annuelle en l'honneur de la communauté homosexuelle de la ville. Fin juin, une foule venue des quatre coins du pays se presse autour du Piedmont Park pour y assister.

forts de la présidence de Jimmy Carter (1977-1981) et expose une réplique du bureau ovale et le prix Nobel de l'ancien président. À ne pas manquer : le jardin japonais derrière le bâtiment, un lieu empreint de sérénité.

🎺 Fêtes et festivals

Atlanta Jazz Festival MUSIQUE
(www.atlantafestivals.com). Festival d'un mois parrainé par la ville. Le point culminant : les concerts qui ont lieu au Piedmont Park le week-end de Memorial Day (fin mai).

Atlanta Pride Festival CULTURE
(www.atlantapride.org). À la fin du mois de juin.

National Black Arts Festival CULTURE
(☎404-730-7315 ; www.nbaf.org). Des artistes venus des quatre coins du pays se retrouvent à Atlanta lors de ce festival en l'honneur de la musique, du théâtre, de la littérature et du cinéma afro-américains. En juillet dans divers lieux.

🛏 Où se loger

Les tarifs varient fortement dans les établissements du centre-ville et peuvent grimper très haut lorsque de grandes conventions se tiennent en ville. Pour trouver un hébergement bon marché, il faut souvent s'éloigner du centre-ville. Une bonne option consiste à séjourner dans l'un des hôtels situés sur la ligne MARTA et emprunter le système de transports publics pour visiter Atlanta.

St Charles Inn B&B $$
(☎404-875-1001 ; www.thesaintcharlesinn.com ; 1 001 St Charles Ave NE ; ch petit-déj inclus 115-215 $; P❄@🛜). Emplacement idéal à quelques pas des magasins et des restaurants de Highland Ave et à 15 min de tout le reste. Ce B&B accueillant, le plus sympathique de ceux que nous avons visités, est simple et idéal. Il dispose de 7 cheminées ; certaines chambres sont équipées d'un Jacuzzi. Les propriétaires, un couple branché et accueillant, pourront vous indiquer où vous restaurer et boire un verre.

Artmore Hotel BOUTIQUE HOTEL $$
(☎404-876-6100 ; www.artmorehotel.com ; 1 302 W Peachtree St ; ch 99-209 $; ❄@🛜). Cet établissment de style Art déco remporte tous les suffrages : service excellent, splendide cour intérieure avec foyer où déguster un verre de vin et emplacement idéal en face de l'arrêt Arts Center (MARTA). Cet édifice historique de 1924 de style hispano-méditerranéen a été restauré en 2009 et transformé en *boutique hotel*, devenu un sanctuaire urbain pour tous ceux qui apprécient son côté tendance et (très) discret à la fois. Comptez 18 $ pour le parking.

Stonehurst Place B&B $$$
(☎404-881-0722 ; www.stonehurstplace.com ; 923 Piedmont Ave NE ; ch 159-399 $; P❄@🛜). Construit en 1896 par la famille Hinman, cet élégant B&B offre tous les équipements modernes dont on peut rêver. Les systèmes de traitement des eaux usées et de chauffage sont désormais respectueux de l'environnement. Situé en plein cœur de Midtown, cet établissement d'exception est l'idéal pour les voyageurs pouvant se le permettre.

Highland Inn AUBERGE $$
(☎404-874-5756 ; www.thehighlandinn.com ; 644 N Highland Ave ; s/d/ste petit-déj inclus 100/121/130 $; P❄🛜). Cette vieille auberge de style européen jouit d'un très bon emplacement au cœur de Virginia-Highland. Les musiciens en tournée apprécient cet établissement depuis des années ainsi que sa sympathique salle de concert située à l'étage inférieur, le Ballroom Lounge. Une auberge un peu défraîchie, mais propre.

Loews Atlanta HÔTEL D'AFFAIRES $$
(☎404-745-5000 ; ww.loewshotels.com ; 1 065 Peachtree St ; ch à partir de 189 $; ❄@🛜). Élégant et moderne, ce nouvel hôtel d'affaires fait partie de la chaîne hôtelière Loews et offre un cadre luxueux au cœur

de Midtown, à quelques pas seulement du Woodruff Arts Center et du Fox Theater. Le spa Exhale attenant est le lieu idéal pour se détendre après une réunion. La décoration contemporaine ajoute une touche artistique sophistiquée.

✕ Où se restaurer

Atlanta est la meilleure ville du Sud où se restaurer (après La Nouvelle-Orléans). La culture gastronomique est quelque peu obsessionnelle. Au moment de notre passage, la scène culinaire de la ville consacrait le hamburger gourmet, les microbrasseries et la "mixologie" (préparation de cocktails décalés à base de légumes) et la tendance était aux produits issus directement des exploitations fermières alentour. Certains des mets les plus emblématiques du pays viennent d'ici, notamment les beignets (*doughnuts*) Krispy Kreme et les gaufres Waffle House.

DOWNTOWN, MIDTOWN ET LE NORD

Woodfire Grill　　　AMÉRICAIN MODERNE $$$
(☎404-347-9055 ; www.woodfiregrill. com ; 1 782 Cheshire Bridge Rd ; plat 28-36 $; ◷17h30-22h mar-jeu, 17h30-23h ven-sam). Kevin Gillespie, fier barbu finaliste de la saison 6 de la version américaine de *Top Chef*, est aux fourneaux de ce superbe restaurant qui offre un excellent rapport qualité/prix. Le service est impeccable. L'offre à la carte est limitée, mais les menus "cinq plats" (65 $) et "sept plats" (85 $) sont très soignés et inspirés du mouvement Slow Food : succulentes tomates vertes grillées avec bacon chaud et sauce aïoli, entrecôte de boeuf Angus au piment rouge sur lit de vinaigrette au cumin et à l'orange, caille laquée au miel et grillée au feu de bois. Tous les ingrédients sont d'origine locale, et préparés et servis selon les préceptes du développement durable.

Ecco　　　EUROPÉEN $$$
(☎404-347-9555 ; www.ecco-atlanta.com ; 40 7th St NE ; plat 19-25 $; ◷17h30-22h dim-jeu, 17h30-23h ven-sam). Élu meilleur nouveau restaurant des États-Unis par le magazine *Esquire* en 2006, Ecco est très engagé en faveur du développement durable. Plusieurs possibilités s'offrent à vous : un véritable festin, quelques tapas ou un repas léger (de 4 à 14 $). Quoi qu'il arrive, vous ne vous ruinerez pas. Le fromage de chèvre grillé au miel et au poivre noir et le porc braisé au piment et à l'ail et accompagné de *pappardelles* maison sont succulents.

Fat Matt's Rib Shack　　　BARBECUE $$
(www.fatmattsribshack.com ; 1 811 Piedmont Ave NE ; sandwichs à partir de 3,95 $; ◷11h30-23h30 lun-ven, 11h30-0h30 sam, 13h-23h30

ATLANTA AVEC DES ENFANTS

Atlanta offre des lieux qui divertiront, amuseront et abreuveront de connaissance (peut-être à leur insu) les enfants.

Fernbank Museum of Natural History　　　MUSÉE
(☎404-929-6300 ; www.fernbankmuseum.org ; 767 Clifton Rd NE ; adulte/enfant 17,50/15,50 $; ◷10h-17h lun-sam, 12h-17h dim ; 👫). Certes, il existe de meilleurs musées d'histoire naturelle. Toutefois, Fernbank est particulièrement adapté aux enfants grâce à sa nouvelle exposition, Naturequest. Le musée explore la nature, des coquillages aux dinosaures, et dispose d'un **cinéma IMAX** (adulte/enfant 13/12 $).

Center for Puppetry Arts　　　MUSÉE
(www.puppet.org ; 1 404 Spring St NW ; musée 8,25 $; ◷9h-15h mar-ven, 9h-17h sam, 11h-17h dim ; 👫). Véritable pays enchanté pour les visiteurs de 7 à 77 ans. Un des lieux les plus originaux d'Atlanta, ce musée expose de magnifiques marionnettes. Les visiteurs auront l'occasion d'en manier certaines. Coût du spectacle non-inclus dans le prix du billet d'entrée.

Stone Summit　　　ESCALADE
(www.ssclimbing.com ; 3 701 Presidential Pkwy ; adulte/enfant 12/10 $; ◷6h-22h lun et mer, 11h-22h mar et jeu-ven, 10h-20h sam, 12h-18h dim ; 👫). Le plus vaste gymnase d'escalade du pays accueille les débutants et les enfants. Un moment de plaisir pour toute la famille !

Imagine It! Children's Museum of Atlanta　　　MUSÉE
(www.childrensmuseumatlanta.org ; 275 Olympic Centennial Park Dr NW ; 12,50 $; ◷10h-16h lun-ven, 10h-17h sam-dim ; 👫). Musée interactif destiné aux enfants jusqu'à 8 ans. Interdit aux adultes non accompagnés.

dim). Cet établissement met à l'honneur deux grandes traditions du Sud : le barbecue et le blues. Essayez tout particulièrement le *Brunswick stew*, un délicieux ragoût proche de la soupe qui mélange différents types de viandes, des tomates et des haricots.

Varsity
RESTAURATION RAPIDE **$**

(www.thevarsity.com ; 61 North Ave, à hauteur de Spring St ; hot dog à partir de 1,35 $; ☺10h-23h30 lun-jeu, 10h-0h30 ven-sam). Ce *drive-in* survolté (le plus grand au monde) est une institution locale depuis 1928. Guère plus qu'un *fast-food* et toujours bondé, mais une expérience à ne pas manquer.

OUEST

Miller Union
NOUVELLE CUISINE DU SUD **$$$**

(☎404-685-3191 ; www.millerunion.com ; 999 Brady Ave ; plat 19-26 $; ☺11h30-14h30 mar-sam et 17h-22h lun-jeu, 17h-23h ven-sam). Ces anciens parcs à bestiaux abritent désormais un des restaurants les plus prisés d'Atlanta, spécialisé dans la nouvelle cuisine du Sud, qui allie saveurs traditionnelles et produits frais et de saison, une tendance qui fait beaucoup d'adeptes à Atlanta. Le chef, Steven Satterfield, a conquis son public grâce à ses œufs cuits dans une crème au céleri.

Bocado
AMÉRICAIN **$$**

(www.bocadoatlanta.com ; 887 Howell Mill Rd ; plat déj 8-11 $; ☺11h-14h lun-ven, 17h-22h lun-sam). En espagnol, "bocado" signifie bouchée ou morceau. Cependant, ce nouveau restaurant du *west side* ne fait pas dans la demi-mesure. Ses sandwichs et salades originaux et savoureux sont composés d'ingrédients directement issus de l'agriculture locale. Au menu : piments *poblano* rôtis, sandwichs au fromage *pimento*, bacon et tomates vertes grillées.

SWEET AUBURN

Sweet Auburn Curb Market
MARCHÉ **$**

(www.sweetauburncurbmarket.com ; 209 Edgewood Ave SE ; plat 5-9 $; ☺8h-18h lun-sam). Les gourmands apprécieront les étals de ce petit marché : produits frais et repas chauds servis sur place, comme du café bio et des mets italiens. Bell Street Burritos vaut le détour et sert des *burritos* fraîchement préparés et bien garnis.

LITTLE FIVE POINTS

Vortex Bar & Grill
HAMBURGERS **$**

(www.thevortexbarandgrill.com ; 438 Moreland Ave ; hamburgers à partir de 6,45 $; ☺11h-24h dim-jeu, 11h-3h ven-sam). Établissement décalé où les *hipsters* alternatifs côtoient des touristes texans et les étudiants du Morehouse College. Au menu, des hamburgers gourmets et un délicieux plat végétarien à base de haricots noirs. Un autre établissement de la même enseigne se trouve dans Midtown (878 Peachtree St). Interdit aux enfants.

VIRGINIA-HIGHLAND ET INMAN PARK

♥ Goin' Coastal
FRUITS DE MER **$$$**

(www.goincoastalseafood.com ; 1 021 Virginia Ave NE ; plat 18-26 $; ☺17h-22h lun-jeu, 10h-22h ven, 11h30-23h sam-dim). Encore un restaurant engagé dans une démarche respectueuse de l'environnement ! Mais ce sympathique établissement est spécialisé dans les fruits de mer et sort donc du lot. Au cœur de Virginia-Highland, il est géré par des amis amateurs de pêche. Sur le menu, les prises du jour côtoient les tacos au homard (18 $), de la truite (24 $) et toute une panoplie d'accompagnements délicieux (les fameux *grits*, ou gruau de maïs, préparés ici à la crème, ou du *cornbread* au piment jalapeño). Sert uniquement du poisson pêché selon les pratiques écologiques et des légumes hydroponiques, issus de fermes urbaines sophistiquées qui utilisent de l'eau recyclée et transportés dans des conteneurs recyclés.

Fritti
PIZZERIA **$$**

(www.frittirestaurant.com ; 309 N Highland Ave NE ; pizza 10-15 $; ☺11h30-15h et 17h30-23h, 17h30-24h ven-sam, 12h30-22h dim). Fritti prend les choses très au sérieux. Une pizza napolitaine tout ce qu'il y a de plus traditionnel sort d'un four en briques Uno Forno à 18 000 dollars, pesant 6 000 kg et atteignant une température de 593°C, construit à la main, brique par brique, par le célèbre Stefano Ferrara, le roi de la pizza à Naples. Les matériaux sont 100% italiens, à l'instar de la cendre volcanique du Vésuve. Temps de cuisson : 45 secondes.

DECATUR

Cette banlieue située à 10 km à l'est du centre-ville d'Atlanta est devenue au fil des années une enclave bohème de la contre-culture. C'est aujourd'hui une véritable destination pour les gourmets.

♥ Leon's Full Service
FUSION **$$**

(www.leonsfullservice.com ; 131 E Ponce de Leon Ave ; plat 11-19 $; ☺17h-1h lun, 11h30-1h mar-jeu et dim, 11h30-2h ven-sam). Le menu et la carte des bières semblent tout droit sortis du rêve éveillé d'un rockeur. Tout le monde se croit plus cool que son voisin, mais, en réalité, le menu remporte tous les suffrages : poitrine de bœuf rôtie lentement dans sa sauce au poivre ou succulentes frites maison servies avec des sauces spéciales. Typique de Decatur.

Farm Burger
HAMBURGERS $

(www.farmburger.net ; 410b W Ponce de Leon Ave ; hamburger à partir de 6 $; ◎11h30-22h dim-jeu, 11h30-22h ven-sam). La viande servie dans ce restaurant gourmet est un authentique bœuf du Sud-Est élevé naturellement dans les fermes locales. Cet établissement pionnier est actuellement au cœur d'une véritable "guerre des hamburgers" qui sévit à Atlanta. Les clients peuvent concevoir leur propre hamburger (6 $) à partir d'une liste d'ingrédients insolites : marmelade de queue de bœuf, moelle rôtie et *pimento and cheese* (un classique de la cuisine du Sud). Vous pouvez aussi choisir le plat du jour annoncé sur le tableau noir.

Taqueria del Sol
MEXICAIN $

(359 W. Ponce de Leon Ave ; tacos 2,39 $; ◎11h-14h lun-ven et 17h30-21h mar-jeu, 12h-15h sam et 17h30-22h ven-sam). Ce restaurant marie audacieusement saveurs mexicaines et saveurs du Sud, fait plutôt inhabituel dans cette ville. Les meilleurs plats : les tacos au porc fumé ou au poulet frit et la succulente soupe de crevettes et maïs.

Où prendre un verre

Brick Store Pub
BAR

(www.brickstorepub.com ; 125 E Court Sq). Les amateurs de bière se retrouvent ici pour la meilleure sélection de bière d'Atlanta : 17 types de pression choisis méticuleusement. Un bar à bière belge est installé à l'étage supérieur. Ce pub offre au total près de 200 bières et jouit d'une atmosphère très décontractée.

Park Tavern
BAR

(www.parktavern.com ; 500 10th Street NE). Cette microbrasserie qui fait aussi restaurant n'est pas la plus prisée de la ville, mais sa terrasse extérieure en bordure de Piedmont Park est l'un des meilleurs endroits d'Atlanta où siroter tranquillement un verre le week-end.

Euclid Avenue Yacht Club
BAR

(1 136 Euclid Ave). Bar idéal pour prendre un verre avant un spectacle au Variety Playhouse juste à côté.

Octane
CAFÉ

(www.octanecoffee.com ; 1009-B Marietta St ; sandwichs 4-6 $; ◎7h-23h lun-jeu, 7h-24h ven,

8h-23h sam-dim ; ☎). Cet établissement branché près du campus de Georgia Tech propose aux amateurs de café toute une gamme de boissons certifiées commerce équitable.

Manuel's Tavern
BAR

(www.manuelstavern.com ; 602 N Highland Ave). Établissement fréquenté de longue date par une clientèle amatrice de bière qui aime se retrouver autour d'un verre pour refaire le monde.

Blake's
GAY ET LESBIEN

(www.blakesontheparkatlanta.com ; 227 10th St NE). Donnant sur Piedmont Park, Blake's s'est autoproclamé "le bar gay préféré d'Atlanta depuis 1987".

☆ Où sortir

Atlanta jouit d'une vie nocturne animée, rythmée par des concerts et des événements culturels. Renseignez-vous auprès de l'**Atlanta Coalition of Performing Arts** (www.atlantaperforms.com), qui fournit des informations et des liens sur la musique, le cinéma, la danse et le théâtre à Atlanta, ou auprès de l'**Atlanta Music Guide** (www.atlantamusicguide.com), qui gère un calendrier des concerts programmés en ville ainsi qu'un annuaire des salles de concert, et renvoie à un site sur lequel vous pourrez acheter vos billets.

Théâtre

Woodruff Arts Center
CENTRE CULTUREL

(www.woodruffcenter.org ; 1 280 Peachtree St NE, à hauteur de 15th St). Ce campus regroupe le High Museum, l'Atlanta Symphony Orchestra et l'Alliance Theatre.

Fox Theatre
THÉÂTRE

(www.foxtheatre.org ; 660 Peachtree St NE). Spectaculaire salle de cinéma datant de 1929 et arborant un décor de style mauresque. Aujourd'hui, elle accueille des productions de Broadway et des concerts dans l'auditorium d'une capacité de plus de 4 500 personnes.

Musique live et discothèques

Dans les établissements suivants, le prix du billet peut varier chaque soir. Consultez leur site Internet pour connaître la programmation musicale et les tarifs.

EARL
MUSIQUE LIVE

(www.badearl.com ; 488 Flat Shoals Ave). Le pub prisé par les rockeurs : un restaurant sombre dont la bonne cuisine surprend. Il fait également office de bar et de salle de concert, souvent bondée.

Eddie's Attic
MUSIQUE LIVE

(www.eddiesattic.com ; 515b N McDonough St, Decatur). L'une des meilleures salles de la ville pour écouter de la musique folk et acoustique. Elle a servi de tremplin à de nombreux talents locaux. Non-fumeurs, ouvert tous les soirs.

MJQ Concourse
NIGHT-CLUB

(☎404-870-0575 ; 736 Ponce de Leon Place NE). Ce club est situé dans un ancien parking souterrain. C'est ici que se déchaîne la jeune scène de rock indé. On y entre par une petite porte de garage escamotable. On se croirait dans une cabane à outils vétuste. L'endroit idéal.

Variety Playhouse
MUSIQUE LIVE

(www.variety-playhouse.com ; 1 099 Euclid Ave NE). Salle de concert très bien gérée, à la programmation pointue. C'est ici que se produisent de nombreux artistes en tournée.

Sports

Vous pouvez réserver vos billets pour les événements sportifs grâce à **Ticketmaster** (☎404-249-6400 ; www.ticketmaster.com).

Atlanta Braves
BASE-BALL

(☎404-522-7630 ; www.atlantabraves.com ; billet 8-90 $US). L'équipe de la Ligue majeure de base-ball (Major League Baseball, MLB) joue dans le stade de Turner Field. Les navettes du MARTA/Braves partent de **Underground Atlanta** (www.underground-atlanta.com ; à l'angle de Peachtree St et Alabama St ; ⊘10h-21h lun-sam, 11h-18h dim) au Steve Polk Plaza, 90 minutes avant le début du match.

ℹ Renseignements

Accès Internet
Central Library (www.afpls.org ; 1 Margaret Mitchell Sq ; ⊘9h-21h lun-sam, 14h-18h dim). La bibliothèque municipale principale, ainsi que de nombreuses antennes dans la ville, proposent un accès Internet gratuit pendant 15 minutes, 2 fois par jour.

Médias
Atlanta (www.atlantamagazine.com). Mensuel généraliste sur l'actualité, les arts et les restaurants locaux.

Atlanta Daily World (www.atlantadailyworld. com). Le plus ancien journal afro-américain du pays est publié depuis 1928.

Atlanta Journal-Constitution (www.ajc.com). Principal quotidien d'Atlanta qui publie une bonne rubrique sur le voyage le dimanche.

Creative Loafing (www.clatl.com). Conseils branchés sur la musique, les arts et le théâtre. Cet hebdomadaire alternatif gratuit sort le mercredi.

Offices du tourisme
Atlanta Convention & Visitors Bureau (☎404-521- 6600 ; www.atlanta.net ; 233 Peachtree St ; ⊘9h-17h lun-ven). Propose un site Internet qui renseigne sur les différents quartiers d'Atlanta, offre un guide des restaurants et un lien vers des informations pour les gays et lesbiennes ; le tout en 6 langues. Il est également possible d'acheter un CityPass en ligne, qui permet de réaliser des économies : ce pass donne accès à cinq des plus grandes attractions d'Atlanta pour 69 $.

Poste
Pour des informations générales sur la poste, appelez le ☎800-275-8777. **Poste** CNN Center (190 Marietta St NW) ; Little Five Points (455 Moreland Ave NE) ; North Highland (1190 N Highland Ave NE) ; Phoenix Station (41 Marietta St NW).

Sites Internet
Access Atlanta (www.accessatlanta.com). Grande source d'informations sur Atlanta et les événements programmés.

Atlanta Travel Guide (www.atlanta.net.) Site officiel de l'Atlanta Convention & Visitors Bureau qui fournit d'excellents liens sur les boutiques, restaurants et hôtels de la ville ainsi que sur les événements programmés.

Urgences et services médicaux
Atlanta Medical Center (www.atlantamedcenter.com ; 303 Pkwy Dr NE)

Atlanta Police Department (☎404-614-6544 ; www.atlantapd.org)

Emory University Hospital (www.emoryhealthcare.org ; 1 364 Clifton Rd NE)

Piedmont Hospital (www.piedmonthospital. org ; 1 968 Peachtree Rd NW)

ℹ Depuis/vers Atlanta

Le gigantesque aéroport d'Atlanta, le **Hartsfield-Jackson International Airport** (ATL ; www.atlanta-airport.com), situé à 19 km au sud du centre-ville, est un axe majeur de transport dans la région et une porte d'entrée internationale. Il s'agit de l'aéroport le plus fréquenté au monde en termes de flux de voyageurs.

Le terminal **Greyhound** (232 Forsyth St) est situé à côté de la station Garnett (MARTA). Parmi les destinations : Nashville dans le Tennessee (5 heures), La Nouvelle-Orléans en Louisiane (10 heures 30), New York (20 heures) et Savannah (4 heures 45).

La gare **Amtrak** (1 688 Peachtree St NW, à hauteur de Deering Rd) est située juste au nord du centre-ville.

ⓘ Comment circuler

Le **Metropolitan Atlanta Rapid Transit Authority** (réseau municipal des transports publics, MARTA ; www.itsmarta.com ; ticket 2.50 $) propose un service entre l'aéroport et le centre-ville. Il dessert également des stations moins pratiques utilisées principalement par les voyageurs quotidiens. Les tickets à l'unité ne sont plus disponibles, il faut désormais acheter une carte Breeze (1 $) rechargeable à convenance.

Les navettes et agences de location de voitures sont situées dans l'aéroport au niveau de la salle de livraison des bagages.

Conduire dans Atlanta peut se révéler une expérience exaspérante. Les embouteillages sont fréquents et il est facile de se perdre. Nous vous conseillons fortement de vous procurer un plan de la ville.

Nord de la Géorgie

L'extrémité sud des Appalaches s'étend sur une soixantaine de kilomètres à la frontière nord de la Géorgie. Les paysages montagneux et les rivières y sont magnifiques et créent un décor unique. Les couleurs automnales apparaissent tardivement au mois d'octobre.

Il faut compter plusieurs jours pour visiter des sites tels que celui de **Tallulah Gorge** (www.gastateparks.org/TallulahGorge), des gorges d'une profondeur de 365 m, admirer les paysages montagneux et parcourir les sentiers de randonnées du **Vogel State Park** (www.gastateparks.org/Vogel) et de l'**Unicoi State Park** (www.gastateparks.org/Unicoi), et voir l'intéressante collection d'art traditionnel des Appalaches du **Foxfire Museum** (www.foxfire.org ; adulte/enfant 6/3 $; ⊙8h30-16h30 lun-sam) à Mountain City.

DAHLONEGA

En 1828, Dahlonega fut le site de la première ruée vers l'or des États-Unis. Aujourd'hui, la ville prospère grâce au tourisme. Facilement accessible depuis Atlanta dans le cadre d'une excursion à la journée, c'est également une bonne base pour ceux qui souhaitent se rendre dans les montagnes.

La place principale du quartier historique mérite le coup d'oeil. De nombreux magasins originaux se disputent l'attention des touristes. Le **Visitor Center** (☏706-864-3513 ; www.dahlonega.org ; 13 S Park St ; ⊙9h-17h30 lun-ven, 10h-17h sam) fournit de multiples informations sur les sites et activités des environs (notamment les possibilités de randonnée, canoë, kayak, rafting, VTT).

Le **Amicalola Falls State Park** (☏706-265-4703 ; www.amicalolafalls.com), à 30 km à l'ouest de Dahlonega en prenant la Hwy 52, abrite les **Amicalola Falls**. D'une hauteur de plus de 220 m, ce sont les plus hautes chutes de Géorgie. Le parc offre des paysages spectaculaires, accueille un lodge et dispose d'excellents sentiers de randonnée et de VTT.

Les possibilités de **cyclisme** (www.cyclenorthgeorgia.com) sont assez remarquables pour que Lance Armstrong se soit entraîné dans la région. **Dalhonega Wheelworks** (www.wheelworksga.com ; 24 Alicia Lane ; ⊙11h-18h lun, mar, jeu, ven, 13h30-18h mer ; 9h-17h sam) est un bon magasin de cycles qui propose des vélos et des VTT à la location, des guides des pistes et des circuits quotidiens. Le circuit en boucle de 56 km, **Three Gap**, est impressionnant. Mieux vaut être en forme !

Quelques domaines viticoles près de Dahlonega produisent de très bons vins. Cela vaut réellement la peine de visiter ces somptueux vignobles. **Frogtown Cellars** (www.frogtownwine.com ; 700 Ridge Point Dr ; ⊙12h-17h dim-ven, 12h-18h sam, 12h30-17h dim) est un magnifique vignoble où il fait bon déguster un verre (et un des paninis au menu) installé sur la terrasse. Ce producteur est un des plus primés de la côte Est.

Le **Crimson Moon Café** (24 N Park St ; plat 8-15 $; ⊙11h-15h lun, 11h-21h mer, 11h-22h jeu-ven, 8h-13h sam, 8h-20h dim) est un café bio qui propose de très bons petits plats du Sud et programme des concerts dans une salle intime.

Le **Hiker Hostel** (☏770-312-7342 ; www.hikerhostel.com ; 7693 Hwy 19N ; dort/ch 17/40 $; ▣✳@☎), sur la Hwy 19N près de la boucle Three Gap, est géré par un couple amoureux de la nature et passionné de cyclisme. L'établissement est relativement récent et très bien entretenu. Chaque lit de dortoir est pourvu d'un rideau pour plus d'intimité. Petit-déjeuner copieux.

Centre de la Géorgie

Le centre de la Géorgie est une sorte de pot-pourri où se mêle tout ce qui ne ressemble pas à Atlanta, au nord montagneux ou au sud marécageux des environs de Savannah. Le centre de l'État possède le charme rustique du Sud.

ATHENS

Ville étudiante décontractée, artiste et amatrice de bière, à une centaine de kilomètres d'Atlanta, Athens possède une équipe de football américain très populaire (les Bulldogs de la University of Georgia), une scène musicale célèbre dans le monde entier (qui a lancé la carrière d'artistes tels que les B-52s, R.E.M. et Widespread Panic) et une culture gastronomique florissante. L'université est au cœur de la vie culturelle de la ville et ses jeunes étudiants remplissent continuellement les bars et les salles de concert. Le centre-ville est un lieu agréable où il fait bon se promener et offre de nombreuses possibilités atypiques pour dîner, boire et faire des achats.

👁 À voir et à faire

State Botanical Garden of Georgia JARDINS
(www.uga.edu/~botgarden ; 2 450 S Milledge Ave ; don conseillé 2 $; ☻8h-18h, 8h-20h en été). Un magnifique jardin botanique agrémenté d'allées sinueuses, qui rivalise avec celui d'Atlanta. Les panneaux explicatifs renseignent sur la formidable collection de plantes, allant d'espèces rares et en voie de disparation aux splendides zones boisées que traversent des sentiers sur près de 8 km.

Georgia Museum of Art MUSÉE
(www.georgiamuseum.org ; 90 Carlton St ; don conseillé 3 $; ☻10h-17h mar-mer et ven-sam, 10h-21h jeu, 13h-17h dim). Grâce à la construction récente d'une nouvelle aile (d'un coût de 20 millions de dollars), cet excellent musée moderne possède désormais près de 1 500 m² de galeries ainsi qu'un jardin exposant des sculptures.

🛏 Où dormir et se restaurer

L'offre d'hébergements n'est pas très variée à Athens. Vous trouverez des chaînes hôtelières à la sortie de la ville sur W Broad St.

❤ Hotel Indigo BOUTIQUE HOTEL $$
(☏706-546-0430 ; www.indigoathens. com ; 500 College Ave ; ch week-end/semaine à partir de 159/139 $; 🅿❄@🛜🏊). Le premier (et tant attendu) *boutique hotel* d'Athens fait partie de la chaîne d'hôtels Indigo. Les équipements de cet établissement écologique de 130 chambres sont respectueux de l'environnement (ascenseurs à système dit "régénératif", parking prioritaire pour les véhicules hybrides, 30% de matériaux recyclés) et la décoration écolo-chic est fidèle à l'esprit local (café Jittery Joe plutôt que Starbucks, posters de R.E.M. dans des cadres en bois recyclé, par exemple).

Foundry Park Inn & Spa AUBERGE $$
(☏706-549-7020 ; www.foundryparkinn.com ; 295 E Dougherty St ; ch 130-150 $; 🅿❄@🛜🏊).

Une auberge haut de gamme située dans un site charmant où se trouve également une fonderie confédérée restaurée. L'hôtel comporte un spa, un restaurant et une salle de concert intime, le Melting Point.

❤ Five & Ten AMÉRICAIN $$$
(☏706-546-7300 ; www.fiveandten.com ; 1 653 S Lumpkin St ; plat 18-29 $; ☻17h30-22h dim-jeu, 17h30-23h ven-sam, 10h30-14h30 dim). Five & Ten fait partie des meilleurs restaurants du Sud. Des ingrédients écologiques, un menu naturel et légèrement audacieux : ris de veau bio, pâtes faites maison et *Frogmore stew* (ragoût de saucisses, pommes de terre, maïs et crevettes). Réservation indispensable.

🌿 Farm 255 AMÉRICAIN $$
(www.farm255.com ; 255 W Washington St ; plat 12-21 $; ☻17h30-22h mar-jeu, 17h30-22h30 ven-sam, 11h-14h et 17h30-21h30 dim). Ce bistrot élégant et lumineux sert des plats confectionnés majoritairement avec de la viande et des légumes issus de sa ferme biologique et biodynamique de 2 ha, Blue Moon Farms, située en périphérie d'Athens. Son mot d'ordre : tout doit être frais !

Grit VÉGÉTARIEN $
(www.thegrit.com ; 199 Prince Ave ; plat 5-8 $; ☻11h-22h lun-ven, 10h-15h et 17-22h sam-dim ; 🍴🛜). Cet établissement végétarien, pionnier dans son genre et fondé par Michael Stipe du groupe R.E.M., propose du tofu Reuben (sandwich grillé au pain de seigle) et des hamburgers à la cornille.

Grill CAFÉ-RESTAURANT $
(www.thegrit.com ; 171 College Ave ; plat 5-8 $; ☻24h/24). Cette institution du centre-ville est idéale pour les petites faims tardives et enivrées. Sa spécialité : les frites que l'on trempe dans une sauce à la feta.

LE "BUCK MANOR"

Pour apercevoir un site légendaire de la scène musicale d'Athens, vous pouvez vous rendre au 748 Cobb St. Le **Buck Manor** est une maison victorienne peinte en 12 couleurs. Le guitariste du groupe R.E.M., Peter Buck, y habitait jusqu'à son divorce. C'est ici qu'ont été tournés le clip vidéo de *Nightswimming* et la vidéo annonçant la sortie de *Out of Time*. Le groupe Nirvana a passé la nuit dans cette demeure lors de son concert au 40 Watt Club en 1991.

Où prendre un verre et sortir

Le centre-ville comptant près d'une centaine de bars et restaurants, vous n'aurez aucun mal à trouver votre bonheur. Procurez-vous un exemplaire de la revue hebdomadaire gratuite *Flagpole* (www.flagpole.com) pour connaître la programmation culturelle.

Trappeze Pub PUB

(www.trappezepub.com ; 269 W Washington St ; bières pression 4-8 $; ⊙11h-2h lun-sam, 11h-24h dim). Les amateurs de bière viennent au Trappeze pour déguster une des 35 bières à la pression et des 260 bières à la bouteille proposées et écouter les barmans disserter sur la mousse. Le menu, au-dessus de la moyenne, est composé de toutes sortes de mets parfumés à la bière comme le *pulled pork* (porc effilé) à l'Unibroue Ephemere.

40 Watt Club MUSIQUE LIVE

(www.40watt.com ; 285 W Washington St). Salons, bar exotique, bières PBR à 2 $ et groupes de rock indé sur scène. C'est dans cet établissement légendaire que se retrouvent tous les grands musiciens de la ville.

Manhattan Cafe BAR

(337 N Hull St). L'antithèse de la plupart des bars du centre-ville. C'est ici que l'on retrouve, dès 8h du matin, tous les étudiants qui n'ont pas cours à 8h. Lumières psychédéliques, meubles restaurés dépareillés et foule citadine.

❶ Renseignements

L'**Athens Welcome Center** (☎706-353-1820 ; www.athenswelcomecenter.com ; 280 E Dougherty St ; ⊙10h-17h lun-sam, 12h-17h dim), centre d'accueil installé dans une maison *antebellum* à l'angle de Thomas St, fournit des plans et des informations sur les visites guidées, notamment sur le circuit Guerre de Sécession et le "Walking Tour of Athens Music History" sur l'histoire musicale locale.

Savannah

Cette grande ville historique, la belle de Géorgie, sait user de ses charmes. À la fois authentique, avec ses belles demeures *antebellum*, et animée, notamment grâce au Savannah College of Art & Design et à ses étudiants enthousiastes. La ville borde la Savannah River et se situe à une trentaine de kilomètres de la côte, au milieu des marais du Lowcountry et d'immenses chênes verts recouverts de mousse espagnole. Les magnifiques demeures, les entrepôts de coton, les ravissantes places et les bâtiments publics de style colonial reflètent le passé de la ville

avec fierté et grâce. Contrairement à sa petite sœur, Charleston (Caroline du Sud), qui jouit d'une réputation de centre culturel raffiné, Savannah n'est pas célèbre pour son allure soignée. Ce qui lui a valu le sobriquet de "belle femme au visage sale".

◉ À voir et à faire

Le parc central de Savannah, appelé **Forsyth park**, est un espace vert rectangulaire très étendu. Il comporte une magnifique fontaine en marbre qui fait l'objet de belles photos.

Owens-Thomas House ÉDIFICE HISTORIQUE

(www.telfair.org ; 124 Abercorn St ; adulte/enfant 15/5 $; ⊙12h-17h lun, 10h-17h mar-sam, 13h-17h dim). Achevée en 1819, cette splendide maison de l'architecte britannique William Jay est un exemple d'architecture Régence connue pour sa symétrie. La visite guidée s'attache beaucoup aux détails, mais fournit des informations intéressantes sur la peinture du plafond, ce bleu particulier (le "haint blue", mélange de bleu indigo écrasé, de babeurre et de coquilles d'huitres broyées) qu'arborent les quartiers des esclaves. On apprend également que cette maison a eu de l'eau courante environ une vingtaine d'années avant la Maison-Blanche.

Jepson Center for the Arts MUSÉE

(JCA ; www.telfair.org ; 207 W York St ; billet combiné adulte/enfant 20/5 $; ⊙10h-17h lun, mer, ven et sam, 10h-20h jeu, 12h-17h dim ; ♿). Construit il y a plus de 5 ans, mais affichant un air futuriste selon les critères de Savannah, le JCA présente avant tout des œuvres des XXe et XXIe siècles, peu nombreuses mais intéressantes. Le musée propose également une sympathique zone interactive pour les enfants. Le billet d'entrée combiné permet d'obtenir un tarif réduit pour les deux musées associés, le Telfair et l'Owens-Thomas House.

Mercer-Williams House ÉDIFICE HISTORIQUE

(www.mercerhouse.com ; 429 Bull St ; adulte/enfant 12,50/8 $). Jim Williams, marchand d'art de Savannah devenu personnage principal du roman de John Berendt, *Minuit dans le jardin du bien et du mal*, et interprété par Kevin Spacey dans l'adaptation cinématographique, est mort en 1990. Pourtant, sa célèbre demeure n'est devenue un musée qu'en 2004. L'étage supérieur est fermé au public car la famille de Williams y vit toujours. La décoration de l'étage inférieur est une réussite.

Telfair Museum of Art MUSÉE

(www.telfair.org ; 121 Barnard St ; billet combiné adulte/enfant 20/5 $; ⊙12h-17h lun, 10h-17h

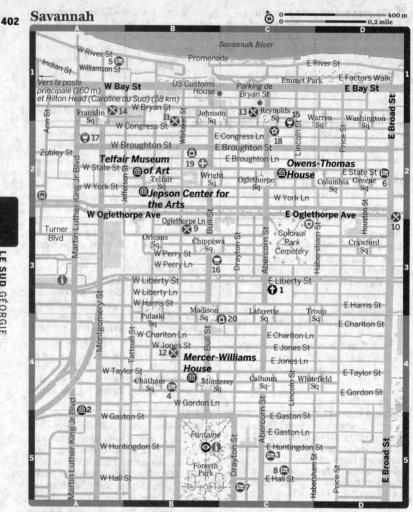

LE SUD GÉORGIE

mar-sam, 13h-17h dim). De l'argenterie
datant du début du XIXe siècle, une
gigantesque peinture à l'huile qui illustre
une scène de la guerre de Cent Ans et
la célèbre statue de Sylvia Shaw, *Bird
Girl* (la jeune fille aux oiseaux), que l'on
retrouve sur la couverture de *Minuit dans
le jardin du bien et du mal*, sont exposées
dans ce musée.

Cathedral of St John the Baptist
CATHÉDRALE

Cette imposante cathédrale, achevée
en 1896 puis détruite lors d'un incendie
deux ans plus tard, a rouvert en 1912. Les

éblouissants vitraux en verre teinté de la nef
viennent d'Autriche et décrivent l'ascension
du Christ. Elle est également décorée avec
des sculptures en bois de Bavière illustrant
le Chemin de croix.

Ralph Mark Gilbert Civil Rights Museum
MUSÉE

(460 Martin Luther King Jr Blvd ; adulte/enfant
8/4 \$; ☺9h-17h mar-sam). Ce musée est
consacré à l'histoire locale des écoles,
hôtels, hôpitaux, emplois et restaurants
sous la Ségrégation. La reconstitution du
restaurant Levy's est exagérée mais n'en
est pas moins édifiante.

Savannah

◉ Les incontournables

◎ À voir

🛏 Où se loger

✪ Où se restaurer

◎ Où prendre un verre

✪ Où sortir

🛍 Achats

🛏 Où se loger

Les touristes ont de la chance : pour être à la mode, les hôtels et B&B de Savannah servent hors-d'œuvres et vin aux clients tous les soirs. Les hébergements près du fleuve sont très prisés et les prix s'en ressentent.

Bohemian Hotel BOUTIQUE HOTEL **$$$**
(☎912-721-3800 ; www.bohemianhotelsavannah. com ; 102 West Bay St ; ch week-end/semaine 319/229 $; P❋@☎). Décoré à l'origine sur le thème de la mer, ce nouvel hôtel du front de mer a désormais d'autres attraits : des couloirs somptueux de style gothique et une sorte de donjon sombre et élégant. L'atmosphère quelque peu sinistre n'en est pas moins agréable, et l'on se croirait revenu au Moyen Âge. Le seul défaut : les chambres sont peu éclairées. La décoration présente quelques touches insolites, comme le bois flotté et les lustres en coquilles d'huîtres. Le service personnalisé fait de ce lieu un endroit intime malgré ses 75 chambres. La vue, notamment depuis le bar sur le toit, Rocks, est extraordinaire. Comptez 21 $ pour le parking.

Thunderbird Inn MOTEL **$**
(☎912-232-2661 ; www.thethunderbirdinn.com ; 611 W Oglethorpe Ave ; ch 99 $; P❋☎). Ce motel ouvert en 1964 et rénové dans un style vintage-chic a des airs de Palm Springs et de Las Vegas. Autoproclamé "hôtel le plus branché de Savannah", cet établissement populaire accueille ses clients au son des années 1960. Dans l'univers guindé des B&B, ce lieu décontracté est une oasis. Les murs peints dans des couleurs apaisantes et les œuvres artistiques des étudiants du SCAD (Savannah College of Art and Design) exposées contribuent à créer l'atmosphère particulière. L'hôtel est situé juste à l'extérieur de la zone touristique en face de la gare routière des Greyhound. Au menu du petit-déjeuner : les beignets (*doughnuts*) Krispy Kreme !

Mansion on Forsyth Park HÔTEL **$$$**
(☎912-238-5158 ; www.mansiononforsythpark. com ; 700 Drayton St ; ch week-end/semaine 249/199 $; ❋@☎▧). Un emplacement de choix et un design élégant soulignent le luxe de cet établissement situé dans un vaste hôtel particulier. Les somptueuses salles de bains justifient les tarifs à elles seules, ou presque. Les œuvres d'art locales et internationales exposées sur les murs et dans les couloirs (plus de 400 œuvres originales) sont les meilleurs atouts de cet hôtel-spa. Comptez 20 $ par jour pour le parking.

Green Palm Inn B&B **$$**
(☎912-447-8901 ; www.greenpalminn.com ; 548 E President St ; ch à partir de 149-189 $; P❋☎). Expérience intime dans ce charmant B&B sur Green Sq capable d'accueillir jusqu'à 9 personnes. Les chambres sont entretenues méticuleusement et le personnel est serviable et amical.

Bed & Breakfast Inn B&B **$$**
(☎912-238-0518 ; www.savannahbnb.com ; 117 W Gordon St ; ch semaine/week-end à partir

de 159/179 $; P✳🛜). À quelques pas de Monterrey Square, qui est bordée de bâtiments à l'architecture très variée, cet établissement est très apprécié et fréquenté. Les chambres sont fraîches, originales et bien entretenues. On manque facilement ce B&B car il est situé dans une rue de maisons mitoyennes identiques datant de 1850. Les chambres sont réparties dans 6 bâtiments différents de la rue.

Savannah Pensione

PENSION $

(☎912-236-7744 ; www.savannahpensione.com ; 304 E Hall St ; dort 23 $, ch 45-60 $; ✳🛜). Cette pension a été gérée comme une auberge de jeunesse pendant 15 ans, jusqu'à ce que le propriétaire décide de transformer ce "squat" rudimentaire, lassé de voir les routards monter et descendre les marches anciennes de cette maison de 1894. Aujourd'hui, cette pension simple possède toujours une vague atmosphère d'auberge de jeunesse et comble un besoin spécifique du marché : comptez 23 $ pour un lit en dortoir, mais seulement si vous voyagez en groupe de 3 personnes minimum.

Azalea Inn

B&B $$$

(☎912-236-2707 ; www.azaleainn.com ; 217 E Huntingdon St ; ch à partir de 200 $; P✳🛜🏊). Situé dans une rue calme, l'Azalea propose des chambres charmantes et une petite piscine à l'arrière. La peinture murale dans la salle à manger, créée par des étudiants en art, rehausse la pièce

✖ Où se restaurer

♥ Mrs Wilkes'

CUISINE DU SUD $$

(www.mrswilkes.com ; 107 W Jones St ; déjeuner 16 $; 11h-14h lun-ven). Devant ce restaurant qui sert de bons petits plats du Sud et qui fonctionne selon le principe du premier arrivé, premier servi, la file d'attente commence parfois dès 8h du matin. La cloche sonne le début du service. Une fois installé, les plateaux arrivent de la cuisine : poulet frit, ragoût de bœuf, *meatloaf* (pain de viande), pommes de terre au fromage, chou cavalier, *black-eyed peas* (cornilles), macaronis au fromage, rutabaga, patates douces confites, gratin de courges, soupe de maïs et *biscuits*. Un gigantesque festin arrosé au thé glacé.

Olde Pink House

NOUVEAU SUD $$$

(☎912-232-4286 ; 23 Abercorn St ; plat 25-31 $; 17h-22h30 dim-lun, 11h-22h30 mar-jeu, 11h-23h ven-sam). Il existe certes des restaurants plus sophistiqués et à la mode à Savannah, mais ce monument national de 1771 sur Reynolds Sq jouit d'une cuisine et d'une atmosphère rarement égalées. L'établissement incarne le charme *antebellum*. Les clients raffolent de la spécialité, le filet de poisson croustillant (et le menu regorge de plats du Sud délicieux et irrésistibles). Le service est nonchalant et parfait. Le bar confortable au sous-sol vaut le détour pour y déguster un cocktail. Un lieu proche de la perfection.

Angel's BBQ

BARBECUE $

(www.angels-bbq.com ; 21 West Oglethorpe Lane ; sandwich au porc effilé 6 $; 11h30-3h mar, 11h30-18h mer-sam). Très discret et niché dans une rue calme, Angel's BBQ sert des *pulled-pork sandwiches* (sandwichs au porc effilé) et des frites au sel de mer culpabilisantes et rassasiantes à la fois. Une liste impressionnante de sauces maison dont une sauce très (très) épicée rehaussée de piment chiltepin.

🍃 Cha Bella

AMERICAIN $$$

(102 E Broad St ; brunch 15,95 $, plat dîner 17-32 $; 17h30-21h mar-jeu, 17h30-22h ven-sam, 17h30-21h dim). Ce restaurant s'engage à ne servir que de la cuisine bio, locale et bien présentée. Un établissement accueillant sans prétention avec des banquettes suspendues dans le charmant patio. Le risotto aux crevettes blanches de Géorgie et les plats du jour au poisson du marché raviront tout le monde.

Lady & Sons

SUD $$

(☎912-233-2600 ; www.ladyandsons.com ; 102 W Congress St ; buffets 14-18 $; 11h-21h lun-jeu, 11h-22h sam-dim). L'infatigable doyenne de la cuisine de Savannah, Paula Deen, a créé un gigantesque restaurant. Certains pensent que la magie s'est envolée entre-temps. Sa cuisine est en effet délicieuse, mais il faut se présenter des heures à l'avance pour réserver : dès 9h30 pour le déjeuner et dès 13h30 pour le dîner ; le restaurant semble dépassé par les événements. Peut-être faudrait-il revenir à l'essentiel ?

Vinnie Van GoGo's

PIZZERIA $

(www.vinnievangogo.com ; 317 W Bryan St ; part de pizza à partir de 2,50 $; 16h-23h lun-jeu, 12h-24h ven-sam, 12h-23h30 dim). Cette pizzeria locale et ses pizzas napolitaines cuites au four attirent une foule d'habitants de Savannah.

🍷 Où prendre un verre

Rocks on the Roof

BAR

(102 West Bay St ; à partir de 11h). Ce grand bar en terrasse situé sur le toit du récent Bohemian Hotel est précisément ce qu'il manquait dans cette ville : un lieu désinvolte et convivial, une bande-son "indé" et une jolie vue sur la rivière. La meilleure

vue : depuis les sièges au coin nord-ouest de la terrasse. Concerts du jeudi au samedi. Préparez-vous à côtoyer du beau monde.

Lulu's Chocolate Bar
CAFÉ

(www.luluschocolatebar.net ; 42 Martin Luther King Jr Blvd). Rendez-vous ici pour une overdose de sucre (et non d'alcool). Ce café charmant et élégant sert cocktails et desserts. Sa spécialité : le Lulutini, une véritable orgie de chocolat.

Gallery Espresso
CAFÉ

(www.galleryespresso.com ; 234 Bull St ; 7h30-22h lun-ven ; 8h-23h sam-dim). Le meilleur café de Savannah. Avec le Sentient, il figure également parmi les meilleurs du Sud. Le Gallery a une atmosphère plus intime et jouit d'un emplacement pratique. Les thés sont délicieux. Prix abordables et succulents desserts.

Sentient Bean
CAFÉ

(www.sentientbean.com ; 13 E Park Ave ; 7h-22h ;). Le café et l'esprit communautaire sont au cœur de cet établissement écolo. Mets végétaliens, café biologique, spectacles et concerts.

Abe's on Lincoln
BAR

(17 Lincoln St). Oubliez les touristes et venez prendre un verre ici avec les locaux.

☆ Où sortir

Wormhole
MUSIQUE LIVE

(www.wormholebar.com ; 2 307 Bull St ;). Une grande partie de la scène musicale alternative de la ville se retrouve ici. Ce café est situé dans le quartier malfamé de la ville mais promet de vous faire découvrir la "Savannah alternative".

Lucas Theatre for the Arts
THÉÂTRE

(912-525-5040 ; www.scad.edu/venues/lucas ; 32 Abercorn St). Ce lieu accueille des concerts et des pièces de théâtre et projette des films dans un immeuble ancien datant de 1921.

🔒 Achats

❤ Savannah Bee Company
NOURRITURE

(www.savannahbee.com ; 104 W Broughton St). Ce magasin spécialisé en produits à base de miel est mondialement connu et constitue une étape incontournable pour les amateurs. Vous trouverez dans ce fantastique magasin : miel artisanal de toutes sortes (avec dégustation gratuite), savon, café au miel et art et accessoires de maison originaux.

ShopSCAD
ARTISANAT

(www.shopscadonline.com ; 340 Bull St ; 9h-17h30 lun-mer, 9h-20h jeu-ven, 10h-20h sam,

12h-17h dim). Tous les objets vendus dans cette boutique tendance et kitch ont été fabriqués par les étudiants actuels et anciens et par le corps enseignant de la prestigieuse université d'art de Savannah.

E Shaver, Bookseller
LIVRES

(326 Bull St ; 9h30-17h lun-sam). Les étagères débordent de volumes sur l'histoire locale et régionale.

ℹ Renseignements

Candler Hospital (www.sjchs.org ; 5 353 Reynolds St)

CVS Pharmacy (à l'angle de Bull St et W Broughton St)

Main Library (www.liveoakpl.org ; 2 002 Bull St ; 9h-20h lun-mar, 9h-18h mer-ven, 14h-18h dim ;). Bibliothèque municipale. Accès Internet et Wi-Fi gratuit.

Poste Quartier historique (118 Barnard Street ; 8h-17h lun-ven) ; Bureau principal (1 E Bay St ; 8h-17h30 lun-ven, 9h-13h sam)

Savannah Chatham Metropolitan Police (912 651-6675 ; www.scmpd.org ; angle de E Oglethorpe Ave et Habersham St)

Visitor Center (912-944-0455 ; www. savannahvisit.com ; 301 Martin Luther King Jr Blvd ; 8h30-17h lun-ven, 9h-17h sam-dim). Ce centre des visiteurs, situé dans une gare ferroviaire des années 1860, fournit d'excellents services et informations. C'est le point de départ de multiples visites guidées organisées par des entreprises privées. Le centre propose de nombreuses informations sur les différents circuits disponibles en bus, en calèche et autres moyens de transport. Vous trouverez également un petit stand d'informations interactif au nouveau centre des visiteurs du Forsyth Park.

ℹ Depuis/vers Savannah

L'**aéroport international Savannah/Hilton Head** (SAV ; www.savannahairport.com) est situé à environ 8 km à l'ouest du centre-ville en passant par l'I-16. Le centre des visiteurs organise un service de navettes depuis l'aéroport vers les hôtels du quartier historique (Historic District) pour 25 $ l'aller-retour.

Greyhound (610 W Oglethorpe Ave) propose des trajets vers Atlanta (environ 5 heures) et Charleston, en Caroline du Sud (environ 2 heures).

La **gare routière Amtrak** (2611 Seaboard Coastline Dr) est à quelques km à l'ouest du quartier historique.

La voiture n'est pas indispensable. Il vaut mieux garer son véhicule puis continuer à pied ou suivre une visite guidée. Le taxi-vélo est également un moyen de transport écologique grâce à **Savannah Pedicab** (☎912-232-7900 ; www.savannahpedicab.com ; 30/60 min 25/45 $, journée 150 $).

Chatham Area Transit (CAT ; www.catchacat. org) gère un service d'autobus hybrides qui fonctionnent à l'huile de cuisine usagée. Une navette gratuite parcourt le quartier historique et s'arrête près de la majorité des principaux centres d'intérêt.

Brunswick et les Golden Isles

La côte de la Géorgie, méconnue, est pourtant magnifique et bordée de plusieurs îles pittoresques et très différentes, certaines offrant un charme rustique, d'autres un luxe décadent.

De grands chalutiers et un centre historique jonché de chênes verts : bienvenue à **Brunswick**. Cette ville, fondée en 1733, possède de nombreux charmes difficiles à apercevoir depuis les autoroutes I-95 et Golden Isle Pkwy (US Hwy 17). Au cours de la Seconde Guerre mondiale, les chantiers navals de Brunswick ont construit 99 cargos Liberty pour le compte de la marine. Aujourd'hui, on peut admirer une nouvelle maquette d'environ 7 mètres de haut au **Mary Ross Waterfront Park** (Bay St), qui rend hommage aux cargos et à leurs constructeurs.

Forest Hostel (☎912-264-9738 ; www. foresthostel.com ; Hwy 82 ; 25 $/pers ; [P]) est une auberge de jeunesse internationale qui vaut le détour pour ceux qui désirent séjourner dans un établissement proche de la nature. Les cabanes dans les arbres (sans air conditionné ni chauffage) sont situées sur un campus respectueux de l'environnement et écologique. Il se trouve à environ 15 km à l'extérieur de Brunswick. Réservations par téléphone uniquement.

Le **Brunswick-Golden Isles Visitors Bureau** (☎912-265-0620 ; www.bgivb.com ; Hwy 17, St Simons Causeway ; ☉8h30-17h lun-ven) fournit des informations pratiques sur les Golden Isles.

ST-SIMONS ISLAND

Célèbre pour ses parcours de golf, ses hôtels et ses chênes verts majestueux, l'île de Saint-Simon est la plus grande et la plus développée des Golden Isles. Elle est située à 120 km au sud de Savannah et à seulement 8 km de Brunswick. La moitié sud de l'île est une zone résidentielle et hôtelière dense bien établie. Le Nord, tout comme les îles adjacentes **Sea Island** (www.explorestsimonsisland.

com) et **Little St-Simon**, consiste en une étendue de côtes sauvages au beau milieu d'un estuaire.

JEKYLL ISLAND

Refuge de luxe pour les grandes fortunes américaines à la fin du XIXe siècle et au début du XXe siècle, l'île de Jekyll est une "île-barrière" de plus de 4 000 ans qui abrite des plages sur une quinzaine de kilomètres.

Aujourd'hui, l'île est un mélange unique : étendues sauvages, monuments historiques, hôtels modernes et terrain de camping géant (avec Wi-Fi). On peut y circuler facilement en voiture, à cheval ou à vélo. Comptez 5 $ par jour pour le stationnement. L'élégant **Jekyll Island Club Hotel** (☎800-535-9547 ; www.jekyllclub.com ; 371 Riverview Dr ; d/ste à partir de 209/319 $; [P][✳][@][☎][⬛]) est un hôtel emblématique de l'île. C'est un merveilleux endroit où prendre un verre après un repas de fruits de mer au restaurant en bord de plage **Latitude 31** (www.latitude31andrahbar. com ; plat 14-23 $; ☉à partir de 11h30 mar-dim), non loin de là sur le quai. Voisin, le **Georgia Sea Turtle Center** (www.georgiaseaturtlecenter.org ; Hopkins Rd ; adulte/enfant 6/4 $; ☉9h-17h dim-mar, 10h-14h lun ; [♿]) est un centre de protection de la nature et un hôpital pour tortues. Les visiteurs peuvent y observer les patients.

CUMBERLAND ISLAND ET ST MARYS

Un paradis intact, un rêve de routard et une destination idéale pour une excursion à la journée ou un séjour plus long ; on comprend aisément pourquoi la richissime famille Carnegie venait, il a longtemps de cela, se ressourcer à Cumberland. Le **Cumberland Island National Seashore** (www.nps.gov/cuis ; 4 $) occupe la majeure partie de l'extrême sud de cette île-barrière. Près de la moitié de ses 15 000 ha sont couverts de marécages, de vasières et d'estuaires. Environ 25 km de grandes plages de sable souvent isolées s'étendent le long de l'océan. À l'intérieur de l'île, le paysage est boisé. Les ruines de la grandiose demeure des Carnegie, **Dungeness**, sont époustouflantes. Tout comme les dindons sauvages, les minuscules crabes violonistes et les magnifiques papillons. Les chevaux sauvages galopent sur l'île à la vue de tous.

L'île est uniquement accessible par bateau vers et depuis l'excentrique et nonchalante ville de **St Marys** (www.stmaryswelcome.com). Une agréable et pratique traversée en **ferry** (☎912-882-4335 ; adulte/enfant 20/14 $; ☉départs 9h et 11h45) part du continent à l'embarcadère de St Marys. Il est fortemente conseillé de réserver bien avant votre arrivée. Les visiteurs doivent procéder à l'enregistrement au moins 30 minutes avant le départ au **Visitor's Center** (☏912-882-4336 ; ☺8h-16h30) de l'embarcadère. De décembre à février, le ferry ne circule ni le mardi ni le mercredi.

St Marys accueille les visiteurs de Cumberland. Cette très petite ville luxuriante possède plusieurs B&B confortables comme le charmant **Emma's Bed and Breakfast** (☏912-822-4199 ; www.emmasbedandbreakfast.com ; 300 W Conyers St ; ch à partir de 129 $; P☀☎), à deux pas de la rue principale dans une rue calme. La décoration est heureusement dépourvue des froufrous typiques du Sud et le personnel est serviable. Demandez l'offre spéciale "midweek". Si vous souhaitez un endroit bon marché et situé près de l'embarcadère, le **Riverview Hotel** (☏912-882-3242 ; www.riverviewhotelstmarys.com ; 105 Osborne St ; ch à partir de 79 $; P☀☎), quelque peu négligé, vaut la peine afin d'économiser un peu d'argent.

La seule possibilité d'hébergement privé sur l'île de Cumberland est le **Greyfield Inn** (☏904261-6408 ; www.greyfieldinn.com ; ch avec repas inclus 395-595 $), hôtel particulier construit en 1900. Deux nuits minimum. Le **Sea Camp Beach** (☏912-882-4335 ; empl pour tente 4 $/pers) offre des possibilités de camping sur un site avec de magnifiques chênes verts.

Attention : il n'y a ni magasins ni poubelles sur l'île. Veillez donc à manger avant d'arriver ou apportez votre propre repas et conservez vos déchets.

OKEFENOKEE NATIONAL WILDLIFE REFUGE
Créé en 1937, l'**Okefenokee National Wildlife Refuge** (www.fws.gov/okefenokee) est un trésor national, avec notamment plus de 160 000 ha de marais situés dans un bassin peu profond qui faisait jadis partie du plancher maritime. On estime que le marais abrite entre 9 000 et 15 000 alligators, 234 espèces d'oiseaux, 49 types de mammifères et 60 espèces d'amphibiens. Le **Okefenokee Swamp Park** (www.okeswamp.com ; US 1 South, Waycross ; adulte/enfant 12/11 $; ☺9h-17h30) entretient environ 1 200 ha du refuge et prend soin d'ours et d'alligators en captivité sur son site. Il est également possible d'explorer le marais lors d'excursions en canoë ou en bateau. Le mieux reste d'embarquer pour une excursion de plusieurs jours en canoë sur les 190 km du marais. Contactez le US Fish & Wildlife Service de l'**Okefenokee National Wildlife Refuge**

Wilderness Canoe Guide (☏912-496-7836 ; www.fws.gov /okefenokee) si vous souhaitez partir en excursion. Possibilité de sorties en bateau si le niveau de l'eau est suffisamment élevé. En période de sécheresse, des feux se déclarent régulièrement dans la région. Le dernier date d'avril 2011 et, à l'heure où nous rédigeons ces lignes, le parc était encore en partie fermé. Renseignez-vous avant de vous y rendre.

ALABAMA

Les deux sujets de conversation favoris en Alabama, comme dans le Sud en général, sont le football et la question raciale. L'État a accueilli l'un des plus légendaires entraîneurs de football américain, Paul "Bear" Bryant, ainsi que Jefferson Davis, premier président de la Confédération en 1861 (année du début de la guerre de Sécession).

Dans les années 1950 et 1960, l'Alabama ouvrit la voie au mouvement national pour les droits civiques et, aujourd'hui encore, face aux progrès et aux échecs, il continue d'assumer sa réputation et son héritage, où se côtoient les rebelles, la ségrégation, la discrimination et les hommes politiques entêtés. Pour le visiteur, la découverte de l'Alabama apporte un saisissant aperçu de l'histoire de la déségrégation raciale des États-Unis.

D'un point de vue géographique, l'Alabama présente des paysages d'une grande diversité : des contreforts au nord, une ville de caractère au centre et la côte du golfe du Mexique au sud. On s'y rend pour apprécier l'architecture *antebellum* (antérieure à la guerre de Sécession), pour célébrer les festivités de Mardi gras les plus anciennes du pays, à Mobile, et pour en savoir plus sur la lutte pour les droits civiques. Chaque automne, les Crimson Tide de l'université d'Alabama et les Auburn Tigers de l'université d'Auburn s'affrontent dans l'une des plus grandes compétitions universitaires de football.

Histoire
L'Alabama est l'un des premiers États à avoir fait sécession et Montgomery fut la première capitale des États confédérés d'Amérique. L'Alabama perdit près de 25 000 soldats lors de la guerre et la reconstruction fut lente et douloureuse.

La ségrégation raciale et les lois de Jim Crow ont perduré jusqu'au milieu du XXᵉ siècle. C'est alors que le mouvement pour les droits civiques réclama

L'ALABAMA EN BREF

- » **Surnom :** The Heart of Dixie ("Le Cœur de Dixie")
- » **Population :** 4,7 millions d'habitants
- » **Superficie :** 135 764 km^2
- » **Capitale de l'État :** Montgomery (224 119 habitants)
- » **Autres villes :** Birmingham (212 237 habitants)
- » **TVA :** 4%, mais peut monter jusqu'à 11% avec certaines taxes locales
- » **État de naissance de :** Helen Keller (1880-1968), écrivain ; Rosa Parks (1913-2005), militante pour les droits civiques, et Hank Williams (1923-1953), musicien
- » **Abrite :** l'US Space & Rocket Center
- » **Politique :** fief du parti républicain, l'Alabama n'a pas voté démocrate depuis 1976
- » **Célèbre pour :** Rosa Parks et le mouvement des droits civiques
- » **Rivalité intense :** l'université d'Alabama contre l'université d'Auburn
- » **Distances par la route :** Montgomery-Birmingham : 146 km ; Mobile-Dauphin Island : 61 km

une déségrégation généralisée, dans les bus publics comme dans les universités privées, un changement auquel le gouverneur George Wallace s'opposait. Rosa Parks, une femme noire, fut arrêtée pour avoir refusé de céder sa place à un passager blanc ; l'indignation qui suivit cet épisode, peut-être le plus célèbre de l'histoire des droits civiques, commença à inverser la tendance en faveur de l'égalité raciale. L'Alabama fut le siège d'hostilités et de répressions brutales, mais les lois fédérales sur le vote et les droits civiques finirent par prévaloir. Suite à une réforme de la politique, des dizaines de maires et représentants noirs ont été élus.

ⓘ Renseignements

L'Alabama Bureau of Tourism & Travel (☎334-242-4169, 800-252-2262 ; www. alabama.travel) peut envoyer par la poste un guide de vacances et propose un large choix d'activités touristiques sur son site Web. Les gastronomes lisant l'anglais ne manqueront pas de se procurer un exemplaire de *100 Dishes To Eat in Alabama Before You Die*.

Alabama State Parks (☎888-252-7272 ; www. alapark.com). L'État gère 23 parcs offrant des possibilités de camping, de l'emplacement le plus sommaire (12 \$) à la borne de raccordement pour camping-car (26 \$). Il est conseillé de réserver pour le week-end et les vacances.

Birmingham

Le passé agité de Birmingham est bien connu, les violences liées aux droits civiques lui valurent le surnom de "Bombingham". C'était il y a plusieurs décennies mais des frontières raciales invisibles sont toujours présentes et témoignent de l'histoire de la ville. Toutefois, cette agréable ville ouvrière de taille moyenne a évolué, elle propose une offre culturelle importante et a su intégrer la lutte pour les droits civiques dans ses atouts touristiques.

⊙ À voir et à faire

Les édifices Art déco du quartier branché de **Five Points South** abritent des boutiques, des restaurants et des boîtes de nuit. La charmante rue commerçante de **Homewood** dans 18th St S est tout aussi attrayante.

Birmingham Civil Rights Institute MUSÉE (www.bcri.org ; 520 16th St N ; adulte/enfant 12/3 \$, dim entrée libre ; ⊙10h-17h mar-sam, 13h-17h dim). Dans cet institut des Droits civiques, une émouvante exposition multimédia raconte l'histoire de la ségrégation raciale aux États-Unis, abordant la Première Guerre mondiale, le mouvement des droits civiques et les questions de race et des droits de l'homme dans le monde aujourd'hui. On y découvre les facettes choquantes et complexes de l'histoire de Birmingham. Une récente rénovation de 2,5 millions de dollars a permis de rafraîchir les vitrines et d'ajouter une exposition approfondie sur l'attentat de l'église baptiste de 16th St en 1963.

16th Street Baptist Church ÉGLISE (www.16thstreetbaptist.org ; angle 16th St et 6th Ave N ; don 5 \$; ⊙visites 10h-16h mar-ven, 10h-13h sam). L'église baptiste de 16th Street était un lieu de réunions et de manifestations dans les années 1950 et 1960. En 1963, lorsque des membres du Ku Klux Klan firent sauter l'église, tuant quatre filles, la ville entra dans une période de véritable changement social. Aujourd'hui reconstruite, l'église sert de mémorial et de temple (service : 10h45 le dimanche).

Vulcan Park
PARC

(www.visitvulcan.com ; 1701 Valley View Dr ; ☺7h-22h). Le parc Vulcan, dont on aperçoit la statue en fonte – la plus grande du monde – depuis la ville entière, offre une vue magnifique et dispose d'une **tour d'observation** (adulte/enfant 6/4 \$; ☺à partir de 10h lun-sam, à partir de 13h dim).

GRATUIT Birmingham Museum of Art
MUSÉE

(www.artsbma.org ; 2000 Rev Abraham Woods Jr Blvd ; ☺10h-17h mar-sam, 12h-17h dim). Des œuvres d'Asie, d'Afrique, d'Europe et d'Amérique y sont rassemblées. Ne manquez pas celles de Rodin, Botero et Dalí dans le jardin de sculptures.

🛏 Où se loger

Redmont Hotel
HÔTEL HISTORIQUE **\$\$**

(☎205-324-2101 ; www.theredmont.com ; 2101 5th Ave N ; ch à partir de 129 \$; ✳@☺). Les meilleurs hôtels de Birmingham sont le Redmont Hotel et le Tutwiler, mais le premier, créé dans les années 1920, n'appartient pas à la chaîne Hampton Inn. Le piano et le lustre dans le hall confèrent une atmosphère d'autrefois et toutes les chambres deluxe viennent d'être rénovées pour une touche plus moderne. Le vaste bar sur le toit est très agréable.

Hotel Highland
HÔTEL **\$\$**

(☎205-271-5800 ; www.thehotelhighland. com ; 1023 20th St S ; ch à partir de 119 \$; P✳@☺). Juste à côté du quartier animé de Five Points, cet hôtel moderne et coloré, légèrement psychédélique, est à la fois confortable et d'un bon rapport qualité/prix. Les chambres sont un peu moins originales que le hall. Petit-déjeuner continental inclus.

Cobb Lane Bed and Breakfast
B&B **\$**

(☎205-918-9090 ; www.cobblanebandb.com ; 1309 19th St S ; ch à partir de 89 \$; P✳☺). L'endroit se présente comme un B&B chic et traditionnel du Sud, mais on se retrouve face à un paon empaillé dans la cheminée, une collection de poupées en porcelaine et une décoration tape-à-l'œil.

✗ Où se restaurer et prendre un verre

Cette petite ville étudiante du Sud offre un large choix de restaurants et cafés, de la cuisine locale à son homologue exotique, pour tous les budgets.

♥ Hot & Hot Fish Club
PRODUITS DE LA MER **\$\$\$**

(www.hotandhotfishclub.com ; 2180 11th Court South ; plat 29-36 \$; ☺17h30-22h30 mar-sam). Vous avez toutes les chances de vous régaler dans ce superbe restaurant (l'un des meilleurs du Sud) du quartier Southside. Chris Hastings, le chef, a terminé finaliste trois années de suite dans la course au titre James Beard du meilleur chef du Sud : son menu saisonnier quotidiennement renouvelé (y compris les cocktails) est une réussite (le cocktail composé de limonade aux gousses de vanille et de vodka au thé sucré est l'un des meilleurs au monde). Le meilleur endroit de la maison ? Le long comptoir où M. Hastings discute avec les clients tandis que ses sous-chefs incroyablement détendus préparent ses créations avec génie.

Rib-It-Up
BARBECUE **\$**

(830 1st Ave North ; plat 4-11 \$; ☺10h30-21h lun-jeu, 10h30-24h ven-sam). Le quartier n'est pas très brillant mais vous aurez droit à un authentique barbecue, et le *barbecue rib sandwich* (sandwich au travers de porc grillés) est un vrai régal.

Garage Café
CAFÉ **\$**

(www.garagecafe.us ; 2304 10th Ter S ; sandwichs 7 \$; ☺15h-24h dim-lun, 11h-2h mar-sam). Le jour, c'est un très bon endroit pour une soupe ou un sandwich dont les ingrédients sont au choix. Le soir, une clientèle variée vient goûter les nombreuses bières en écoutant de la musique live dans une cour remplie de bric-à-brac, d'antiquités et de statues en céramique.

J Clyde
BAR À BIÈRE **\$\$**

(www.jclyde.com ; 1312 Cobb Lane S ; plat 8-18 \$; ☺15h-24h lun, 15h-2h mar-jeu et sam, 15h-4h ven). Plus de 40 bières à la pression, des centaines en bouteille et jusqu'à trois bières non filtrées et non pasteurisées servies au tonneau avec de traditionnelles pompes à bière britanniques, c'est le seul bar d'Alabama aussi attaché à la bière. Plusieurs bons petits restaurants ouvrent tard près du bar, sur la charmante Cobb Lane dans le quartier de Five Points.

Lucy's Coffee and Tea
CAFÉ

(www.lucyscoffeeandtea.com ; 2007 University Blvd ; plat 6-10 \$; ☺7h-17h lun-ven). À côté de la University of Alabama-Birmingham, non loin de Five Points, ce *coffee shop* artiste est le bon endroit pour un expresso ou un copieux panini.

☆ Où sortir

♥ **Gip's Place**   MUSIQUE LIVE
(www.myspace.com/gipsjukejoint ;
3101 Ave C, Bessemer). Vous devrez demander
votre chemin à un habitant pour trouver
l'un des derniers véritables *juke joints* en
dehors du Mississippi, une cabane au toit
de tôle située dans un quartier douteux
de Bessemer. Gip, fossoyeur le jour, ouvre
ses portes le samedi seulement, et les fans
de blues s'y entassent. Chacun apporte sa
boisson mais ce n'est pas nécessaire, des
bouteilles de *moonshine* (alcool de contrebande) sont passés *gratuitement*, car un
vide juridique en Alabama permet de le
donner mais en interdit la vente.

❶ Renseignements

**Greater Birmingham Convention & Visitors
Bureau** (☑205-458-8000, 800-458-8085 ;
www.sweetbirmingham.com ; 2200 9th Ave N ;
⊗8h30-17h lun-ven). Informations touristiques.

❶ Depuis/vers Birmingham

Le **Birmingham international Airport** (BHM ;
www.flybirmingham.com) se trouve à environ
8 km au nord-est du centre-ville.

Greyhound (☑205-253-7190 ; 618 19th St
N) au nord du centre-ville, dessert les villes de
Huntsville, Montgomery, Atlanta, GA, Jackson,
MS, et La Nouvelle-Orléans, LA (10 heures).
Amtrak (☑205-324-3033 ; 1819 Morris Ave), au
centre-ville, propose des trains quotidiens pour
New York et La Nouvelle-Orléans.

Birmingham Transit Authority (www.bjcta.
org ; adulte 1,25 $) gère les bus régionaux.

Environs de Birmingham

Au nord de Birmingham, Huntsville, spécialisée dans l'aérospatial, participa aux débuts
du programme spatial américain, attirant les
sociétés internationales liées à ce secteur.

L'**US Space & Rocket Center** (www.
spacecamp.com/museum ; I-565, sortie 15 ;
musée adulte/enfant 20/15 $, avec IMAX 28/22 $;
⊗9h-17h ; ♿) est à la fois un musée scienti-
fique et un parc à thème. Parfait pour les
enfants ou pour retomber en enfance. Le
centre propose des films au format IMAX,
des expositions, des attractions et des
présentations vidéo.

À l'est de Huntsville, à Scottsboro, se
trouve le célèbre **Unclaimed Baggage
Center** (☑256-259-1525 ; www.unclaimedbag-
gage.com ; 509 W Willow St ; ⊗9h-18h lun-ven,
8h-18h sam) où les objets ayant appartenu à
des passagers aériens malchanceux qui ont
perdu leurs bagages sont en vente.

La région est renommée pour son histoire
musicale et le vieillot mais sympathique
Alabama Music Hall of Fame (www.alamhof.
org ; 617 Hwy 72 W, Tuscumbia ; adulte/enfant 8/5 $;
⊗9h-17h lun-sam, 13h-17h dim en été) immortalise
Hank Williams et Lionel Richie.

Montgomery

En 1955, Rosa Parks refusa de céder sa place
à un Blanc dans un bus de Montgomery, ce
qui déclencha un boycott des bus et stimula
le mouvement des droits civiques dans tout
le pays. Cet incident est commémoré dans
un musée, et constitue (avec l'excellent
festival dédié à Shakespeare) la principale
raison de visiter la ville.

Bien que capitale de l'Alabama, Montgomery apparaît plus comme une bourgade
paisible au centre-ville inanimé. Pour sa
défense, l'art, élitiste comme populaire, y
est bien représenté avec l'excellent festival
Shakespeare et un musée dédié à la légende
de la musique country, Hank Williams.

◉ À voir et à faire

Civil Rights Memorial Center   MÉMORIAL
(www.civilrightsmemorialcenter.org ;
400 Washington Ave ; adulte/enfant 2 $/gratuit ;
⊗9h-16h30 lun-ven, 10h-16h sam). De forme
circulaire, le mémorial des droits civiques
conçu par Maya Lin met en avant 40 martyrs
du mouvement, tués dans des circonstances
dont beaucoup n'ont jamais été élucidées.
Martin Luther King Jr fut le plus célèbre,
mais il y eut beaucoup de morts "anonymes",

VAUT LE DÉTOUR

AVE MARIA GROTTO

Situé à 80 km au nord de Birmingham,
l'unique monastère bénédictin
d'Alabama abrite l'extraordinaire **Ave
Maria Grotto** (www.avemariagrotto.
com ; 1600 St. Bernard Dr, Cullman ;
adulte/enfant 7/4,50 $; ⊗9h-18h), œuvre
de frère Joseph Zoettl. Ce dernier
passa près de 35 ans à sculpter à
la main, dans la pierre et le ciment,
des miniatures des monuments
religieux les plus importants du
monde. La précision et l'habileté
apportées à chacune des 125 pièces
sont admirables. D'un point de
vue artistique, c'est encore plus
miraculeux, car, après tout, ce n'était
que le passe-temps de frère Joseph.

blancs comme noirs, qui témoignent ici d'un des épisodes les plus sombres de l'histoire des États-Unis.

Rosa Parks Museum
MUSÉE

(http://montgomery.troy.edu/rosaparks/museum ; 251 Montgomery St ; adulte/enfant 6/4 $; ⊙9h-17h lun-ven, 9h-15h sam ; 🖝). Hommage à Rosa Parks (décédée en octobre 2005), le musée présente une intéressante vidéo racontant l'histoire du conflit racial et le boycott des bus de Montgomery.

Scott & Zelda Fitzgerald Museum
MUSÉE

(919 Felder Ave ; don adulte/enfant 5/2 $; ⊙10h-14h mer-ven, 13h-17h sam-dim). Ce qui fut la maison des écrivains entre 1931 et 1932 abrite désormais des premières éditions, des traductions et des œuvres originales, dont un mystérieux autoportrait de Zelda au crayon.

Hank Williams Museum
MUSÉE

(www.thehankwilliamsmuseum.com ; 118 Commerce St ; adulte/enfant 8/3 $; ⊙9h-16h30 lun-ven, 10h-16h sam, 13h-16h dim). Le musée rend hommage au géant de la musique country, originaire de l'Alabama, un pionnier qui mêlait sans peine la "hillbilly music" (la musique des montagnes à l'origine de la country) et le blues noir.

🛌 Où se loger et se restaurer

Montgomery n'est sans doute pas célèbre pour la restauration et l'hébergement, mais on y trouve quelques bons endroits. L'ouverture d'Alley, un nouveau quartier de loisirs, promet de faire revivre le centre-ville.

Lattice Inn
B&B $

(☎334-262-3388 ; www.thelatticeinn.com ; 1414 S Hull St ; ch à partir de 90 $; 🅿✳@📶🏊). Ce charmant petit B&B dans le Garden District vous changera des chaînes hôtelières de Montgomery et de sa banlieue. L'endroit n'est pas très chic mais bien aménagé et accueillant. Le gérant est très professionnel.

Butterfly Inn
B&B $$

(☎334-230-9708 ; www.butterflyinn.net ; 135 Mildred St ; ch 96-126 $; 🅿✳). Le premier B&B de Montgomery tenu par un Noir est agréable et confortable. Véritable succès, l'Isaiah's Restaurant, sur place, est célèbre pour son poisson-chat au poivre et citron (8,75 $), son dessert à la pêche et d'autres plats traditionnels.

Dreamland BBQ
BARBECUE $

(www.dreamlandbbq.com ; 101 Tallapoosa St ; plat 8-11 $; ⊙11h-21h dim-jeu, 11h-22h sam). Ce restaurant appartient à une chaîne, mais une chaîne d'Alabama, et les sandwichs aux travers de porc ou au porc effilé, ainsi que

le traditionnel pudding à la banane sont extraordinaires. C'est le berceau culinaire d'Alley, le quartier réaménagé du centreville de Montgomery.

Farmer's Market Cafe
CUISINE DU SUD $

(315 N McDonough St ; repas sans/avec thé à partir de 7,50/6,75 $; ⊙5h30-14 lun-ven). Cette énorme cafétéria du centre-ville sert une excellente cuisine maison du Sud à des prix cassés. Menu avec ou sans viande. Ne manquez pas le gruau de maïs.

Chris' Hot Dog
RESTAURATION RAPIDE $

(www.chrishotdogs.com ; 138 Dexter Ave ; hot dog 2,15 $; ⊙10h-19h lun-jeu et sam, 10h-20h ven). Véritable institution depuis 1917 à Montgomery, ce spécialiste du hot dog était le repaire de Hank Williams.

❶ Renseignements

Montgomery Area Visitor Center (☎334-262-0013 ; www.visitingmontgomery.com ; 300 Water St ; ⊙8h30-17h lun-sam). Renseignements touristiques et site Web utile.

❶ Depuis/vers Montgomery

Le **Montgomery Regional Airport** (MGM ; www.montgomeryairport.org ; 4445 Selma Hwy), à environ 24 km du centre-ville, est desservi par des vols quotidiens en provenance d'Atlanta, Charlotte, Cincinnati, Houston et Memphis. La compagnie **Greyhound** (☎334-286-0658 ; 950 W South Blvd) dessert la ville. Les bus de la ville sont gérés par le **Montgomery Area Transit System** (www.montgomerytransit.com ; tickets 1 $).

Selma

Le 7 mars 1965, surnommé le Bloody Sunday ("Dimanche sanglant"), les médias capturaient des images de policiers frappant et aspergeant de gaz lacrymogène des Noirs et des sympathisants blancs, près de l'Edmund Pettus Bridge. Guidée par Martin Luther King Jr, la foule se dirigeait vers la capitale de l'État (Montgomery) pour manifester en faveur du droit de vote. Ce fut le point culminant de deux années de violence, qui prirent fin lorsque le président Johnson signa le *Voting Rights Act* en 1965. Aujourd'hui, Selma est une ville paisible et bien que les sites d'intérêt y soient peu nombreux, ils offrent un excellent aperçu de la lutte pour le droit de vote qui fut la question cruciale du mouvement pour les droits civiques.

Principal attrait de Selma, le **National Voting Rights Museum** (www.nvrm.org ; 1012 Water Ave ; tarif plein/senior et étudiant 6/4 $; ⊙9h-17h lun-ven, 10h-15h sam), situé près de l'Edmund Pettus Bridge, constitue une étape importante car il rend hommage aux "marcheurs" du mouvement : les héros méconnus qui marchaient pour la liberté.

Mobile

Coincé entre le Mississippi et la Floride, l'unique ville du littoral en Alabama est Mobile, un port maritime constitué d'espaces verts, de boulevards ombragés et de quatre quartiers historiques. Les azalées y fleurissent au printemps et on y fête **Mardi gras** (www.mobilemardigras.com) tout au long du mois de février depuis près de 200 ans. À une autre échelle, Mobile peut être aussi divertissante que La Nouvelle-Orléans. On y trouve de nombreux bars et restaurants dans le quartier historique de Dauphin St, où la fête bat son plein lors des festivités de Mardi gras.

Près du centre-ville, la balade en voiture parmi les demeures et les arbres est agréable dans **Government St**. Le quartier historique de **Leinkauf** abrite des maisons encore plus jolies.

L'**USS Alabama** (www.ussalabama.com ; 2703 Battleship Pkwy ; adulte/enfant 12/6 $; ☺8h-18h avr-sept, 8h-16h oct-mars) est un énorme navire de 210 m de long, célèbre pour être sorti indemne de 9 batailles lors de la Seconde Guerre mondiale. Intéressante, la visite autonome vous permet d'apprécier la puissance et la taille extraordinaire du bâtiment. Il est aussi possible de visiter un sous-marin et de découvrir au plus près l'aviation militaire. Parking : 2 $.

La **Kate Shepard House** (☎251-479-7048 ; www.kateshepardhouse.com ; 1552 Monterrey Pl ; ch 160 $; P✳☺) est un adorable B&B de 1897, de style Queen Anne, soigneusement restauré, tenu par la bienveillante Wendy James. Tout est parfait. Le pain perdu aux noix de pécan est un régal !

Dans une construction des années 1920 qui abritait autrefois une boucherie du quartier Oakleigh, le **Callaghan's Irish Social Club** (www.callaghansirishsocialclub.com ; 916 Charleston St ; hamburgers 7-9 $; ☺11h-21h lun, 11h-22h mar et mer, 11h-23h jeu-sam), systématiquement distingué parmi les meilleurs bars des États-Unis, propose les hamburgers les plus goûteux de Mobile.

MISSISSIPPI

On trouve dans le Mississippi, un des États d'Amérique les plus incompris (figurant pourtant parmi les plus mythiques), de superbes routes de campagne, des *juke joints* défraîchis, du poisson-chat croustillant, des écrivains fabuleux et des hectares de coton. Sans jamais y être allé, beaucoup critiquent le Mississippi, longtemps méprisé pour son histoire lamentable liée aux droits civiques et à son classement peu élevé dans presque tous les indicateurs nationaux d'économie et d'éducation. Mais si l'on s'y attarde un moment, on découvre ce qu'est vraiment le Sud : un mélange entre la défaite des confédérés à Vicksburg, l'héritage littéraire de William Faulkner dans la studieuse Oxford, le lieu de naissance du blues dans le delta du Mississippi et les modestes origines d'Elvis Presley à Tupelo.

VAUT LE DÉTOUR

DAUPHIN ISLAND

Une île en Alabama ? Eh oui, mais peu s'y arrêtent car les plates-formes pétrolières gâchent un peu la vue. Aussi méconnue qu'elle soit, elle vaut le détour. L'île, de 22,5 km de long et de 2,8 km de large, est une réserve naturelle pour les oiseaux. Le public peut profiter de 9,6 km tandis que 12,8 km forment une propriété privée. Même si l'on y trouve le kitch traditionnel des vacances à la mer et que l'eau n'y est pas turquoise, l'endroit reste assez joli. Les plages de sable blond sont superbes et les prix raisonnables. On accède à l'île par le nord par la Hwy 193, et par l'est en **ferry** (☎251-861-3000 ; www.mobilebayferry.com) depuis Fort Morgan.

La **Dauphin Island Chamber of Commerce** (☎251-861-5524 ; www.dauphinislandcoc.com) fournit des cartes et renseignements utiles.

Le **Dauphin Island Bird Sanctuary** (☎251-861-2120 ; www.coastalbirding.org) constitue l'attrait principal de l'île. Pour beaucoup, c'est l'un des meilleurs endroits pour observer les oiseaux dans le Sud-Est. De plus, les plages auxquelles on accède uniquement par des chemins de randonnée, sont peu fréquentées. On y trouve des pancartes sur la faune et la flore, et plusieurs kilomètres de sentiers sinueux.

Histoire

En restant assez longtemps dans le Mississippi, vous entendrez parler d'une époque où "le coton était roi". Il faut remonter pour cela au moins jusqu'en 1860, où le Mississippi était le plus gros producteur de coton du pays et l'un des 10 États les plus riches. La guerre de Sécession a ruiné son économie et la reconstruction fut traumatisante. Liée au racisme, l'histoire de l'État, de l'esclavage à la période des droits civiques, a laissé de profondes cicatrices. L'un des incidents les plus connus se déroula en 1962, lorsque James Meredith fut le premier Noir admis à l'université du Mississippi, suscitant des scènes de violence racistes.

Aujourd'hui, même si le Mississippi reste un État pauvre, les gens ont fini par se rendre compte que le blues du Delta – l'une des formes artistiques les plus riches et caractéristiques en Amérique – méritait d'être célébré, et que l'État avait été incroyablement gâté en terme de figures littéraires. Le tourisme s'est donc développé autour de son importante histoire culturelle et… des casinos du front de mer.

❶ Renseignements

La **Mississippi Division of Tourism Development** (☎601-359-3297 ; www.visitmississippi.org) possède un annuaire des offices de tourisme.

Mississippi Wildlife, Fisheries, & Parks (☎1-800-467-2757 ; www.mississippistateparks.reserveamerica.com). Camper coûte entre 11 et 22 $, suivant les équipements, et certains parcs louent des *cabins*.

Tupelo

À moins d'être un inconditionnel d'Elvis ou de suivre la Natchez Trace Pkwy, Tupelo présente peu d'intérêt pour un long séjour. Mais un après-midi se révélera très enrichissant pour les fans du King.

L'**Elvis Presley's Birthplace** (www.elvispresleybirthplace.com ; 306 Elvis Presley Blvd ; adulte/enfant 12/6 $; ⏰9h-17h30 lun-sam, 13h-17h dim), lieu de naissance du chanteur, se trouve à l'est du centre-ville, à l'écart de la Hwy 78. Le parc de 6 ha comprend la maison de deux pièces où vécut Elvis pendant son enfance, un musée exposant des objets personnels, une petite chapelle et une énorme boutique de souvenirs.

» **Surnom :** The Magnolia State ("L'État du Magnolia")

» **Population :** 2,9 millions d'habitants

» **Superficie :** 125 433 km²

» **Capitale :** Jackson (173 514 habitants)

» **Autres villes :** Biloxi 45 670 habitants

» **TVA :** 7%

» **Lieu de naissance de :** Eudora Welty (1909-2001), écrivain ; Robert Johnson (1911-1938) et Elvis Presley (1935-1977), musiciens ; Jim Henson (1936-1990), marionnettiste

» **Terre d'origine du** blues

» **Politique :** traditionnellement conservateur, mais depuis la Seconde Guerre mondiale, l'État est celui qui a le plus voté pour un candidat ni républicain ni démocrate

» **Célèbre pour :** ses champs de coton

» **Souvenir le plus kitch :** une boîte "Elvis" pour y mettre son déjeuner, à Tupelo

» **Distances par la route :** Jackson-Clarksdale : 300 km ; Jackson-Ocean Springs : 283 km

Oxford

Voici une charmante petite ville animée et prospère. Oxford fut baptisée en référence à la ville anglaise par les colons qui espéraient y ouvrir une université tout aussi vénérée. La University of Mississippi (Ole Miss), ouverte en 1848, apporte un souffle à la ville. On reconnaît la disposition intellectuelle d'une ville lorsque son fils favori est une célébrité littéraire comme William Faulkner. Ce dernier, toutefois, ne distance que d'une courte tête l'ancienne gloire du football Archie Manning.

La vie sociale à Oxford s'organise autour du " Square" (Courthouse Sq), en une série de pâtés de maison constitués de boutiques et de restaurants.

⊙ À voir et à faire

Rowan Oak   MAISON DE WILLIAM FAULKNER
(à l'écart d'Old Taylor Rd ; www.rowanoak.com ; adulte/enfant 5 $/gratuit ; ⏰10h-16h mar-sam,

13h-16h dim). Les mordus de littérature se rendent directement à la jolie demeure des années 1840, foyer de William Faulkner, auteur de nombreux récits denses et brillants qui se déroulent dans le Mississippi, et dont l'œuvre est célébrée à Oxford chaque année en juillet lors d'une conférence. La visite de Rowan Oak, où Faulkner vécut de 1930 jusqu'à sa mort en 1962, n'est pas guidée. Le personnel peut vous indiquer comment rejoindre la **tombe de Faulkner**, située dans le cimetière St Peter, au nord-est du Square.

Square Books GRANDE LIBRAIRIE
(www.squarebooks.com ; 160 Courthouse Sq ; ⊙9h-21h lun-jeu, 9h-22h ven-sam, 9h-18 dim). L'une des grandes librairies indépendantes des États-Unis constitue le centre de la vie littéraire animée d'Oxford et une étape fréquente pour les auteurs de passage. À l'étage, on trouve un café, un balcon et une large section dédiée à Faulkner.

GRATUIT **University of Mississippi Museum** MUSÉE
(University Ave, à hauteur de 5th St ; www.museum. olemiss.edu ; ⊙10h-18h mar-sam). Le musée regroupe des arts plastiques et populaires, un uniforme de la Confédération et de nombreuses curiosités scientifiques, comme un microscope et un électro-aimant du XIXe siècle.

🛏 Où se loger et se restaurer

Vous trouverez les hébergements les moins chers dans les chaînes hôtelières de la banlieue d'Oxford. Mais d'autres adresses ont plus de cachet. De nombreux restaurants de qualité parsèment le Square.

Inn at Ravine B&B **$$**
(☎662-234-4555 ; www.oxfordravine.com ; 53 County Rd 321 ; ch à partir de 100 $; P❄🐾). Pour un séjour paisible dans la périphérie d'Oxford, l'établissement propose deux chambres en B&B au-dessus du charmant restaurant Ravine, ainsi qu'une *cabin*.

(5) Twelve B&B **$$**
(☎662-234-8043 ; www.the512oxford.com ; 512 Van Buren Ave ; ch à partir de 115 $; P❄🐾). Renommé par la nouvelle direction, l'ancien Oliver Britt House est un B&B de 6 chambres à la façade de style *antebellum*. Intérieur moderne et petit-déjeuner typique du Sud. Les boutiques et restaurants du Square sont accessibles à pied.

❤ **Ravine** AMÉRICAIN **$$$**
(☎662-234-4555 ; www.oxfordravine. com ; 53 County Rd 321 ; plat 16-32 $; ⊙mer-jeu 18-21h, 18h-22h ven-sam, 10h30-14h et 18-21h

dim ; 🐾). À environ 5 km de la ville, ce modeste restaurant, confortable et élégant, est installé en forêt. Les herbes et produits utilisés (et parfois vendus) par le chef, Joel Miller, proviennent la plupart du temps de son jardin bio. Le résultat est excellent et l'expérience exquise.

Taylor Grocery PRODUITS DE LA MER **$$**
(www.taylorgrocery.com ; 4 County Rd 338 A, Taylor ; plat 9-15 $; ⊙17h-22h jeu-sam, 17h-21h dim). Armez-vous de patience, y compris dans le parking, pour profiter de ce restaurant très rustique, réputé pour son poisson-chat, que l'on sert frit ou grillé. On inscrit son nom au marqueur sur le mur dans cet établissement situé à environ 11 km au sud du centre-ville par Old Taylor Rd.

Bottletree Bakery BOULANGERIE **$**
(923 Van Buren ; brioches à la cannelle 3,75 $; ⊙7h-16h mar-ven, 9h-16h sam, 9h-14h dim ; 🐾). Les énormes et délicieuses brioches à la cannelle (*cinnamon rolls*) font le succès de cette boulangerie. On y sert également des sandwichs, des expressos et de simples tartes.

☆ Où sortir

Proud Larry's MUSIQUE LIVE
(www.proudlarrys.com ; 211 S Lamar Blvd). Sur le Square, ce lieu renommé accueille les plus grands.

Rooster's Blues House BLUES
(www.roostersblueshouse.com ; 114 Courthouse Sq). Également sur le Square, pour soigner, le week-end venu, le blues par le blues.

Delta du Mississippi

Le Delta, l'un des endroits les plus mythiques des États-Unis, est constitué d'une vaste étendue agricole à l'importante portée historique. Sa cuisine locale figure parmi les trésors culturels américains, mais une autre richesse occupe le devant de la scène du Delta : le blues. David L. Cohn, originaire de Greenville et auteur de *God Shakes Creation*, élabora une définition géo-culturelle de la région : "Le Delta commence dans le hall du Peabody Hotel à Memphis et se termine dans Catfish Row à Vicksburg".

CLARKSDALE

S'il y a une raison de visiter Clarksdale, c'est bien l'amour de la musique. La ville accueille une solide industrie touristique axée sur le blues et des clients fortunés. Mais ce qui la rend authentique, ce sont ses habitants : ils adorent la musique. Il n'est pas étonnant de voir de grands groupes de blues honorer Clarksdale le week-end et des musées sur la musique parsèment la ville. Au-delà d'un fascinant passé, cette ville du Delta aux nombreux *juke joints* continue de naviguer parmi les contradictions : richesse, pauvreté, culture blanche, culture noire et culture du blues.

👁 À voir et à faire

Delta Blues Museum MUSÉE
(www.deltabluesmuseum.org ; 1 Blues Alley ; adulte/enfant 7/5 $; ◷9h-17h lun-sam). La collection d'objets est petite mais passionnante et bien présentée. Elle comprend l'harmonica de Charlie Musselwhite et la guitare de BB King, Lucille. Une annexe de 650 m^2 consacrée au bluesman légendaire Muddy Waters devait ouvrir début 2012. Des expositions d'art local et une boutique de souvenirs complètent le tout.

Rock N' Roll & Blues
Heritage Museum MUSÉE
(☎901-605-8662 ; www.blues2rock.com ; 113 E Second St ; 5 $; ◷11h-17h ven-dim). Theo, jovial Néerlandais et fan de blues, expose son impressionnante collection personnelle de disques, souvenirs et objets remontant aux racines du rock'n'roll, depuis le blues jusqu'aux années 1970. Sa collection présente toutes sortes d'objets rares et intéressants (comme une liste de requêtes de Muddy Waters) et s'il n'est pas trop occupé,

il vous racontera avec passion des histoires fascinantes. Ouvert sur rendez-vous en dehors des horaires indiqués.

✨ Fêtes et festivals

Il y a deux événements liés au blues à Clarksdale.

Juke Joint Festival MUSIQUE
(www.jukejointfestival.com). En avril, événement plus intéressant pour les lieux que pour les têtes d'affiche.

Sunflower River Blues
& Gospel Festival MUSIQUE
(www.sunflowerfest.org). En août. Attire de plus grandes vedettes que le festival précédent.

🛏 Où se loger et se restaurer

♥ Shack Up Inn AUBERGE $$
(☎662-624-8329 ; www.shackupinn.com ; ch 65-165 $; ⓟ❄🛜). À 3,2 km au sud, sur la Hopson Plantation du côté ouest de la Hwy 49, cet établissement, qui se définit lui-même comme un "bed and beer", évoque le blues comme nul autre. Les clients logent dans des cabanes de la plantation remises à neuf ou dans un bâtiment agricole rénové avec créativité. Les cabanes sont dotées de vérandas couvertes, de mobilier ancien et d'instruments de musique. L'ancienne grange, la Juke Joint Chapel (équipée de banc), est un lieu enchanteur pour écouter de la musique live. Blues et Sud profond, c'est

---

LES JUKE JOINTS

Le mot "Juke" proviendrait d'un terme d'Afrique de l'Ouest qui a survécu dans la langue gullah, un mélange de créole et d'anglais parlé par des Noirs isolés aux États-Unis. Le gullah "juke" signifie "tapageur et turbulent". Il n'est pas étonnant alors que le terme soit appliqué à ces bars de bord de route du delta du Mississippi, dans lesquels la musique profane, les danses suggestives, l'alcool et parfois la prostitution étaient monnaie courante. Le terme "juke-box" apparut lorsque les machines automatiques jouant de la musique enregistrée sur disque commencèrent à remplacer les musiciens dans ces lieux, comme dans les cafés et les bars.

La plupart des véritables *juke joints* se trouvent dans des quartiers noirs et les visiteurs étrangers y sont rares. Beaucoup sont fréquentés principalement par des hommes. Il y a très peu d'endroits où les femmes, même en groupe, se rendraient sans être accompagnées d'un homme. Elles seraient sinon l'objet d'une attention trop pressante.

Pour avoir un aperçu des *juke joints*, nous vous conseillons le **Ground Zero** (www.groundzerobluesclub.com ; 0 Blues Alley, Clarksdale ; ◷11h-14h lun-mar, 11h-23h mer-jeu, 11h-2h ven-sam), une grande salle accueillante (quelque peu édulcorée) couverte de graffitis, qui appartient à Morgan Freeman. En revanche, le **Red's** (☎662-627-3166 ; 395 Sunflower Ave, Clarksdale), généralement ouvert les vendredis et samedis soir, est un peu effrayant pour une première fois, mais c'est l'un des meilleurs *juke joints* de Clarksdale. On y sert à manger pour combler les petits creux.

VAUT LE DÉTOUR

DOE'S EAT PLACE

Récompensé du prix James Beard, **Doe's Eat Place** (☎662-334-3315 ; www.doeseatplace.com ; 502 Nelson St, Greenville ; steaks 35-55 $; ☺17h30-21h lun-sam) est sans doute un des restaurants les plus chers – dans un quartier pauvre, pourtant – que vous trouverez, mais les excellents steaks et l'expérience en général, sont inoubliables. La cuisine ouverte est installée au beau milieu de ce restaurant familial traditionnel. Autrefois, il fallait payer quelqu'un pour faire "surveiller sa voiture", ou plutôt pour qu'il n'en fracture pas la portière. Aujourd'hui, il y a un vigile dehors. La troisième génération d'une même famille gère l'établissement ouvert en 1941 sous la forme d'un bar pour Noirs uniquement en façade de la maison et d'un restaurant servant des steaks aux Blancs dans le fond. Arrivez tôt ou réservez pour ce rêve américain servi sur un plateau.

peut-être l'hébergement le plus "cool" des environs.

Riverside Hotel   HÔTEL HISTORIQUE $
(☎662-624-9163 ; ratfrankblues@yahoo.com ; 615 Sunflower Ave ; ch avec/sans sdb 70/65 $; ❄). L'aspect vétuste est trompeur : cet hôtel, chargé d'histoire du blues – Bessie Smith y décéda lorsque c'était un hôpital, tous les autres grands noms y ont logé – offre des chambres impeccables, décorées dans un esprit blues. Il est tenu par la même famille depuis 1944 – c'était alors "l'hôtel des Noirs" de la ville. Les histoires, l'accueil et les tarifs de Rat, le fils du premier propriétaire, vous charmeront.

Rust   CUISINE DU SUD $$
(218 Delta Ave ; plat 12-26 $; ☺6h-21h mer-jeu, 6h-22h ven-sam). Une belle adresse dans ce centre-ville par ailleurs un peu triste. On y sert une copieuse cuisine du Sud (faux-filet épicé, beignets de tomates vertes avec de la crème au citron) dans un décor chic original.

Madidi   CUISINE DU SUD $$$
(☎662-627-7770 ; www.madidires.com ; 164 Delta Ave ; plat 24-36 $; ☺6h-21h mar-sam). Au menu de ce restaurant beau et raffiné, comme son cofondateur, Morgan Freeman : caille frite au babeurre, côtes de bœuf braisées et un risotto aux champignons sauvages. Réservation obligatoire.

Hick's   RESTAURATION RAPIDE $
(305 S State St ; plat 2-8,50 $; ☺11h-18h lun-jeu, 11h-22h ven et sam). Cet établissement incontournable, installé depuis toujours en périphérie, sert les meilleurs *tamales* du Delta (5 $/demi-douzaine), et la meilleure viande de porc effilée.

🏠 **Achats**

Cat Head Delta Blues & Folk Art   ARTS ET ARTISANAT
(252 Delta Ave ; ☺10h-17h lun-sam). Le chaleureux Roger Stolle, originaire de St Louis, tient un magasin d'objets divers et variés. Sur les étagères s'entassent des livres, des pichets en forme de tête, de l'art local et des disques de blues. Roger semble connaître tout le monde dans le Delta ; pour tout savoir, inutile donc de se rendre à la chambre de commerce.

ENVIRONS DE CLARKSDALE

La région du Delta, si pauvre et plate qu'elle soit, regorge de petites villes sympathiques offrant un cocktail alliant gastronomie, jeu d'argent et histoire.

La plus grande ville du Delta, **Greenville**, est à mi-chemin entre Clarksdale et Vicksburg. C'est là que le barrage céda lors de la catastrophique inondation de 1927. Aujourd'hui, on y trouve simplement des casinos flottants. Mais en septembre, Greenville accueille le **Mississippi Delta Blues & Heritage Festival** (www.deltablues.org) près de l'intersection des Hwy 454 et Hwy 1.

À l'est de Greenville, la Hwy 82 conduit hors du Delta. L'impressionnant **Highway 61 Blues Museum** (www.highway61blues. com ; 307 N Broad St ; ☺10h-16h mar-sam nov-fév, 10h-17h lun-sam mars-oct) rend hommage aux bluesmen du Delta locaux à travers ses six salles d'exposition. La visite est agrémentée par la musique et les dessins de chats improvisés de Pat Thomas, un personnage haut en couleur que vous n'êtes pas prêt d'oublier, fils du légendaire bluesman local, James "Son Ford" Thomas. **Leland** (www. lelandms.org) accueille le **Highway 61 Blues Festival** en juin et le **Crawfish Festival** début mai.

Dans la petite ville d'**Indianola**, l'incroyable **BB King Museum and Delta Interpretive Center** (www.bbkingmuseum. org ; 400 Second St ; tarif plein/étudiant/enfant 10/5 $/gratuit ; ☺10h-17h mar-sam, 12h-17h dim-lun, fermé lun nov-mars) vaut le détour. Situé entre Greenville et Greenwood sur la Hwy 82, ce centre, constitué de vitrines interactives, de vidéos et d'une collection d'objets liés au blues et à BB King, transmet avec force l'histoire et l'héritage du blues, tout en illustrant l'esprit du Delta.

Greenwood est une ville pauvre dotée d'un quartier riche du fait de la présence du siège de la Viking Range Corporation (fabricant d'équipements de cuisine haut de gamme). Les visiteurs sont généralement de riches clients de ces voyageurs qui ne regardent pas à la dépense et viennent profiter de l'hôtel **Alluvian** (☑662-453-2114 ; www.thealluvian.com ; 318 Howard St ; ch petit-déj inclus 195-340 $; P✳@🖥), tenu par la Viking. Ce *boutique hotel* extrêmement luxueux dispose d'un spa haut de gamme, d'un restaurant gastronomique, le Giardina's (prononcé "Gardinia's"), et d'une école de cuisine bien équipée. Si vous avez envie de vous faire plaisir, vous êtes au bon endroit, mais certains trouveront le contraste entre l'opulence de cette oasis et la pauvreté de la ville alentour dérangeant.

Vous pouvez aussi vous rendre à 5 km au nord de Greenwood, aux **Tallahatchie Flats** (☑662-453-1854 ; www.tallahatchieflats.com ; 58458 County Rd 518 ; cabanes 65-85 $; P✳), un ensemble de cabanes reproduisant les maisons rurales qui autrefois parsemaient la région. Elles sont équipées et peuvent accueillir de deux à quatre personnes.

VICKSBURG

Située sur une falaise surplombant le Mississippi, Vicksburg est célèbre pour sa position stratégique lors de la guerre de Sécession. Le général Ulysses S. Grant assiégea la ville durant 47 jours, jusqu'à sa reddition le 4 juillet 1863. Le Nord dominait alors le plus grand fleuve de l'Amérique du Nord.

👁 À voir et à faire

Les principaux sites sont facilement accessibles depuis l'I-20, sortie 4B (Clay St). Le vieux centre-ville s'étend sur plusieurs *blocks* aux rues pavées de Washington St, et les **maisons historiques** sont regroupées dans le Garden District. On trouve des casinos le long du **Mississippi**. Près de l'eau, des peintures murales dépeignent l'histoire de la région et un **Children's Art Park** accueille les enfants.

Le **National Military Park** (www.nps.gov/vick ; Clay St ; par voiture/pers 8/4 $; ⏰8h-17h oct-mar, 8h-19h avr-sept), au nord de l'I-20, est un immense champ de bataille – le site attire principalement les passionnés de la guerre de Sécession. Un circuit de 26 km en voiture conduit parmi des balises

historiques expliquant les scénarios des batailles et les événements clés. Il est possible d'acheter une cassette ou un CD à la boutique de souvenirs, ou de se lancer seul, à l'aide du plan offert sur place (prévoyez 2 heures minimum). La visite du parc à vélo est très agréable. Les habitants de Vicksburg s'y baladent ou y font leur jogging. Le cimetière regroupe quelque 17 000 tombes de nordistes, et un musée abrite la canonnière *USS Cairo*. Des **reconstitutions de la guerre de Sécession** sont organisées en mai et en juillet.

🛏 Où se loger et se restaurer

Corners Mansion — B&B **$$**
(☑601-636-7421 ; www.thecorners.com ; 601 Klein St ; ch petit-déj inclus 125-170 $; P✳🖥). On peut admirer la Yazoo River et le Mississippi depuis la véranda de ce B&B du Vieux Sud, bâti en 1873. Jardins agréables et petit-déjeuner typique du Sud.

Battlefield Inn — HÔTEL **$**
(☑601-638-5811 ; www.battlefieldinnms.com ; 4137 N I-20 Frontage Rd ; ch petit-déj inclus à partir de 85 $; P✳🖥). À une courte distance du National Military Park et à côté du Battlefield Museum, l'hôtel comprend un bar karaoké, un bar près de la piscine et des canons sont installés sur la propriété, mais à part la décoration sur le thème de la guerre de Sécession, il y a peu d'intérêt à préférer l'endroit aux chaînes hôtelières alentour.

Walnut Hills — CUISINE DU SUD **$$**
(www.walnuthillsms.net ; 1214 Adams St ; plat 8-25 $; ⏰11h-21h lun-sam, 11h-14h dim). Ce restaurant vous offre un voyage dans le temps. Côte à côte, autour de tables rondes, on y savoure une délicieuse cuisine du Sud de 11h à 14h. Essayez le menu du jour "blue-plate" à 9 $.

Highway 61 Coffeehouse — CAFÉ **$**
(www.61coffee.blogspot.com ; 1101 Washington St ; ⏰7h-17h lun-ven, 9h-17h sam ; 🖥). Ce superbe *coffee shop* accueille occasionnellement des concerts de musique live le samedi après-midi. Le café est issu du commerce équitable et l'endroit constitue un petit repaire bohème.

🛈 Renseignements

Le **Visitor Center** (☑601-636-9421 ; www.visitvicksburg.com ; 3300 Clay St ; ⏰8h-17h lun-sam et 10h-17h dim mars-oct, 8h-19h lun-sam et 10h-17h dim nov-fév) fournit gratuitement les plans indispensables sur lesquels figurent des routes pittoresques de la ville et de ses alentours, indiquées suivant un code couleur.

Jackson

Située au sommet d'un volcan éteint (la plupart des habitants l'ignorent), la capitale et plus grande ville du Mississippi souffre d'une circulation dense entre son centre-ville peu développé (mais qui s'embourgeoise) et sa périphérie aisée. Toutefois, certains endroits intéressants, comme le quartier Fondren District, ainsi que quelques musées bien faits, des sites historiques et des bars et restaurants offrent un aperçu de la culture du Mississippi et font de Jackson une ville agréable.

◉ À voir

GRATUIT **Mississippi Museum of Art** MUSÉE (www.msmuseumart.org ; 380 South Lamar St ; ⏱10h-17h mar-sam, 12h-17h dim). La principale curiosité de Jackson présente une superbe exposition permanente sur l'art du Mississippi, intitulée "The Mississippi Story". Un nouvel espace appelé l'Art Garden, qui accueillera des orchestres symphoniques ou des concerts de musique live, était en construction lorsque nous rédigions ces pages.

GRATUIT **Old Capitol Museum** MUSÉE (www.mdah.state.ms.us/oldcap ; 100 State St ; ⏱9h-17h mar-sam, 13h-17h dim). L'édifice de style néoclassique qui fut le siège du pouvoir législatif entre 1839 et 1903 a été superbement rénové en 2009. Il héberge désormais un musée très bien fait qui retrace l'histoire du Mississippi, de la préhistoire à nos jours.

Eudora Welty House ÉDIFICE HISTORIQUE (☎601-353-7762 ; www.mdah.state.ms.us/welty ; 1119 Pinehurst St ; ⏱visites 9h, 11h, 13h et 15h mar-ven). Les passionnés de littérature du Sud réserveront pour visiter la demeure d'Eudora Welty. L'auteure, récompensée par le prix Pulitzer, a vécu plus de 75 ans dans cette maison de style néo-Tudor, qui constitue désormais jusque dans ses moindres détails un véritable témoignage historique.

Smith Robertson Museum MUSÉE (www.jacksonms.gov/visitors/museums/smithrobertson ; 528 Bloom St ; adulte/enfant 4,50/1,50 $; ⏱9h-17h lun-ven, 10h-13h sam, 14h-17h dim). Dans la première école pour enfants noirs de l'État, où étudia l'écrivain Richard Wright, ce musée permet de mieux comprendre le douloureux héritage et la persévérance des Noirs du Mississippi

Mississippi Children's Museum MUSÉE (www.mississippichildrensmuseum.com ; 2148 Riverside Dr ; 8 $; ⏱9h-17h mar-sam, 13h-18h dim ; ⊞). Ouvert en décembre 2010, le musée pour enfants de Jackson figure parmi les meilleurs du pays. La plupart des expositions portent sur le Mississippi ou ont une approche écologique, et toutes sont destinées à instruire les jeunes. La structure de jeux représentant un tube digestif se terminant dans les toilettes va quand même un peu trop loin.

🛏 Où se loger et se restaurer

Fondren District est le nouveau quartier artiste et bohème de la ville, de sympathiques restaurants, des galeries d'art et des cafés bordent une route très fréquentée. Dans le centre, Farish St, une rue délabrée, chargée d'histoire du blues, était en plein réaménagement lors de notre passage et l'ouverture d'un club de blues BB King y est prévue.

Old Capitol Inn BOUTIQUE HOTEL $$ (☎601-359-9000 ; www.oldcapitolinn.com ; 226 N State St ; ch petit-déj inclus à partir de 99 $; P❄@🍴🏊). D'un bon rapport qualité/prix, ce *boutique hotel*, près des musées et restaurants, offre 24 chambres modernes, confortables, dont le mobilier est personnalisé. La terrasse sur le toit, dotée d'un Jacuzzi, surplombe une cour et une piscine. Un petit-déjeuner complet du Sud, et du vin et du fromage en fin d'après-midi, sont inclus. Le personnel, attentionné, vous apporte le bulletin météo rédigé à la main dans votre chambre.

Fairview Inn AUBERGE $$ (☎601-948-3429 ; www.fairviewinn.com ; 734 Fairview St ; s/d petit-déj inclus à partir de 139/154 $; P❄@🛜). Dans une propriété coloniale, le Fairview Inn et ses 18 chambres vous plongeront dans les traditions et la solennité du Sud. Gruau de maïs et bacon servis au petit-déjeuner. Également un spa.

Two Sisters Kitchen CUISINE DU SUD $$ (707 N Congress St ; buffet week-end/semaine 14,80/12,50 $; ⏱11h-14h dim-ven). Dans une demeure de 1903, on propose un buffet de cuisine traditionnelle du Sud : gombo frit, gruau de maïs au fromage et le légendaire poulet frit. Le buffet à volonté comprend salades et desserts. L'établissement affiche presque toujours complet.

Walker's Drive-In CUISINE DU SUD $$$ (www.walkersdrivein.com ; 3016 N State St ; plat 28-32 $; ⏱11h-14h lun-ven et à partir de 17h30 mar-sam). Ce remarquable restaurant n'a rien d'un drive-in, c'est plutôt un *diner* en plus chic. On y savoure les produits typiques du Sud ainsi que de délicieuses huîtres au barbecue avec du brie, et d'incroyables plats de poisson. Excellente carte des vins. Service impeccable.

High Noon Cafe VÉGÉTARIEN
(2807 Old Canton Rd ; plats 9-11 $; ⊙11h30-14h ;). Ce grill bio et végétarien, dans l'épicerie Rainbow Co-op du Fondren District (où, en passant, on trouve aussi un cybercafé gratuit), propose des hamburgers de betteraves, des *portabello Reubens* (sandwichs) et d'autres délices sains pour changer du porc effilé et du poisson-chat. Vous pouvez également y acheter des produits tout aussi sains.

☆ Où sortir

F Jones Corner BLUES
(www.fjonescorner.com ; 303 N Farish St ; ⊙mar-ven 11h-14, jeu-sam 10h-tard). Une clientèle éclectique, mélange d'origines, de couleurs et de croyances, se rend dans ce club traditionnel de Farish St, lorsque tous les autres ferment. D'authentiques musiciens du Delta y jouent parfois jusqu'à l'aube. Inutile de s'y rendre avant 1h du matin.

119 Underground BLUES
(www.underground119.com ; 119 S President St ; ⊙16h-24h mer-jeu, 16h-2h ven, 18h-2h sam). Ce restaurant-bar branché fait revivre le blues, le jazz et le bluegrass et sert d'excellents plats (le chef s'inspire pour sa cuisine fusion de la tradition culinaire du Sud, de ses séjours à l'étranger et de son jardin potager) et des cocktails créatifs (essayez le Robert Johnson : vodka au thé sucré avec jus de citron frais).

ⓘ Renseignements

Convention & visitors bureau (☎601-960-1891 ; www.visitjackson.com ; 111 E Capitol St, Suite 102 ; ⊙8h-17h lun-ven). Renseignements gratuits.

ⓘ Depuis/vers Jackson

Située à l'intersection de l'I-20 et de l'I-55, la ville est facilement accessible. L'**aéroport** (JAN ; www.jmaa.com) international est à 16 km à l'est du centre-ville. Les bus **Greyhound** (☎601-353-6342 ; 300 W Capitol St) desservent Birmingham, AL, Memphis, TN, et La Nouvelle-Orléans, LA. La ligne Amtrak *City of New Orleans* s'arrête à la gare de Jackson.

Natchez

Ville cosmopolite du Mississippi, l'adorable Natchez héberge une population diverse et variée. Juchée sur une falaise surplombant

le Mississippi, la ville la plus ancienne sur le fleuve Mississippi (fondée deux ans avant La Nouvelle-Orléans), avec ses 668 demeures *antebellum*, attire les touristes en quête d'histoire et d'architecture. C'est aussi là que se termine (ou démarre) la pittoresque Natchez Trace Pkwy (p. 316) de 715 km, qui se prête idéalement aux balades à vélo et autres loisirs.

Le **Visitor and Welcome Center** (☎601-446-6345 ; www.visitnatchez.org ; 640 S Canal St ; visites adulte/enfant 12/8 $; ⊙8h30-17h lun-sam, 9h-16h dim) est un vaste espace bien organisé, avec quelques expositions sur l'histoire de la région et de nombreuses informations sur les sites locaux. C'est le point de départ des visites du centre historique et des demeures *antebellum*. Ces demeures sont ouvertes au public en automne et au printemps.

Si vous rêvez de dormir dans l'une de ces maisons historiques, rendez-vous au **Historic Oak Hill Inn** (☎601-446-2500 ; www.historicoakhill.com ; 409 S Rankin St ; ch petit-déj inclus à partir de 125 $; 🅿⊛🛜). On y dort dans un lit de 1835 et l'on dîne dans de la porcelaine fabriquée avant la guerre de Sécession, sous des lustres à gaz de 1850. Ce B&B vous plonge dans la vie aristocratique de l'époque. Le personnel s'applique pour vous offrir une expérience parfaite. Le **Sunset View Guest Cottages** (☎601-870-2662 ; www.asunsetview.com ; 26 Cemetery Rd ; cottages 165-195 $; 🅿⊛🛜) est constitué de cottages à l'atmosphère chaleureuse offrant une vue imprenable sur le Mississippi. La **Mark Twain Guesthouse** (☎601-446-8023 ; www.underthehillsaloon.com ; 33 Silver St ; ch sans sdb 65-85 $; ⊛🛜) propose 3 chambres (dont deux avec vue) au-dessus de l'**Under the Hill Saloon**, un bon bar local.

Natchez offre peu de choix pour les petits budgets mais il est possible de camper au **Natchez State Park** (www.mississippistateparks.reserveamerica.com ; 230 Wickcliff Rd B ; empl tente 13-24 $, empl camping-car 18 $, cabins 77-87 $), situé à 1,6 km à l'est de la Natchez Trace Pkwy sur la Hwy 61, à 16 km au nord de Natchez. Dans le parc se trouve l'Emerald Mound, le deuxième plus grand monticule cérémoniel amérindien de ce genre aux États-Unis.

Le **Pig Out Inn** (www.pigoutinnbbq.com ; 116 S Canal St ; sandwich au porc effilé 4,75 $; ⊙11h-21h lun-sam, 11h-15h dim) sert des plats du Sud et certains affirment qu'on y mange les meilleurs travers de porc en ville. Pour un café crème ou un en-cas léger, arrêtez-vous au **Natchez Coffee Co.** (509 Franklin St ; plat 5-8 $; ⏰7h-18h lun-ven, 8h-17h sam-dim ; 🛜).

Gulf Coast

L'économie de la Gulf Coast (côte du golfe du Mexique), tout près de La Nouvelle-Orléans, repose traditionnellement sur l'industrie des fruits de mer. Dans les années 1990, l'ouverture de grands casinos rappelant ceux de Las Vegas près de paisibles villages de pêcheurs, lui offrit un nouvel élan. Puis deux catastrophes se sont abattues sur la région : alors que les casinos de Biloxi venaient tout juste d'être reconstruits après l'ouragan Katrina en 2005, la marée noire causée par la plate-forme pétrolière Deepwater Horizon dans le golfe du Mexique en 2010 fut un deuxième coup dur inattendu. Cependant, les îles-barrières du Mississippi ayant permis de dévier le pétrole vers La Nouvelle-Orléans et l'Alabama, Biloxi et Gulfport ont été largement épargnées et lorsque nous écrivions ces pages, le tourisme avait retrouvé 75% de son activité enregistrée avant la marée noire. Les plages artificielles sont agréables, et les joueurs pourront s'asseoir aux tables de blackjack aux côtés de Vietnamiens avec l'accent du Sud, de pêcheurs irlandais, de personnalités et d'écologistes des grandes villes, tous collaborant à la reconstruction d'une région accablée par la malchance.

Pour connaître la liste des établissements ouverts, consultez le **Mississippi Gulf Coast Convention & Visitors Bureau** (📞228-896-6699 ; www.gulfcoast.org ; 2350 Beach Blvd, Biloxi), qui informe sur son site Web des ouvertures et réouvertures.

Ocean Springs est un endroit très sympathique sur la côte du Mississippi qui n'a pas été détruit. Son **Visitor Center** (📞228-875-4424 ; www.oceanspringschamber. com ; 1000 Washington St ; ⏰9h-16h lun-ven) est situé à l'extrémité de Washington St, où l'on trouve aussi plusieurs restaurants, boutiques et cafés.

Le **Walter Anderson Museum** (www. walterandersonmuseum.org ; 510 Washington St ; adulte/enfant 10/5 $; ⏰9h30-16h30 lun-sam, 12h30-16h30 dim) est le point fort de la ville (et probablement de l'État). Artiste complet, amoureux de la nature de la Gulf Coast, Walter Anderson était brillamment inspiré par ses tourments et par l'amour. Après sa mort, on découvrit d'époustouflantes peintures murales recouvrant sa maison en bord de mer. Elles sont désormais exposées au musée.

Des hôtels bordent l'autoroute mais l'**Oak Shade B&B** (📞888-875-4711 ; www.oakshade. net ; 1017 La Fontaine Ave ; ch 95-140 $; 🅿✳🛜), doté d'une jolie cour, se révèle aussi chaleureux et confortable que la maison d'un ami. Marian, la sympathique propriétaire, vous aidera à organiser votre séjour. On trouve de quoi camper (et un centre des visiteurs) dans le **Gulf Islands National Seashore Park** (www.nps.gov/guis ; camping 16-20 $), un peu à l'extérieur de la ville.

LOUISIANE

La Louisiane illustre comme nul autre endroit aux États-Unis cette citation de Faulkner : "Le passé ne meurt jamais. Ce n'est même pas le passé". Partout, les lieux témoignent de la nostalgie des temps révolus depuis longtemps et de la reconnaissance des épreuves endurées. Cela confère un sentiment d'appartenance : les habitants y sont fermement ancrés et revendiquent leur particularité. En Louisiane, les cow-boys noirs pendent à leur cou des washboards (planches à laver) jouant dessus les notes métalliques particulières au zydeco, les alligators rôdent dans les marécages et sont chassés par les Cajuns francophones. Différentes cultures coexistent en s'accordant, au-delà des différences, sur l'importance de bien manger et de danser.

Les collines et les pinèdes du nord de l'État abritent une population majoritairement protestante, semblable à celles des autres États du Sud. Mais dans les marécages du sud de la Louisiane, tout est différent, et les rues animées de La Nouvelle-Orléans, où le jazz et les notes aux accents des Caraïbes résonnent dans l'air épais, incitent à lâcher prise.

Histoire

Jusqu'aux alentours de 1592, la partie inférieure du Mississippi était occupée par une civilisation amérindienne, qui fut décimée à l'arrivée des Européens en raison d'épidémies et de traités défavorables.

Le territoire passa tour à tour entre les mains de la France (d'où le nom de Louisiane, en l'honneur de Louis XIV), de l'Espagne et de l'Angleterre. Après la Révolution américaine, il revint aux États-Unis lors de la vente de la Louisiane en 1803, et la Louisiane devint un État en 1812.

L'apparition des bateaux à vapeur ouvrit la voie à un réseau commercial vital à travers le continent. La Nouvelle-Orléans devint un port important, et l'économie de la Louisiane, basée sur les plantations esclavagistes, a survécu grâce à l'exportation constante de riz, tabac, indigo, canne à sucre et en particulier de coton. Après la guerre de Sécession, la Louisiane réintégra l'Union en 1868, et les trente années qui suivirent furent une période de tractations politiques, de stagnation économique et de discrimination affirmée envers les Noirs.

Dans les années 1920, l'industrie et le tourisme se développèrent, mais les pratiques politiques peu orthodoxes, parfois impitoyables, persistent encore de nos jours. Le problème racial et l'économie sont des sources continuelles de lutte, comme en témoigne le processus de reconstruction post-Katrina (p. 422). En 2005, l'ouragan et l'inondation qui suivit ont remodelé le sud de la Louisiane. Les habitants ont emprunté le délicat chemin de la reconstruction et assisté au retour de ceux qui avaient dû quitter leur logement, à la restauration des zones humides et à l'implication des étrangers. Dans certains quartiers, le réaménagement est réussi mais dans d'autres, en particulier les plus pauvres, il est beaucoup plus lent.

LA LOUISIANE EN BREF

» **Surnoms :** Bayou State ("État du Bayou"), Pelican State ("État du Pélican"), Sportsman's Paradise ("Paradis du Sportif")

» **Population :** 4,5 millions d'habitants

» **Superficie :** 134 272 km^2

» **Capitale :** Baton Rouge (229 553 habitants)

» **Autres villes :** La Nouvelle-Orléans (343 829 habitants)

» **TVA :** 4%, plus taxes appliquées par les villes et comtés

» **État de naissance de :** John James Audubon (1785-1851), naturaliste ; Louis "Satchmo" Armstrong (1901-1971), trompettiste ; Truman Capote (1924-1984), écrivain ; Antoine "Fats" Domino (né en 1928), musicien ; Britney Spears (née en 1981), chanteuse

» **Berceau :** de la sauce Tabasco, du jazz

» **Politique :** bastion républicain mais peut virer à gauche

» **Reptile officiel de l'État :** l'alligator

» **Distances par la route :** La Nouvelle-Orléans à Lafayette : 220 km ; La Nouvelle-Orléans à St Francisville : 180 km

Renseignements

Seize offices de tourisme bordent les autoroutes de l'État et vous pouvez contacter le **Louisiana Office of Tourism** (☎225-342-8119 ; www.louisianatravel.com).

Les **Louisiana State Parks** (☎877-226-7652 ; www.crt.state.la.us/parks ; empl "primitive"/"premium" 1/18 $) offrent des possibilités de camping dans 22 parcs de l'État. Certains proposent des lodges et des *cabins*. Réservation sur **Internet** (www.reserveamerica.com), par téléphone, ou directement sur place s'il y a des disponibilités.

La Nouvelle-Orléans

La Nouvelle-Orléans (New Orleans) se définit (par son intraduisible sobriquet de "Big Easy") comme une ville "cool" et elle l'est, dans une certaine mesure. En Amérique, il est rare de voir un automobiliste créer un embouteillage en s'arrêtant pour saluer quelqu'un, et il est encore plus rare de voir les conducteurs derrière accepter tranquillement la situation et contourner la voiture.

Mais quand il s'agit de prendre du bon temps, les habitants ne font pas les choses à moitié. On ne vous propose pas une simple bière, mais un *shot* en supplément. On ne vous sert pas un simple hamburger, on y ajoute du beurre de cacahuètes et du bacon. Et même une grosse pomme de terre avec de la crème. Et quelques écrevisses.

À l'embouchure du Mississippi, il y a trois mots d'ordre. Les deux premiers, plaisir (culinaires et autres) et immersion, sont faciles à retenir. Le troisième, c'est la mixité. Un esprit de tolérance règne dans cette ville. Il existe bien sûr des tensions sociales et des divisions raciales mais lorsque les habitants aspirent à l'idéal créole (un brassage de toutes les influences pour former quelque chose de meilleur), on obtient : le jazz ; la cuisine louisianaise ; les conteurs, des griots d'Afrique de l'Ouest aux rappeurs du quartier Seventh Ward, en passant par Tennessee Williams ; des demeures de style français à quelques pas de maisons plus simples sous les myrtes et les bougainvilliers ; les festivités de Mardi gras mêlant le mysticisme païen aux célébrations catholiques. Mais n'oubliez pas le plaisir et l'immersion, car ce mélange a peu de saveur lorsque l'on ne vit pas la vie pleinement.

La Nouvelle-Orléans est peut-être une ville "cool", mais elle est sans nul doute pleine de vie !

Histoire

La Nouvelle-Orléans fut fondée sous la forme d'un avant-poste français en 1718 par Jean-Baptiste Le Moyne de Bienville. Les premiers colons arrivèrent de France, du Canada et d'Allemagne, et les Français importèrent des milliers d'esclaves africains. La ville devint un port important du commerce des esclaves ; des lois locales autorisaient certains esclaves à récupérer leur liberté et prendre place dans la communauté créole des gens de couleur libres.

Les incendies de 1788 et 1794 ayant ravagé l'architecture française, ce sont en grande partie les Espagnols qui donnèrent au French Quarter son aspect actuel. L'afflux d'Anglo-Saxons après la vente de la Louisiane provoqua l'expansion de la ville jusqu'aux quartiers Central Business District (CBD), Garden District et Uptown. En 1840, avec plus de 100 000 habitants, La Nouvelle-Orléans était la quatrième plus grande ville du pays.

La Nouvelle-Orléans sortit indemne de la guerre de Sécession grâce à sa reddition prématurée aux mains de l'Union, mais la fin du système des plantations basé sur l'esclavagisme mit à mal l'économie. Au début du XXe siècle, la ville vit naître le jazz. De nombreux bars clandestins et autres clubs où l'on jouait du jazz ont disparu par manque d'entretien, mais l'héritage culturel fut reconnu en 1994, lorsque le NPS (agence chargée de la préservation des parcs) créa le parc historique New Orleans Jazz National Historical Park pour célébrer les origines et l'évolution de la forme artistique la plus largement reconnue d'Amérique. Les industries pétrolière et pétrochimique se développèrent dans les années 1950, et aujourd'hui, le tourisme représente l'autre élément clé de l'économie locale.

En 2005, Katrina, un ouragan de catégorie 3 relativement faible, submergea le système de digues de La Nouvelle-Orléans en plus de 50 endroits. Près de 80% de la ville furent inondés, plus de 1 800 personnes perdirent la vie et la ville entière fut évacuée. Aujourd'hui, elle a retrouvé 70%

LE NOUVEAU VISAGE DE LA NOUVELLE-ORLÉANS

La Nouvelle-Orléans renaît. Surnommée "Katrina Tattoo", la ligne tracée sur des milliers d'édifices pour indiquer le niveau de l'eau lors des inondations ayant suivi l'ouragan Katrina en 2005, s'estompe, et la tempête disparaît peu à peu des conversations. La ville a survécu aux inondations, aux incendies, aux épidémies, aux marées noires et aux Colts d'Indianapolis (équipe de football américain), Katrina ne fait donc pas exception. Évidemment, certains bâtiments portent encore le marquage des équipes de sauvetage et d'autres attendent toujours d'être reconstruits, mais cela fait désormais partie de la vie comme elle va dans cette ville supportrice des Saints (autre équipe de football), en particulier dans la zone longeant le Mississippi, incluant les quartiers de Riverbend, Uptown, Magazine St, CBD, French Quarter et Faubourg Marigny.

De nouveaux lieux tendance ont vu le jour, comme la rangée de galeries d'art de St Claude Ave, Oak St récemment transformée dans le quartier Riverbend, et le quartier de Tremé qui apparaît dans une série de HBO. Grâce aux milliers de nouveaux venus, appelés les YURP (Young, Urban Rebuilding Professionals, de jeunes citadins professionnels de la reconstruction qui possèdent leur propre site Web : www.nolayurp. com), dont l'espoir est de faire renaître la ville de ses cendres, ainsi qu'à d'anciens habitants de retour, on note des changements également dans des quartiers en difficulté tels que Ninth Ward, Gentilly, Lakeview et Broadmoor, où des jeunes d'une vingtaine ou d'une trentaine d'années s'installent et créent de nouvelles sociétés.

La Nouvelle-Orléans a toujours accueilli les marginaux d'Amérique. Elle compte désormais des entrepreneurs, des informaticiens et des acteurs. La ville, nouvellement qualifiée de "Silicon Bayou" et "Hollywood du Sud" (dernièrement, plusieurs films y ont été tournés), commence à définir de nouvelles frontières urbaines. Le projet *Make It Right* de Brad Pitt (p. 427) a transformé une grande partie du Lower Ninth Ward en un sympathique quartier écologique modèle, aux allures futuristes ; la visite vaut le détour rien que pour admirer les maisons.

de ses habitants. Malgré de nombreuses reconstructions et le retour des touristes, la ville a véritablement changé.

☉ À voir et à faire
FRENCH QUARTER

Le Quartier français est typiquement constitué d'une architecture élégante de style colonial caribéen, de jardins luxuriants et d'éléments en fer forgé. Mais c'est également le centre touristique de La Nouvelle-Orléans. Mal fréquentée, Bourbon St empêche parfois d'apprécier le reste du quartier, mais il faut en faire abstraction. Le "Vieux Carré" (dessiné en 1722) renferme la plupart des centres d'intérêt culturels de la ville et dans les ruelles plus calmes règne une joie de vivre digne des temps passés.

Promeneurs, diseuses de bonne aventure, dessinateurs et artistes de rue peuplent la place **Jackson Square**, cœur du French Quarter. Bordée par la cathédrale, des bureaux et boutiques issus d'un rêve parisien, c'est l'un des espaces verts les plus jolis d'Amérique. La **St Louis Cathedral**, chef-d'œuvre de la place, fut dessinée par Gilberto Guillemard. Elle constitue l'un des plus beaux exemples d'architecture catholique en Amérique.

Louisiana State Museum   MUSÉE
(www.crt.state.la.us/museum ; adulte/enfant par bâtiment 6 \$/gratuit ; ☉10h-16h30 mar-dim). Cette institution gère de nombreux autres établissements à travers l'État. Parmi les points d'intérêt figure le **Cabildo** (701 Chartres St) de 1911, à gauche de la cathédrale. Un musée portant sur l'histoire de la Louisiane se trouve dans l'ancienne mairie où eut lieu le procès *Plessy vs Ferguson* (qui légalisa la ségrégation). La découverte des nombreuses expositions qui se trouvent à l'intérieur peut largement occuper une demi-journée (ne manquez pas le piano droit de 1875 au 3e niveau). L'édifice qui fait face au Cabildo, à droite de la cathédrale, est le **Presbytère** (751 Chartres St ; ♿) de 1813. Il abrite l'excellent **musée du Mardi gras** constitué de costumes, chars de défilé et bijoux royaux ; une nouvelle exposition, intitulée **Katrina & Beyond**, illustre l'avant et l'après Katrina, et permet de réellement comprendre les effets de cette catastrophe sur la ville.

Historic New Orleans Collection   MUSÉE
(www.hnoc.org ; 533 Royal St ; entrée libre, visites 5 \$; ☉9h30-16h30 mar-sam, 10h30-16h30 dim). Dans divers bâtiments joliment restaurés,

des documents d'archives tels que le contrat original de vente de la Louisiane sont présentés avec soin. Des visites guidées de la maison, ou concernant l'architecture ou l'histoire, sont organisées à 10h, 11h, 14h et 15h, la visite de la maison étant la plus intéressante.

Old Ursuline Convent   ÉDIFICE HISTORIQUE
(1112 Chartres St ; adulte/enfant 5/3 \$; ☉visites 10h-16h lun-sam). En 1727, 12 sœurs ursulines arrivèrent à La Nouvelle-Orléans pour s'occuper du minuscule hôpital de la garnison française et éduquer les jeunes filles de la colonie. Entre 1745 et 1752, l'armée coloniale française construisit ce qui est désormais la plus ancienne structure de la vallée du Mississippi et l'unique édifice français restant du quartier. La visite autoguidée conduit aux expositions temporaires et à la jolie chapelle St Mary.

TREMÉ

Le quartier noir le plus ancien de la ville est évidemment imprégné d'histoire.

Le **Louis Armstrong Park** (☉9h-22h) comprend **Congo Square**, un lieu important de la culture américaine. Cette place pavée était autrefois le seul endroit où les esclaves pouvaient se rassembler et jouer la musique qu'ils avaient conservée en traversant l'océan, une pratique interdite dans la plupart des sociétés esclavagistes. La préservation de cet héritage musical permit de jeter les bases des rythmes qui constitueraient le jazz. La place était fermée pour rénovation lors de notre passage.

Backstreet Cultural Museum   MUSÉE
(www.backstreetmuseum.org ; 1116 St Claude Ave ; 8 \$; ☉10h-17h mar-sam). Ce musée permet de découvrir certaines coutumes de la ville et leur expression au quotidien, d'un point de vue noir américain. Le terme "backstreet" désigne les quartiers noirs et pauvres de La Nouvelle-Orléans. Un endroit passionnant si vous vous intéressez aux costumes du Mardi gras amérindien (les Noirs se déguisent en Amérindiens), aux fanfares et aux clubs d'entraide (des associations de bénévoles de la communauté noire locale).

Le Musée de FPC   MUSÉE
(Free People of Color Museum ; www.lemusee-defpc.com ; 2336 Esplanade Ave ; adulte/enfant 10/5 \$; ☉11h-16h mer-sam ou sur rdv). Dans une jolie demeure néoclassique de 1859 de l'Upper Tremé, ce nouveau musée retrace, à travers 30 ans d'objets, de documents, de mobilier et d'art, l'histoire d'une culture

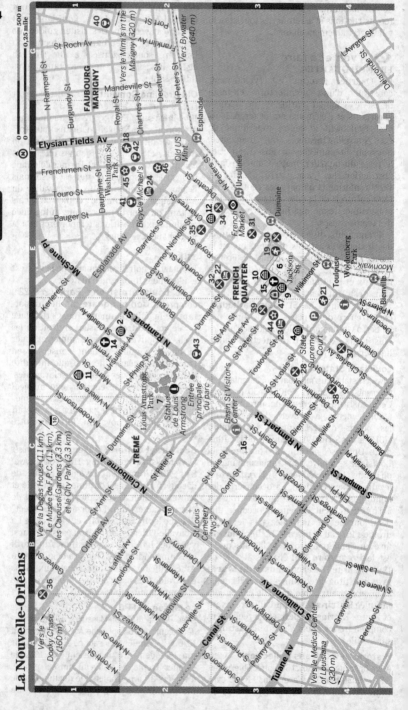

La Nouvelle-Orléans

LE SUD LOUISIANE

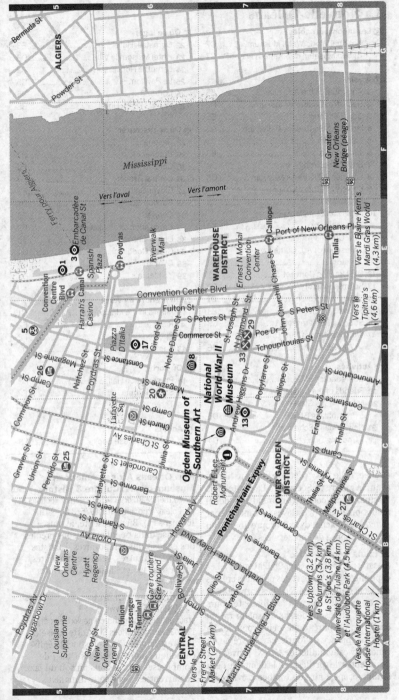

ALGIERS

Bermuda St

Powder St

Mississippi

Vers l'aval

Vers l'amont

Greater
New Orleans
Bridge (péage)

Vers le Blaine Kern's
Mardi Gras World
(4,3 km)

Ferry pour Algiers

Embarcadère
de Canal St

Convention
Centre
Blvd

Spanish
Plaza

Poydras

WAREHOUSE
DISTRICT

Ernest N Morial
Convention
Center

Port of New Orleans Pl
Calliope

Thalia

Harrah's
Casino

Convention Center Blvd

Riverwalk
Mall

Fulton St

S Peters St

Vers le
Tipitina's
(4,6 km)

Piazza
D'Italia

Girod St

S Peters St
S Joseph St

John Churchill Chase St

Commerce St

N Diamond St

Poe Dr

Tchoupitoulas St

Notre Dame St

Magazine St

National
World War II
Museum

Andrew Higgins Dr

Popyfarre St

Calliope St

Constance St

Annunciation St

Magazine St
Poydras St
Natchez St

Camp St

Church St
Camp St

Lafayette
St

St Charles Av

Ogden Museum of
Southern Art

Camp St

Thalia St

Erato St

Common St

Carondelet St

Julia St
Lafayette St

Baronne St

Robert E Lee
Monument

Pontchartrain Expwy

LOWER GARDEN
DISTRICT

Constance St

Erato St

Gravier St
Union St
Perdido St

O'Keefe St

S Rampart St

Howard Av

Carondelet St

Prytania St

Thalia St

Camp St

Melpomène St

Loyola Av

Julia St

Gaiennie St

Baronne St

St Charles Av

New
Orleans
Centre

Hyatt
Regency

Gare routière
Greyhound

Bolivar St

Clio St

Oretha Castle Haley Blvd

Prytania St

Vers Uptown (3,2 km),
le Columns (3,7 km),
le St Joe's (3,8 km),
l'université de Tulane (4 km)
et l'Audubon Park (4,5 km)

Poydras Av
Sugarbowl Dr

Louisiana
Superdome

Girod St

New
Orleans
Arena

Union
Passenger
Terminal

Simon St

Erato St

Baronne St

Martin Luther King Jr Blvd

CENTRAL
CITY

Vers le
Freret Street
Market (2,2 km)

Vers le Marquette
House International
Hostel (1 km)

oubliée, celle des "Gens de couleur libres" avant la guerre de Sécession. La petite mais fascinante collection comprend des documents originaux d'esclaves affranchis, par *coartación* (rachat de leur propre liberté) ou en récompense de leur services.

St Louis Cemetery No 1 CIMITIÈRE
(Basin St ; ☉9h-15h lun-sam, 9h-12h dim ; ⊕). Les dépouilles de la plupart des premiers créoles reposent dans ce cimetière. Les corps étaient placés dans les caveaux familiaux toujours présents, situés au-dessus du sol en raison de la nappe phréatique peu profonde. La tombe supposée de Marie Laveau, reine du vaudou, y est entaillée de "XXX" gravés par des adeptes de sortilèges. À la demande de la famille propriétaire du tombeau, évitez d'y ajouter votre marque.

New Orleans African American Museum of Art, Culture & History MUSÉE
(www.thenoaam.org ; 1418 Governor Nicholls St ; tarif plein/étudiant/enfant 7/5/3 $; ☉11h-16h mer-sam). Bien présenté, le musée organise dans de jolies maisons créoles des expositions temporaires d'artistes locaux, et d'autres, semi-permanentes, sur l'esclavage et l'histoire des Noirs américains.

St Augustine's Church ÉGLISE
(☎504-525-5934 ; www.
staugustinecatholicchurch-neworleans.org ; 1210 Governor Nicholls St). Cette église de 1824 est la deuxième plus vieille église catholique noire aux États-Unis ; de nombreuses processions au son du jazz démarrent ici. Service le dimanche. Réservez pour visiter : depuis Katrina,

le personnel est en sous-effectif et l'église est souvent fermée.

FAUBOURG MARIGNY, BYWATER ET NINTH WARD

Au nord du French Quarter se trouvent les faubourgs créoles de Marigny et de Bywater. Marigny est le cœur de la scène gay locale. **Frenchman Street**, qui traverse le centre de ce quartier, est bordée de clubs accueillant des concerts, à l'image de Bourbon St avant qu'elle ne soit investie par les boîtes de strip-tease et les bars à cocktails. Bywater est un quartier plus tendance, où Blancs, Noirs, ouvriers et artistes se mêlent dans une ambiance décontractée. Beaucoup de Néo-Orléanais ont emménagé dans ce quartier, le rendant plus bourgeois et apportant un peu de vie aux rangées de maisons longues et étroites.

Make It Right
LOTISSEMENT

(www.makeitrightnola.org ; N Clairborne at Tennessee St). Dans le quartier du Lower Ninth Ward, les maisons futuristes du projet de Brad Pitt, *Make It Right*, occupent un paysage anciennement ravagé. À l'heure où nous rédigions ces pages, quelque 75 maisons écologiques, résistantes à la tempête, étaient construites (45 d'entre elles selon la norme LEED platinum, norme la plus exigeante en matière de développement durable). La nouvelle âme ainsi offerte au quartier contraste totalement avec les images de désolation retransmises à travers le monde après Katrina. Selon l'US Green Building Council (association chargée de promouvoir l'urbanisme durable), il s'agit du lotissement pavillonnaire le plus grand et le plus écologique en Amérique.

Musicians' Village
LOTISSEMENT

(www.nolamusiciansvillage.com ; entre North Roman St, Alvar St et North Johnson St). Ce lotissement de 3,2 ha est composé de 81 maisons construites à l'origine pour des musiciens, composante vitale du paysage culturel et économique de la ville. N'oubliez pas lors de votre visite qu'il s'agit d'un lieu habité. Les résidents peuvent s'emporter, à raison, si vous prenez des photos sans en demander l'autorisation. Les couleurs vives des maisons égaient les alentours.

CBD ET WAREHOUSE DISTRICT

Le CBD et le Warehouse District comprennent la zone commerçante créée après la vente de la Louisiane. Plusieurs musées remarquables occupent Warehouse District et des galeries d'art local bordent Julia St, où des vernissages ont lieu le premier samedi du mois.

National World War II Museum
MUSÉE

(www.nationalww2museum.org ; 945 Magazine St ; tarif plein/étudiant/enfant 18/9 $/gratuit, avec film 23/12/5 $; ☺9h-17h). Voilà un vaste musée émouvant qui en apprend beaucoup sur la Seconde Guerre mondiale et auquel on peut consacrer une journée. On y découvre une analyse approfondie et admirablement bien nuancée du plus grand conflit du XXᵉ siècle. L'**exposition D-Day** (sur le débarquement allié) est sans doute la plus détaillée du pays. Le nouveau film en 4D *Beyond All Boundaries*, narré par Tom Hanks et projeté sur un écran de 36,5 m de large dans la salle **Solomon Victory Theater**, offre un véritable spectacle qui vaut bien les 5 $ supplémentaires. Le restaurant américain décontracté du chef John Besh, l'**American Sector** (plat 9,50-18 $), y est installé.

Ogden Museum of Southern Art
MUSÉE

(www.ogdenmuseum.org ; 925 Camp St ; tarif plein/étudiant/enfant 10/8/5 $; ☺10h-17h mer-lun, 18h-20h jeu). Parmi nos préférés dans la ville, ce musée est à la fois beau, ludique et modeste. Roger Houston Ogden, entrepreneur de La Nouvelle-Orléans, a constitué une collection d'art du Sud des plus merveilleuses, beaucoup trop vaste pour qu'il la conserve pour lui. Le musée comprend d'énormes galeries constituées de paysages impressionnistes, de bizarreries artistiques et d'installations contemporaines. Concerts le jeudi pour 10 $ de 18h à 20h.

Blaine Kern's Mardi Gras World
MUSÉE

(www.mardigrasworld.com ; 1380 Port of New Orleans Pl ; adulte/enfant 19,95/12,95 $; ☺visites 9h30-16h30 ; 🚻). Cet endroit amusant abrite (et produit) la plupart des plus beaux chars des parades de Mardi gras. Toute l'année, on les découvre en construction ou exposés dans ces locaux. Après un film démodé sur l'histoire de Mardi gras et une dégustation de King Cake (gâteau traditionnel de Mardi gras), on visite les ateliers géants où les artistes réalisent les chars pour les *krewes* (clubs qui défilent) de La Nouvelle-Orléans, Universal Studios et Disney World.

Aquarium of the Americas
AQUARIUM

(www.auduboninstitute.org ; 1 Canal St ; adulte/enfant 19,95/12,95 $; ☺10h-17h ; 🚻). Divers habitats aquatiques y sont recréés et on peut y voir un rare alligator albinos. Des billets combinés incluent le cinéma IMAX voisin ou l'Audubon Zoo dans Uptown.

LE SUD LA NOUVELLE-ORLÉANS

Insectarium MUSÉE, JARDIN
(www.auduboninstitute.org ; 423 Canal St ;
adulte/enfant 15,95/10,95 \$; ☺10h-17h ;
⧉). Cet espace ludique, parfait pour les
enfants, accueille les entomologistes
en herbe. Le jardin japonais peuplé de
papillons est particulièrement joli.

Canal Street Ferry TRAVERSÉE DU FLEUVE
(piéton et cycliste/voiture gratuit/1 \$; ☺6h15-
12h15). Un agréable et rapide aller-retour
sur le Mississippi depuis l'extrémité de
Canal St à Algiers, charmant quartier
historique situé sur l'autre rive.

GARDEN DISTRICT ET UPTOWN

Il existe une nette division architecturale
entre les élégantes maisons de ville des
créoles et des Français au nord-est et les
magnifiques demeures du quartier américain, établi après la vente de la Louisiane.
Ces immenses structures, rappelant celles
des plantations, sont très communes dans
les quartiers Garden District et Uptown.
Bordée de superbes chênes, St Charles Ave
traverse le cœur de ce secteur et est
empruntée par le pittoresque **tramway de
St Charles Avenue** (aller 1,25 \$; ⧉). Les
boutiques et galeries de **Magazine St** sont
idéales pour le shopping.

Plus à l'ouest, les **Tulane and Loyola
Universities** occupent des campus voisins
près de l'**Audubon Park**. Tulane fut fondée
en 1834 comme faculté de médecine dans le
but d'endiguer les fréquentes épidémies de
choléra et de fièvre jaune. Aujourd'hui, les
campus verdoyants offrent un répit appré-
ciable et les universités accueillent divers
concerts et conférences.

Audubon Zoological Gardens ZOO
(www.auduboninstitute.org ; 6500 Magazine St ;
adulte/enfant 15/10 \$; ☺10h-17h mar-dim).
C'est l'un des meilleurs zoos du pays.
Alligators, lynx, renards, ours et tortues-alli-
gators peuplent la zone appelée **Louisiana
Swamp** (marécage louisianais).

CITY PARK ET MID-CITY

New Orleans Museum of Art MUSÉE
(www.noma.org ; 1 Collins Diboll Circle ; adulte/
enfant 10/6 \$; ☺10h-17h mar-jeu, sam-dim,
10h-21h ven). À l'intérieur du parc, la visite
de ce charmant musée ouvert en 1911 vaut
le détour. Il rassemble des expositions
et des œuvres africaines, asiatiques (ne
manquez pas la remarquable collection de
tabatières de Chine de la dynastie Qing),
amérindiennes et océaniennes au dernier
étage. Son **jardin de sculptures** (entrée libre ;
☺10h-16h30 sam-jeu, 10h-20h45 ven) comprend

une collection moderne dans un parc luxuriant et bien entretenu.

City Park PARC
(www.neworleanscitypark.com). Le **tramway
Canal** conduit du CBD au City Park. Avec
4,8 km de long et 1,6 km de large, saules pleu-
reurs, mousse espagnole, musées, jardins,
cours d'eau, ponts, oiseaux et quelques
alligators, City Park est le cinquième plus
grand parc urbain du pays (plus grand que
Central Park à NYC) et le plus joli de La
Nouvelle-Orléans.

Fair Grounds HIPPODROME
(1751 Gentilly Blvd, entre Gentilly Blvd et Fortin St).
L'hippodrome accueille régulièrement des
courses hippiques mais aussi l'énorme
New Orleans Jazz & Heritage Festival au
printemps.

🍴 Activités

New Orleans School of Cooking CUISINE
(☎504-525-2665 ; www.neworleansschoolofcoo-
king.com ; 524 St Louis St ; 23-27 \$). Il s'agit d'une
démonstration et non d'un cours pratique.
Les menus changent quotidiennement, mais
vous pourrez déguster des créations telles
que le gumbo, le jambalaya et les pralines à
la fin du cours, tout en écoutant les charis-
matiques chefs raconter l'histoire de la ville.

**Wine Institute of
New Orleans (WINO)** CUISINE
(☎504-324-8000 ; www.winoschool.com ;
610 Tchoupitoulas St ; cours à partir de 35 \$).
Les cours de dégustation et sur les accords
mets et vins sont destinés aux amateurs
comme aux futurs professionnels. L'endroit dispose également d'un bar à vin et
d'une boutique proposant 120 vins en fût
à déguster.

**New Orleans GlassWorks
& Printmaking Studio** ART
(☎504-529-7279 ; www.neworleansglassworks.
com ; 727 Magazine St ; cours 75-125 \$).
Essayez-vous au soufflage du verre ou à
la gravure : un cours intitulé "Wine and
Design" vous permet de créer vos propres
verres à vin et vos étiquettes. Les prix
sont fluctuants.

👉 Circuits organisés

Consultez un exemplaire du *New Orleans
Official Visitors Guide* pour connaître l'offre
abondante de visites guidées. Certaines
agences proposent des circuits portant sur
la reconstruction post-Katrina. Le Jean
Lafitte National Historic Park and Preserve
Visitor Center (p. 436) organise des circuits

pédestres gratuits dans le French Quarter à 9h30 (prenez vos billets à 9h).

Confederacy of Cruisers
CIRCUIT À VÉLO
(☎504-400-5468 ; www.confederacyofcruisers.com ; visite 45 $). Très instructif et décontracté, ce circuit en deux-roues vous emmène en dehors du French Quarter, dans les quartiers moins reluisants, Faubourg Marigny, Esplanade Ridge, Tremé. La visite inclut souvent un arrêt dans un bar et on assiste parfois à une procession au son du jazz.

Friends of the Cabildo
CIRCUIT PÉDESTRE
(☎504-523-3939 ; 1850 House Museum Store, 523 St Ann St ; tarif plein/étudiant/enfant 15/10 $/gratuit ; ⏱visite 10h et 13h30 mar-dim). Des bénévoles organisent les meilleurs visites à pied du French Quarter.

🎊 Fêtes et festivals
À La Nouvelle-Orléans, on n'a pas besoin de prétexte pour faire la fête, que ce soit pour célébrer la crevette ou l'important mirliton (sorte de courge), la ville accueille presque toujours des festivités. En voici quelques-unes, découvrez les autres sur le site Internet www.neworleanscvb.com.

Mardi gras
CULTUREL
En février ou début mars, très festif, Mardi gras marque la fin de la période du Carnaval.

St Patrick's Day
CULTUREL
Le 17 mars et le week-end le plus proche ont lieu les parades irlandaises.

St Joseph's Day – Super Sunday
CULTUREL
Le 19 mars et le dimanche le plus proche, des groupes défilent lors du Mardi gras amérindien dans leurs costumes de plumes au son des tambours. La parade du Super Sunday démarre généralement autour de midi sur Orleans Ave dans le quartier Bayou St John, mais ne suit pas un itinéraire fixe.

Tennessee Williams Literary Festival
LITTÉRATURE
(www.tennesseewilliams.net). En mars, débats littéraires, représentations théâtrales et festivités rendent hommage à l'œuvre de l'auteur pendant 5 jours.

French Quarter Festival
MUSIQUE
(www.fqfi.org). Plusieurs concerts gratuits ont lieu le deuxième week-end d'avril.

Jazz Fest
MUSIQUE
Cet événement de renommée mondiale mettant à l'honneur musique, gastronomie, artisanat et art de vivre, se tient le dernier week-end d'avril et le premier week-end de mai.

Southern Decadence
GAY ET LESBIEN
(www.southerndecadence.net). Un important festival gay, lesbien et transsexuel, comprenant la *leather block party* (fête de la communauté cuir), a lieu le week-end du *Labor Day* (fête du Travail, le premier week-end de septembre).

🛏 Où se loger
Les prix augmentent considérablement à l'occasion de Mardi gras et du Jazz Fest, et redescendent pendant la chaude période estivale. Réservez bien à l'avance et renseignez-vous sur Internet ou par téléphone sur les promotions. La taxe de séjour s'élève à 13%, ajoutez 1 à 3 $ par personne et par nuit. Se garer dans le French Quarter coûte entre 15 et 25 $ par jour.

♥ **Columns**
HÔTEL HISTORIQUE **$$**
(☎504-899-9308 ; www.thecolumns.com ; 3811 St Charles Ave ; ch petit-déj inclus

---

LA NOUVELLE-ORLÉANS AVEC DES ENFANTS

De nombreux sites à La Nouvelle-Orléans conviennent parfaitement aux enfants, comme, par exemple, l'Audubon Zoological Gardens, l'Aquarium of the Americas (p. 427) et le Mardi Gras World (p. 427).

Carousel Gardens
PARC D'ATTRACTIONS
(www.neworleanscitypark.com ; 3 $; ⏱11h-18h printemps et automne, 10h-16h jeu, 10h-22h ven, 11h-22h sam, 11h-18h été ; 🚻). Le carrousel de 1906 est un réel joyau parmi les attractions foraines dans City Park.

Louisiana Children's Museum
MUSÉE POUR ENFANTS
(www.lcm.org ; 420 Julia St ; 8 $; ⏱9h30-16h30 mar-sam, 12h-16h30 dim, 9h30-16h30 lun en été ; 🚻). Un superbe musée interactif comprenant une aire pour les tout-petits. Les enfants de moins de 16 ans doivent être accompagnés d'un adulte.

week-end/semaine à partir de 160/120 $; ❄🕏). Dans le Garden District, cette imposante et élégante demeure de 1883, de style italien, offre des tarifs plus qu'intéressants, surtout en basse saison (à partir de 99 $). L'intérieur renferme des éléments d'origine : escalier surmonté de vitraux, cheminées sculptées dans le marbre, boiseries richement travaillées, etc. Jolie véranda surplombant les chênes de St Charles Ave au 1er étage. Bar très accueillant. L'hôtel rassemble tous les charmes de La Nouvelle-Orléans.

Loft 523　　　BOUTIQUE HOTEL $$$
(☎504-200-6523 ; www.loft523.com ; 523 Gravier St ; ch basse/haute saison 79/299 $; @🕏). Les 16 chambres au style dépouillé et tendance offrent un changement d'air à La Nouvelle-Orléans (c'est un compliment). Attention, les lampes Fortuny valent une fortune. Les chambres disposent de ventilateurs à pales, lit bas, sol vernis et baignoire ovoïde. Les aspects écologiques (clés en matériaux biodégradables, articles de toilette non utilisés envoyés dans les pays qui en ont besoin) sont autant de plus. En été, le tarif de 79 $ est une véritable affaire.

Prytania Park Hotel　　　HÔTEL $
(☎504-524-0427 ; www.prytaniaparkhotel.com ; 1525 Prytania St ; ch à partir de 49-69 $; P❄🕏). Bien situé et chaleureux, ce complexe composé de trois hôtels séparés offre un excellent rapport qualité/prix. Le Prytania Park propose de petites chambres aux lignes épurées avec TV à écran plat, pour les petits budgets. Le **Prytania Oaks** (ch 79-109 $) est plus chic et le **Queen Anne** (ch 99-119 $) est un *boutique hotel* ravissant, récemment rénové et décoré d'antiquités. L'endroit convient à toutes les bourses et permet de visiter le French Quarter, Garden District et Uptown. Parking et accès à l'Athletic Club (complexe sportif et de loisirs) de St Charles Ave : gratuits.

Lamothe House　　　B&B HISTORIQUE $$$
(☎504-947-1161 ; www.lamothehouse.com ; 621 Esplanade Ave ; ch petit-déj inclus 109-189 $, ste petit-déj inclus 209-399 $; ❄🕏🛏). Le bleu et le vert égaient les grandes chambres de cette demeure de 1839, décorée de dorures, sculptures rococo et peintures à l'huile. Des chambres plus dépouillées dans les dépendances conviennent aux familles, et la vaste cour permet de se réunir.

Degas House　　　HÔTEL HISTORIQUE $$
(☎504-821-5009 ; www.degashouse.com ; 2306 Esplanade Ave ; ch petit-déj inclus à partir

de 199 $; P❄🕏). Edgar Degas vécut dans cette maison de style italien datant de 1852 lorsqu'il rendit visite à la famille de sa mère au début des années 1870. Dans les chambres au mobilier d'époque, des reproductions de ses œuvres rappellent le passage du peintre. Les suites possèdent balcons et cheminées. Moins chères, les chambres mansardées et exiguës du dernier étage offraient autrefois le repos nécessaire à l'artiste.

Cornstalk Hotel　　　B&B $$$
(☎504-523-1515 ; www.cornstalkhotel.com ; 915 Royal St ; ch 115-250 $; ❄🕏). Pénétrez par le célèbre portail en fer forgé dans ce somptueux B&B au mobilier ancien, dont la sérénité permet d'oublier l'agitation extérieure. Les merveilleuses chambres sont propres et luxueuses. Parking limité.

Hotel Maison de Ville　　　HÔTEL HISTORIQUE $$$
(☎504-561-5858 ; www.hotelmaisondeville.com ; 727 Toulouse St ; ❄🕏🛏). Lorsque nous rédigions ces pages, les nouveaux propriétaires rénovaient la cour, les suites installées dans les anciens logements pour esclaves, la façade, les balcons, etc. Les cottages d'une ou deux chambres (où l'artiste J.-J. Audubon logeait et peignait quand il était en ville) bordent une cour luxuriante. La piscine (datant de la fin du XVIIIe siècle) serait la plus ancienne du French Quarter. Si vous recherchez le confort et le charme raffiné du Sud, allez-y après la réouverture prévue courant 2012.

Le Pavillon　　　HÔTEL HISTORIQUE $$$
(☎504-581-3111 ; www.lepavillon.com ; 833 Poydras Ave ; ch 129-299 $, ste 199-499 $; ❄🕏🛏). D'un excellent rapport qualité/prix, cet élégant hôtel de style européen, bâti en 1907, comprend un vaste hall en marbre, de somptueuses chambres et une piscine sur le toit. Les luxueuses suites donneraient presque envie de ne plus quitter les lieux. Si vous prenez une chambre avec un grand lit, demandez-en une avec un bow window. Parking : 25 $.

India House Hostel　　　AUBERGE DE JEUNESSE $
(☎504-821-1904 ; www.indiahousehostel.com ; 124 S Lopez St ; dort/d 20/55 $; @🕏🛏). Une ambiance festive se dégage de cet endroit doté d'une grande piscine hors sol et d'une cour, dans Mid-City. Trois vieilles maisons abritent des dortoirs sobres mais jolis. La direction et les stagiaires hollandais sont agréables et serviables, plus engageants que le reste du personnel. La plupart des chambres ressemblent aux

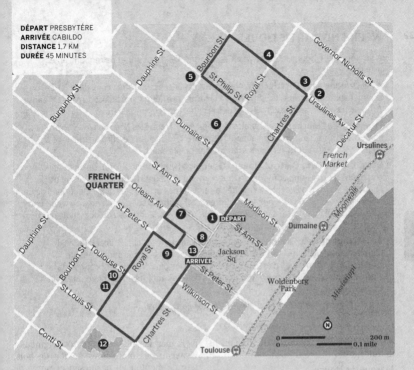

Promenade à pied

Le French Quarter

› La balade débute au ❶ **Presbytère** sur Jackson Sq. Descendez Chartres St jusqu'à l'angle d'Ursulines Ave et de ❷ l'**ancien couvent des Ursulines**. Au n°1113 de Chartres St, découvrez la ❸ **Beauregard-Keyes House** de 1826, qui mêle les styles créole et américain. Dans Ursulines Ave, en direction de Royal St, la fontaine à soda de la ❹ **Royal Pharmacy** témoigne de l'époque où un bar-glacier occupait les lieux.

Poursuivez dans Ursulines Ave, puis prenez à gauche dans Bourbon St. à l'angle de St Philip St, la structure à un étage en mauvais état abrite un petit pub un peu particulier appelé ❺ **Lafitte's Blacksmith Shop**. Empruntez St Philip St pour revenir dans Royal St, puis prenez à droite.

Royal Street vous offre les images bien connues de La Nouvelle-Orléans : balcons de fer forgé et quantité de fleurs décorant les façades.

Au n°915, derrière l'un des portails les plus photographiés, se tient le ❻ **Cornstalk Hotel**. Dans Orleans Ave, d'imposants magnolias et des plantes tropicales luxuriantes composent le ❼ **St Anthony's Garden**, derrière la ❽ **St Louis Cathedral**.

Empruntez Pirate's Alley qui longe le jardin, tournez à droite dans Cabildo Alley, puis encore à droite dans St Peter St en direction de Royal St. Tennessee Williams a vécu au n°632 de St Peter St, dans ❾ l'**Avart-Peretti House** entre 1946 et 1947 lorsqu'il écrivit *Un tramway nommé Désir*.

Prenez à gauche dans Royal St. À l'angle de Royal St et Toulouse St se trouvent deux maisons bâties par Jean François Merieult dans les années 1790. La ❿ **Court of Two Lions**, au 541 Royal St, donne sur Toulouse St ; à côté se trouve ⓫ l'**Historic New Orleans Collection**.

L'imposante ⓬ **Cour suprême de l'État**, construite en 1909, se trouve dans le *block* suivant. De nombreuses scènes de *JFK* d'Oliver Stone y furent tournées.

Prenez St Louis St en direction de Chartres St, puis tournez à gauche. Vous arrivez au Jackson Sq et rejoignez l'édifice presque identique au Presbytère, le ⓭ **Cabildo**.

WEEK-ENDS ARTISTIQUES

À La Nouvelle-Orléans, chaque week-end permet de découvrir et de rencontrer les artistes locaux.

New Orleans Arts District Art Walk (www.neworleansartsdistrict.com ; Julia St). Le premier samedi du mois, de 18h jusqu'à la fermeture, les galeries d'art du New Orleans Art District organisent le vernissage des artistes exposés pour le mois.

Freret Street Market (www.freretmarket.org ; angle Freret St et Napoleon Ave). Le premier samedi du mois (sauf en juillet et août) de midi à 17h, ce marché offre un mélange de culture locale : produits fermiers, marché aux puces et art.

Saint Claude Arts District Gallery Openings (www.scadnola.com). Un ensemble d'espaces d'exposition compose le tout nouveau secteur artistique qui s'étend du Faubourg Marigny à Bywater et accueille certains des artistes les plus éclectiques de La Nouvelle-Orléans. Renseignez-vous auprès des habitants sur les activités du week-end, vous assisterez peut-être à une démonstration de cracheur de feu ou découvrirez une exposition dans un espace dissimulé et secret.

Art Market of New Orleans (www.artscouncilofneworleans.org ; Palmer Park, angle Carrollton Ave et Claiborne Ave). Le dernier samedi du mois, ce marché de qualité rassemble des centaines d'artistes locaux parmi les plus créatifs, et propose de la cuisine locale, de la musique et des activités pour les enfants. Idéal lors d'une belle journée.

Merci à Lindsay Glatz, Arts Council de La Nouvelle-Orléans.

dortoirs, précisez si vous souhaitez un lit double.

Marquette House International Hostel
AUBERGE DE JEUNESSE **$**
(☎504-523-3014 ; 2249 Carondelet St ; dort 17-25 $, s/d à partir de 53/66 $; ☺réception 7h-12h et 17h-22h ; ℙ❄). Ce vaste complexe propose des dortoirs et des chambres (avec réfrigérateurs et micro-ondes) près du Garden District. Pratiques mais loin d'être luxueuses, les chambres sont éclipsées par le luxuriant jardin, idéal pour se détendre et rencontrer d'autres voyageurs.

✖ Où se restaurer

C'est en Louisiane que la tradition culinaire américaine est la meilleure, non pas par sa qualité (très bonne au demeurant), mais par la longue histoire qui se cache derrière les plats, plus vieux que la plupart des États d'Amérique. Les Néo-Orléanais accordent une grande importance à la nourriture… en témoignent les 15% de restaurants supplémentaires qui ont ouvert depuis Katrina, malgré la baisse du nombre d'habitants !

FRENCH QUARTER
GW Fins POISSON, CAJUN **$$$**
(☎504-581-3467 ; www.gwfins.com ; 808 Bienville St ; plat 26-36 $; ☺17h-22h dim-jeu, 17h-22h30 ven-sam). Le poisson est à l'honneur, il est préparé à peine pêché pour garder la saveur de la mer. Les plats sont plutôt originaux : vivaneau des mangroves au feu de bois, tête de mouton au parmesan et purée de pommes de terre au bourbon et à la vanille. Pour La Nouvelle-Orléans, c'est de la cuisine légère, presque délicate, et ça change du jambalaya.

Bayona AMÉRICAIN MODERNE **$$$**
(☎504-525-4455 ; www.bayona.com ; 430 Dauphine St ; plat 27-32 $; ☺11h30-14h lun-ven et 18h-22h lun-jeu, 18h-23h ven-sam). Le Bayona est exceptionnellement chic, élégant et innovant, mais toujours raisonnable. Poisson, volaille et gibier figurent au menu, renouvelé quotidiennement, qui comporte des classiques et des plats du jour (environ quatre de chaque), préparés avec soin.

Green Goddess FUSION **$$**
(www.greengoddessnola.com ; 307 Exchange Pl ; plat 7-17 $; ☺11h30-15h30 lun et mer, 11h-15h30 et 18h-tard jeu-dim). Dans une allée à quelques pas du French Quarter, le Green Goddess propose une cuisine fusion internationale, appréciable lorsque l'on a trop mangé de riz et de haricots rouges. Le cheddar à la bière fondu dans un beurre de poire n'est pas forcément plus sain, mais il offre un véritable voyage à vos papilles.

Coop's CAJUN, CRÉOLE **$$**
(1109 Decatur St ; plat 8-17,50 $; ☺11h-15h). Cette maison cajun transformée en pub propose

d'excellents plats bon marché et copieux : essayez le jambalaya au lapin et aux saucisses ou le riz aux haricots rouges pour goûter au paradis cajun. Vous vous régalerez de spécialités créoles pour moins de 15 $.

Central Grocery
ITALIEN $$

(923 Decatur St ; demi-muffuletta/muffuletta entier 7,50/14,50 $; ☺9h-17h lun-sam). C'est ici, en 1906, qu'un immigré sicilien a inventé le fameux sandwich *muffuletta*, un énorme pain rond garni de jambon, de salami, de provolone et d'olives marinées. C'est le meilleur endroit en ville pour en acheter.

Yo Mama's
HAMBURGERS $

(www.yomamasbarandgrill.com ; 727 St Peters St ; hamburger 6,50-10,50 $; ☺11h-3h). Il y a un plat à tester à La Nouvelle-Orléans : le hamburger au bacon et au beurre de cacahuètes. Ça ressemble à un cheeseburger, mais ce n'est pas du cheddar fondu qu'il y a dessus, et le côté pâteux du beurre de cacahuètes se marie très bien à la viande grillée.

Croissant D'Or Patisserie
CAFÉ $

(617 Ursulines Ave ; 1,50-5,75 $; ☺6h30-15h lun et mer-dim). De nombreux habitants du quartier commencent leur journée dans cette ancienne pâtisserie d'une propreté impeccable. Un journal, un café, un croissant et c'est le bonheur. En entrant, remarquez l'inscription "ladies entrance" (entrée des femmes), vestige d'une époque où le féminisme n'avait pas encore cours.

Clover Grill
DÎNER $

(900 Bourbon St ; plat 3-8 $; ☺24h/24). C'est une gargotte gay où il règne une ambiance un peu surréaliste. L'endroit ressemble à un *diner* des années 1950 mais on peut y assister à des scènes décalées, le tout au rythme assourdissant du disco.

Café du Monde
CAFÉ $

(800 Decatur St ; beignets 2,14 $; ☺24h/24 ; ⛶). Même si sa réputation est exagérée, vous y passerez probablement, donc voici ce à quoi vous pouvez vous attendre : le café est bon, mais les beignets (carrés et enrobés de sucre) sont de qualité inégale. L'ambiance n'est pas des plus agréables : le service est expéditif, l'endroit très bruyant. En revanche, c'est ouvert sans interruption.

TREMÉ
Willie Mae's Scotch House
CUISINE DU SUD $$

(2401 St Ann St ; poulet frit 10 $; ☺11h-19h lun-sam). Le poulet frit est bon, très bon. Mais ce n'est pas le meilleur au monde, malgré le titre d'"American Classic" décerné par la fondation James Beard en 2005.

Dooky Chase
CUISINE DU SUD $$

(2301 Orleans Ave ; buffet 17,95 $; ☺11h-15h mar-ven). La chanson *Early in the Morning* de Ray Charles parle du Dooky. Dans les années 1960, le lieu constituait le QG officieux des leaders locaux du mouvement pour les droits civiques. MM. Bush et Obama ont apprécié la cuisine traditionnelle raffinée servie dans cette institution un peu chère de Tremé.

FAUBOURG MARIGNY ET BYWATER
Bacchanal
CAFÉ $$

(www.bacchanalwine.com ; 600 Poland Ave ; plat 8-14 $, part de fromage à partir de 5 $; ☺11h-24h). Derrière le comptoir, on transforme votre fromage en une œuvre d'art pour accompagner votre bouteille de vin, puis la dégustation se fait dans une cour luxuriante parsemée de chaises de jardin rouillées et de tracts défraîchis du musicien du jour. Possibilité de commander à la carte, limitée mais créative. Ce petit bar à vin et à fromage haut de gamme est superbe.

Elizabeth's
CAJUN, CRÉOLE $$$

(www.elizabeths-restaurant.com ; 601 Gallier St ; plat 16-26 $; ☺8h-14h30 et 18h-22h mar-sam, 8h-14h30 dim). L'Elizabeth's peut paraître peu recommandable, beaucoup trop sombre et trop décontracté. La cuisine est tantôt excessivement simpliste, tantôt étonnamment originale. Mais elle est aussi savoureuse que celle des meilleurs chefs néo-orléanais. À toute heure, commandez un *praline bacon* (bacon praliné) : frit dans un sucre roux, c'est un véritable régal.

CBD ET WAREHOUSE DISTRICT
♥ Cochon
CAJUN CONTEMPORAIN $$$

(☎504-588-2123 ; www.cochonrestaurant.com ; 930 Tchoupitoulas St ; plat 19-25 $; ☺11h-22h lun-ven, 17h30-22h sam). Honorée du James Beard Award, la fabuleuse brasserie du chef Donald Link sert une cuisine du Sud gastronomique assez inattendue. Le cochon louisianais maison (porc effilé juteux à l'intérieur et croustillant, parfaitement saisi à l'extérieur) est probablement le meilleur plat de porc qu'il vous sera donné de goûter, à moins que vous ne reveniez ici. Les *mac 'n' cheese* (macaroni au fromage) sont cuits dans du gras de bacon. M. Link associe avec audace la simplicité à l'extravagance et propose une cuisine vraiment unique dans cet endroit culte. Du *moonshine* (liqueur) est servi pour digérer tout cela. Réservation indispensable.

Butcher　　　　　CAJUN, CUISINE DU SUD **$$**
(www.cochonbutcher.com ; 930 Tchoupi-
toulas St ; sandwich 9-12 $; ⊙10h-22h lun-jeu,
10h-23h ven-sam, 10h-16h dim). Tout près du
restaurant Cochon, le chef Donald Link
propose sa charcuterie maison à toutes les
bourses dans une boucherie en plein essor,
qui fait également office de bar et d'épi-
cerie. On y trouve de superbes sandwichs
au cochon de lait, au porc effilé, au bacon et
le fameux *muffaletta*. Commandez-les avec
des macaronis au fromage et aux lardons
et du bacon praliné. À ne pas manquer.

GARDEN DISTRICT ET UPTOWN
♥ **Commander's
Palace**　　　CRÉOLE CONTEMPORAIN **$$$**
(☎504-899-8221 ; www.commanderspalace.
com ; 1403 Washington Ave ; plat dîner 28-45 $;
⊙11h30-14h lun-ven, 11h30-13h sam, 10h30-
13h30 dim et 18h30-22h lun-sam). Ce n'est pas
un hasard si les chefs les plus célèbres de la
ville, et même des États-Unis, ont débuté
dans cette cuisine (Paul Prudhomme,
Emeril Lagasse) ; ce restaurant est en tout
point remarquable. Le chef, Tory McPhail
(retenez son nom !) prépare deux des
meilleurs plats que vous aurez probablement l'occasion de manger : en apéritif, des
crevettes à la sauce piquante louisianaise
et du porc grillé au feu de bois. Ce monument de la cuisine créole offre un service
chaleureux et appliqué, au cœur du Garden
District. Le midi, laissez-vous tenter par les
martinis à 25 ¢ et la soupe à la tortue de la
maison (8 $), ou par un menu à prix fixe.
Tenue correcte exigée.

Boucherie　　　CUISINE DU SUD MODERNE **$$**
(☎504-862-5514 ; www.boucherie-nola.com ;
8115 Jeannette St ; grandes assiettes 12-15 $;
⊙11h-15h et 17h30-21h mar-sam). On déguste ici
un remarquable pudding de pain. Recouvert
de miel et trempé dans du sirop, le pudding
devient léger et inoubliable ! Au dîner,
essayez les savoureux gâteaux au gruau et
aux crevettes, les frites au parmesan et à
l'ail et le bœuf Wagyu fumé qui fond dans la
bouche. Les prix restent raisonnables.

Mat and Naddie's　　CRÉOLE CONTEMPORAIN **$$$**
(☎504-861-9600 ; www.matandnaddies.com ;
937 Leonidas St ; plat 22-29 $; ⊙11h-14h lun-ven,
17h30-21h30 jeu-sam et lun). Installé dans
une jolie maison en longueur au bord du
fleuve, dotée d'une cour arrière décorée
de guirlandes de Noël, l'établissement
propose une cuisine riche, innovante et
particulière : gâteau au fromage à l'ail, aux
tomates séchées et aux artichauts, gaufres
et caille grillée marinée au xérès, tarte

aux noix de pécan et à la patate douce.
Cette cuisine de qualité et sa dose de
fantaisie illustrent l'originalité des chefs
néo-orléanais.

▢ **Cowbell**　　　　　AMÉRICAIN **$$**
(www.cowbell-nola.com ; 8801 Oak St ; plat
10-14 $; ⊙11h30-15h mar-sam et 17h-22h mar-jeu,
17h-23h ven et sam). Dans une ancienne
station-service, ce restaurant propose une
cuisine simple et bio, sans hormones ni
pesticides, qui garde donc toute sa saveur.
Effectivement, le steak de bœuf nourri à
l'herbe est délicieux. Le menu restreint
offre des tacos de poisson du Golfe, du
poulet au fromage fondu et au citron vert,
que l'on savoure dans ce restaurant chic
et décontracté de Riverbend aux parois
d'aluminium.

Domilise's Po-Boys　　　　CRÉOLE **$$**
(5240 Annunciation St ; po'boys 9-13 $; ⊙10h-19h
lun-mer et ven, 10h30-19h sam). Cette simple
bicoque blanche près du fleuve sert de la
bière Dixie (brassée dans le Wisconsin !).
Le personnel y travaille depuis des années
et prépare les *po' boys* (sandwich traditionnel louisianais) les plus légendaires de
la ville. Le paiement s'effectue en espèces
uniquement et l'endroit est très fréquenté
le week-end.

☐ Où prendre un verre
La Nouvelle-Orléans regorge de lieux
où prendre un verre. Mieux vaut éviter
Bourbon St. Certains des meilleurs bars
des États-Unis se trouvent dans d'autres
quartiers, notamment dans Frenchmen St
dans le Faubourg Marigny.

　　La plupart des bars ouvrent tous les jours,
souvent aux alentours de midi, commencent
à s'animer vers 22h, et peuvent rester ouverts
toute la nuit. L'entrée est gratuite sauf quand
il y a un concert. Puisqu'il est interdit, dans
la rue, de boire de l'alcool dans un récipient
en verre, les bars distribuent des "go cups"
(gobelets en plastique).

Spotted Cat　　　　MUSIQUE LIVE
(www.spottedcatmusicclub.com　　　　　;
623 Frenchmen St). Un air rétro et branché se
dégage de cet excellent bar de Frenchmen St.
On y joue du jazz des années 1940 tous les
soirs. L'entrée est toujours gratuite, sauf en
cas d'événement particulier.

Mimi's in the Marigny　　　　BAR
(2601 Royal St ; ⊙jusqu'à 5h). Ce fantastique
bar sur deux étages (billard en bas et
musique en haut) sert d'excellentes tapas
espagnoles (5-8 $). Jazz presque tous les

soirs et DJ le week-end (swamp pop et retro soul alternent un vendredi sur deux).

Tonique
BAR

(www.bartonique.com ; 820 Rampart St). Pour prendre un verre dans le Quarter (du moins à sa lisière), essayez ce bar à cocktail. Une clientèle branchée appréciant les excellentes concoctions s'y rassemble pour déguster le meilleur sazerac (cocktail typique à base de cognac ou de whisky de seigle) de la ville.

St Joe's
BAR

(5535 Magazine St). Décoration pieuse dans ce sympathique bar d'Uptown qui sert d'excellents mojitos aux myrtilles. Cour arrière agréable et ambiance chaleureuse.

R Bar
BAR

(1431 Royal St). Dans cet établissement, qui tient du bar de quartier, vous aurez une bière et un shot pour 5 $.

☆ Où sortir

Que serait La Nouvelle-Orléans sans ses concerts de musique locale ? Presque chaque week-end, on y trouve de quoi satisfaire tous les goûts : jazz, blues, orchestres, country, dixieland, zydeco, rock ou cajun. Les représentations gratuites le jour sont nombreuses. Consultez les programmations sur *Gambit* (www.bestofneworleans.com), *Offbeat* (www.offbeat.com) ou le site www.nolafunguide.com.

Three Muses
JAZZ

(www.thethreemuses.com ; 536 Frenchmen St ; ◷16h-22h mer-jeu et dim-lun, 16h-2h ven et sam). Ce nouvel établissement a tout de suite remporté un franc succès auprès des mélomanes et des gourmets grâce à de l'excellente musique et une cuisine gastronomique dans une ambiance intime. Entre deux concerts, jetez un coup d'œil aux nombreuses œuvres d'art local.

Preservation Hall
JAZZ

(www.preservationhall.com ; 726 St Peter St ; ◷20h-23h). Véritable musée du jazz traditionnel et dixieland, Preservation Hall est un lieu de pèlerinage. Mais comme toute obligation religieuse, ce n'est pas toujours simple : pas de climatisation, peu de places assises et pas de boissons (vous pouvez uniquement apporter votre bouteille d'eau).

Snug Harbor
JAZZ

(www.snugjazz.com ; 626 Frenchmen St). Dans le Faubourg Marigny, le meilleur endroit de la ville pour écouter du jazz contemporain propose une excellente musique et des représentations variées. Si vous ne pouvez

pas assister au show (15-25 $), prenez place au bar, en bas, et regardez-le sur l'écran.

Maple Leaf Bar
MUSIQUE LIVE

(☎504-866-9359 ; 8316 Oak St). Avec son plafond composé de plaques de métal à motifs et son atmosphère confinée, ce bar du quartier Riverbend est particulièrement animé tard le soir. Soirées événements à ne pas manquer : Papa Grows Funk les lundis et Rebirth Brass Band les mardis.

Tipitina's
MUSIQUE LIVE

(www.tipitinas.com ; 501 Napoleon Ave). Toujours très vivant, ce club légendaire d'Uptown est un temple de la musique : on y joue du jazz local, du blues, de la soul et du funk, et des groupes en tournée s'y arrêtent.

Vaughan's
MUSIQUE LIVE

(800 Lesseps St). Excellent bar de quartier de Bywater qui accueille Kermit Ruffins, formidable trompettiste local, les jeudis soir.

🛍 Achats

Faulkner House Books
LIBRAIRIE

(www.faulknerhousebooks.net ; 624 Pirate's Alley ; ◷10h-17h30). L'érudit propriétaire de l'ancienne résidence de l'écrivain William Faulkner vend de rares premières éditions et des nouveautés.

Maple Street Book Shop
LIBRAIRIE

(www.maplestreetbookshop.com ; 7523 Maple St ; ◷9h-19h lun-sam, 11h-17h dim). Grande librairie indépendante dans Uptown qui possède une boutique de livres d'occasion à côté.

ℹ Renseignements
Accès Internet

Les quartiers CBD, French Quarter, Garden District, Lower Garden District et Uptown ont une assez bonne couverture Wi-Fi. Presque tous les *coffee shops* de la ville disposent du Wi-Fi. Les bibliothèques proposent un accès Internet gratuit aux détenteurs de cartes.

Zotz (8210 Oak St ; 4 $/30 min ; ◷7h-1h ; 🛜) est un sympathique *coffee shop* dans le quartier Riverbend, fréquenté par les étudiants de Tulane. Le café y est bio et équitable.

Désagréments et dangers

Le taux de criminalité avec violence est élevé à La Nouvelle-Orléans et l'ambiance est très variable d'un quartier à l'autre. Soyez prudent si vous vous aventurez trop au nord du Faubourg Marigny et du quartier Bywater (St Claude Ave constitue une bonne limite à ne pas dépasser), au sud de Magazine St (les rues sont peu sûres après Laurel St) et trop au nord de Rampart St (Lakeside) en allant dans Tremé depuis le French Quarter sans but précis. Restez dans les endroits fréquentés, en particulier la nuit, et déplacez-vous en taxi plutôt qu'à pied. Dans le French Quarter, les touristes sont souvent approchés par des escrocs, continuez simplement votre route. Cela dit, ne soyez pas effrayé, comme presque partout en Amérique, les crimes ont lieu entre des personnes qui se connaissent déjà.

Internet et médias

Gambit Weekly (www.bestofneworleans.com). Hebdomadaire gratuit traitant de musique, culture, politique, avec petites annonces.

NOLA Fun Guide (www.nolafunguide. com). Superbe site Web rassemblant les renseignements sur les concerts, les vernissages, etc.

Offbeat Magazine (www.offbeat.com). Mensuel gratuit spécialisé dans la musique.

Times-Picayune (www.nola.com). Quotidien néo-orléanais comprenant le calendrier des événements, et "Lagniappe", un guide plus complet, est inclus le vendredi.

WWOZ 90.7 FM (www.wwoz.org). Musique louisianaise, entre autres.

Offices du tourisme

Le site officiel du tourisme de la ville est www. neworleansonline.com.

Le **Jean Lafitte National Historic Park and Preserve Visitor Center** (☎504-589-2636 ; www.nps.gov/jela ; 419 Decatur St ; ☺9h-17h), géré par le NPS, propose des expositions sur l'histoire locale, des visites guidées et de la musique live tous les jours. Il n'y a pas grand-chose dans le bureau du parc en lui-même, mais des programmes d'éducation musicale ont lieu presque tous les jours en semaine. De nombreux rangers sont musiciens et conférenciers, et leurs présentations portent sur les développements musicaux, les changements culturels, les styles régionaux, les mythes, les légendes et les techniques musicales en rapport avec le sujet principal : le jazz.

Basin St Visitor's Center (☎504-293-2600 ; www.neworleanscvb.com ; 501 Bason St ; ☺9h-17h). Ce bureau interactif, affilié au New Orleans CVB, est situé dans l'ancien bâtiment de l'administration du transport de la société Southern Railway. Il propose de nombreux renseignements et plans pratiques ainsi qu'un film historique et un petit musée du chemin de fer. À côté du St Louis Cemetery No 1.

Louisiana Visitor's Center (☎504-566-5661 ; www.louisianatravel.com ; 529 St Ann St ; ☺8h30-17h). De nombreuses informations et cartes gratuites de la ville et de l'État.

Poste

Poste Lafayette Sq (610 S Maestri Pl ; ☺8h30-16h30 lun-ven) ; poste principale (701 Loyola Ave ; ☺7h-19h lun-ven, 8h-16h sam). Le courrier adressé à General Delivery, New Orleans, LA 70112, arrive à la poste principale. Depuis Katrina, les boîtes aux lettres des endroits excentrés ne sont plus forcément fiables.

Urgences et services médicaux

Le **Medical Center of Louisiana** (www.mclno. org ; 2021 Perdido St ; ☺24h/24) dispose d'un service d'urgences.

ⓘ Depuis/vers La Nouvelle-Orléans

Le **Louis Armstrong New Orleans International Airport** (MSY ; www.flymsy.com ; 900 Airline Hwy), à 17,7 km à l'ouest de la ville, accueille principalement des vols nationaux.

L'**Union Passenger Terminal** (☎504-299-1880 ; 1001 Loyola Ave) abrite la compagnie **Greyhound** (☎504-525-6075 ; ☺5h15-13h et 14h30-18h) qui propose des bus réguliers pour Baton Rouge (18-23 $, 2 heures), Memphis, TN (63-79 $, 11 heures) et Atlanta, GA (84-106 $, 12 heures). Les trains **Amtrak** (☎504-528-1610 ; ☺billetterie 5h45-22h) partent également de l'Union Passenger Terminal, en direction de Jackson, MS ; Memphis, TN ; Chicago, IL. Birmingham, AL ; Atlanta, GA ; Washington, DC ; New York et Los Angeles, CA .

ⓘ Comment circuler
Depuis/vers l'aéroport

Vous trouverez un bureau de renseignements dans les halls A et B de l'aéroport. La **navette de l'aéroport** (☎866-596-2699 ; www. airportshuttleneworleans.com ; aller 20 $/ pers) conduit aux hôtels du centre-ville. Le bus **Jefferson Transit** (☎504-364-3450 ; www. jeffersontransit.org ; adulte 2 $) de la ligne E2 démarre devant l'entrée n°7 du niveau supérieur de l'aéroport ; il s'arrête le long d'Airline Hwy (Hwy 61) en direction de la ville (terminus au carrefour de Tulane et Loyola Ave). Après

---

ⓘ SE GARER AUJOURD'HUI

La Nouvelle-Orléans a perdu de nombreuses lignes de bus après Katrina, en particulier dans le French Quarter, où les bus ne passent plus. Les habitants au courant se garent souvent sur les voies de bus désormais inutilisées, malgré la signalisation l'interdisant. C'est risqué si un agent chargé du contrôle du stationnement est de mauvaise humeur mais les habitants assurent que ça n'arrive presque jamais.

19h, le terminus est au carrefour de Tulane et Carrollton Ave dans Mid-City ; il faut traverser un quartier morne sur 8 km pour rejoindre le CBD, d'où vous devrez prendre un bus de la Regional Transit Authority (RTA), un transfert peu pratique, surtout avec des bagages.

Un taxi pour le centre-ville coûte 33 $ pour une ou deux personnes, comptez 14 $ de plus pour chaque passager supplémentaire.

Transports urbains

La **Regional Transit Authority** (RTA ; www. norta.com) gère le service de bus local. Le billet de bus ou de tramway coûte 1,25 $, comptez 25 ¢ en plus pour une correspondance ; un bus rapide revient à 1,50 $. Il faut avoir l'appoint. La RTA propose des pass de 1/3 jours pour 5/12 $.

La RTA gère aussi les lignes de **tramway** (*streetcar*). La ligne historique St Charles n'effectue qu'une courte boucle dans le CBD suite aux dommages causés par l'ouragan sur les rails d'Uptown. La ligne Canal remonte Canal St jusqu'au City Park, grâce à un embranchement passant par Carrollton Ave. Longeant la digue sur 3,2 km, la ligne Riverfront relie l'Old US Mint au palais des Congrès, en croisant Canal St.

Pour un taxi, contactez **United Cabs** (☎504-522-9771 ; www.unitedcabs.com) ou **White Fleet Cabs** (☎504-822-3800).

Bicycle Michael's (☎504-945-9505 ; www. bicyclemichaels.com ; 622 Frenchmen St ; location 35 $/j ; ☺10h-19h lun, mar et jeu-sam, 10h-17h dim) loue des vélos dans le Faubourg Marigny.

Voiture et moto

La voiture est un bon moyen pour explorer la ville au-delà du French Quarter ; mais attention, se garer dans le Quarter est compliqué. Dans un parking, vous paierez environ 13 $ les trois premières heures et 30 à 35 $ pour 24 heures.

Environs de La Nouvelle-Orléans

Sitôt sortis de la pittoresque et authentique Nouvelle-Orléans, le voyageur atterrit dans un monde de marécages, de bayous, de demeures *antebellum* sur les plantations et de bourgades paisibles. Une incursion dans ces endroits moins connus vous fera vivre une aventure hors du commun.

RIVE NORD

La rive nord du **Lake Ponchartrain** est composée de zones-dortoirs, mais au nord de Mandeville vous trouverez le village bucolique d'**Abita Springs**, qui fut populaire à la fin du XIXᵉ pour ses eaux

curatives. Aujourd'hui, l'eau de source continue de couler d'une fontaine au centre du village, mais le liquide qui intéresse le plus ici se trouve à l'**Abita Brew Pub** (www.abitabrewpub.com ; 7201 Holly St ; visites gratuites ; ☺11h-21h mar-ven, 11h-22h sam). L'établissement propose un choix de 10 bières Abita à la pression, produites à moins de 2 km à l'ouest de la ville, à l'**Abita Brewery** (www.abita.com ; 166 Barbee Rd ; visites gratuites ; ☺visites 14h mer-ven, 11h, 12h, 13h et 14h sam).

Sur la Hwy 1082, vous découvrirez les meilleurs vins de Louisiane aux **Ponchartrain Vineyards** (www.pontchartrainvineyards. com ; 81250 Old Military Rd ; ☺salle de dégustation 12h-17h mer-dim). C'est une agréable surprise qui change des vins doux sirupeux habituellement produits dans le Sud. Au sud, le centre-ville de **Covington** et ses antiquaires valent le détour.

Un sentier de 50 km, le **Tammany Trace trail** (www.tammanytrace.org), relie les villes de la rive nord depuis Covington jusqu'à Slidell, en passant par Abita Springs, le **Fontainebleau State Park**, au bord du lac près de Mandeville. Cet ancien chemin de fer constitue une agréable balade à vélo qui vous emmène au centre de chaque ville. À Mandeville, vous pouvez louer des vélos à l'**Old Mandeville Café and Kickstand Bike Rental** (www.kickstand.bz ; 690 Lafitte St ; ☺8h-16h lun-sam, 10h-16h dim).

BARATARIA PRESERVE

Cette section du **Jean Lafitte National Historical Park & Preserve**, au sud de La Nouvelle-Orléans, près de la ville de Marrero, fournit l'accès le plus simple aux denses zones marécageuses qui entourent La Nouvelle-Orléans. Un réseau de passerelles de 13 km permet de progresser dans le marécage fécond où l'on peut observer des alligators et d'autres spécimens fascinants de la faune et de la flore. Alligators, ragondins, grenouilles arboricoles et des centaines d'espèces d'oiseaux vivent dans la réserve. Une visite guidée conduite par un ranger peut s'avérer intéressante pour en savoir plus sur les écosystèmes qui peuplent ce que l'on nomme communément les "zones humides".

Démarrez au **NPS Visitor Center** (☎504-589-2330 ; www.nps.gov/jela ; Hwy 3134 ; entrée libre ; ☺9h-17h ; ♿), 1,6 km à l'ouest de Hwy 45 en prenant la sortie Barataria Blvd, où vous pouvez prendre une carte ou vous joindre à une visite guidée à pied ou en canoë (la plupart des samedis matin et les soirs de pleine lune ; réservez par téléphone). Le

AU FIL DES MARAIS

On ne connaît vraiment la Louisiane que lorsque l'on a parcouru ses cours d'eau. Pour cela, le plus simple est de suivre un "swamp tour" (visite des marais). Organisez-le depuis La Nouvelle-Orléans ou directement sur place en contactant une agence près d'un bayou.

Annie Miller's Son's Swamp & Marsh Tours CIRCUIT

(☎985-868-4758 ; www.annie-miller.com ; 3718 Southdown Mandalay Rd, Houma ; adulte/enfant 15/10 $; 🖫). Le fils d'Annie Miller, guide légendaire des marais, a suivi les traces de sa mère.

Westwego Swamp Adventures CIRCUIT

(☎504-581-4501 ; www. westwegoswampadventures.com ; 501 Laroussini St, Westwego ; adulte/ enfant transport compris 49/24 $; 🖫). C'est l'un des prestataires les plus proches de La Nouvelle-Orléans. On peut venir vous chercher dans le French Quarter.

centre propose des renseignements et un documentaire de 25 minutes sur les habitats des marécages. **Bayou Barn** (☎504-689-2663 ; www.bayoubarn.net ; canoës 20 $/pers, kayak 1 place 25 $/j ; ⊙10h-18h jeu-dim) sur le Bayou de Familles, devant l'entrée du parc, loue des canoës et des kayaks pour des circuits guidés ou des sorties en individuel.

RIVER ROAD

Entre La Nouvelle-Orléans et Baton Rouge, les rives est et ouest du Mississippi sont parsemées de magnifiques demeures. D'abord l'indigo, puis le coton et la canne à sucre, firent la richesse de ces plantations dont beaucoup sont ouvertes au public. La plupart des visites se concentrent sur la vie des propriétaires, l'architecture restaurée et les jardins décorés de la Louisiane d'avant-guerre, ignorant l'histoire des esclaves qui constituaient la majorité de la population dans les plantations. L'endroit se découvre aisément en voiture ou en circuit organisé.

Laura Plantation (www.lauraplantation. com ; 2247 Hwy 18 ; adulte/enfant 18/5 $; ⊙10h-16h), à Vacherie, sur la rive ouest, offre la visite la plus complète et dynamique.

Cette visite, populaire et en constante évolution, distingue les styles de vie créole, anglo-américain et afro-américain avant la guerre de Sécession grâce à des recherches méticuleuses et aux récits des femmes créoles qui ont tenu les lieux pendant des générations.

À **Oak Alley Plantation** (www.oakalley-plantation.com ; 3645 Hwy 18 ; adulte/enfant 18/4,50 $; ⊙9h-16h40), également à Vacherie, 28 chênes majestueux bordent l'allée jusqu'à la magnifique demeure néoclassique. L'endroit est encore plus agréable en sirotant un *mint julep* (6 $) bien frais. La visite est assez banale, mais il y a sur place des cottages (130-170 $) et un restaurant.

Agrémentez votre visite dans les plantations d'un passage au **River Road African American Museum** (www.africanamericanmuseum.org ; 406 Charles St ; 4 $; ⊙10h-17h mer-sam, 13h-17h dim), 40 km plus loin, à Donaldsonville. Cet excellent musée préserve l'importante histoire des Noirs dans les communautés rurales le long du Mississippi.

BATON ROUGE

En 1699, les explorateurs français nommèrent cette région *"Baton Rouge"* après avoir vu un poteau rouge que les Amérindiens, Bayagoula et Houma, avait planté pour délimiter leur territoire de chasse respectif. Ville industrielle, dotée d'un port actif, et capitale de l'État, Baton Rouge, désormais plus importante que par le passé, accueille des Néo-Orléanais qui s'y sont réfugiés après Katrina. Les principales attractions de la ville sont la Louisiana State University (LSU) et la Southern University (la plus grande des universités historiquement afro-américaines du pays, ou HBCU, pour Historically Black Colleges and Universities).

👁 À voir et à faire

GRATUIT **Louisiana State Capitol** ÉDIFICE HISTORIQUE

(⊙9h-16h mar-sam). Dominant la ville, ce gratte-ciel de style Art déco abrite le capitole de la Louisiane. Construit pendant la Grande Dépression pour un montant de 5 millions de dollars, c'est l'héritage le plus visible du gouverneur populiste Huey Long, surnommé "Kingfish". La **passerelle d'observation** au 27e étage offre une vue imprenable et le hall est tout aussi impressionnant. Visites gratuites toutes les heures.

Louisiana Arts & Science Museum MUSÉE (www.lasm.org ; 100 S River Rd ; adulte/enfant 7/6 $, planétarium inclus 9/8 $; ⊙10h-15h mar-ven, 10h-17h sam, 13h-16h dim ; 🖫). Un intéressant musée rassemblant arts, sciences et spectacles dans le planétarium. Si vous souhaitez simplement vous dégourdir les jambes, une agréable **piste cyclable** longe le Mississippi sur 4 km, du centre-ville à la LSU.

GRATUIT **Old State Capitol** ÉDIFICE HISTORIQUE
(www.crt.state.la.us/tourism/capitol ; 100 North Blvd ; ☉9h-16h mar-sam). De style néogothique, ce bâtiment aux allures de château féerique fut le siège du gouvernement de l'État jusqu'en 1929. Il abrite des expositions portant sur l'histoire politique mouvementée de la Louisiane.

LSU Museum of Art MUSÉE
(www.lsumoa.com ; 100 Lafayette St ; adulte/enfant 5 $/gratuit ; ☉10h-17h mar-sam, 10h-20h jeu, 13h-17h dim). De l'autre côté de la rue, ce musée expose des œuvres louisianaises anciennes et contemporaines.

Dixie Landin
& Blue Bayou PARC D'ATTRACTIONS, PARC AQUATIQUE
(www.bluebayou.com ; adulte/enfant 35/28 $; ♿). Situés à l'est de la ville, sur l'I-10 et Highland Rd, ces 2 parcs font la joie des enfants. Consultez les horaires sur le site.

🛏 **Où se loger et se restaurer**

Stockade Bed & Breakfast B&B $$$
(☎225-769-7358 ; www.thestockade.com ; 8860 Highland Rd ; ch petit-déj inclus 135-215 $; P✳🛜). Des chaînes hôtelières bordent l'I-10, mais pour une ambiance plus intime, ce merveilleux B&B offre 5 charmantes chambres, spacieuses et confortables à seulement 5,6 km au sud-est de la LSU et à quelques pas de très bons restaurants. Réservez bien à l'avance pour les week-ends, en particulier lors de la saison de football.

Schlittz & Giggles BAR, PIZZERIA $$
(www.schlittz.com ; 301 3rd St ; pizzas 10-22 $; ☉11h-24h lun-jeu, 11h-3h ven-dim ; 🕿). Ce bar-pizzeria qui ferme tard sert des parts de pizza à pâte très fine (3-3,50 $) et de fabuleux paninis à une clientèle étudiante, pendant que quelques anciens du quartier restent au bar.

Buzz Café CAFÉ $
(www.thebuzzcafe.org ; 340 Florida St ; plat 7-9 $; ☉7h30-14h lun-ven ; 🕿). Installé dans un édifice historique, ce sympathique *coffee shop* sert d'excellents cafés et un ensemble de wraps et de sandwichs originaux.

☆ **Où sortir**

Varsity Theatre MUSIQUE LIVE
(www.varsitytheatre.com ; 3353 Highland Rd ; ☉20h-2h). Aux portes de l'université LSU. On y joue souvent de la musique live les

soirs de semaine. Fréquenté par une clientèle étudiante et bruyante, le restaurant attenant propose un large choix de bières.

Boudreaux and Thibodeaux MUSIQUE LIVE
(www.bandtlive.com ; 214 3rd St). Situé en centre-ville, l'établissement dispose d'un bar à l'étage, doté d'un balcon. Allez-y pour la musique live du jeudi au samedi.

🛈 **Renseignements**

Capital Park Visitor Center (☎225-219-1200 ; www.louisianatravel.com ; 702 River Rd N ; ☉8h-16h30). Près du centre des visiteurs, très complet.

Centre des visiteurs (☎800-527-6843 ; www.visitbatonrouge.com ; 358 3rd St ; ☉8h-17h). Cartes, brochures des attractions locales et programmation des festivals sont disponibles dans ce bureau du centre-ville.

🛈 **Depuis/vers Baton Rouge**

Baton Rouge se situe à près de 130 km à l'ouest de La Nouvelle-Orléans sur l'I-10. Le **Baton Rouge Metropolitan Airport** (BTR ; www.flybtr.com) se trouve au nord de la ville, à l'écart de l'I-110. Des bus **Greyhound** (☎225-383-3811 ; 1253 Florida Blvd, à hauteur de N 12th St) desservent régulièrement La Nouvelle-Orléans, Lafayette et Atlanta, GA. Le **Capitol Area Transit System** (CATS ; www.brcats.com) gère les bus de la ville.

ST FRANCISVILLE
Au nord de Baton Rouge, la luxuriante ville de St Francisville et ses plantations alentour ont toujours constitué une agréable retraite, loin de la chaleur du Delta. Pendant la

À NE PAS MANQUER

LE PARFAIT PO'BOY

Le meilleur sandwich *po'boy* louisianais ne se trouve pas à La Nouvelle-Orléans, mais sous un pont de l'I-10 à Baton Rouge. **Georges** (www.georgesbr.com ; 2943 Perkins Rd ; plat 5-12 $; ☉11h-22h30 dim-jeu, 11h-23h ven-sam) est un bar au plafond couvert de billets, où le menu est inscrit à la craie sur un tableau. L'établissement propose, entre autres, 13 *po'boys*, du plus exotique, au porc grillé et épicé, au plus classique, aux crevettes : un pur délice frit, croustillant et parfaitement assaisonné dans de la baguette. Si vous n'arrivez pas à choisir entre ça et le tout aussi savoureux cheeseburger, choisissez le "po'boy cheeseburger".

décennie précédant la guerre de Sécession, la région accueillait de riches planteurs, et une bonne partie de l'architecture est encore intacte. Ses paisibles rues bordées d'arbres et les nombreuses églises et demeures historiques, ainsi que les galeries et antiquaires, méritent le détour.

👁 À voir et à faire

En ville, en parcourant l'historique **Royal St**, vous aurez un aperçu des demeures construites avant la guerre de Sécession. Au centre des visiteurs, vous trouverez des brochures pour des circuits autoguidés.

Myrtles Plantation ÉDIFICE HISTORIQUE

(☎225-635-6277, 800-809-0565 ; www.myrtles-plantation.com ; 7747 US Hwy 61 N ; ⊙9h-16h30, visites 18h, 19h et 20h ven-sam). Cet intéressant B&B serait hanté, et des visites nocturnes et mystérieuses y sont organisées le week-end (sur réservation). On peut même y passer la nuit (chambres à partir de 115 $).

🛏 Où se loger et se restaurer

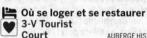

3-V Tourist Court AUBERGE HISTORIQUE **$$**

(☎225-721-7003 ; 5689 Commerce St ; chalet 1 lit/2 lits 80/130 $; P❄🖥). C'est l'un des plus anciens motels des États-Unis (ouvert en 1930, il figure au registre national des monuments historiques). Ses 5 chalets ramènent le voyageur à l'essentiel. Dans les chambres, décorations et installations sont d'époque, sauf la literie, le parquet et les écrans plats qui proviennent d'une récente rénovation.

Shadetree Inn Bed and Breakfast B&B **$$**

(☎225-635-6116 ; www.shadetreeinn.com ; angle Royal St et Ferdinand St ; ch à partir de 175 $; P❄🖥). Niché entre le quartier historique et une réserve ornithologique, ce B&B très chaleureux dispose d'une charmante cour fleurie et de vastes chambres rustiques et chics. Le somptueux petit-déjeuner continental peut être servi dans votre chambre, il est inclus avec une bouteille de vin ou de champagne.

Magnolia Café CAFÉ **$$**

(www.themagnoliacafe.com ; 5687 Commerce St ; plat 7-12 $; ⊙10h-16h dim-mer, 10h-21h jeu-sam). Autrefois magasin bio et atelier de réparation de bus, le Magnolia Café est désormais le lieu de ralliement des habitants. On s'y rend pour manger, croiser du monde et danser au son de la musique live le vendredi soir. Essayez le *po'boy* crevettes et fromage.

Birdman Coffee and Books CAFÉ **$**

(Commerce St ; plat 5-6,50 $; ⊙7h-17h lun-ven, 8h-17h sam-dim ; 🖥). Face au Magnolia Café, l'endroit est idéal pour savourer un petit-déjeuner local (traditionnels gruau de maïs, pancakes aux patates douces, etc.) et admirer des œuvres d'art local.

❶ Renseignements

Le **Tourist information** (☎225-635-4224 ; www.stfrancisville.us ; 11757 Ferdinand St) renseigne sur les nombreuses plantations de la région ouvertes au public, dont beaucoup disposent d'un B&B.

Pays cajun

Bienvenue en Pays cajun. L'une des régions les plus exceptionnelles des États-Unis, l'Acadiana, ou Acadiane, tient son nom des Français qui furent chassés d'Acadie (l'actuelle Nouvelle-Écosse, au Canada) par les Anglais en 1755. Ceux-ci vécurent aux côtés des Amérindiens et des créoles et "Acadien" devint "Cajun". Leur terrible périple jusqu'en Louisiane et la lutte pour survivre dans ses marécages sont autant de fiertés culturelles pour les Cajuns d'aujourd'hui, et expliquent leur caractère à la fois résolu et paisible.

Les Cajuns forment la minorité francophone la plus importante aux États-Unis, le français passe à la radio et se dénote dans leurs intonations. Lafayette est le cœur de l'Acadiana, mais c'est en vous aventurant dans les cours d'eau, les villages et les bars de bord de route que vous plongerez dans la culture cajun. Il est difficile de mal manger ici : jambalaya (plat de riz avec tomates, saucisses et crevettes) et *crawfish étouffée* (épais ragoût cajun) sont mitonnés avec fierté (et du poivre de cayenne !). Quand ils ne pêchent pas, les Cajuns sont sûrement en train de danser. Et vous serez certainement de la partie.

LAFAYETTE

Si au premier abord Lafayette ressemble à n'importe quelle autre ville des États-Unis, vous serez agréablement surpris en découvrant son centre-ville, en particulier si vous aimez danser. Sa scène musicale vivante est étrangement méconnue. Dans cette ville universitaire, des groupes de musiciens jouent presque tous les soirs et l'on côtoie aisément des gens plein d'entrain, décontractés et authentiques, qui sont là pour danser ou profiter du spectacle. Le petit centre historique compte certains des meilleurs bars et restaurants de Louisiane, et la culture du vélo y est très développée.

⊙ À voir et à faire

Acadiana Center for the Arts GALERIE
(☎337-233-7060 ; www.acadianacenterfor-thearts.org ; 101 W Vermilion St ; tarif plein/enfant/étudiant 5/2/3 $; ⊙10h-17h mar-ven, 10h-18h sam). Au cœur du centre-ville, ce centre artistique gère trois galeries chics et accueille événements, conférences et représentations.

University Art Museum MUSÉE
(museum.louisiana.edu ; 710 E St Mary Blvd ; adulte/jeune 5/3 $; ⊙9h-17h mar-jeu, 9h-12h ven, 10h-17h sam). Au sud du Girard Park, cet élégant musée accueille des expositions à la visée souvent éducative.

Vermilionville BÂTIMENTS HISTORIQUES
(www.vermilionville.org ; 300 Fisher Rd ; tarif plein/étudiant 8/5 $; ⊙10h-16h mar-dim ; 🚻). Un paisible village cajun du XIXe siècle a été reconstitué le long du bayou près de l'aéroport. De chaleureux guides costumés racontent l'histoire des cajuns, créoles et Amérindiens ; des groupes de musique locaux jouent le dimanche. On peut effectuer un **circuit en bateau** (☎337-233-4077 ; tarif plein/étudiant 12/8 $; ⊙10h30 mar-sam mars-mai et sept-nov) sur le Bayou Vermilion.

GRATUIT Acadian Cultural Center MUSÉE
(www.nps.gov/jela ; 501 Fisher Rd ; ⊙8h-17h). Le meilleur musée du NPS en Pays cajun, juste à côté de Vermilionville.

✲ Festival
Lors du **Festival International de Louisiane** (www.festivalinternational.com), des centaines d'artistes locaux et internationaux jouent pendant 5 jours en avril. C'est le plus grand festival musical gratuit de ce genre aux États-Unis.

🍴 Où se loger et se restaurer
Les chaînes hôtelières sont regroupées près des sorties 101 et 103, à l'écart de l'I-10 (chambre double à partir de 65 $). Près du centre, Jefferson St compte plusieurs bars et restaurants, du japonais au mexicain.

♥ Blue Moon Guest House PENSION $
(☎337-234-2422, 877-766-2583 ; www.bluemoonpresents.com ; 215 E Convent St ; dort 18 $, ch 73-94 $; P ❄ @ 🌐). Cette jolie maison abrite une petite merveille : une auberge de jeunesse haut de gamme, à quelques pas du centre-ville. Réservez un lit et vous assisterez à des concerts donnés dans l'un des lieux les plus populaires de Lafayette,

le jardin. Les sympathiques propriétaires, la cuisine aménagée et l'esprit de camaraderie qui règne entre les clients créent une ambiance exceptionnelle où la musique se mêle à l'esprit cosmopolite. Les prix flambent en période de festival.

Buchanan Lofts APPARTEMENTS DE CHARME $$
(☎337-534-4922 ; www.buchananlofts.com ; 403 S Buchanan ; ch par nuit/semaine à partir de 100/600 $; P ❄ @ 🌐). On se croirait presque à New York si ce n'était pas si grand. Très vastes, les appartements bénéficient d'une décoration contemporaine composée de pièces glanées par les sympathiques propriétaires lors de leurs voyages. Kitchenette, parquet au sol et murs en brique apparente. Quelques objets comme des *steel drums* égayent ce style industriel.

♥ Johnson's Boucanière CAJUN $
(1111 St John St ; plat 5-8 $; ⊙10h-17h jeu-ven, 7h-15h sam). Cette entreprise familiale vieille de 70 ans renaît et devient l'endroit idéal pour savourer le *boudin* (façon cajun : composé de porc et de riz) et un irrésistible sandwich de poitrine de porc fumée, surmonté d'une saucisse fumée. On sent le fumet de loin et on ne peut rater la maison aux parois couvertes d'aluminium entourée d'une véranda.

French Press PETIT-DÉJEUNER $$
(www.thefrenchpresslafayette.com ; 214 E Vermillion ; petit-déj 6-10,50 $; ⊙7h-14h mar-jeu, 7h-14h et 17h30-21h ven, 9h-14h et 17h30-21h sam, 9h-14h dim ; 🌐). Cuisine française et cajun. Idéal pour le petit-déjeuner : remarquable sandwich bacon, œuf et fromage, gruau de maïs au cheddar, muesli bio, cake au crabe et aux haricots noirs et œufs Bénédicte sont servis dans un cadre moderne avec un excellent café.

Pamplona Tapas Bar TAPAS $$
(www.pamplonatapas.com ; 631 Jefferson St ; tapas à partir de 4 $; ⊙11h-14h et 17h-20h mar-jeu, jusqu'à 23h ven, 17h-23h sam ; 🌐). Un peu plus chic, ce bar propose d'excellentes tapas (dattes enveloppées de bacon sur un lit de fromage, champignons farcis au chorizo) et une superbe carte de vins espagnols (verre 6-11 $).

Old Tyme Grocery CAJUN $
(218 W St Mary St ; po'boys 6-10 $; ⊙9h-22h lun-ven, 9h-19h sam). Célèbres *po'boys*.

☆ Où sortir
Pour connaître la programmation en ville, consultez les hebdomadaires gratuits *Times* (www.thetimesofacadiana.com) ou *Independent* (www.theind.com).

Blue Moon Saloon
MUSIQUE LIVE

(www.bluemoonpresents.com ; 215 E Convent St ; droit d'entrée 5-8 $). La petite véranda à l'arrière de la pension représente bien la Louisiane : de la bonne musique, des gens agréables et une bonne bière. Tout est parfait.

La spécialité de Lafayette, ce sont les grandes salles qui offrent tout en un : divertissement, danse et cuisine locale. Certains lieux avec piste de danse et musique cajun se démarquent :

Mulate's
DANSE

(325 Mills Ave, Breaux Bridge). Sur la route de Breaux Bridge.

Randol's
DANSE

(www.randols.com ; 2320 Kaliste Saloom Rd, Lafayette ; ⊙17h-22h dim-jeu, 17h-23h ven-sam). Situé au sud de la ville.

Prejean's
DANSE

(www.prejeans.com ; 3480 NE Evangeline Thruway/I-49, au nord de Lafayette). À 3 km au nord de la ville.

ⓘ Renseignements

Visitor Center (☏337-232-3737, 800-346-1958 ; www.lafayettetravel.com ; 1400 NW Evangeline Thruway ; ⊙8h30-17h lun-ven, 9h-17h sam-dim). Informations touristiques.

ⓘ Depuis/vers Lafayette

Depuis l'I-10, sortie 103A, l'Evangeline Thruway (Hwy 167) conduit au centre de la ville. Au départ d'un arrêt près du quartier commercial central, les bus Greyhound (☏337-235-1541 ; 315 Lee Ave) desservent quotidiennement La Nouvelle-Orléans (3 heures 30) et Baton Rouge (1 heure). La ligne *Sunset Limited* d'**Amtrak** (133 E Grant St) dessert La Nouvelle-Orléans trois fois par semaine.

MARAIS CAJUNS

En 1755, le Grand Dérangement, l'expulsion des colons français de l'Acadie par les Anglais, créa une population errante d'Acadiens à la recherche pendant plusieurs décennies d'un endroit où s'installer. En 1785, sept bateaux d'exilés arrivèrent à La Nouvelle-Orléans. Au début du XIXe siècle, entre 3 000 et 4 000 Acadiens occupaient les marais (*wetlands*) au sud-ouest de La Nouvelle-Orléans. Les tribus amérindiennes telles que les Attakapa les aidèrent à survivre en leur enseignant à pêcher et à poser des pièges, et ce cadre de vie aquatique est depuis resté le leur.

À l'est au sud de Lafayette, l'**Atchafalaya Basin** est un endroit extraordinaire au cœur des marais cajuns. Arrêtez-vous à l'**Atchafalaya Welcome Center** (☏337-228-1094 ; Butte La Rose ; ⊙8h30-17h), à la sortie 121 sur l'I-10, pour savoir comment pénétrer dans l'épaisse jungle qui protège les marais, les lacs et les bayous de l'occasionnel visiteur. On vous y renseignera sur les possibilités de camping dans l'**Indian Bayou**, sur la découverte de la **Sherburne Wildlife Management Area** et du cadre enchanteur du **Lake Fausse Pointe State Park**.

À 18 km à l'est de Lafayette, dans la paisible ville de **Breaux Bridge**, foyer de l'écrevisse, se trouve le charmant **Café des Amis** (www.cafedesamis.com ; 140 E Bridge St ; plat 14-24 $; ⊙11h-14h mar, 11h-21h mer-jeu, 7h30-21h30 ven-sam, 8h-14h dim), où l'on sert de somptueux petits-déjeuners au milieu d'œuvres d'art local, parfois au son de la musique zydeco. Vous trouverez du bon café, une bonne ambiance et le Wi-Fi au **Fly's Coffee House** (109 N Main St ; ⊙7h-18h dim-jeu, 7h-19h ven-sam ; 🖥).

L'accueillant **Tourist Center** (☏337-332-8500 ; www.breauxbridgelive.com ; 318 E Bridge St ; ⊙8h-16h lun-ven, 8h-12h sam) vous orientera vers l'un des nombreux B&B de la ville, comme la jolie **Maison des Amis** (☏337-507-3399 ; www.maisondesamis.com ; 111 Washington St ; ch 100-125 $; [P][❄][🖥]) dans le Bayou Teche. Si vous visitez la ville durant la première semaine de mai, ne manquez pas le **Crawfish Festival** (Festival de l'écrevisse ; www.bbcrawfest.com) qui mêle musique, danse et gastronomie cajuns.

La petite ville de **St Martinville** (www.stmartinville.org), située à 24 km au sud-est de Lafayette, ne manque pas de sites d'intérêt. À un pâté de maisons du bayou, dans le centre-ville, l'**African American Museum & Acadian Memorial** (www.acadianmemorial.org ; adulte/enfant 3 $/gratuit ; ⊙10h-16h) permet de comprendre les diasporas cajun et afro-américaine.

À 1,6 km du centre, le **Longfellow-Evangeline State Historic Site** (www.lastateparks.com ; 1200 N Main St ; adulte/enfant 4 $/gratuit ; ⊙9h-17h) explique les nuances de l'histoire des créoles et des Acadiens, et l'on peut visiter un cottage créole et la réplique d'une ferme acadienne.

PRAIRIE CAJUN

Sur les terres les plus sèches de la région, au nord de Lafayette, où les colons cajuns et afro-américains développèrent une culture basée sur l'élevage et l'agriculture, le chapeau de cow-boy est toujours de rigueur. C'est aussi le foyer des musiques cajun et

L'ÎLE AUX ÉPICES

Au sud-ouest de New Iberia, la Hwy 329 traverse les champs de canne à sucre et conduit à la jolie **Avery Island** (1 \$/voiture) qui abrite la fabrique **McIlhenny Tabasco** (☏337-365-8173 ; visite gratuite ; ◷9h-16h) et sa superbe **réserve naturelle** (adulte/enfant 8/5 \$; ◷9h-17h30). Les ravissants sentiers de l'île recouvrent en réalité un dôme de sel enfoui à près de 13 km sous terre. Une légère odeur de Tabasco règne dans l'air, et alligators et aigrettes se prélassent au soleil – pensez à apporter votre déjeuner et un anti-moustiques.

La boutique de la fabrique propose des dégustations de plats assaisonnés de Tabasco, des glaces épicées et des sodas au piment *jalapeño*.

zydeco (et donc de l'accordéon) ainsi que de l'élevage d'écrevisse.

Au bord de la Hwy 49, le centre historique de la paisible **Opelousas** abrite le **Museum & Interpretive Center** (315 N Main St ; entrée libre ; ◷9h-17h lun-sam) ; ne manquez pas sa collection de poupées.

Les meilleurs bars d'Acadania, **Slim's Y-Ki-Ki** (www.slimsykiki.com ; Hwy 182 N), à quelques kilomètres au nord sur Main St, en face du magasin Piggly Wiggly, et le **Zydeco Hall of Fame** (11154 Hwy 190), situé à 6,4 km à l'ouest, à Lawtell, sont animés tous les week-ends. Préparez-vous à danser !

En août, le **Southwest Louisiana Zydeco Festival** (www.zydeco.org), festival populaire et familial, se déroule à **Plaisance**, au nord-ouest d'Opelousas.

À **Eunice** (www.eunice-la.com), tous les samedis soir, le **Liberty Theater** (200 Park Ave ; entrée 5 \$), accueille le "Rendez-Vous des Cajuns", qui est retransmis à la radio locale. Les visiteurs peuvent se rendre toute la journée dans les locaux de **KBON** (www.kbon.com ; 109 S 2nd St), 101.1FM. Admirez le grand Wall of Fame, signé par des musiciens de passage. À deux *blocks* de là, le **Cajun Music Hall of Fame & Museum** (www.cajunfrenchmusic.org ; 230 S CC Duson Dr ; entrée libre ; ◷9h-17h mar-sam) satisfera les passionnés de musique. Le **Prairie Acadian Cultural Center** (angle 3rd St et Park Ave ; entrée libre ; ◷8h-17h mar-ven, 8h-18h sam), géré par le NPS, comprend d'intéressantes

expositions sur la vie dans les marais et la culture cajun. Plusieurs documentaires expliquent l'histoire de la région.

Après tout cela, vous aurez peut-être besoin de calme. Dans le centre, le **Potier's Cajun Inn** (☏337-457-0440 ; 110 W Park Ave ; ch à partir de 55 \$; ℙ❄) propose des appartements équipés de kitchenettes, vastes et chaleureux, au style cajun. Le **Ruby's Café** (221 W Walnut Ave ; repas 7 \$; ◷6h-14h lun-ven) sert des repas appréciés dans un décor de *diner* des années 1950 et la charmante *coffeehouse* **Café Mosiac** (202 S 2nd St ; repas 3-4,50 \$; 🛜) propose des gaufres et des paninis.

À **Mamou**, l'attraction principale est le **Fred's Lounge** (420 6th St ; ◷8h-13h30 sam), qui accueille une émission en direct le samedi matin avec musique et danse cajuns.

Région de la Cane River

La partie centrale de l'État de Louisiane est un carrefour culturel, politique et religieux : on trouve des catholiques français bilingues et des Franco-Africains le long de la Cane River, et des résidents unilingues, principalement protestants au nord. En suivant la Hwy 119 qui serpente le long de la Cane River, vous croiserez des habitants pêchant dans les eaux calmes ou tranquillement assis dans une chaise à bascule sur leur véranda.

La **Melrose Plantation** (☏318-379-0055 ; I-49, sortie 119 ; adulte/enfant 10/4 \$; ◷12h-16h mar-dim) est un ensemble de maisons construites par une famille de "gens de couleur libres" dirigée par Marie Therese Coincoin. Le propriétaire du début du XXᵉ siècle, Cammie Henry, reçut des artistes et des écrivains tels que William Faulkner et Sherwood Anderson dans la Yucca House de 1796. L'Africa House, au style congolais, renferme une peinture murale colorée de 1,25 m dépeignant la vie dans la plantation, réalisée par la célèbre artiste Clementine Hunter. Ouvrière agricole et cuisinière à Melrose, elle se mit à la peinture à l'âge de 50 ans. Kate Chopin rédigea *L'Éveil* dans la **Kate Chopin House** (243 Hwy 495, Cloutierville) voisine.

NATCHITOCHES

Un peu plus au nord, la ville historique de Natchitoches (prononcez "nakidich") à l'architecture française, est traversée par la Cane River, et c'est la plus ancienne colonie de la Louisiane. La ville gagna en notoriété lorsque le film de Herbert Ross *Potins de femmes* (*Steel Magnolias*) y fut tourné en 1988. Le **Visitor Bureau** (☎800-259-1714 ; www. natchitoches.net ; 781 Front St ; ☉9h-17h) vous renseignera sur les visites dans les plantations créoles et les nombreux B&B de la ville.

Lasyone's (www.lasyones.com ; 622 Second St ; tourte à la viande 4 $; ☉7h-15h lun-sam) sert l'incontournable *meat pie* (tourte à la viande) de Natchitoches, une spécialité dont les origines remontent aux années 1800, lorsque de jeunes Noirs les vendaient dans la rue. Aujourd'hui, ce met croustillant est toujours aussi populaire, notamment chez Lasyone's.

Si vous ne souhaitez pas loger en B&B, la **Church Street Inn** (☎318-238-8890 ; www. churchstinn.com ; 120 Church St ; ch petit-déj inclus à partir de 99 $; ℗❄☎) propose 20 chambres, tout près des restaurants et boutiques du centre-ville.

À une courte distance en voiture de Natchitoches, cette partie de la Louisiane densément boisée et peu peuplée abrite la superbe **Kisatchie National Forest** (☎318-473-7160 ; www.fs.fed.us/r8/kisatchie), composée de 242 000 ha vallonnés de pins jaunes et de feuillus. Les sentiers, principalement empruntés par les chasseurs lors de la saison de la chasse, ne sont pas très bien entretenus, mais VTT, randonnée, baignade et balades en voiture sont autant d'activités possibles. Le cadre est particulièrement joli pendant les saisons intermédiaires. Pensez à prendre un anti-moustiques.

Nord de la Louisiane

Avec ses villes rurales ou tournées vers l'industrie du pétrole, le long de la "Baptist Bible belt" (région très religieuse des États-Unis), le nord de la Louisiane est à des années-lumière de La Nouvelle-Orléans. Après des décennies de déclin, la région, et même le pôle commercial de Shreveport, à l'extrémité nord-ouest de l'État, s'efforce de se redévelopper.

En 1839, le capitaine Henry Shreve libéra la Red River d'un amas de troncs de 265 km et fonda la ville portuaire fluviale de **Shreveport**. Au début du XXᵉ siècle, la cité prospéra grâce aux découvertes de gisements pétroliers, mais connut un déclin après la Seconde Guerre mondiale. Dans un effort de redéveloppement, des casinos rappelant ceux de Las Vegas et un complexe de loisirs au bord du fleuve ont vu le jour. Le **Visitor Center** (☎318-222-9391, 800-458-4748 ; www.shreveport-bossier.org ; 629 Spring St ; ☉8h-17h lun-ven, 10h-14 sam) se situe dans le centre-ville. Les passionnés

de roses ne manqueront pas de visiter les **Gardens of the American Rose Center** (www.ars.org ; 8877 Jefferson Paige Rd ; adulte/enfant 5,50/4,50 $; ☉9h-17h lun-sam, 13-17h dim), où plus de 65 jardins individuels présentent diverses manières de planter des rosiers – prenez la sortie 5 sur l'I-20. Le **Columbia Cafe** (www.columbiacafe.com ; 3030 Creswell St ; plat 8-17 $; ☉7h-22h mar-ven, 10h-22h sam, 10h-14h dim) incite à s'arrêter pour manger en terrasse ou à l'intérieur entouré d'œuvres d'art local. On y sert une cuisine fusion américaine simple et créative, avec par exemple des hamburgers au bison. Délicieux !

À environ 80 km au nord-est de Monroe, sur la Hwy 557 près de la ville d'Epps, le **Poverty Point State Historic Site** (www.crt. state.la.us ; 6859 Hwy 577, Pioneer ; adulte/enfant 4 $/gratuit ; ☉9h-17h) abrite de remarquables ouvrages de terre et monticules le long de l'ancien lit du Mississippi. Une tour d'observation à 2 niveaux permet d'observer les six talus concentriques du site. C'est là qu'autour de 1000 av. J.-C. vivait une civilisation composée de centaines de communautés dont les échanges commerciaux s'étendaient au nord jusqu'aux Grands Lacs.

ARKANSAS

Au milieu des États-Unis, confiné entre le Middle West et le Sud profond, l'Arkansas est un joyau oublié de l'Amérique. Ses paysages sont époustouflants : pentes érodées des Ozark et Ouachita Mountains, torrents clairs et lacs surmontés de granite crénelé et d'affleurements calcaires. Les petites routes désertes de cet État parsemé de parcs très bien entretenus croisent d'épaisses forêts et offrent une vue panoramique sur de petits pâturages où broutent les chevaux. Les villes rurales de Mountain View et d'Eureka Springs ont un charme particulier. La présence du géant Wal-Mart et la culture réputée rustique de l'État n'y changent rien, car comme l'affirme un habitant : "On peut dire ce qu'on veut de l'Arkansas, mais c'est un paradis naturel".

Histoire

Les Amérindiens Caddo, Osage et Quapaw étaient établis en Arkansas lorsque l'Espagnol Hernando de Soto arriva au milieu du XVIᵉ siècle. Le Français Henri de Tonti y fonda la première colonie blanche en 1686. À la suite de la vente de la Louisiane, en 1803, l'Arkansas devint un territoire des États-Unis, et les planteurs esclavagistes s'installèrent dans le Delta pour cultiver le coton. Les immigrants plus pauvres de l'Appalachia s'établirent sur les plateaux des Ozark et Ouachita Mountains.

À la frontière, l'anarchie régna jusqu'à la guerre de Sécession. La reconstruction fut difficile et l'État ne se développa qu'après 1870 grâce à l'arrivée du chemin de fer. La tension raciale atteint son apogée en 1957, lors de l'incident de la Central High School à Little Rock.

L'État a le revenu par habitant le plus bas des États-Unis, le Delta compte une large population afro-américaine pauvre et les Ozark Mountains, de nombreux Blancs pauvres également.

❶ Renseignements

Arkansas State Parks (☎888-287-2757 ; www.arkansasstateparks.com). L'Arkansas possède un réseau renommé de 52 parcs,

---

L'ARKANSAS EN BREF

» **Surnom :** Natural State ("État naturel")

» **Population :** 2,9 millions d'habitants

» **Superficie :** 134 855 km²

» **Capitale :** Little Rock (193 524 habitants)

» **Autres villes :** Fayetteville (77 143 habitants)

» **TVA :** 6%, plus 2% de taxes touristiques et locales

» **État de naissance de :** Douglas MacArthur (1880-1964), général ; Johnny Cash (1932-2003), musicien ; Bill Clinton (né en 1946), ancien président des États-Unis ; John Grisham (né en 1955), écrivain ; Billy Bob Thornton (né en 1955), acteur

» **Politique :** comme la plupart des États du Sud, l'opposition aux droits civiques en fit un État républicain dans les années 1960

» **Célèbre pour :** ses supporters de football et leur chant d'encouragement ("Hog Call") ; le Wal-Mart

» **Distances par la route :** Little Rock-Eureka Springs : 293 km ; Eureka Springs-Mountain View : 197 km

---

dont 30 offrent des possibilités de camping (empl tente et camping-car 13-30 $, selon les équipements). Certains parcs disposent de lodges et de chalets. En raison de leur succès, des séjours de plusieurs jours sont imposés lors des réservations pour les week-ends et vacances.

Le **Department of Parks & Tourism** (☎501-682-7777 ; www.arkansas.com ; 1 Capitol Mall, Little Rock) envoie des kits pour organiser ses vacances ; demandez le *State Parks Guide* et l'*Adventure Guide* publiés tous les ans.

Little Rock

Abîmé par les constructions de parkings et une mauvaise gestion de l'urbanisme durant les dernières décennies, le centre-ville de Little Rock s'embellit grâce au florissant quartier River Market. De l'autre côté de la rivière, North Little Rock abrite toujours plus de magasins et de restaurants. Cette ville conservatrice recèle quelques sites d'intérêt, qu'il faut savoir dénicher au milieu des boutiques.

◉ À voir

Le quartier de **River Market** (www. rivermarket.info), regroupant boutiques, galeries d'art, restaurants et pubs, dans W Markham St et President Clinton Ave le long de la rive, constitue le meilleur endroit pour flâner. L'**Ottenheimer Market Hall** (entre S Commerce St et S Rock St ; ◷7h-18h lun-sam) abrite divers stands de nourriture et boutiques.

On trouve des cafés et de sympathiques boutiques dans le **Hillcrest Neighborhood** à l'ouest de Little Rock, qui est aussi le foyer de la contre-culture en ville.

GRATUIT **Little Rock Central High School** SITE HISTORIQUE (www.nps.gov/chsc ; 2125 Daisy Bates Dr ; ◷9h30-16h30, visites 9h et 13h15 lun-ven mi-août à début juin). L'endroit où eut lieu, en 1957, l'incident lié à la déségrégation qui changea le pays pour toujours est à présent le site le plus captivant de Little Rock. Un groupe de jeunes étudiants noirs, surnommé les Neuf de Little Rock, se vit refuser l'accès à l'école blanche (malgré un arrêt de la Cour suprême en 1954 forçant l'intégration dans les écoles publiques), puis fut escorté par les 1 200 soldats du 101st Airborne Battle Group. Ce fut un moment crucial de l'histoire du mouvement des droits civiques. Aujourd'hui, c'est à la fois un site historique national et le plus beau lycée que vous verrez. Le nouveau centre des visiteurs expose les faits et replace l'épisode dans le contexte plus large du mouvement pour les droits civiques. Les guides sont fantastiques, à l'instar de Spirit Trickey, la fille de l'un des Neuf.

William J Clinton Presidential Center
BIBLIOTHÈQUE

(www.clintonlibrary.gov ; 1200 President Clinton Ave ; adulte/enfant 7/3 $, avec audioguide 10/6 $; ◉9h-17h lun-sam, 13h-17h dim). Il s'agit de la collection d'archives la plus vaste de l'histoire de la présidence : 80 millions de pages de documents et 2 millions de photographies y sont rassemblées. Parcourez le bureau ovale reconstitué grandeur nature, les expositions portant sur toutes les étapes de la vie de Bill Clinton et les cadeaux remis par des personnalités (comme le maillot jaune de Lance Armstrong). Le complexe entier est construit selon les normes écologiques.

GRATUIT Old State House Museum
MUSÉE

(www.oldstatehouse.com ; 300 W Markham St ; ◉9h-17h lun-sam, 13h-17h dim). Le bâtiment, qui fut le siège du pouvoir législatif de l'État entre 1836 et 1911, abrite les chambres législatives magnifiquement restaurées et une exposition sur l'histoire et la culture de l'Arkansas.

Riverfront Park
PARC

Au nord du centre-ville, le Riverfront Park s'étend le long de l'Arkansas River. Piétons et cyclistes profitent quotidiennement de ce superbe parc. Vous ne pouvez pas manquer le **Big Dam Bridge** (www.bigdambridge. com ;), le plus grand pont des États-Unis construit spécifiquement pour les piétons et les cyclistes. Il relie 27 km de sentiers divers de Little Rock et de North Little Rock, formant une boucle grâce à la rénovation du Rock Island Bridge (rebaptisé Clinton Presidential Park Bridge), réalisée par la Clinton Foundation. Pour profiter pleinement du Riverfront Park, vous pouvez louer un vélo (ou un tandem) au **River Trail Rentals** (☏501-374-5505 ; www.rivertrailrentals. com ; 200 S Olive St ; 4 heures/journée à partir de 16/30 $; ◉sur rdv lun-mar, 10h-19h mer-ven, 7h-19h sam, 11h-18h dim) ; en dehors des horaires d'ouverture, vous pouvez réserver par téléphone. **Chainwheel** (☏501-224-7651 ; www.chainwheel.com ; 10300 Rodney Parham Rd ; ◉10h-18h lun-ven, 10h-17h sam), la meilleure boutique de cycles de la ville, peut louer des VTT ou vélos de route haut de gamme, selon la disponibilité.

🛏 Où se loger et se restaurer

La présence du gouvernement de l'État et du palais des congrès rend les hôtels bon marché rares en centre-ville, et les tarifs sont très variables. Des hôtels pour les plus petits budgets se trouvent près des autoroutes "interstates".

Capital Hotel
BOUTIQUE HOTEL $$

(☏501-374-7474, 888-293-4121 ; www.capital-hotel.com ; 111 W Markham St ; ch à partir de 160 $; P❋@☍). Construit en 1872, ce bâtiment à armatures de fonte (caractéristique architecturale en voie de disparition), qui abritait une banque, accueille désormais l'imposant et excellent Capital Hotel. À l'extérieur trône une superbe mezzanine pour les cocktails (et les fumeurs). L'accès aux étages se fait en empruntant les plus grands ascenseurs hydrauliques de l'Arkansas. Le chef du Ashley's, l'un des deux restaurants sur place, a obtenu en 2011 le titre de meilleur chef du Middle West par le magazine *Food & Wine* – ce n'est pas le Middle West, mais la cuisine n'y est pour rien !

Rosemont
B&B HISTORIQUE $$

(☏501-374-7456 ; www.rosemontoflittlerock. com ; 515 W 15th St ; ch petit-déj inclus à partir de 99 $; P❋☍). Bâtie dans les années 1880, cette ferme restaurée, près de la demeure du gouverneur, se pare des charmes du Sud. Les propriétaires tiennent également des cottages historiques tout près de là (à partir de 160 $).

House
PUB $$

(www.facebook.com/TheHouseInHillcrest ; 722 N Palm St ; plat 9-14 $; ◉11h-23h lun-jeu, 11h-24h ven, 10h-24h sam, 10h-23h dim ; ☍). Tenu par des jeunes gens du quartier Hillcrest, le premier pub-restaurant de l'Arkansas sert un menu éclectique allant des hamburgers et grillades aux spécialités thaïlandaises et grecques (et peut-être les meilleures patates douces frites).

Homer's
DÎNER $

(www.homersrestaurant.com ; 2001 East Roosevelt ; plat 2-7 $; ◉7h-14h lun-ven). Ce *diner* dans la zone industrielle près de l'aéroport est éloigné du centre, mais le spectacle vaut le coup d'œil : on y croise des hommes d'affaires fumant le cigare, des chasseurs en tenue, des officiers de l'Air Force en pause et des hommes politiques haut placés en pleine réflexion.

Acadia
CUISINE DU SUD $$$

(www.acadiahillcrest.com ; 3000 Kavanaugh Blvd ; plat le soir à partir de 18-24 $; ◉11h-14h ven et 17h30-22h lun-sam ; ☍). Toujours à Hillcrest, la terrasse sur plusieurs niveaux de ce restaurant, avec ses lumières scintillantes, est un endroit idéal pour savourer les plats sophistiqués du Sud comme les macaronis au gouda fumé. Le midi, on y déjeune pour une bouchée de pain (plat 9-12 $).

Flying Fish PRODUITS DE LA MER **$$**
(511 President Clinton Ave ; plat 5,50-17 $; ☺11h-22h). Le concept vient certes du Texas, mais le poisson-chat, dans ce restaurant situé à deux pas de la bibliothèque Clinton, est excellent. Vous pouvez le commander grillé, mais ici, on le mange frit, accompagné de frites et de *hush puppies* (petits beignets).

River City CAFÉ **$**
(www.rivercityteacoffeeandcream.com ; 2715 Kavanaugh Blvd ; ☺17h30-22h lun-sam). Excellente *coffeehouse*. Expresso : 75 ¢ !

❶ Renseignements

Le **Visitor Center** (☎501-371-0076, 877-220-2568 ; www.littlerock.com ; 615 E Capitol Ave ; ☺9h-17h lun-sam, 13h-17h dim) est installé dans le Curran Hall datant de 1842.

❶ Comment s'y rendre et circuler

Le **Little Rock National Airport** (LIT ; ☎501-372-3439 ; www.lrn-airport.com) se trouve à l'est du centre-ville. Depuis la **station Greyhound** (☎501-372-3007 ; 118 E Washington St) à North Little Rock, on peut rejoindre Hot Springs (entre 1 heure et 2 heures), Memphis, TN (2 heures 30) et La Nouvelle-Orléans, LA (18 heures). Amtrak occupe l'**Union Station** (☎501-372-6841 ; 1400 W Markham St). Le **Central Arkansas Transit** (CAT ; ☎501-375-6717 ; www.cat.org) gère les bus locaux ; un tram effectue une boucle sur W Markham St et President Clinton Ave (adulte/enfant 1,35 $/60 ¢).

Hot Springs

Il est étonnant d'apprendre que la petite ville de Hot Springs, avec ses boutiques en bord de route, ses minigolfs et son éblouissant centre-ville, a accueilli en vacances l'élite new-yorkaise du crime organisé. Dans les années 1930, très rapidement, contrebande, prostitution, opulence et dangereux voyous se concentrèrent dans la ville. Toutefois, les bandes rivales ne s'y affrontaient pas, comme s'il était prescrit que tous les criminels pouvaient y vivre en paix. Quand le réseau de jeux d'argent fut démantelé, l'économie de la ville s'immobilisa aussi.

La ville n'est pas tout à fait remise de ce coup dur, mais les eaux curatives y ont toujours attiré les visiteurs, depuis les Amérindiens jusqu'aux touristes d'aujourd'hui. Des bains publics restaurés, qui offrent toujours des soins traditionnels, bordent Bathhouse Row à l'abri des magnolias du côté est de Central Ave.

❂ À voir et à faire

Derrière Bathhouse Row, un chemin parcourt le parc à flanc de colline, d'où jaillissent des sources restées intactes, et un réseau de sentiers recouvre les monts de Hot Springs. Malheureusement, seuls deux des bains publics historiques de Bathhouse Row sont en service aujourd'hui. Lorsque nous rédigions ces pages, toutefois, le NPS évaluait des offres de réaménagement. L'une d'entre elles consisterait à transformer un bain en microbrasserie.

Gangster Museum of America MUSÉE
(www.tgmoa.com ; 510 Central Ave ; adulte/enfant 10/4 $; ☺10h-18h dim-jeu, 10h19h ven-sam). Découvrez l'histoire sombre et intrigante de la ville et les jours de gloire du vice lorsque Hot Springs, petite ville isolée, devint le centre d'une richesse excessive. Des machines à sous d'origine (contenant toujours de l'argent !) et autres tables de jeux sont toujours présentes.

✒ Qua Paw Baths SPA
(www.quapawbaths.com ; 413 Central Ave ; bain 18 $, avec massage de 25 min 50 $; ☺10h-18h lun et mer, 10h-19h jeu-sam, 10h-15h dim). Contrairement à la méthode expéditive du Buckstaff Bathhouse, le Qua Paw, récemment rénové, offre une approche tout à fait moderne : de charmants bains restaurés et des soins écologiques et orientés vers le développement durable.

GRATUIT NPS Visitor Center MUSÉE
(☎501-620-6715 ; 369 Central Ave ; ☺9h-17h). Dans Bathhouse Row, les bains Fordyce, bâtis en 1915, abritent le centre des visiteurs et le **musée** du NPS, dont les expositions portent sur l'histoire du parc qui fut d'abord une zone de libre-échange amérindienne, puis un spa européen au tournant du XIXe siècle.

Hot Springs Mountain Tower PLEIN AIR
(adulte/enfant 7/4 $; ☺9h-17h nov-fév, 9h-18h mars-15 mai et 1er lundi de sept-oct, 9h-21h 16 mai-1er lundi de sept). Au sommet des monts de Hot Springs, cette tour, haute de 65 m, offre une vue spectaculaire des montagnes alentours couvertes de cornouillers, hickorys, chênes et pins. Le cadre est superbe au printemps et en automne.

🛏 Où se loger et se restaurer

Des motels bordent les routes de la ville ; le centre des visiteurs possède une liste de locations en bord de lac et de B&B. On trouve quelques restaurants sans grand intérêt le long de la zone touristique de Central Ave.

Alpine Inn AUBERGE $
(📞501-624-9164 ; www.alpine-inn-hot-springs. com ; 741 Park Ave/Hwy 7 N ; ch 55-90 $; 🅿✳🐾🛜🏊). À environ 1 km de Bathhouse Row, les sympathiques propriétaires écossais ont passé quelques années à restaurer cet ancien motel. Les chambres à thèmes, certaines dotées de kitchenettes, sont impeccables et disposent de TV à écran plat et de lits douillets. La chambre Mackintosh, clin d'œil à un artiste écossais, est notre préférée.

**Arlington Resort
Hotel & Spa** HÔTEL HISTORIQUE $
(📞501-623-7771 ; www.arlingtonhotel.com ; 239 Central Ave ; s/d à partir de 79/89 $, avec bains minéraux 139 $; 🅿✳🐾🏊). Cet imposant hôtel historique domine Bathhouse Row et rappelle sans cesse ses jours de gloire. Le grand hall tente de donner le ton à l'antique spa et aux chambres vieillissantes. Un simple Starbucks sert du bon café. Exercez-vous à danser le fox-trot les week-ends où il y un groupe de musiciens.

Cajun Boilers CAJUN, FRUITS DE MER $$
(www.cajunboilers.com ; 2806 Albert Pike Rd ; plat 8-20 $; ⏰11h-22h lun-sam, 11h-21h dim ; ♿). À quelques kilomètres de Bathhouse Row, ce restaurant de fruits de mer, bruyant et animé, sur le lac Hamilton, est accessible en bateau ou en voiture. La terrasse est le décor idéal pour goûter aux célèbres *crawfish boil* (écrevisses cuites dans un bouillon épicé), poisson-chat frit ou aux épices, ou crevettes à l'étouffée.

McClard's BARBECUE $$
(www.mcclards.com ; 505 Albert Pike ; plat 4-15 $; ⏰11h-20h mar-sam). Au sud-ouest du centre-ville, c'est le restaurant que fréquentait le jeune Bill Clinton pour ses grillades, mais les avis divergent quant à la qualité des travers de porc, des haricots lentement préparés et du *coleslaw*.

❶ Renseignements

Visitor Center (📞501-321-2277, 800-772-2489 ; www.hotsprings.org ; 629 Central Ave ; ⏰9h-17h, 9h-19h juin-août). Renseignements et carte des sites liés à Bill Clinton.

❶ Depuis/vers Hot Springs

Des bus **Greyhound** (📞501-623-5574 ; 1001 Central Ave) desservent Little Rock (1 heure 30, 3/j).

Environs de Hot Springs

Parsemée de lacs, la jolie et sauvage **Ouachita National Forest** (📞501-321-5202 ; bureau d'accueil 100 Reserve St, Hot Springs ; ⏰8h-16h30) attirent chasseurs, pêcheurs, randonneurs et canoteurs. Coins tranquilles et superbes vues ne manquent pas sur les petites routes traversant les montagnes. La forêt d'Ouachita possède deux itinéraires pittoresques, l'Arkansas Scenic Hwy 7 et la Talimena Scenic Byway, qui parcourent la chaîne de montagnes de l'Arkansas à l'Oklahoma. Les photos ne sont pas autorisées dans le bureau d'accueil, car c'est un bâtiment fédéral.

Non loin, la petite réserve de **Hot Springs National Park** (www.nps.gov/hosp) fournit chaque jour à la ville et ses alentours quelque 2 650 000 litres d'eau thermale à 62°C depuis ses 47 sources naturelles. C'est une véritable attraction pour les touristes qui en profitent pour prendre un bain ou boire quelques gorgées.

Les fans de Bill Clinton s'arrêteront à **Hope**, où l'ancien président a passé ses sept premières années, mais il y a peu de choses à voir hormis le **Hope Visitor Center & Museum** (www.hopearkansas.net ; 100 E Division St ; ⏰8h30-17h lun-ven, 9h-17h sam, 13h-16h dim) dans l'ancienne gare, et la maison où il a vécu, le **President Bill Clinton First Home Museum** (www.clintonchildhoodhomemuseum.com ; 117. S. Hervey St ; entrée libre ; ⏰8h30-16h30), qui fait désormais partie du NPS.

Si la chance vous sourit, rendez-vous au **Crater of Diamonds State Park** (www.craterofdiamondsstatepark.com ; 209 State Park Rd ; ⏰8h-17h). Vous pourrez fouiller un **champ de diamants** (adulte/enfant 7/4 $) où des diamants de 3 à 40 carats ont été découverts encore récemment.

Arkansas River Valley

L'Arkansas River chemine de l'Oklahoma au Mississippi. On vient y pêcher, faire du canoë et camper.

En suivant les sentiers parfaitement entretenus du **Petit Jean State Park** (📞501-727-5441 ; www.petitjeanstatepark.com ; ♿), à l'ouest de Morrilton, on croise une superbe cascade de 19 m de haut, de romantiques grottes, des panoramas magnifiques et d'épaisses forêts. On y trouve une maison de pierre rustique, des **cabins** (100-175 $/nuit) convenables et des terrains de camping. **Mt Magazine** (☎479-963-8502 ; www.mount-magazinestatepark.com ; 16878 Hwy 309 S, Paris) est un autre superbe parc comprenant 22,5 km de sentiers autour du point culminant de l'Arkansas. Les amateurs d'activités de plein air pourront s'adonner au deltaplane, à l'escalade et à la randonnée.

Bordée d'échinacées et de lys, la spectaculaire **Highway 23/Pig Trail Byway** remonte dans l'**Ozark National Forest** et dans les montagnes, et constitue un excellent moyen de rejoindre Eureka Springs dans les Ozark Mountains.

L'**Arkansas and Missouri Railway** (www.arkansasmissouri-rr.com ; adulte/enfant à partir de 35/18 $; ☉ven-sam avr-sept) propose un aller-retour de 112,5 km à travers la Boston Mountain Range, de **Van Buren** à **Winslow**.

Ozark Mountains

Autrefois entourées par la mer et aujourd'hui érodées par le temps, les **Ozark Mountains** (☎870-404-2741 ; www.ozarkmountainregion.com) forment une ancienne chaîne de montagnes qui s'étend du centre et du nord-ouest de l'Arkansas jusqu'au Missouri. Les montagnes verdoyantes dévoilent des champs brumeux et de spectaculaires formations karstiques bordent des lacs étincelants, des rivières sinueuses et des routes pittoresques. Malgré les apparences d'une culture rurale reculée et un peu kitch, si l'on se donne la peine, on découvre de belles traditions culturelles, comme la musique folk acoustique, les *hush puppies* (petits beignets) maison et le poisson-chat.

MOUNTAIN VIEW

À l'écart de l'US 65, le long de la Hwy 5, cette ville un peu spéciale des Ozark Mountains est connue pour ses concerts improvisés sur le Courtsquare. L'esprit commercial s'insinue depuis que le **Visitor Information Center** (☎870-269-8068 ; www.yourplaceinthemountains.com ; 107 N Peabody Ave ; ☉9h-16h30 lun-sam) a élevé la ville au rang de "capitale mondiale de la musique folk", mais les concerts de musique folk et les festivals délirants restent authentiques, y compris les **Championship Outhouse Races**, une course au cours de laquelle la foule encourage des toilettes, tirées par un coureur, jusqu'à la ligne d'arrivée. L'événement se

tient généralement la dernière semaine d'octobre. La ravissante architecture en grès du centre-ville, l'un des derniers cinémas drive-in d'Arkansas et les bœufs de gospel et bluegrass sur le **Courtsquare** près de la préfecture du comté de Stone (en particulier le samedi soir) – et à tout moment sur les vérandas de la ville – rendent la visite amusante.

L'**Ozark Folk Center State Park** (www.ozarkfolkcenter.com ; auditorium adulte/enfant 10/6 $; ☉10h-17h mer-sam), au nord de la ville, accueille des démonstrations d'artisans, un jardin aromatique, et des concerts à partir de 19h, fréquentés par un public âgé et passionné.

Les spectaculaires grottes **Blanchard Springs Caverns** (☎888-757-2246 ; à l'écart de la Hwy 14 ; adulte/enfant 10,50/5,50 $, visite "wild cave tour" 75 $; ☉9h-18h avr-sept ; 👤), à 24 km au nord-ouest de Mountain View, ont été creusées par une rivière sous-terraine et peuvent rivaliser avec celles du Carlsbad Caverns National Park, au sud-est du Nouveau-Mexique. Cet endroit éblouissant d'Arkansas est méconnu. Trois visites guidées sont proposées, l'une est accessible aux personnes handicapées et une autre, plus aventureuse, est une séance de spéléologie de 3 à 4 heures. Bâti en 1918 sur le Courtsquare, l'historique et chaleureux **Wildflower B&B** (☎870-269-4383 ; www.wildflowerbb.com ; 100 Washington ; ch petit-déj inclus à partir de 89 $; P✳🕾), entouré d'une véranda dotée de rocking-chairs, propose un mobilier cosy et une réduction de 20 $ en milieu de semaine. Les amateurs de petit-déjeuner seront comblés avec le feuilleté à la goyave ou les pommes de terre râpées cuites à la poêle. Tenu par de très chaleureux hippies, **Tommy's Famous Pizza and BBQ** (angle Carpenter St et W Main St ; pizza 5,50-24 $, plat 6,40-13,20 $; ☉à partir de 15h) sert des pizzas au porc effilé qui se marient bien avec les spécialités de la maison.

EUREKA SPRINGS

Artiste, intrigante et magnifique, Eureka Springs, située dans le nord-ouest de l'Arkansas, dans une profonde vallée, est l'une des villes les plus décontractées du Sud. L'architecture victorienne borde les rues sinueuses et les habitants sont très accueillants : îlot démocrate dans une mer totalement républicaine, c'est la ville des Ozark Mountains la plus *gay friendly*. On y trouve des galeries d'art, des boutiques kitch, de la musique country et la statue **Christ of the Ozarks**, mesurant 21 m de

LA BELLE BOUCLE D'EUREKA SPRINGS

Le centre-ville d'Eureka Springs est charmant mais la **boucle historique**, assez méconnue, est un circuit époustouflant de 5,5 km à travers l'histoire dans le centre-ville et les quartiers résidentiels alentour. Le parcours est composé de plus de 300 demeures victoriennes construites avant 1910, toutes plus fantastiques les unes que les autres, et soutient la comparaison avec n'importe quel autre quartier historique préservé aux États-Unis.

S vous n'êtes pas motorisé, vous pourrez tout de même suivre un itinéraire pédestre, en vous procurant la brochure *Six Scenic Walking Tours* au centre des visiteurs d'Eureka Springs ; louer un vélo à l'**Adventure Mountain Outfitters** (☑479-253-0900 ; www.adventuremountainoutfitters.com ; 151 Spring St, Eureka Springs ; demi-journée 50 $; ☉9h-17h mer-sam) ; ou emprunter la ligne rouge de l'**Eureka Trolley** (www.eurekatrolley.org ; adulte/enfant 5/1 $; ☉9h-17h jan-avr et nov-déc, 9h-20h dim mai-oct).

haut. Les habitants vous diront qui joue dans le pub le plus proche ou quel est leur coin de baignade préféré, et ce village si particulier prendra alors une toute autre dimension. De plus, les activités comme la randonnée, le VTT et l'équitation ne manquent pas. Enfin, l'absence de feux tricolores et de rues transversales permet de circuler en toute tranquillité.

Le **Visitor Center** (☑479-253-8737 ; www.eurekaspringschamber.com ; 516 Village Circle, Hwy 62 E ; ☉9h-17h) fournit des renseignements sur l'hébergement, les activités, les visites et les attractions locales, telles que l'entraînant **Blues Festival** (www.eurekaspringsblues.com) à la fin du mois de mai. Le vieux train à vapeur **ES & NA Railway** (www.esnarailway.com ; 299 N Main St ; adulte/enfant 13,50/6,75 $; ☉mar-sam avr-oct) effectue un circuit de 1 heure dans les Ozark Mountains de 3 à 4 fois par jour.

Situé dans les bois à la sortie de la ville, la **Thorncrown Chapel** (☑479-253-7401 ; www.thorncrown.com ; 12968 Hwy 62 West ; don suggéré ; ☉9h-17h avr-nov, 11h-16h mars et déc) est un magnifique sanctuaire de verre, composé d'une structure en bois d'une hauteur de 14,5 m supportant 425 fenêtres. La communion avec la nature est quasi totale. La ravissante **Queen Anne Mansion** (www.thequeenannemansion.com ; 115 W Van Buren ; visite adulte/enfant 15/9 $, visite guidée 25/15 $), qui, à l'origine, fut construite à Carthage, Missouri, en 1891, a ouvert ses portes en 2010 après une restauration de cinq ans. Des pièces d'origine parsèment la demeure joliment meublée, la visite ravira les amateurs d'architecture et d'antiquités.

Si votre budget le permet, préférez les hébergements du centre-ville aux motels au bord du canyon. Au cœur du centre

historique, le confortable **New Orleans Hotel and Suchness Spa** (☑479-253-8630 ; www.neworleanshotelandspa.com ; 63 Spring St ; ch 84-204 $; ⊞❄☎) offre un voyage dans le temps, mais dispose néanmoins d'un spa. Dans les bois, le **Treehouse Cottages** (☑479-253-8667 ; www.treehousecottages.com ; 165 W Van Buren St ; à partir de 145 $; ⊞❄☎) propose de magnifiques cabanes dans les arbres (ou plutôt des cottages sur pilotis) ensoleillées et équipées d'un Jacuzzi.

Juste en face, le **Bubba's BBQ** (www.bubbasbarbecueeurekasprings.com ; 166 W Van Buren St ; plat 5,50-13 $; ☉11h-21h lun-sam) est un restaurant authentique du Sud au milieu des nombreuses attractions touristiques. Dans le centre-ville, le café et les petits-déjeuners du **Mud Street Café** (www.mudstreetcafe.com ; 22 G S Main St ; plat 9-13 $; ☉8h-15h jeu-mar) sont renommés, tandis que le **Stone House** (www.eurekastonehouse.com ; 89 S Main St ; assiettes de fromage 25-47 $; ☉13h-22h mer-sam), un bar à vin, propose des fromages européens et américains accompagnés de quelque 30 vins servis au verre (8-15 $).

BUFFALO NATIONAL RIVER

Autre joyau peu connu de l'Arkansas, cette rivière coule sur 217 km au pied de spectaculaires falaises dans la Ozark Forest préservée. En amont, les eaux sont agitées, tandis qu'en aval, elles sont plus calmes et idéales pour s'y laisser flotter. La **Buffalo National River** (☑870-741-5443 ; www.nps.gov/buff) dispose de 10 **terrains de camping aménagés** (☑877-444-6777 ; www.recreation.gov ; empl tente/camping-car 10/20 $) et de 3 terrains plus sauvages ; le plus simple est de se rendre au **Tyler Bend Visitor Center** (☑870-439-2502 ; ☉8h30-16h30), situé à 18 km au nord de Marshall sur la Hwy 65, qui fournit également une liste des endroits où l'on peut trouver du matériel de rafting ou de canoë pour visiter le parc et voir les immenses falaises calcaires.

La présence humaine remonte à quelque 10 000 ans, mais dans cette région à la nature abondante et sauvage, les habitants des Ozark Mountains vivent aujourd'hui encore de manière isolée. Ils ont développé un dialecte, des techniques artisanales et des caractéristiques musicales propres. Grâce à son titre de National River obtenu en 1972, la Buffalo River est l'une des rares rivières du pays non polluées qui s'écoulent librement.

Delta de l'Arkansas

À environ 193 km à l'est de Little Rock, la Great River Rd longe la rive ouest du Mississippi à travers le Delta de l'Arkansas. Autrefois ville du blues, **Helena** est désormais sur le déclin. Toutefois, elle revit chaque année lors de l'**Arkansas Blues & Heritage Festival** (www.bluesandheritagefest. com ; entrée libre), événement durant lequel des musiciens et 100 000 fans de blues s'approprient le centre-ville pendant trois jours début octobre. Des stands vendent des grillades et des mets traditionnels.

Toute l'année, les passionnés de blues et d'histoire peuvent visiter le **Delta Cultural Center** (☎870-338-4350 ; www.deltacultural-center.com ; 141 Cherry St ; entrée libre ; ⊙9h-17h mar-sam), situé dans l'ancienne gare et le bâtiment du centre des visiteurs, qui expose des objets liés au blues, tels que les guitares d'Albert King et de Sister Rosetta Tharpe, et un mouchoir signé par John Lee Hooker.

La plus vieille émission de radio dédiée au blues, *King Biscuit Time,* est enregistrée ici (12h15 du lundi au vendredi), et *Delta Sounds* (13h du lundi au vendredi) accueille souvent des musiciens pour un concert. Hormis cela, on ne trouve pas d'endroit pour écouter de la musique à Helena.

Région des Grands Lacs

Le top des restaurants

» Zingerman's Roadhouse (p. 518)
» Terry's Turf Club (p. 507)
» Slows Bar BQ (p. 514)
» Next (p. 478)
» Bryant-Lake Bowl (p. 544)

Le top des hébergements

» Inn on Ferry Street (p. 513)
» Hotel Burnham (p. 474)
» Arbor House (p. 532)
» Lighthouse B&B (p. 552)
» Inn Serendipity (p. 534)

Pourquoi y aller

Ne vous laissez pas berner par les champs apparemment infinis de maïs. Derrière se cachent des plages et des temples tibétains, des îles sans voitures et des aurores boréales. Le Middle West, qui englobe la région des Grands Lacs, a la réputation d'être situé au milieu de nulle part et ennuyeux. C'est que les parcs nationaux peuplés d'élans, le délicieux chili "five-way" de Cincinnati et les villes d'Hemingway, de Dylan et de Vonnegut sont des secrets bien gardés.

En tête de liste des villes du Middle West se trouve Chicago, qui arbore le plus imposant *skyline* du pays. Milwaukee est la capitale de la bière et des Harley-Davidson, tandis que la culture branchée de Minneapolis rayonne par-delà les champs. Détroit est tout simplement sensationnelle.

Les Grands Lacs sont immenses, telles des mers intérieures, avec des plages, des dunes, des stations balnéaires et des phares qui émaillent l'horizon. Les fermes laitières et les vergers qui couvrent la région sont autant de promesses de glaces et de tartes pour les voyageurs. Et il y aura toujours des attractions et des musées insolites pour venir piquer votre curiosité.

Quand partir

Chicago

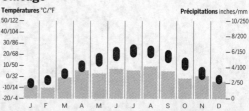

Jan-fév
La pleine saison pour les sports d'hiver.

Juil-août
Bière, plage et festivals au programme tous les week-ends.

Sept-oct
Beau temps, récoltes abondantes et tarifs en baisse.

Comment s'y rendre et circuler

L'aéroport international O'Hare de Chicago (ORD) est le principal carrefour aérien de la région. Détroit (DTW), Cleveland (CLE) et Minneapolis (MSP) ont également un aéroport important.

Pour circuler, le mieux est d'avoir une voiture, surtout si l'on veut emprunter la Route 66 ou explorer les routes secondaires. Prévoyez de la monnaie pour les péages de l'I-80 et de l'I-90 dans le nord de l'Illinois, l'Indiana et l'Ohio.

Greyhound (www.greyhound.com) relie de nombreuses localités. **Megabus** (www.megabus.com/us) offre un service efficace entre les principales villes des Grands Lacs, mais ne s'arrête pas dans les gares routières (départ et arrêt dans la rue), et il faut acheter son billet sur Internet (et non pas auprès du chauffeur).

Le réseau ferré national Amtrack est centré sur Chicago. Il y a au moins un départ quotidien pour San Francisco, Seattle, New York, La Nouvelle-Orléans et San Antonio. Des trains régionaux vont à Milwaukee (7/jour) et Détroit (3/jour).

Deux ferries de passagers/voitures traversent le Lac Michigan, offrant un raccourci entre le Wisconsin et le Michigan. Le **Lake Express** (www.lake-express.com) relie Milwaukee à Muskegon. Le **SS Badger** (www.ssbadger.com), plus ancien, relie Manitowoc à Ludington.

TOP 5 DES LIEUX OÙ S'ADONNER AUX ACTIVITÉS DE PLEIN AIR

» Boundary Waters (p. 552). Balade en canoë parmi les loups et les élans

» Wisconsin's Rails to Trails (p. 528). Promenade à vélo dans les champs sous le regard des vaches

» Apostle Islands (p. 537). Découverte des grottes marines en kayak

» New Buffalo (p. 519). Leçon de surf à Harbor Country

» Isle Royale (p. 526). Randonnée et camping dans l'arrière-pays

---

Avant de partir

Il est conseillé de réserver votre hébergement avant de partir durant l'été, notamment dans les stations balnéaires, comme Mackinac Island dans le Michigan et North Shore dans le Minnesota. Cela vaut aussi pour les villes où ont lieu des festivals, comme Milwaukee et Chicago.

Si vous souhaitez dîner dans un restaurant haut de gamme, comme Alinea, Next ou Frontera Grill/Topolobampo à Chicago, réservez 6 à 8 semaines à l'avance.

Envie d'un emplacement de camping en face de la plage dans un parc d'État ? Mieux vaut effectuer la réservation par Internet à l'avance, pour des frais modiques.

N'oubliez pas votre répulsif anti-insectes, surtout si vous allez dans les Northwoods. Les mouches noires au printemps et les moustiques l'été sont féroces.

CHEESE CURDS

Le Middle West est l'endroit où goûter aux *cheese curds* (fromage pané et frit ; Wisconsin), aux pizzas *deep-dish* (Chicago) et à la *sugar cream pie* (tarte au sucre ; Indiana).

En bref

» Principales villes : Chicago (2,8 millions d'habitants), Minneapolis (372 800 habitants)

» Distances depuis Chicago : Minneapolis (640 km), Détroit (450 km)

» Fuseaux horaires : Eastern Time Zone (IN, OH, MI), Central Time Zone (IL, WI, MN)

» États couverts dans ce chapitre : Illinois, Indiana, Ohio, Michigan, Wisconsin, Minnesota

Le saviez-vous ?

Les Grands Lacs représentent près de 20% des réserves d'eau douce du monde, et 95% de celles de l'Amérique.

Sites Internet

» Midwest Microbrews (www.midwestmicrobrews.com) : tout sur les microbrasseries

» Great Lakes Information Network (www.great-lakes.net) : informations sur l'environnement

» Changing Gears (www.changinggears.info) : explore la transformation économique du Middle West industriel

À ne pas manquer

1 Les gratte-ciel, les musées, les festivals et les restaurants de **Chicago** (p. 457)

2 La plage, le surf et la dégustation de baies sur la **Gold Coast** (p. 519) du Michigan

3 Le rythme tranquille et désuet des voitures à cheval dans le **Pays amish** (p. 495 et p. 502)

4 Une polka le vendredi soir dans un restaurant de poissons de **Milwaukee** (p. 530)

5 La traversée des **Boundary Waters** (p. 552) et une nuit à la belle étoile

6 Une balade à vélo le long de la rivière, avec **Détroit** (p. 509) en toile de fond

7 Une promenade à travers l'Illinois sur la légendaire **Route 66** (p. 487)

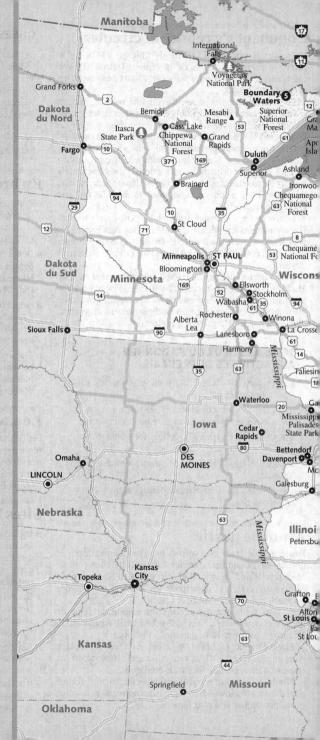

Histoire

Les premiers habitants de la région étaient le peuple Hopewell (env. 200 ans av. J.-C.) et les Mound builders ("bâtisseurs de tumulus") du Mississippi (autour de l'an 700). Ces deux peuples ont laissé derrière eux des monticules de terre qui servirent de tombes pour leurs chefs et étaient peut-être utilisés pour rendre hommage à leurs dieux ; on peut en observer aujourd'hui à Cahokia dans le sud de l'Illinois, et à Mound City dans le sud-est de l'Ohio.

Ces cultures ont commencé à décliner vers l'an 1000, et au cours des siècles suivants, les Miami, Shawnee et Winnebago s'implantèrent dans la région.

Les Français qui arrivèrent au début du XVIIe siècle pour le commerce des fourrures y établirent des missions et des forts. Peu de temps après, les Anglais débarquèrent, et la rivalité dégénéra en guerre, la guerre de Sept Ans (1754–1761), à l'issue de laquelle la Grande-Bretagne prit le contrôle des terres à l'est du Mississippi. Après la guerre d'Indépendance, la région des Grands Lacs devint le Territoire du Nord-Ouest, qui fut bientôt divisé en États et relié à la région avec son impressionnant réseau de canaux et de voies ferrées. Mais des conflits éclatèrent entre les nouveaux arrivants et les Amérindiens : la bataille de Tippecanoe dans l'Indiana (1811), la guerre de Black Hawk (du nom d'un chef indien) dans le Wisconsin et l'Illinois (1832), qui força les Amérindiens à se déplacer à l'ouest du Mississippi, et le soulèvement des Sioux (1862) dans le Minnesota.

À la fin du XIXe siècle et au début du XXe siècle, des industries émergèrent et prirent rapidement de l'ampleur grâce aux ressources en charbon et acier, ainsi qu'aux transports à bas prix sur les lacs. La demande de main-d'œuvre entraîna une immigration massive en provenance d'Irlande, d'Allemagne, de Scandinavie et d'Europe du Sud et de l'Est. Après la guerre de Sécession, durant des décennies, un grand nombre d'Afro-Américains migrèrent du Sud vers les centres urbains de la région.

La région prospéra durant la Seconde Guerre mondiale et les années 1950, mais connut ensuite vingt années de troubles sociaux et de stagnation économique. Les industries périclitèrent, et Détroit et Cleveland furent durement touchées par le chômage et la "fuite des Blancs" (les classes moyennes qui fuirent vers les banlieues).

Les années 1980 et 1990 furent synonymes de revitalisation. La population de la région augmenta, notamment grâce aux immigrants venus d'Asie et du Mexique. La croissance des secteurs des services et de la haute technologie permit d'atteindre l'équilibre économique. Néanmoins, la fabrication automobile et l'acier continuèrent de jouer un rôle important, ce qui fait que les villes des Grands Lacs subirent de plein fouet la crise de 2008.

Culture locale

La région des Grands Lacs (le Middle West) est le cœur solide des États-Unis. Ici, les gens ne sont pas plus impressionnés par l'aspect clinquant de la côte Est que par le sex-appeal de la côte Ouest. Ils sont heureux de se trouver au milieu. Il n'est pas surprenant qu'Ernest Hemingway soit originaire de cette région où l'on ne gaspille pas ses mots.

Si le Middle West avait une devise, ce serait "travailler dur, aller à l'église et rester dans les sentiers battus"... sauf lors de rencontre sportive, auquel cas, il est permis de se badigeonner le corps de peinture et de teindre ses cheveux aux couleurs de

---

LES GRANDS LACS EN...

Cinq jours

Passez les 2 premiers jours à Chicago. Le 3e jour, allez jusqu'à Milwaukee (1 heure 30 de route) pour une sortie culturelle. Prenez le ferry pour le Michigan et passez votre 4e jour sur la plage de **Saugatuck**. Revenez à votre point de départ en passant par les **Indiana Dunes** ou **le Pays amish de l'Indiana**.

Dix jours

Après 2 jours à Chicago, visitez **Madison** et ses environs. Passez le 4e et le 5e jour dans les **Apostle Islands**, puis dirigez-vous vers la Upper Peninsula pour visiter **Marquette** et les **Pictured Rocks** durant quelques jours. Ensuite, découvrez les **Sleeping Bear Dunes** et les vignobles dans les environs de **Traverse City**. Au retour, **profitez des galeries, des tartes et des plages de Saugatuck**.

son équipe. Base-ball, football américain, basket-ball et hockey sont extrêmement populaires, et les grandes villes ont toutes leurs équipes professionnelles dans chacune de ces disciplines.

La musique a toujours fait partie de la culture locale. Muddy Waters et Chess Records ont donné naissance au blues électrique à Chicago. Motown Records a lancé la soul à Détroit. Le rock alternatif s'est emparé de ces deux villes (Wilco à Chicago et les White Stripes à Détroit), ainsi que de Minneapolis (les Replacements, Hüsker Dü) et de Dayton en Ohio (Guided By Voices, les Breeders).

La région a bien plus à offrir que ce à quoi s'attend un visiteur. Les immigrants du Mexique, d'Afrique, du Moyen-Orient et d'Asie se sont installés partout dans le Middle West et en particulier dans les villes, où leur apport est conséquent, notamment dans le secteur de la restauration.

ILLINOIS

Chicago domine cet État avec son architecture et ses musées, ses restaurants et ses clubs de jazz. Mais en vous aventurant dans la campagne, vous pourrez découvrir la ville d'Hemingway, où "les pelouses étaient larges et les esprits étroits", les différents monuments à la gloire d'Abe Lincoln, et la Route 66, bordée d'établissements proposant *corn dogs* (saucisses sur bâtonnet) et tartes. Vous y trouverez aussi un marais de cyprès et un site préhistorique classé au Patrimoine mondial.

ⓘ Renseignements

Illinois Bureau of Tourism (www.enjoyillinois. com).

Illinois Highway Conditions (www. gettingaroundillinois.com). Renseigne sur l'état des routes.

Illinois State Park Information (www. dnr.illinois.gov). L'entrée est libre dans les parcs de l'État. Comptez de 6 à 35 $ pour un emplacement de camping ; réservation parfois possible (www.reserveamerica.com ; 5 $).

Chicago

Chicago, avec ses majestueux gratte-ciel, a quelque chose d'ensorcelant. Peut-être pas pendant les 6 mois d'hiver, quand la "cité venteuse" affronte des tempêtes de neige ; mais, à partir de mai, quand les températures redeviennent clémentes, que les festivals se succèdent et que les stades de

L'ILLINOIS EN BREF

» **Surnom :** Prairie State ("État des Prairies"), Land of Lincoln ("Pays de Lincoln")

» **Population :** 12,9 millions d'habitants

» **Superficie :** 93 180 km²

» **Capitale :** Springfield (116 500 habitants)

» **Autres villes :** Chicago (2,8 millions d'habitants)

» **TVA :** 6,25%

» **État de naissance de :** Ernest Hemingway (écrivain, 1899-1961), Walt Disney (dessinateur, réalisateur et producteur, 1901-1966), Miles Davis (compositeur et musicien de jazz, 1926-1991) et Bill Murray (acteur, né en 1950)

» **Abrite :** des champs de maïs, le début de la Route 66

» **Politique :** démocrate à Chicago, républicain dans le sud de l'État

» **Célèbre pour :** ses gratte-ciel, ses *corn dogs*, ses sites dédiés à Lincoln

» **En-cas officiel :** le pop-corn

» **Distances par la route :** Chicago-Milwaukee : 148 km ; Chicago-Springfield : 320 km

base-ball, les plages et les *beer gardens* sont pris d'assaut, la ville devient irrésistible.

En plus de la Willis Tower, la plus haute tour des États-Unis, Chicago abrite des quartiers mexicain, polonais ou encore vietnamien où il fait bon flâner. Le blues, le jazz et le rock sont à l'honneur tous les soirs de la semaine. Et c'est une ville de gastronomes, où l'on fait autant la queue à un stand de hot dogs que dans les meilleurs restaurants du pays.

La ville saura à coup sûr vous conquérir avec sa culture et ses charmes discrets.

Histoire

À la fin du XVIIe siècle, les Potawatomi donnèrent le nom de Checagou ("oignons sauvages") à ces terres marécageuses. Le moment clé de la ville fut le 8 octobre 1871 lorsque, selon la légende, la vache de Mme O'Leary renversa une lanterne et déclencha ainsi le grand incendie de

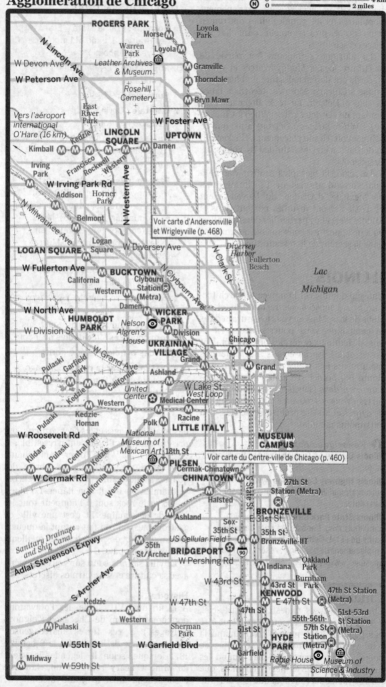

Voir carte d'Andersonville et Wrigleyville (p. 468)

Voir carte du Centre-ville de Chicago (p. 460)

0 —— 4 km
0 —— 2 miles

ROGERS PARK
Morse
Loyola Park
Loyola
N Lincoln Ave
Warren Park
W Devon Ave
Leather Archives & Museum
Granville
W Peterson Ave
Thorndale
Rosehill Cemetery
Bryn Mawr
Vers l'aéroport international O'Hare (16 km)
East River Park
W Foster Ave
UPTOWN
LINCOLN SQUARE
Damen
Kimball
Kedzie
Irving Park
Francisco
Rockwell
Western
W Irving Park Rd
Addison
Horner Park
N Western Ave
Belmont
N Milwaukee Ave
Logan Square
LOGAN SQUARE
W Diversey Ave
Diversey Harbor
Fullerton Beach
Lac Michigan
W Fullerton Ave
BUCKTOWN
California
N Clybourn Ave
N Clark St
Western
Clybourn Station (Metra)
Damen
W North Ave
HUMBOLDT PARK
Nelson Algren's House
WICKER PARK
Chicago
W Division St
Division
UKRAINIAN VILLAGE
W Grand Ave
Grand
Grand
Pulaski
Garfield Park
Ashland
California
W Lake St
West Loop
United Center
Medical Center
Kedzie
Western
Kedzie-Homan
Racine
Polk
LITTLE ITALY
MUSEUM CAMPUS
W Roosevelt Rd
Kildare
Pulaski
Central Park
Kedzie
National Museum of Mexican Art
18th St
W Cermak Rd
California
Western
Hoyne
PILSEN
Cermak-Chinatown
CHINATOWN
S State St
27th St Station (Metra)
Halsted
BRONZEVILLE
Ashland
Sox-35th St
E 31st St
35th St-Bronzeville-IIT
Sanitary Drainage and Ship Canal
US Cellular Field
35th St/Archer
BRIDGEPORT
W Pershing Rd
Indiana
Oakland Park
Burnham Park
Adlai Stevenson Expwy
S Archer Ave
W 43rd St
43rd St
KENWOOD
E 47th St
47th St Station (Metra)
Kedzie
W 47th St
47th St
55th-56th-57th St Station (Metra)
51st-53rd St Station (Metra)
Pulaski
Western
Sherman Park
51st St
HYDE PARK
Midway
W 55th St
W Garfield Blvd
Garfield
Robie House
Museum of Science & Industry
W 59th St

Chicago, qui dévasta tout le centre-ville et laissa 90 000 personnes sans abri.

Les urbanistes retinrent la leçon et décidèrent de reconstruire la ville non plus en bois, mais en acier, et incorporèrent d'audacieuses nouvelles structures, comme le premier gratte-ciel du monde, qui fut érigé en 1885.

Al Capone et ses acolytes régnèrent sur Chicago et ses hommes politiques corrompus dans les années 1920. Il semble d'ailleurs que tout n'ait pas été réglé depuis, car depuis les années 1970, quelque 30 conseillers municipaux ont été envoyés en prison.

Durant les 50 dernières années, les Daley ont dominé la ville : Richard J. Daley fut maire de 1955 à 1976, et son fils Richard M. Daley, de 1989 à 2011.

⊙ À voir

Les principaux sites d'intérêt de Chicago sont pour la plupart dans le centre-ville, mais les quartiers plus éloignés comme Pilsen et Hyde Park valent aussi le détour.

Les rues quadrillent la ville et sont numérotées. Madison St et State St dans le Loop constituent le centre de la grille. Si vous allez dans une direction (nord, sud, est, ouest), chaque augmentation de 800 dans la numérotation des rues correspond à 1 *mile* (1,6 km). Par exemple, Chicago Ave (800 N) est suivie de North Ave (1600 N) et de Fullerton Ave (2400 N), qui est donc située à 3 *miles* du centre-ville.

THE LOOP
Le centre-ville et quartier des affaires tire son nom de la ligne de métro aérien qui en fait le tour. Très fréquenté la journée, le quartier est plutôt vide le soir, sauf dans le Millennium Park et le Theater District, près de l'intersection de N State St et de W Randolph St.

GRATUIT **Millennium Park** PARC
(carte p. 460 ; www.millenniumpark.org ; Welcome Center, 201 E Randolph St ⊙6h-23h ; ♿). Fièrement dressé sur la berge du lac, le Millennium Park abrite de nombreux sites artistiques gratuits. Le kiosque à musique argenté, haut de 36 m, de Frank Gehry, est l'élément central de cette galerie d'art moderne en plein air. La **Crown Fountain** de Jaume Plensa, haute de 15 m, projette des vidéos de personnes en train de cracher de l'eau, telles des gargouilles. Le **BP Bridge**, également de Frank Gehry, enjambe Columbus Dr et offre une belle vue sur la ville. La **McCormick Tribune Ice Rink** est une patinoire l'hiver et une terrasse de restaurant l'été. L'ajout le plus récent est le **Nichols Bridgeway**, qui s'étend du parc au jardin de sculptures (gratuit) situé au 3e étage de l'Art Institute.

CHICAGO EN...

Deux jours

Le 1er jour, joignez-vous à un **circuit architectural** et découvrez les gratte-ciel de la ville. Admirez la vue depuis le **John Hancock Center**, l'un des plus hauts bâtiments du monde. Regardez la ville se refléter sur "le haricot" (*the Bean*) et jouez avec les gargouilles humaines de la Crown Fountain dans le **Millennium Park**. Pour vous rassasier, rien de tel qu'une pizza *deep-dish* de chez **Giordano's**.

Consacrez la 2e journée à la culture : explorez l'**Art Institute of Chicago** ou le **Field Museum of Natural History**. Faites les boutiques et offrez-vous un dîner chic dans **Wicker Park**. Enfin, allez au **Green Mill**, le repaire d'Al Capone, pour une soirée jazz.

Quatre jours

Suivez l'itinéraire des 2 premiers jours, puis le 3e jour, louez un vélo et allez jusqu'au lac Michigan sur **North Avenue Beach**, puis traversez le **Lincoln Park**, en vous arrêtant au zoo et au conservatoire. Si c'est la saison du base-ball, assistez à un match des Cubs au **Wrigley Field**. Enfin, terminez la soirée au **Buddy Guy's Legends**, un club de jazz enfumé.

Choisissez un quartier pour votre 4e jour et mangez, faites du shopping et imprégnez-vous de la culture locale : fresques et cuisine mexicaine dans **Pilsen**, pagodes et sandwichs vietnamiens dans **Uptown**, ou Obama et sculptures nucléaires dans **Hyde Park**. Ensuite, assistez à une représentation dans l'un des 200 théâtres de la ville ou à une comédie à **Second City**.

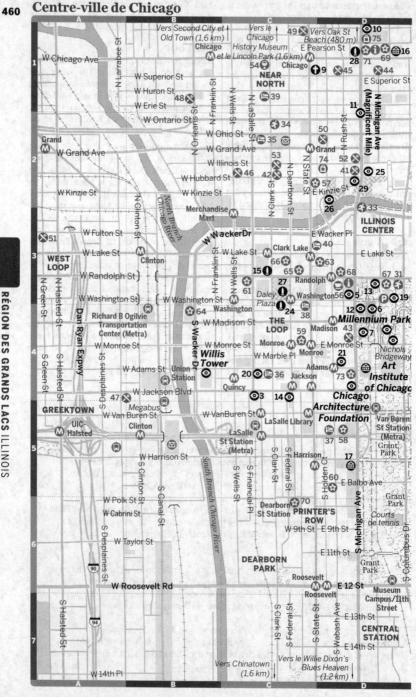

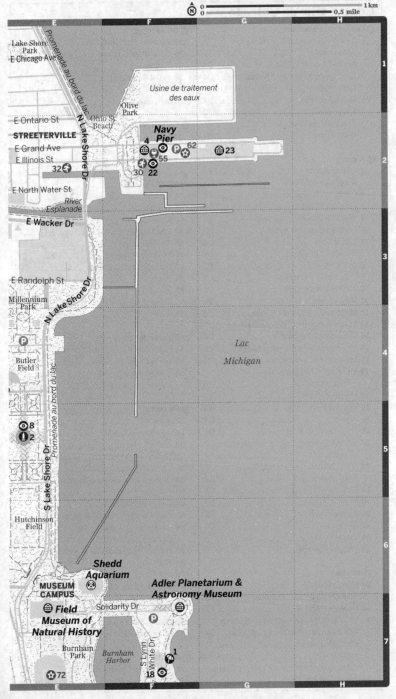

Centre-ville de Chicago

Cependant, le principal site touristique du parc est le "haricot" (*Bean*), dont le nom officiel est la **Cloud Gate** d'Anish Kapoor, une sculpture argentée et lisse de 110 tonnes. Les habitants comme les visiteurs sont sous le charme de ces œuvres ludiques, si l'on en croit les foules présentes autour de la Crown Fountain et de la sculpture.

L'été, des concerts gratuits sont organisés à l'heure du déjeuner et à 18h30 au superbe kiosque à musique qu'est le **Pritzker Pavilion**. Le soir, apportez votre pique-nique pour écouter de la musique contemporaine le lundi, du jazz et des musiques du monde le jeudi, et de la musique classique les autres jours. Le samedi, des cours gratuits (yoga à 8h, Pilates à 9h et danse à 10h) sont organisés sur la Great Lawn. La Family Fun Tent propose des activités gratuites pour les enfants, tous les jours de 10h à 15h. Des circuits pédestres gratuits (Welcome Center ; ☺11h30 et 13h) ont lieu chaque jour, et vous pouvez télécharger le circuit sur leur site Web. Le Millennium Park fait partie du coin nord-ouest du Grant Park (voir p. 464).

Art Institute of Chicago   MUSÉE

(carte p. 460 ; ☎312-443-3600 ; www.artic.edu/aic ; 111 S Michigan Ave ; adulte/enfant 18 $/gratuit ; ☺10h30-17h, 10h30-20h jeu ; ♿). L'Art Institute, 2ᵉ plus grand musée d'art du pays, héberge des trésors et des chefs-d'œuvre du monde entier, dont une superbe collection d'impressionnistes et de postimpressionnistes. L'aile moderne, baignée de lumière naturelle, renferme des Picasso et des Miró au 3ᵉ niveaux.

Comptez deux heures pour voir les principales toiles du musée, et plus de temps pour une visite en profondeur. Renseignez-vous à l'accueil sur les conférences et les visites guidées gratuites. L'accès au jardin de sculptures au 3ᵉ étage est gratuit. Il offre une belle vue sur la ville et est relié au Millennium Park par la passerelle piétonne Nichols Bridgeway.

Willis Tower   TOUR

(carte p. 460 ; ☎312-875-9696 ; www.the-skydeck.com ; 233 S Wacker Dr ; adulte/enfant 17/11 $; ☺9h-22h avr-sept, 10h-20h oct-mars). La Willis Tower s'appelait la Sears Tower jusqu'en 2009, quand le courtier d'assurance Willis Group Holdings fit l'acquisition des droits du nom. Quoi qu'il en soit, c'est toujours le bâtiment le plus haut des États-Unis (443 m), et son point d'observation du 103ᵉ étage offre une vue imprenable.

Entrez sur Jackson Blvd, puis descendez dans la salle d'attente par l'ascenseur. Après le contrôle, vous réglerez les droits d'entrée. Il peut y avoir jusqu'à une heure d'attente, notamment l'été entre 11h et 16h du vendredi au dimanche. Un documentaire vous fera patienter, puis vous prendrez l'ascenseur pour une montée de 70 secondes. Pour des sensations fortes, marchez sur le sol en verre de la corniche. Pour ceux qui préfèrent admirer le paysage avec un verre à la main, un autre immeuble, le John Hancock Center (p. 466), est un meilleur choix.

GRATUIT Chicago Cultural Center   BÂTIMENT CULTUREL

(carte p. 460 ; ☎312-744-6630 ; www.chicago-culturalcenter.org ; 78 E Washington St ; ☺8h-19h lun-jeu, 8h-18h ven, 9h-18h sam, 10h-18h dim ; 🖥). L'immense édifice des beaux-arts propose des expositions d'art, des films étrangers et

BILLETERIE EN LIGNE ET CARTES DE RÉDUCTION

La plupart des principaux points d'intérêt, dont l'Art Institute, le Shedd Aquarium et la Willis Tower, vous permettent d'acheter votre billet en ligne. De cette façon, vous êtes assuré d'entrer et vous ne faites pas la queue. Par contre, vous devrez payer des frais de 1,50-4 $ par billet (ou parfois simplement par réservation), et il arrive que la file des billets prépayés soit presque aussi longue que la file ordinaire. Notre avis : l'achat en ligne vaut uniquement le coup l'été pour les principales curiosités.

Chicago propose quelques cartes de réduction qui vous permettent d'éviter les queues :

La **Go Chicago Card** (www.gochicagocard.com) vous permet de visiter un nombre illimité de sites pour une somme forfaitaire. Valable pour 1, 2, 3, 5 ou 7 jours consécutifs.

Le **CityPass** (www.citypass.com) donne accès à 5 des principaux points d'intérêt de la ville, dont le Shedd Aquarium et la Willis Tower, durant 9 jours. C'est la meilleure option si vous souhaitez prendre votre temps.

L'ARCHITECTURE DU LOOP

Depuis qu'elle a érigé le premier gratte-ciel du monde, Chicago a poursuivi des projets architecturaux ambitieux au design avant-gardiste. Le Loop est l'endroit idéal pour admirer ces impressionnantes structures.

La **Chicago Architecture Foundation** (carte p. 460 ; www.architecture.org) propose des visites guidées des bâtiments suivants :

» Le **Chicago Board of Trade** (carte p. 460 ; 141 W Jackson Blvd). Un bijou Art déco de 1930. En son sein, les traders font la loi. Depuis l'extérieur, vous pouvez admirer la statue de Cérès, la déesse de l'agriculture, qui se dresse à son sommet.

» Le **Rookery** (carte p. 460 ; 209 S LaSalle St). Cet immeuble de bureaux de 1888 a des allures de forteresse vu de l'extérieur, mais renferme un atrium vaste et clair, créé par Frank Lloyd Wright.

» Le **Monadnock Building** (carte p. 460 ; 53 W Jackson Blvd). Le Monadnock Building fascine les inconditionnels d'architecture. C'est en fait deux bâtiments en un. La partie nord, au design traditionnel, date de 1891, tandis que la moitié sud, plus moderne, date de 1893. Vous voyez la différence ? Le Monadnock est aujourd'hui encore un immeuble de bureaux.

des concerts de jazz et de musique du monde à 12h15 en semaine. Vous y trouverez aussi le plus grand dôme en vitrail de Tiffany du monde, le principal office du tourisme et une galerie consacrée aux écrivains de la ville, dont Nelson Algren et Studs Terkel.

Grant Park　　　　　　　　　　　PARC
(carte p. 460 ; Michigan Ave entre 12th St et Randolph St ; ☺6h-23h). Les grands festivals de la ville, comme Taste of Chicago, Blues Fest et Lollapalooza, se tiennent au Grant Park. La **Buckingham Fountain** (angle Congress Pkwy et Columbus Dr) est l'élément central du parc. La fontaine, d'une capacité de 5,6 millions de litres, est l'une des plus grandes au monde. Elle se met en route toutes les heures de 10h à 23h, de mi-avril à mi-octobre, avec lumière et musique le soir.

Public Artworks　　　　　　MONUMENTS
(carte p. 460). Chicago a passé commande pour plusieurs sculptures très originales au fil des années. Parmi les œuvres les plus audacieuses du Loop se trouvent :

Untitled (50 W Washington St) de Pablo Picasso, que tout le monde appelle "le Picasso".

Sun, the Moon and One Star
(69 W Washington St) de Joan Miró, que tout le monde appelle "le Chicago de Miró".

Monument with Standing Beast
(100 W Randolph St) de Jean Dubuffet, que tout le monde appelle "Snoopy dans un mixer".

Le **panneau de la Route 66** (Adams St entre Michigan Ave et Wabash Ave). Pour les fans de la Route 66 : c'est ici que commence la route mythique. Le panneau se trouve du côté nord d'Adams St, en direction ouest, vers Wabash Ave.

SOUTH LOOP

Le South Loop, qui inclut la partie sud du centre-ville et le Grant Park, était récemment encore à l'abandon avant de connaître un important développement. Le Museum Campus comprend la berge au sud du Grant Park, où se trouvent trois sites d'intérêts majeurs.

Field Museum of Natural History　　MUSÉE
(carte p. 460 ; ☎312-922-9410 ; www.field-museum.org ; 1400 S Lake Shore Dr ; adulte/enfant 15/10 \$; ☺9h-17h ; ♿). L'immense Field Museum abrite une collection éclectique (cafards, momies ou encore pierres précieuses). La star du musée est Sue, le plus grand *Tyrannosaurus rex* découvert à ce jour. Une boutique lui est consacrée. Expositions temporaires et films en 3D sont en extra.

Shedd Aquarium　　　　　　AQUARIUM
(carte p. 460 ; ☎312-939-2438 ; www.sheddaquarium.org ; 1200 S Lake Shore Dr ; adulte/enfant 29/20 \$; ☺9h-18h juin-août, 9h-17h sept-mai ; ♿). Le Shedd Aquarium plaira aux enfants, notamment grâce à l'Oceanarium, ses baleines blanches et ses dauphins, ainsi que l'aquarium des requins, où seule une vitre de Plexiglas vous sépare d'une vingtaine de ces inquiétants prédateurs. Le cinéma 4D et les spectacles sont en extra (environ 4 \$ chacun).

Adler Planetarium & Astronomy Museum MUSÉE

(carte p. 460 ; 312-922-7827 ; www.adlerplanetarium.org ; 1300 S Lake Shore Dr ; adulte/enfant 12/8 $; 9h30-18h juin-août, 10h-16h sept-mai ;). Les passionnés de l'espace trouveront leur bonheur ici : il y a des télescopes pour observer les étoiles, des projections en 3D consacrées aux supernovas et les enfants peuvent même lancer une fusée. Les marches à l'entrée du musée offrent une belle vue de Chicago (et sont un lieu de rendez-vous pour les amoureux).

Autres points d'intérêt autour du Museum Campus :

12th Street Beach PLAGE

(carte p. 460). Un sentier partant en direction du sud depuis le planétarium mène à cette belle plage isolée.

Northerly Island PARC

(carte p. 460 ; 1400 S Lynn White Dr). L'été, de grands concerts sont donnés (on les entend depuis 12th St Beach) dans ce parc où l'on peut observer des oiseaux.

GRATUIT Museum of Contemporary Photography MUSÉE

(carte p. 460 ; 312-663-5554 ; www.mocp.org ; Columbia College, 600 S Michigan Ave ; 10h-17h lun-sam, 10h-20h jeu, 12h-17h dim). Un petit musée qui vaut la peine d'être exploré.

NEAR NORTH

Les fortunes de Chicago se bâtissent dans le Loop, mais c'est dans le Near North qu'elles sont dépensées. Boutiques, restaurants et divertissements sont légion.

GRATUIT Navy Pier BORD DE LAC

(carte p. 460 ; 312-595-7437 ; www.navypier.com ; 600 E Grand Ave ; 10h-22h, 10h-24h ven-sam ;). Cette partie du lac, qui s'étend sur près de 1 km, est le site le plus visité de Chicago. Il comprend une grande roue de 45 m (6 $), un cinéma IMAX, un *beer garden* et des chaînes de restaurants. Les habitants trouvent qu'il est trop commercial, mais la vue sur le lac et la brise fraîche sont incomparables. Feux d'artifice le mercredi (21h30) et le samedi (22h15) durant l'été.

Le Chicago Children's Museum (p. 472) et le superbe **Smith Museum of Stained Glass Windows** (carte p. 460 ; 312-595-5024 ; Festival Hall ; entrée libre ; 10h-22h, 10h-24h ven-sam) sont également situés ici, de même que plusieurs agences de croisières. Le **Shoreline water taxi** (bateau-taxi ; carte p. 460 ; www.shorelinesightseeing.com ; 10h-19h fin mai-début sept) est une façon agréable de vous rendre au Museum Campus (adulte/enfant 7/4 $).

Magnificent Mile RUE

(carte p. 460 ; www.themagnificentmile.com ; N Michigan Ave). Situé sur Michigan Avenue entre la rivière et Oak St, le Magnificent Mile est une zone de shopping haut de gamme, où Bloomingdales, Neiman's et Saks auront raison de vos économies.

Tribune Tower GRATTE-CIEL

(carte p. 460 ; 435 N Michigan Ave). En observant de près cette tour gothique, vous apercevrez

LE CHICAGO D'AL CAPONE

La ville préférerait occulter son passé mafieux. C'est pourquoi il n'y a aucune brochure ou collection consacrée aux lieux de sinistre mémoire. Vous devrez faire preuve d'imagination lors de votre visite de ces sites non signalés.

Deux meurtres furent commis près de la **Holy Name Cathedral** (carte p. 460 ; 735 N State St). En 1924, Dion O'Banion, caïd du North Side, fut tué dans son atelier de fleuriste (738 N State St) pour avoir contrarié Al Capone. Son successeur, Hymie Weiss, quant à lui, fut abattu en 1926 de plusieurs balles tirées d'une fenêtre du 740 N State St alors qu'il se rendait à l'église.

Le **St Valentine's Day Massacre Site** (2122 N Clark St, Lincoln Park) est le lieu où les hommes de main d'Al Capone, déguisés en policiers, firent s'adosser au mur d'un garage sept membres du gang de Bugs Moran et les criblèrent de balles. Le garage fut démoli en 1967.

En 1934, la "dame en rouge" trahit John Dillinger qui fut abattu par le FBI devant le **Biograph Theater** (2433 N Lincoln Ave, Lincoln Park).

Al Capone fréquentait souvent le bar clandestin au sous-sol du club de jazz **Green Mill** (p. 480).

Capone's Chicago Home (7244 S Prairie Ave), la maison d'Al Capone, est située dans une partie mal fréquentée du South Side, alors soyez prudent. Elle fut principalement habitée par sa femme, Mae, sa mère et sa famille.

dans sa partie inférieure des références au Taj Mahal, au Parthénon et à d'autres célèbres structures.

Trump Tower
GRATTE-CIEL

(carte p. 460 ; 401 N Wabash Ave). La tour de Donald Trump, avec ses 414 m, est la 2e plus haute structure de Chicago, mais elle fait l'objet de railleries en raison de son allure de cure-dent.

Wrigley Building
GRATTE-CIEL

(carte p. 460 ; 400 N Wabash Ave). L'extérieur en terre cuite vernissée de cette tour construite pour héberger le siège d'un fabricant de chewing-gum est aussi blanc que l'émail.

GOLD COAST

La Gold Coast est le lieu de résidence des fortunés de Chicago depuis plus de 125 ans.

John Hancock Center
GRATTE-CIEL

(hors carte p. 460 ; ☏888-875-8439 ; www. hancockobservatory.com ; 875 N Michigan Ave ; adulte/enfant 15/10 $; ☺9h-23h). Le 3e plus haut gratte-ciel de Chicago. La vue y est plus belle que depuis la Willis Tower, car le Hancock est plus proche du lac et plus au nord. Pour une leçon d'histoire sur la ville, allez au point d'observation du 94e étage et écoutez l'audioguide offert à l'entrée. Sinon, le Signature Lounge du 96e étage

---

À NE PAS MANQUER

LES BIÈRES DU MIDDLE WEST

Grâce à son héritage allemand, le Middle West est le spécialiste de la bière. Oui, Budweiser et Miller sont basés ici, mais des bières bien plus intéressantes sortent des barils des brasseries artisanales de la région. Les bars du coin proposent les délicieuses bières pression suivantes, à essayer absolument :

» **Bell's** de Kalamazoo, MI

» **Capital** de Madison, WI

» **Founder's** de Grand Rapids, MI

» **Goose Island** de Chicago, IL

» **Great Lakes** de Cleveland, OH

» **Lakefront** de Milwaukee, WI

» **New Holland** de Holland, MI

» **Summit** de St Paul, MN

» **Three Floyds** de Munster, IN

» **Two Brothers** de Warrenville, IL

---

vous attend, et vous pourrez admirer le paysage gratuitement à l'achat d'un verre (6-14 $).

Museum of Contemporary Art
MUSÉE

(carte p. 460 ; ☏312-280-2660 ; www. mcachicago.org ; 220 E Chicago Ave ; tarif plein/étudiant 12/7 $; ☺10h-20h mar, 10h-17h mer-dim). C'est un peu le frère impertinent et rebelle de l'Art Institute. Il possède une belle collection d'œuvres minimalistes et surréalistes et de livres d'art, ainsi que des œuvres de Franz Kline, René Magritte, Cindy Sherman et Andy Warhol.

Original Playboy Mansion
BÂTIMENT

(1340 N State St). C'est ici que Hugh Hefner commença à porter des pyjamas toute la journée, car il était trop occupé à produire son magazine et à faire la fête pour s'habiller. Le bâtiment abrite maintenant des appartements, mais vous pourrez vous vanter d'être allé au "Manoir Playboy". Vous trouverez d'autres manoirs à l'est sur Astor St, entre les numéros 1300 et 1500.

Water Tower
SITE D'INTÉRÊT

(carte p. 460 ; angle Chicago Ave et Michigan Ave). Cette tour donjonnée de 47 m, seule survivante du grand incendie de 1871, abrite un château d'eau.

Oak Street Beach
PLAGE

(hors carte p. 460 ; 1000 N Lake Shore Dr). En bordure du centre-ville.

LINCOLN PARK ET OLD TOWN

Le Lincoln Park (hors carte p. 460) est le principal espace vert de Chicago, une oasis urbaine qui s'étend sur 485 hectares le long du lac, mais c'est également le nom du quartier attenant. Tous deux sont fréquentés de jour comme de nuit par des gens qui font du jogging, promènent leur chien ou cherchent une place de parking.

L'Old Town est située au sud-ouest du parc. L'intersection de North Ave et de Wells St forme son épicentre, avec des restaurants, des bars et le club d'improvisation Second City.

GRATUIT Lincoln Park Zoo
ZOO

(☏312-742-2000 ; www.lpzoo.org ; 2200 N Cannon Dr ; ☺10h-16h30 nov-mars, 10h-17h avr-oct, 10h-18h30 sam-dim juin-août ; ♿). Un classique pour les sorties en famille, avec ses gorilles, ses lions et autres animaux sauvages dans les environs du centre-ville. Le Regenstein African Journey, la Primate House et le Nature Boardwalk valent le détour.

GRATUIT **Lincoln Park Conservatory** JARDIN
(☎312-742-7736 ; 2391 N Stockton Dr ;
⊗9h-17h). Près de l'entrée nord du zoo,
cette magnifique serre de 1891 recèle des
palmiers, des fougères et des orchidées.
Durant l'hiver glacé et venteux, ses 24°C en
font un havre de douceur.

North Avenue Beach PLAGE
(1600 N Lake Shore Dr ; 🚲). La plage la plus
populaire et la mieux équipée de Chicago
offre une ambiance californienne. Vous
pouvez louer un vélo, un kayak ou une
chaise longue et vous restaurer ou prendre
un verre à la *beach house*. Elle se trouve à
3 km au nord du Loop.

Chicago History Museum MUSÉE
(Hors carte p. 460 ; ☎312-642-4600 ; www.
chicagohistory.org ; 1601 N Clark St ; adulte/
enfant 14 $/gratuit ; ⊗9h30-16h30 lun-sam,
12h-17h dim). Des installations multimédias
couvrent l'histoire de Chicago, du Grand
Incendie à la Convention démocrate de
1968. Le lit de mort du président Lincoln
est exposé ici. Les enfants peuvent même
"devenir" un hot dog de Chicago recouvert
de condiments.

LAKE VIEW ET WRIGLEYVILLE

Situés au nord du Lincoln Park, ces
quartiers sont à découvrir en déambulant
sur Halsted St, Clark St, Belmont Ave
ou Southport Ave, qui sont toutes
bordées de restaurants, de bars et de
boutiques. Le **Wrigley Field** (carte p. 460 ;
1060 W Addison St) porte le nom d'un roi
du chewing-gum, et accueille l'équipe
de base-ball des Chicago Cubs. Si vous
souhaitez assister à un match sans payer,
vous pouvez apercevoir le terrain depuis
une large ouverture sur Sheffield Ave.
Pour des renseignements sur les billets,
voir p. 481.

ANDERSONVILLE ET UPTOWN

Ces quartiers au nord (carte p. 468) sont
agréables à visiter. Andersonville est une
ancienne enclave suédoise centrée sur
Clark St, où des commerces anciens de style
européen se mêlent aux nouveaux restaurants gourmets, aux petites boutiques,
aux magasins vintage et aux bars gays et
lesbiens. Prenez la ligne rouge de la CTA
jusqu'à l'arrêt Berwyn, puis marchez vers
l'ouest sur 1,5 km.

Au sud, Uptown offre une ambiance
radicalement différente. Prenez la ligne
rouge jusqu'à Argyle, qui se trouve au
centre de "Little Saigon" et ses magasins
vietnamiens.

POUR LES FANS DE BLUES

De 1957 à 1967, le modeste bâtiment
situé au 2120 S Michigan Avenue
abritait Chess Records, le
premier label de blues. Muddy
Waters, Howlin'Wolf et Bo Diddley
enregistrèrent ici, ouvrant la voie au
rock'n'roll avec leur son électrique.
Chuck Berry et les Rolling Stones y
vinrent peu après. Le studio s'appelle
maintenant **Willie Dixon's Blues
Heaven** (☎312-808-1286 ; www.
bluesheaven.com ; 2120 S Michigan Ave ;
visite guidée 10 $; ⊗11h-16h lun-ven,
12h-14h sam), d'après le bassiste qui
composa la plupart des hits de Chess. Il
est possible de suivre une visite
guidée de la réception (la chanteuse
de soul Minnie Ripperton y travailla)
et du studio principal. Des concerts
de blues gratuits sont donnés dans
le jardin le jeudi à 18h durant l'été. Le
bâtiment est proche de Chinatown,
à environ 1,5 km au sud du Museum
Campus.

WICKER PARK, BUCKTOWN ET UKRAINIAN VILLAGE

À l'ouest du Lincoln Park, ces trois quartiers chics (carte p. 458) étaient autrefois
des quartiers ouvriers pour immigrants
d'Europe centrale et écrivains bohèmes.
Des centaines de boutiques de mode, de
disquaires et de lounges ont ouvert leurs
portes, notamment près de l'intersection
de Milwaukee Ave et North-Damen Ave.
Division St est également intéressante. Elle
fut surnommée le "Broadway polonais" en
raison des nombreux bars polonais qui la
bordaient, remplacés depuis par des cafés
et des boutiques d'artisanat. Le seul point
d'intérêt du coin est la **Nelson Algren's
House** (carte p. 458 ; 1958 W Evergreen Ave),
où Nelson Algren écrivit plusieurs romans
sur Chicago. C'est une résidence privée et
il n'est pas possible de la visiter. Prenez la
ligne bleue de la CTA jusqu'à Damen (pour
Nelson Algren) ou Division.

LOGAN SQUARE ET HUMBOLDT PARK

Lorsque Wicker Park devint trop cher pour
les artistes et la jeunesse branchée, ceux-ci
déménagèrent dans les quartiers latinos de
Logan Square et de Humboldt Park (carte
p. 458). Les visiteurs y trouveront des petits
restaurants, des pubs et des fresques. Prenez

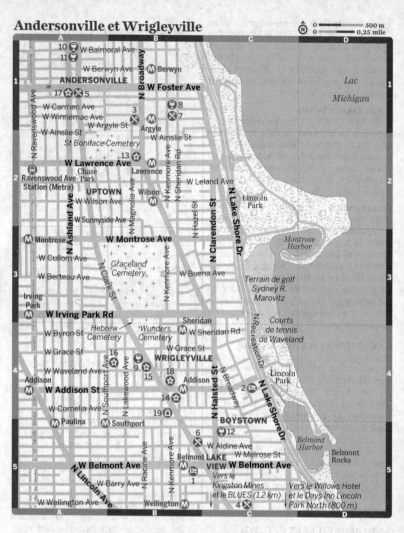

la ligne bleue de la CTA jusqu'à Logan Square ou California.

NEAR WEST SIDE ET PILSEN

À l'ouest du Loop se trouve **West Loop** (carte p. 460). Ce quartier ressemble au Meatpacking District de New York, avec ses restaurants chics, ses clubs et ses galeries d'art au milieu des abattoirs, principalement sur W Randolph St et W Fulton Market. Non loin de là se trouve le quartier grec de **Greektown** (hors carte p. 460) le long de S Halsted St près de W Jackson Blvd. Ces quartiers sont à 2 km du Loop et il vaut mieux s'y rendre en taxi.

Au sud-est, vous trouverez l'enclave de **Pilsen** (carte p. 458), qui abrite galeries d'art, boulangeries mexicaines et cafés branchés. Prenez la ligne rose de la CTA jusqu'à 18th St.

GRATUIT **National Museum of Mexican Art** MUSÉE
(carte p. 458 ; ☎312-738-1503 ; www.nationalmuseumofmexicanart.org ; 1852 W 19th St ; ◷10h-17h mar-dim). Le plus grand musée consacré aux arts latinos des États-Unis. Sa collection permanente comprend des peintures classiques, des autels dorés, de l'art populaire et des broderies de perles colorées.

Andersonville et Wrigleyville

Pilsen Mural Tours   CIRCUITS PÉDESTRES
(☎773-342-4191 ; circuit de 1 heure 30, 100 $/ groupe). Jose Guerrero, un artiste du coin, conduit ces circuits pédestres, au cours desquels vous découvrirez les différentes fresques du quartier. Appelez pour organiser une sortie.

CHINATOWN

Le quartier chinois (hors carte p. 460) est un quartier charmant où l'on va d'une boulangerie à l'autre pour grignoter des gâteaux à la châtaigne et des cookies aux amandes, tout en faisant du shopping. Wentworth Avenue, au sud de Cermak Rd, est le cœur commerçant du vieux Chinatown. Chinatown Sq, le long d'Archer Avenue, au nord de Cermak, est plus récent. Il se trouve à seulement 10 minutes de train du Loop. Prenez la ligne rouge de la CTA jusqu'à Cermak-Chinatown.

HYDE PARK ET SOUTH SIDE

Le South Side englobe une myriade de quartiers au sud de 25th St, dont certains très défavorisés. Hyde Park et Kenwood sont les stars du South Side, devenus célèbres grâce à Barack Obama. Sauf indication contraire, on peut rejoindre les lieux d'intérêt par les trains de la Metra Electric Line depuis la Millennium Station du centre-ville, jusqu'à l'arrêt 55th-56th-57th.

  InstaGreeter (www.chicagogreeter.com/ insta greeter) propose des circuits pédestres gratuits de 1 heure au départ du **Hyde Park Art Center** (5020 S Cornell Ave ; ◷10h-15h sam juin-début oct). Plusieurs circuits à vélo (p. 470) font également le tour des sites d'intérêt.

Obama Sights   CIRCUIT "OBAMA"
La sécurité est importante aux abords de la **maison d'Obama** (5046 S Greenwood Ave), mais vous pouvez apercevoir ce manoir de style géorgien depuis Hyde Park Blvd. Ou encore, vous pouvez aller voir Zariff, son coiffeur, et jeter un coup d'œil au fauteuil du Président (entouré de verre pare-balles) au **Hyde Park Hair Salon** (5234 S Blackstone Ave). Prendre la Metra Electric Line jusqu'à 51st-53rd St.

University of Chicago   UNIVERSITÉ
(5801 S Ellis Ave). Plus de 80 professeurs et étudiants de cette université ont reçu un prix Nobel. Les départements d'économie et de physique sont particulièrement récompensés. C'est ici que le nucléaire puise ses origines : Enrico Fermi et son équipe du Manhattan Project construisirent un réacteur et déclenchèrent la première réaction nucléaire contrôlée le 2 décembre 1942. La **sculpture Nuclear Energy** (S Ellis Ave entre E 56th St et E 57th St) d'Henry Moore commémore cet événement.

Museum of Science & Industry   MUSÉE
(carte p. 458 ; ☎773-684-1414 ; www.msichicago. org ; 5700 S Lake Shore Dr ; adulte/enfant 15/10 $; ◷9h30-17h30 juin-août, tarif réduit sept-mai). Ce colossal bâtiment renferme des installations clinquantes. On peut notamment y admirer un sous-marin allemand de la Seconde Guerre mondiale (accès 8 $) et une simulation de tornade dans l'exposition "Science Storms".

Robie House   ARCHITECTURE
(carte p. 458 ; ☎708-848-1976 ; www. gowright.org ; 5757 S Woodlawn Ave ; adulte/ enfant 15/12 $; ◷11h-16h jeu-lun). De tous

RÉGION DES GRANDS LACS CHICAGO

les bâtiments de Frank Lloyd Wright à Chicago, la Robie House est la plus célèbre et la plus influente. La ressemblance entre ses lignes horizontales et les paysages plats du Middle West valut à ce style le surnom de "Prairie School". À l'intérieur se trouvent 174 fenêtres et portes à vitraux, que vous pourrez admirer au cours de la visite guidée de une heure (fréquence variable selon la saison).

🏃 Activités

Les 552 parcs de Chicago abritent golfs, patinoires, piscines et plus encore. Les activités sont gratuites ou à bas prix, et il est possible de louer l'équipement nécessaire. Le **Chicago Park District** (www.chicagoparkdistrict.com) gère les installations sportives ; les **terrains de golf** (☎312-245-0909 ; www.cpdgolf.com) sont à part.

Vélo

Emprunter la piste cyclable de 30 km en bordure de lac est une belle façon de découvrir la ville. Deux compagnies proposent des vélos à la location pour 10 \$/heure ou 35 \$/jour (casque et antivol compris). Elles proposent également des circuits de 2 et 4 heures (35-65 \$, vélos compris) sur différents thèmes comme le front de lac, "bière et pizza", ou encore Obama (à ne pas manquer !). L'**Active Transportation Alliance** (www.activetrans.org) répertorie les événements cyclistes.

Bike Chicago   VÉLO
(carte p. 460 ; ☎888-245-3929 ; www.bikechicago.com ; 239 E Randolph St ; ⏰6h30-20h lun-ven, 8h-20h sam-dim, fermé sam-dim nov-mars). Grosse entreprise avec plusieurs antennes. Le bureau principal est au Millennium Park ; un autre se trouve au Navy Pier.

Bobby's Bike Hike   VÉLO
(carte p. 460 ; ☎312-915-0995 ; www.bobbysbikehike.com ; 465 N McClurg Ct ; ⏰8h30-19h juin-août, fermé déc-fév). Jeune entreprise située dans Ogden Slip, aux River East Docks.

Sports nautiques

Piquez une tête, bâtissez un château de sable ou prélassez-vous au soleil sur l'une des quelque 30 plages de Chicago. Des sauveteurs patrouillent sur le rivage l'été. Consultez le **Chicago Park District** (www.chicagoparkdistrict.com) pour connaître la qualité de l'eau. **North Avenue Beach** (p. 467) et **Oak Street Beach** (hors carte p. 466), proches du centre-ville, sont très fréquentées. Attention : l'eau reste très fraîche jusqu'en juillet.

Patinage

Patiner à la **McCormick Tribune Ice Rink** (carte p. 460 ; ☎312-742-5222 ; www.millenniumpark.org ; 55 N Michigan Ave ; location de patins 10 \$; ⏰fin nov-fév) dans le Millennium Park est un bon moyen de se réchauffer en hiver.

Chicago hors des sentiers battus

Chicago recèle plus d'une attraction ou activité insolite. Vous saurez piquer la curiosité de vos amis quand vous leur direz que vous avez pris un verre avec des catcheuses en roller ou que vous avez parfait votre technique de lancer de sac de maïs.

Cornhole   JEU
(www.chicagoleaguesports.com). Le Cornhole est un jeu qui consiste à lancer des petits sacs remplis de grains de maïs sur une boîte inclinée et percée d'un trou. Plusieurs bars ont même des équipes et organisent des tournois.

**International Museum
of Surgical Science**   MUSÉE
(☎312-642-6502 ; www.imss.org ; 1524 N Lake Shore Dr ; adulte/enfant 15/7 \$, entrée libre mar ; ⏰10h-17h mar-sam, 12h-17h dim). Ce musée atypique intéressera les fans de la série *Urgences*, tournée à Chicago, et permet d'approfondir ses connaissances en matière d'instruments de chirurgie. Il est situé dans la Gold Coast, à 1,5 km au nord de la Water Tower.

Windy City Rollers   SPECTACLE SPORTIF
(www.windycityrollers.com ; UIC Pavilion, 525 S Racine Ave ; tickets 20-40 \$). Tenant à la fois de la course de patins à roulettes et du catch, ce sport a vu le jour à Chicago en 1935. Les compétitrices se donnent à fond lors des matchs qui se déroulent une fois par mois au UIC Pavilion, à l'ouest du Loop (prendre la ligne bleue jusqu'à Racine).

Leather Archives & Museum   MUSÉE
(carte p. 548 ; ☎773-761-9200 ; www.leatherarchives.org ; 6418 N Greenview Ave ; ⏰11h-19h jeu-ven, 11h-17h sam-dim). Saviezvous que Benjamin Franklin aimait se faire fouetter et que la reine égyptienne Hatshepsut était fétichiste des pieds ? Ce musée vous révélera plein d'autres secrets au travers de sa collection consacrée à l'univers du cuir, du fétichisme et du SM. Il est situé à 13 km au nord du Loop et à 2,5 km au nord d'Andersonville. Accès réservé à un public adulte.

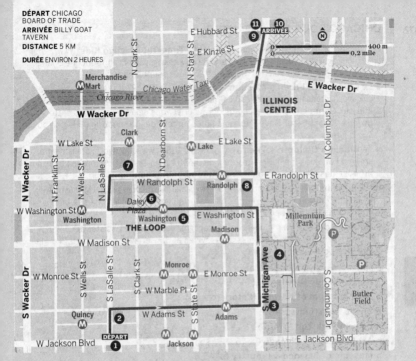

Promenade à pied

Le Loop

❭ Ce circuit couvre le Loop, offrant un bon aperçu des arts et de l'architecture de Chicago, et propose une visite chez le dentiste d'Al Capone en bonus.

Partez du **1 Chicago Board of Trade**, un beau bâtiment Art déco où l'on échange du maïs et autres matières premières. Entrez dans le **2 Rookery** tout proche pour admirer l'œuvre de Frank Lloyd Wright dans l'atrium.

Dirigez-vous vers l'est sur Adams St jusqu'à **3 l'Art Institute** et ses fameuses statues de lions, l'un des sites les plus visités de la ville. Marchez vers le nord jusqu'à l'avant-gardiste **4 Millennium Park** et découvrez la sculpture du "haricot" (*Bean*), les fontaines aux gargouilles humaines et autres créations contemporaines.

Quittez le Millennium Park et dirigez-vous vers l'ouest sur Washington St jusqu'à **5 l'Hotel Burnham**. Il est situé dans le Reliance Building, précurseur des gratte-ciel modernes ; le dentiste d'Al Capone y avait son cabinet dans la chambre 809. À l'ouest,

l'œuvre de Picasso **6 Untitled** est installée sur la Daley Plaza : à vous de deviner ce qu'elle représente. Dirigez-vous vers le nord sur Clark St jusqu'au **7 Monument with Standing Beast**, une autre sculpture intrigante.

Prenez Randolph St en direction de l'est jusqu'au quartier des théâtres. Entrez dans le **8 Cultural Center** pour prendre un verre ou assister à un concert gratuit. Puis dirigez-vous vers le nord sur Michigan Ave et traversez la Chicago River. Au nord du pont se trouve l'étincelant **9 Wrigley Building**, ainsi que la gothique **10 Tribune Tower**.

Pour terminer, visitez la **11 Billy Goat Tavern**, qui est à l'origine du mauvais sort des Cubs. Billy Sianis, l'ancien propriétaire de la taverne, avait voulu entrer dans le Wrigley Field avec sa chèvre. Comme on lui refusa l'entrée, il jeta un sort à l'équipe de base-ball pour se venger. Depuis lors, les Cubs n'ont plus remporté de *World series*.

CHICAGO POUR LES ENFANTS

Chicago est vraiment une ville pour les enfants. **Time Out Chicago Kids** (www.timeoutchicagokids.com) et **Chicago Parent** (www.chicagoparent.com) sont une bonne source d'informations. Voici les meilleures activités pour bambins :

» Le **Chicago Children's Museum** (carte p. 460 ; ☑312-527-1000 ; www.chicagochildrensmuseum.org ; 700 E Grand Ave ; 12 $, gratuit jeu soir ; ☺10h-17h, 10h-20h jeu). Commencez par escalader, creuser et vous éclabousser dans cette aire de jeux éducatifs sur Navy Pier, puis faites un tour de grande roue et de carrousel sur la jetée.

» Le **Chicago Children's Theatre** (☑773-227-0180 ; www.chicagochildrenstheatre.org) est l'une des meilleures troupes de théâtre pour enfants de tout le pays ; il propose des spectacles dans différentes salles en ville.

» L'**American Girl Place** (carte p. 460 ; www.americangirl.com ; 835 N Michigan Ave ; ⊕) est un endroit pour les petites filles qui veulent prendre le thé et se faire coiffer avec leur poupée.

» **Chic-A-Go-Go** (www.roctober.com/chicagogo). Vous pouvez assister à l'enregistrement de cette émission télévisée et danser avec vos enfants. Voir le site Web pour les dates et lieux.

D'autres activités pour les enfants :

» **North Avenue Beach** (p. 467)
» **Field Museum of Natural History** (p. 464)
» **Shedd Aquarium** (p. 464)
» **Lincoln Park Zoo** (p. 466)
» **Art Institute of Chicago** (p. 463)
» **Museum of Science & Industry** (p. 469)

Weird Chicago Tours   CIRCUIT EN BUS (www.weirdchicago.com). Fait le tour des coins étranges ou effrayants de la ville.

Chic-A-Go-Go   ÉMISSION TÉLÉVISÉE (www.roctober.com/chicagogo). Vous pouvez assister à cette émission télévisée et vous trémousser sur la piste de danse avec vos enfants en compagnie de Miss Mia et de Ratso.

☞ Circuits organisés

Les circuits organisés vous emmèneront sur l'eau et dans des quartiers plus éloignés. De nombreuses compagnies consentent des réductions si vous réservez en ligne. Les circuits en extérieurs sont organisés d'avril à novembre, sauf mention contraire. Pour les circuits à vélo, voir p. 470.

Si suivre un guide n'est pas votre tasse de thé, vous pouvez télécharger un audioguide, comme le **Chicago Blues Tour** (www.downloadchicagotours.com/bluesmedia), avec la voix du guitariste de blues Buddy Guy, ou le **Chicago Movie Tour** (www.onscreenillinois.com), qui fait le tour des sites où ont été tournés des films connus, comme *Les Incorruptibles*.

GRATUIT Chicago Greeter   CIRCUIT PÉDESTRE (carte p. 460 ; ☑312-744-8000 ; www.chicagogreeter.com ; ☺toute l'année). Cet organisme vous trouvera un habitant de la ville qui vous guidera lors d'un circuit de 2 à 4 heures sur un thème précis (architecture, histoire, gay et lesbien, etc.) ou dans un quartier. Le déplacement se fait à pied et par transports publics. Réservation 7 jours ouvrables à l'avance.

GRATUIT InstaGreeter   CIRCUIT PÉDESTRE (carte p. 460 ; www.chicagogreeter.com/instagreeter ; 77 E Randolph St ; ☺10h-16h ven-dim toute l'année). Cette version plus rapide de Chicago Greeter offre des circuits de 1 heure sans réservation au départ du Chicago Cultural Center. Des kiosques sont également ouverts le samedi durant l'été à Second City et dans le Hyde Park Art Center (p. 469).

♥ **Chicago Architecture Foundation**   CIRCUIT EN BATEAU, CIRCUIT PÉDESTRE (carte p. 460 ; ☑312-922-3432 ; www.architecture.org ; 224 S Michigan Ave ; circuit 5-40 $). Les circuits en bateau classique (35 $) partent du quai de Michigan Avenue, tandis que les circuits pédestres consacrés aux gratte-ciel (16 $) partent de l'adresse du centre-ville sur Michigan Ave. Les circuits le midi en semaine (5 $) explorent un bâtiment à la fois.

Wateriders
KAYAK

(312-953-9287 ; www.wateriders.com ; 950 N Kingsbury St ; circuit de 2½ heures 50-60 $). Descendez un "canyon de verre et d'acier" en kayak sur la Chicago River. Les sorties sur le thème des fantômes et des gangsters font le tour de lieux tristement célèbres. Le lieu de départ est à l'ouest du centre-ville, près de Chicago Avenue.

Chicago History Museum
CIRCUIT EN BATEAU, CIRCUIT PÉDESTRE

(carte p. 460 ; 312-642-4600 ; www.chicago-history.org ; circuit 15-45 $). Plusieurs circuits sont proposés, dont le tour des pubs et des cimetières, ou encore des circuits en kayak. Lieux de départ et horaires variables.

Weird Chicago Tours
CIRCUIT DE L'ÉTRANGE

(carte p. 460 ; 888-446-7859 ; www.weird-chicago.com ; angle Clark St et Ontario St ; circuit de 3 heures 30 $; 19h jeu-sam, 15h sam-dim). Fait le tour des sites liés aux fantômes, gangsters et autres. Départ devant le Hard Rock Cafe.

Chicago Food Planet Tours
CIRCUIT CULINAIRE

(212-209-3370 ; www.chicagofoodplanet.com ; circuit de 3 heures 45 $). Découvrez les saveurs de Wicker Park, Near North ou Chinatown. Lieux de départ et horaires variables.

Chicago Rocks Tour
CIRCUIT MUSICAL

(www.chicagorockstour.com ; circuit de 3 heures 30 28 $). Ce circuit en bus fait le tour des sites et retrace le parcours des Smashing Pumpkins et autres groupes de Chicago à partir des années 1980. Lieux de départ et horaires variables.

✖ Fêtes et festivals

Des festivals se tiennent toute l'année à Chicago, mais les plus importants ont

RÉGION DES GRANDS LACS CHICAGO

CHICAGO GAY ET LESBIEN

Chicago a une scène gay et lesbienne florissante. **Windy City Times** (www.windycitymediagroup.com) et **Pink magazine** (www.pinkmag.com) indiquent les bonnes adresses.

La **Chicago Area Gay & Lesbian Chamber of Commerce** (www.glchamber.org) offre un répertoire touristique en ligne. Chicago Greeter (voir ci-contre) propose des circuits pédestres personnalisés.

La plus grande concentration de bars et de clubs, surnommée Boystown, se trouve dans Wrigleyville sur N Halsted St entre Belmont Ave et Grace St. On a aussi le choix à Andersonville (ou Girls' Town). Voici notre sélection :

Big Chicks
BAR

(carte p. 468 ; www.bigchicks.com ; 5024 N Sheridan Rd ; ☎). Big Chicks accueille les femmes comme les hommes. DJ le week-end et expositions d'art. Juste à côté, le restaurant bio **Tweet** (www.tweet.biz ; 5020 N Sheridan Ave ; 9h-15h mer-lun ; ☎) est très populaire le week-end pour son brunch.

Sidetrack
DISCOTHÈQUE

(carte p. 468 ; www.sidetrackchicago.com ; 3349 N Halsted St). Une discothèque immense qui passe de la *dance*.

Hamburger Mary's
BAR

(carte p. 468 ; www.hamburgermarys.com/chicago ; 5400 N Clark St). Cabaret, karaoké, hamburgers et bière sur cette terrasse populaire où l'on passe du bon temps.

Chance's Dances
DANSE

(www.chancesdances.org). Organise des soirées gays et lesbiennes dans différents clubs en ville.

Pride Parade
FESTIVAL

(www.chicagopridecalendar.org ; fin juin). La Gay Pride se tient à Boystown et attire plus de 450 000 noceurs.

North Halsted Street Market Days
FESTIVAL

(www.northalsted.com ; début août). L'autre grand événement de Boystown, avec fêtes de rue et costumes extravagants.

lieu en été. Les événements suivants se déroulent dans le centre-ville le temps d'un week-end, sauf indication contraire. Le site **Explore Chicago** (www.explorechicago.org/specialevents) renseigne sur les dates exactes et fournit des détails.

GRATUIT **St Patrick's Day Parade** DÉFILÉ
(www.chicagostpatsparade.com ; ⊙mi-mars). Le syndicat des plombiers teint les eaux de la Chicago River en vert lors de la Saint-Patrick ; suit un grand défilé.

GRATUIT **Blues Festival** MUSIQUE
(www.chicagobluesfestival.us ; ⊙début juin). Le plus grand festival de blues gratuit du monde célèbre pendant 3 jours cette musique originaire de Chicago.

GRATUIT **Taste of Chicago** CUISINE
(www.tasteofchicago.us ; ⊙fin juin-début juil). Choyez votre estomac et vos oreilles (concerts) durant ce festival de 10 jours dans Grant Park.

GRATUIT **SummerDance** MUSIQUE
(www.chicagosummerdance.org ; 601 S Michigan Ave ; ⊙18h jeu-sam, 16h dim début juil à mi-sept). Au programme : rumba, samba et autres musiques du monde, ainsi que des leçons de danse au Spirit of Music Garden dans Grant Park.

Pitchfork Music Festival MUSIQUE
(www.pitchforkmusicfestival.com ; journée 45 $; ⊙mi-juil). Du rock indépendant durant 3 jours dans Union Park.

Lollapalooza MUSIQUE
(www.lollapalooza.com ; journée environ 100 $; ⊙début août). Jusqu'à 130 groupes sur 8 scènes durant 3 jours à Grant Park.

GRATUIT **Jazz Festival** MUSIQUE
(www.chicagojazzfestival.us ; ⊙début sept). Les grands noms américains du jazz se produisent le premier week-end de septembre.

Où se loger

Se loger à Chicago coûte cher. Le meilleur moyen de limiter les frais est de se rendre sur un site spécialisé dans les prix réduits comme Priceline ou Hotwire (indiquez "River North" ou "Mag Mile"). Le week-end et lorsque des congrès se tiennent en ville, vos options seront beaucoup plus limitées, mieux vaut s'y prendre à l'avance pour éviter les mauvaises surprises. Les prix indiqués ici concernent les jours de semaine l'été (saison haute). Taxes de 15,4% en sus.

Les B&B offrent un bon rapport qualité/prix. Contactez la **Chicago Bed & Breakfast Association** (www.chicago-bed-breakfast.com ; ch 125-250 $), qui représentent 18 pensions. De nombreux B&B exigent un minimum de 2 ou 3 nuits. Les locations de vacances et les appartements sont également intéressants. Essayez **Vacation Rental By Owner** (www.vrbo.com) ou **Craigslist** (chicago.craigslist.org).

Les hôtels situés dans le Loop sont proches du Grant Park, des musées et du quartier des affaires, mais la vie nocturne est inexistante dans ce coin. Les adresses dans le Near North et la Gold Coast sont les plus populaires, car elles sont proches des restaurants, des boutiques et des spectacles. Les chambres dans Lincoln Park, Lake View et Wicker Park sont attractives, car elles sont moins chères et proches de la vie nocturne.

Le Wi-Fi est gratuit sauf indication contraire. Les places de parking sont chères, environ 45 $/nuit dans le centre-ville et 22$/nuit dans les quartiers périphériques.

LOOP ET NEAR NORTH

♥ **Hotel Burnham** HÔTEL $$$
(carte p. 460 ; ☎312-782-1111 ; www.burnhamhotel.com ; 1 W Washington St ; ch à partir de 189 $; P❋@⊛). Les propriétaires se vantent d'avoir le meilleur taux de retour de clients de tout Chicago. On comprend vite pourquoi. L'hôtel est situé dans le célèbre Reliance Building (l'ancêtre des gratte-ciel modernes) bâti dans les années 1890 dans le Loop. Le magnifique décor ravira les fans d'architecture. Les chambres lumineuses sont dotées d'un bureau et d'une chaise longue en acajou. Chaque soir, vin offert durant le *happy hour*.

🌿 **Hotel Felix** HÔTEL $$
(carte p. 460 ; ☎312-447-3440 ; www.hotelfelixchicago.com ; 111 W Huron St ; ch 139-189 $; P❋@⊛). Ouvert en 2009 dans le Near North, cet hôtel de 225 chambres réparties sur 12 étages est le premier hôtel du centre-ville à avoir été certifié LEED (Leadership in Energy and Environmental Design ; récompense les constructions respectueuses de l'environnement). Les chambres aux couleurs terre et aux meubles modernes sont petites mais confortables. Parking gratuit pour les voitures hybrides.

HI-Chicago AUBERGE $
(carte p. 460 ; ☎312-360-0300 ; www.hichicago.org ; 24 E Congress Pkwy ; dort petit-déj inclus 29-38 $; P❋@⊛). La meilleure auberge de Chicago est propre et située dans le Loop. Elle comprend un bureau d'information, propose des circuits gratuits et des réductions pour les musées et spectacles. Les

dortoirs comportent 6 ou 12 lits, la plupart ont une sdb attenante.

Best Western River North
HÔTEL $$

(carte p. 460 ; ☑312-467-0800 ; www.river-northhotel.com ; 125 W Ohio St ; ch 159-219 $; P⊖✿🎧🏊🐾). Chambres bien entretenues avec mobilier en érable, parking gratuit (!), piscine couverte et terrasse donnant sur la ville : une bonne adresse dans le Near North.

Wit
HÔTEL $$$

(carte p. 460 ; ☑312-467-0200 ; www.thewithotel.com ; 201 N State St ; ch à partir de 229 $; P⊖✿@🎧). Les chambres dotées d'une superbe vue, le bar sur le toit et la salle de cinéma attirent les voyageurs branchés et les hommes d'affaires dans cet hôtel design. Wi-Fi 10 $/jour (gratuit dans le hall d'entrée.)

Central Loop Hotel
HÔTEL $$

(carte p. 460 ; ☑312-601-3525 ; www.central-loophotel.com ; 111 W Adams St ; ch 119-179 $; P✿@🎧). Ce petit hôtel d'affaires propose de bons prix. Les propriétaires ont un autre établissement, le Club Quarters, au 75 E Wacker Dr.

LAKEVIEW ET WICKER PARK/ BUCKTOWN

Willows Hotel
HÔTEL $$

(hors carte p. 468 ; ☑773-528-8400 ; www.willowshotelchicago.com ; 555 W Surf St ; ch petit-déj inclus 169-229 $; P⊖✿🎧). Petit et plein d'allure, le Willows est un bijou architectural. Le lobby chic est un refuge douillet de fauteuils rembourrés autour du foyer. Les 55 chambres sont décorées dans des tons pêche, crème et vert tendre. Au nord du centre commerçant, au croisement de Broadway St, Clark St et Diversey St.

Les propriétaires du Willows Hotel possèdent 2 autres établissements similaires dans Lake View :

City Suites Hotel
HÔTEL $$

(carte p. 468 ; ☑773-404-3400 ; www.chicagocitysuites.com ; 933 W Belmont Ave). Situé près de la station Belmont sur la ligne rouge/marron de la CTA, il est un peu plus bruyant que les autres.

Majestic Hotel
HÔTEL $$

(carte p. 468 ; ☑773-404-3499 ; www.majestic-chicago.com ; 528 W Brompton Ave). Situé à l'est, vers le lac, il est plus éloigné que les autres.

Wicker Park Inn
B&B $$

(☑773-486-2743 ; www.wickerparkinn.com ; 1329 N Wicker Park Ave ; ch petit-déj inclus

149-199 $; ⊖✿🎧). Cette maison de briques est à quelques pas des meilleurs bars et restaurants de Chicago. Les chambres claires, de taille modeste mais avec un bureau, ont un parquet et sont décorées dans les tons pastel. De l'autre côté de la rue, 2 appartements avec cuisine permettent d'être autonome. Le B&B est à environ 1 km au sud-est de la station Damen sur la ligne bleue de la CTA.

Days Inn Lincoln Park North
HÔTEL $$

(hors carte p. 468 ; ☑773-525-7010 ; www.lpndaysinn.com ; 644 W Diversey Pkwy ; ch petit-déj inclus 120-180 $; P⊖✿@🎧). Cet hôtel bien entretenu dans Lincoln Park est fréquenté à la fois par les familles et les groupes de rock indé en tournée. Accès gratuit à la salle de sports. Les parcs et les plages sont à une courte distance de marche, le centre-ville à 15 minutes de bus. À l'intersection de Broadway St, Clark St et Diversey St.

Longman & Eagle
PENSION $$

(☑773-276-7110 ; www.longmanandeagle.com ; 2657 N Kedzie Ave ; ch 75-200 $; ⊖✿🎧). La réception se trouve dans le pub gastronomique étoilé au Michelin. À l'étage, les chambres avec parquet sont chics et vintage. Les 6 chambres ne sont pas bien isolées, mais après un whisky gratuit au bar, vous n'y prêterez plus attention. Prenez la ligne bleue jusqu'à Logan Sq et dirigez-vous vers le nord sur Kedzie Ave.

✗ Où se restaurer

Durant des années, les gourmets ont dédaigné Chicago. Et puis subitement, les restaurants de la ville ont remporté des prix et les magazines culinaires ont placé Chicago au premier rang du pays. Fort heureusement, même les restaurants les plus fréquentés restent accessibles ; ils sont à la fois visionnaires et traditionnels, et pratiquent des prix raisonnables. Vous pouvez également profiter d'un large éventail de restaurants exotiques, surtout si vous vous éloignez du centre-ville pour explorer Pilsen ou Uptown.

Si vous n'arrivez pas à vous décider sur un restaurant, consultez **LTH Forum** (www.lthforum.com) et **Chicago Gluttons** (www.chicagogluttons.com).

LE LOOP ET SOUTH LOOP

La plupart des restaurants du Loop servent principalement des déjeuners aux employés de bureau.

LES SPÉCIALITÉS CULINAIRES DE CHICAGO

Chicago a trois spécialités. Tout d'abord, les pizzas *deep-dish* à pâte très épaisse et recouvertes d'une imposante garniture. Une part de pizza équivaut presque à un repas complet. Une grande pizza coûte environ 20 $ dans les restaurants suivants (tous ouverts de 11h à 22h environ tous les jours) :

» **Pizzeria Uno** (carte p. 460 ; www.unos.com ; 29 E Ohio St). C'est ici que le concept de la *deep-dish pizza* fut inventé en 1943. L'établissement nommée Due, une rue plus au nord, appartient au même propriétaire.

» **Gino's East** (carte p. 460 ; www.ginoseast.com ; 162 E Superior St). Écrivez sur les murs en attendant votre pizza.

» **Lou Malnati's** (carte p. 460 ; www.loumalnatis.com ; 439 N Wells St). Réputé pour sa pâte au beurre.

» **Giordano's** (carte p. 460 ; www.giordanos.com ; 730 N Rush St). Sauce tomate piquante à souhait.

» **Pizano's** (carte p. 460 ; www.pizanoschicago.com ; 864 N State St). Le restaurant préféré d'Oprah Winfrey, la reine des talk-shows.

Le hot dog est un autre classique de Chicago. Il est servi ici dans un pain aux graines de pavot, lui-même garni d'oignon, de tomate, de laitue, de poivrons, de piment et de *relish*, mais en aucun cas de ketchup. Hot Doug's (p. 478) maîtrise la technique à la perfection.

La ville est également renommée pour ses sandwichs italiens au bœuf épicé et juteux. Mr Beef (ci-contre) est une référence en la matière.

Cafecito
CUBAIN $

(carte p. 460 ; www.cafecitochicago.com ; 26 E Congress Pkwy ; sandwich 4-6 $; ⏱6h-21h lun-ven, 10h-18h sam-dim ; 📶). Idéal pour les petits budgets. Il sert de délicieux sandwichs cubains au jambon et au porc grillé mariné à l'ail et aux agrumes. Pour le petit-déjeuner, il propose du café serré et de gros sandwichs aux œufs.

Gage
PUB $$$

(carte p. 460 ; ☎312-372-4243 ; www.thegagechicago.com ; 24 S Michigan Ave ; plat 16-32 $; ⏱11h-23h, 11h-24h ven). Ce pub gastronomique sert des plats irlandais avec une touche d'originalité, comme le *fish and chips* à la Guiness ou les frites à la sauce curry. Bon choix de boissons, dont une belle carte de whiskys et de bières artisanales pour accompagner le repas.

Lou Mitchell's
PETIT-DÉJEUNER $

(www.loumitchellsrestaurant.com ; 565 W Jackson Blvd ; plat 6-11 $; ⏱5h30-15h lun-sam, 7h-15h dim). Une relique de la Route 66, où les serveuses vous apportent 2 œufs et d'épaisses tranches de pain perdu, à l'ouest du Loop, près de Union Station. Il faut généralement faire la queue, mais les beignets et les caramels gratuits aident à patienter.

NEAR NORTH

C'est ici que vous trouverez la plus grande concentration de restaurants à Chicago.

Frontera Grill
MEXICAIN $$$

(carte p. 460 ; ☎312-661-1434 ; www.rickbayless.com ; 445 N Clark St ; plat 18-30 $; ⏱midi mar-ven, soir mar-sam, brunch sam). Le chef, Rick Bayless, est la star d'une émission télévisée où il dévoile ses créations mexicaines. Le menu n'a rien de traditionnel : Bayless utilise des ingrédients de saison issus de l'agriculture durable pour concocter des plats savoureux. Rien d'étonnant à ce que Obama soit un client régulier. Le **Topolobampo**, son autre restaurant, dans une salle attenante, est plus chic et plus cher. Horaires similaires.

Xoco
MEXICAIN $$

(carte p. 460 ; www.rickbayless.com ; 449 N Clark St ; plat 8-13 $; ⏱8h-21h mar-jeu, 8h-22h ven-sam). À côté du Frontera Grill, croquez dans des *churros* chauds au petit-déjeuner, des *tortas* à la viande (sandwichs) à midi et d'onctueuses *caldos* (soupes) le soir.

Billy Goat Tavern
HAMBURGERS $

(carte p. 460 ; www.billygoattavern.com ; 430 N Michigan Ave ; hamburgers 4-6 $; ⏱6h-2h lun-ven, 10h-2h sam-dim). Les reporters du *Tribune* et du *dim-Times* fréquentent le Billy

Goat depuis des décennies. Commandez un cheeseburger et une Schlitz, puis observez les murs tapissés de journaux pour connaître les nouvelles locales.

Purple Pig MÉDITERRANÉEN $
(carte p. 460 ; ☎312-464-1744 ; www.thepurplepigchicago.com ; 500 N Michigan Ave ; petites assiettes 7-9 $; ⊙11h30-24h dim-jeu, 11h30-1h ven-sam ; ⏵). Situé dans le Magnificent Mile, le Purple Pig offre une grande variété de plats avec ou sans viande, une carte complète de vins abordables et reste ouvert tard le soir. La spécialité, l'épaule de porc braisée au lait, est succulente.

Mr Beef SANDWICHS $
(666 N Orleans St ; sandwich 4-7 $; ⊙8h-19h lun-jeu, 8h-5h ven, 10h30-15h30 et 22h30-5h sam). Le sandwich italien au bœuf (de fines tranches de rôti recouvertes de *gravy* et de *giardiniera* – des légumes marinés épicés – servis dans du pain) est une spécialité de Chicago. Mr Beef sert les meilleurs de la ville sur ses tables de pique-nique. À environ 4 *blocks* à l'ouest de l'Hôtel Felix.

LINCOLN PARK ET OLD TOWN

Halsted St, Lincoln St et Clark St sont les principales artères où trouver restaurants et bars. Il est difficile de se garer, mais les stations North et Fullerton sur la ligne rouge de la CTA sont situées au cœur de l'action.

Alinea NOUVELLE CUISINE AMÉRICAINE $$$
(☎312-867-0110 ; www.alinea-restaurant.com ; 1723 N Halsted St ; menu dégustation 150-225 $; ⊙17h30-21h30 mer-dim). Le célèbre cuisinier Grant Achatz est le créateur de la cuisine moléculaire servie à l'Alinea. Si vous parvenez à réserver une table, attendez-vous

à manger de 12 à 24 plats stupéfiants et futuristes. Ils peuvent sortir d'une centrifugeuse ou être encapsulés. Le *Restaurant Magazine* l'a nommé meilleur restaurant d'Amérique du Nord. Réservez le plus tôt possible.

Wiener's Circle AMÉRICAIN $
(☎773-477-7444 ; 2622 N Clark St ; en-cas 3-6 $; ⊙10h30-4h dim-jeu, 10h30-5h ven-sam). Aussi célèbre pour son ambiance festive que pour ses *char dogs* (une variante locale du hot dog : la saucisse est grillée et non bouillie) et ses frites au cheddar, le Wiener Circle est l'endroit idéal pour un en-cas nocturne.

LAKE VIEW ET WRIGLEYVILLE

Clark St, Halsted St, Belmont St et Southport St sont les rues qui regorgent de restaurants. Se garer y est impossible, alors prenez la ligne rouge de la CTA jusqu'à Addison (pour Wrigleyville) ou la ligne marron jusqu'à Belmont ou Southport.

Crisp ASIATIQUE $
(carte p. 468 ; www.crisponline.com ; 2940 N Broadway ; plat 7-12 $; ⊙11h30-21h mar-jeu et dim, 11h30-22h30 ven-sam). La musique fuse des haut-parleurs, et de délicieux plats de fusion coréenne sont servis à petit prix dans ce sympathique café. Le bol de "Bad Boy Buddha", une variation du *bi bim bop* (légumes et riz), constitue l'un des meilleurs repas petit budget en ville.

Mia Francesca ITALIEN $$
(carte p. 468 ; ☎773-281-3310 ; www.miafrancesca.com ; 3311 N Clark St ; plat 13-27 $; ⊙17h-22h dim-jeu, 17h-23h ven-sam). Cette chaîne locale propose des mets italiens préparés avec goût, comme les *linguine* aux fruits de mer,

---

MANGER VERT

Voici où manger de la nourriture locale issue de l'agriculture durable :

» Le **Green City Market** (www.chicagogreencitymarket.org ; 1790 N Clark St ; ⊙7h-13h mer et sam mi-mai à fin oct) est un marché où l'on trouve des légumes, des tartes maison, où l'on peut assister à des démonstrations de chefs et plus encore. Dans le sud du Park's south.

» **Chicago's Downtown Farmstand** (carte p 460 ; www.chicagofarmstand.com ; 66 E Randolph St ; ⊙11h-19h mar-ven, 11h-16h sam). On y vend du miel, des pâtisseries et des produits de la région. Les agriculteurs viennent partager leur expérience le vendredi à 12h.

» **Clandestino** (www.clandestinodining.com ; menus 65-100 $) est un projet underground de dîners communautaires. Le chef Efrain Cuevas sert des repas issus de l'agriculture durable dans différents lieux, comme des galeries d'art ou des lofts. Inscrivez-vous sur la liste de diffusion et réservez votre place quand vous recevez une invitation.

LES CAMIONS-RESTAURANTS DE CHICAGO

Chicago s'est enfin mise aux *food-trucks*, les camions-restaurants. Si vous avez envie d'une soupe de *tortillas* servie par des hommes qui portent des masques de catch mexicain, le Tamale Spaceship est fait pour vous. Le Gaztro-Wagon (des sandwichs indiens) et la Meatyballs Mobile (de délicieuses boulettes) sont également populaires. La plupart des camions indiquent leur position sur Tweeter. **Tribune's food blog** (www.twitter.com/@tribstew/chicago-food-trucks) les regroupe.

les raviolis aux épinards et les médaillons de veau à la sauce aux champignons.

ANDERSONVILLE ET UPTOWN

Pour "Little Saigon", prenez la ligne rouge de la CTA jusqu'à Argyle. Pour les cafés européens dans Andersonville, descendez à la station suivante, Berwyn.

Hopleaf EUROPÉEN $$
(carte p. 468 ; ☎773-334-9851 ; www.hopleaf.com ; 5148 N Clark St ; plat 10-17 $; ⏰17h-23h lun-jeu, 17h-24h ven-sam, 16h-22h dim). Cette taverne confortable attire les foules avec sa poitrine fumée à la montréalaise, ses sandwichs au beurre de cajou et à la confiture de figues, et sa spécialité, les moules-frites à la bière. Elle sert plus de 200 types de bières. Soyez prêt à faire la queue.

Ba Le Bakery VIETNAMIEN $
(carte p. 468 ; ☎773-561-4424 ; 5016 N Broadway ; sandwich 3-5 $; ⏰7h30-20h). Ba Le sert des sandwichs *banh mi* à la mode de Saigon, avec du porc cuit à la vapeur, des galettes de crevettes ou des boulettes de viande sur des baguettes faites maison.

WICKER PARK, BUCKTOWN ET UKRAINIAN VILLAGE

Presque chaque jour, un nouveau restaurant branché ouvre dans ces quartiers. Prenez la ligne bleu de la CTA jusqu'à Damen.

Handlebar Bar & Grill INTERNATIONAL $$
(☎773-384-9546 ; www.handlebarchicago.com ; 2311 W North Ave ; plat 9-14 $; ⏰10h-14h lun-jeu, 10h-2h ven-sam, 10h-23h dim ; ✿). L'été, les cyclistes se retrouvent sur cette terrasse autour du menu éclectique qui offre de nombreuses options végétariennes (comme

le ragoût d'arachide Ouest africain) et une longue liste de bières.

Big Star Taqueria MEXICAIN $
(www.bigstarchicago.com ; 1531 N Damen Ave ; tacos 3-4 $; ⏰11h30-2h). Ce petit restaurant est très fréquenté, mais les tacos valent l'attente : poitrine de porc à la sauce tomate-*guajillo* (piment) et épaule d'agneau avec fromage blanc accompagnent la liste des whiskys. Paiement en espèces uniquement.

LOGAN SQUARE ET HUMBOLDT PARK

Restaurants et bars pullulent au croisement de Milwaukee Blvd, Logan Blvd et Kedzie Blvd. Prenez la ligne bleue de la CTA jusqu'à Logan Square ou California.

♥ **Hot Doug's** AMÉRICAIN $
(☎773-279-9550 ; www.hotdougs.com ; 3324 N California Ave ; plat 3-8 $; ⏰10h30-16h lun-sam). Doug propose différents types de saucisses cuisinées de façons variées (braisées, frites, à la vapeur). Si vous êtes perdu, il saura vous conseiller. Doug prépare également des "haute dogs" gourmets, comme du porc au bleu et à la crème de cerises. C'est délicieux, mais difficile d'accès sauf si vous avez une voiture. Paiement en espèces uniquement.

Bonsoirée NOUVELLE CUISINE AMÉRICAINE $$$
(☎773-486-7511 ; www.bonsoireechicago.com ; 2728 W Armitage Ave ; menus 60-90 $; ⏰17h-22h mar-sam, 17h-21h dim). À l'origine, c'était un club underground. D'ailleurs le samedi est encore sur invitation seulement (inscrivez-vous sur la liste de diffusion sur le site Internet). Sinon, les dîners à Bonsoirée se déroulent à un rythme tranquille et se composent de plusieurs plats de *comfort food* (cuisine réconfort) améliorée (souvent d'inspiration japonaise). L'ambiance est très décontractée pour un restaurant de cette catégorie.

NEAR WEST SIDE ET PILSEN

Greektown s'étend sur S Halsted St (prendre la ligne bleue jusqu'à UIC-Halsted). Pilsen, l'enclave mexicaine, gravite autour de W 18th St (prendre la ligne rose jusqu'à 18th St). Le West Loop possède plusieurs restaurants branchés sur Randolph St et Fulton Market St (taxi depuis le centre-ville 10 $).

Next ÉCLECTIQUE $$$
(☎312-226-0858 ; www.nextrestaurant.com ; 953 W Fulton Market ; menus 100 $; ⏰17h30-21h30 mer-dim). Le restaurant du West Loop de Grant Achatz, qui a ouvert en 2011, est le restaurant branché du moment. Il faut avoir

un billet pour entrer dans Next, qui est une véritable machine à voyager dans le temps. Au départ, on y servait un repas composé de 8 plats façon Paris en 1906, mais tous les 3 mois, tout change : l'époque, le menu, le décor. Réservez un billet sur le site Internet le plus tôt possible. Le prix varie selon la date, l'heure et le menu (tôt en semaine revient moins cher que tard en soirée le week-end). Le paiement s'effectue dès la réservation. Suivez Next sur Twitter (@nextres taraunt) pour des disponibilités de dernière minute.

Don Pedro Carnitas MEXICAIN $
(1113 W 18th St ; tacos 1,50-2 $; ⊙6h-18h lun-ven, 5h-17h sam, 5h-15h dim). Dans ce restaurant de viande de Pilsen, on sert des *tortillas* garnies de morceaux de porc, d'oignons et de coriandre. Paiement en espèces uniquement.

Publican AMERICAIN $$$
(☑312-733-9555 ; www.thepublicanrestaurant. com ; 837 W Fulton Market ; plat 16-30 $; ⊙15h30-22h30 lun-jeu, 15h30-23h30 ven-sam, 10h-14h et 17h-22h dim). Publican est un pub de luxe spécialisé dans les huîtres, le jambon et les bières rares, le tout provenant de petites exploitations agricoles et de microbrasseries.

⛾ Où prendre un verre

Durant les longs hivers, les habitants de Chicago comptent sur les bars pour se réchauffer. Ceux-ci ferment généralement à 2h, mais certains établissements restent ouverts jusqu'à 4h ou 5h. L'été, de nombreux bars proposent un *beer garden*.

THE LOOP ET NEAR NORTH
On peut également prendre un verre dans des restaurants comme Gage, Billy Goat Tavern et Purple Pig (voir la rubrique *Où se restaurer* p. 475).

Signature Lounge LOUNGE
(carte p 460 ; www.signatureroom.com ; John Hancock Center, 875 N Michigan Ave ; ⊙à partir de 11h). Profitez de la vue sans payer l'entrée du Hancock Observatory. Montez jusqu'au 96e étage, commandez un verre et admirez le paysage urbain. Mesdames : ne manquez pas la vue depuis les toilettes.

Clark Street Ale House BAR
(carte p 460 ; 742 N Clark St ; ⊙à partir de 16h). On y sert des bières provenant de microbrasseries du Middle West. Dégustation de 3 bières pour 5 $.

Intelligentsia Coffee CAFÉ
(carte p 460 ; www.intelligentsiacoffee.com ; 53 E Randolph St ; ⊙à partir de 6h lun-ven, 7h

sam-dim). Cette chaîne locale torréfie ses propres grains et sert des cafés serrés. Le personnel a remporté le championnat américain des baristas.

Harry Caray's Tavern BAR
(carte p 460 ; www.harrycaraystavern.com ; 700 E Grand Ave ; ⊙à partir de 11h). Étanchez votre soif sur Navy Pier. Ce bar propose de bonnes mousses et abrite un petit "musée" de souvenirs sportifs.

OLD TOWN ET WRIGLEYVILLE
♥ **Old Town Ale House** BAR
(www.oldtownalehouse.net ; 219 North Ave ; ⊙from 8h lun-sam, from 12h dim). Cet établissement sans prétention vous permet de vous mêler aux *beautiful people* et aux habitués, qui sirotent une bière sous des nus d'hommes politiques. En face de Second City.

Gingerman Tavern BAR
(carte p 468 ; 3740 N Clark St ; ⊙à partir de 15h lun-ven, à partir de 12h sam-dim). Avec ses tables de billard, sa bonne sélection de bières et ses clients arborant piercings et tatouages, l'établissement se démarquent des autres cafés sportifs de Wrigleyville.

WICKER PARK, BUCKTOWN ET UKRAINIAN VILLAGE
Map Room PUB
(www.maproom.com ; 1949 N Hoyne Ave ; ⊙à partir de 6h30 lun-ven, 7h30 sam, 11h dim ; ⛐). Cette taverne de voyageurs décorée

COMMENT TROUVER UN BAR AUTHENTIQUE À CHICAGO

Il est impossible de répertorier tous les bars de la ville, mais voici quelques critères pour vous aider à trouver les plus authentiques, fréquentés par des habitués hauts en couleur :

» Une vieille enseigne de bière qui se balance devant l'entrée

» Un jeu de fléchettes et/ou une table de billard ayant bien servi

» Des clients portant la casquette des Cubs, des White Sox ou des Bears

» Des bouteilles de bière servies dans un seau à glace

» Un téléviseur qui retransmet des matchs (un bon vieux tube cathodique, pas un écran plat)

de mappemondes est fréquentée par des artistes sirotant un café de jour et une des 200 bières de nuit. Nourriture exotique gratuite le mardi à 19h.

Danny's
BAR

(1951 W Dickens Ave). L'ambiance tamisée et intime du Danny's est idéale pour une conversation autour d'une bière. Lectures de poèmes et DJ occasionnels pour une atmosphère artistique.

Matchbox
BAR

(770 N Milwaukee Ave ; ☺à partir de 16h). Avocats, artistes et autres se pressent ici pour des cocktails rétro. Le bar, minuscule, dispose d'environ 10 tabourets, le reste des clients s'adossant au mur. Matchbox est tout seul dans le nord-ouest du centre-ville, près de la station Chicago sur la ligne bleue.

WEST LOOP

Aviary
BAR À COCKTAILS

(www.twitter.com/@aviarycocktails ; 955 W Fulton Market ; ☺à partir de 18h mer-dim). Le bar de Grant Achatz à côté de Next (voir p. 478) est plus dans le style de son autre restaurant, Alinea. Des cocktails uniques sont proposés, comme le Buttered Popcorn, au goût de (vous l'aurez deviné) pop-corn. La sélection est renouvelée fréquemment, tout comme les 19 types de glaçons. Environ 16 $ le verre.

☆ Où sortir

Reader (www.chicagoreader.com) et **Time Out Chicago** (www.timeoutchicago.com) répertorient les lieux de sorties et la programmation des évènements.

Musique live

Le blues et le jazz sont profondément enracinés à Chicago, et les clubs de rock indépendant sont omniprésents. L'entrée varie de 5 à 20 $.

BLUES

Buddy Guy's Legends
BLUES

(carte p. 460 ; www.buddyguys.com ; 700 S Wabash Ave). Les meilleurs artistes de la région et du pays montent sur la scène de ce club appartenant au célèbre Buddy Guy. Celui-ci s'y produit généralement en janvier.

Kingston Mines
BLUES

(www.kingstonmines.com ; 2548 N Halsted St). Avec 2 scènes, occupées 7 soirs par semaine, le spectacle est toujours assuré. Établissement bruyant et bondé à la chaleur moite situé en plein Lincoln Park.

BLUES
BLUES

(www.chicagobluesbar.com ; 2519 N Halsted St). Situé en face de Kingston Mines, ce vieux club attire une foule un peu plus âgée.

Rosa's
BLUES

(www.rosaslounge.com ; 3420 W Armitage Ave ; ☺fermé dim, lun et mer). Une salle qui attire les talents locaux et leurs fans enthousiastes dans cette rue un peu louche de Logan Sq.

Lee's Unleaded Blues
BLUES

(www.leesunleadedblues.com ; 7401 S South Chicago Ave ; ☺fermé lun-jeu). Enfoui au plus profond du South Side, Juke est un authentique *juke joint*. Les clients se mettent sur leur trente et un et les musiciens jouent jusqu'à l'aube.

JAZZ

Green Mill
JAZZ

(carte p. 468 ; www.greenmilljazz.com ; 4802 N Broadway). Green Mill doit sa renommée à Al Capone qui en fit son bar clandestin préféré (les tunnels où était caché l'alcool sont encore sous le bar) ; Capone semble vous inciter d'outre-tombe à reprendre un martini. Les artistes locaux et nationaux s'y produisent 6 soirs par semaine. Le dimanche est consacré aux slams de poésie.

Jazz Showcase
JAZZ

(carte p. 460 ; www.jazzshowcase.com ; 806 S Plymouth Court). Cette magnifique salle est la préférée des artistes nationaux.

Andy's
JAZZ

(carte p. 460 ; www.andysjazzclub.com ; 11 E Hubbard St). Abordable, clientèle de tous

BILLETS À PRIX RÉDUIT

Goldstar (www.goldstar.com) vend des billets à moitié prix pour toutes sortes de spectacles à Chicago, dont des pièces de théâtre, des matchs et des concerts. Mieux vaut s'inscrire au moins 3 semaines à l'avance, car Goldstar met généralement ses billets en vente très tôt.

Pour une place de théâtre à moitié prix le jour même, essayez **Hot Tix** (www.hottix.org). L'achat se fait en ligne ou en personne aux kiosques du **Chicago Tourism Center** (carte p. 460 ; 72 E Randolph St) et du **Water Works Visitor Center** (carte p. 460 ; 163 E Pearson St).

âges, et musique variée (fusion de swing, de bebop et d'afro-pop).

ROCK ET FOLK

Hideout
MUSIQUE LIVE

(www.hideoutchicago.com ; 1354 W Wabansia Ave). Caché derrière une usine au bord de Bucktown, cet établissement comportant 2 salles – rock indépendant et musique country alternative – vaut le détour. Musique et autres événements (bingo, rencontres littéraires, etc.) tous les soirs dans une atmosphère très *underground*.

Metro
MUSIQUE LIVE

(carte p. 468 ; www.metrochicago.com ; 3730 N Clark St). Le Metro est légendaire pour son rock assourdissant. Les groupes locaux en route vers la gloire et les poids lourds du rock viennent se produire dans cette salle "intime".

Empty Bottle
MUSIQUE LIVE

(www.emptybottle.com ; 1035 N Western Ave). Endroit idéal pour écouter du rock indépendant d'avant-garde et du jazz. Entrée gratuite le lundi (et bière à 1,50 $).

Double Door
MUSIQUE LIVE

(www.doubledoor.com ; 1572 N Milwaukee Ave). Des groupes de rock alternatif émergents se produisent dans cet ancien magasin d'alcool.

Théâtre

La réputation de Chicago pour le théâtre est bien méritée. De nombreuses productions s'exportent à Broadway. Voici les principales compagnies théâtrales :

Steppenwolf Theatre
THÉÂTRE

(☎312-335-1650 ; www.steppenwolf.org ; 1650 N Halsted St). John Malkovich, Gary Sinise et d'autres stars d'Hollywood sont membres de cette compagnie théâtrale. À 3 km au nord du Loop dans Lincoln Park.

Goodman Theatre
THÉÂTRE

(carte p. 460 ; ☎312-443-3800 ; www.goodmantheatre.org ; 170 N Dearborn St). Réputée pour son répertoire américain classique et contemporain.

D'autres bonnes compagnies théâtrales :

Chicago Shakespeare Theater
THÉÂTRE

(carte p. 460 ; ☎312-595-5600 ; www.chicagoshakes.com ; 800 E Grand Ave). Comédies et tragédies shakespeariennes au Navy Pier.

Lookingglass Theatre Company
THÉÂTRE

(carte p. 460 ; ☎312-337-0665 ; www.lookingglasstheatre.org ; 821 N Michigan Ave). Spectacles d'improvisation incorporant souvent des acrobaties.

Neo-Futurists
THÉÂTRE

(carte p. 468 ; ☎773-275-5255 ; www.neofuturists.org ; 5153 N Ashland Ave). Créations qui font réfléchir et rire en même temps.

Plusieurs vieux théâtres accueillent les tournées d'été sur State St et Randolph St. **Broadway in Chicago** (☎800-775-2000 ; www.broadwayinchicago.com) gère la billetterie de la plupart d'entre eux :

Auditorium Theater
THÉÂTRE

(carte p. 460 ; 50 E Congress Pkwy)

Bank of America Theatre
THÉÂTRE

(carte p. 460 ; 18 W Monroe St)

Cadillac Palace Theater
THÉÂTRE

(carte p. 460 ; 151 W Randolph St)

Chicago Theater
THÉÂTRE

(carte p. 460 ; 175 N State St)

Ford Center/Oriental Theatre
THÉÂTRE

(carte p. 460 ; 24 W Randolph St)

Stand Up

Le spectacle d'improvisation a vu le jour à Chicago, et aujourd'hui encore, la ville abrite les meilleurs artistes du genre.

Second City
IMPROVISATION

(hors carte p. 460 ; ☎312-337-3992 ; www.secondcity.com ; 1616 N Wells St). La crème de la crème des comédiens américains (Bill Murray, Stephen Colbert, Tina Fey, etc.) y exercent leur talent. Si vous venez après le dernier spectacle de la journée (sauf le vendredi), vous pourrez assister gratuitement à une improvisation.

iO Improv
IMPROVISATION

(carte p. 468 ; ☎773-880-0199 ; www.ioimprov.com ; 3541 N Clark St). L'autre grand théâtre d'improvisation de Chicago.

Sports

Chicago Cubs
BASE-BALL

(www.cubs.com). Les Cubs n'ont pas remporté de *World Series* depuis 1908, mais leurs fans sont toujours aussi nombreux à se regrouper dans le **Wrigley Field** (carte p. 466 ; 1060 W Addison St), un stade plein de charme qui date de 1914 et qui est connu pour ses murs de lierre et son panneau a néons à l'entrée. Pour un billet à bon prix, essayez de dénicher une promotion sur le site Web ou présentez-vous 2 à 3 heures avant un match. Prenez la ligne rouge de la CTA jusqu'à Addison. À 7 km au nord du Loop.

Chicago White Sox
BASE-BALL

(www.whitesox.com). Les Sox sont les rivaux des Cubs du South Side et jouent dans un stade plus moderne, le **US Cellular Field** (carte p. 458 ; 333 W 35th St). Les billets sont généralement moins chers et plus faciles à obtenir (moitié prix le lundi). Prenez la ligne rouge de la CTA jusqu'à Sox-35th St. À 7 km au sud du Loop.

Chicago Bulls BASKET-BALL

(www.nba.com/bulls). Derrick Rose est-il le nouveau Michael Jordan ? La réponse se trouve au **United Center** (carte p. 458 ; 1901 W Madison St), où les Bulls exercent leur talent. À environ 3 km du Loop. Des navettes spéciales de la CTA (n°19) circulent les jours de match ; mieux vaut ne pas s'y rendre à pied.

Chicago Blackhawks HOCKEY

(www.chicagoblackhawks.com). Les vainqueurs de la coupe Stanley 2010 jouent devant une foule compacte. Ils partagent le United Center avec les Bulls.

Chicago Bears FOOTBALL AMÉRICAIN

(www.chicagobears.com). Les Bears, l'équipe de Chicago de la NFL, joue au **Soldier Field** (carte p. 460 ; 425 E McFetridge Dr), qui ressemble à une soucoupe volante. Au menu : de la bière et de la neige.

Discothèques

Les boîtes dans le Near North et le West Loop sont généralement énormes et luxueuses (code vestimentaire de rigueur). Les discothèques de Wicker Park-Ukrainian Village sont en général plus décontractées.

Late Bar DISCOTHÈQUE

(www.latebarchicago.com ; 3534 W Belmont Ave ; ⊘mar-sam). Tenue par un couple de DJ, cette discothèque à l'étrange ambiance new wave attire une clientèle hétéroclite. Boîte excentrée, sur un tronçon triste de Logan Sq, mais on s'y rend facilement en prenant la ligne bleue jusqu'à Belmont.

Smart Bar DISCOTHÈQUE

(carte p. 468 ; www.smartbarchicago.com ; ⊘mer-sam). Cette boîte sans prétention, attenante au club de rock Metro, est ouverte depuis longtemps.

Darkroom DISCOTHÈQUE

(www.darkroombar.com ; 2210 W Chicago Ave). Dans Ukrainian Village, elle accueille tout le monde, des gothiques aux fans de reggae, avec ses mix éclectiques.

Arts de la scène

GRATUIT **Grant Park Orchestra** MUSIQUE CLASSIQUE

(carte p. 460 ; ☎312-742-7638 ; www.grantparkmusicfestival.com). L'orchestre donne des concerts gratuits dans Millennium Park tout l'été.

Symphony Center MUSIQUE CLASSIQUE

(carte p. 460 ; ☎312-294-3000 ; www.cso.org ; 220 S Michigan Ave). L'Orchestre symphonique de Chicago se produit dans une salle construite par Daniel Burnham.

Civic Opera House OPÉRA

(☎312-332-2244 ; www.lyricopera.org ; 20 N Wacker Dr). Le célèbre Opéra lyrique de Chicago se produit dans cette belle salle à quelques rues à l'ouest du Loop.

Hubbard Street Dance Chicago DANSE

(☎312-850-9744 ; www.hubbardstreetdance. com). L'éminente troupe de danse de Chicago présente ses spectacles au **Harris Theater for Music and Dance** (carte p. 460 ; www. harristheaterchicago.org ; 205 E Randolph St).

🛍 Achats

Pour le shopping, rien ne vaut N Michigan Ave, le long du Magnificent Mile. **Water Tower Place** (carte p. 460 ; 835 N Michigan Ave) est l'un des grands centres commerciaux. Les boutiques abondent dans Wicker Park/Bucktown (indépendant et vintage), Lincoln Park (chic), Lake View (contre-culture) et Andersonville (un peu de tout).

Chicago Architecture Foundation Shop
SOUVENIRS

(carte p. 460 ; www.architecture.org/shop ; 224 S Michigan Ave). Des posters de la ville, des cartes postales Frank Lloyd Wright, des maquettes de gratte-ciel et plus encore pour les passionnés d'architecture.

Strange Cargo VÊTEMENTS

(carte p. 468 ; www.strangecargo.com ; 3448 N Clark St). Ce magasin rétro propose des T-shirts kitch à l'effigie d'Obama et d'autres habitants de Chicago connus.

Jazz Record Mart MUSIQUE

(carte p. 460 ; www.jazzmart.com ; 27 E Illinois St). CD et vinyles de jazz et de blues.

Quimby's LIVRES

(www.quimbys.com ; 1854 W North Ave). Le paradis des BD, des magazines et de la culture underground. Dans Wicker Park.

ℹ Renseignements

Accès Internet

De nombreux bars et restaurants offrent le Wi-Fi gratuit, tout comme le Chicago Cultural Center. Parmi les autres options :

Harold Washington Library Center (www. chipublib.org ; 400 S State St ; ⊘9h-21h

GRATUIT

Le portail officiel de la ville. **Explore Chicago** (www.explorechicago.org), annonce sur Tweeter (twitter.com/explorechicago) les événements gratuits du jour, et offre d'excellents guides et cartes des quartiers.

lun-jeu, 9h-17h ven-sam, 13h-17h dim). Ce superbe bâtiment rempli d'œuvres d'art offre le Wi-Fi gratuit et met à disposition des ordinateurs au 3e étage (demander un forfait journalier au comptoir).

Argent

Les DAB abondent dans le centre-ville, notamment autour de Chicago Avenue et Michigan Avenue. Vous pouvez changer des devises au Terminal 5 de l'aéroport O'Hare ou aux endroits suivants dans le Loop :

Travelex (312-807-4941 ; 19 S LaSalle St ; lun-ven)

World's Money Exchange (312-641-2151 ; 203 N LaSalle St ; lun-ven)

Médias

Chicago Reader (www.chicagoreader.com). Journal alternatif gratuit offrant un répertoire complet des spectacles.

Chicago dim-Times (www.suntimes.com). Tabloïd quotidien concurrent du *Tribune*.

Chicago Tribune (www.chicagotribune.com). Quotidien de la ville. *RedEye est sa* version gratuite épurée et rajeunie.

Time Out Chicago (www.timeoutchicago.com). Hebdomadaire offrant un répertoire complet.

Poste

Poste Fort Dearborn (540 N Dearborn St) ; bureau principal (433 W Harrison St ; 7h30-24h)

Offices du tourisme

Le **Chicago Office of Tourism** (312-744-2400 ; www.explorechicago.org) possède 2 centres d'information des visiteurs avec personnel, billetterie, café et Wi-Fi gratuit :

Le **Chicago Cultural Center Visitors Center** (77 E Randolph St ; 8h-19h lun-jeu, 8h-18h ven, 9h-18h sam, 10h-18h dim)

Le **Water Works Visitors Center** (163 E Pearson St ; 8h-19h lun-jeu, 8h-18h ven, 10h-18h sam, 10h-16h dim)

Sites Internet

Chicagoist (www.chicagoist.com). Point de vue décalé sur l'info, la cuisine, l'art et les festivals.

Gaper's Block (www.gapersblock.com).

Site d'information et des divertissements à Chicago.

Huffington Post Chicago (www.huffingtonpost.com/chicago). Recense les informations des principaux médias locaux.

Urgences et services médicaux

Northwestern Memorial Hospital (312-926-5188 ; 251 E Erie St). Hôpital réputé situé dans le centre-ville.

Stroger Cook County Hospital (312-864-1300 ; 1969 W Ogden Ave). Hôpital public pour patients à faibles revenus, à 4 km à l'ouest du Loop.

Walgreens (312-664-8686 ; 757 N Michigan Ave ; 24h/24). Dans le Magnificent Mile.

Depuis/vers Chicago

Avion

Chicago Midway Airport (MDW ; hors carte p. 458 ; www.flychicago.com). Ce petit aéroport est utilisé principalement par des transporteurs intérieurs, comme Southwest. Vols généralement moins chers que depuis O'Hare.

O'Hare International Airport (ORD ; hors carte p. 458 ; www.flychicago.com). Le principal aéroport de Chicago, et l'un des plus fréquentés du monde. C'est là qu'est basée United Airlines, et c'est une plaque tournante d'American Airlines. La plupart des transporteurs étrangers et des vols internationaux sont au Terminal 5 (sauf Lufthansa et les vols pour le Canada).

Bus

Greyhound (312-408-5800 ; www.greyhound.com ; 630 W Harrison St). La gare routière principale est à 2 rues au sud-ouest de la station Clinton sur la ligne bleue de la CTA. Des bus relient fréquemment Cleveland (7 heures 30), Détroit (7 heures) et Minneapolis (9 heures), ainsi que des petites villes partout aux États-Unis.

Megabus (carte p. 460 ; www.megabus.com/us ; angle sud-est de Canal St et Jackson Blvd) ne dessert que les principales villes du Middle West. Généralement moins cher, de meilleure qualité et plus efficace que Greyhound sur ces lignes. L'arrêt se trouve à côté de Union Station.

Train

Union Station (carte p. 460 ; 225 S Canal St) sert de plaque tournante au réseau national et régional d'**Amtrak** (800-872-7245 ; www.amtrak.com). Voici quelques destinations :

DÉTROIT (5 heures 30, 3 trains/jour)

MILWAUKEE (1 heure 30, 7 trains/jour)

RÉGION DES GRANDS LACS CHICAGO

MINNEAPOLIS/ST PAUL (8 heures, 1 train/jour)

NEW YORK (20 heures 30, 1 train/jour)

SAN FRANCISCO (EMERYVILLE) (53 heures, 1 train/jour)

ST LOUIS (5 heures 30, 5 trains/jour)

❶ Comment circuler

Depuis/vers l'aéroport

L'AÉROPORT MIDWAY DE CHICAGO À 17 km au sud-ouest du Loop, relié à la ligne orange de la CTA (2,25 $). Navettes (24 $/personne) et taxis (30-40 $).

L'AÉROPORT INTERNATIONAL O'HARE À 27 km au nord-ouest du Loop. La solution la moins chère, et souvent la plus rapide, consiste à prendre la ligne bleue de la CTA (2,25 $), mais la station est très éloignée des terminaux. La navette Airport Express relie l'aéroport aux hôtels du centre-ville (29 $/personne). Taxi depuis/vers le centre-ville : environ 45 $.

Taxi

Les taxis sont nombreux dans le Loop, au nord jusqu'à Andersonville et au nord-ouest jusqu'à Wicker Park/Bucktown. Le coût de la prise en charge est de 2,25 $, plus 1,80 $/mile et 1 $/passager supplémentaire. Un pourboire de 15% est attendu. Si vous quittez les limites de la ville, vous devrez payer une fois et demie le prix de la course. Compagnies recommandées :

Flash Cab (☎773-561-1444)

Yellow Cab (☎312-829-4222)

Transports publics

La **Chicago Transit Authority** (CTA; www.transitchicago.com) gère le réseau des bus de la ville et du métro aérien et souterrain (El). Les bus de la CTA circulent tôt le matin et jusqu'à tard le soir et desservent toute la ville. Deux des 8 lignes (aux couleurs différentes) de train (la ligne rouge, et la ligne bleue qui relie l'aéroport O'Hare) circulent 24h/24. Les autres lignes fonctionnent de 5h à 24h environ tous les jours. Durant la journée, vous ne devriez pas attendre plus de 15 minutes pour un train. Plans gratuits dans toutes les stations.

Le tarif normal est de 2,25 $ pour un ticket de train ou de 2 $ pour un ticket de bus. Chaque correspondance coûte 25 ¢. Pour les bus, vous pouvez utiliser une carte de transport (la Transit Card) ou faire l'appoint (il vous en coûtera alors 2,25 $). Pour les trains, vous devez utiliser la Transit Card, qui est vendue en distributeur dans toutes les stations. Les forfaits journaliers permettent de faire des économies (1 jour/3 jours 5,75/14 $), mais ne peuvent être achetés qu'à l'aéroport et dans différents drugstores et bureaux de change.

Les **trains de banlieue Metra** (www.metrarail.com) circulent sur 12 lignes vers les banlieues au départ de 4 terminaux entourant le Loop : LaSalle St Station, Millennium Station, Union Station et Richard B Ogilvie Transportation Center (à quelques rues au nord de Union Station). Certaines lignes fonctionnent tous les jours, d'autres seulement aux heures de pointe en semaine. Tarif : de 2,25 $ à 8,50 $, forfait week-end 7 $.

PACE (www.pacebus.com) exploite un réseau de bus de banlieue reliant le réseau de transports de la ville.

Vélo

Chicago possède 190 km de pistes cyclables. Le **Transportation Department** (www.chicagobikes.org) de la ville offre des plans gratuits. Les supports et abris à vélos sont nombreux, le **McDonalds Cycle Center** (www.chicagobikestation.com ; 239 E Randolph St) dans Millennium Park étant le plus important ; on y trouve même des douches. Un antivol s'impose. Pour la location de vélos, voir p. 470.

Voiture et moto

Attention : se garer à Chicago coûte cher. Si vous n'avez pas le choix, essayez le **East Monroe Garage** (www.millenniumgarages.com ; Columbus Dr entre Randolph St et Monroe St ; 24 $/jour). La circulation aux heures de pointe est atroce.

Environs de Chicago

OAK PARK

Située à 16 km à l'ouest du Loop et facile à rejoindre en train de la CTA, Oak Park a deux enfants célèbres : l'écrivain Ernest Hemingway, qui est né ici, et l'architecte Frank Lloyd Wright, qui vécut et travailla ici de 1889 à 1909.

Durant les vingt années que Wright passa à Oak Park, il construisit de nombreuses maisons. Passez au **Visitor Center** (☎888-625-7275 ; www.visitoakpark.com ; 158 N Forest Ave ; ⏰10h-17h) et achetez la carte des sites architecturaux (4 $), qui les répertorie. Pour visiter l'intérieur d'une maison de Wright, vous devrez vous rendre au **Frank Lloyd Wright Home & Studio** (☎708-848-1976 ; www.gowright.org ; 951 Chicago Ave ; adulte/enfant 15/12 $; ⏰11h-16h). Les visites guidées ont lieu toutes les 20 minutes le week-end en été, et toutes les heures en hiver. Le studio propose des circuits pédestres dans le quartier avec guide ou audioguide.

Hemingway eut beau qualifier Oak Park de village dont "les pelouses étaient larges et les esprits étroits", la ville lui rend quand même hommage au **Ernest Hemingway**

Museum (☎708-848-2222 ; www.ehfop.org ;
200 N Oak Park Ave ; adulte/enfant 10/8 \$;
⏰13h-17h dim-ven, 10h-17h sam). L'entrée donne
également accès au **Hemingway's Birthplace** (339 N Oak Park Ave), lieu de naissance
de l'écrivain, situé en face.

Depuis le centre-ville de Chicago, prenez
la ligne verte de la CTA jusqu'au terminus
(Harlem), situé à environ 4 rues du centre
des visiteurs. Le train traverse des quartiers
mornes avant d'émerger dans la splendeur
des larges pelouses d'Oak Park.

EVANSTON ET NORTH SHORE

Evanston, à 22 km au nord du Loop et
reliée à la ligne violette de la CTA, abrite
des maisons anciennes et un centre-ville
compact. C'est là que se situe la Northwestern University.

Plus loin se trouvent les banlieues nord
de Chicago en bordure de lac, prisées par
les classes supérieures à la fin du XIXe siècle.
En empruntant Sheridan Rd sur 48 km, on
traverse plusieurs villes cossues jusqu'au
summum : Lake Forest. Parmi les curiosités
touristiques, on compte la **Baha'i House
of Worship** (www.bahai.us/bahai-temple ;
100 Linden Ave, Wilmette ; entrée libre ; ⏰6h-22h),
une merveille architecturale d'une blancheur éclatante, et le **Chicago Botanic
Garden** (☎847-835-5440 ; www.chicagobotanic.
org ; 1000 Lake Cook Rd, Glencoe ; entrée libre ;
⏰8h-coucher du soleil), avec des sentiers de
randonnée, 255 espèces d'oiseaux et des
démonstrations culinaires le week-end.
Parking 20 \$.

Dans les terres se dresse l'**Illinois
Holocaust Museum** (☎847-967-4800 ; www.
ilholocaustmuseum.org ; 9603 Woods Dr, Skokie ;
adulte/enfant 12/6 \$; ⏰10h-17h lun-ven, 10h-20h
jeu, 11h-16h sam-dim). En plus de ses excellentes vidéos de témoignages de survivants
de la Seconde Guerre mondiale, le musée
présente des œuvres d'art incitant à la
réflexion sur les génocides de l'histoire.

Galena et le nord de l'Illinois

L'endroit le plus marquant de la région est le
Nord-Ouest vallonné, parsemé de peupliers,
de chevaux et de routes sinueuses aménagées sur d'anciens chemins de diligences
dans les environs de Galena.

En chemin, vous croiserez le village
de Union, qui héberge l'**Illinois Railway
Museum** (☎815-923-4000 ; www.irm.org ; US 20
jusqu'à Union Rd ; adulte 8-12 \$, enfant 4-8 \$ selon
la saison ; ⏰horaires variables avr-oct) qui ravira
les passionnés de train.

GALENA

Galena, étalée sur des coteaux boisés près
du fleuve Mississippi parmi des terres agricoles parsemées de granges, attire les foules
d'habitants de Chicago avec ses rues parfaitement préservées de l'époque de la guerre
de Sécession. On lui reproche parfois d'être
faite pour "les jeunes mariés et les vieux
retraités", avec ses B&B, son caramel et ses
antiquaires, mais sa beauté est indéniable.
Ses rues sont bordées de demeures de styles
néogrec, néogothique et Queen Anne en
brique rouge, un legs de l'apogée que connut
Galena vers 1850 grâce aux mines de plomb
locales. Ajoutez à cela une sortie en kayak,
la visite de fermes et le charme des routes
secondaires, et vous obtenez une agréable
escapade.

Le **Visitor Center** (☎877-464-2536 ; www.
galena.org ; 101 Bouthillier St ; ⏰9h-17h), situé à
l'entrée est de la ville, dans le dépôt de trains
datant de 1857, constitue un bon point de
départ. Prenez un plan, laissez votre voiture
dans le parking (5 \$/jour) et explorez la ville
à pied.

La charmante Main St suit le flanc de
colline et le centre-ville historique. Parmi
les nombreux sites, vous trouverez la
Ulysses S. Grant Home (☎815-777-3310 ;
www.granthome.com ; 500 Bouthillier St ; adulte/
enfant 4/2 \$; ⏰9h-16h45 mer-dim, horaires
restreints nov-mars), que les républicains
locaux offrirent au général victorieux à la
fin de la guerre de Sécession. Grant y vécut
jusqu'à ce qu'il soit élu 18e président des
États-Unis. La **Belvedere Mansion** (☎815-
777-0747 ; www.belvederemansionandgardens.
com ; 1008 Park Ave ; adulte/enfant 13 \$/gratuit ;
⏰11h-16h dim-ven, 11h-17h sam, fermé mi-nov à
mi-mai), de style italianisant, arbore les
tentures vertes d'*Autant en emporte le
vent*.

Pour les amateurs de sports de plein air,
Fever River Outfitters (☎815-776-9425 ;
www.feverriveroutfitters.com ; 525 S Main St ;
⏰10h-17h, fermé mar-jeu début sept-fin mai) loue
des canoës, des kayaks, des pédalos, des
vélos et des raquettes. Il propose également
des circuits organisés, comme une sortie de
2 heures en kayak (45 \$/personne, équipe-
ment compris) sur les bras du Mississippi.
Vous pouvez aussi visiter des ranchs de
bisons, des fromageries et des exploitations
de plantes aromatiques dans le cadre d'un
circuit culinaire avec **Learn Great Foods**
(☎866-240-1650 ; www.learngreatfoods.com ;
circuits 50-125 \$). Les excursions varient ;
consultez le site Internet pour connaître les
horaires et lieux.

Galena arbore de nombreux B&B. La plupart coûtent de 100 à 200 $/nuit et affichent complet le week-end. Le site Internet du centre des visiteurs les répertorie. Pour un séjour présidentiel "à la Grant" ou "à la Lincoln", vous pouvez opter pour les chambres bien meublées du **DeSoto House Hotel** (✆815-777-0090; www.desotohouse.com; 230 S Main St; ch 128-200 $; ⊕❄☎), construit en 1855. Le **Grant Hills Motel** (✆877-421-0924; www.granthills.com; 9372 US 20; ch 70-90 $; ⊕❄☎) est une option sans fioritures à 2,5 km à l'est de la ville, avec vue sur la campagne.

Le **111 Main** (✆815-777-8030; www.oneelevenmain.com; 111 N Main St; plat 16-24 $; ⊕11h-22h) concocte du *meatloaf*, du porc et de la purée, ainsi que d'autres plats du Middle West avec des ingrédients locaux. Le **Victory Cafe** (www.victorycafes.com; 200 N Main St; plat 5-11 $; ⊕6h-15h) est idéal pour déguster un petit-déjeuner typique du Sud, composé de *biscuits-and-gravy* (biscuits mœlleux recouverts de *gravy*, une sauce épaisse) ou un sandwich à midi. Le **VFW Hall** (100 S Main St) offre une bonne excuse pour siroter une bière bon marché et regarder la télé avec des vétérans. N'hésitez pas à entrer : comme l'indique le panneau à l'entrée, le public est bienvenu.

QUAD CITIES
Au sud de Galena, le long d'une belle portion de la **Great River Road** (www.greatriverroad-illinois.org), se trouve le joli **Mississippi Palisades State Park** (✆815-273-2731), où l'on peut faire de l'escalade, de la randonnée et du camping. Une carte des sentiers est disponible au bureau du parc à l'entrée nord.

Plus au sud, les **Quad Cities** (www.visitquadcities.com) – Moline et Rock Island (Illinois), ainsi que Davenport et Bettendorf de l'autre côté de la rivière (Iowa) – constituent une étape intéressante. Le centre-ville de Rock Island est attrayant (centré sur 2nd Ave et 18th St), avec quelques cafés, des pubs et une scène musicale. Aux abords de la ville, le **Black Hawk State Historic Site** (www.blackhawkpark.org; 1510 46th Ave; ⊕lever du soleil-22h) est un immense parc avec des sentiers le long de la Rock River. Son **Hauberg Indian Museum** (✆309-788-9536; Watch Tower Lodge; entrée libre; ⊕9h-12h et 13h-17h mer-dim) retrace l'histoire de Black Hawk, le chef des Sauk, et de son peuple.

Sur le fleuve Mississippi, l'île de **Rock Island** servit d'entrepôt d'arsenal et de camp de prisonniers de guerre durant la guerre de Sécession. On y trouve désormais un impressionnant **musée** d'armes (⊕mar-dim), un cimetière de la guerre de Sécession, un cimetière national et un centre des visiteurs. L'entrée est gratuite, mais il vous faudra une carte d'identité, car il y encore des installations militaires sur l'île.

C'est à Moline qu'est basé John Deere, le fabricant international de matériel agricole. Au centre-ville se trouve le **John Deere Pavilion** (www.johndeerepavilion.com; entrée libre; 1400 River Dr; ⊕9h-17h lun-ven, 10h-17h sam, 12h-16h dim; ♿), un musée/salle d'exposition qui ravira les enfants.

Springfield et le centre de l'Illinois
On trouve un peu partout dans le centre de l'Illinois des sites consacrés à Abraham Lincoln et à la Route 66. Sur ces terres agricoles, les amish sont regroupés à l'est de Decatur, à Arthur et à Arcola.

SPRINGFIELD
La petite capitale de l'État fait une fixation sur Abraham Lincoln, qui exerça le droit ici de 1837 à 1861. On peut se rendre à pied à de nombreux sites situés dans le centre-ville, tous gratuits ou presque.

◉ À voir et à faire
GRATUIT Lincoln Home & Visitor Center SITE HISTORIQUE
(✆217-492-4150; www.nps.gov/liho; 426 S 7th St; ⊕8h30-17h). Rendez-vous au centre des visiteurs du National Park Service pour acheter un billet pour la demeure de 12 pièces de Lincoln, juste en face. Abe et Mary Lincoln y vécurent de 1844 à leur entrée à la Maison-Blanche en 1861. Des gardiens sont présents un peu partout pour vous renseigner et répondre à vos questions.

Lincoln Presidential Library & Museum MUSÉE
(✆217-558-8844; www.presidentlincoln.org; 212 N 6th St; adulte/enfant 12/6 $; ⊕9h-17h; ♿). Ce musée possède la plus grande collection d'objets ayant appartenu à Lincoln, comme son miroir grossissant ou son porte-documents; les hologrammes fascineront les enfants.

GRATUIT Lincoln's Tomb CIMETIÈRE
(1441 Monument Ave; ⊕9h-17h, fermé dim-lun sept-mai). Après l'assassinat de Lincoln, sa dépouille fut rendue à Springfield; elle repose dans un grand tombeau dans le Oak Ridge Cemetery, à 2,5 km au nord du centre-ville. Le nez du buste de

LA ROUTE 66 DANS L'ILLINOIS

La mythique Route 66 part de Chicago sur Adams St, à l'ouest de Michigan Ave. Avant de démarrer, prenez des forces au diner Lou Mitchell's (p. 476) près de Union Station, car il faut compter 480 km avant d'atteindre l'État du Missouri.

La majeure partie de la Route 66 dans l'Illinois a malheureusement été remplacée par l'I-55, même si quelques sections parallèles de l'ancienne route existent encore. Soyez à l'affût des panneaux marron "Historic Route 66" situés à certains embranchements.

Notre premier arrêt domine les champs de maïs à 100 km au sud, à Wilmington. Le Gemini Giant (un cosmonaute de 8,5 m en fibre de verre) monte la garde devant le **Launching Pad Drive In** (810 E Baltimore St ; hamburger 2-6 $; ⏰11h-19h30). Pour l'atteindre, il faut sortir de l'I-55 à Joliet Rd, puis la suivre en direction du sud ; elle devient la Hwy 53 et se prolonge jusque dans la ville.

Poursuivez sur 70 km jusqu'à Pontiac et le **Route 66 Hall of Fame** (☎815-844-4566 ; 110 W Howard St ; entrée libre ; ⏰9h-17h lun-ven, 10h-16h sam) rempli d'objets promotionnels et de photos. Continuez sur 80 km jusqu'à Shirley et la **Funk's Grove** (☎309-874-3360 ; www. funksmaplesirup.com ; ☎appeler pour connaître les horaires saisonniers), une jolie exploitation de sirop d'érable datant du XIXe siècle et une réserve naturelle (sortie 154 sur l'I-55).

Quelque 15 km plus loin, vous arriverez au hameau ancien d'Atlanta. Le **Palms Grill Cafe** (☎217-648-2233 ; 110 SW Arch St ; plat 4-9 $; ⏰8h-17h dim-jeu, 8h-20h ven-sam) propose de délicieuses tartes aux groseilles ou encore à la crème et aux raisins secs. Juste en face, vous pourrez prendre une photo avec **Tall Paul**, une immense statue de Paul Bunyan (bûcheron légendaire) tenant un hot dog.

Springfield, la capitale de l'État, se trouve 80 km plus loin et offre 3 endroits intéressants : le **Shea's Gas Station Museum** (ci-dessous), le **Cozy Dog Drive In** (p. 488) et le **Route 66 Drive In** (ci-dessous).

Plus au sud, une bonne section de la Route 66 parallèle à l'I-55 traverse Litchfield, où vous pourrez déguster du poulet frit et bavarder avec les habitants au **Ariston Cafe** (www.ariston-cafe.com ; S Old Rte 66 ; plat 7-15 $; ⏰11h-21h mar-ven, 16h-22h sam, 11h-20h dim) datant de 1924. Enfin, avant d'atteindre le Missouri, faites un détour en prenant la sortie 3 sur l'I-270. Suivez la Hwy 203 direction sud, tournez à droite au premier feu et poursuivez vers l'ouest jusqu'au **Chain of Rocks Bridge** (⏰9h-coucher du soleil) datant de 1929. De nos jours, il est uniquement ouvert aux piétons et aux cyclistes. Il s'étend sur 1,6 km et enjambe le fleuve Mississippi à un angle de 22 degrés (la cause de nombreux accidents, d'où son interdiction à la circulation).

Pour de plus amples renseignements, consultez la **Route 66 Association of Illinois** (www.il66assoc.org) ou l'**Illinois Route 66 Scenic Byway** (www.illinoisroute66. org). Itinéraires détaillés sur www.historic66.com/illinois.

Lincoln est devenu luisant à force d'être effleuré par les nombreux visiteurs.

Old State Capitol GRATUIT SITE HISTORIQUE
(☎217-785-9363 ; www.oldstatecapitol. org ; angle 5th St et Adams St ; ⏰9h-17h, fermé dim-lun sept-mai). Des guides affables vous feront visiter le bâtiment et vous raconteront des anecdotes sur Lincoln, et sur un célèbre discours qu'il donna ici en 1858. Don conseillé de 4 $.

Les sites suivants ne sont pas consacrés à Lincoln :

Shea's Gas Station Museum MUSÉE
(☎217-522-0475 ; 2075 Peoria Rd ; 2 $; ⏰8h-16h mar-ven, 8h-12h sam). Bill Shea, un octogénaire,

présente sa fameuse collection de pompes et de panneaux de la Route 66.

Route 66 Drive In CINÉMA
(☎217-698-0066 ; www.route66-drivein.com ; 1700 Recreation Dr ; adulte/enfant 7/4 $; ⏰tous les soirs juin-août, week-end mi-avr à mai et sept). Projette des nouveautés sous le ciel étoilé.

🛏 Où se loger et se restaurer

Statehouse Inn HÔTEL $$
(☎217-528-5100 ; www.thestatehouseinn.com ; 101 E Adams St ; ch petit-déj inclus 95-155 $; P ❄ @ 🛜). Son extérieur en béton est terne, mais à l'intérieur, le Statehouse Inn a du style. Les chambres disposent de lits

douillets et d'une grande salle de bains. Bar rétro dans l'entrée.

Inn at 835
B&B **$$**

(☎217-523-4466 ; www.innat835.com ; 835 S 2nd St ; ch petit-déj inclus 130-200 $; ⓟ❄🛜). Ce manoir historique offre 10 chambres avec lit à baldaquin et baignoire à pieds.

Cozy Dog Drive In
DÎNER **$**

(www.cozydogdrivein.com ; 2935 S 6 St ; plat 2-4 $; ⏰8h-20h lun-sam). Cette légende de la Route 66 serait l'inventeur du *corn dog*, et propose des souvenirs en plus de ses saucisses frites servies sur bâtonnet.

D'Arcy's Pint
PUB **$**

(www.darcyspintonline.com ; 661 W Stanford Ave ; plat 6-12 $; ⏰11h-22h lun-jeu, 11h-23h ven-sam). D'Arcy's sert le meilleur "horseshoe", un sandwich local constitué de viande frite sur un toast, avec un monticule de frites et du fromage fondu. À 6 km au sud du centre-ville.

❶ Renseignements

Le **Springfield Convention & Visitors Bureau** (www.visitspringfieldillinois.com) édite un guide pour les visiteurs.

❶ Comment s'y rendre et circuler

La **gare Amtrak** (☎217-753-2013 ; angle 3rd St et Washington St), dans le centre-ville, propose 5 liaisons quotidiennes avec St Louis (2 heures) et Chicago (3 heures 30).

PETERSBURG

Lorsque Lincoln arriva dans l'Illinois en 1831, il travailla comme employé de bureau, magasinier et postier dans le village de pionniers de New Salem, avant d'étudier le droit et de déménager à Springfield. À Petersburg, à 32 km au nord-ouest de Springfield, le **Lincoln's New Salem State Historic Site** (☎217-632-4000 ; www.lincolnsnewsalem.com ; Hwy 97 ; don conseillé adulte/enfant 4/2 $; ⏰9h-17h, fermé lun-mar mi-sept à mi-avr) reconstitue le village de New Salem avec des répliques de bâtiments, des installations historiques et des spectacles costumés, ce qui en fait un site informatif et divertissant.

Sud de l'Illinois

Une surprise vous attend près de Collinsville, à 13 km à l'est d'East St Louis : **Cahokia Mounds State Historic Site** (☎618-346-5160 ; www.cahokiamounds.org ; Collinsville Rd ; don conseillé adulte/enfant 4/2 $; ⏰centre des visiteurs 9h-17h, site 8h-crépuscule) est un site classé au patrimoine mondial de l'Unesco. Cahokia renferme les vestiges de la plus grande cité amérindienne d'Amérique du Nord (elle comptait quelque 20 000 habitants) datant de 1 200. Les 65 tumuli, dont l'énorme Monk's Mound et le cadran solaire "Woodhenge", ne sont pas vraiment impressionnants, mais le site vaut quand même le coup d'œil. Si vous arrivez du nord, prenez la sortie 24 sur l'I-255 S ; depuis St Louis, la sortie 6 sur l'I-55/70.

Un peu au nord de St Louis, sur environ 25 km entre **Grafton** et **Alton**, la Hwy 100 offre la portion la plus pittoresque de la Great River Road. Quand vous passerez sous les falaises façonnées par le vent, ne manquez pas l'embranchement pour **Elsah** (www.elsah.org), un hameau caché de cottages en pierre datant du XIXᵉ siècle, de magasins de poussettes en bois et de fermes.

Dans cet État aux terres agricoles plates, sa section verdoyante la plus méridionale fait exception, avec la **Shawnee National Forest** (☎618-253-7114 ; www.fs.usda.gov/shawnee) vallonnée et ses affleurements rocheux. Cette région comprend de nombreux parcs d'État et aires de loisirs propices à la randonnée, à l'escalade, à la baignade, à la pêche et au canoë, notamment autour du **Little Grassy Lake** et de **Devil's Kitchen**. Et qui pourrait imaginer ici la présence de marécages semblables à ceux de Floride, abritant des cyprès chauves et des grenouilles taureaux coassant ? C'est pourtant le cas du **Cypress Creek National Wildlife Refuge** (☎618-634-2231 ; www.fws.gov/midwest/cypresscreek).

Union County, près de la pointe sud de l'État, abrite des vignobles et des vergers. Le **Shawnee Hills Wine Trail** (www.shawneewinetrail.com) est une route des vins qui relie 12 vignobles sur 56 km.

INDIANA

La course des 500 miles d'Indianapolis galvanise cet État du maïs, qui cultive par ailleurs des plaisirs au rythme lent : la dégustation de tartes dans le Pays amish, la méditation dans les temples tibétains de Bloomington, et l'observation de l'architecture de premier plan dans la petite ville de Columbus. Les habitants de l'Indiana sont surnommés les "Hoosiers" depuis les années 1830. On raconte qu'il s'agit d'une déformation de la façon dont les gens répondaient lorsque l'on frappait à leur porte : "Who's here?" (littéralement : "Qui est là ?"). Dans tous les cas, c'est une bonne entrée en matière pour discuter avec les habitants du coin, en dégustant un sandwich au filet de porc.

ⓘ Renseignements

Indiana Highway Conditions (☎800-261-7623 ; www.trafficwise.in.gov). Renseigne sur l'état des routes.

Indiana State Park Information (☎800-622-4931 ; www.in.gov/dnr/parklake). L'entrée dans le parc coûte 2 $/jour à pied ou à vélo et 5-10 $ en voiture. L'emplacement de camping coûte de 6 à 39 $. Réservation possible (☎866-622-6746 ; www.camp.in.gov).

Indiana Tourism (☎888-365-6946 ; www.visitindiana.com)

Indianapolis

Indianapolis est l'impeccable capitale de l'État, et un endroit agréable pour admirer les voitures de course et faire un tour de la célèbre piste. Le musée d'Art et le White River State Park ne sont pas sans intérêt, tout comme les quartiers de Mass Avenue et

L'INDIANA EN BREF

» **Surnom :** Hoosier State (voir ci-contre)

» **Population :** 6,4 millions d'habitants

» **Superficie :** 94 327 km^2

» **Capitale :** Indianapolis (785 600 habitants)

» **TVA :** 7%

» **État de naissance de :** Kurt Vonnegut (1922-2007), écrivain ; James Dean (1931-1955), acteur ; David Letterman (né en 1947), présentateur télé ; John Mellencamp (né en 1951), rockeur ; Michael Jackson (1958-2009), roi de la pop

» **Abrite :** des agriculteurs, du maïs

» **Politique :** généralement républicain

» **Célèbre pour :** la course des 500 Miles d'Indianapolis, ses fans de basket-ball, son sandwich au filet de porc

» **Tarte officielle :** la tarte au sucre

» **Distances par la route :** Indianapolis-Chicago : 297 km ; Indianapolis-Bloomington : 85 km

de Broad Ripple pour se restaurer et prendre un verre.

De nombreux constructeurs automobiles ouvrirent boutique ici avant de se voir éclipser par les géants de Détroit. Leur héritage, une piste d'essai de 4 km, devint le site de la première course des 500 Miles d'Indianapolis en 1911 (vitesse moyenne du vainqueur : 120 km/h).

⊙ À voir et à faire

Le Monument Circle se trouve en plein centre-ville. Le White River State Park est ses nombreux sites d'intérêt se situent à quelque 1,2 km à l'ouest. Le quartier de Broad Ripple est à 11 km au nord, sur College Avenue et 62nd St.

Indianapolis Motor Speedway   MUSÉE
(☎317-492-6784 ; www.indianapolismotorspeedway.com ; 4790 W 16th St). Le circuit qui accueille les 500 Miles d'Indianapolis est la principale curiosité de la ville. Le **Hall of Fame Museum** (adulte/enfant 5/3 $; ☺9h-17h) renferme 75 voitures de course (dont certaines ont remporté l'épreuve) et un trophée de Tiffany pesant 226 kg. On peut visiter le circuit (pour 5 $ de plus). Certes, vous serez à bord d'un bus qui roule à 60 km/h, mais l'imagination fait le reste.

La course se déroule le dernier week-end de mai (à l'occasion du Memorial Day) et attire 450 000 spectateurs. Les **billets** (☎317-484-6700, 800-822-4639 ; www.imstix.com ; 30-150 $) sont difficiles à obtenir. Il est plus facile et moins cher d'assister aux essais avant la compétition.

D'autres courses se tiennent sur cette piste : le **Brickyard 400** de la NASCAR fin juillet, et le **Motorcycle Grand Prix** fin août. À environ 10 km au nord-ouest du centre-ville.

White River State Park   PARC
(http://inwhiteriver.wrsp.in.gov). Ce vaste parc, situé en bordure du centre-ville, comprend plusieurs sites intéressants. Le **Eiteljorg Museum of American Indians & Western Art** (☎317-636-9378 ; www.eiteljorg.org ; 500 W Washington St ; adulte/enfant 8/5 $; ☺10h-17h lun-sam, 12h-17h dim) en adobe renferme de la vannerie, des pots et des masques amérindiens, ainsi que des tableaux réalistes et romantiques de l'Ouest américain, dont des œuvres de Frederic Remington et de Georgia O'Keeffe.

Le **NCAA Hall of Champions** (☎800-735-6222 ; www.ncaahallofchampions.org ; 700 W Washington St ; adulte/enfant 5/3 $; ☺10h-17h mar-sam, 12h-17h dim) témoigne de la fascination de ce pays pour les sports universitaires. La collection interactive vous permet de lancer un ballon ou de vous hisser sur une plate-forme pour plonger dans la piscine comme Michael Phelps. La plupart des "Hoosiers" (habitants de l'Indiana), en grands fans de basket-ball, gravitent autour de la collection consacrée à ce sport.

Parmi les autres points d'intérêt du parc se trouvent le magnifique **stade de base-ball de ligue mineure**, un **zoo**, une **promenade en bordure de canal**, des **jardins**, un **musée de la science** et le **Medal of Honor Memorial** militaire.

GRATUIT **Indianapolis Museum of Art** MUSÉE (☎317-920-2660 ; www.imamuseum.org ; 4000 Michigan Rd ; ☺11h-17h mar-sam, 11h-21h jeu-ven, 12h-17h dim ; ☞). Le musée possède une magnifique collection d'art européen (notamment des Turner et des postimpressionnistes), d'art tribal africain, d'art du Pacifique Sud et d'art chinois. Le bâtiment est relié au **Oldfields – Lilly House & Gardens** (☺11h-17h mar-sam, 12h-17h dim), le domaine de 10 hectares de la famille Lilly, du laboratoire pharmaceutique du même nom, et au **Fairbanks Art & Nature Park** (☺lever-coucher du soleil), qui comprend sculptures et installations audio sur 40 hectares de forêt.

GRATUIT **Kurt Vonnegut Memorial Library** MUSÉE (www.vonnegutlibrary.org ; 340 N Senate Ave ; ☺12h-17h jeu-mar). L'écrivain Kurt Vonnegut est né et a grandi à Indianapolis, et ce petit musée lui rend hommage avec une collection incluant sa machine à écrire, ses cigarettes Pall Mall et sa médaille Purple Heart de la Seconde Guerre mondiale. Ne faites pas l'impasse sur les tableaux de tralfamadoriens (les extraterrestres de son roman *Abattoir 5*) et la flopée de lettres de rejet d'éditeurs. Les enfants de Vonnegut ont fait don de la plupart des objets.

Monument Circle MONUMENT, MUSÉE (1 Monument Circle). À Monument Circle, le centre-ville est marqué par l'impressionnant **Soldiers & Sailors Monument**, haut de 86 m. Pour une expérience bizarre (et serrée), prenez l'ascenseur (2 $) jusqu'en haut. En bas se trouve le **Civil War Museum** (entrée libre ; ☺10h30-17h30 mer-dim), qui retrace le déroulement de la guerre de Sécession et la position abolitionniste de l'Indiana. À quelques rues au nord, se situe le **World War Memorial** (angle Vermont St et Meridian St), autre monument imposant.

Indiana Medical History Museum MUSÉE (☎317-635-7329 ; www.imhm.org ; 3045 W Vermont St ; adulte/enfant 5/1 $; ☺10h-16h jeu-sam). Un guide vous fait faire le tour de laboratoires centenaires. La principale attraction est la pièce remplie de cervelles en pot. On peut également explorer un jardin de plantes médicinales. À quelques kilomètres à l'ouest du White River Park.

GRATUIT **Indianapolis Hiking Club** RANDONNÉE (www.indyhike.org). Joignez-vous à une randonnée gratuite de 8-12 km autour du centre-ville, à Broad Ripple, dans l'Eagle Creek Park accidenté et ailleurs. Voir le site Internet pour les horaires et les points de départ.

🎉 Fêtes et festivals

La ville fête les 500 Miles d'Indianapolis durant le mois de mai avec le **500 Festival** (www.500festival.com ; billets à partir de 7 $), qui comprend un défilé des pilotes de course et une grande fête populaire sur la piste.

🛏 Où se loger

Les hôtels sont plus chers et affichent généralement complet durant les semaines de course en mai, juillet et août. Ajoutez 17% de taxe aux prix indiqués ici. Des motels à bas prix sont situés aux abords de l'I-465, le périphérique d'Indianapolis.

Indy Hostel AUBERGE $ (☎317-727-1696 ; www.indyhostel.us ; 4903 Winthrop Ave ; semaine/week-end dort 26/29 $, ch 58/64 $; P❄@☞). Cette petite auberge accueillante offre 4 dortoirs de 4 à 6 lits. Un dortoir est réservé aux femmes, les autres sont mixtes. Il y a également quelques chambres privées. Le Monon Trail, une piste praticable à vélo et à pied, passe à côté de la propriété. Proche de Broad Ripple, donc assez loin du centre-ville (bus n°17).

Conrad Indianapolis HÔTEL $$$ (☎317-713-5000 ; www.conradindianapolis. com ; 50 W Washington St ; ch à partir de 250 $; P❄@☞🏊). La meilleure adresse en ville. Cet hôtel de 241 chambres est proche des installations sportives. Un service de spa, un écran plasma de 42 pouces et un téléphone de bain sont inclus. Wi-Fi 14 $, parking 33 $.

Stone Soup B&B $$ (☎866-639-9550 ; www.stonesoupinn.com ; 1304 N Central Ave ; ch petit-déj inclus 85-145 $; P❄☞). Neuf chambres réparties dans cette longue maison remplie de meubles anciens et de vitraux. Les moins chères ont une salle de bains commune.

Hampton Inn
HÔTEL **$$**

(☎317-261-1200 ; www.hamptondt.com ; 105 S Meridian St ; ch petit-déj inclus 139-169 ; P❄@☎). De belles parties communes, des lits douillets et un excellent emplacement central en font un bon choix. Parking 15 $.

✖ Où se restaurer

Massachusetts Ave (www.discovermas-save.com), dans le centre-ville, offre de nombreuses options. **Broad Ripple Village** (www.discoverbroadripplevillage.com), à 11 km au nord, comprend des pubs, des cafés et des restaurants exotiques.

Mug 'N' Bun
AMÉRICAIN **$**

(www.mug-n-bun.com ; 5211 W 10th St ; plat 3-5 $; ⊙10h-21h dim-jeu, 10h-22h ven-sam). Les tasses sont givrées et remplies d'une délicieuse *root beer* (boisson aux extraits de plantes) artisanale. Les pains contiennent des hamburgers, des *chili dogs* et des filets de porc juteux. Et n'oublions pas les croquettes de macaronis au fromage. Dans ce drive-in vintage près du périphérique, on vous sert dans votre voiture.

Shapiro's Deli
ÉPICERIE FINE **$$**

(☎317-631-4041 ; www.shapiros.com ; 808 S Meridian St ; plat 8-15 $; ⊙6h45-20h ; ☎). Croquez dans un sandwich au corned-beef ou au pastrami poivré au pain artisanal, puis finissez par une copieuse part de gâteau au chocolat ou de tarte aux fruits.

Bazbeaux
PIZZERIA **$$$**

(www.bazbeaux.com ; 329 Massachusetts Ave ; grande pizza 19-23 $; ⊙11h-22h dim-jeu, 11h-23h ven-sam). Cette pizzeria populaire offre une sélection éclectique, comme la "tchoupitoulas", avec crevette à la cajun et andouille en garniture. Les sandwichs *muffaletta*, les *stromboli* et les bières belges font partie des options originales.

City Market
MARCHÉ **$**

(www.indycm.com ; 222 E Market St ; ⊙6h-15h lun-ven, 10h-16h sam). Le vieux marché de la ville (1886) abrite des étals de nourriture exotique et de produits locaux. Idéal pour un en-cas à midi.

🍷 Où prendre un verre et sortir

On trouve quelques bars sympathiques dans le centre-ville et sur Mass Ave ; il existe également plusieurs options dans Broad Ripple.

Bars et discothèques

Slippery Noodle Inn
BAR

(www.slipperynoodle.com ; 372 S Meridian St). Situé au centre-ville, c'est le plus ancien bar de l'État. Il fut tour à tour une maison close, un abattoir, un repaire de gangsters et une station de métro. Aujourd'hui, c'est l'un des meilleurs clubs de blues du pays. Concerts tous les soirs et petits prix.

Rathskeller
TAVERNE

(www.rathskeller.com ; 401 E Michigan St). Sirotez une bière allemande dans le jardin sur une table de pique-nique l'été, ou à l'intérieur sous les trophées de cervidés l'hiver. La dégustation de 6 bières vous permet de découvrir les mousses. Dans le bâtiment historique Athenaeum, près de Mass Ave.

Plump's Last Shot
BAR

(6416 Cornell Ave). Bobby Plump marqua un panier à la dernière seconde, permettant à sa petite école de battre l'école d'une grande ville lors d'un championnat dans les années 1950. Les souvenirs de sport sont omniprésents, et Bobby vient parfois faire un tour. Le bar est installé dans une grande maison dans Broad Ripple, avec une terrasse où les chiens sont admis.

Sports

Les sports mécaniques ne sont pas les seuls à attirer les foules. Les Colts de la NFL jouent au football américain sous l'immense toit rétractable du **Lucas Oil Stadium** (☎317-262-3389 ; www.colts.com ; 500 S Capitol Ave). Les Pacers de la NBA, quant à eux, jouent au basket au **Conseco Fieldhouse** (☎317-917-2500 ; www.pacers.com ; 125 S Pennsylvania St).

🛍 Achats

Vous pouvez acheter un drapeau à damier ou un maillot des Colts en souvenir, ou une bouteille d'hydromel élaborée par

ℹ LA BONNE CHÈRE DE L'INDIANA

Qui sert les meilleurs filets de porc et les tartes au sucre les plus délicieuses ? Où se tiennent les marchés de producteurs locaux et les festivals de côtes de porc ? Quelle est la recette du pudding au maïs ? L'**Indiana Foodways Alliance** (www.indianafoodways.com) vous renseigne sur la cuisine locale.

d'anciens apiculteurs passionnés à la **New Day Meadery** (www.newdaymeadery.com ; 1102 E Prospect St ; ⊙14h-21h mar-ven, 12h-21h sam, 12h-16h dim). Goûtez aux boissons au miel dans la salle de dégustation (8 échantillons pour 5 $) avant d'arrêter votre choix.

ⓘ Renseignements

Médias
Gay Indy (www.gayindy.org). Répertoire des soirées gay et lesbiennes.

Indianapolis Star (www.indystar.com). Le quotidien de la ville.

Nuvo (www.nuvo.net). Hebdomadaire alternatif gratuit avec infos sur la scène artistique et musicale.

Office du tourisme
Indianapolis Convention & Visitors Bureau (☏800-324-4639 ; www.visitindy.com). Téléchargez l'application gratuite et imprimez des bons de réduction depuis le site Web.

Urgences et services médicaux
Indiana University Medical Center (☏317-274-4705 ; 550 N University Blvd).

ⓘ Comment s'y rendre et circuler

L'**aéroport international d'Indianapolis** (IND ; www.indianapolisairport.com ; 7800 Col H Weir Cook Memorial Dr) est à 25 km au sud-ouest de la ville. Le bus Washington (n°8) fait la liaison entre l'aéroport et le centre-ville (1,75 $, 50 minutes) ; le bus Green Line est plus rapide (7 $, 20 minutes). Taxi pour le centre-ville : environ 35 $.

Greyhound (☏317-267-3076 ; www.greyhound.com) partage la **Union Station** (350 S Illinois St) avec Amtrak. Des bus relient fréquemment Cincinnati (2 heures) et Chicago (3 heures 30). **Megabus** (www.megabus.com/us) s'arrête à 200 E Washington St et est souvent moins cher. Amtrak effectue les mêmes liaisons, mais le trajet est presque deux fois plus long et coûte plus cher.

IndyGo (www.indygo.net ; 1,75 $) gère le réseau de bus en ville. Le bus n°17 se rend à Broad Ripple. Le service est minime durant le week-end.

Pour un taxi, appeler **Yellow Cab** (☏317-487-7777).

Bloomington et le centre de l'Indiana

Ces terres agricoles, qui ont vu naître la musique bluegrass et James Dean, abritent des sites architecturaux et des temples tibétains.

FAIRMOUNT
C'est dans cette petite ville au nord, sur la Hwy 9, qu'est né James Dean. Les fans peuvent commencer par le **Historical Museum** (☏765-948-4555 ; www.jamesdeanartifacts.com ; 203 E Washington St ; entrée libre ; ⊙10h-17h lun-sam, 12h-17h dim mars-nov) pour admirer les bongos et autres objets lui ayant appartenu. Des plans gratuits permettent d'explorer les différents sites, comme la ferme où il a grandi, et sa tombe, couverte de traces de rouge à lèvres. Le musée vend des posters, des Zippo et autres souvenirs à son effigie. Il parraine le **James Dean Festival** (gratuit ; ⊙fin sept), qui réunit tous les ans jusqu'à 50 000 fans pour 4 jours de musique et de fête. À quelques rues de là, la **James Dean Gallery** (☏765-948-3326 ; www.jamesdeangallery.com ; 425 N Main St ; entrée libre ; ⊙9h-18h) possède d'autres objets.

COLUMBUS
Quand on pense aux grandes villes d'architecture des États-Unis (Chicago, New York, Washington), Columbus vient rarement à l'esprit, mais c'est un tort. Située à 64 km au sud d'Indianapolis sur l'I-65, c'est une magnifique galerie à ciel ouvert. Depuis les années 1940, la ville et ses grandes entreprises ont fait appel aux meilleurs architectes du monde, dont Eero Saarinen, Richard Meier et I.M. Pei, pour concevoir des bâtiments publics et privés. Faites un arrêt au **Visitor Center** (☏812-378-2622 ; www.columbus.in.us ; 506 5th St ; ⊙9h-17h lun-sam, 12h-17h dim mars-nov, fermé dim déc-fév) pour prendre le plan (3 $) de la visite autoguidée, ou joignez-vous à un circuit en bus de 2 heures (adulte/enfant 20/10 $). Départ à 10h du lundi au vendredi, à 10h et 14h le samedi, et à 15h le dimanche. Plus de 70 bâtiments d'intérêt et œuvres d'art publiques sont répartis sur une grande surface (voiture nécessaire), mais environ 15 points d'intérêt sont visibles à pied dans le centre-ville.

L'**Hotel Indigo** (☏812-375-9100 ; www.hotelindigo.com ; 400 Brown St ; ch à partir de 135-180 $; ❋❀☏⊛), également dans le centre-ville, offre des chambres modernes et pimpantes. Un chien au long poil blanc vous accueille dans le lobby (il a sa propre adresse mail). À quelques rues de là, vous pourrez vous asseoir au comptoir, discuter avec Wilma et les autres serveuses, et siroter un soda au **Zaharakos** (www.zaharakos.com ; 329 Washington St ; ⊙8h-20h lun-ven, 9h-20h sam-dim), une buvette rétro de 1909.

NASHVILLE

Embourgeoisée et parsemée d'antiquaires, cette ville du XIXᵉ siècle à l'ouest de Columbus sur la Hwy 46 est un centre touristique actif, notamment à l'automne quand on se presse pour admirer les couleurs. Le **Visitor Center** (☑800-753-3255 ; www.browncounty.com ; 10 N Van Buren St ; ☺10h-17h lun-jeu, 10h-18h ven-sam, 10h30-16h dim ; ☎) offre des plans et des bons de réduction en ligne.

En plus de ses nombreuses galeries, Nashville sert de point de départ pour le **Brown County State Park** (☑812-988-6406 ; www.browncountystatepark.us ; empl tente et camping-car 13-26 $, cabins à partir de 72 $), une forêt de 6 350 hectares de chênes, de noyers et de bouleaux. Des sentiers permettent d'explorer ses collines à pied, à VTT ou à cheval.

L'**Artists Colony Inn** (☑812-988-0600 ; www.artistscolonyinn.com ; 105 S Van Buren St ; ch petit-déj inclus 112-170 $; ☺☎), en plein centre, se démarque des autres B&B par ses chambres chics au mobilier shaker. Le **restaurant** (plat 9-17 $; ☺7h30-20h dim-jeu, 7h30-21h ven-sam) propose des mets *hoosiers* traditionnels, comme du poisson-chat et des *pork tenderloins* (filets de porc).

Tout comme Nashville au Tennessee, Nashville en Indiana est un haut lieu de musique country. Des groupes se produisent régulièrement dans différentes salles. Si vous avez envie de danser, rendez-vous à la **Mike's Music & Dance Barn** (☑812-988-8636 ; www.mikesmusicbarn.com ; 2277 Hwy 46 ; ☺jeu-lun). Le **Bill Monroe Museum** (☑812-988-6422 ; 5163 Rte 135 N, Bean Blossom ; adulte/enfant 4 $/gratuit ; ☺9h-17h, fermé mar-mer nov-avr), à 8 km au nord de la ville, est consacré au héros de la bluegrass.

BLOOMINGTON

Bloomington, à 85 km au sud d'Indianapolis par la Hwy 37, est charmante et animée. Elle abrite l'Indiana University. La ville est centrée sur la Courthouse Sq, une place bordée de restaurants, de bars et de librairies et arborant la façade historique du Fountain Sq Mall. On peut se rendre presque partout à pied. Le **Bloomington CVB** (www.visitbloomington.com) offre un guide téléchargeable.

Sur l'immense campus se trouve l'**Art Museum** (☑812-855-5445 ; www.indiana.edu/~iuam ; 1133 E 7th St ; entrée libre ; ☺10h-17h mar-sam, 12h-17h dim, horaires restreints l'été), construit par I.M. Pei, qui renferme une excellente collection d'art africain, ainsi que des tableaux européens et américains.

Le **Tibetan Mongolian Buddhist Cultural Center** (☑812-336-6807.tibetancc.com ; 3655 Snoddy Rd ; entrée libre ; ☺lever-coucher du soleil) coloré orné de drapeaux de prière, et le stupa voisin, ainsi que le **Dagom Gaden Tensung Ling Monastery** (☑812-339-0857 ; www.dgtlmonastery.org ; 102 Clubhouse Dr ; entrée libre ; ☺9h-18h), révèlent l'importante présence tibétaine à Bloomington. Tous deux offrent des séances gratuites d'enseignement et de méditation. Voir le site Internet pour l'horaire hebdomadaire.

Si vous arrivez à la mi-avril, vous croiserez 20 000 personnes de plus en ville, en raison du **Little 500** (www.iusf.indiana.edu ; 25 $). Lance Armstrong a déclaré que cette course cycliste où des amateurs enfourchent des Schwinn à 1 vitesse, pour 200 tours de piste, était l'événement le plus sympa auquel il ait jamais assisté.

N Walnut St, près de la Hwy 46, offre des hébergements à petit prix. Le **Grant Street Inn** (☑800-328-4350 ; www.grantstinn.com ; 310 N Grant St ; ch petit-déj inclus 149-229 $; @☎) possède 24 chambres réparties dans une maison victorienne et son annexe près du campus.

Pour une ville de cette taille, Bloomington possède une grande sélection de restaurants exotiques (birmans, érythréens ou encore mexicains) sur Kirkwood Avenue et E 4th St. **Anyetsang's Little Tibet** (☑812-331-0122 ; www.anyetsangs.com ; 415 E 4th St ; plat 9-13 $; ☺11h-21h30 mer-lun) propose des spécialités himalayennes. Les pubs sur Kirkwood Ave, situés près du campus, sont fréquentés par une population estudiantine, tel le **Nick's English Hut** (www.nicksenglishhut.com ; 423 E Kirkwood Ave), qui a accueilli, entre autres, Kurt Vonnegut, Dylan Thomas et Barack Obama.

Sud de l'Indiana

Grâce à ses jolies collines, ses grottes, ses rivières et son histoire utopique, le sud de l'Indiana se démarque totalement du nord de l'État, plat et industriel.

OHIO RIVER

Une portion de 1 579 km de la Ohio River marque la frontière sud de l'Indiana. Au départ de la minuscule Aurora, au coin sud-est de l'État, les Hwys 56, 156, 62 et 66, qui forment la **Ohio River Scenic Route**, traversent un paysage varié.

Si vous arrivez de l'est, **Madison** constitue une bonne étape. La ville a été fondée au bord de la rivière au milieu du XIXe siècle ; on peut y admirer quelques beautés architecturales. Au **Visitor Center** (✆812-265-2956 ; www.visitmadison.org ; 601 W First St ; ☺9h-17h lun-ven, 10h-15h sam, 11h-17h dim), prenez une brochure pour une visite à pied, qui vous guidera vers les principaux points d'intérêt.

On trouve des motels en bordure de ville, ainsi que plusieurs B&B. Main St est bordée de restaurants et d'antiquaires. La grande forêt du **Clifty Falls State Park** (✆812-273-8885 ; empl tentes et camping-cars 10-26 $), près de la Hwy 56 à quelques kilomètres à l'ouest de la ville, comprend un camping, des sentiers de randonnée et des cascades.

À Clarksville, les **Falls of the Ohio State Park** (✆812-280-9970 ; www.fallsoftheohio.org ; 201 W Riverside Dr) sont des rapides, et non des chutes d'eau, mais sont intéressants pour leurs gisements de fossiles de 386 millions d'années. Le **centre d'interprétation** (interpretive center ; adulte/enfant 5/2 $; ☺9h-17h lun-sam, 13h-17h dim) vous expliquera tout cela. Étanchez votre soif non loin de là à New Albany, qui abrite la **New Albanian Brewing Company Public House & Pizzeria** (www.newalbanian.com ; 3312 Plaza Dr ; ☺11h-24h lun-sam), ou traversez le pont pour Louisville, au Kentucky, où vous pourrez déguster le fameux bourbon.

La pittoresque Hwy 62 se dirige vers l'ouest jusqu'à Lincoln Hills et les grottes calcaires du sud de l'Indiana. Une visite de la **Marengo Cave** (✆812-365-2705 ; www.marengocave.com ; ☺9h-18h, 9h-17h sept-mai) au nord sur la Hwy 66, est fortement recommandée. On peut se joindre à une visite guidée de 40 minutes (adulte/enfant 13,50/7 $), de 1 heure 10 (15/7,50 $) ou combinée (21/11 $) au milieu des stalagmites et autres formations anciennes. Non loin de là, à Milltown, la même société gère **Cave Country Canoes** (www.cavecountrycanoes.com ; ☺mai-oct) et propose des excursions d'une demi-journée (23 $), d'une journée (26 $) ou plus sur la Blue River. Soyez à l'affût des loutres de rivière et des ménopomes, une rare espèce de salamandre.

À 6 km au sud de Dale, près de l'I-64, se trouve le **Lincoln Boyhood National Memorial** (✆812-937-4541 ; www.nps.gov/libo ; adulte/enfant 3 $/gratuit ; ☺8h-17h), où le jeune Lincoln vécut de 7 à 21 ans. Ce site isolé comprend également l'entrée pour une **ferme de pionniers** (☺8h-17h mi-avr à sept).

NEW HARMONY

Dans le sud-est de l'Indiana, la Wabash River délimite la frontière avec l'Illinois.

Sur sa berge, au sud de l'I-64, **New Harmony** est un site fascinant. Ici, deux expériences de vie communautaire eurent lieu. Au début du XIXe siècle, les harmonistes, une communauté religieuse allemande, bâtirent une ville sophistiquée en attendant le retour du Messie. Plus tard, l'utopiste britannique Robert Owen fit l'achat de la ville. Pour plus de renseignements et un plan pour une visite à pied, voir l'**Atheneum Visitors Center** (✆812-682-4474 ; www.usi.edu/hnh ; 401 N Arthur St ; ☺9h30-17h).

Aujourd'hui encore, l'atmosphère contemplative, voire angélique, de New Harmony se ressent dans ses nouvelles curiosités, comme la Roofless Church aux allures de temple et le Labyrinth, censé symboliser la quête spirituelle. La ville abrite quelques pensions et un camping au **Harmonie State Park** (✆812-682-4821 ; empl 11-27 $). Le **Main Cafe** (508 Main St ; plat 4-7 $; ☺5h30-13h lun-ven) vous servira du jambon, des fèves et du pain de maïs à midi, suivi d'une tarte à la noix de coco.

Nord de l'Indiana

De nombreux camions circulent sur les autoroutes à péage I-80/I-90 dans la partie nord de l'Indiana. L'US 20 parallèle est plus lente et moins chère, mais guère plus attractive.

INDIANA DUNES

L'été, les estivants en provenance de Chicago et de South Bend envahissent l'**Indiana Dunes National Lakeshore** (✆219-926-7561 ; www.nps.gov/indu ; gratuit, empl tentes et camping-cars 15 $), des dunes s'étendant sur 34 km sur les berges du lac Michigan. En plus de ses plages, la région abrite une grande diversité végétale : ici, tout pousse, des cactus aux pins. Des sentiers de randonnée sillonnent les dunes et les forêts, passant par une tourbière, une ferme en activité datant de 1870 et une colonie de grands hérons, entre autres récompenses. Le Mt Baldy est la plus haute dune à escalader. Étrangement, toute cette beauté naturelle est située à côté d'usines recrachant de la fumée, et que vous apercevrez depuis différents points de vue. Le **Dorothy Buell Visitor Center** (✆219-926-7561 ; Hwy 49 ; ☺8h30-18h30 juin-août, 8h30-16h30 sept-mai) offre des renseignements sur les plages, les horaires des balades guidées et des activités proposées par les rangers ; il fournit en outre des cartes pour la randonnée, le cyclisme et l'ornithologie. Vous pouvez vous procurer des guides au **Porter County Convention & Visitors Bureau** (www.indianadunes.com).

Le **Indiana Dunes State Park** (☎219-926-1952 ; www.dnr.in.gov/parklake ; 10 $/voiture, empl tente et camping-car 17-28 $) est un parc de 850 hectares en bordure de lac au sein du National Lakeshore, au bout de la Hwy 49, près de Chesterton. Il offre plus d'installations, mais impose plus de règles et attire plus de monde (il exige en outre un droit d'entrée pour les véhicules). En hiver, on y pratique le ski de fond, et en été, la randonnée. Plusieurs sentiers sillonnent le parc ; le n°4 vers le Mt Tom offre une vue sur Chicago.

Exception faite de quelques rares snack-bars sur la plage, vous ne trouverez pas à manger dans les parcs, mais vous pouvez aller au **Lucrezia** (☎219-926-5829 ; www.lucreziacafe.com ; 428 S Calumet Rd ; plat 17-27 $; ☺11h-22h dim-jeu, 11h-23h ven-sam), un restaurant italien convivial de Chesterton.

Les dunes constituent une agréable excursion d'une journée depuis Chicago. Comptez 1 heure de route. Le **South Shore Metra train** (www.nictd.com) part de la Millennium Station dans le centre-ville et s'arrête à Dune Park et Beverly Shores (environ 1 heure 15 de trajet, mais les deux arrêts sont à 2,4 km de marche de la plage). Si vous souhaitez y passer la nuit, vous pouvez camper (camping du National Lakeshore 15 $; empl tente et camping-car dans le State Park 17-28 $).

Proches de l'Illinois, **Gary** et **East Chicago**, connues pour leurs aciéries, offrent un paysage urbain morne. En les traversant en train (avec Amtrak ou la ligne South Shore), vous découvrirez la face cachée des villes industrielles du pays.

SOUTH BEND

South Bend abrite la **University of Notre Dame**. Si le football américain est une religion dans certaines villes, c'est littéralement le cas à Notre Dame, où un portrait du Christ intitulé *Touchdown Jesus* (une peinture murale de Jésus dont la pose ressemble à celle d'un arbitre indiquant un toucher) préside le stade de 80 000 personnes. Les visites du joli campus, qui abrite une réplique de la grotte de Lourdes, partent du **Visitor Center** (www.nd.edu/visitors ; 111 Eck Center). Le **Studebaker National Museum** (☎574-235-9714 ; www.studebakermuseum.org ; 201 S Chapin St ; adulte/enfant 8/5 $; ☺10h-17h lun-sam, 12h-17h dim) est moins fréquenté, mais vaut le détour. Il est près

du centre-ville, et vous pourrez y admirer de superbes voitures anciennes, comme une Packard de 1956.

PAYS AMISH

À l'est de South Bend, entre **Shipshewana** et **Middlebury**, se trouve la troisième plus grande communauté amish du pays. Des chevaux tirent des buggys et des hommes barbus labourent les champs à la charrue. Vous pouvez obtenir un plan auprès du **Elkhart County CVB** (☎800-517-9739 ; www.amishcountry.org) ou, mieux encore, choisir une route secondaire au hasard et partir à l'aventure. Généralement, des familles vendent des bougies en cire d'abeille, des couvertures et des produits frais sous leur porche, et ils sont généralement moins chers que ceux que l'on trouve dans les magasins et les restaurants pour touristes situés sur les routes principales. La plupart des établissements sont fermés le dimanche.

Le **Village Inn** (☎574-825-2043 ; 105 S Main St ; plat 3-7 $; ☺5h-20h lun-ven, 5h-14h sam), à Middlebury, vend des tartes maison, préparées dès 4h30 du matin par des femmes vêtues de coiffe et de robes pastel. Venez avant 12h pour ne pas repartir les mains vides.

AUBURN

Juste avant d'atteindre la frontière de l'Ohio, les amateurs de voitures de collection pourront faire un détour au sud sur l'I-69 jusqu'à Auburn, où la Cord Company produisit des voitures prisées dans les années 1920 et 1930. L'**Auburn Cord Duesenberg Museum** (☎260-925-1444 ; www.automobilemuseum.org ; 1600 S Wayne St ; adulte/enfant 10/6 $; ☺9h-17h, 9h-20h jeu) expose des roadsters anciens dans un superbe décor Art déco. Non loin de là, vous trouverez des véhicules anciens au **National Automotive and Truck Museum** (☎260-925-9100 ; www.natmus.org ; 1000 Gordon Buehrig Pl ; adulte/enfant 7/4 $; ☺9h-17h).

OHIO

Quel est l'État où l'on peut aller admirer une baratte à beurre dans une ferme amish, faire la fête dans une station balnéaire insulaire, monter sur l'une des montagnes russes les plus rapides au monde, siroter un milkshake crémeux directement dans une ferme laitière ou encore examiner un mystérieux monticule de terre représentant un serpent ? L'Ohio ! Les habitants sont peinés quand

L'OHIO EN BREF

» **Surnom :** Buckeye State ("État du Marronnier")

» **Population :** 11,5 millions d'habitants

» **Superficie :** 116 096 km²

» **Capitale :** Columbus (733 200 habitants)

» **Autres villes :** Cleveland (444 300 habitants), Cincinnati (332 250 habitants)

» **TVA :** 5,5 %

» **État de naissance de :** Thomas Edison (inventeur, 1847-1931), Toni Morrison (écrivain, née en 1931), Ted Turner (entrepreneur, né en 1938), Steven Spielberg (réalisateur, né en 1947)

» **Berceau :** des montagnes russes, des frères Wright, pionniers de l'aviation

» **Politique :** Swing state ("État pivot", acquis ni aux démocrates ni aux républicains et dont le vote est déterminant pour les élections présidentielles)

» **Célèbre pour :** le premier avion, la première équipe professionnelle de base-ball, être le lieu de naissance de sept présidents américains

» **Chanson rock de l'État :** "Hang On Sloopy", par The McCoys

» **Distances par la route :** Cleveland-Columbus : 229 km ; Columbus-Cincinnati : 174 km

un visiteur croit qu'il n'y a rien d'autre à faire ici que de regarder paître les vaches. Vous pourrez en outre goûter un chili "five-way" à Cincinnati (voir p. 507) et faire la fête à Cleveland.

🛈 Renseignements

Ohio Division of Travel and Tourism (☎800-282-5393 ; www.discoverohio.com).

Ohio Highway Conditions (www.buckeyetraffic.org).

Ohio State Park Information (☎614-265-6561 ; www.ohiodnr.com/parks). L'entrée dans les parcs de l'État est libre. Certains offrent le Wi-Fi gratuit. Les emplacements pour tentes et camping-cars coûtent 10 à 36 $. Réservations acceptées (☎866-644-6727 ; www.ohio.reserveworld.com ; frais 8,25 $).

Cleveland

Ville ouvrière à l'origine, Cleveland a dû faire des efforts ces dernières années pour se reconvertir. La première étape consista à nettoyer la Cuyahoga River, si polluée qu'elle pouvait littéralement s'enflammer. La deuxième étape, à ouvrir un site touristique, le Rock and Roll Hall of Fame. La troisième étape fut la diversification de l'offre culinaire, jusque-là limitée aux steaks-frites. Cleveland peut-elle désormais se reposer sur ses lauriers ? Plus ou moins. La majeure partie du centre-ville demeure morose, même s'il y a indéniablement des signes de relance.

👁 À voir et à faire

Au centre de Cleveland se trouve le Public Sq, dominé par l'immanquable Terminal Tower. La plupart des points d'intérêt se situent dans le centre-ville, en bordure de lac ou à University Circle (qui abrite la Case Western Reserve University, la Cleveland Clinic et d'autres institutions).

DOWNTOWN

Le **Greater Cleveland Aquarium** (www.greaterclevelandaquarium.com) a ouvert ses portes en 2012 dans les Flats. Il abrite des milliers de créatures et comporte une section consacrée à la vie aquatique des Grands Lacs.

Rock and Roll Hall of Fame & Museum   MUSÉE
(☎216-781-7625 ; www.rockhall.com ; 1 Key Plaza ; adulte/enfant 22/13 $; ⊙10h-17h30, 10h-21h mer toute l'année, 10h-21h sam juin-août). Le principal musée de Cleveland n'est pas qu'une collection d'objets - bien qu'il possède la Stratocaster de Jimi Hendrix, les chaussures compensées de Keith Moon, et les lunettes de Ray Charles. Des installations multimédias interactives retracent l'histoire et le contexte social du rock et des artistes qui l'ont créé. Pourquoi ce musée est-il à Cleveland ? Parce que c'est la ville d'origine d'Alan Freed, le DJ qui popularisa le terme "rock'n'roll" au début des années 1950, et que la mairie s'est fortement investie dans sa création. Préparez-vous à affronter la foule (notamment jusqu'à 13h). L'été, le bus de tournée de Johnny Cash est garé devant le musée. Vous pourrez monter à bord et voir comment vivait celui que l'on surnommait l'Homme en noir.

Great Lakes Science Center
MUSÉE

(☎216-694-2000 ; www.glsc.org ; 601 Erie-side Ave ; adulte/enfant 11/9 $; ⊙10h-17h ; ♿).
L'un des 10 musées du pays à être affilié à la NASA abrite fusées et pierres de lune, et aborde les problèmes environnementaux des lacs de la région. Une éolienne et des panneaux solaires produisent 6% de l'énergie consommée par le musée.

William G Mather
MUSÉE

(☎216-574-6262 ; http://www.glsc.org/mather_museum.php ; 305 Mather Way ; adulte/enfant 7/5 $; ⊙11h-17h tlj juin-août, ven-dim uniquement mai, sept et oct, fermé nov-avr). Vous pourrez arpenter avec un audioguide cet énorme cargo transformé en musée maritime. Il est amarré à côté du Science Center.

USS Cod
MUSÉE

(☎216-566-8770 ; www.usscod.org ; 1089 E 9th St ; adulte/enfant 7/4 $; ⊙10h-17h mai-sept). Le sous-marin *USS Cod* fut au cœur de l'action durant la Seconde Guerre mondiale. Vous pourrez escalader ses échelles, explorer son intérieur confiné, et écouter des anecdotes audio sur la vie à bord.

OHIO CITY ET TREMONT
West Side Market
MARCHÉ

(www.westsidemarket.org ; angle W 25th St et Lorain Ave ; ⊙7h-16h lun et mer, 7h-18h ven-sam). Ce marché de style européen regorge de maraîchers avec leurs pyramides de fruits et légumes, ainsi que de vendeurs de saucisses hongroises, de pains plats mexicains et de *pierogi* polonais.

UNIVERSITY CIRCLE
Plusieurs musées et curiosités touristiques sont regroupés à quelques pas les uns des autres dans University Circle, 8 km à l'est du centre-ville. Si vous n'êtes pas motorisé, vous pouvez prendre le bus HealthLine jusqu'à Adelbert.

GRATUIT Cleveland Museum of Art
MUSÉE

(☎216-421-7340 ; www.clevelandart.org ; 11150 East Blvd ; ⊙10h-17h mar-dim, 10h-21h mer et ven). Le musée d'Art abrite une excellente collection de tableaux européens, ainsi que de l'art africain, asiatique et américain. Les travaux d'agrandissement devraient être achevés en 2013. Au 2e niveau, vous trouverez notamment des chefs-d'œuvre de peintres impressionnistes et surréalistes et des toiles de Picasso.

Cleveland Botanical Garden
JARDIN

(☎216-721-1600 ; www.cbgarden.org ; 11030 East Blvd ; adulte/enfant 8,50/3 $; ⊙10h-17h mar-sam, 12h-17h dim, 10h-21h mer juin-août).

Comprend une reconstitution de la forêt tropicale du Costa Rica et du désert de Madagascar. Non loin, une patinoire est ouverte l'hiver. Location de patins 3 $. Parking 5-10 $/jour. Le ticket donne accès à tous les musées.

Lakeview Cemetery
JARDIN

(☎216-421-2665 ; www.lakeviewcemetery.com ; 12316 Euclid Ave ; ⊙7h30-19h30). Au-delà du Circle, plus à l'est, ne faites pas l'impasse sur ce cimetière où reposent le président Garfield, John Rockefeller et, plus étonnant, Harvey Pekar, le héros d'une BD locale, et le justicier Eliot Ness.

🛏 Où se loger

Les tarifs indiqués ici sont valables en été (haute saison) et n'incluent pas la taxe de séjour de 16,25%. On trouve des motels sans prétention au sud-ouest du centre de Cleveland, près de l'aéroport. Autour de la sortie W 150th (sortie 240) de l'I-71, vous trouverez plusieurs options à moins de 100 $.

Brownstone Inn
B&B $$

(☎216-426-1753 ; www.brownstoneinndowntown.com ; 3649 Prospect Ave ; ch petit-déj inclus 89-139 $; P ❄ @ 🛜). Ce B&B installé dans une maison victorienne a beaucoup de cachet. Les 5 chambres ont une sdb privée et proposent peignoirs et invitation pour des apéritifs le soir. Il est situé entre le centre-ville et University Circle, mais est assez éloigné des lieux de divertissement.

University Circle B&B
B&B $$

(☎866-735-5960 ; www.ucbnb.com ; 1575 E 108th St ; ch petit-déj inclus 110-145 $; P ❄ 🛜). Situé au cœur de University Circle et à une courte distance à pied des musées, ce B&B de 4 chambres reçoit beaucoup d'universitaires. Une sdb pour 2 chambres.

Hilton Garden Inn
HÔTEL $$

(☎216-658-6400 ; www.hiltongardeninn.com ; 1100 Carnegie Ave ; ch 110-169 $; P ❄ @ 🛜 🐾). Les chambres du Hilton n'ont rien d'extraordinaire, mais elles offrent un bon rapport qualité/prix et sont équipées d'un lit confortable, d'un bureau avec Wi-Fi et d'un petit réfrigérateur. À côté du stade de base-ball. Parking 16 $.

Holiday Inn Express
HÔTEL $$

(☎216-443-1000 ; www.hiexpress.com ; 629 Euclid Ave ; ch petit-déj inclus 115-180 $; P ❄ @ 🛜). Une autre option correcte, dans les anciens locaux d'une banque proche de E 4th St, la rue des divertissements. Parking 14 $.

✗ Où se restaurer

L'offre en restaurants est plus étoffée que ce à quoi on pourrait s'attendre pour une ville de la *Rust Belt* (ou zone "rouillée", nom que l'on donne à l'ancienne région industrielle de la *Manufacturing Belt*). De nombreuses émissions culinaires tournées ici en ont fait l'éloge.

DOWNTOWN

Le Warehouse District, entre W 6th St et W 9th St, regorge de restaurants à la mode. Hors des sentiers battus et à l'est du centre-ville, Asiatown (bordée par Payne Avenue, St Clair Avenue, E 30th St et 40thSt) abritent plusieurs restaurants chinois, vietnamiens et coréens.

Lola AMÉRICAIN $$$
(☎216-621-5652 ; www.lolabistro.com ; 2058 E 4th St ; plat 22-31 $; ⊘11h30-14h30 lun-ven, 17h-22h lun-jeu, 17h-23h ven-sam). Grâce à ses apparitions sur une chaîne culinaire de la télévision américaine, Michael Symon (et ses piercings) a mis Cleveland sur la carte des gastronomes avec Lola. Les plats les moins chers à midi sont les plus alléchants, comme le ceviche (marinade) de coquille Saint-Jacques à la noix de coco et au citron vert, ou le sandwich de mortadelle frite garni d'œuf et de fromage.

OHIO CITY ET TREMONT

Ohio City et Tremont, qui chevauchent l'I-90 au sud du centre-ville, sont des zones en pleine expansion. Le **Crop Bistro** (www.cropbistro.com), qui propose de la nourriture issue de l'agriculture biologique, a récemment ouvert dans le West Side Market.

West Side Market Cafe CAFÉ $
(☎216-579-6800 ; 1995 W 25th St ; plat 6-9 $; ⊘7h-16h lun-jeu, 7h-18h ven-sam, 9h-15h dim). C'est une bonne étape si vous avez envie d'un bon repas le matin ou à midi, et des plats de poisson et de poulet à moindres frais. Le café est situé dans le West Side Market, qui abonde en plats préparés, pratiques pour les pique-niques ou les *road trips*.

Sokolowski's University Inn EUROPE DE L'EST $$
(☎216-771-9236 ; www.sokolowskis.com ; 1201 University Rd ; plat 7-15 $; ⊘11h-15h lun-ven, 17h-21h ven, 16h-21h sam). Les portions sont énormes et rassasieraient le plus affamé des métallurgistes dans cette cafétéria, où l'on remplit son plateau de *pierogi*, de chou farci et autres plats polonais.

Lolita AMÉRICAIN $$
(☎216-771-5652 ; www.lolitarestaurant.com ; 900 Literary Rd ; plat 9-17 $; ⊘17h-23h mar-jeu, 17h-1h ven-sam, 16h-21h dim). Ce restaurant appartenant aux mêmes propriétaires que Lola (voir ci-contre) mais plus abordable, sert des plats plus légers. Grignotez du jambon cru de l'Iowa, des moules ou une pizza à la napolitaine avec une bière locale. Plats à 5 $ durant le *happy hour* (de 17h à 18h30, et après 21h30 environ).

South Side AMÉRICAIN $$
(☎216-937-2288 ; 2207 W 11 St ; sandwich 9-11 $, plat 14-19 $; ⊘11h-2h ; ☏). Les athlètes locaux, les électriciens et tous les autres se pressent à cette adresse élégante de Tremont pour prendre un verre au bar. Ils viennent aussi pour se restaurer en fin de soirée en dégustant un sandwich au mérou ou un *Reuben* végétarien, ou encore un hamburger au bœuf Kobe.

LITTLE ITALY ET COVENTRY

Ces deux quartiers constituent de bonnes étapes pour se rassasier après une visite de University Circle. Little Italy est la plus proche, le long de Mayfield Rd, près du Lake View Cemetery (suivez le panneau indiquant Rte 322). Le paisible Coventry Village est un peu plus à l'est, près de Mayfield Rd.

Presti's Bakery BOULANGERIE $
(www.prestisbakery.com ; 12101 Mayfield Rd ; 2-6 $; ⊘6h-21h lun-jeu, 6h-22h ven-sam, 6h-18h dim). Les sandwichs, les *stromboli* et les délicieuses pâtisseries font la réputation de Presti's.

Tommy's INTERNATIONAL $
(☎216-321-7757 ; www.tommyscoventry.com ; 1823 Coventry Rd ; plat 6-10 $; ⊘9h-21h dim-jeu, 9h-22h ven, 7h30-22h sam ; ☏). Sert des plats végétariens à base de tofu et de seitan, mais plusieurs options s'offrent également aux carnivores.

♟ Où prendre un verre

Dans le centre-ville, l'action se concentre sur le jeune et dynamique Warehouse District (autour de W 6th St) et autour des salles de spectacles sur E 4th St. Tremont regorge également de bars chics. La plupart des établissements ferment à 2h du matin.

Great Lakes Brewing Company BRASSERIE
(www.greatlakesbrewing.com ; 2516 Market Ave ; ⊘lun-sam). Cette brasserie a remporté plusieurs récompenses pour ses bières artisanales. Bonus historique : une fusillade

entre Eliot Ness et des gangsters s'est déroulée ici. Le barman vous montrera les impacts des balles.

Major Hoopples
BAR

(1930 Columbus Rd ; ☺lun-sam). Derrière le bar de cet établissement chaleureux s'étend le plus beau panorama de Cleveland. Projection de films et de matchs.

Johnny's Little Bar
BAR

(www.johnnyscleveland.com ; 614 Frankfort Ave). L'un des bars les plus décontractés et intimes du Warehouse District. L'entrée se cache sur Frankfort Ave, une rue secondaire.

☆ Où sortir

Gordon Square Arts District (www. gordonsquare.org) abrite plusieurs théâtres, des salles de concert et des cafés le long de Detroit Avenue entre W 56th St et W 69th St, à quelques kilomètres à l'ouest du centre-ville.

Concerts
Consultez *Scene* (www.clevescene.com) et *Plain Dealer* le vendredi (www.cleveland. com) pour connaître la programmation.

♥ Happy Dog
MUSIQUE LIVE

(www.happydogcleveland.com ; 5801 Detroit Ave). Écoutez des groupes débutants tout en grignotant une saucisse et l'une des 50 garnitures proposées, allant de gourmet (truffe noire) à plus ordinaire (beurre de cacahouète et confiture). Dans le Gordon Square Arts District.

Grog Shop
MUSIQUE LIVE

(☑216-321-5588 ; www.grogshop.gs ; 2785 Euclid Hts Blvd). Les rockers qui montent envahissent cette véritable institution de Coventry.

Beachland Ballroom
CONCERTS

(www.beachlandballroom.com ; 15711 Waterloo Rd). Des groupes jeunes et à la mode se produisent dans cette salle à l'est du centre-ville.

Sports
Cleveland est une ville sportive dotée de trois stades modernes dans son centre-ville. Surtout, ne mentionnez le nom de LeBron James en aucune circonstance : ce joueur de basket, considéré comme l'un des meilleurs joueurs actuels de la NBA, a quitté la ville pour Miami.

Progressive Field
BASE-BALL

(www.indians.com ; 2401 Ontario St). Les Indians (surnomés "the Tribe", c'est-à-dire "la tribu") jouent ici. Bonne visibilité, idéal pour assister à un match.

Quicken Loans Arena
BASKET-BALL

(www.nba.com/cavaliers ; 1 Center Ct). Les Cavaliers jouent au basket-ball au "Q", qui sert également de salle de spectacles.

Cleveland Browns Stadium
FOOTBALL AMÉRICAIN

(www.clevelandbrowns.com ; 1085 W 3rd St). Les Browns de la NFL jouent au football américain au bord du lac.

Arts de la scène

Severance Hall
MUSIQUE CLASSIQUE

(☑216-231-1111 ; www.clevelandorchestra. com ; 11001 Euclid Ave). Le célèbre Orchestre symphonique de Cleveland se produit (d'août à mai) au Severance Hall, près des musées de University Circle. L'été, l'orchestre joue au Blossom Music Center dans le Cuyahoga Valley National Park, à environ 35 km au sud.

Playhouse Square Center
THÉÂTRE

(☑216-771-4444 ; www.playhousesquare.org ; 1501 Euclid Ave). Cet élégant édifice accueille théâtre, opéra et ballet. Billets à 10 $ sur le site Internet.

❶ Renseignements

Accès Internet
De nombreux lieux publics, comme Tower City et University Circle, offrent le Wi-Fi gratuit.

Médias
Gay People's Chronicle (www. gaypeopleschronicle.com). Hebdomadaire gratuit avec répertoire des spectacles.

Plain Dealer (www.cleveland.com). Le quotidien de la ville.

Scene (www.clevescene.com). Hebdomadaire consacré aux spectacles.

Offices du tourisme
Cleveland Convention & Visitors Bureau (www.positivelycleveland.com). Site Internet officiel. Promotions indiquées tous les jours sur Twitter.

Visitor Center (☑216-875-6680 ; 100 Public Sq, Suite 100 ; ☺9h-17h lun-ven et 10h-15h sam juin-août). Billets et ordinateurs pour effectuer des réservations. Dans le Higbee Building.

Sites Internet
Cool Cleveland (www.coolcleveland. com). Événements artistiques et culturels branchés.

Ohio City (www.ohiocity.org). Restaurants et bars du quartier.

Tremont (www.restoretremont.com). Restaurants, bars et galeries du quartier.

VAUT LE DÉTOUR

VINS DE GLACE

Si le Canada est sans doute plus réputé pour ses vins de glace, l'Ohio tire son épingle du jeu. Visitez et dégustez la production de **Debonne Vineyards** (☎440-466-3485 ; www.debonne.com ; 7743 Doty Rd ; 8 dégustations 6 $; ☉12h-18h lun et mar, 12h-23h mer et ven, 12h-20h jeu et sam, 13h-18h dim) à Madison, à 64 km au nord-est de Cleveland, qui récolte les louanges pour ses vins aux accents de melon et d'abricot. D'autres récoltants proposent des vins de glace dans la région, en raison des longs automnes suivis d'hivers suffisamment froids pour geler les grappes, mais pas durs au point de tuer les vignes. Consultez le site de **Wine Growers of the Grand River Valley** (www.wggrv. com) pour savoir où se trouvent les récoltants.

Urgences et services médicaux
MetroHealth Medical Center (☎216-778-7800 ; 2500 MetroHealth Dr).

❶ Comment s'y rendre et circuler

L'**aéroport international de Cleveland-Hopkins** (CLE ; www.clevelandairport.com ; 5300 Riverside Dr) est situé à 18 km au sud-est du centre-ville. Le train Red Line (2,25 $) s'y rend. Taxi jusqu'au centre-ville : environ 30 $.

Depuis le centre-ville, **Greyhound** (☎216-781-0520 ; 1465 Chester Ave) relie fréquemment Chicago (7 heures 30) et New York (13 heures). **Megabus** (www.megabus.com/us) se rend également à Chicago et coûte souvent moins cher. Consultez le site Internet pour connaître le lieu de départ.

Amtrak (☎216-696-5115 ; 200 Cleveland Memorial Shoreway) relie une fois par jour Chicago (7 heures) et New York (13 heures).

La **Regional Transit Authority** (RTA ; www.riderta.com ; 2,25 $) exploite la ligne de chemin de fer Red Line qui relie l'aéroport et Ohio City, et la ligne de bus HealthLine sur Euclid Ave, du centre-ville aux musées du University Circle. Forfait une journée 5 $.

Pour une course en taxi, contactez **Americab** (☎216-429-1111).

Environs de Cleveland

À quelque 100 km au sud de Cleveland se trouve **Canton**, où a été fondée la NFL (National Football League, Ligue nationale de football américain) et qui abrite le **Pro Football Hall of Fame** (☎330-456-8207 ; www.profootballhof.com ; 2121 George Halas Dr ; adulte/enfant 21/15 $; ☉9h-20h, 9h-17h sept-mai), un temple du football américain. Vous apercevrez l'immeuble en forme de ballon depuis l'I-77.

À l'ouest de Cleveland, la belle **Oberlin** est une ville universitaire à l'ancienne, dotée d'une architecture intéressante signée Cass Gilbert, Frank Lloyd Wright et Robert Venturi. Plus à l'ouest, juste au sud de l'I-90, la minuscule **Milan** est le lieu de naissance de Thomas Edison. Sa maison abrite un petit **musée** (☎419-499-2135 ; www.tomedison.org ; 9 Edison Dr ; adulte/enfant 7/4 $; ☉10h-17h mar-sam, 13h-17h dim, horaires restreints l'hiver, fermé en jan) qui retrace ses inventions, telles que le phonographe.

Encore plus à l'ouest, sur l'US 20 et entourée de terres agricoles, se trouve **Clyde**, qui s'est autoproclamée la plus célèbre petite ville des États-Unis depuis que Sherwood Anderson, originaire de cette ville, a publié *Winesburg, Ohio* en 1919 et que ses habitants comprirent de quelle ville il s'agissait réellement. Faites un tour au **Clyde Museum** (☎419-547-7946 ; www.clydeheritageleague.org ; 124 W Buckeye St ; entrée libre ; ☉13h-16h jeu avr-sept et sur rendez-vous), situé dans l'ancienne église, pour voir des objets ayant appartenu à l'écrivaine, et à la bibliothèque, un peu plus loin.

Rives et îles du lac Érié

L'été, cette région balnéaire hédoniste est l'un des endroits les plus fréquentés et les plus chers de l'Ohio. La saison s'étend de mi-mai à mi-septembre, puis presque tous les établissements ferment leurs portes. Réservation fortement conseillée.

Sandusky fut un port avant de devenir le point de départ pour les îles du lac Érié et les montagnes russes du Cedar Point (voir encadré ci-contre). Le **Visitor Center** (☎419-625-2984 ; www.shoresandislands.com ; 4424 Milan Rd ; ☉8h-20h lun-ven, 9h-18h sam, 9h-15h dim) vous renseignera sur les possibilités d'hébergement et les ferries. De nombreux motels bordent les autoroutes autour de la ville.

BASS ISLANDS
La bataille du lac Érié durant la guerre de 1812 vit s'affronter l'amiral Perry et la flotte anglaise près de **South Bass Island**. Après la victoire de l'amiral, toutes les terres

situées au sud des Grands Lacs devinrent américaines, et non canadiennes. Mais l'Histoire ne semble pas occuper les esprits durant les week-ends d'été à Put In Bay, la principale ville de l'île et un lieu de fête remplie de plaisanciers, de restaurants et de magasins. En vous en éloignant, vous trouverez des vignobles et vous pourrez camper, pêcher, faire du kayak et vous baigner.

Le **Perry's Victory and International Peace Memorial** (www.nps.gov/pevi ; 3 $; ☺10h-19h) est une colonne dorique de 107 m de haut. Depuis le poste d'observation, vous pourrez apercevoir le lieu de la bataille et, par beau temps, le Canada.

La **Chamber of Commerce** (☎419-285-2832 ; www.visitputinbay.com ; 148 Delaware Ave ; ☺10h-16h lun-ven, 10h-17h sam-dim) vous renseignera sur les activités et l'hébergement. **Ashley's Island House** (☎419-285-2844 ; www.ashleysislandhouse.com ; 55 Catawba Ave ; ch avec sdb commune/privée à partir de 70/100 $; ❄☎) est un B&B de 13 chambres où des officiers de marine séjournaient à la fin des années 1800. Le **Beer Barrel Saloon** (www.beerbarrelpib.com ; Delaware Ave ; ☺11h-1h) est idéal pour prendre un verre : son bar mesure 124 m de long.

Des taxis et des bus touristiques desservent l'île, mais on peut facilement s'y déplacer à vélo. Deux compagnies de ferries assurent régulièrement la traversée de 20 minutes. **Jet Express** (☎800-245-1538 ; www.jet-express.com) exploite des bateaux de passagers pour Put In Bay depuis Port Clinton (aller adulte/enfant 14/2 $) presque toutes les heures, ainsi que depuis Sandusky (18/5 $), avec une escale à Kelleys Island. Laissez votre voiture au parking (10 $/jour) de l'un des embarcadères. **Miller Boatline** (☎800-500-2421 ; www.millerferry.com) exploite un ferry qui transporte les voitures depuis Catawba (aller adulte/enfant 6,50/1,50 $, voiture 15 $) toutes les 30 minutes et qui

coûte moins cher. Elle organise également des croisières pour **Middle Bass Island** depuis South Bass, permettant de passer une journée dans la nature et au calme.

KELLEYS ISLAND

Kelleys Island est tranquille et verdoyante. C'est une escapade prisée le week-end, notamment par les familles, avec ses jolis bâtiments du XIXe siècle, ses pictogrammes d'Amérindiens, sa belle plage et ses stries glaciaires qui parsèment son paysage. Même ses anciennes carrières de calcaires sont pittoresques.

La **Chamber of Commerce** (☎419-746-2360 ; www.kelleysislandchamber.com ; Seaway Marina Bldg ; ☺9h30-16h), près du quai des ferries, vous renseignera sur les possibilités d'hébergement et les activités, notamment la randonnée, le camping, le kayak et la pêche. Le petit centre commercial The Village comprend des restaurants, des bars, des magasins et des loueurs de vélos (la meilleure façon de découvrir l'île).

Kelleys Island Ferry (☎419-798-9763 ; www.kelleysislandferry.com) part du petit village de Marblehead (aller adulte/enfant 9,50/6 $, voiture 15 $). La traversée dure environ 20 minutes et a lieu toutes les heures (plus souvent l'été). **Jet Express** (☎800-245-1538 ; www.jet-express.com) part de Sandusky (aller adulte/enfant 14/4 $, pas de voiture) et continue vers Put In Bay sur South Bass Island (aller, d'île en île, 20/6 $, pas de voiture).

PELEE ISLAND

L'île Pelée, qui appartient au Canada, est la plus grande des îles du lac Érié. Cette destination verdoyante et paisible est renommée pour ses vignobles, et plaira également aux ornithologues. La **Pelee Island Transportation** (☎800-661-2220 ; www.ontarioferries.com) exploite une liaison en ferry (aller adulte/enfant 13,75/6,75 $, voiture 30 $) de

RÉGION DES GRANDS LACS RIVES ET ÎLES DU LAC ÉRIÉ

À NE PAS MANQUER

LES MONTAGNES RUSSES DU CEDAR POINT

Le **Cedar Point Amusement Park** (☎419-627-2350 ; www.cedarpoint.com ; adulte/enfant 47/21 $; ☺10h-22h, fermé nov à mi-mai) est souvent classé meilleur parc d'attractions du monde par le public, notamment grâce à ses 17 montagnes russes qui garantissent des sensations fortes. Le Top Thrill Dragster est l'une des plus hautes (128 m) et plus rapides (193 km/h) montagnes russes du monde. De son côté, le Maverick fait une chute à un angle de 95 degrés et se projette sur 8 sommets. Si cela ne vous suffit pas, sachez qu'il y a une belle plage dans les environs, un parc aquatique et une flopée de manèges à l'ancienne et de stands de barbes à papa. Le parc d'attractions se situe à environ 10 km de Sandusky. Parking 10 $.

Sandusky à Pelee, puis vers le continent en Ontario. Consultez le site www.pelee.org pour vous renseigner sur l'hébergement et préparer votre voyage.

Pays amish

Les comtés ruraux de Wayne et de Holmes abritent la principale communauté amish des États-Unis. Elle ne se trouve qu'à 130 km au sud de Cleveland, mais on a l'impression de se retrouver à l'ère préindustrielle.

Les descendants de la communauté suisse-allemande conservatrice qui migra aux États-Unis au XVIIIᵉ siècle continuent de suivre l'*ordnung* à différents degrés. La majorité des amish appartient à l'Ancien Ordre, dont les règles interdisent l'usage de l'électricité, du téléphone et des véhicules motorisés. Ils portent des vêtements traditionnels, cultivent la terre à l'aide d'une charrue et d'un mulet, et se rendent à l'église en carriole tirée par un cheval. Les autres suivent le Nouvel Ordre, moins strict, qui autorise les voitures et l'électricité.

Cette scène bucolique est malheureusement souvent dérangée par d'immenses autocars. De nombreux amish sont heureux de profiter de cette manne touristique, mais cela ne signifie pas que vous pouvez les photographier à votre guise, car les photos sont généralement tabou pour eux. Conduisez prudemment, car les routes sont étroites et sinueuses, et vous risquez de tomber nez à nez avec une carriole dans un virage. De nombreux endroits sont fermés le dimanche.

👁 À voir et à faire

Kidron, sur la Rte 52, constitue un bon point de départ. Un peu plus au sud, le centre de **Berlin** est rempli de magasins, alors que **Millersburg**, la plus grande ville de la région, est davantage dédiée aux antiquaires qu'aux amish. L'US 62 relie ces deux centres.

Pour s'éloigner des sentiers battus, prenez la Rte 557 ou la County Rd 70, qui traversent la campagne jusqu'à **Charm**, un hameau à 8 km au sud de Berlin.

Lehman's   GRAND MAGASIN
(www.lehmans.com ; 4779 Kidron Rd, Kidron ; ⊙8h-18h lun-sam). Lehman's est incontournable : c'est le principal fournisseur de produits d'aspect moderne mais fonctionnant sans électricité de la communauté amish. La marchandise est exposée dans une grange de 3 000 m². Jetez un coup d'œil

sur les poêles à bois, ainsi que les lampes de poche et les hachoirs à manivelle.

GRATUIT Kidron Auction   MARCHÉ
(www.kidronauction.com ; 4885 Kidron Rd, Kidron ; ⊙à partir de 10h jeu). Le jeudi, suivez la file des carrioles sur la route de Lehman jusqu'à l'étable. Le foin est vendu aux enchères à 10h, les vaches à 11h et les cochons à 13h. Un marché aux puces se trouve tout autour. D'autres enchères ont lieu à Sugarcreek (lundi et vendredi), Farmerstown (mardi) et Mt Hope (mercredi).

GRATUIT Heini's Cheese Chalet   FROMAGERIE
(☎800-253-6636 ; www.heinis.com ; 6005 Hwy 77, Berlin ; gratuit ; ⊙8h30-17h lun-sam). Heini's élabore plus de 70 fromages. Les fermiers amish traient leurs vaches à la main et refroidissent leur production à l'eau de source (par opposition à une réfrigération mécanique) avant d'en faire la livraison quotidienne. Vous pourrez déguster de généreux échantillons et examiner une fresque kitch retraçant l'histoire de la fabrication du fromage. Pour voir les fromagers en action, venez avant 11h en semaine (sauf le mercredi).

Hershberger's Farm & Bakery   FERME
(☎330-674-6096 ; 5452 Hwy 557, Millersburg ; ⊙boulangerie 8h-17h lun-sam toute l'année, ferme à partir de 10h mi-avr à oct ; ♿). Vous pourrez déguster 25 types de tartes, des glaces artisanales et des produits de saison dans le marché. On peut également caresser les animaux de la ferme, et faire un tour de poney (3 $).

Yoder's Amish Home   FERME
(☎330-893-2541 ; www.yodersamishhome.com ; 6050 Rte 515, Walnut Creek ; adulte/enfant 11/7 $; ⊙10h-17h lun-sam mi-avr à fin oct ; ♿). Jetez un coup d'œil à une maison typique et à une école à classe unique, et faites un tour de carriole à travers champ dans cette ferme amish ouverte aux visiteurs.

🛏 Où se loger et se restaurer

Hotel Millersburg   HÔTEL HISTORIQUE $$
(☎330-674-1457 ; www.hotelmillersburg.com ; 35 W Jackson St, Millersburg ; ch 79-149 $; ❄🕸). Cette auberge pour diligences de 1847 accueille ses invités dans 26 chambres sans prétention, situées au-dessus d'une salle à manger et d'une taverne (l'un des rares endroits servant de la bière dans le Pays amish).

Guggisberg Swiss Inn   HÔTEL $$
(☎330-893-3600 ; www.guggisbergswissinn. com ; 5025 Rte 557, Charm ; ch petit-déj inclus

100-150 $; ❉☎⌂). Les 24 petites chambres propres sont lumineuses et dotées d'édredons et de meubles en bois clair. La propriété comprend une fromagerie et une écurie (possibilité de promenade à cheval).

Boyd & Wurthmann
Restaurant   AMÉRICAIN $
(☏330-893-3287 ; Main St, Berlin ; plat 5-10 $; ⊙5h30-20h lun-sam). Les *pancakes* de la taille d'un enjoliveur, les 23 types de tartes, les épais sandwichs et des spécialités amish attirent les habitants comme les touristes. Paiement en espèces uniquement.

❶ Renseignements
Holmes County Chamber of Commerce (www.visitamishcountry.com).

Columbus
La capitale de l'Ohio est comme le gendre idéal : ni trop beau ni trop laid, sans trop de personnalité, mais fiable et sympathique. Mieux encore, cette ville pratique des prix raisonnables, grâce à la présence des 55 000 étudiants de l'Ohio State University (la 2e plus grande université du pays). Une importante population gay s'est installée à Columbus ces dernières années.

❂ À voir et à faire
German Village   QUARTIER
(www.germanvillage.com). Ce grand quartier du XIXe siècle restauré, à 800 m au sud du centre-ville, est tout de brique et comprend des tavernes, des rues pavées et de l'architecture de styles Queen Anne et italianisant.

Short North   QUARTIER
(www.shortnorth.org). Juste au nord du centre-ville, Short North, une section réhabilitée de High St, vaut la peine d'être exploré pour ses galeries d'art contemporain, ses restaurants et ses bars de jazz.

Wexner Center for the Arts   CENTRE D'ARTS
(☏614-292-3535 ; www.wexarts.org ; angle 15th St et N High St ; 5 $; ⊙11h-18h mar, mer et dim, 11h-20h jeu-sam). Le centre des arts du campus propose des expositions, des films et des spectacles avant-gardistes.

🛏 Où se loger et se restaurer
On trouve facilement des lieux où se restaurer dans German Village et le Short North. L'**Arena District** (www.arenadistrict. com) propose de nombreux restaurants milieu de gamme et des pubs. Autour de l'université et dans N High St à partir de 15th Ave, vous trouverez un peu de tout (mexicain, éthiopien, japonais, etc.).

Short North B&B   B&B $$
(☏614-299-5050 ; www.columbus-bed-breakfast. com ; 50 E Lincoln St ; ch petit-déj inclus 129-149 $; ℗❉☎). Ces 7 chambres bien entretenues sont à quelques pas du cœur du quartier de Short North.

Red Roof Inn   HÔTEL $$
(☏614-224-6539 ; www.redroof.com ; 111 E Nationwide Blvd ; ch petit-déj inclus 85-139 $; ℗♿❉☎). Situé dans l'Arena District, c'est un hôtel convenable. Parking 10 $.

Schmidt's   ALLEMAND $$
(☏614-444-6808 ; www.schmidthaus.com ; 240 E Kossuth St ; plat 8-15 $; ⊙11h-21h dim-lun, 11h-22h mar-jeu, 11h-23h ven-sam). Dans German Village, engloutissez des classiques comme des saucisses ou des *schnitzel*, mais gardez de la place pour les énormes choux à la crème. Des orchestres à flonflons se produisent le mercredi et le samedi.

🖊 Skillet   AMÉRICAIN $$
(☏614-443-2266 ; www.skilletruf.com ; 410 E Whittier St). Un tout petit restaurant dans German Village servant de la cuisine rustique réalisée à base d'ingrédients locaux.

North Market   MARCHÉ $
(www.northmarket.com ; 59 Spruce St ; ⊙9h-17h lun, 9h-19h mar-ven, 8h-17h sam, 12h-17h dim). Production des fermes de la région et plats préparés. Les glaces de Jeni sont réputées.

☆ Où sortir
Les spectacles sportifs sont rois dans cette ville.

Ohio Stadium   FOOTBALL AMÉRICAIN
(☏800-462-8257 ; www.ohiostatebuckeyes.com ; 411 Woody Hayes Dr). Les Ohio State Buckeyes attirent une foule endiablée dans ce stade légendaire en forme de fer à cheval. Les matchs ont lieu le samedi en automne.

Nationwide Arena   HOCKEY
(☏614-246-2000 ; www.bluejackets.com ; 200 W Nationwide Blvd). Les Columbus Blue Jackets jouent dans cet immense stade du centre-ville.

Crew Stadium   FOOTBALL
(☏614-447-2739 ; www.thecrew.com). Les Columbus Crew, l'équipe professionnelle de *soccer*, jouent plus au nord, près de l'I-71 et 17th Ave, de mars à octobre.

ⓘ Renseignements

Médias
Alive (www.columbusalive.com). Hebdomadaire gratuit consacré aux sorties.

Columbus Dispatch (www.dispatch.com). Quotidien.

Outlook (www.outlookmedia.com). Mensuel gay et lesbien.

Office du tourisme
Columbus Convention & Visitors Bureau (☑866-397-2657 ; www.experiencecolumbus. com).

ⓘ Depuis/vers Colombus

L'**aéroport Port Columbus** (CMH ; www.port-columbus.com) est à 16 km à l'est de la ville. Un taxi pour le centre-ville coûte environ 25 $.

Les bus de **Greyhound** (☑614-221-4642 ; www.greyhound.com ; 111 E Town St) relient au moins 6 fois par jour Cincinnati (2 heures) et Cleveland (2 heures 30). Généralement moins cher, **Megabus** (www.megabus.com/us) assure plusieurs liaisons par jour pour Cincinnati et Chicago. Voir le site Internet pour les lieux de départ.

Athens et le sud-est de l'Ohio

Le sud-est de l'Ohio est principalement composé de forêts, des contreforts vallonnés des Appalaches, et de fermes éparses.

Dans les environs de Lancaster, au sud-ouest de Columbus, les collines mènent au **Hocking County**, une région parcourue de cours d'eau et de cascades, de falaises de grès et de formations caverneuses. Ce magnifique comté est propice à l'exploration en toutes saisons grâce aux kilomètres de sentiers et de rivières, ainsi qu'aux nombreux campings et cottages du **Hocking Hills State Park** (☑740-385-6165 ; www.hockinghills.com ; 20160 Hwy 664 ; empl camping/cottage à partir de 24/130 $). **Old Man's Cave** offre des paysages superbes aux randonneurs. **Hocking Valley Canoe Livery** (☑740-385-8685 ; www.hockinghillscanoeing.com ; 31251 Chieftain Dr ; visite de 2 heures 42 $; ☉avr-oct) vous permet de pagayer de nuit, éclairé au flambeau, depuis Logan. **Earth-Water-Rock : Outdoor Adventures** (☑740-664-5220 ; www.ewroutdoors. com ; visite demi-journée 85-110 $) propose des sorties d'escalade et de descente en rappel guidées. Débutants bienvenus.

Athens (www.athensohio.com) est une jolie ville depuis laquelle on peut explorer la région. Située à l'intersection de l'US 50 et de l'US 33, au milieu de collines boisées, elle héberge le campus de l'Ohio University (qui constitue la moitié de la ville). Des cafés et des pubs estudiantins bordent Court St, l'artère principale d'Athens. Le **Village Bakery & Cafe** (www.dellazona.com ; 268 E State St ; plat 4-8 $; ☉7h30-20h mar-sam, 9h-14h dim) utilise des légumes bio, de la viande d'animaux nourris à l'herbe et des fromages artisanaux pour confectionner ses pizzas, ses soupes et ses sandwichs.

La région au sud de Columbus était autrefois peuplée par les Hopewell (de 200 av. J.-C. à l'an 600 de notre ère), qui laissèrent d'immenses tumulus, des monticules de terre aux formes géométriques recouvrant des sépultures. Pour en savoir plus, visitez le **Hopewell Culture National Historical Park** (☑740-774-1126 ; www.nps.gov/hocu ; Hwy 104 au nord de l'I-35 ; entrée libre ; ☉8h30-18h juin-août, 8h30-16h30 sept-mai), à 5 km au nord de Chillicothe. Commencez par le centre de visiteurs, puis explorez les tumulus de forme complexe étalés sur 5 hectares dans **Mound City**, une mystérieuse cité des morts. **Serpent Mound** (☑937-587-2796 ; www.ohiohistory.org ; 3850 Hwy 73 ; 7 $/véhicule ; ☉10h-17h ven-dim juin-août), au sud-ouest de Chillicothe et à 6 km au nord-ouest de Locust Grove, est probablement le site le plus captivant. Un serpent géant en terre s'étire sur plus de 400 mètres et constitue le plus grand tumulus à effigie des États-Unis.

Dayton et Yellow Springs

Les sites consacrés à l'aviation se trouvent à Dayton, mais Yellow Springs (29 km au nord-ouest sur l'US 68) offre plus d'options en termes d'hébergement et de restauration.

⊚ À voir et à faire

GRATUIT **National Museum of the US Air Force** MUSÉE
(☑937-255-3286 ; www.nationalmuseum.af.mil ; 1100 Spaatz St ; ☉9h-17h). Ce musée est situé sur la base aérienne de Wright-Patterson, à 10 km au nord-est de Dayton. Sa collection comprend notamment une exposition sur les frères Wright, un Sopwith Camel (un biplan de la Première Guerre mondiale) et un avion furtif. Ne manquez surtout pas l'annexe renfermant la collection d'avions présidentiels. Une navette gratuite vous conduira jusqu'au hangar (il vous faudra présenter un passeport ou un permis de conduire pour entrer). Comptez au moins 3 heures pour visiter ce musée.

Carillon Historical Park SITE HISTORIQUE
(☎937-293-2841 ; www.daytonhistory.org ;
1000 Carillon Blvd ; adulte/enfant 8/5 $;
☺9h30-17h lun-sam, 12h-17h dim). Parmi les
nombreuses attractions se trouvent le biplan
Flyer III de 1905 des frères Wright et une
réplique de leur atelier.

GRATUIT **Dayton Aviation Heritage National
Historical Park** SITE HISTORIQUE
(☎937-225-7705 ; www.nps.gov/daav ;
16 S Williams St ; ☺8h30-17h). Comprend le
Wright Cycle Company Complex, où les
frères Wright conçurent des bicyclettes et
imaginèrent des avions.

🛏 Où se loger et se restaurer

Les établissements suivants se trouvent
à Yellow Springs, un endroit idéal pour
découvrir la vie dans une petite ville typique
de l'Ohio.

Morgan House B&B $$
(☎937-767-1761 ; www.arthurmorganhouse.com ;
120 W Limestone St ; ch petit-déj inclus 90-125 $;
😊❋☎). Les 6 chambres confortables sont
dotées de draps ultra-doux et de sdb privée.
Petit-déj biologique, avec café équitable
africain.

♥ **Young's Jersey Dairy** AMÉRICAIN $$
(☎937-325-0629 ; www.youngsdairy.com ;
6880 Springfield-Xenia Rd). Young's est une
exploitation laitière comprenant 2 restaurants : le **Golden Jersey Inn** (plat 9-15 $;
☺midi et soir lun-ven, plus petit-déj sam-dim),
qui sert des plats comme du poulet au
babeurre, et le **Dairy Store** (sandwich 3,50-
6,50 $; ☺7h-23h dim-jeu, 7h-24h ven-sam),
qui propose des sandwichs, de délicieuses
glaces et les meilleurs milkshakes d'Ohio. Il
y a également un minigolf et des cages de
base-ball, et vous pourrez assister à la traite
des vaches.

Winds Cafe AMÉRICAIN $$$
(☎937-767-1144 ; www.windscafe.com ;
215 Xenia Ave ; plat 18-25 $; ☺11h30-14h et
17h-22h mar-sam, 10h-15h dim). Il y a 30 ans,
c'était une coopérative hippie. Aujourd'hui,
c'est un restaurant sophistiqué pour gour-
mets. Plats de saison, comme des crêpes aux
asperges et à la sauce de figue ou du flétan
à la rhubarbe.

Cincinnati

Cincinnati longe les rives de la Ohio River.
Sa beauté surprend, de même que ses clubs
de musique dans des manoirs hantés,
ses rues qui serpentent sur les flancs du

Mt Adams, et le plaisir que prennent ses
habitants à déguster des chilis "five-way"
(voir encadré p. 507). Avec tout cela, n'ou-
bliez pas d'aller voir un match de base-ball,
de vous promener sur les berges, et d'ad-
mirer d'impressionnantes enseignes à néon
en visitant l'American Sign Museum.

👁 À voir et à faire

De nombreux sites sont fermés le lundi.

DOWNTOWN
**National Underground
Railroad Freedom Center** MUSÉE
(☎513-333-7500 ; www.freedomcenter.org ;
50 E Freedom Way ; adulte/enfant 12/8 $;
☺11h-17h mar-sam). Cincinnati était un
lieu d'étape important de l'Underground
Railroad, réseau clandestin qui permettait
aux fugitifs noirs des États esclavagistes
de rejoindre le nord des États-Unis ou
le Canada, et un centre d'activités aboli-
tionnistes menées par des résidents, dont
Harriet Beecher Stowe. Le Freedom Center
raconte leur histoire, la fuite des esclaves
vers le nord, et les formes d'esclavagisme
moderne. Une application iPhone gratuite
vient enrichir la visite.

Findlay Market MARCHÉ
(www.findlaymarket.org ; 1801 Race St ; ☺9h-18h
mar-ven, 8h-18h sam, 10h-16h dim). Ce marché
à moitié couvert vient embellir cette zone
un peu sordide au nord du centre-ville.
C'est une bonne étape pour faire le plein de

À NE PAS MANQUER

LE MUSÉE DES ENSEIGNES

L'**American Sign Museum** (☎513-
258-4020 ; www.signmuseum.net ;
2515 Essex Pl ; adulte/enfant 10 $/gratuit ;
☺10h-16h sam ou sur rendez-vous) est
situé un peu à l'écart et il est difficile
à trouver, mais il abrite des enseignes
lumineuses clignotantes qui valent
le détour. Son propriétaire Tod
Swormstedt, un passionné, vous fera
probablement visiter le hangar où vous
risquez de vous brûler la rétine à force
de contempler des panneaux de drive-
in vintage, des personnages lumineux,
et autres enseignes nostalgiques. C'est
un endroit unique pour tous ceux qui
sont friands du passé. Le musée est
situé dans le bâtiment Essex abritant
des studios d'artiste, à 5 km du centre-
ville, à l'ouest de l'I-71.

produits frais, de viande, de fromage et de pâtisseries. Les gaufres belges affoleront vos papilles.

Rosenthal Center for Contemporary Arts
MUSÉE

(☎513-721-0390 ; www.contemporaryartscenter.org ; 44 E 6th St ; adulte/enfant 7,50/4,50 $, gratuit lun soir ; ☺10h-21h lun, 10h-18h mer-ven, 11h-18h sam-dim). Ce centre expose de l'art moderne dans un bâtiment avant-gardiste construit par l'architecte irako-britannique Zaha Hadid. Cette structure et les œuvres d'art qu'elle abrite sont une vraie révolution pour les habitants traditionnalistes.

Fountain Square
PLACE

(www.myfountainsquare.com ; angle 5th St et Vine St ; ☏). Fountain Square est un espace public au centre de la ville avec une patinoire l'hiver, des tables de jeux d'échec, des concerts et un kiosque vendant des billets pour les matchs des Reds, ainsi qu'une belle fontaine ancienne intitulée "Spirit of the Waters".

Les berges de la rivière sont un lieu de promenade agréable, qui longe plusieurs parcs et ponts :

Roebling Suspension Bridge
PONT

(www.roeblingbridge.org). Cet élégant pont suspendu de 1876 fut un précurseur du fameux Brooklyn Bridge de John Roebling à New York. En le traversant à pied, on entend les voitures qui le font "chanter". Il relie Covington au Kentucky (voir ci-dessous).

Purple People Bridge
PONT

(www.purplepeoplebridge.com). Ce pont piétonnier permet de se rendre de Sawyer Point (un parc coquet parsemé de monuments fantaisistes et de cochons volants) à Newport, dans le Kentucky (voir ci-dessous).

COVINGTON ET NEWPORT

Covington et Newport, situées dans le Kentucky, sont presque des banlieues de Cincinnati, de l'autre côté de la rivière par rapport au centre-ville. Newport, à l'est, est connue pour son immense complexe de restaurants et de boutiques, **Newport on the Levee** (www.newportonthelevee.com). Covington, à l'ouest, comprend le quartier de **MainStrasse** (www.mainstrasse.org), où l'on trouve des restaurants originaux et des bars dans des maisons en brique du XIXᵉ siècle. Des manoirs anciens bordent Riverside Dr et de vieux bateaux à aubes sont amarrés au bord de la rivière.

Newport Aquarium
AQUARIUM

(☎859-491-3467 ; www.newportaquarium.com ; One Aquarium Way ; adulte/enfant 22/15 $; ☺9h-19h juin-août, 10h-18h sept-mai). Venez voir la parade des manchots, Sweet Pea la raie-guitare à bouche recourbée (*shark ray*), et plein d'autres poissons aux dents pointues dans ce vaste aquarium.

MT ADAMS

Cette enclave de rues étroites et sinueuses du XIXᵉ siècle bordées de maisons victoriennes, de galeries, de bars et de restaurants constitue une agréable surprise. La plupart des visiteurs y viennent pour jeter un coup d'œil et prendre un verre.

Pour y aller, prenez 7th St à l'est du centre-ville jusqu'à Gilbert Avenue, tournez en direction du nord-ouest jusqu'à Elsinore Ave, puis gravissez le mont pour atteindre les lacs, les sentiers et les sites culturels d'Eden Park. Le jardin près de l'**Immacula Church** (30 Guido St) vaut le détour pour sa vue imprenable sur la ville.

GRATUIT Cincinnati Art Museum
MUSÉE

(☎513-721-5204 ; www.cincinnatiartmuseum.org ; 953 Eden Park Dr ; ☺11h-17h mar-dim). La collection couvre 6 000 ans, et plus particulièrement l'art ancien du Moyen-Orient et les grands maîtres européens ; une aile est consacrée aux artistes locaux. Parking 4 $.

GRATUIT Krohn Conservatory
JARDIN

(☎513-421-4086 ; www.cincyparks.com/krohn-conservatory ; 1501 Eden Park Dr; ☺10h-17h mar-dim). La grande serre abrite une forêt vierge, la flore des déserts et de magnifiques expositions de fleurs de saison (entrée séparée, 3-6 $).

WEST END

Cincinnati Museum Center
MUSÉE

(☎513-287-7000 ; www.cincymuseum.org ; 1301 Western Ave ; adulte/enfant 12,50/8,50 $; ☺10h-17h lun-sam, 11h-18h dim ; ♿). À 3 km au nord-ouest du centre-ville, ce complexe de musées est situé dans la gare Union Terminal datant de 1933, un bijou Art déco toujours utilisé par Amtrak. À l'intérieur, vous trouverez de superbes fresques en carreaux de Rookwood. Le Museum of Natural History & Science vise principalement les enfants et contient une grotte calcaire abritant des chauves-souris vivantes. Un musée d'histoire, un musée pour enfants et un cinéma Omnimax complètent l'offre. Le billet donne accès à tous les musées. Parking 6 $.

🚶 Circuits organisés

Architreks
CIRCUITS À PIED

(☎ 513-421-4469 ; www.cincinnatipreservation.org/events/architreks-schedule/; visite adulte/enfant $15/5 ; ⊙ mai-oct). Visites guidées à pied de différents quartiers, dont le centre-ville, Mt Adams et Northside. Les points/jours de départ et les horaires varient.

🎉 Fêtes et festivals

Oktoberfest
NOURRITURE

(www.oktoberfestzinnati.com ; ⊙ mi-sept). Bière, nourriture et ambiance allemandes.

Midpoint Music Festival
MUSIQUE

(www.mpmf.com ; ⊙ fin sept). Des groupes indépendants se produisent dans différentes salles. Forfait 3 jours : 49 $.

🛏 Où se loger

À 11,3%, la taxe hôtelière est moins élevée dans le Kentucky qu'à Cincinnati (17%). La taxe n'est pas incluse dans les prix indiqués ici.

On trouve plusieurs options milieu de gamme au bord du fleuve dans le Kentucky. Vous ferez des économies (moins de taxes, parking gratuit), mais il vous faudra marcher quelques kilomètres ou effectuer un court trajet en bus pour rejoindre le centre-ville.

Le site du **Greater Cincinnati B&B Network** (www.cincinnatibb.com) propose des liens vers les hébergements côté Kentucky.

Cincinnatian Hotel
HÔTEL $$$

(☎ 513-381-3000 ; www.cincinnatianhotel.com ; 601 Vine St ; ch 160-260 $; P ❄ ❀ 🐾 🛜). Situé dans un superbe bâtiment victorien de 1882, cet hôtel possède de vastes chambres dotées de serviettes moelleuses, de draps de soie et d'une immense baignoire circulaire. Tarifs plus bas durant le week-end. Parking 28 $.

Best Western Mariemont Inn
HÔTEL $$

(☎ 513-271-2100 ; www.mariemontinn.com ; 6880 Wooster Pike ; ch 150-209 $; P ❄ ❀ 🛜). Si vous êtes à la recherche d'un hôtel original, essayez ce pavillon de style Tudor. Chaque chambre possède des plafonds à poutres apparentes et une cheminée. Sur une place, dans un quartier tranquille à 16 km au nord-est du centre-ville.

Residence Inn
Cincinnati Downtown
HÔTEL $$$

(☎ 513-651-1234 ; www.marriott.com ; 506 E 4th St ; ch petit-déj inclus 199-299 $; P ❄ ❀ @ 🛜). Il s'agit du premier hôtel construit dans le centre-ville depuis 30 ans. Les chambres étincelantes comprennent une cuisine équipée. Parking 20 $.

Holiday Inn Express
HÔTEL $$

(☎ 859-957-2320 ; www.hiexpress.com ; 109 Landmark Dr ; ch petit-déj inclus 125-180 $; P ❄ @ 🛜 ❀). Cet hôtel appartenant à une chaîne et situé au bord du fleuve est un bon choix. À environ 1 km à l'est de Newport.

🍴 Où se restaurer

Outre le centre-ville, plusieurs restaurants sont concentrés sur les berges du fleuve côté Kentucky et dans le Northside (au nord du croisement de l'I-74 et de l'I-75, à 8 km au nord du centre-ville).

❤ Terry's Turf Club
HAMBURGERS $$

(☎ 513-533-4222 ; 4618 Eastern Ave ; plat 8-15 $; ⊙ 16h-24h lun-mer, 16h-11h jeu, 11h-2h30 ven-sam, 12h-22h dim). Le paradis des amateurs de hamburgers. La sauce au vin et aux champignons sauvages est sublime, mais d'autres condiments (ail-romarin, gingembre-curry rouge-wasabi) pourront également vous ravir. Les végétariens ne sont pas oubliés : les hamburgers de champignons sont délicieux. L'excentricité de Terry se reflète dans le décor, qui comprend suffisamment de néons pour

---

À NE PAS MANQUER

CHILI "FIVE-WAY"

À Cincinnati, l'expression "five-way" (littéralement "à cinq voies") se réfère à une variante locale du *chili con carne*. Celle-ci comprend une sauce à la viande (épicée avec du chocolat et de la cannelle) versée sur des spaghettis et des fèves, puis agrémentée de fromage et d'oignons. Bien que vous puissiez obtenir un "three-way" (sans les oignons et les fèves) ou un "four-way" (sans les oignons ou sans les fèves), autant y aller à fond, la vie est trop courte ! Les clients du **Skyline Chili** (www.skylinechili.com ; 643 Vine St ; en-cas 3,50-7,50 $; ⊙ 10h30-20h lun-ven, 11h-16h sam) sont de véritables adeptes de ses préparations. Il y a plusieurs annexes en ville ; l'une d'elles est située dans le centre-ville, près de Fountain Sq.

éclairer tout Las Vegas. À 11 km à l'est du centre-ville par Columbia Pkwy.

Hathaway's
DÎNER $

(☎513-621-1332 ; Carew Tower, 441 Vine St ; plat 5-8 $; ☺6h30-16h lun-ven, 8h-15h sam). Hathaway's n'a pas changé ses tables en Formica rétro ni ses serveuses avec tablier depuis qu'il a ouvert ses portes, il y a plus de 30 ans. Essayez le *goetta* (porc, avoine, oignons et fines herbes) au petit-déjeuner, c'est une spécialité de Cincinnati. Les milkshakes raviront les gourmands.

Honey
AMÉRICAIN $$

(☎513-541-4300 ; www.honeynorthside.com ; 4034 Hamilton Ave ; plat 15-23 $; ☺17h-21h mar-jeu, 17h-22h ven-sam, 11h-14h dim ; ✍). On sert de la *comfort food* (plats réconfortants) de saison, comme un pain de viande créole ou des raviolis aux pois, dans ce restaurant tamisé aux solides tables en bois. Le brunch a ses adeptes et comprend un *goetta* végétalien.

Otto's
CAFÉ $$$

(☎859-491-6678 ; www.ottosonmain.com ; 521 Main St ; sandwich 8-11 $, plat 19-23 $; ☺11h-15h lun, 11h-22h mar-sam, 10h-21h dim). Dégustez un *hot brown* (spécialité locale de viande et fromage) ou un sandwich épais à midi, ou encore des *shrimp and grits* (crevettes et gruau de maïs) accompagnées d'un verre de vin le soir dans ce bistrot de Covington.

Graeter's Ice Cream
GLACIER $

(www.graeters.com ; 511 Walnut St ; boules 2,50-5 $; ☺6h30-21h lun-ven, 7h-21h sam, 11h-19h dim). Les parfums comprenant d'énormes pépites de chocolat sont les meilleures. Annexes partout en ville

🍷 Où prendre un verre

Mt Adams et le Northside sont très fréquentés le soir.

Blind Lemon
BAR

(www.theblindlemon.com ; 936 Hatch St). Suivez un étroit passage pour entrer dans cet ancien bar clandestin de Mt Adams. Il y a une cour extérieure en été, un foyer en hiver, et des concerts tous les soirs.

Motr Pub
BAR

(www.motrpub.com ; 1345 Main St). Situé dans le quartier Over-the-Rhine (parfois branché, parfois pas) à l'extrémité nord du centre-ville, Motr réunit les artistes autour d'une Hudepohl (bière locale) pour assister à des documentaires sur le rock.

Comet
BAR

(www.cometbar.com ; 4579 Hamilton Ave ; 📶). Comet, dans le Northside, est un bar décontracté doté d'un bon juke-box et d'une bonne cuisine de bar (essayez le *burrito*).

City View Tavern
BAR

(www.cityviewtavern.com ; 403 Oregon St). Au sommet de Mt Adams, la ville scintillera sous vos yeux dans ce bar sans prétention.

☆ Où sortir

Consultez les magazines gratuits comme *CityBeat* pour connaître l'agenda des événements.

Sports

Great American Ballpark
BASE-BALL

(☎513-765-7000 ; www.cincinnatireds.com ; 100 Main St). La première équipe professionnelle de base-ball, les Reds de Cincinnati, joue dans ce stade luxueux au bord du fleuve.

Paul Brown Stadium
FOOTBALL AMÉRICAIN

(☎513-621-3550 ; www.bengals.com ; 1 Paul Brown Stadium). L'équipe de football américain professionnelle, les Bengals, joue à quelques rues à l'ouest du stade de base-ball.

Musique live

Southgate House
MUSIQUE LIVE

(☎859-431-2201 ; www.southgatehouse.com ; 24 E 3rd St). Quelle que soit leur taille ou leur origine, tous les groupes se produisent dans ce manoir hanté de 1814 à Newport (là même où fut inventé le pistolet automatique).

Northside Tavern
MUSIQUE LIVE

(☎513-542-3603 ; www.northside-tavern.com ; 4163 Hamilton Ave). Les groupes locaux se produisent ici gratuitement.

Arts de la scène

Music Hall
MUSIQUE CLASSIQUE

(☎513-721-8222 ; www.cincinnatiarts.org ; 1241 Elm St). C'est dans le Music Hall à l'acoustique impeccable que l'orchestre symphonique, l'orchestre pop, l'opéra et le ballet se produisent. Le quartier n'est pas très bien fréquenté, alors faites attention et garez-vous à proximité.

Aronoff Center
THÉÂTRE

(☎513-621-2787 ; www.cincinnatiarts.org ; 650 Walnut St). Des spectacles en tournée s'arrêtent dans ce théâtre moderne.

ⓘ Renseignements
Médias
Cincinnati Enquirer (www.cincinnati.com). Quotidien.

CityBeat (www.citybeat.com). Hebdomadaire alternatif gratuit avec répertoire des sorties.

Rainbow Cincinnati (www.gaycincinnati.com). Infos et répertoire des commerces gays et lesbiens.

Office du tourisme
Cincinnati USA Regional Tourism Network (☎800-344-3445 ; www.cincinnatiusa.com). Appelez ou consultez le site Internet pour obtenir le guide du visiteur.

❶ Comment s'y rendre et circuler

L'**aéroport international de Cincinnati/ Northern Kentucky** (CVG ; www.cvgairport. com) se trouve dans le Kentucky, à 21 km au sud. Pour vous rendre dans le centre-ville, prenez le bus TANK (1,75 $) au Terminal 3. Taxi environ 30 $.

Les bus de **Greyhound** (☎513-352-6012 ; www.greyhound.com ; 1005 Gilbert Ave) relient quotidiennement Indianapolis (2 heures 30) et Columbus (2 heures). Souvent moins cher et plus rapide, **Megabus** (www.megabus.com/ us) dessert les mêmes villes, ainsi que Chicago (6 heures). Le départ se fait dans le centre-ville de Cincinnati, à l'angle de 4th St et de Race St.

Amtrak (☎513-651-3337 ; www.amtrak.com) rallie Chicago (9 heures 30) et Washington (14 heures 30) 3 fois par semaine, et part de la gare de **Union Terminal** (1301 Western Ave) au milieu de la nuit.

Metro (www.go-metro.com ; 1,75 $) exploite le réseau de bus locaux et les liaisons avec la **Transit Authority of Northern Kentucky** (TANK ; www.tankbus.org ; 1-1,75 $).

MICHIGAN

Le Michigan est l'État du Middle West le plus gâté par la nature, avec des plages plus nombreuses que sur la façade atlantique, la moitié de sa superficie recouverte de forêts et la plus grosse production de cerises et de baies des États-Unis. S'y ajoute la rude ville de Détroit, diamant brut de la région. Certes, le chômage fait rage dans l'État, mais c'est une autre histoire...

Le visiteur découvre ici des paysages de toute beauté qui englobent quatre des cinq Grands Lacs – Supérieur, Michigan, Huron et Érié –, et un semis d'îles – Mackinac, Beaver et Isle Royale. Plages de surf, falaises de grès multicolores et dunes de sable à escalader constituent autant d'attraits supplémentaires.

Le Michigan se compose de deux péninsules séparées par le détroit de Mackinac

» **Surnoms :** Great Lakes State ("État des Grands Lacs"), Wolverine State ("État du Carcajou")

» **Population :** 10 millions d'habitants

» **Superficie :** 250 500 km²

» **Capitale :** Lansing (114 300 habitants)

» **Autres villes :** Détroit (871 100 habitants)

» **TVA :** 6%

» **État de naissance de :** Henry Ford (industriel, 1863-1947), Francis Ford Coppola (cinéaste, né en 1939), Stevie Wonder (musicien, né en 1950), Madonna (chanteuse, née en 1958), Larry Page (cofondateur de Google, né en 1973)

» **Abrite :** des usines d'assemblage automobile et des plages lacustres

» **Politique :** tendance démocrate

» **Célèbre pour :** les voitures, les corn flakes Kellogg's, les griottes, le son Motown

» **Animal emblématique :** la tortue peinte

» **Distances par la route :** Détroit-Traverse City : 410 km ; Détroit-Cleveland : 270 km

et reliées par le pont éponyme : la Lower Peninsula, en forme de moufle, et la Upper Peninsula, plus petite et faiblement peuplée, qui évoque une pantoufle.

❶ Renseignements
Michigan Highway Conditions (☎800-381-8477 ; www.michigan.gov/mdot). Renseigne sur l'état des routes.

Michigan State Park Information (☎800-447-2757 ; www.michigan.gov/stateparks). L'accès aux parcs en voiture nécessite un permis (8/29 $ jour/an). Les emplacements de camping coûtent 16-33 $, avec possibilité de réserver (www.midnrreservations.com ; 8 $). Certains parcs disposent du Wi-Fi.

Travel Michigan (☎800-644-2489 ; www. michigan.org)

Détroit
Annoncez à n'importe quel Américain que vous projetez de visiter Détroit et vous le

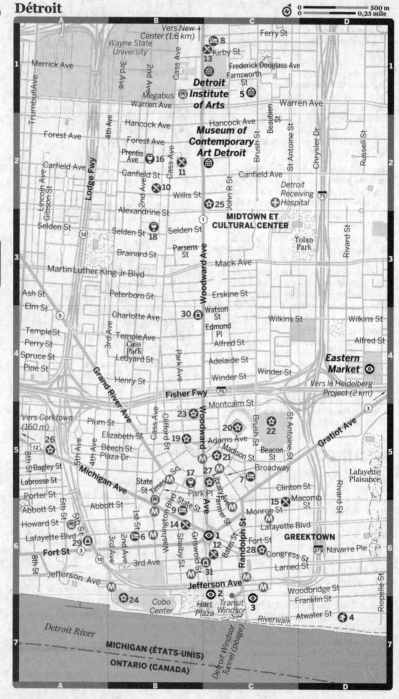

0   500 m
0   0,25 mile

RÉGION DES GRANDS LACS MICHIGAN

Vers New Center (1,6 km)

Ferry St

Wayne State University

Kirby St

Merrick Ave

Cass Ave

2nd Ave

3rd Ave

Trumbull Ave

Frederick Douglass Ave

Farnsworth St

Megabus

Warren Ave

Detroit Institute of Arts

Warren Ave

Forest Ave

Beaubien St

St Antoine St

Chrysler Dr

Russell St

Hancock Ave

Hancock Ave

4th Ave

Museum of Contemporary Art Detroit

Forest Ave

Carfield Ave

Prentis Ave

Canfield St

Lincoln Ave

Gibson St

Canfield Ave

Canfield Ave

Brush St

Willis St

John R St

Detroit Receiving Hospital

Selden St

Alexandrine St

MIDTOWN ET CULTURAL CENTER

Selden St

Selden St

Parsens St

Rivard St

Tolan Park

Brainard St

Woodward Ave

Mack Ave

Martin Luther King Jr Blvd

Ash St

Peterboro St

Erskine St

Wilkins St

Wilkins St

Elm St

Charlotte Ave

Watson St

Temple St

Edmund Pl

Alfred St

Alfred St

Perry St

Temple Ave

Cass Park

Ledyard St

3rd Ave

Adelaide St

Eastern Market

Spruce St

Pine St

Park Ave

Winder St

Winder St

Henry St

Vers le Heidelberg Project (2 km)

Grand River Ave

Fisher Fwy

Vers Corktown (160 m)

Plum St

Montcalm St

Gratiot Ave

Elizabeth St

Woodward

Brush St

St Antoine St

Bagley St

Beech St

Clifford St

Adams Ave

Beacon St

Lafayette Plaisance

Labrosse St

Plaza Dr

Madison St

Porter St

Michigan Ave

4th Ave

Broadway

Clinton St

Rivard St

Abbott St

State St

Times Sq

Park Pl

Library

Farmer St

Macomb St

Howard St

Abbott St

1st St

Monroe St

Lafayette Blvd

GREEKTOWN

Lafayette Blvd

2nd Ave

Washington Blvd

State St

Shelby St

Fort St

Navarre Ple

Fort St

3rd Ave

Griswold St

Bates St

Randolph St

Congress St

Riopelle St

Jefferson Ave

Larned St

Jefferson Ave

Cobo Center

Hart Plaza

Transit Windsor

Woodbridge St

Franklin St

Detroit River

Riverwalk

Atwater St

MICHIGAN (ÉTATS-UNIS)

ONTARIO (CANADA)

Detroit Windsor Tunnel (péage)

Détroit

verrez froncer les sourcils d'un air inter-rogateur. Il vous demandera la raison de votre choix et vous mettra en garde contre le nombre record d'homicides, les ordures qui s'entassent au pied des immeubles condamnés et le taux alarmant de saisies immobilières qui fait que des maisons se vendent pour 1 \$. Bref, Détroit serait une "destination insalubre où l'on risque sa peau".

Si ce qui vient d'être dit correspond dans une certaine mesure à la réalité, cette ville sinistrée n'en dégage pas moins une énergie unique en son genre. Artistes, jeunes et entrepreneurs s'y installent, tandis qu'un esprit de débrouillardise se développe. Les nouveaux venus transforment ainsi les parcelles vacantes en fermes urbaines et les bâtiments abandonnés en auberges de jeunesse ou en musées. Enfin, Détroit est depuis longtemps un haut lieu de la musique.

Histoire

Fondée en 1701 par l'explorateur français Antoine de Lamothe-Cadillac, Détroit connut la prospérité dans les années 1920 grâce notamment à l'industriel Henry Ford, qui perfectionna le processus d'assemblage et les techniques de production de masse du secteur automobile. On lui doit la Ford T, première voiture à portée de bourse de la classe moyenne américaine.

La ville devint par la suite la capitale mondiale de l'automobile, siège des compagnies General Motors (GM), Chrysler et Ford, qui s'y trouvent toujours. Les années 1950 marquèrent l'âge d'or de Détroit, forte de 2 millions d'habitants vivant au rythme du son Motown, du nom de sa célèbre maison de disques. Mais les tensions raciales de 1967 et la concurrence des voitures japonaises dans les années 1970 portèrent un coup fatal à la ville et à son industrie. Détroit s'enfonça alors dans une ère de profond déclin, perdant près des deux tiers de sa population.

Le début de reprise enregistré au milieu des années 2000 fut, hélas, interrompu par la crise économique de 2008-2009. GM et Chrysler déposèrent le bilan, mettant au chômage des milliers d'ouvriers et d'employés. Depuis, la "restructuration" se poursuit.

☉ À voir et à faire

Le centre-ville (Downtown) s'organise autour du Renaissance Center au bord de l'eau et du Hart Plaza voisin. Woodward Ave, l'artère principale, le relie au nord à Midtown (siège du Cultural Center, de ses musées et de la Wayne State University) et 1,5 km plus loin au New Center, riche sur le plan architectural. À l'ouest de Downtown, Corktown abrite de nombreux bars. Les Mile Roads constituent les grandes artères est-ouest ; l'Eight Mile Road forme la limite entre la ville et sa banlieue. De l'autre côté de la Detroit River s'étend Windsor, au Canada.

Les sites ferment généralement le lundi et le mardi.

MIDTOWN ET LE CULTURAL CENTER

Detroit Institute of Arts
MUSÉE

(☏313-833-7900 ; www.dia.org ; 5200 Woodward Ave ; adulte/enfant 8/4 $; ☉10h-16h mer-jeu, 10h-22h ven, 10h-17h sam-dim). Il compte parmi les plus grands musées des États-Unis et possède, entre autres, une remarquable collection de peintures américaines. Sa pièce maîtresse, une peinture murale de Diego Rivera intitulée *Detroit Industry*, occupe une pièce entière et illustre l'histoire ouvrière de la ville.

GRATUIT Museum of Contemporary Art Detroit
MUSÉE

(MOCAD ; ☏313-832-6622 ; www.mocadetroit.org ; 4454 Woodward Ave ; ☉11h-17h mer-dim, 11h-20h jeu et ven). Ouvert en 2006 dans les locaux couverts de graffitis d'une ancienne concession automobile, le MOCAD présente des œuvres contemporaines singulières qui changent plusieurs fois par an.

Wright Museum of African American History
MUSÉE

(☏313-494-5800 ; www.maah-detroit.org ; 315 E Warren Ave ; adulte/enfant 8/5 $; ☉9h-17h mar-sam, 13h-17h dim). On s'attendrait à davantage au vu de son bâtiment impressionnant, pourtant ce musée retraçant l'histoire des Afro-Américains mérite quand même le détour. La maquette grandeur nature d'un sombre bateau négrier transportant des esclaves enchaînés fait froid dans le dos.

NEW CENTER

Motown Historical Museum
MUSÉE

(☏313-875-2264 ; www.motownmuseum.org ; 2648 W Grand Blvd ; adulte/enfant 10/8 $; ☉10h-18h mar-sam, lun-sam juil-août). C'est dans cette rangée de maisons modestes qu'en 1959 Berry Gordy lança Motown Records grâce à un emprunt de 800 $ et, par là même, les carrières de Stevie Wonder, Diana Ross, Marvin Gaye et Michael Jackson. La maison de disques et son fondateur quittèrent la ville pour Los Angeles en 1972, mais on peut voir encore l'humble Studio A où les stars enregistrèrent leurs premiers tubes. La visite guidée d'environ une heure et demie se résume essentiellement à de vieilles photos et à des anecdotes. Le musée se situe à 3 km au nord-ouest de Midtown.

Model T Automotive Heritage Complex
MUSÉE

(☏313-872-8759 ; www.tplex.org ; 461 Piquette Ave ; adulte/enfant 10 $/gratuit ; ☉10h-16h mer-ven, 9h-16h sam, 12h-16h dim avr-nov). La première Ford T fut produite dans cette usine historique, à 1,5 km au nord-est du Detroit Institute of Arts. Outre une collection de voitures, la visite permet de découvrir l'atelier et la "salle des essais".

DOWNTOWN ET ALENTOURS

Le quartier animé de **Greektown**, autour de Monroe St, regroupe des restaurants, des boulangeries et un casino.

Riverwalk et Dequindre Cut
À PIED, À VÉLO

(www.detroitriverfront.org). Le Riverwalk est une promenade qui longe la bouillonnante Detroit River sur près de 5 km entre Hart Plaza et Mt Elliott St, via plusieurs parcs, des théâtres en plein air, des bateaux amarrés et des coins de pêche. Il s'étendra à terme jusqu'à **Belle Isle** et sa plage, actuellement accessible en faisant le détour par Jefferson Ave. À mi-parcours, près d'Orleans St, le Dequindre Cut se dirige vers le nord et permet de rejoindre aisément Eastern Market.

Wheelhouse Bikes
LOCATION DE VÉLOS

(☏313-656-2453 ; www.wheelhousedetroit.com ; 1340 E Atwater St ; 15 $/2 heures ; ☉11h-20h lun-sam, 11h-17h dim). La ville se laisse agréablement explorer à vélo. Ce magasin situé au niveau de Rivard Plaza, sur le Riverwalk, loue des engins robustes, casque et antivol inclus. Des circuits organisés le week-end (35 $ avec vélo) font le tour de différents quartiers et monuments.

Eastern Market
MARCHÉ

(www.detroiteasternmarket.com ; Gratiot Ave et Russell St). Des marchands de fromages, d'épices, de fleurs et autres produits investissent ces vastes halles le samedi. En semaine, vous devrez vous contenter des boutiques spécialisées (mention spéciale pour le grilleur de cacahuètes), cafés et restaurants ethniques qui bordent le marché dans Russell St et Market St.

RÉGION DES GRANDS LACS MICHIGAN

Renaissance Center   BÂTIMENT

(RenCen ; www.gmrencen.com ; 330 E Jefferson Ave ; ☏). Ce gratte-ciel étincelant, siège de General Motors, fait l'objet d'une visite gratuite d'une heure (lun-ven 12h et 14h). On peut en profiter pour se restaurer dans le *Wintergarden* ou suivre la promenade longeant la rivière.

Hart Plaza   ESPLANADE

(angle Jefferson Ave et Woodward Ave). Voici l'endroit où se déroulent les week-ends d'été nombre de festivals et de concerts gratuits. Remarquez au passage la sculpture en bronze représentant le bras et le poing puissant du boxeur Joe Louis.

Campus Martius   ESPLANADE

(www.campusmartiuspark.org ; 800 Woodward Ave). Une autre agora de Downtown, qui accueille une patinoire en hiver, des aires de restauration, des concerts et des projections de films en été.

People Mover   MONORAIL

(www.thepeoplemover.com ; 0,50 $). En tant que moyen de transport public, cette voie aérienne formant une boucle de 5 km ne vous mènera pas bien loin. C'est en revanche une plaisante attraction touristique qui offre de belles vues sur la ville et les bords de la rivière.

GRATUIT Heidelberg Project   PROJET ARTISTIQUE

(www.heidelberg.org ; 3600 Heidelberg St ; ☺aube-crépuscule). Des rues à pois, des maisons couvertes de taches multicolores, des cours décorées d'étranges sculptures : non vous ne rêvez pas, il s'agit bien d'un projet artistique à l'échelle de tout un secteur, entre Ellery St et Mt Elliott St. L'idée a germé dans le cerveau de l'artiste de rue Tyree Guyton, désireux d'embellir un quartier délabré, connu pour être le plus sinistré des États-Unis sur le plan économique. Pour vous rendre sur place, suivez Gratiot Ave vers le nord-ouest jusqu'à Heidelberg St.

✆ Circuits organisés

Preservation Wayne   CIRCUIT À PIED

(☏313-577-7674 ; www.preservationwayne.org ; circuits 2 heures 30 10-15 $; ☺17h30 mar et 10h sam mai-sept). Promenades sur le thème de l'architecture à travers Downtown, Midtown et d'autres quartiers au départ de différents points de la ville.

✺ Fêtes et festivals

North American International Auto Show   AUTOMOBILE

(www.naias.com ; 12 $; ☺mi-jan). Ce salon automobile international se déroule pendant deux semaines au Cobo Center.

Movement Electronic Music Festival   MUSIQUE

(www.movement.us ; pass journée 40 $; ☺fin mai). Le plus grand festival du monde consacré à la musique électronique bat son plein sur Hart Plaza durant le week-end du Memorial Day (dernier lundi de mai).

🛏 Où se loger

Sauf mention contraire, il faut ajouter de 9 à 15% de taxe (selon l'emplacement et la taille de la chambre) aux tarifs indiqués ci-après.

La banlieue de Détroit compte de nombreux motels abordables. Si vous arrivez de l'aéroport Detroit Metropolitan, suivez les panneaux indiquant Merriman Rd et faites votre choix.

♥ Inn on Ferry Street   HÔTEL $$

(☏313-871-6000 ; www.innonferrystreet. com ; 84 E Ferry St ; ch petit-déj inclus à partir de 149 $; P➶❄@☎). Ces 40 chambres occupent une rangée de demeures victoriennes à côté du Detroit Institute of Arts. Les moins chères, de petite taille, possèdent une literie délicieusement mœlleuse, les autres s'agrémentent de meubles en bois anciens. Solide petit-déjeuner chaud et navette pour Downtown.

Detroit Hostel   AUBERGE DE JEUNESSE $

(☏248-807-2131 ; www.hosteldetroit.com ; 2700 Vermont St ; dort 18-27 $, ch 40-45 $; P➶@☎). Des bénévoles ont réhabilité ce vieux bâtiment à l'aide de matériaux recyclés et l'ont garni de meubles dépareillés provenant de dons. Ouvert au public en 2011, il comporte un dortoir de 10 lits, deux de 2 lits et 5 chambres individuelles ainsi que 3 lcuisines et un jardin à l'arrière. Les réservations s'effectuent exclusivement en ligne, au minimum 24 heures à l'avance. Le parking et la location de vélo coûtent chacun 10 $/jour. L'auberge se tient dans une rue désolée de Corktown, mais à proximité de plusieurs bons bars et restaurants.

Ft Shelby Doubletree Hotel   HÔTEL $$

(☏313-963-5600, 800-222-8733 ; http://doubletree1.hilton.com ; 525 W Lafayette Blvd ; ste 126-169 $; P➶❄@☎). Installé dans un édifice de style Beaux-arts, ce nouvel établissement de Downtown ne propose que des suites, avec un coin salon et une chambre équipée de la télévision haute définition et du Wi-Fi. Parking (20 $) et service de navette gratuit circulant dans le centre.

Westin Book Cadillac HÔTEL **\$\$\$**
(☎313-442-1600 ; www.bookcadillacwestin.com ;
1114 Washington Blvd ; ch week-end/semaine à
partir de 179/299 \$; P❄✳@❤🐾). En activité depuis 2008, le meilleur hébergement
de la ville a élu domicile dans un bâtiment
historique de 1924 et offre tout le confort
attendu d'un hôtel huppé. Wi-Fi (8 \$/jour)
dans chacune des 453 chambres et parking
(25 \$).

 Où se restaurer

Deux banlieues proches de Détroit abritent
aussi des restaurants et des bars branchés :
Ferndale, à hauteur de 9 Mile Rd et de
Woodward Ave, qui affiche une tendance gay
et se parcourt facilement à pied ; Royal Oak
juste au nord de Ferndale, entre 12 Mile Rd
et 13 Mile Rd.

MIDTOWN ET CULTURAL CENTER

Good Girls Go to Paris Crepes CRÊPERIE **\$**
(☎877-727-4727 ; www.goodgirlsgotopariscrepes.
com ; 15 E Kirby St ; plat 5-8 \$; 9h-16h lun-mer,
9h-20h jeu, 9h-22h ven-sam, 9h-17h dim). Ce café
de style français aux murs rouges transporte les convives outre-Atlantique avec ses
crêpes sucrées (barre chocolatée et ricotta,
par exemple) ou salées (fromage de chèvre
et figues).

Cass Cafe CAFÉ **\$\$**
(☎313-831-1400 ; www.casscafe.com ;
4620 Cass Ave ; plat 8-15 \$; 11h-23h lun-jeu,
11h-1h ven-sam, 17h-22h dim ; ❤🐾). Un bar
doublé d'une galerie d'art bohème où l'on
sert des soupes, des sandwichs et des plats
végétariens comme le hamburger lentilles-
noix. Qualité du service aléatoire.

Avalon International Breads BOULANGERIE **\$**
(☎313-832-0008 ; www.avalonbreads.net ; 422 W
Willis St ; plat 5-9 \$; 6h-18h mar-sam, 8h-16h
dim). Une clientèle locale sans chichis se
presse autour du four d'où sortent des pains
spéciaux tout chauds, base d'excellents
sandwichs servis sur place.

DOWNTOWN

Foran's Grand Trunk Pub PUB **\$\$**
(☎313-961-3043 ; www.grandtrunkpub.com ;
612 Woodward Ave ; plat 7-12 \$; 11h-2h).
Comme en témoigne la salle toute en
longueur au plafond voûté, vous êtes ici
dans la billetterie d'une ancienne gare. La
cuisine de pub – sandwichs, hamburgers
et hachis Parmentier – utilise des ingrédients locaux comme le pain Avalon et
des produit en provenance de l'Eastern
Market. Elle s'accompagne de 18 bières

artisanales à la pression fabriquées dans
le Michigan.

Lafayette Coney Island AMÉRICAIN **\$**
(☎313-964-8198 ; 118 Lafayette Blvd ; en-cas
2,50-4 \$; 7h30-4h lun-jeu, 7h30-5h ven-sam,
9h30-4h dim). Le "coney" – un hot dog aux
oignons et au piment – est une spécialité de
Détroit à l'honneur au Lafayette, qui attire
toujours du monde. Hamurgers, frites et
bière composent la carte réduite. Paiement
en espèces uniquement.

Laikon Cafe GREC **\$\$**
(☎313-963-7058 ; 569 Monroe St ; plat 9-14 \$;
11h-22h dim-jeu, 11h-24h ven-sam, fermé
mar). Dans son chaleureux restaurant à
l'ancienne, le chef Kostas mitonne depuis
des décennies des plats tels que boulettes
d'agneau et *saganáki* (*flaming cheese*), une
spécialité à base de fromage frit à l'huile.

CORKTOWN ET MEXICANTOWN

Dans Bagley St à 5 km à l'ouest de Downtown, Mexicantown compte plusieurs
restaurants mexicains bon marché.

❤ **Slows Bar BQ** BARBECUE **\$\$**
(☎313-962-9828 ; www.slowsbarbq.com ;
2138 Michigan Ave ; plat 10-18 \$, demi-carré de
côtelettes 19 \$; 11h-22h dim-lun, 11h-23h
mar-jeu, 11h-24h ven-sam ; ❤). Ce spécialiste des grillades cuites lentement au
barbecue à la manière du Sud vous attend
à Corktown. Les carnivores peuvent
commander l'assiette de trois viandes
(poitrine de porc, effiloché de porc rôti et
poulet), les végétariens se rabattront sur
les beignets de gombos ou le sandwich à
l'ersatz de poulet. Pour arroser le tout, un
choix de 21 bières de qualité à la pression.

🍷 **Où prendre un verre**

❤ **Bronx** BAR
(4476 2nd Ave ; ☎). Le meilleur bistrot de
Détroit se résume à une table de billard et
deux juke-box rock et soul sous une lumière
tamisée, mais les branchés, les amateurs de
rock (les White Stripes avaient l'habitude
de fréquenter les lieux) et tout ceux qui
traînent dans les bars n'en demandent pas
plus. Ils apprécient également ses solides
hamburgers servis tard le soir et ses bières
à prix doux.

Honest John's BAR
(www.honestjohnsdetroit.com ; 488 Selden St ;
7h-2h ; ☎). Un bar classique sans prétention où policiers, infirmières et autres
travailleurs du coin viennent prendre un
verre après le travail.

D'Mongo's BAR
(www.cafedmongos.com ; 1439 Griswold St ; ☺18h-2h ven). Dommage que cette adresse cachée ne soit ouverte que le vendredi car on aime son ambiance rétro, ses côtelettes qui cuisent sur un barbecue dehors et les groupes de jazz ou de country qui s'y produisent.

☆ Où sortir

Musique live

Les droits d'entrée s'échelonnent entre 5 et 15 $.

**Magic Stick et
Majestic Theater** MUSIQUE LIVE
(www.majesticdetroit.com ; 4120-4140 Woodward Ave). Les groupes de rock White Stripes et Von Bondies ont fait leurs débuts dans cet endroit décontracté avec café, pizzeria, tables de billards et bowling, où un concert a lieu chaque soir. Le Majestic Theater voisin accueille des spectacles plus importants.

PJ's Lager House MUSIQUE LIVE
(www.pjslagerhouse.com ; 1254 Michigan Ave). Un club punk underground de Corktown qui programme des groupes amateurs ou des DJ presque chaque soir dans un cadre grunge pittoresque

Cliff Bell's Jazz Club MUSIQUE LIVE
(www.cliffbells.com ; 2030 Park Ave ; ☺mar-dim). Avec sa salle Art déco tapissée de lambris foncés et son éclairage à la lueur des bougies, cette élégante adresse évoque les années 1930. Les groupes de jazz et les lectures de poésie attirent le soir un public jeune et varié.

Baker's Keyboard Lounge MUSIQUE LIVE
(www.bakerskeyboardlounge.com ; 20510 Livernois Ave ; ☺mar-dim). De Miles Davis à Thelonious Monk en passant par Nina Simone, tous les grands noms du jazz ont foulé la scène de ce club qui s'autoproclame

le plus ancien club de jazz du monde. À l'extrémité nord-ouest de la ville.

St Andrew's Hall MUSIQUE LIVE
(www.facebook.com/standrewshall ; 431 E Congress St). Un haut lieu de la musique alternative, aménagé dans une ancienne église. Le Shelter, une salle de concert/discothèque de taille plus modeste, se trouve en bas.

Arts de la scène

**Puppet ART/Detroit
Puppet Theater** THÉÂTRE
(☎313-961-7777 ; www.puppetart.org ; 25 E Grand River Ave ; adulte/enfant 10/5 $; 🚻). Le samedi après-midi, des marionnettistes formés dans l'ex-Union soviétique donnent de beaux spectacles dans ce théâtre de 70 places. Un petit musée expose des marionnettes appartenant à différentes cultures.

Detroit Opera House OPÉRA
(☎313-237-7464 ; www.motopera.com ; 1526 Broadway). Intérieur splendide, troupe de haut niveau et berceau de nombreux artistes noirs américains renommés.

Fox Theatre THÉÂTRE
(☎313-983-6611 ; 2211 Woodward Ave). Une salle de 1928 superbement restaurée qui accueille de grands spectacles en tournée.

Sports

Comerica Park BASE-BALL
(www.detroittigers.com ; 2100 Woodward Ave ; 🚻). Les Detroit Tigers jouent dans ce stade, l'un des mieux équipés de la ligue de base-ball. Doté d'une grande roue et d'un carrousel (2 $ chacun), le parc alentour plaira particulièrement aux enfants.

Joe Louis Arena HOCKEY SUR GLACE
(www.detroitredwings.com ; 600 Civic Center Dr). Si vous parvenez à obtenir un billet pour un match des très populaires Red Wings,

DE MOTOWN À ROCK CITY

La compagnie de disques Motown Records et la musique soul ont fait connaître Détroit dans les années 1960, puis ce fut le tour du punk rock plus énervé des Stooges et de MC5 une décennie après. Une chanson du groupe Kiss enregistrée en 1976 qualifiait la ville de "Rock City". – elle fut cependant éclipsée par le titre *Beth* de la face B. Plus récemment, c'est le rock alternatif qui place à nouveau Détroit sur la scène musicale, avec des artistes comme les White Stripes, Von Bondies et Dirtbombs. Le rap, grâce à Eminem, et la techno sont également deux genres dominants. Beaucoup attribuent cette explosion sonore vibrante de colère à l'état de délabrement avancé de l'espace urbain, et on ne saurait leur donner tort. Pour connaître l'agenda des concerts et des soirées dans les clubs, consultez les publications gratuites *Metro Times* et *Real Detroit Weekly* ou des blogs comme Motor City Rocks (www.motorcityrocks.com).

vous pourrez assister à l'étrange coutume du lancer de poulpe.

Ford Field
FOOTBALL AMÉRICAIN
(www.detroitlions.com ; 2000 Brush St). Les Detroit Lions, qui peinent à percer, taquinent le ballon dans ce stade couvert jouxtant le Comerica Park.

Palace of Auburn Hills
BASKET-BALL
(www.nba.com/pistons ; 5 Championship Dr). Le terrain de jeu des Pistons se situe à 48 km au nord-ouest de Downtown ; suivez l'I-75 et prenez la sortie 81.

Achats

Pure Detroit
SOUVENIRS
(www.puredetroit.com ; 500 Griswold St ; ⏱10h30-17h30 lun-sam). Cette enseigne qui célèbre la culture rock et automobile de Détroit vend des articles créés par des artistes locaux : sacs à main confectionnés à partir de ceintures de sécurité recyclées, sweat-shirts à capuche tendance et poteries Pewabic. Le Guardian Building qui l'héberge, un gratte-ciel Art déco rehaussé de mosaïques, vaut à lui seul le coup d'œil.

People's Records
MUSIQUE
(3161 Woodward Ave ; ⏱10h-18h lun-sam). Nirvana des collectionneurs de vinyles, ce magasin appartenant à un DJ a pour spécialité les 45 tours d'occasion, avec dans ses bacs plus de 80 000 titres de jazz, soul et R&B.

John King Books
LIVRES
(www.rarebooklink.com ; 901 W Lafayette Blvd ; ⏱9h30-17h30 lun-sam). Prenez le temps de feuilleter les livres d'occasion de cette immense librairie labyrinthique d'une autre époque.

Renseignements

Après la nuit tombée, mieux vaut éviter de circuler à pied dans le secteur plutôt désert entre les stades de sport et les abords de Willis Rd.

Accès Internet

Nombre de cybercafés et de bars disposent du Wi-Fi gratuit, de même que le hall du Renaissance Center.

Médias
Between the Lines (www.pridesource.com). Hebdomadaire gay et lesbien gratuit.

Detroit Free Press (www.freep.com). Quotidien.

Detroit News (www.detnews.com). Quotidien.

Metro Times (www.metrotimes.com).

L'hebdomadaire alternatif gratuit de vos sorties à Détroit.

Real Detroit Weekly (www.realdetroitweekly.com). Autre hebdomadaire gratuit publiant l'agenda des spectacles et manifestations.

Office du tourisme
Detroit Convention & Visitors Bureau (☎800-338-7648 ; www.visitdetroit.com)

Sites Internet
DetroitYES (www.detroityes.com). Des circuits en images qui révèlent l'âme de la ville.

Forgotten Detroit (www.forgottendetroit.com). Site consacré aux "ruines" de Détroit, à savoir ses bâtiments à l'abandon.

Model D (www.modelmedia.com). Un webzine hebdomadaire qui traite des infrastructures, des lieux de sortie et des restaurants par quartiers.

Urgences et services médicaux
Detroit Receiving Hospital (☎313-745-3000 ; 4201 St Antoine St)

ⓘ Comment s'y rendre et circuler

L'**aéroport métropolitain de Détroit** (DTW ; www.metroairport.com), plaque tournante de la compagnie Delta Airlines, se trouve à 32 km au sud-ouest de la ville. On peut s'y rendre en taxi (45 $) ou avec le bus 125 SMART (2 $) qui met entre 1 heure et 1 heure 30 pour effectuer le trajet.

Les bus **Greyhound** (☎313-961-8005 ; 1001 Howard St) desservent différentes villes dans le Michigan et au-delà. **Megabus** (www.megabus.com/us) rallie quotidiennement Chicago (5 heures 30) depuis Downtown (angle de Cass Ave et Michigan Ave) et la Wayne State University (angle de Cass Ave et Warren Ave).

Des trains **Amtrak** (☎313-873-3442 ; 11 W Baltimore Ave) rallient Chicago (5 heures 30) trois fois par jour. D'autres se rendent à l'est jusqu'à New York (16 heures 30) en marquant plusieurs arrêts en route, mais ils partent de Toledo où les passagers sont acheminés en bus.

Transit Windsor (☎519-944-4111 ; www.city windsor.ca/001209.asp) exploite le Tunnel Bus (3,75 $US/$CAN) qui va jusqu'à Windsor, au Canada, depuis la Mariner's Church (angle Randolph St et Jefferson Ave), près de l'entrée du tunnel, et d'autres points du centre-ville. Pensez à prendre votre passeport.

Concernant la ligne ferroviaire urbaine People Mover, voir p. 513.

Pour commander un taxi, appelez **Checker Cab** (☎313-963-7000).

Environs de Détroit

Des fleurons du patrimoine culturel américain et de bons restaurants vous attendent tout près de Détroit.

DEARBORN

À 16 km à l'ouest du centre de Détroit, Dearborn abrite le plus grand complexe muséal couvert et à ciel ouvert des États-Unis. Le **Henry Ford Museum** (313-982-6001 ; www.thehenryford.org ; 20900 Oakwood Blvd ; adulte/enfant 15/11 $, parking 5 $; 9h30-17h) expose une fascinante collection ayant trait à l'histoire nationale et à la révolution industrielle, avec notamment la chaise sur laquelle Abraham Lincoln fut assassiné, la limousine dans laquelle J. F. Kennedy subit le même sort, la Wienermobile en forme de hot dog de la marque Oscar Mayer et le bus où Rosa Parks refusa de céder sa place. Sans oublier quantité de voitures rétro. Attenant, le **Greenfield Village** (adulte/enfant 22/16 $; 9h30-17h tlj mi-avr à oct, 9h30-17h ven-dim nov-déc) en plein air rassemble des bâtiments historiques de tout le pays reconstruits sur place, comme le laboratoire de Thomas Edison à Menlo Park et l'atelier aéronautique des frères Wright. Enfin, le circuit **Rouge Factory Tour** (adulte/enfant 15/11 $; 9h30-15h lun-sam) permet de voir la fabrication du modèle F-150 sur la chaîne de montage où Henry Ford mit au point sa technique de production de masse.

Les trois sites sont distincts, mais il existe un **billet combiné** (adulte/enfant 32/24 $) pour les deux premiers. Prévoyez au minimum une grosse journée de visite.

Dearborn possède la plus importante population d'origine arabe des États-Unis, d'où la présence de l'**Arab American National Museum** (313-582-2266 ; www.arabamericanmuseum.org ; 13624 Michigan Ave ; adulte/enfant 6/3 $; 10h-18h mer-sam, 12h-17h dim) installé dans un édifice aux carreaux étincelants. À moins d'être particulièrement concerné par le sujet, ce musée ne présente toutefois qu'un intérêt relatif. Les mille et un restaurants moyen-orientaux qui bordent Michigan Ave vous attireront sans doute davantage. À un bloc au sud de l'avenue, au milieu dans l'un des nombreux centres commerciaux du secteur, l'immense **La Pita** (www.lapitadearborn.com ; 22681 Newman St ; sandwich 4-5 $, plat 10-19 $; 10h-23h lun-sam, 11h-22h dim) fait figure d'institution.

LES VIEILLES VOITURES DU MICHIGAN

Si le Michigan évoque aussi pour les Américains les dunes, les plages et le caramel mou (*fudge*) de Mackinac Island, il rime avant tout avec industrie automobile. Bien que cette activité ait pris ces derniers temps une tournure funeste, l'État célèbre son âge d'or à travers plusieurs musées. Les adresses ci-après se trouvent à quelques heures de route de Détroit.

Henry Ford Museum (ci-dessus). Ce musée de Dearborn déploie une belle collection de voitures anciennes, dont la première construite par Henry Ford. Au Greenfield Village adjacent, vous pourrez même rouler à bord d'une Ford T de 1923.

Automotive Hall of Fame (313-240-4000 ; www.automotivehalloffame.org ; 21400 Oakwood Blvd, Dearborn ; adulte/enfant 8/4 $; 9h-17h mer-dim). Voisin du Henry Ford Museum, cet espace interactif met l'accent sur les grandes figures de l'automobile, comme Ferdinand Porsche et Soichiro Honda.

Walter P Chrysler Museum (248-944-0001 ; www.chryslerheritage.com ; 1 Chrysler Dr, Auburn Hills ; adulte/enfant 8/4 $; 10h-17h mar-sam, 12h-17h dim). Au siège de la compagnie Chrysler (sortie 78 sur l'I-75), on peut admirer 70 engins de toute beauté, dont des modèles rares des marques Dodge, DeSoto, Nash et Hudson.

Gilmore Car Museum (269-671-5089 ; www.gilmorecarmuseum.org ; 6865 Hickory Rd, Hickory Corners ; adulte/enfant 10/8 $; 9h-17h lun-ven, 9h-18h sam-dim, fermé nov-avr). Au nord de Kalamazoo, sur la Hwy 43, 22 hangars renferment 120 voitures, parmi lesquelles une Silver Ghost de 1910 et 14 autres Rolls Royce.

RE Olds Transportation Museum (517-372-0529 ; www.reoldsmuseum.org ; 240 Museum Dr, Lansing ; adulte/enfant 5/3 $; 10h-17h mar-sam toute l'année, 12h-17h dim avr-oct). L'ancien dépôt de bus de Lansing contient 20 automobiles de collection, en particulier la première Oldsmobile (1897).

RÉGION DES GRANDS LACS MICHIGAN

ANN ARBOR

À une soixantaine de kilomètres à l'ouest de Détroit, la studieuse et progressiste Ann Arbor abrite l'université du Michigan. Cafés équitables, librairies, brasseries et magasins de disques indépendants abondent dans le centre proche du campus, qui se parcourt aisément à pied. La ville est également appréciée des amateurs de bonne chère grâce à la chaîne d'épicerie fine Zingerman's.

👁 À voir et à faire

GRATUIT University of Michigan Museum of Art
MUSÉE

(📞734-764-0395 ; www.umma.umich.edu ; 525 S State St ; ⊙10h-17h mar-sam, 12h-17h dim). Le grand musée d'art audacieux et massif qui trône à l'intérieur du campus possède une impressionnante collection de céramiques asiatiques, d'objets en verre Tiffany et d'œuvres de peintres expressionnistes allemands.

Ann Arbor Farmers Market
MARCHÉ

(www.a2gov.org/market ; 315 Detroit St ; ⊙7h-15h mer et sam mai-déc, sam uniquement jan-avr). Vu l'abondance de vergers et de fermes alentour, ce marché du centre, à côté du Zingerman's Delicatessen, regorge logiquement de produits locaux, qu'il s'agisse de pickles épicés, de cidre ou de champignons à faire pousser soi-même.

Zingerman's Bakehouse
COURS DE CUISINE

(www.bakewithzing.com ; 3723 Plaza Dr). Propriété de l'enseigne gastronomique Zingerman's, l'établissement propose des cours de boulangerie-pâtisserie allant de la séance de 2 heures au stage d'une semaine.

✗ Où se restaurer et prendre un verre

💟 Zingerman's Roadhouse
AMÉRICAIN **$$**

(📞734-663-3663 ; www.zingermansroadhouse. com ; 2501 Jackson Ave ; burgers 12-15 $, plat 17-27 $; ⊙7h-22h lun-jeu, 7h-23h ven, 9h-23h sam, 9h-21h dim). Le *doughnut sundae* nappé d'une crème au caramel et au bourbon est un pur délice, de même que les plats américains traditionnels à base d'ingrédients issus de l'agriculture durable comme le gruau de maïs de la Caroline du Sud, les côtelettes de porc de l'Iowa et les huîtres du Massachusetts. Environ 3 km à l'ouest du centre.

Zingerman's Delicatessen
ÉPICERIE FINE **$$**

(📞734-663-3354 ; www.zingermansdeli.com ; 422 Detroit St ; sandwich 10-16 $; ⊙7h-22h). Dans le centre-ville, la boutique qui a lancé la chaîne garnit copieusement ses sandwichs de produits bio locaux.

Arbor Brewing Company
BRASSERIE

(www.arborbrewing.com ; 114 E Washington St). On trouve ici des bières artisanales à l'image de la gouleyante Sacred Cow IPA.

☆ Où sortir

Si vous séjournez à Ann Arbor pendant un week-end d'automne, vous pourrez voir la quasi-totalité des 110 000 habitants de la ville remplir le stade pour assister à des matchs de football. Il est pratiquement impossible d'acheter des places, surtout quand l'équipe de l'université du Michigan rencontre les Ohio State Buckeyes. Tentez quand même votre chance auprès de la **billetterie de l'université du Michigan** (📞734-764-0247 ; www.mgoblue.com/ticketoffice).

Blind Pig
MUSIQUE LIVE

(www.blindpigmusic.com ; 208 S 1st St). De John Lennon à Nirvana, en passant par Circle Jerks, tous ont foulé un jour la scène du Blind Pig.

Ark
MUSIQUE LIVE

(www.a2ark.org ; 316 S Main St). Le lieu accueille des musiciens acoustiques à tendance folk.

ℹ Renseignements

Plusieurs B&B se situent à une courte distance à pied du centre. Les hôtels sont plutôt regroupés à 8 km, notamment au sud le long de State St. L'**Ann Arbor Convention & Visitors Bureau** (www.annarbor.org) fournit des adresses.

Lansing et le centre du Michigan

Au milieu de la Lower Peninsula (Péninsule inférieure), le cœur du Michigan alterne terres agricoles fertiles et zones urbaines sillonnées de routes nationales.

LANSING

À quelques kilomètres à l'est de Lansing, la petite capitale de l'État, East Lansing abrite la Michigan State University (université d'État du Michigan). Renseignements sur le site du **Greater Lansing CVB** (www.lansing. org).

Entre le centre-ville et l'université, le **River Trail** (www.lansingrivertrail.org) suit les berges de la Grand River, la plus longue rivière du Michigan, sur 13 km. Cette voie goudronnée qui relie plusieurs sites, dont le musée des enfants, le zoo et une passe à poissons, a la faveur des cyclistes, des joggeurs et des adeptes de rollers.

Dans le centre-ville, les 26 galeries permanentes du **Michigan Historical Museum** (📞517-373-3559 ; www.michigan.gov/museum)

702 W Kalamazoo St ; entrée libre ; ⊙9h-16h30 lun-ven, 10h-16h sam, 13h-17h dim) illustrent le passé de l'État, avec notamment la réplique d'une mine de cuivre dans laquelle on peut pénétrer. Le **RE Olds Transportation Museum** (voir encadré p. 517) séduit quant à lui les amateurs de voitures anciennes.

Les hôtels centraux s'adressent à une clientèle d'hommes politiques et de lobbyistes, d'où des tarifs plutôt élevés. Mieux vaut se rendre à East Lansing et opter pour le **Wild Goose Inn** (☎517-333-3334 ; www.wildgooseinn.com ; 512 Albert St ; ch petit-déj inclus 139-159 $; ⊖🛜), un B&B à un *block* du campus, dont les 6 chambres sont dotées d'une cheminée et parfois d'un Jacuzzi.

Près du capitole, **Kewpee's** (www.kewpee. com ; 118 S Washington Sq ; plat 3-7 $; ⊙8h-18h lun-ven, 11h-14h sam) sert des hamburgers aux olives et de croustillantes rondelles d'oignons en beignet depuis plus de 85 ans. Pour le petit-déjeuner, direction le bruyant **Golden Harvest** (☎517-485-3663 ; 1625 Turner St ; plat 7-9 $; ⊙7h-14h30 lun-ven, 8h-14h30 sam-dim ; paiement en espèces uniquement) à l'ambiance punk-rock-baba, qui prépare entre autres un Bubba Sandwich (toast et saucisse) et des omelettes copieuses. Moult restaurants, pubs et night-clubs se tiennent dans la partie nord du campus.

GRAND RAPIDS

La deuxième ville de l'État par la taille est connue pour ses fabriques de meubles de bureau, son protestantisme hollandais conservateur et sa proximité avec la Gold Coast du lac Michigan, à moins de 50 km. Le **Grand Rapids CVB** (www.visitgrandrapids. org) fournit renseignements, cartes et bons de réduction.

Dans le centre, le **Gerald R Ford Museum** (☎616-254-0400 ; www.fordlibrarymuseum.gov ; 303 Pearl St NW ; adulte/enfant 7/3 $; ⊙9h-17h) rend hommage au seul président américain originaire du Michigan (bien que né sous un autre nom dans le Nebraska), qui succéda à Richard Nixon après la démission de ce dernier et de son vice-président Spiro Agnew. Il illustre de manière remarquable cette période passionnante de l'histoire des États-Unis, allant jusqu'à montrer les outils utilisés lors du cambriolage qui déclencha le scandale du Watergate. Décédé en 2006, Ford repose sur le terrain du musée.

À 8 km à l'est du centre par l'I-196, les **Frederik Meijer Gardens** (☎616-957-1580 ; www.meijergardens.org ; 1000 E Beltline NE ; adulte/enfant 12/6 $; ⊙9h-17h lun-sam, 9h-21h mar, 11h-17h dim) de 48 ha mêlent aux espèces florales des sculptures de Rodin, Henry Moore et autres artistes.

Si vous ne devez faire qu'une seule halte à Grand Rapids, choisissez la **Founders Brewing Company** (www.foundersbrewing. com ; 235 Grandville Ave SW ; sandwich 6-8 $; ⊙11h-2h lun-sam, 15h-2h dim ; 🅿) pour boire une Dirty Bastard Ale couleur rubis accompagnée d'un savoureux sandwich à la viande ou végétarien.

Rives du lac Michigan

Ce n'est pas pour rien qu'on appelle Gold Coast ("côte d'or") les quelque 500 km de rivage qui bordent la partie ouest du lac Michigan, alternant plages à perte de vue, dunes, vignobles, vergers et villes riches en B&B qui prospèrent l'été et frissonnent sous la neige en hiver. Notez que, sauf mention contraire, les parcs d'État cités plus bas prennent les **réservations de camping** (☎800-447-2757 ; www.midnrreservations.com ; 8 $) et requièrent un permis pour les véhicules (8/29 $ jour/an).

HARBOR COUNTRY

Le nom de Harbor Country désigne un groupe de huit bourgades au bord du lac, à la lisière de l'Indiana et d'un accès facile dans la journée depuis Chicago. Elles recèlent leur lot de plages, d'exploitations viticoles et d'antiquaires, plus quelques surprises. La **Harbor Country Chamber of Commerce** (www.harborcountry.org) vous renseignera à ce sujet.

Avant tout, sachez qu'il est possible de surfer ; les membres de **Third Coast Surf Shop** (☎269-932-4575 ; www.thirdcoast-surfshop.com ; 22 S Smith St ; ⊙10h-18h mi-mai à mi-sept) dans leur minibus Volkswagen vous montreront comment. Ils fournissent planches et combinaisons pour pratiquer le surf, le skimboard et le paddleboard (location 20-35 $/j), et proposent aussi des

LA ROUTE DES VINS

Une douzaine d'exploitations viticoles se concentrent entre New Buffalo et Saugatuck. Le site Internet du **Lake Michigan Shore Wine Trail** (www. lakemichiganshorewinetrail.com) fournit une carte téléchargeable des vignobles et lieux de dégustation, dont la plupart sont indiqués par des panneaux le long de la route.

cours d'initiation (55-75 $ avec équipement) de 1 heure 30 sur la plage publique de juin à mi-septembre. La boutique se trouve à New Buffalo, la ville la plus importante du Harbor Country.

Three Oaks, seule agglomération à l'intérieur des terres (à 10 km de la côte via l'US 12), offre un mélange de ruralité et de vie artistique. On peut ainsi louer des vélos à la **Dewey Cannon Trading Company** (☎269-756-3361 ; www.applecidercentury.com ; 3 Dewey Cannon Ave ; vélo 15 $/jour ; ◷10h-16h dim-ven, 10h-21h sam) pour pédaler sur les routes de campagne, et aller voir le soir une pièce de théâtre ou un film d'art et d'essai.

En cas de petit creux, passez prendre un cheeseburger, des *curly fries* (frites en spirales) épicées et une bière fraîche chez **Redamak's** (www.redamaks.com ; 616 E Buffalo St ; hamburgers 5-10 $; ◷12h-22h30 mars-oct) à New Buffalo.

SAUGATUCK ET DOUGLAS
Saugatuck est l'une des stations balnéaires les plus fréquentées de la Gold Coast pour son importante communauté artistique, ses nombreux B&B et son attitude amicale envers les gays. Elle forme maintenant une agglomération presque continue avec Douglas, sa jumelle à 1,5 km au sud. Cartes et renseignements disponibles au **Saugatuck/Douglas CVB** (www.saugatuck.com).

L'attraction la plus intéressante, le **Saugatuck Chain Ferry** (en bas de Mary St ; aller simple 1 $; ◷9h-21h fin mai-début sept), un ferry à câble qui traverse la Kalamazoo River, s'avère aussi la plus abordable. De l'autre côté, prenez à gauche après le quai pour rejoindre le **Mt Baldhead**, une dune dépassant les 60 m de haut. Un escalier monte jusqu'au sommet d'où l'on profite d'une belle vue avant de descendre le versant nord qui mène à la jolie **Oval Beach**. Galeries et boutiques abondent le long de Water St et Butler St, tandis qu'un grand nombre de magasins d'antiquités jalonnent la Blue Star Hwy qui se dirige vers le sud sur 32 km. Des cultures de myrtilles, où l'on peut s'arrêter pour cueillir les fruits soi-même, bordent également ce tronçon de route.

Plusieurs B&B coquets facturant de 125 à 300 $ la nuit occupent des maisons victoriennes centenaires de Saugatuck. Essayez par exemple le **Bayside Inn** (☎269-857-4321 ; www.baysideinn.net ; 618 Water St ; ch petit-déj inclus 150-280 $; ☎) et ses 10 chambres installées dans un ancien hangar à bateaux. À Douglas, les cottages du sympathique et rétro **Pines Motorlodge** (☎269-857-5211 ; www.thepinesmotorlodge.com ; 56 Blue Star Hwy ; ch petit-déj inclus 129-189 $; ☎) se trouvent au milieu des sapins.

Le **Wicks Park Bar & Grill** (☎269-857-2888 ; www.wickspark.com ; 449 Water St ; plat 11-25 $; ◷11h30-22h), près du ferry à câble, sert de la perche sur fond de musique live. Les habitants du coin aiment s'attarder devant la bière maison de la **Saugatuck Brewing Company** (www.saugatuckbrewing.com ; 2948 Blue Star Hwy ; ◷11h-23h dim-jeu, 11h-24h ven-sam). En guise de dessert, accordez-vous une grosse part de tarte aux fruits chez **Crane's Pie Pantry** (☎269-561-2297 ; www.cranespiepantry.com ; 6054 124th Ave ; ◷9h-20h lun-sam, 11h-20h dim mai-oct, horaires réduits nov-avr), à Fennville, ou allez ramasser des pommes ou des pêches dans les vergers environnants. Pour cela, suivez la Blue Star Hwy vers le sud sur 5 km, puis la Hwy 89 vers l'intérieur des terres sur 6,5 km.

HOLLAND
À 18 km au nord de Saugatuck par l'US 31, Holland (www.holland.org) a tout du village néerlandais de carte postale, avec tulipes, moulins à vent et sabots. Il dissimule néanmoins une excellente brasserie, le **New Holland Brewing Company Pub** (www.newhollandbrew.com ; 66 E 8th St ; ◷à partir de 11h), où l'on peut boire une bière Dragon's Milk avant de se glisser dans les draps en fibres de bambou du **City Flats Hotel** (☎616-796-2100 ; www.cityflatshotel.com ; 61 E 7th St ; ch 119-219 $; ☎) tout proche et certifié écologique.

MUSKEGON ET LUDINGTON
Ces villes constituent le point d'embarquement de deux ferries permettant de gagner plus rapidement le Wisconsin depuis le Michigan. Le **Lake Express** (☎866-914-1010 ;

ⓘ CARTES DE RANDONNÉE

Le site Internet de **Michigan Trail Maps** (www.michigantrailmaps.com) rassemble une centaine de cartes de randonnée de grande qualité, consultables par comté, distance ou activité (ex : observation des oiseaux) et téléchargeables gratuitement. Pour l'instant, ces itinéraires couvrent uniquement la Lower Peninsula, mais ils devraient bientôt s'étendre à la Upper Peninsula.

www.lake-express.com ; ⊗mai-oct) traverse le lac entre Muskegon et Milwaukee (aller simple adulte/enfant/voiture 95/28/101 $, 2 heures 30). Le **SS Badger** (☎888-337-7948; www.ssbadger.com ; ⊗mi-mai à mi-oct), plus ancien, relie Ludington à Manitowoc (aller simple adulte/enfant/voiture 70/24/59 $, 4 heures).

Les villes elles-mêmes n'ont rien d'exceptionnel, quoi que le **Muskegon Luge & Sports Complex** (☎231-744-9629 ; www.msports.org ; 442 Scenic Dr) possède une vraie piste de luge praticable même en été ainsi que des pistes de ski de fond. Au bord du lac, le **Ludington State Park** (☎231-843-8671 ; empl de tente et camping-car 16-29 $, bungalows 45 $; ⊗toute l'année), sur la M-116 à la périphérie de la ville, figure parmi les parcs du Michigan les plus grands et les plus populaires, avec un réseau de sentiers de premier ordre, un phare restauré à visiter (on peut y loger comme gardien bénévole) et des kilomètres de plages.

SLEEPING BEAR DUNES NATIONAL LAKESHORE

Ce parc national se déploie du nord de Frankfort jusqu'à un peu avant Leland, sur la Leelanau Peninsula. Arrêtez-vous d'abord au **Visitor Center** (☎231-326-5134 ; www.nps.gov/slbe ; 9922 Front St ; ⊗8h30-18h juin-août, 8h30-16h sept-mai), à Empire, pour vous procurer informations, cartes des sentiers et permis pour votre véhicule (10/20 $ semaine/an).

Au nombre des attractions, citons l'ascension de la dune de 60 m de haut le long de la Hwy 109, qu'on dévale ensuite en courant. Les sportifs peuvent entreprendre le trek ardu d'une heure et demie jusqu'au lac Michigan (prévoir de l'eau) ou quantité de randonnées plus faciles ; renseignez-vous auprès du centre des visiteurs. Les autres se contenteront de parcourir les 11 km de la **Pierce Stocking Scenic Drive** à une voie, jalonnée d'aires de pique-nique dans les bosquets, pour profiter au mieux du splendide paysage lacustre. Après avoir quitté le parc, faites une halte dans le village de **Leland** (www.lelandmi.com) où vous attendent des restaurants au bord de l'eau et les pittoresques baraques en bois qui abritent les boutiques dans le quartier historique de Fishtown. De là, des bateaux lèvent l'ancre pour les Manitou Islands (voir l'encadré p. 522).

TRAVERSE CITY

Capitale de la cerise du Michigan et plus grande ville de la moitié nord de la Lower Peninsula, Traverse City demeure malgré son urbanisation croissante une base prisée pour découvrir les Sleeping Bear Dunes, les exploitations viticoles de Mission Peninsula, les vergers ouverts à la cueillette et autres centres d'intérêt de la région.

Arrêtez-vous d'abord au **Visitor Center** (☎231-947-1120 ; www.traversecity.com ; 101 W Grandview Pkwy ; ⊗9h-17h lun-ven, 9h-15h sam), qui distribue des cartes et la brochure des itinéraires gastronomiques (disponible en ligne à la rubrique *Things to Do*). Vous pouvez aussi vous adresser à **Learn Great Foods** (☎866-240-1650 ; www.learngreatfoods.com ; circuits 50-125 $), qui organise des circuits guidés, dont une visite hebdomadaire des fermes et établissements piscicoles de la Leelanau Peninsula incluant un dîner en plein air dans la verdure.

La tournée en voiture des exploitations viticoles est incontournable. De Traverse City, il suffit de suivre la Hwy 37 vers le nord pendant 32 km jusqu'au bout d'Old Mission Peninsula, plantée de vignes et de cerisiers. Vous aurez l'embarras du choix : **Chateau Grand Traverse** (www.cgtwines.com ; ⊗10h-19h lun-sam, 10h-18h dim) et **Chateau Chantal** (www.chateauchantal.com ; ⊗11h-20h lun-sam, 11h-17h dim) produisent un chardonnay et un pinot noir largement appréciés. **Peninsula Cellars** (www.peninsulacellars.com ; ⊗10h-18h), dans un vieux bâtiment d'école, produit des blancs de qualité et présente l'avantage d'être moins pris d'assaut. Ces adresses restent ouvertes toute l'année, mais de façon plus limitée en hiver. Quelle que soit la bouteille que vous aurez choisie, allez la déguster sur la plage du Lighthouse Park, à la pointe de la péninsule, les pieds dans l'eau.

Le **Traverse City Film Festival** (www.traversecityfilmfest.org ; ⊗fin juil), créé par le réalisateur Michael Moore, originaire du Michigan, donne lieu pendant six jours à des projections de documentaires et de films du monde entier.

Des dizaines de plages, de complexes hôteliers, de motels et d'enseignes de sports nautiques bordent l'US 31 autour de Traverse City. Les hébergements affichent souvent complet et pratiquent des prix plus élevés le week-end ; le centre des visiteurs fournit les adresses. La plupart des resorts donnant sur la baie facturent entre 150 et 250 $ la nuit. Les exploitations viticoles de Chateau Chantal et Chateau Grand Traverse, mentionnées plus haut, font également B&B et pratiquent les mêmes tarifs.

On peut louer des Jet-Skis et profiter de feux de camp nocturnes au **Park Shore Resort** (☑877-349-8898; www.parkshoreresort. com; 1401 US 31 N; ch petit-déj inclus en semaine/ le week-end à partir de 150/190 $; ❈❋❒). Les motels de l'autre côté de l'US 31 (en retrait du rivage) affichent des prix plus modérés, à l'image du **Mitchell Creek Inn** (☑231-947-9330; www.mitchellcreek.com; 894 Munson Ave; ch/cottages à partir de 60/125 $; ❒) près de la plage du parc d'État.

Après une journée passée au soleil, un bon sandwich chez **Folgarelli's** (☑231-941-7651; www.folgarellis.net; 424 W Front St; sandwich 6-9 $; ⏱9h30-18h30 lun-ven, 9h30-17h30 sam, 11h-16h dim) et une bière artisanale du Michigan au **7 Monks Taproom** (www.7monkstap.com; 128 S Union St) ne se refusent pas.

CHARLEVOIX ET PETOSKEY

Ces deux villes où la haute société du Michigan possède ses résidences d'été comportent des sites liés à Hemingway. Des restaurants et des boutiques haut de gamme se tiennent dans le centre, et des bateaux de plaisance mouillent dans la marina.

À Petoskey, le **Stafford's Perry Hotel** (☑231-347-4000; www.staffords.com; dans Lewis St; ch 129-259 $; ❈❒❒) offre un cadre historique grandiose. Au nord sur la Hwy 119, le **Petoskey State Park** (☑231-347-2311; 2475 Hwy 119; empl tente et camping-car 27-29 $; ⏱toute l'année) abrite une belle plage. Remarquez les pierres de Petoskey aux

VAUT LE DÉTOUR

MANITOU ISLANDS

Si vous recherchez un lieu sauvage, les Manitou Islands – qui dépendent du Sleeping Bear Dunes National Lakeshore – ne vous décevront pas. **Manitou Island Transit** (☑231-256-9061; www.manitoutransit.com) vous aidera à organiser un séjour d'une nuit en camping à North Manitou, ou une excursion dans la journée à South Manitou. Le kayak et la randonnée, en particulier le trek de 11 km jusqu'à la Valley of the Giants, une forêt de cèdres à South Manitou, font partie des activités populaires. Des **ferries** (aller-retour adulte/enfant 32/18 $, 1 heure 30) partent de Leland deux à sept fois par semaine de mai à mi-octobre.

motifs alvéolés qui sont en réalité des coraux fossilisés. À partir de cet endroit, la Hwy 119 prend le nom de **Tunnel of Trees Scenic Route** et se faufile à travers d'épaisses forêts le long d'un promontoire menant au détroit de Mackinac.

Détroit de Mackinac

Cette région située entre les deux péninsules de l'État se distingue par ses forteresses et ses boutiques de caramels mous (fudge). Exempte de voitures, Mackinac Island est la destination touristique phare du Michigan.

Le spectaculaire **Mackinac Bridge** (dit "Big Mac"), long de 8 km, enjambe le détroit. Cela vaut la peine de payer les 3,50 $ de péage pour admirer la vue exceptionnelle qui embrasse deux des Grands Lacs, deux péninsules et des centaines d'îles.

Mackinac se prononce *mak*-in-ow.

MACKINAW CITY

À l'extrémité sud du Mackinac Bridge, au bord de l'I-75, la ville touristique de Mackinaw City sert essentiellement de point d'embarquement pour Mackinac Island, mais compte néanmoins deux sites dignes d'intérêt.

À côté du pont (le centre des visiteurs se trouve en dessous) s'élève la reconstitution du **fort colonial Michilimackinac** (☑231-436-5564; www.mackinacparks.com; adulte/enfant 10,50/6,50 $; ⏱9h30-19h juin-août, 9h30-17h mai et sept à mi-oct) construits par les Français en 1715. À environ 5 km au sud-est de la ville, sur l'US 23, la **Historic Mill Creek** (☑231-436-4226; www.mackinacparks. com; adulte/enfant 8/4,75 $; ⏱9h-17h30 juin-août, 9h-16h30 mai et sept à mi-oct) abrite une scierie du XVIIIe siècle, des présentations consacrées à l'histoire et des sentiers nature. Il existe un billet combiné à prix réduit incluant aussi le fort Mackinac (ci-contre).

Si vous ne parvenez pas à dénicher un hébergement sur l'île, option à privilégier, rabattez-vous sur les motels de Mackinaw City à partir de 100 $ la nuit, dont le **Days Inn** (☑231-436-8961; www.daysinnbridgeview. com; 206 N Nicolet St; ch petit-déj inclus 115-170 $; ❈❒❒), qui se dressent le long de l'I-75 et de l'US 23.

ST IGNACE

À l'extrémité nord du Mackinac Bridge, St Ignace constitue un autre lieu d'embarquement pour Mackinac Island. Mission fondée en 1671 par le père Jacques Marquette, il s'agit de la deuxième ville la

SUR LES TRACES D'HEMINGWAY

Si d'autres écrivains ont des liens avec le nord-ouest du Michigan, aucun n'est aussi célèbre qu'Ernest Hemingway, qui passa les étés de sa jeunesse dans la maison de campagne familiale du lac Walloon. Des fans du romancier explorent souvent la région pour découvrir les lieux qui ont inspiré son œuvre.

Première étape : Horton Bay. En empruntant l'US 31 vers le nord via Charlevoix et ses bateaux de plaisance, guettez Boyne City Rd qui part en direction de l'est et contourne le lac Charlevoix pour rejoindre l'**Horton Bay General Store** (☎231-582-7827 ; www. hortonbaygeneralstore.com ; 05115 Boyne City Rd ; ☺fin mai-début sept), avec sa "fausse façade surélevée", qui figure dans la nouvelle *Up in Michigan*. Profitez-en pour faire un saut à la **Red Fox Inn Bookstore** (05156 Boyne City Rd ; ☺fin mai–début sept) voisine qui vend des livres et des souvenirs en relation avec l'écrivain.

Plus loin sur la Hwy 31, à Petoskey, la collection Hemingway du **Little Traverse History Museum** (☎231-347-2620 ; www.petoskeymuseum.org ; 100 Depot Ct ; adulte/ enfant 2/1 $; ☺10h-16h lun-ven, 13h-16h sam juin à mi-oct) comprend notamment des éditions originales dédicacées à un ami lors d'une visite en 1947. Après quoi, allez boire un verre au **City Park Grill** (☎231-347-0101 ; www.cityparkgrill.com ; 432 E Lake St ; ☺11h30-23h lun-ven, 11h30-24h sam-dim) dont l'écrivain était un habitué.

La **Michigan Hemingway Society** (www.michiganhemingwaysociety.org) vous renseignera sur les circuits autonomes. Elle organise aussi, le temps d'un week-end, le **festival Hemingway** (☺mi-oct).

plus ancienne du Michigan. Après le péage du pont, vous passerez devant un immense **Visitor Center** (☎906-643-6979 ; I-75N ; ☺8h-18h en été, 9h-17h le reste de l'année) qui dispense de nombreuses informations sur l'ensemble de l'État.

MACKINAC ISLAND
De Mackinaw City et de St Ignace, des ferries desservent Mackinac Island, principale curiosité du Michigan. La situation stratégique de cette île de 14,5 km², dans le détroit séparant le lac Michigan du lac Huron, en fit jadis un port précieux pour le commerce des fourrures en Amérique du Nord et un lieu que se disputèrent à maintes reprises Américains et Britanniques.

Dès 1898, les voitures furent interdites sur le territoire afin de favoriser le tourisme. Aujourd'hui, on circule à cheval ou à vélo et même la police patrouille en pédalant. Les foules de vacanciers – surnommées "Fudgies" par les insulaires – gâchent parfois le plaisir, surtout durant les week-ends d'été. Mais lorsque le dernier ferry a emporté le soir sa cargaison d'excursionnistes, le rythme ralentit et le charme opère.

Le **Visitor Center** (☎800-454-5227 ; www. mackinacisland.org ; Main St ; ☺9h-17h), situé près du quai du ferry Arnold Line, distribue des cartes détaillant les itinéraires de randonnée à pied et à vélo. L'île est à 80% un parc d'État. La plupart des sites et commerces ferment de novembre à avril.

◉ À voir et à faire
Longeant le rivage, la Hwy 185 est la seule route nationale du Michigan dépourvue de circulation automobile. Pour admirer le paysage somptueux de part et d'autre de ce plat ruban de 13 km, rien ne vaut le vélo (8 $/ heure dans de nombreux magasins).

On accède gratuitement à l'**Arch Rock**, une arche calcaire haute de 45 m au-dessus du Lac Huron, et à **Fort Holmes**, l'un des deux forts de l'île. L'itinéraire passe aussi par le **Grand Hotel** (nuit à partir de 235 $ par pers), doté d'une très longue terrasse à colonnes (non-résidents 10 $), qu'on peut se contenter de regarder de loin pour ne pas payer.

Fort Mackinac MONUMENT HISTORIQUE
(☎906-847-3328 ; www.mackinacparks.com ; adulte/enfant 10,50/6,50 $; ☺9h30-18h juin-août, 9h30-16h30 mai et sept à mi-oct ; ♿). Ce fort se dresse au sommet de falaises calcaires proches du centre. Édifié par les Britanniques en 1780, c'est l'un des ouvrages militaires les mieux préservés du pays. Des figurants en costume d'époque ainsi que des tirs de canons et de fusils (toutes les demi-heures) divertissent les enfants. Un salon de thé servant de quoi grignoter offre une vue magnifique sur le cœur de la ville et le détroit de Mackinac depuis ses tables dehors.

Le billet d'entrée donne accès à cinq autres musées dans Market St, dont le

Dr Beaumont Museum (où le célèbre chirurgien conduisit ses expériences sur l'appareil digestif) et le Benjamin Blacksmith Shop. Le **Mackinac Art Museum** (adulte/enfant 5/3,50 $), qui expose entre autres des objets d'art amérindiens, est le plus récent du lot.

🛏 Où se loger

Les chambres pour les week-ends d'été se réservent longtemps à l'avance. La haute saison s'étend de juillet à mi-août. Le site Internet du centre des visiteurs répertorie les lieux d'hébergement. Le camping est interdit partout dans l'île.

La majorité des hôtels et B&B facturent au moins 180 $ pour deux personnes. Les adresses qui suivent, toutes accessibles à pied depuis le centre-ville, font exception à la règle :

Bogan Lane Inn B&B $$
(☎906-847-3439 ; www.boganlaneinn.com ; Bogan Lane ; ch petit-déj inclus 85-125 $; ☉toute l'année ; ☺). Quatre chambres avec salle de bains commune.

Cloghaun B&B B&B $$
(☎906-847-3885 ; www.cloghaun.com ; Market St ; ch petit-déj inclus 110-195 $; ☉mi-mai à fin oct ; ☺☎). Onze chambres, dont certaines partagent une salle de bains.

Hart's B&B B&B $$
(☎906-847-3854 ; www.hartsmackinac.com ; Market St ; ch petit-déj inclus 150-180 $; ☉mi-mai à fin oct ; ✿☺). Huit chambres, toutes équipées d'une salle de bains individuelle.

🍴 Où se restaurer et prendre un verre

Difficile de résister aux boutiques de *fudge* (caramel mou) qui font la notoriété de l'île, surtout quand celles-ci utilisent des ventilateurs pour répandre leurs effluves sucrés dans Huron St. Les enseignes de hamburgers et de sandwichs abondent aussi dans le centre.

JL Beanery Coffeehouse CAFÉ $
(☎906-847-6533 ; Huron St ; plat 6-13 $; ☉7h-19h ; ☎). Parfait pour siroter une tasse de café fumante au bord de l'eau en feuilletant la presse. Petits-déjeuners, sandwichs et soupes également.

Horn's Bar HAMBURGERS, MEXICAIN $$
(☎906-847-6154 ; www.hornsbar.com ; Main St ; plat 10-19 $; ☉11h-2h). Hamburgers américains et plats mexicains, sur fond de musique live le soir.

Village Inn AMÉRICAIN $$$
(☎906-847-3542 ; www.viofmackinac.com ; Hoban St ; plat 18-23 $; ☉8h-22h). Un restaurant avec bar et terrasse, fréquenté toute l'année par une clientèle locale. Au menu : grand corégone à la planche, perche sautée et autres créatures fraîchement pêchées dans le lac, ainsi que des plats de pâtes.

ℹ Comment s'y rendre et circuler

Trois compagnie de ferries – Arnold Line (☎800-542-8528 ; www.arnoldline. com), **Shepler's** (☎800-828-6157 ; www.sheplersferry.com) et **Star Line** (☎800-638-9892 ; www.mackinacferry.com) – desservent Mackinac Island au départ de Mackinaw City et de St Ignace pour le même tarif (aller-retour adulte/enfant/vélo 22/11/8 $). Réserver en ligne permet d'économiser quelques dollars. Les bateaux assurent plusieurs traversées quotidiennes de mai à octobre, et plus longtemps dans le cas d'Arnold Line, si la météo le permet. Le trajet dure environ 15 minutes. Une fois sur l'île, des calèches vous conduisent n'importe où, et l'on peut louer des vélos.

Upper Peninsula

Sauvage et isolée, l'Upper Peninsula (UP, Péninsule supérieure), recouverte à 90% de forêts, figure parmi les destinations phares du Middle West. Une autoroute de 72 km seulement coupe à travers les arbres et une poignée de villes, dont Marquette (20 000 habitants) est la plus importante. Entre les petites localités, les rives vierges de constructions des lacs Huron, Michigan et Supérieur se déploient sur des kilomètres. Des routes panoramiques à deux voix complètent le tableau. Enfin, les visiteurs peuvent goûter la spécialité du cru, les *pasties* (tourtes à la viande et aux légumes), introduite par les mineurs de Cornouailles il y a 150 ans.

Le nord du Michigan diffère du reste de l'État. Ses habitants, les "Yoopers", se considèrent comme à part et ont même menacé par le passé de faire sécession.

SAULT STE MARIE ET TAHQUAMENON FALLS

Fondée en 1668, Sault Ste Marie (Sault se prononce sou) est la troisième ville la plus ancienne des États-Unis et la doyenne du Michigan. Elle se distingue par ses écluses qui permettent à des cargos de 300 m de naviguer entre les différents niveaux de lac. Le **Soo Locks Park & Visitors Center** (entrée libre ; ☉9h-21h mi-mai à mi-oct), dans le centre sur Portage Ave (prenez la sortie 394 sur l'I-75 et tournez à gauche), comporte des expositions, des vidéos et des plates-formes d'où l'on peut observer les bateaux qui franchissent une dénivellation de plus de 6 m pour passer du lac Supérieur au lac Huron. Des pubs et des cafés bordent l'avenue. Le **Sault CVB** (www.saultstemarie.com) vous renseignera.

À une heure de route à l'ouest de Sault Ste Marie par la Hwy 28 et la Hwy 123, les jolies **Tahquamenon Falls** doivent leur couleur brune aux cèdres, épicéas et sapins du Canada qui teintent l'eau en amont. Longues de 60 m et hautes de 15 m, les Upper Falls (chutes supérieures) du **Tahquamenon Falls State Park** (906-492-3415 ; 8 $ par véhicule) offrent un spectacle impressionnant – le poète Henry Wadsworth Longfellow (1807-1882) les mentionnent d'ailleurs dans *Le Chant de Hiawatha*. Les Lower Falls (chutes inférieures) se composent d'une série de petites cascades tourbillonnant autour d'une île, qu'on peut rejoindre à bord d'une barque de location. Le vaste parc d'État dispose d'aires de camping (empl tente et camping-car 16-23 $) et de beaux itinéraires de randonnée. Une microbrasserie jouxte l'entrée.

Au nord du parc, après la bourgade de Paradise, le passionnant **Great Lakes Shipwreck Museum** (888-492-3747 ; www.shipwreckmuseum.com ; 18335 N Whitefish Point Rd ; adulte/enfant 13/9 $; 10h-18h mai-oct) expose notamment des objets provenant d'épaves de bateaux. Des dizaines de vaisseaux, dont l'*Edmund Fitzgerald* chanté par le musicien folk canadien Gordon Lightfoot, ont coulé dans les couloirs de navigation encombrés et secoués par les tempêtes, ce qui a valu au secteur les surnoms de *Shipwreck Coast* ("côte des épaves") et de *Graveyard of the Great Lakes* ("cimetière des Grands Lacs"). Citons également la présence d'un phare érigé à la demande du président Abraham Lincoln et d'un observatoire ornithologique qui voit passer 300 espèces d'oiseaux. Pour profiter seul du site enveloppé de brouillard, logez sur place dans l'une des cinq chambres du **Whitefish Point Light Station B&B** (888-492-3747 ; ch 150 $; avr à mi-nov) qui occupe l'ancien bâtiment des garde-côtes.

PICTURED ROCKS NATIONAL LAKESHORE

Le long du lac Supérieur, le splendide **Pictured Rocks National Lakeshore** (www.nps.gov/piro) se compose de falaises et de grottes sauvages dont le grès rouge et jaune a été strié de bleu et de vert par les eaux chargées de minerais, formant un paysage rocheux bigarré. La Rte 58 (Alger County Rd) traverse le parc sur 84 km d'est en ouest, de **Grand Marais** à **Munising**, desservant dans l'ordre les sites suivants : le **Au Sable Point Lighthouse** (phare ; 5 km à pied aller-retour, en passant près d'épaves de navires), la **Twelvemile Beach** jonchée d'agates, les **Chapel Falls** propices à la randonnée et le **Miners Castle Overlook** (point de vue).

Plusieurs circuits en bateau partent de Munising. **Pictured Rock Cruises** (906-387-2379 ; www.picturedrocks.com ; 100 W City Park Dr ; circuit de 2 heures 30 adulte/enfant 35/10 $) opère depuis l'embarcadère du centre-ville et suit le rivage jusqu'à Miners Castle. **Shipwreck Tours** (906-387-4477 ; www.shipwrecktours.com ; 1204 Commercial St ; circuits de 2 heures adulte/enfant 30/12 $) utilise des embarcations à fond de verre permettant d'apercevoir les épaves.

Grand Island (www.grandislandmi.com), qui fait partie de la Hiawatha National Forest, se trouve aussi à une courte distance de Munising. Montez à bord du **Grand Island Ferry** (906-387-3503 ; aller-retour adulte/enfant 15/10 $; fin mai à mi-oct) pour rejoindre l'île et louez un VTT (25 $/jour) pour la parcourir. Autrement, il existe une formule organisée ferry/bus (22 $). L'embarcadère se situe sur la Hwy 28, à 6,5 km à l'ouest de Munising.

Munising abrite de nombreux motels, comme l'**Alger Falls Motel** (906-387-3536 ; www.algerfallsmotel.com ; E9427 Hwy 28 ; ch 50-70 $;), bien tenu. Le **Falling Rock Cafe & Bookstore** (906-387-3008 ; www.fallingrockcafe.com ; 104 E Munising Ave ; plat 5-9 $; 9h-20h dim-ven, 9h-22h sam ;) sert des sandwichs et programme de la musique live.

Loger dans la petite localité de Grand Marais, du côté est du parc, est également un bon choix. Le **Hilltop Cabins and Motel** (906-494-2331 ; www.hilltopcabins.net ; N14176 Ellen St ; ch et bungalows 75-150 $;) vous accueillera pour la nuit, après un sandwich au poisson et une bière à la rustique **Lake Superior Brewing Company** (906-494-2337 ; N14283 Lake Ave ; plat 7-13 $; 12h-23h).

MARQUETTE

De Munising, la Hwy 28 se dirige vers l'ouest en longeant la côte du lac Supérieur. Des plages, des parcs et des aires de repos émaillent cette superbe portion de route. Au bout de 72 km, on atteint Marquette, axée sur les activités de plein air et souvent enneigée.

Le **Visitor Center** (906-249-9066 ; www.marquettecountry.org ; 2201 US 41 ; 9h-17h)

MUSÉE INSOLITE

Venez voir Big Gus et Big Ernie, respectivement la plus grande tronçonneuse et la plus grande carabine du monde. Le kitch règne au **Da Yoopers Tourist Trap and Museum** (☎800-628-9978 ; www.dayoopers.com ; entrée libre ; ☉9h-19h lun-sam, 11h-18h dim, horaires variables selon la saison), à 24 km à l'ouest de Marquette sur la Hwy 28/41, après Ishpeming. La boutique du musée vend des cadeaux typiques de la région tels que cravates à motifs d'élans et carillons éoliens en canettes de bière.

en rondins fournit des brochures sur les sentiers de randonnée et les chutes d'eau des environs.

Accessibles depuis la County Rd 550 juste au nord de Marquette, le **Sugarloaf Mountain Trail**, facile, et le **Hogsback Mountain Trail**, plus ardu et sauvage, dévoilent des vues panoramiques. En ville, les hauts promontoires du **Presque Isle Park** offrent un cadre grandiose pour contempler le coucher du soleil. Quant au **Noquemanon Trail Network** (www.noquetrails.org), il se prête idéalement à la pratique du VTT et du ski de fond.

Marquette invite à se poser quelques jours pour explorer le centre de la Upper Peninsula. Les moins fortunés peuvent loger au **Value Host Motor Inn** (☎906-225-5000 ; www.valuehostmotorinn.com ; 1101 US 41 W ; ch petit-déj inclus 55-65 $; ❋☀), à quelques kilomètres à l'ouest. Dans le centre, le **Landmark Inn** (☎906-228-2580 ; www.thelandmarkinn.com ; 230 N Front St ; ch 139-229 $; ❋☀) prétendument hanté occupe un bâtiment ancien au bord du lac.

Jean Kay's Pasties & Subs (www.jeankayspasties.com ; 1635 Presque Isle Ave ; 4-6 $; ☉11h-21h lun-ven, 11h-20h sam-dim) prépare la spécialité du cru, des tourtes à la viande et aux légumes. Une baraque en tôle cylindrique au pied de Main St héberge la **Thill's Fish House** (☎906-226-9851 ; 250 E Main St ; 4-9 $; ☉8h-17h30 lun-ven, 8h-16h sam), dernière poissonnerie de Marquette, qui vend les prises du jour ; goûtez en particulier sa saucisse de poisson fumée. L'**UpFront and Company** (www.upfrontandcompany.com ; 102 E Main St ; plat 13-19 $; ☉11h-22h lun-ven, 14h-22h sam, fermé lun en hiver) sert des pizzas cuites au four à bois et des bières à la pression et offre de la musique live.

ISLE ROYALE NATIONAL PARK

Entièrement dépourvu de routes et de véhicules, l'**Isle Royale National Park** (www.nps.gov/isro ; 4 $/jour ; ☉mi-mai à oct), occupant une île de 544 km² sur le lac Supérieur, convient à tous ceux qui recherchent paix et tranquillité. Il accueille moins de touristes en une année que le parc de Yellowstone en un jour, ce qui veut dire que vous ne croiserez pas grand monde dans ses forêts peuplées de loups et d'élans.

Quelque 265 km de chemins de randonnées sillonnent le territoire, reliant entre eux des dizaines de campings donnant sur le lac Supérieur ou sur les lacs intérieurs de l'île. Pour cette expérience en pleine nature, il importe de prévoir tente, réchaud, sac de couchage, provisions et de quoi filtrer l'eau. Les moins aventureux pourront toutefois se rabattre sur le **Rock Harbor Lodge** (☎906-337-4993 ; www.isleroyaleresort.com ; cottages 229-254 $; ☉fin mai-début sept).

De l'embarcadère situé à l'extérieur du **bureau du parc** (800 E Lakeshore Dr) à Houghton, le **Ranger III** (☎906-482-0984) lève l'ancre à 9h les mardi et vendredi pour une traversée de 6 heures (aller-retour adulte/enfant 120/40 $) jusqu'à Rock Harbor, à l'extrémité est de l'île. **Royale Air Service** (☎877-359-4753 ; www.royaleairservice.com) assure des vols de 30 minutes entre le Houghton County Airport et Rock Harbor (aller-retour 290 $). Sinon, empruntez la belle route qui remonte la Keeenaw Peninsula sur 80 km jusqu'à Copper Harbor et embarquez à 8h sur l'**Isle Royale Queen** (☎906-289-4437 ; www.isleroyale.com) qui effectue une traversée de 3 heures (aller-retour adulte/enfant 130/65 $). Le bateau navigue quotidiennement en haute saison, de fin juillet à mi-août. Voyager à bord avec un kayak ou un canoë coûte un supplément de 40-50 $ aller-retour. Pensez à réserver longtemps à l'avance. On peut également gagner l'île au départ de Grand Portage, dans le Minnesota (p. 552).

PORCUPINE MOUNTAINS WILDERNESS STATE PARK

Autre trésor de la Upper Peninsula, le plus grand parc d'État du Michigan et ses 145 km de sentiers sont bien plus accessibles que l'Isle Royale. "The Porkies", comme on surnomme les Porcupine Mountains (ou montagnes du Porc-Épic), présentent un relief si accidenté que les bûcherons du début du XIXᵉ siècle contournèrent le massif, laissant intacte la plus vaste étendue de forêt vierge du pays entre les Rocheuses et les Adirondacks.

De Silver City, suivez la Hwy 107 vers l'ouest jusqu'au **Porcupine Mountains Visitors Center** (☎906-885-5275 ; www. porcupinemountains.com ; 412 S Boundary Rd ; ☺10h-18h mi-mai à mi-oct) qui délivre des permis pour les véhicules (8/29 $ jour/an) et des *backcountry permits* (permis de camping rustique ; 14 $/nuit pour 1-4 pers). Parcourez la route jusqu'au bout et gravissez 90 m pour admirer la perspective somptueuse sur le **Lake of the Clouds** (lac des Nuages).

L'hiver marque une période de forte activité, avec un dénivelé de 240 m pour le ski de descente et 42 km de pistes de ski de fond ; contactez le **domaine skiable** (☎906-289-4105 ; www.skitheporkies.com) au sujet des conditions et des tarifs.

Le parc loue des **cabins rustiques** (☎906-885-5275 ; www.mi.gov/porkies ; cabins 60 $) qui séduisent les Robinsons, car il faut marcher entre 1,5 et 6,5 km, faire bouillir son eau et utiliser des toilettes extérieures. Les **Sunshine Motel & Cabins** (☎906-884-2187 ; www.ontonagon.net/sun shinemotel ; 24077 Hwy 64 ; ch 60 $, cabins 66-104 $), 5 km à l'ouest d'Ontonagon, constituent un autre bon point de chute.

WISCONSIN

Le Wisconsin s'enorgueillit de fabriquer un quart de la production fromagère des États-Unis sous forme de cheddar, gouda et autres délices. Les plaques d'immatriculation locales arborent d'ailleurs fièrement la mention "The Dairy State" ("l'État laitier"). Les habitants se qualifient eux-mêmes de *cheeseheads* ("têtes de fromage") et les supporters de l'équipe de football des Green Bay Packers vont jusqu'à porter un couvre-chef en forme de part de fromage.

Si vous n'aimez pas les laitages, le Wisconsin possède bien d'autres charmes : falaises à pic et phares du Door County, sorties en kayak dans les grottes de l'Apostle Islands National Lakeshore et lancer de bouse de vache le long de l'US 12, sans oublier les brasseries, la vie artistique et les festivals de Milwaukee et de Madison.

❶ Renseignements
Travel Green Wisconsin (www. travelgreenwisconsin.com). Cet organisme de certification écologique note les établissements en fonction de plusieurs

LE WISCONSIN EN BREF

» **Surnoms :** Badger State ("État du Blaireau"), America's Dairyland ("Laiterie des États-Unis")

» **Population :** 5,7 millions d'habitants

» **Superficie :** 169 645 km²

» **Capitale :** Madison (223 400 habitants)

» **Autres villes :** Milwaukee (573 360 habitants)

» **TVA :** 5%

» **État de naissance de :** l'écrivaine Laura Ingalls Wilder (1867-1957), l'architecte Frank Lloyd Wright (1867-1959), la peintre Georgia O'Keeffe (1887-1986), l'acteur et réalisateur Orson Welles (1915-1985), le guitariste et inventeur Les Paul (1915-2009)

» **Abrite :** les supporters de football "Cheeseheads", des fermes laitières et des parcs aquatiques

» **Politique :** tendance démocrate

» **Célèbre pour :** les brasseries, les fromages artisanaux et la première législation concernant les droits des homosexuels

» **Danse officielle :** la polka

» **Distances par la route :** Milwaukee-Minneapolis : 540 km ; Milwaukee-Madison : 129 km

critères, dont la réduction des déchets et l'efficacité énergétique.

Wisconsin B&B Association (www.wbba.org). Recense les B&B de la région.

Wisconsin Department of Tourism (☎800-432-8747 ; www.travelwisconsin.com). Nombreux guides sur les oiseaux, le vélo, le golf, les routes de campagne, etc. Application gratuite pour Iphone.

Wisconsin Highway Conditions (☎511 ; www.511wi.gov). Renseigne sur l'état des routes.

Wisconsin Milk Marketing Board (www. eatwisconsincheese.com). Fournit une carte gratuite des producteurs de fromage de l'État intitulée *A Traveler's Guide to America's Dairyland*.

Wisconsin State Park Information (☎608-266-2181 ; www.wiparks.net). Il faut un permis pour entrer dans le parc avec un véhicule

LE WISCONSIN À VÉLO

Dans le Wisconsin, un nombre impressionnant de voies ferrées à l'abandon ont été converties en pistes cyclables goudronnées qui escaladent des collines, franchissent des ponts et tunnels et courent à travers les pâturages. Quelle que soit la partie de l'État où vous séjournez, il y a probablement un itinéraire plaisant à parcourir à vélo. Pour le connaître, renseignez-vous auprès du **Department of Tourism's Bike Path Directory** (www.travelwisconsin.com/bike_path_and_touring_directory.aspx).
Le **400 State Trail** (www.400statetrail.org) et l'**Elroy-Sparta Trail** (www.elroy-sparta-trail.com) arrivent en tête de liste.

On peut louer des vélos dans les villes et acheter des pass (4/20 \$ jour/an) dans les commerces du secteur ou à l'entrée des sentiers.

(10/35 \$ jour/an). Les emplacements de camping coûtent 12-25 \$; **réservations** (☑888-947-2757 ; www.wisconsinstateparks.reserveamerica.com ; 10 \$) acceptées.

Milwaukee

Certes, Milwaukee est agréable, mais tout le monde refuse de l'admettre. Pour une raison obscure, sa réputation de ville ouvrière où les brasseries côtoient les bowlings et les salles de polka semble perdurer. De nouvelles curiosités, comme le musée d'Art conçu par l'architecte Santiago Calatrava, le musée Harley-Davidson et les quartiers de boutiques et de restaurants élégants, ont pourtant transformé la plus grande agglomération du Wisconsin en lieu branché. En été, les festivités battent leur plein au bord du lac presque chaque week-end. Enfin, où ailleurs peut-on assister à une course dont les compétiteurs sont déguisés en saucisses ?

Histoire

Vers le milieu du XIXᵉ siècle, des immigrants allemands s'installèrent en masse à Milwaukee, où beaucoup ouvrirent de petites brasseries. Quelques décennies plus tard, l'introduction de procédés industriels fit de la production de bière une activité économique majeure. Dans les années 1880, la présence des entreprises Pabst, Schlitz,

Blatz, Miller et de 80 autres brasseries valurent à la ville les surnoms de "Brew City" ("Ville de la Brasserie") et "Nation's Watering Hole" ("Troquet de la Nation"). Aujourd'hui, il ne reste plus que Miller et quelques microbrasseries.

☉ À voir et à faire

Le lac Michigan, entouré d'espaces verts, s'étend à l'est de la ville. Dans le centre, le Riverwalk longe la Milwaukee River de part et d'autre.

Harley-Davidson Museum & Plant
MUSÉE, VISITE GUIDÉE

(☑877-436-8738 ; www.h-dmuseum.com ; 400 W Canal St ; adulte/enfant 16/10 \$; ☉9h-18h, 9h-20h jeu mai-oct, horaires réduits le reste de l'année). En 1903, deux camarades d'école, William Harley et Arthur Davidson, construisirent et vendirent à Milwaukee la première moto portant leurs noms. Un siècle plus tard, la marque fait la fierté nationale. Installé dans un vaste bâtiment industriel au sud du centre-ville, ce musée lui rend hommage à travers des centaines d'engins d'époques différentes, dont ceux d'Elvis et du cascadeur Evel Knievel. On peut en outre chevaucher plusieurs motos (au rez-de-chaussée derrière le Design Lab) et prendre une mini-leçon de conduite (près de l'entrée de devant). Pas besoin d'être motard soi-même pour apprécier.

Les mordus poursuivront l'expérience à l'**usine Harley-Davidson** (☑877-883-1450 ; www.harley-davidson.com ; W156 N9000 Pilgrim Rd ; visite gratuite de 30 min ; ☉9h-14h lun) dans la banlieue de Menomonee Falls, à 25 minutes de route au nord-ouest du centre-ville. Des circuits plus longs ont lieu les mercredis et vendredis dans le cadre d'une formule combinée, dont les billets sont en vente au musée (38 \$/pers, avec visite guidée, entrée du musée et trajet en bus entre les deux sites). Chaussures fermées obligatoires.

Milwaukee Art Museum
MUSÉE

(☑414-224-3200 ; www.mam.org ; 700 N Art Museum Dr ; adulte/enfant 14/12 \$; ☉10h-17h, 10h-20h jeu, fermé lun sept-mai ; ☏). Ce musée au bord du lac Michigan ne laisse personne indifférent, car le nouveau bâtiment signé Santiago Calatrava comporte des "ailes" qui s'ouvrent et se ferment tous les jours à 10h, à 12h et à l'heure de la clôture. Il expose des maîtres du XIXᵉ et XXᵉ siècles, notamment de l'art haïtien, des œuvres de l'expressionnisme allemand et une importante collection de peintures de Georgia O'Keeffe.

GRATUIT **Miller Brewing Company** VISITE GUIDÉE
(☎414-931-2337 ; www.millercoors.
com ; 4251 W State St ; ⊙10h30-15h30 lun-sam,
10h30-16h30 en été). Si Pabst et Schlitz ont
déménagé, Miller maintient la tradition
de la brasserie à Milwaukee. L'entreprise
organise des visites gratuites et même si
la bière industrielle n'est pas votre tasse
de thé, la taille de l'usine impressionne.
Vous découvrirez en particulier l'endroit
où l'on remplit 2 000 canettes à la minute
et l'entrepôt où 500 000 caisses attendent
d'être expédiées. La dégustation généreuse qui conclut le circuit comprend
trois verres. Pensez à apporter une pièce
d'identité.

Lakefront Brewery VISITE GUIDÉE
(☎414-372-8800 ; www.lakefrontbrewery.com ;
1872 N Commerce St ; visite d'une heure 7 $; ⊙lun-
dim). Sur l'autre rive en face de Brady St,
cette brasserie fort appréciée propose
des visites l'après-midi, mais mieux vaut
s'y rendre le vendredi soir pour déguster
16 sortes de bières et du poisson frit avec en
fond sonore un groupe de polka. Bien que
les horaires varient au cours de la semaine,
il y a d'ordinaire au moins un circuit à 14h
et à 15h.

Sprecher Brewing Company VISITE GUIDÉE
(☎414-964-2739 ; www.sprecherbrewery.com ;
701 W Glendale Ave ; 4 $; ⊙16h lun-ven, 12h-14h
sam-dim). Cette microbrasserie fort appréciée, à 10 km au nord du centre-ville, inclut
un musée rassemblant des souvenirs liés à
des fabricants de bière de Milwaukee depuis
longtemps disparus, et un *beer garden*
où résonnent les flonflons. Réservation
obligatoire.

Discovery World at Pier Wisconsin MUSÉE
(☎414-765-9966 ; www.discoveryworld.org ;
500 N Harbor Dr ; adulte/enfant 17/13 $;
⊙9h-17h mar-ven, 10h-17h sam-dim ; ♿).
Le musée des sciences et technologies
installé au bord du lac plaît surtout aux
enfants. Il comporte des aquariums d'eau

douce et d'eau de mer (où l'on peut toucher
des requins et des esturgeons), ainsi
qu'un trois-mâts à quai (5 $). Les adultes
préféreront quant à eux l'exposition
consacrée aux guitares et équipements de
sonorisation inventés par Les Paul, natif
du Wisconsin.

Lakefront Park PARC
L'espace vert qui borde le lac Michigan se
prête aux promenades à pied, à vélo ou en
rollers. Il abrite en outre Bradford Beach,
une plage pour la baignade et la détente.

🎉 Fêtes et festivals

Summerfest MUSIQUE
(www.summerfest.com ; pass journalier 15 $;
⊙fin juin-début juil). Qualifiée de "plus grand
festival de musique au monde", cette
manifestation réunit pendant 11 jours des
centaines de groupes de rock, blues, jazz,
country et musique alternative qui se
produisent sur dix scènes. Elle se déroule
dans le centre, au bord du lac, et met la ville
en effervescence.

D'autres événements festifs ont lieu en
ville durant certains week-ends d'été :

PrideFest CULTURE
(www.pridefest.com ; ⊙mi-juin). Célébration
de la communauté gay et lesbienne de la
ville.

Polish Fest CULTURE
(www.polishfest.org ; ⊙fin juin). Célébration
de l'héritage culturel polonais.

German Fest CULTURE
(www.germanfest.com ; ⊙fin juil). Célébration
de l'héritage culturel allemand.

Irish Fest CULTURE
(www.irishfest.com ; ⊙mi-août). Célébration
de l'héritage culturel irlandais.

🛏 Où se loger

Les prix indiqués ici concernent la haute
saison estivale, période durant laquelle il
est conseillé de réserver. Une taxe de 15,1%
vient s'y ajouter. Pour des enseignes de
chaînes hôtelières bon marché, direction
Howell Ave, au sud près de l'aéroport.

Comfort Inn &
Suites Downtown Lakeshore HÔTEL $$
(☎414-276-8800 ; www.choicehotels.com ; 916 E
State St ; ch petit-déj inclus 110-170 $; ▣❋🐾🎧🛜).
Vous croiserez dans cet établissement
proche du lac des groupes de musique indé
en tournée à Milwaukee. Chambres de style
moderne, buffet au petit-déjeuner et navette
à destination des sites. Parking : 10 $.

STATUE DE FONZIE

À en croire la rumeur, le **Bronze Fonz**
(du côté est du Riverwalk, dans le centre
au sud de Wells St) serait le monument
le plus photographié de Milwaukee.
Cette statue représente le rocker
Fonzie, alias Arthur Fonzarelli, l'un
des personnages de la série télévisée
Happy Days tournée ici dans les
années 1970.

County Clare Irish Inn HÔTEL **$$**
(☏414-272-5273 ; www.countyclare-inn.com ; 1234 N Astor St ; ch petit-déj inclus 129-179 $; P❋✿✿). Une autre bonne adresse près de la rive du lac, dont les chambres douillettes lambrissées de blanc, avec lits à baldaquin et baignoire à remous, évoque un cottage irlandais. Parking gratuit et pub servant de la Guinness.

Iron Horse Hotel HÔTEL **$$$**
(☏888-543-4766 ; www.theironhorsehotel.com ; 500 W Florida St ; ch à partir de 189-259 $; P❋✿). Ce *boutique hotel* à proximité du musée Harley-Davidson s'adresse aux passionnés de moto, qui peuvent garer leur engin dans son parking couvert. Les chambres de type loft conservent pour la plupart les poutres et briques apparentes de l'ancienne fabrique de literie qu'elles occupent. Parking : 25 $.

Aloft HÔTEL **$$**
(☏414-226-0122 ; www.aloftmilwaukeedowntown. com ; 1230 Old World Third St ; ch 129-179 $; P❋❋✿✿). L'endroit à l'allure compacte et industrielle caractéristique de la chaîne auquel il appartient. Sa situation en retrait du rivage le rend peu pratique pour ceux qui souhaitent profiter des manifestations estivales, mais il se tient à proximité des bars animés (et bruyants) d'Old World Third St et de Water St. Parking : 23 $.

✗ Où se restaurer

Il existe en ville plusieurs lieux concentrant des restaurants : N Old World 3rd St, dans le centre, pour la cuisine germanique ; l'East Side à la mode, près de l'université du Wisconsin-Milwaukee ; les tables italiennes branchées de Brady St, près du croisement avec N Farwell Ave, et les pubs gastronomiques de Third Ward, le long de N Milwaukee St au sud de l'I-94.

Une tradition conviviale très observée dans le Wisconsin veut qu'on fasse le vendredi soir un repas de poisson frit. Rendez-vous pour cela à la Lakefront Brewery (voir p. 529), où des bières artisanales et un groupe de polka accompagnent la nourriture.

Milwaukee a aussi comme spécialité la *frozen custard*, une riche et mœlleuse crème glacée aux œufs, dont **Leon's** (www. leonsfrozencustard.us ; 3131 S 27th St ; ☉11h-24h) et **Kopp's** (www.kopps.com ; 5373 N Port Washington Rd, Glendale ; ☉10h30-23h30) sont deux fournisseurs réputés.

Roots Restaurant and Cellar AMÉRICAIN **$$$**
(☏414-374-8480 ; www.rootsmilwaukee.com ; 1818 N Hubbard St ; plats légers 8-15 $, plat 19-36 $; ☉17h-21h lun-jeu, 17h-22h ven-sam, 10h-14h et 17h-21h dim ; ✿). Sur la rive en face de Brady St, cette adresse, membre du label Slow Food USA, présente deux options : une élégante salle à l'étage où l'on déguste des mets comme le tilapia grillé au soja, et un espace en bas qui propose des plats plus légers tels que le *corn dog* à la saucisse de fruits de mer. La terrasse avec vue est parfaite pour siroter un cocktail.

Distil AMÉRICAIN **$$**
(☏414-220-9411 ; www.distilmilwaukee.com ; 722 N Milwaukee St ; plat 10-20 $; ☉à partir de 17h lun-sam). Sombre et cuivré, Distil n'utilise que des produits fermiers. La carte met l'accent sur le fromage et la charcuterie, sans oublier les hamburgers dont la viande provient du cheptel du patron. Pour arroser le tout, les barmen experts concoctent des cocktails baptisés Corpse Revivers ("qui ranime les cadavres") ou Sidecars.

Milwaukee Public Market MARCHÉ **$**
(www.milwaukeepublicmarket.org ; 400 N Water St ; ☉10h-20h lun-ven, 8h-19h sam, 10h-18h dim ; ✿). Ce marché de Third Ward vend essentiellement des denrées alimentaires préparées (fromages, chocolat, bière, *frozen custard*...). Des tables, une connexion Wi-Fi gratuite et des livres d'occasion à 1 $ vous attendent en haut.

☕ Où prendre un verre et sortir

Bars
On trouve plusieurs bars à bière dans le centre autour de N Water St et d'E State St, dans Third Ward et sur Brady St, entre

---

LA CAPITALE AMÉRICAINE DU BOWLING

Puisque vous êtes à Milwaukee, vous n'y couperez pas. La ville comptait autrefois plus de 200 bowlings, dont beaucoup se cachent encore dans de vieux troquets usés par le temps. Allez tester votre dextérité aux **Landmark Lanes** (www.landmarklanes.com ; 2220 N Farwell Ave ; parties 2,50-3,50 $; ☉17h-1h30 lun-jeu, 12h-1h30 ven-dim ; ✿), sur ses 16 pistes évoquant un autre âge situées à l'intérieur de l'Oriental Theater datant de 1927. Une salle de jeux vidéo et trois bars servant de la bière très bon marché complètent l'ensemble.

Astor St et Farwell St. Ils restent ouverts jusqu'à 2h.

♥ Palm Tavern
BAR

(2989 S Kinnickinnic Ave ; ⊙à partir de 17h lun-sam, à partir de 19h dim). Dans le rafraîchissant quartier sud de Bay View, ce petit bar jazzy chaleureux décline un énorme choix de bières, belges en particulier, et de whiskys single malt.

Von Trier
BAR

(www.vontriers.com ; 2235 N Farwell Ave). Une aubaine que ce bar allemand établi de longue date et doté d'un *biergarten*. Nombreuses bières à la pression savoureuses et pop-corn offert gracieusement.

Kochanski's Concertina Beer Hall
BAR

(www.beer-hall.com ; 1920 S 37th St ; ⊙mer-dim ; 🕾). Un lieu kitch à 8 km au sud-ouest du centre-ville, où les amateurs de bière boivent de la Schlitz, des pressions polonaises et des marques artisanales du Wisconsin.

Sports
Miller Park
BASE-BALL

(www.milwaukeebrewers.com ; 1 Brewers Way). L'équipe de base-ball des Brewers joue au Miller Park, près de S 46th St, qui possède un toit escamotable et une vraie pelouse.

Bradley Center
BASKET

(www.nba.com/bucks ; 1001 N 4th St). Le fief des Milwaukee Bucks de la NBA.

❶ Renseignements
Accès Internet
Le quartier de l'East Side, près de l'université du Wisconsin-Milwaukee, abrite plusieurs cafés avec Wi-Fi gratuit.

Médias
Milwaukee Journal Sentinel (www.jsonline. com). Quotidien de la ville.

Quest (www.quest-online.com). Magazine gay et lesbien de divertissements.

Shepherd Express (www.expressmilwaukee. com). Hebdomadaire gratuit alternatif.

Office du tourisme
Milwaukee Convention & Visitors Bureau (☑800-554-1448 ; www.visitmilwaukee.org)

Sites Internet
On Milwaukee (www.onmilwaukee.com). Circulation, météo, restaurants et spectacles.

Urgences et services médicaux
Froedtert Hospital (☑414-805-3000 ; 9200 W Wisconsin Ave)

❶ Comment s'y rendre et circuler

L'aéroport international General Mitchell (MKE ; www.mitchellairport.com) se situe à 13 km au sud du centre-ville. Prenez le bus 80 (2,25 $) ou un taxi (30 $).

Le ferry Lake Express (☑866-914-1010 ; www.lake-express.com) part d'un terminal à quelques kilomètres au sud du centre pour Muskegon (Michigan), permettant ainsi un accès facile aux plages de la Gold Coast. Voir détails p. 520.

Greyhound (☑414-272-2156 ; 433 W St Paul Ave) assure des liaisons fréquentes avec Chicago (2 heures) et Minneapolis (7 heures). **Badger Bus** (☑414-276-7490 ; www.badgerbus. com ; 635 N James Lovell St) se rend à Madison (19 $, 2 heures). **Megabus** (www.megabus.com/ us) propose des bus express à destination de Chicago (2 heures) et Minneapolis (6 heures), à des tarifs souvent plus bas que Greyhound.

Le train *Hiawatha* d'**Amtrak** (☑414-271-0840 ; 433 W St Paul Ave) rallie Chicago (22 $, 1 heure 30) 7 fois par jour depuis la gare, qu'il partage avec Greyhound, ou l'aéroport.

Le **Milwaukee County Transit System** (www. ridemcts.com ; 2,25 $) exploite le réseau des bus locaux. Le n°31 dessert Miller Brewery, le n°90 Miller Park.

Pour commander un taxi, appelez **Yellow Cab** (☑414-271-1800).

Madison
Madison accumule les titres de gloire : ville la plus praticable à pied et à vélo, la plus végétarienne, la plus *gay friendly*, la plus écolo et, pour couronner le tout, la plus accueillante des États-Unis. Installée sur un isthme étroit entre le Mendota Lake et le Monona Lake, elle combine les attraits d'une petite capitale d'État verdoyante à ceux d'un pôle universitaire. Enfin, elle fait preuve depuis des années d'un véritable engouement pour la gastronomie et les produits locaux.

❹ À voir et à faire
State St relie le capitole à l'université du Wisconsin, à l'ouest. Des cafés équitables, des vélos stationnés et des boutiques babas cool aux relents d'encens jalonnent cette longue avenue.

▱ Dane County Farmers Market
MARCHÉ FERMIER

(www.dcfm.org ; Capitol Sq ; ⊙6h-14h sam, fin avr-début nov). L'un des plus vastes marchés d'alimentation du pays, réputé pour ses fromages artisanaux, envahit Capitol Sq le samedi. Toutes les denrées présentes sur ses 150 étals sont produites localement.

GRATUIT State Capitol
CAPITOLE

(☎608-266-0382 ; ⊙8h-18h lun-ven, jusqu'à 16h sam-dim). Le bâtiment en forme de X du capitole, le plus imposant après celui de Washington, marque le cœur de la ville. Des visites guidées ont lieu chaque heure presque tous les jours. Sinon, on peut monter seul jusqu'à la plate-forme d'observation pour admirer la vue. Récemment, l'édifice a été le théâtre d'importantes manifestations opposant les démocrates de l'État aux républicains.

GRATUIT Madison Museum of Contemporary Art
MUSÉE

(☎608-257-0158 ; www.mmoca.org ; 227 State St ; ⊙12h-17h mar-jeu, 12h-20h ven, 10h-20h sam, 12h-17h dim). Ce musée à la façade vitrée réunit des œuvres de Diego Rivera, Claes Oldenburg et Cindy Sherman, pour n'en citer que quelques-uns. Il organise aussi plusieurs expositions temporaires chaque année. Doté d'un jardin sur le toit et d'un bar à cocktails, il communique par ailleurs avec l'**Overture Center for the Arts** (www.overturecenter.com ; 201 State St), qui programme du jazz, de l'opéra, de la danse et autres arts de la scène.

Machinery Row
VÉLO

(☎608-442-5974 ; www.machineryrowbicycles. com ; 601 Williamson St ; location 20 $/j ; ⊙9h-21h lu-ven, jusqu'à 19h sam, 10h-19h dim)). Il serait dommage de quitter Madison sans avoir profité de ses 193 km de voies cyclables. Cette boutique proche de l'auberge de jeunesse et de plusieurs départs de sentier fournit cartes et vélos.

Rutabaga Paddlesports
SPORTS NAUTIQUES

(☎608-223-9300 ; www.rutabaga.com ; 220 W Broadway ; location 25/40 $ demi-journée/journée ; ⊙10h-20h lun-ven, 10h-18h sam, 11h-17h dim). À 8 km au sud-est de Capitol Sq, juste au bord de l'eau, vous pourrez louer un canoë ou un kayak pour parcourir les lacs.

GRATUIT Arboretum
JARDINS

(☎608-263-7888 ; http://uwarboretum. org ; 1207 Seminole Hwy ; ⊙7h-22h). D'une superficie de 510 ha, l'arboretum du campus foisonne de lilas.

✵ Fêtes et festivals

GRATUIT World's Largest Brat Fest
GASTRONOMIE

(www.bratfest.com ; ⊙fin mai). Lors de cette fête célébrée le week-end de Memorial Day (dernier lundi de mai), 208 000 *bratwursts* (saucisses allemandes) passent au gril sur fond de manèges et de musique live.

Great Taste of the Midwest Beer Festival
FÊTE DE LA BIÈRE

(www.mhtg.org ; 50 $; ⊙début août). Les billets pour assister à cette foire qui rassemble 120 brasseries artisanales se vendent comme des petits pains.

🛏 Où se loger

Des motels économiques se tiennent en retrait de l'I-90/I-94 (à 9,5 km du centre-ville), près de la Hwy 12/18 et le long de Washington Ave.

♥ Arbor House
B&B $$

(☎608-238-2981 ; www.arbor-house.com ; 3402 Monroe St ; ch petit-déj inclus en semaine 110-175 $, le week-end 150-230 $; 🛜). À 5 km au sud-ouest du capitole, cette ancienne taverne du milieu du XIXᵉ siècle a été transformée en un B&B écologique qui utilise notamment l'énergie éolienne et propose un petit-déjeuner végétarien. L'endroit est desservi par les transports publics. Les propriétaires prêtent des VTT.

HI Madison Hostel
AUBERGE DE JEUNESSE $

(☎608-441-0144 ; www.hiusa.org/madison ; 141 S Butler St ; dort 22-27 $, ch 57 $; 🅿@🛜). Cette maison en brique peinte de couleurs vives se dresse dans une rue tranquille à une courte distance à pied du capitole. Elle comprend 33 lits dans des dortoirs non mixtes et fournit gratuitement les draps. Un restaurant costaricain occupe le rez-de-chaussée. Parking : 7 $.

University Inn
HÔTEL $$

(☎608-285-8040, 800-279-4881 ; www. universityinn.org ; 441 N Frances St ; ch 89-129 $; 🅿✳@🛜). Bien que correctes, les chambres n'ont rien de particulier. Le principal atout du lieu réside dans sa situation pratique à côté de State St et de l'animation universitaire. Tarifs plus élevés le week-end.

✕ Où se restaurer et prendre un verre

Tout un éventail de restaurants, souvent pourvus d'une agréable terrasse, ponctuent State St entre les pizzerias, sandwicheries et pubs bon marché. Williamson ("Willy") St regroupe pour sa part des cafés, des enseignes de raviolis chinois et des tables laotiennes ou thaïlandaises. Les bars ferment à 2h. Le journal gratuit **Isthmus** (www.thedailypage.com) répertorie les sorties.

The Old Fashioned AMÉRICAIN **$$**
(📞608-310-4545 ; www.theoldfashioned.
com ; 23 N Pinckney St ; plat 8-16 $; ⊘7h30-22h30
lun-mar, 7h30-2h mer-ven, 9h-2h sam, 9h-22h
dim). Avec son décor en bois sombre, l'Old
Fashioned évoque ces petits restaurants
nocturnes où l'on danse après avoir assisté
à un spectacle, un genre d'établissement
rétro courant dans le nord du Middle West.
La carte ne comporte que des spécialités du
Wisconsin, telles que *walleye* (doré jaune),
soupe au fromage et saucisses. Il y a même
des plateaux garnis. Plutôt qu'une des
150 bières du cru en bouteille, choisissez un
assortiment (4 ou 8 petits verres) parmi les
30 bières à la pression du Wisconsin.

Graze & L'Etoile AMÉRICAIN **$$$**
(📞608-251-0500 ; www.letoile-restaurant.
com ; 1 S Pinckney St ; plats de pub 16-22 $, plats
de restaurant 29-42 $; ⊘pub : petit-déj, déj et
dîner lun-sam, brunch dim, restaurant : dîner
lun-sam). Pionnière du mouvement Slow
Food, Odessa Piper a servi pendant 30 ans
à l'Etoile des repas dont les produits
arrivaient directement de la ferme.
Aujourd'hui, le chef Tory Miller cuisine
à base d'ingrédients de saison en provenance du marché de producteurs. Il dirige
aussi Graze, le pub gastronomique voisin,
qui mitonne des classiques réconfortants
(poulet frit et gaufres, moules-frites,
hamburgers).

VAUT LE DÉTOUR

UN DÉTOUR INSOLITE PAR L'US 12

Les abords de l'US 12 au nord de Madison recèlent des sites et accueillent des
manifestations sortant de l'ordinaire, qui peuvent facilement faire l'objet d'une journée
d'excursion.

À l'ouest de la ville en prenant University Ave, arrêtez-vous d'abord au **National
Mustard Museum** (📞800-438-6878 ; www.mustardmuseum.com ; 7477 Hubbard Ave ;
entrée libre ; ⊘10h-17h), dans la banlieue de Middleton. Né de la passion dévorante
d'un homme, ce musée renferme 5 200 objets en relation avec la moutarde et les
condiments. L'ironie règne, surtout si le fondateur et conservateur du lieu Barry
Levenson est là pour assurer l'animation.

Environ 32 km plus loin sur l'US 12, la ville de Prairie du Sac accueille chaque année
le **Cow Chip Throw** (www.wiscowchip.com ; entrée libre ; ⊘1er week-end de sept), au cours
duquel 800 concurrents s'affrontent au lancer de bouse de vache séchée (record
75,6 m).

Onze kilomètres plus loin vous attend le **Dr Evermor's Sculpture Park** (www.
worldofevermor.com ; entrée libre ; ⊘9h-17h lun et jeu-sam, 12h-17h dim). Dans ce parc,
le docteur éponyme a soudé ensemble de vieux tuyaux, carburateurs et autres
éléments métalliques de récupération pour créer un monde hallucinant d'animaux
fantasmagoriques et de structures futuristes. Le gigantesque *Forevertron* coiffé d'un
bulbe, autrefois cité dans le *Guinness des Records* comme la plus grande sculpture
en ferraille du monde, constitue la pièce maîtresse. Pour trouver l'entrée, repérez le
Badger Army Ammunition Plant (usine de munitions), puis le petit panneau indiquant
une allée de l'autre côté de la rue.

Baraboo, à 72 km au nord-ouest de Madison, fut jadis le lieu de résidence estival
du cirque Ringling Brothers. Le **Circus World Museum** (📞608-356-8341 ; www.
wisconsinhistory.org/circusworld ; 550 Water St ; adulte/enfant en été 15/8 $, en hiver
7/3,50 $; ⊘9h-18h en été, horaires réduits en hiver ; 👶) expose une collection de
roulottes, d'affiches et d'équipements illustrant avec nostalgie l'âge d'or de ce
grand chapiteau. Numéros de clowns et d'acrobates et dressage en été.

Poursuivez vers le nord pendant 19 km pour rejoindre le **Wisconsin Dells** (📞800-
223-3557 ; www.wisdells.com ; 👶), un méga-complexe de loisirs plutôt kitch comprenant
21 parcs aquatiques, des spectacles de cascades à ski nautique et des super-minigolfs.
L'ensemble offre un contraste saisissant avec la beauté naturelle des formations
calcaires alentour, sculptées par la Wisconsin River. Pour découvrir ce cadre naturel,
effectuez une promenade en bateau ou une randonnée dans le Mirror Lake State Park
ou le Devil's Lake State Park.

Food Trucks
CAMIONS DE RESTAURATION **$**
(Plat 1-8 $; ☒). Madison compte un parc de camions de restauration impressionnant. Les plus classiques – qui proposent grillades au barbecue, *burritos*, cuisine du sud-ouest des États-Unis et plats chinois – stationnent autour du capitole, notamment à l'angle de King St. Pour des mets plus inhabituels – d'Afrique de l'Est, jamaïcains, indonésiens, végétaliens – rendez-vous en bas de State St, à côté du campus.

Himal Chuli
NÉPALAIS **$$**
(☒608-251-9225 ; 318 State St ; plat 8-15 $; ☺11h-21h lun-jeu, 11h-22h ven-sam, 12h-20h dim ; ☒). Gai et cosy, le Himal Chuli mitonne des plats népalais maison, dont nombre de recettes végétariennes.

Ian's Pizza
PIZZERIA **$**
(☒608-257-9248 ; www.ianspizza.com ; 115 State St ; part 3,50 $; ☺11h-2h). Les parts de pizza recouvertes de macaronis et de fromage, de guacamole, de poulet au barbecue et d'une vingtaine d'autres garnitures s'arrachent, surtout le soir.

Memorial Union
AMÉRICAIN
(www.union.wisc.edu/venue-muterrace.htm ; 800 Langdon St). Sur le campus, la terrasse du Memorial Union au bord du Mendota Lake constitue le grand lieu de rassemblement de Madison. On y vient pour boire des bières artisanales, écouter de la musique live et, le mardi soir, voir gratuitement des films. Un glacier vend même des crèmes glacées dont la matière première provient de la laiterie de l'université.

🛍 Achats

🏷 **Fromagination** (☒608-255-2430 ; www.fromagination.com ; 12 S Carroll St ; ☺9h30-18h lun-ven, 9h-16h sam) a pour spécialité les fromages locaux fabriqués en quantité limitée et difficiles à trouver. Si vous manquez le marché du samedi, sachez que beaucoup des mêmes produits sont présents ici. Goûtez en particulier les *cheese curds* (morceaux de fromage panés et frits) à la texture caoutchouteuse.

ℹ Renseignements

Madison Convention & Visitors Bureau (www.visitmadison.com)

ℹ Comment s'y rendre et circuler

Depuis Memorial Union, **Badger Bus** (www.badgerbus.com) dessert Milwaukee (19 $, 2 heures) et **Megabus** (www.megabus.com/us), Chicago (4 heures) et Minneapolis (4 heures 30).

Taliesin et le sud du Wisconsin

Ce coin du Wisconsin possède l'un des plus jolis paysages de l'État, particulièrement dans sa partie sud-ouest vallonnée. Les amateurs d'architecture se précipiteront à Taliesin, la résidence d'été de Frank Lloyd Wright, et à Racine, qui abrite deux autres réalisations de ce dernier. Les laiteries de la région produisent des fromages en abondance.

RACINE
Ville industrielle ordinaire à 48 km au sud de Milwaukee, Racine vaut le détour pour ses deux édifices conçus par Frank Lloyd Wright (1867-1959), qui font chacun l'objet d'une visite guidée gratuite de 45 minutes sur réservation. Le **Johnson Wax Company Administration Building** (☒262-260-2154 ; 1525 Howe St ; entrée libre ; ☺visites guidées 11h45 et 12h45 ven, 12h sam), de 1939, présente un magnifique espace intérieur rythmé par de hautes colonnes évasées. En bordure de lac, **Wingspread** (☒262-681-3353 ; www.johnsonfdn.org ; 33 E Four Mile Rd ; entrée libre ; ☺9h30-14h30 mar-ven) est la dernière et la plus vaste des Prairie Houses de l'architecte.

GREEN COUNTY
Cette région pastorale compte la plus forte concentration de fabricants de fromages du pays, avec lesquels **Green County Tourism** (www.greencounty.org) vous mettra en contact. Commencez par Monroe et laissez votre nez vous guider jusqu'à **Roth Käse** (657 Second St ; ☺9h-18h lun-ven, 10h-17h sam-dim), où l'on peut observer les étapes de la production du haut d'une plate-forme (le matin en semaine uniquement) et farfouiller dans la "caisse aux bonnes affaires" en quête d'un morceau appétissant. Mordez ensuite dans un sandwich au *limburger* et aux oignons crus chez **Baumgartner's** (www.baumgartnercheese.com ; 1023 Sixteenth Ave ; sandwich 4-7 $; ☺8h-23h), une vieille taverne suisse sur la place de la bourgade. Le soir, détendez-vous devant un film au drive-in local, avant d'aller dormir à l'**Inn Serendipity** (☒608-329-7056 ; www.innserendipity.com ; 7843 County Rd P ; ch petit-déj inclus 110-125 $), un B&B alimenté à l'énergie solaire et éolienne, sur le domaine d'une ferme bio de 2 ha à Browntown, à 16 km à l'ouest de Monroe.

Pour en savoir plus sur les producteurs de fromages et les visites de fabriques, procurez-vous la carte **A Traveler's Guide to America's Dairyland** (www.eatwisconsincheese.com).

RÉGION DES GRANDS LACS WISCONSIN

SPRING GREEN

À 64 km à l'ouest de Madison et 5 km au sud de la petite ville de Spring Green, **Taliesin** fut la résidence de Frank Lloyd Wright pendant presque toute sa vie et le siège de son école d'architecture. Beaucoup de gens viennent aujourd'hui l'admirer. La maison date de 1903, la Hillside Home School de 1932 et le **Visitor Center** (⊘608-588-7900 ; www.taliesinpreservation.org ; Hwy 23 ; ⊘9h-17h30 mai-oct) de 1953. Un large éventail de circuits guidés (16-80 $) couvrent différentes parties du complexe ; réservez à l'avance pour les plus longs. Le Hillside Tour (16 $, 1 heure) constitue une bonne introduction à l'œuvre du grand architecte.

À quelques kilomètres au sud de Taliesin, la **House on the Rock** (⊘608-935-3639 ; www.thehouseontherock.com ; 5754 Hwy 23 ; adulte/enfant 12,50/7,50 $; ⊘9h-18h mai-août, 9h-17h le reste de l'année, fermé mar-jeu nov-avr), l'une des attractions les plus fréquentées du Wisconsin, fut édifiée en 1959 par Alex Jordan (pour braver son voisin Frank Lloyd Wright, selon certains) au sommet d'un piton rocheux. Elle est remplie d'objets extravagants : le plus grand carrousel du monde, des machines musicales vrombissantes, des poupées bizarres et de l'art populaire délirant. La maison se divise en deux sections, à découvrir chacune dans le cadre d'un circuit guidé différent. Si vous avez de l'énergie et environ 4 heures devant vous, vous pourrez voir l'ensemble moyennant 28,50 $ (enfant 15,50 $).

Il existe un B&B à Spring Green et six motels sur la Hwy 14 au nord de la ville. Le petit **Usonian Inn** (⊘877-876-6426 ; www.usonianinn.com ; E 5116 Hwy 14 ; ch 85-135 $; ⊕✳🛜) a été dessiné par un élève de Wright. Pour d'autres adresses, consultez le site www.springgreen.com.

Le **Spring Green General Store** (www.springgreengeneralstore.com ; 137 S Albany St ; plat 5-7 $; ⊘9h-18h lun-ven, 8h-18h sam, 8h-16h dim) propose des sandwichs et des plats du jour créatifs comme le ragoût de patates douces.

L'**American Players Theatre** (⊘608-588-2361 ; www.playinthewoods.org) joue des pièces classiques dans un amphithéâtre en plein air au bord de la Wisconsin River.

Le long du Mississippi

Dessinant en grande partie la frontière ouest du Wisconsin, le Mississippi est longé par des tronçons particulièrement pittoresques de la **Great River Road** (www.wigreatriverroad.org) qui suit le fleuve du Minnesota au golfe du Mexique.

De Madison, empruntez l'US 18 en direction de l'ouest pour rejoindre la River Road (Hwy 35) à **Prairie du Chien**. Au nord de la ville, les berges vallonnées passent par le site où se déroula l'affrontement final de la sanglante guerre de Black Hawk (1882). Des panneaux retracent la bataille de Bad Axe qui se traduisit par le massacre d'hommes, de femmes et d'enfants amérindiens qui tentaient de fuir en franchissant le fleuve.

À Genoa, la Hwy 56 s'enfonce dans l'arrière-pays sur 32 km jusqu'à la charmante bourgade de **Viroqua** (www.viroquatourism.com), haut lieu de la pêche à la truite, entourée de fermes bio et de granges rondes caractéristiques. Faites un saut à la **Viroqua Food Cooperative** (www.viroquafood.coop ; 609 Main St ; ⊘7h-21h lun-sam, 9h-20h dim) pour rencontrer des agriculteurs et goûter leurs produits.

Le long du Mississippi, 29 km en amont, le centre historique de **La Crosse** (www.explorelacrosse.com) abrite des restaurants et des pubs. À l'est, la mesa baptisée Grandad Bluff dévoile une vue grandiose sur le fleuve ; montez dans Bliss Rd, le prolongement de Main St, et tournez à droite dans Grandad Bluff Rd. En ville, le **plus grand pack de six du monde** (3rd St S) correspond en réalité aux cuves de stockage de la brasserie locale. À en croire la pancarte, ces dernières contiennent assez de bière pour fournir à une personne six canettes quotidiennes pendant 3 351 ans.

Pour les destinations de la Great River Road situées au-delà, voir le chapitre *Sud du Minnesota* (p. 549).

Door County et l'est du Wisconsin

Le Door County au rivage rocheux ponctué de phares attire les vacanciers l'été, tandis que Green Bay voit défiler des foules de supporters de football durant l'hiver glacial.

GREEN BAY

Modeste ville industrielle, **Green Bay** (www.greenbay.com) est surtout connue comme la légendaire "toundra gelée" où les Green Bay Packers ont remporté plusieurs fois le Super Bowl. Cette franchise demeure la seule équipe coopérative à but non-lucratif de la National Football League (NFL), ce qui explique peut-être la ferveur exceptionnelle de ses supporters coiffés de couvre-chefs en forme de tranche de fromage.

S'il s'avère presque impossible d'obtenir des billets pour les rencontres, rien n'empêche de s'imprégner de l'ambiance lors d'une *tailgate party* d'avant-match, c'est-à-dire un pique-nique arrosé autour des coffres ouverts des voitures sur le parking du stade. Ceci vaut d'ailleurs à Green Bay une réputation d'alcoolisme. Un jour sans compétition, visitez à Lambeau Field le **Green Bay Packer Hall of Fame** (☎920-569-7512 ; www.lambeaufield.com ; adulte/enfant 10/5 $; ☺9h-18h lun-sam, 10h-17h dim), dont la collection de souvenirs et de films captive les mordus de football américain.

Le **National Railroad Museum** (☎920-437-7623 ; www.nationalrrmuseum.org ; 2285 S Broadway ; adulte/enfant 9/6,50 $ mai-sept ; ☺9h-17h lun-sam, 11h-17h dim, fermé lun jan-avr) expose les immenses locomotives qui tractaient les wagons de marchandises jusqu'aux vastes dépôts de Green Bay. Promenades en train (2 $) organisées l'été.

Le **Bay Motel** (☎920-494-3441 ; www.baymotelgreenbay.com ; 1301 S Military Ave ; ch 52-75 $; ☜) se tient à 1,5 km de Lambeau Field. Le pub gastronomique **Hinterland** (☎920-438-8050 ; www.hinterlandbeer.com ; 313 Dousman St) accueille les buveurs de bière dans un cadre à l'élégance rustique.

DOOR COUNTY

Avec sa côte rocheuse, ses phares pittoresques, ses cerisaies et ses villages du XIXᵉ siècle, il faut admettre que le Door County (comté de Door) est vraiment ravissant. Il couvre une étroite péninsule qui s'avance sur 120 km dans le lac Michigan et dont deux routes nationales font le tour. La paisible et panoramique Hwy 57 suit le lac entre Jacksonport et Baileys Harbor. La Hwy 42, le long de Green Bay, traverse du sud au nord Egg Harbor, Fish Creek, Ephraim et Sister Bay qui forment une zone plus animée. Environ la moitié des commerces ferment de novembre à avril.

◉ À voir et à faire

Le comté abrite plusieurs parcs. Côté baie s'étend le plus grand d'entre eux, le **Peninsula State Park**, qui comprend des sentiers escarpés praticables à pied et à vélo, ainsi qu'une plage où l'on peut s'adonner au kayak et à la voile. En hiver, les adeptes du ski de fond et des raquettes prennent le relais. Côté lac, le **Newport State Park** isolé présente des chemins et des aires de camping en pleine nature.

Le **Whitefish Dunes State Park** offre un paysage de dunes et une large plage (attention aux contre-courants), tandis que le **Cave Point Park** limitrophe, criblé de grottes lacustres, se prête au kayak. Les prestataires suivants proposent différentes activités :

Bayshore Outdoor Store (☎920-854-9220 ; www.kayakdoorcounty.com ; Sister Bay)

Nor Door Sport & Cyclery (☎920-868-2275 ; www.nordoorsports.com ; Fish Creek)

🛏 Où se loger et se restaurer

Le rivage de la baie regroupe le plus grand nombre d'hébergements. Les prix mentionnés ci-après concernent la haute saison (juillet-août) et beaucoup d'adresses imposent une durée de séjour minimum. Les restaurants du cru servent souvent du *fish boil* (poisson, oignons et pommes de terre bouillis, servis avec une sauce blanche aux herbes), une spécialité introduite par les bûcherons scandinaves, et la tarte aux cerises typique de la région.

Egg Harbor Lodge HÔTEL **$$**
(☎920-868-3115 ; www.eggharborlodge.com ; Egg Harbor ; ch 159-199 $; ✴✳🐾🐾). Toutes les chambres ont vue sur l'eau et les hôtes disposent de vélos gratuits.

Julie's Park Cafe and Motel MOTEL **$**
(☎920-868-2999 ; www.juliesmotel.com ; Fish Creek ; ch 82-106 $; ✴✳🐾). Un établissement soigné et relativement économique, à côté du Peninsula State Park.

Peninsula State Park CAMPING **$**
(☎920-868-3258 ; empl tente et camping-car 17-25 $; Fish Creek). Le parc offre près de 500 emplacements dans des campings bien équipés.

JJ's PUB **$$**
(☎920-854-4513 ; jjslapuerta.com ; Sister Bay ; plat 9-16 $; ☺11h-2h, fermé dim-mar en hiver). Mêlez-vous aux jeunes plaisanciers qui passent du bon temps dans ce pub rattaché à un restaurant mexicain.

Village Cafe AMÉRICAIN **$**
(☎920-868-3342 ; www.villagecafe-doorcounty.com ; Egg Harbor ; sandwich 6,50-8,50 $, plat 14-16 $; ☺7h-20h). Savoureux petits-déjeuners, déjeuners et dîners.

❶ Renseignements

Door County Visitors Bureau (☎800-527-3529 ; www.doorcounty.com). Brochures thématiques sur les galeries d'art, le cyclotourisme et les phares.

Apostle Islands et le nord du Wisconsin

Le nord de l'État correspond à une région de forêts et de lacs faiblement peuplée, où l'on pêche et pagaye en été, et où l'on pratique le ski et la motoneige en hiver. Les Apostle Islands aux falaises balayées par les vents tiennent la vedette.

NORTHWOODS ET LAKELANDS

La **Nicolet National Forest** est une vaste forêt protégée idéale pour les activités de plein air. Le simple carrefour de **Langlade** s'adresse aux amateurs de sports d'eau-vive. **Wolf River Guides** (☎715-882-3002 ; www.wolfriverguides.com) dispense des cours de kayak dans le cadre d'une sortie d'une demi-journée (110 $/pers), tandis que le **Wolf River Lodge** (☎715-882-2182 ; www. wolfriverlodge.com ; ch petit-déj inclus 100 $; 🅿), pourvu d'un bar, loge les kayakistes.

Au nord sur la Hwy 13, le fantaisiste **Concrete Park** (www.friendsoffredsmith.org ; entrée libre ; ⊙aube-crépuscule) de Fred Smith, un bûcheron à la retraite, renferme plus de 200 sculptures d'art populaire grandeur nature.

À l'ouest sur la Hwy 70, 483 km de sentiers de VTT exceptionnels sillonnent la **Chequamegon National Forest**. La **Chequamegon Area Mountain Bike Association** (www.cambatrails.org) fournit des cartes et renseigne sur les locations de vélo. La saison culmine à la mi-septembre avec le **Chequamegon Fat Tire Festival** (www.cheqfattire.com), qui voit pédaler 1 700 hommes et femmes sur un parcours éreintant de 64 km à travers bois. La ville de **Hayward** (www.haywardareachamber.com) constitue une bonne base.

APOSTLE ISLANDS

Les superbes 21 Apostle Islands (îles des Apôtres) aux contours déchiquetés qui parsèment le lac Supérieur à la pointe nord du Wisconsin sont accessibles depuis **Bayfield** (www.bayfield.org), une localité touristique avec des rues en pente, des bâtiments de l'époque victorienne, des vergers de pommiers et pas un fast-food à l'horizon.

Le **Apostle Islands National Lakeshore Visitors Center** (☎715-779-3397 ; www.nps. gov/apis ; 410 Washington Ave ; ⊙8h-16h30 juin-sept, fermé sam-dim oct-mai) délivre des permis de camper (10 $ la nuit) de même que des informations sur les possibilités de kayak et de randonnée. Les îles boisées ne comportent aucune infrastructure et l'on s'y déplace uniquement à pied.

ROUTE PANORAMIQUE : LA HIGHWAY 13

Après avoir quitté Bayfield, la Hwy 13 emprunte un bel itinéraire autour de la rive du lac Supérieur via la localité ojibwé de **Red Cliff** et la partie continentale des Apostle Islands qui possède une plage. Évoquant en tout point un village de bord de mer, **Cornucopia** offre un coucher du soleil resplendissant. La route continue ensuite à travers un paysage intemporel de forêts et de domaines agricoles pour atteindre l'US 2 qui ramène quelques kilomètres plus loin à la civilisation au bord du lac.

Plusieurs compagnies proposent des excursions en bateau saisonnières et le kayak constitue une activité très populaire. Adressez-vous à **Living Adventure** (☎715-779-9503 ; www.livingadventure.com ; Hwy 13 ; circuit d'une demi-journée/journée 59/99 $; ⊙juin-sept) pour une excursion guidée en kayak à travers des arcs de pierre et des grottes (débutants bienvenus). Sinon, l'embarcation à moteur de l'**Apostle Islands Cruise Service** (☎715-779-3925 ; www.apostleisland.com ; ⊙mi-mai à mi-oct) lève l'ancre à 10h du City Dock de Bayfield pour une croisière commentée de 3 heures passant par des grottes lacustres et des phares (adulte/enfant 40/24).

La **Madeline Island** (www.madelineisland. com), habitée, se trouve à 20 minutes en **ferry** (☎715-747-2051 ; www.madferry.com) de Bayfield (aller-retour adulte/enfant/vélo/voiture 12/6/6/24 $). Sur place, le village de La Pointe, qui se parcourt aisément à pied, comprend des hébergements à prix moyens et des restaurants. Il existe des circuits en bus et des locations de vélos ou de cyclomoteurs – les prestataires se concentrent aux abords de l'embarcadère du ferry. Le **Big Bay State Park** (☎715-747-6425 ; empl tente et camping-car 15-17 $, véhicule 10 $) abrite une plage et des sentiers.

À Bayfield, de nombreux B&B et hôtels se disputent le marché, mais mieux vaut réserver en été (voir www.bayfield.org). La plupart des chambres du **Seagull Bay Motel** (☎715-779-5558 ; www.seagullbay.com ; 325 S 7th St ; ch 75-105 $; 🅿🛜), sans prétention, ont une terrasse ; demandez une vue sur le lac. Plus haut de gamme, le **Pinehurst Inn** (☎877-499-7651 ; www.pinehurstinn.com ;

83645 Hwy 13 ; ch petit-déj inclus 119-199 $; 🚐🐾) est un B&B de 8 chambres fonctionnant à l'énergie solaire.

Le **Big Water Cafe** (www.bigwatercoffee. com ; 117 Rittenhouse Ave ; plat 5-10 $; ⊙7h-20h en été, 7h-16h en hiver), soucieux de l'environnement, sert des sandwichs, des fromages fermiers et des bières artisanales de la région. Au **Maggie's** (☎715-779-5641 ; www. maggies-bayfield.com ; 257 Manypenny Ave ; plat 7-16 $; ⊙11h30-21h dim-jeu, 11h30-22h ven-sam), vous pourrez goûter la truite et le grand corégone de la région, ainsi que des pizzas et hamburgers, dans un décor kitch sur le thème des flamants roses.

Le **Big Top Chautauqua** (☎888-244-8368 ; www.bigtop.org), important festival d'été, accueille des concerts de musiciens connus et des comédies musicales ; téléphonez pour connaître la programmation et les tarifs.

MINNESOTA

Le Minnesota est-il vraiment l'État aux 10 000 lacs comme on le prétend souvent ? Mieux encore, il en possède en réalité 11 842, ce qui ne peut que réjouir les visiteurs. Les amateurs de sports de plein air iront pagayer dans les Boundary Waters, où les loups hurlent la nuit sous le ciel étoilé. Ceux qui souhaitent sortir davantage des sentiers battus mettront le cap sur le Voyageurs National Park, dont les étendues d'eau dépassent les routes en nombre. Et si ces destinations vous semblent trop éloignées, il reste les "Twin Cities" (villes jumelles) de Minneapolis et St Paul, où les lieux de culture et de divertissement abondent. Enfin, le spectaculaire port de Duluth s'inscrit à mi-chemin entre ville et nature.

🛈 Renseignements

Minnesota Highway Conditions (☎511 ; www.511mn.org). Renseigne sur l'état des routes.

Minnesota Office of Tourism (☎888-868-7476 ; www.exploreminnesota.com)

Minnesota State Park Information (☎888-646-6367 ; www.mnstateparks.info). Il faut un permis pour entrer dans le parc avec un véhicule (5/25 $ jour/an). Les emplacements de camping coûtent 12-25 $; **réservations** (☎866-857-2757 ; www.stayatmnparks.com ; 8,50 $) acceptées.

Minneapolis

La grande métropole du Minnesota est aussi son pôle culturel, ce dont témoignent de riches musées d'art, de bruyantes salles de rock, une scène culinaire bio et ethnique et une profusion de théâtres qui lui valent le surnom de "Mini-Apple" en référence à New-York, la "Big Apple". Il s'y passe toujours quelque chose, même sous la neige au cœur de l'hiver. Pour autant, Minneapolis ne prend personne de haut. C'est le genre d'endroit où l'on traite gentiment les sans-abri dans les cafés, où les bus sont impeccablement entretenus et où les fonctionnaires vous souhaitent une bonne journée qu'il pleuve, qu'il vente ou qu'il neige. Bref, une ville où il fait bon vivre.

Histoire

Minneapolis commença à prospérer au milieu du XIXᵉ siècle grâce à l'industrie

---

LE MINNESOTA EN BREF

- » **Surnoms :** North Star State ("État de l'Étoile du Nord"), Gopher State ("État du Gauphre")
- » **Population :** 5,3 millions d'habitants
- » **Superficie :** 225 365 km²
- » **Capitale :** St Paul (273 500 habitants)
- » **Autres villes :** Minneapolis (372 800 habitants)
- » **TVA :** 6,88%
- » **État de naissance de :** l'écrivain Francis Scott Fitzgerald (1896-1940), le chanteur Bob Dylan (né en 1941), les cinéastes Joel Coen (né en 1954) et Ethan Coen (né en 1957)
- » **Abrite :** le bûcheron américain légendaire Paul Bunyan, le Spam (conserve de viande précuite), le poisson *walleye* (doré jaune) et des communautés d'immigrés hmong et somaliens.
- » **Politique :** tendance démocrate
- » **Célèbre pour :** la gentillesse de ses habitants, ses accents typiques, son temps neigeux et ses 10 000 lacs
- » **Muffin officiel :** muffin à la myrtille
- » **Distances par la route :** Minneapolis-Duluth : 246 km ; Minneapolis-Boundary Waters : 394 km

du bois d'œuvre et l'installation de scieries fonctionnant à l'énergie hydraulique le long du Mississippi. La nécessité de transformer le blé produit dans les prairies entraîna par ailleurs le développement de minoteries. À la fin du XIXᵉ siècle, la vague d'immigrants essentiellement scandinaves et allemands fit exploser la population. Aujourd'hui, le passé nordique de Minneapolis demeure évident, tandis que la ville jumelle de St Paul est davantage marquée par l'héritage germanique et irlandais.

◉ À voir et à faire

Le Mississippi coule au nord-est du centre-ville (Downtown). En dépit de son nom, Uptown se situe au sud-ouest de Downtown, avec pour axe principal Hennepin Ave. St Paul s'étend à 16 km à l'est de Minneapolis.

La plupart des sites et monuments ferment le lundi, mais beaucoup restent ouverts tard le jeudi.

DOWNTOWN ET LORING PARK
Nicollet Mall   RUE

Au cœur de Downtown, la portion piéton-nière de Nicollet Ave regorge de boutiques, de bars et de restaurants. La **statue MTM** (8th St S et Nicollet Mall) représente l'actrice Mary Tyler Moore qui joua dans une fameuse série télévisée des années 1970 tournée à Minneapolis. Un **marché de producteurs** (www.mplsfarmersmarket.com ; ☉6h-18h) se tient sur place le jeudi de mai à novembre.

GRATUIT **Minneapolis Sculpture Garden**   JARDIN

(726 Vineland Pl ; ☉6h-24h). Émaillé de sculptures contemporaines comme le *Spoonbridge & Cherry* de Claes Oldenburg souvent immortalisée, ce jardin de 4,5 ha jouxtant le Walker Art Center abrite le Cowles Conservatory, une serre remplie de fleurs exotiques. Une passerelle piétonnière au-dessus de l'I-94 le relie au Loring Park.

Walker Art Center   MUSÉE

(☎612-375-7622 ; www.walkerart.org ; 725 Vineland Pl ; adulte/enfant 10 $/gratuit, entrée libre jeu soir ; ☉11h-17h mar-dim, 11h-21h jeu). Ce musée de premier ordre rassemble une importante collection permanente d'art du XXᵉ siècle, notamment de grands noms de la peinture américaine.

RIVERFRONT DISTRICT

À la lisière nord de Downtown, au pied de Portland Ave, le **St Anthony Falls Heritage Trail** est un parcours historique intéressant de 3 km, jalonné de pancartes explicatives, qui longe les berges du Mississippi. On peut contempler les chutes **St Anthony Falls** du haut du **Stone Arch Bridge**, un pont de pierre fermé à la circulation automobile. Du côté nord du fleuve, un chapelet de bâtiments réhabilités sur Main St SE abrite des restaurants et des bars. De là, descendez jusqu'au **Water Power Park** pour découvrir les anciennes industries locales fonctionnant à l'énergie hydraulique. Le Mill City Museum fournit des cartes de l'itinéraire.

Il ne faut surtout pas manquer à proximité le Guthrie Theater (voir p. 545) bleu cobalt de l'architecte Jean Nouvel et son **Endless Bridge**, un pont en console donnant sur le Mississippi. Entendu comme un espace public, l'édifice se visite gratuitement, mais vaut également pour ses spectacles joués par l'une des meilleures compagnies théâtrales du Middle Ouest. Le **Gold Medal Park** voisin se caractérise par son allée en spirale.

Mill City Museum   MUSÉE

(☎612-341-7555 ; www.millcitymuseum.org ; 704 2nd St S ; adulte/enfant 10/5 $; ☉10h-17h mar-sam, 12h-17h dim, ouvert lun juil-août). Dans cet ancien moulin, vous pourrez visiter un silo de huit étages (la Flour Tower), une exposition consacrée à la marque Betty Crocker et un laboratoire de cuisson. L'ensemble s'avère toutefois d'un intérêt limité, à moins d'être passionné par le sujet. Un marché de producteurs, le **Mill City Farmer's Market** (www.millcityfarmersmarket.org ; ☉8h-13h sam mi-mai à mi-oct), se tient dans le hangar ferroviaire attaché au musée ; démonstrations de cuisine à 10h.

NORTHEAST

Ancien quartier d'ouvriers originaires d'Europe de l'Est, Northeast doit son nom à son orientation par rapport au Mississippi. C'est ici que citadins et artistes travaillent et sortent. Les bars servant de la bière artisanale et de la Pabst côtoient les boutiques de cadeaux écolo et les marchands de saucisses. Des centaines d'ateliers d'artistes et de galeries d'art occupent par ailleurs des bâtiments appartenant au passé industriel de la ville. La **Northeast Minneapolis Arts Association** (www.nemaa.org) organise une journée portes ouvertes le premier jeudi du mois. Parmi les artères les plus intéressantes figurent 4th St NE et 13th Ave NE.

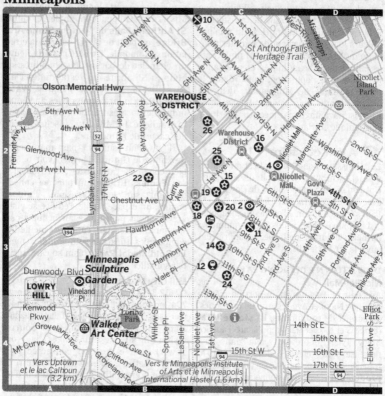

RÉGION DES GRANDS LACS MINNESOTA

SECTEUR DE L'UNIVERSITÉ

Au bord du fleuve au sud-est du centre-ville, la **University of Minnesota** accueille plus de 50 000 étudiants, ce qui fait d'elle l'une des plus grandes universitéd des États-Unis. Le gros du campus se trouve dans le quartier de l'**East Bank**.

De nombreux cafés estudiantins et librairies animent **Dinkytown**, dans 14th Ave SE et 4th St SE. La petite portion du campus située sur la **West Bank** du Mississippi, près du croisement de 4th St S et Riverside Ave, comprend quelques restaurants, des lieux fréquentés par les jeunes et une importante communauté somalienne.

GRATUIT **Weisman Art Museum** MUSÉE (☎612-625-9494 ; www.weisman.umn. edu ; 333 E River Rd ; ⊙10h-17h mar-ven, 10h-20h jeu, 11h-17h sam-dim). Dans un édifice argenté biscornu du célèbre architecte Frank Gehry, ce fleuron de l'université (et de la ville) a récemment rouvert après des travaux d'agrandissement et présente désormais une surface doublée et 5 nouvelles salles consacrées à l'art américain, aux céramiques et aux œuvres sur papier.

UPTOWN, LYN-LAKE ET WHITTIER

Ces trois quartiers se déploient au sud de Downtown.

Uptown, autour de l'intersection de Hennepin Ave S et Lake St, constitue le point de rencontre de différentes cultures jeunes, des artistes aux yuppies. Ses boutiques et restaurants assurent l'animation jusque tard le soir. **Lyn-Lake**, à l'est dans le secteur de Lyndale St et Lake St, affiche la même atmosphère urbaine décontractée.

Uptown est un point d'accès pratique à la **Chain of Lakes** – Lake Calhoun, Lake of the Isles, Lake Harriet, Cedar Lake et Brownie Lake – où toute la ville semble s'ébattre au bord de l'eau. Des voies cyclables goudronnées (qui deviennent l'hiver des pistes de ski de

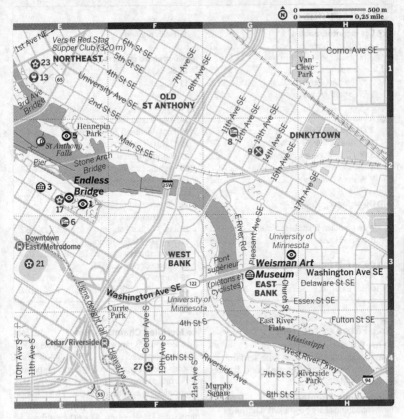

fond) serpentent autour des cinq lacs sur lesquels on peut faire du bateau en été et du patin à glace en hiver. Le lac Calhoun débute en bas de Lake St qui regroupe quantité d'infrastructures. Plus loin, Thomas Beach attire les baigneurs. Sur le lac Cedar, Hidden Beach (alias East Cedar Beach) était auparavant une plage de naturistes, mais elle accueille désormais une majorité de gens en maillot.

GRATUIT **Minneapolis Institute of Arts** MUSÉE
(☏612-870-3131 ; www.artsmia.org ; 2400 3rd Ave S ; ☺10h-17h mar-sam, 10h-21h jeu, 11h-17h dim). Les trésors de cet immense musée couvrent un vaste pan de l'histoire de l'art mondial. Les collections modernes et contemporaines retiennent particulièrement l'attention, de même que les salles consacrées au mouvement de la Prairie School et à l'Asie. Si vous manquez de temps, les brochures disponibles à l'accueil vous guideront vers les œuvres phares. À 1,5 km

au sud du palais des congrès (*convention center*) par 3rd Ave S.

Calhoun Rental VÉLO
(☏612-827-8231 ; www.calhounbikerental. com ; 1622 W Lake St ; 25/35 $ demi-journée/ journée ; ☺10h-19h lun-ven, 9h-20h sam, 10h-20h dim avr-oct). À Uptown, à deux blocs à l'ouest du lac Calhoun, cette enseigne loue des vélos (casque, antivol et plan des itinéraires inclus) ; carte de crédit et permis de conduire requis. Elle propose aussi des circuits à vélo de 2 à 4 heures (39-49 $) au bord de l'eau du vendredi au dimanche ; réservez à l'avance.

Lake Calhoun Kiosk SPORTS NAUTIQUES
(☏612-823-5765 ; base de Lake St ; 11-17 $/h ; ☺10h-20h fin mai-août, week-ends seulement sept-oct). Le kiosque en bas de Lake St loue canoës, kayaks et pédalos. L'endroit est animé car il y a aussi sur place un restaurant en terrasse et une école de voile.

Minneapolis

✵ Fêtes et festivals

Art-A-Whirl   ART
(www.nemaa.org ; ◷mi-mai). Une semaine
portes ouvertes dans les ateliers d'artistes
et galeries de Northeast.

Minneapolis Aquatennial   CULTURE
(www.aquatennial.org ; ◷mi-juil). Dix jours
pendant lesquels les lacs sont à l'honneur,
avec défilés, fêtes sur les plages et feux
d'artifice.

Holidazzle   CULTURE
(www.holidazzle.com ; ◷déc). Défilés,
illuminations et bonne chère à profusion
tout au long du mois de décembre.

🛏 Où se loger

Les B&B constituent l'option la plus
avantageuse, car ils offrent le confort de la
gamme moyenne aux prix de la catégorie
économique. Taxe de 13,4% en sus.

Wales House   B&B $
(📞612-331-3931 ; www.waleshouse.com ; 1115 5th St
SE ; ch sans/avec sdb commune à partir de 65/75 $,
petit-déj inclus ; P🐾❀🛜). Les 10 chambres de
ce B&B avenant hébergent souvent des bour-
siers de l'université du Minnesota voisine.
Selon la saison, il fait bon s'installer avec un
livre sur la véranda ou devant la cheminée.
Séjour minimum de 2 nuits.

Le Meridien Chambers Hotel   HÔTEL $$$
(📞612-767-6900 ; www.lemeridienchambers.com ;
901 Hennepin Ave S ; ch 189-289 $; P🐾❀🛜). À
la fois hôtel et galerie d'art contemporain,
l'endroit s'orne de quelque 200 œuvres
originales, à commencer par l'installation
de Damien Hirst représentant une tête de
taureau à la réception. Les 60 chambres au
décor épuré comportent des touches de luxe
telles que chauffage par le sol dans la salle de
bains. Parking (28 $) et Wi-Fi (13 $/j).

Aloft   HÔTEL $$
(📞612-455-8400 ; www.alofthotels.com/
minneapolis ; 900 Washington Ave S ; ch 109-149 $;
P🐾❀@🛜🏊). Les chambres compactes et
fonctionnelles dans des tons industriels
plaisent à une clientèle jeune. On trouve à
la réception des jeux de société, un bar à
cocktails et de quoi grignoter 24h/24. Il y a
aussi une petite piscine, une salle de sport
correcte et un parking (15 $).

Evelo's B&B   B&B $
(📞612-374-9656 ; 2301 Bryant Ave S ; ch avec
sdb commune et petit-déj inclus 75-95 $; ❀🛜).
Trois chambres charmantes dans une
maison victorienne où le bois ciré domine.
L'emplacement stratégique, entre le Walker
Art Center et Uptown, compense leur taille
réduite.

Minneapolis International Hostel
AUBERGE DE JEUNESSE **$**
(☎612-522-5000 ; www.minneapolishostel.com ;
2400 Stevens Ave S ; dort 28-34 $, ch sans/avec
sdb 60/81 $; ☺✳@☎). Cette chaleureuse
adresse de 48 lits, à côté du Minneapolis
Institute of Arts, comporte parquet,
mobilier ancien et édredons duveteux. Elle
propose plusieurs formes d'hébergement, du
dortoir de 15 personnes pour hommes aux
chambres individuelles avec sdb. Faute d'enseigne (il s'agit d'un bâtiment historique),
vous aurez peut-être du mal à la repérer.
Réservation conseillée.

✗ Où se restaurer
Minneapolis est devenue une destination
gastronomique réputée pour ses nombreux
restaurants utilisant des produits locaux
issus de l'agriculture durable.

DOWNTOWN ET NORTHEAST
Les tables abondent dans Nicollet Mall.

Bar La Grassa ITALIEN **$$$**
(☎612-333-3837 ; www.barlagrassa.com ;
800 Washington Ave N ; pâtes 12-24 $, plat
16-45 $; ⊙17h-24h lun-jeu, 17h-1h ven-sam,
17h-22h dim). Isaac Becker ayant remporté
en 2001 le prix James Beard du meilleur
chef du Middle West, attendez-vous donc
à une délicieuse carte de pâtes fraîches, de
bruschette et de *secondi*. L'établissement
se situe à 1,5 km au nord-ouest du cœur
de Downtown.

Hell's Kitchen AMÉRICAIN **$$**
(☎612-332-4700 ; www.hellskitcheninc.com ;
80 9th St S ; plat 10-20 $; ⊙6h30-21h lun-mer,

6h30-2h jeu-ven, 7h30-2h sam, 7h30-21h dim ;
☎). Descendez l'escalier qui mène à la
"cuisine du diable" où un personnel plein
d'entrain vous apportera des spécialités
typiques du Minnesota comme le sandwich au doré jaune garni de bacon, laitue
et tomates, le hamburger de bison ou les
pancakes au citron et à la ricotta. *Happy
hour* au bar de 15h à 18h. Le week-end en
soirée, le restaurant se métamorphose en
club avec DJ.

☑Red Stag Supper Club AMÉRICAIN **$$$**
(☎612-767-7766 ; www.redstagsupperclub.com ;
509 1st Ave NE ; menu bar 8-13 $, plat 18-27 $;
⊙11h-2h lun-ven, 9h-2h sam-dim). Derrière
son allure de lodge rustique à poutres
apparentes se cache en réalité un bâtiment
à haute qualité environnementale certifié
LEED. Préparés à base d'ingrédients
locaux, les sandwichs de pain plat à la
roquette et aux pignons, la friture de
poisson, la truite fumée et le cassoulet
calment l'estomac. Bonnes affaires le
mardi soir.

SECTEUR DE L'UNIVERSITÉ
Des tables économiques sont regrou-
pées dans la zone du campus, près de
Washington Ave et Oak St.

Al's Breakfast PETIT-DÉJEUNER **$**
(☎612-331-9991 ; 413 14th Ave SE ; plat 4-8 $;
⊙6h-13h lun-sam, 9h-13h dim). Un minuscule
comptoir et 14 tabourets composent ce
mouchoir de poche. Dès qu'un client entre,
on lui laisse sa place. Mention spéciale
pour les *pancakes* débordants de fruits.
Paiement en espèces uniquement.

MINNEAPOLIS POUR LES ENFANTS

Notez que nombre d'attractions pour les petits se concentrent à St Paul, au Mall of
America et à Fort Snelling. En voici quelques autres :

» **Minnesota Zoo** (☎952-431-9500 ; www.mnzoo.org ; 13000 Zoo Blvd ; adulte/enfant
18/12 $; ⊙9h-18h en été, 9h-16h en hiver ; 🚹). Vous devrez parcourir 32 km pour
rallier ce zoo installé à Apple Valley, dans la banlieue sud de la ville, qui rassemble
plus de 400 espèces animales, originaires en particulier des climats froids.
Parking : 5 $.

» **Valleyfair** (☎952-445-7600 ; www.valleyfair.com ; 1 Valleyfair Dr ; adulte/enfant
42/10 $; ⊙à partir de 10h mi-mai à août, week-ends seulement sept-oct, horaires de
fermeture variables ; 🚹). Si l'expérience du Mall of America ne vous a pas suffi,
direction ce vrai parc d'attractions à 40 km au sud-ouest de Shakopee. Parking :
10 $.

» **Children's Theatre Company** (☎612-874-0400 ; www.childrenstheatre.org ;
2400 3rd Ave S ; 🚹). Cette compagnie théâtrale a été récompensée par un Tony
Award.

UPTOWN, LYN-LAKE ET WHITTIER

Des restaurants vietnamiens, grecs, africains et autres bordent la portion de Nicollet Ave S surnommée "Eat Street", entre Franklin Ave (près du Minneapolis Institute of Arts) et 28th St. Lake St, à Uptown, abonde en bars et cafés chics.

♥ Bryant-Lake Bowl   AMÉRICAIN $$
(☎612-825-3737 ; www.bryantlakebowl.com ; 810 W Lake St ; sandwich 7-9 $, plat 11-16 $; ⊙8h-0h30 ; 📶🅿). Bowling populaire et cuisine épicurienne se rencontrent au BLB, où les assiettes de fromages artisanaux, les rouleaux à l'ersatz de canard, les tranches de doré jaune en croûte de maïs et le porridge bio fondent dans la bouche. Une longue liste de bières du cru permet d'arroser le tout. Le théâtre sur place programme toujours quelque chose d'original et d'intéressant.

Peninsula   MALAIS $$
(☎612-871-8282 ; www.peninsulamalaysian-cuisine.com ; 2608 Nicollet Ave S ; plat 9-15 $; ⊙11h-22h dim-jeu, 11h-23h ven-sam ; 🅿). Les plats malais – *achat* (salade de légumes piquante recouverte de cacahuètes), curry rouge, crabe épicé, poisson enveloppé de feuilles de bananier, etc. – de ce restaurant moderne réjouissent le palais.

Uptown Cafeteria & Support Group   AMÉRICAIN $$
(☎612-877-7263 ; www.uptowncafeteria.com ; 3001 Hennepin Ave ; plat 13-22 $; ⊙11h30-tard lun-ven, 9h-tard sam-dim ; 📶🅿). Ce lieu concept très fréquenté d'Uptown se distingue par une belle terrasse sur le toit et de savoureux classiques réconfortants dans la veine de la tourte au poulet et légumes et du pain de viande.

🍷 Où prendre un verre

Les bars restent ouverts jusqu'à 2h du matin. Le *happy hour* dure généralement de 15h à 18h.

Brit's Pub   PUB
(www.britspub.com ; 1110 Nicollet Mall). Le large éventail de whiskys, de portos et de bières de ce pub anglais désinhibe les joueurs qui s'exercent sur le terrain de boules recouvert de gazon du toit.

Grumpy's   BAR
(www.grumpys-bar.com/nordeast ; 2200 4th St NE). Le troquet type de Northeast, avec de la bonne bière pas chère et une terrasse dehors. Le "plat chaud" du mardi ne coûte que 1 $.

☆ Où sortir

Dotée d'une importante population estudiantine et d'une scène de spectacle florissante, Minneapolis bénéficie d'une vie nocturne animée. Consultez *Vita.MN* (www.vita.mn) et *City Pages* (www.citypages.com) pour connaître le programme.

Musique live

La ville bouge et l'on dirait que tout le monde ou presque joue dans un groupe. C'est d'ailleurs ici que Prince, Hüsker Dü et les Replacements ont fait leurs débuts.

First Avenue & 7th St Entry   MUSIQUE LIVE
(www.first-avenue.com ; 701 1st Ave N). Le pilier de la scène musicale de Minneapolis continue d'attirer des musiciens de premier plan et beaucoup de monde. Les étoiles qui décorent la façade portent les noms des groupes qui s'y sont produits.

Nye's Polonaise Room   MUSIQUE LIVE
(www.nyespolonaise.com ; 112 E Hennepin Ave). Le World's Most Dangerous Polka Band, un

---

MINNEAPOLIS GAY ET LESBIEN

Minneapolis compte l'un des plus forts pourcentages de gays, lesbiennes, bisexuels et transgenres (GLBT) du pays, dont les droits sont fortement respectés. La **Minneapolis Convention & Visitors Association** (www.glbtminneapolis.org) possède un site Internet exhaustif traitant de l'actualité, des événements culturels, de la vie nocturne et autres attractions. Autrement, procurez-vous le bimensuel gratuit *Lavender* (www.lavendermagazine.com) dans les cafés de la ville.

Au **Gay Nineties** (www.gay90s.com ; 408 Hennepin Ave S), une clientèle de gays et d'hétéros vient dîner, danser et assister à des spectacles de travestis. Classé meilleur café par *Lavender*, le **Wilde Roast Cafe** (www.wilderoastcafe.com ; 65 Main St SE) au bord du fleuve sert plats et en-cas dans un cadre victorien digne d'Oscar Wilde auquel il doit son nom.

Le **Pride Festival** (www.tcpride.com ; ⊙fin juin), l'un des plus importants du pays, draine quelque 400 000 noceurs.

groupe de polka, se déchaîne les vendredis et samedis. On s'amuse comme des fous, surtout lorsqu'un vieil habitué vous fait virevolter.

Triple Rock Social Club
MUSIQUE LIVE

(www.triplerocksocialclub.com ; 629 Cedar Ave). Un club de musique punk et alternative qui rencontre un large public.

Lee's Liquor Lounge
MUSIQUE LIVE

(www.leesliquorlounge.com ; 101 Glenwood Ave). Des groupes de rockabilly et des formations flirtant avec la country jouent ici.

Dakota Jazz Club
MUSIQUE LIVE

(www.dakotacooks.com ; 1010 Nicollet Mall). Un élégant club de jazz qui programme des têtes d'affiche.

Théâtre et arts de la scène

Forte d'une centaine de compagnies théâtrales, Minneapolis n'a pas volé son surnom de "Mini-Apple". Le Guthrie et d'autres salles proposent les billets invendus pour 15 à 30 $ un quart d'heure avant la représentation.

Guthrie Theater
THÉÂTRE

(☎612-377-2224 ; www.guthrietheater.org ; 818 2nd St S). La troupe phare de la ville a ses quartiers dans cet imposant complexe théâtral de l'architecte Jean Nouvel.

Historic Pantages Theatre, State Theatre et Orpheum Theatre
THÉÂTRES

(☎612-339-7007 ; www.hennepintheatretrust. org). Situés respectivement aux n°710, 805 et 910 de Hennepin Ave S, ces vieux théâtres majestueux accueillent des spectacles de Broadway et des pièces en tournée.

Brave New Workshop Theatre
THÉÂTRE

(☎612-332-6620 ; www.bravenewworkshop. com ; 2605 Hennepin Ave S). Une institution d'Uptown pour les comédies musicales, les spectacles de music-hall et d'humour.

Orchestra Hall
MUSIQUE CLASSIQUE

(☎612-371-5656 ; www.minnesotaorchestra.org ; 1111 Nicollet Mall). Vous pourrez entendre ici des concerts du talentueux orchestre symphonique du Minnesota, dans une salle à l'acoustique remarquable.

Sports

Les habitants du Minnesota aiment leurs équipes sportives. Notez que le hockey sur glace se pratique à St Paul (voir p. 548).

Target Field
BASE-BALL

(www.minnesotatwins.com ; 3rd Ave N entre 5th St et 7th St N). Le nouveau stade des Twins, l'équipe professionnelle de base-ball, se distingue par l'accent particulier mis sur

les restaurants et les bars, qui servent des produits locaux.

Hubert H Humphrey Metrodome
FOOTBALL AMÉRICAIN

(www.vikings.com ; 900 5th St S). Surnommé le "Dome", le stade des Vikings a vu son toit s'écrouler en 2010 sous le poids de la neige.

Target Center
BASKET-BALL

(www.nba.com/timberwolves ; 600 1st Ave N). Le terrain de jeu de l'équipe professionnelle des Timberwolves.

❶ Renseignements

Accès Internet

Minneapolis Public Library (www.hclib. org ; 300 Nicollet Mall ; ⏰10h-20h mar et jeu, 10h-18h mer, ven et sam, 12h-17h dim). Une bibliothèque moderne avec Internet et Wi-Fi gratuit.

Médias

City Pages (www.citypages.com). Hebdomadaire gratuit de la culture et des spectacles.

Pioneer Press (www.twincities.com). Quotidien de St Paul.

Star Tribune (www.startribune.com). Quotidien de Minneapolis.

Vita.MN (www.vita.mn). Supplément hebdomadaire gratuit du *Star Tribune* consacré aux sortie

Office du tourisme

Minneapolis Convention & Visitors Association (☎612-767-8000 ; www. minneapolis.org). Bons de réduction, cartes, guides et renseignements en ligne sur les itinéraires à vélo.

Sites Internet

Ask the Minneapolitan (www. askthemninneapolitan.wordpress.com). Le blog branché de la scène culturelle de Minneapolis.

Minneapolis Bicycle Program (www. ci.minneapolis.mn.us/bicycles). Cartes des voies cyclables et de tout ce qui concerne le vélo.

Urgences et services médicaux

Fairview/University of Minnesota Medical Center (☎612-273-6402 ; 2450 Riverside Ave)

❶ Comment s'y rendre et circuler

Avion

Depuis l'**aéroport international de Minneapolis-St Paul** (MSP ; www.mspairport. com), situé au sud entre les deux villes, Delta

Airlines assure plusieurs vols directs depuis/vers l'Europe.

La ligne de "light-rail" (métro aérien) Hiawatha (tarif normal/heure de pointe 1,75/2,25 $, 25 min) est le moyen de transport le plus économique pour rallier Minneapolis. Le bus n°54 (tarif normal/heure de pointe 1,75/2,25 $, 25 min) dessert St Paul. Le trajet en taxi coûte autour de 45 $.

Bus
Greyhound (☑612-371-3325 ; 950 Hawthorne Ave). Bus fréquents pour Milwaukee (7 heures), Chicago (9 heures) et Duluth (3 heures).

Megabus (www.megabus.com/us). Bus express pour Milwaukee (6 heures) et Chicago (8 heures), souvent moins chers que ceux de Greyhound. Départs de Downtown et de l'université ; consultez le site Internet pour connaître les endroits exacts.

Taxi
Appelez **Yellow Cab** (☑612-824-4444).

Train
La **gare Amtrak** (☑651-644-6012 ; 730 Transfer Rd), près d'University Ave SE, se tient entre Minneapolis et St Paul. Des trains desservent quotidiennement Chicago (8 heures) et Seattle (37 heures). Le superbe trajet jusqu'à La Crosse (3 heures), à l'est dans le Wisconsin, longe le Mississippi et offre de multiples occasions de voir des aigles.

Transports publics
Metro Transit (www.metrotransit.org ; tarif normal/heure de pointe 1,75/2,25 $) exploite des bus fréquents circulant dans l'agglomération, ainsi que la ligne de light-rail Hiawatha entre Downtown et le Mall of America. Le bus express n°94 (tarif normal/heure de pointe 2,25/3 $) relie Minneapolis à St Paul depuis le côté sud de 6th St N, juste à l'ouest de Hennepin Ave. Pass journalier (6 $) en vente dans les stations du light-rail ou auprès des chauffeurs de bus.

Vélo
Minneapolis fait la part belle au vélo. Elle possède 135 km de voies cyclables et un vaste système inspiré du Vélib' parisien, **Nice Ride** (www.niceridemn.com ; ☺avr-oct), qui met à disposition 1 000 vélos dans 80 kiosques en libre-service. Les usagers payent un abonnement (5/30 $ par jour/mois) en ligne ou sur place, plus une somme modeste par demi-heure d'utilisation (première demi-heure gratuite). Les vélos peuvent être déposés dans n'importe quel kiosque. Concernant les locations classiques, mieux adaptées au cyclotourisme proprement dit, voir p. 541.

St Paul

Plus petite et plus tranquille que sa jumelle Minneapolis, St Paul a davantage conservé son caractère historique. Ici, les visiteurs peuvent marcher sur les traces de Francis Scott Fitzgerald, parcourir les sentiers le long du Mississippi et se régaler de soupe laotienne.

☉ À voir et à faire

L'activité se concentre surtout à Downtown et dans le quartier de Cathedral Hill. Le premier abrite les musées, le second des boutiques excentriques, des demeures de style victorien datant du Gilded Age (âge d'or) et, bien sûr, la cathédrale massive à laquelle la ville doit son nom. Sachez qu'un raccourci relie les deux secteurs : prenez le sentier qui débute du côté ouest de la James J. Hill House et descend vers Downtown.

Au sud de Wabasha St (Downtown), le joli parc réaménagé de **Harriet Island** se prête à la flânerie. Il comporte une promenade au bord du fleuve, des scènes de concert et des quais pour pêcher.

Sites F Scott Fitzgerald et Summit Avenue   RUE
Francis Scott Fitzgerald, auteur de *Gatsby le Magnifique*, est la personnalité littéraire de St Paul la plus célébrée. Il naquit dans un appartement de style Pullman au **481 Laurel Avenue** et vécut dans un *brownstone* au **599 Summit Avenue**, quatre *blocks* plus loin, à l'époque où il publia *L'Envers du paradis*. Il s'agit dans les deux cas d'habitations privées. Descendez ensuite Summit Ave en direction de la cathédrale pour admirer les demeures victoriennes. Les fans de l'écrivain peuvent se procurer la carte *Fitzgerald Homes and Haunts* au centre des visiteurs.

GRATUIT **Landmark Center**   MUSÉE
(www.landmarkcenter.org ; 75 W 5th St ; ☺8h-17h lun-ven, 8h-20h jeu, 10h-17h sam, 12h-17h dim). À Downtown, cet édifice de 1902 flanqué de tourelles fut autrefois celui de la cour fédérale qui jugea des gangsters de la trempe d'Alvin "Creepy" Karpis. Dans les différentes salles, des plaques indiquent les noms de ceux qui y comparurent. Outre le centre des visiteurs, le bâtiment renferme deux petits musées. Au 1er étage, le **Schubert Club Museum** (☑651-292-3267 ; www.schubert.org ; ☺12h-16h dim-ven) expose une belle collection de pianos et de harpes – certains utilisés

ST PAUL AVEC DES ENFANTS

Ajoutez à la liste qui suit le Science Museum of Minnesota (voir ci-dessous), dont les petits apprécient le spectacle laser et le cinéma Omnimax.

» **Minnesota Children's Museum**
(☑651-225-6000 ; www.mcm.org ; 10 W 7th St ; 9 $; ☺9h-16h lun-jeu, 9h-20h ven-sam, 9h-17h dim ; 🚼). Le lot habituel d'installations interactives, une fourmilière géante dans laquelle crapahuter et l'espace "Our World" pour apprendre à vivre en communauté.

» **Minnesota History Center**
(☑651-259-3000 ; www. minnesotahistorycenter.org ; 345 W Kellogg Blvd ; adulte/enfant 10/5 $, entrée libre mar soir ; ☺10h-20h mar, 10h-17h mer-sam, 12h-17h dim ; 🚼). Ici, votre progéniture pourra notamment participer à des circuits éducatifs "chasse au trésor" et grimper dans un wagon de marchandises.

par Mozart, Beethoven et autres musiciens célèbres –, ainsi que des lettres et manuscrits de compositeurs. Des concerts gratuits de musique de chambre ont lieu le jeudi à midi d'octobre à avril. Un musée en accès libre consacré au tournage sur bois se tient au même étage.

GRATUIT Mississippi River Visitors Center CENTRE D'INTERPRÉTATION
(☑651-293-0200 ; www.nps.gov/miss ; ☺9h30-17h dim-jeu, 9h30-21h ven-sam). Le centre des visiteurs du National Park Service est situé dans le hall du musée de la Science. Passez prendre une carte des sentiers et vous renseigner sur les randonnées gratuites à pied ou à vélo organisées par les rangers. La plupart ont lieu à 10h les mercredis, jeudis et samedis en été. En hiver, le centre propose des parties de pêche sous la glace et des sorties en raquettes.

Science Museum of Minnesota MUSÉE
(☑651-221-9444 ; www.smm.org ; 120 W Kellogg Blvd ; adulte/enfant 11/8,50 $; ☺9h30-21h30, horaires réduits en hiver). Le musée de la Science abrite notamment des installations interactives destinées aux enfants et un cinéma Omnimax (5 $ en

sus). La collection d'instruments médicaux farfelus au 3e étage amusera davantage les adultes.

St Paul Curling Club SPORT D'HIVER
(www.stpaulcurlingclub.org ; 470 Selby Ave ; ☺à partir de 11h oct-mai). Pour ceux qui ne le savent pas, le curling est un sport consistant à faire glisser des pierres en granit poli sur la glace au plus près d'une cible. Les gens qui jouent dans ce club ne voient pas d'inconvénient à ce qu'on les observe en action. Peut-être même vous inviteront-ils à partager une Labatt's au bar à l'étage.

Cathedral of St Paul ÉGLISE
(www.cathedralsaintpaul.org ; 239 Selby Ave ; ☺7h-19h dim-ven, 7h-21h sam). Inspirée de la basilique Saint-Pierre de Rome, la cathédrale domine la ville du haut de sa colline.

James J Hill House ÉDIFICE HISTORIQUE
(☑651-297-2555 ; www.mnhs.org/hillhouse ; 240 Summit Ave ; adulte/enfant 8/5 $; ☺10h-15h30 mer-sam, 13h-15h30 dim). La luxueuse demeure en pierre du magnat des chemins de fer James Jerome Hill est une splendeur du Gilded Age (âge d'or) qui ne comporte pas moins de 5 étages et 22 cheminées.

☞ Circuits organisés

Down In History Tours CIRCUITS À PIED
(☑651-292-1220 ; www.wabashastreetcaves. com ; 215 S Wabasha St ; circuits de 45 min 6 $; ☺17h jeu, 11h sam-dim). Ce circuit permet de découvrir les salles souterraines creusées dans le grès qui servaient de bars clandestins à la pègre. Un groupe de swing joue le jeudi soir (7 $).

✹ Fêtes et festivals

St Paul Winter Carnival CULTURE
(www.winter-carnival.com ; ☺fin jan). St Paul fête l'hiver pendant 10 jours à coup de sculptures sur glace, de patinage, de pêche et autres manifestations.

⌂ Où se loger

Minneapolis offre davantage de choix.

Covington Inn B&B $$
(☑651-292-1411 ; www.covingtoninn.com ; 100 Harriet Island Rd ; ch petit-déj inclus 150-235 $; 🅿🐕❄). Parfaites pour regarder passer les bateaux en sirotant son café du matin, ces 4 chambres vous attendent dans un remorqueur amarré sur le Mississippi à Harriet Island.

Holiday Inn HÔTEL **$$**
(☎651-225-1515 ; www.holiday-inn.com/
stpaulmn ; 175 W 7th St ; ch 99-169 $; P♿❄🛜⏾). Les chambres présentent la qualité correcte attendue de cette chaîne hôtelière. La proximité du RiverCentre (palais des congrès), la petite piscine et le pub irlandais sont appréciables. Parking : 15 $.

🍴 Où se restaurer et prendre un verre

Entre Dale St et Victoria St, Grand Ave mérite le détour pour ses cafés, épiceries fines et restaurants ethniques proches les uns des autres. Selby Ave, près de l'intersection de Western Ave N, possède aussi son lot d'adresses originales.

Mickey's Dining Car DÎNER **$**
(www.mickeysdiningcar.com ; 36 W 7th St ; plat 4-9 $; ⏾24h/24). Un classique de Downtown où la serveuse sympathique vous appelle "*honey*" et où des habitués satisfaits boivent leur café au bar en lisant le journal. La nourriture – hamburgers, tarte aux pommes et bières – revêt elle aussi un charme intemporel.

WA Frost & Company AMÉRICAIN **$$**
(☎651-224-5715 ; www.wafrost.com ; 374 Selby Ave ; petites assiettes 9-16 $, plat 18-34 $; ⏾11h-13h30 lun-ven, 10h30-14h sam-dim, 17h-22h tlj). Couverte de lierre et éclairée d'une lumière scintillante, la terrasse à l'ombre des arbres est parfaite pour prendre un verre de vin, une bière ou un gin dans un cadre digne d'un roman de Fitzgerald. Le restaurant met l'accent sur les produits de provenance locale, avec des plats comme l'assiette de fromages artisanaux, le steak de tofu ou le canard à la cardamome.

Hmongtown Marketplace ASIATIQUE **$**
(www.hmongtownmarketplace.com ; 217 Como Ave ; plat 5-8 $; ⏾8h-20h). La plus importante communauté d'immigrés hmong du pays vit dans les Twin Cities, d'où la présence de ce marché. Les stands de restauration à l'arrière du West Building servent des spécialités vietnamiennes, laotiennes et thaïes telles que salade de papaye relevée, riz gluant et soupe de nouilles au curry. Après le repas, vous pourrez faire réparer votre dentier et acheter un cacatoès ou un gong en cuivre.

Happy Gnome PUB
(www.thehappygnome.com ; 498 Selby Ave ; ⏾à partir de 11h30 ; 🛜). Séparé du St Paul Curling Club par un parking, ce pub décline 70 sortes de bières artisanales à la pression et s'agrémente d'une terrasse en plein air munie d'une cheminée.

☆ Où sortir

Fitzgerald Theater THÉÂTRE
(☎651-290-1221 ; www.fitzgeraldtheater.org ; 10 E Exchange St). Le lieu d'enregistrement de la célèbre émission de radio hebdomadaire *A Prairie Home Companion*, animée par Garrison Keillor.

Ordway Center for Performing Arts MUSIQUE CLASSIQUE
(☎651-224-4222 ; www.ordway.org ; 345 Washington St). Concerts de musique de chambre et représentations de la Minnesota Opera Company.

Xcel Energy Center HOCKEY SUR GLACE
(www.wild.com ; 199 Kellogg Blvd). Le terrain de jeu des pros du Minnesota Wild.

🔒 Achats

Common Good Books LIVRES
(www.commongoodbooks.com ; 165 Western Ave N ; ⏾10h-22h, 10h-20h dim). Garrison Keillor possède cette librairie en sous-sol éclairée par des lucarnes. Sur les étagères figurent des romans et des ouvrages sur la nature écrits par des auteurs du Middle West, dont certains pianotent peut-être sur leur ordinateur portable dans le café au-dessus (une liste à côté de la porte indique tous les romans écrits sur les tables de l'établissement).

🛈 Renseignements

Visitor Center (☎651-292-3225 ; www. visitstpaul.com ; 75 W 5th St ; ⏾10h-16h lun-sam, 12h-16h dim). Dans le Landmark Center ; il fournit des cartes et des renseignements sur les itinéraires à pied autonomes.

🛈 Comment s'y rendre et circuler

St Paul et Minneapolis partagent le même réseau de transports (voir détail p. 545). Les bus Greyhound qui desservent Minneapolis marquent généralement l'arrêt à la **gare de St Paul** (☎651-222-0507 ; 166 W University Ave).

Environs de Minneapolis et St Paul

Mall of America MALL, PARC D'ATTRACTIONS
(www.mallofamerica.com ; près de l'I-494, à hauteur de 24th Ave ; ⏾10h-21h30 lun-sam,

11h-19h dim ; 🚻). Près de l'aéroport dans la banlieue de Bloomington, le plus grand centre commercial des États-Unis ne contient pas seulement les magasins, cinémas et restaurants habituels, mais aussi une chapelle de mariage et un **minigolf** (☎952-883-8777 ; 2e niveau ; 8 $) de 18 trous. Il englobe par ailleurs le **Nickelodeon Universe** (☎952-883-8600 ; www.nickelodeonuniverse.com) doté de 24 manèges, dont deux effrayantes montagnes russes. Si l'entrée n'est pas payante, il faut débourser 30 $ pour un forfait journalier illimité ou 3-6 $ par attraction. Citons encore le **Minnesota Sea Life** (☎952-883-0202 ; www.sealifeus.com ; adulte/enfant 20/16 $), plus vaste aquarium de l'État, où les enfants peuvent toucher des requins et des raies. Des billets combinés permettent de réaliser une économie. La ligne de light-rail Hiawatha rallie le Mall depuis le centre de Minneapolis.

Fort Snelling   SITE HISTORIQUE
(☎612-726-1171 ; www.historicfortsnelling.org ; angle Hwy 5 et Hwy 55 ; adulte/enfant 10/5 $; ⏰10h-17h mar-sam, 12h-17h dim juin-août, sam seulement sept-oct ; 🚻). À l'est du Mall, le plus vieux monument du Minnesota fut édifié en 1820 comme avant-poste frontalier dans le lointain Territoire du Nord-Ouest. Des guides en costume d'époque font revivre la vie des pionniers.

Sud du Minnesota

Il est possible d'explorer une partie du Sud-Est pittoresque dans le cadre de courtes excursions en voiture au départ des Twin Cities. Mieux vaut toutefois envisager un circuit de plusieurs jours qui suit les rivières et s'arrête dans les villes historiques et les parcs d'État.

À l'est de St Paul, sur la Hwy 36, le vieux bourg de bûcherons de **Stillwater** (www.ilovestillwater.com) borde le cours inférieur de la St Croix River. Ses édifices restaurés du XIXe siècle, ses antiquaires et ses croisières fluviales en font une étape touristique. L'endroit s'est également vu attribuer le titre officiel de "ville du livre" qui récompense des localités riches en librairies spécialisées dans les ouvrages anciens. Enfin, nombre d'élégants B&B occupent des bâtiments historiques.

Au sud sur l'US 61, la bourgade plus importante de **Red Wing** présente un caractère similaire mais un moindre intérêt. On y fabrique de robustes chaussures de la

La **plus grosse pelote de ficelle du monde** (☎320-693-7544 ; www.darwintwineball.com ; 1st St ; entrée libre ; ⏰24h/24) se trouve à Darwin, à 100 km à l'ouest de Minneapolis sur l'US 12. Pour être plus précis, il s'agit de la plus grosse pelote constituée par un seul individu, en l'occurrence Francis A. Johnson, qui mit 29 ans à réaliser sur sa ferme ce monstre de près de 8 tonnes. On peut se contenter de regarder depuis le belvédère de la ville ou visiter le **musée** (⏰13h-16h avr-sept, sur rdv oct-mars) à côté et acheter à la boutique de cadeaux de quoi battre le record.

marque Red Wing Shoes et des poteries vernissées au sel.

La plus jolie portion de la **Mississippi Valley** commence au sud de Red Wing. Pour en découvrir les meilleurs attraits, vous devrez faire la navette entre le Minnesota et le Wisconsin le long de la Great River Road.

De Red Wing, traversez le fleuve sur l'US 63. Mais avant de vous diriger vers le sud en longeant la berge, nous vous conseillons un petit détour. Prenez l'US 63 vers le nord dans le Wisconsin pendant 19 km jusqu'à l'US 10, tournez à droite et parcourez quelques kilomètres pour rejoindre Ellsworth, la capitale des *cheese curds* (morceaux de fromage panés et frits). À l'**Ellsworth Cooperative Creamery** (☎715-273-4311 ; www.ellsworthcheesecurds.com ; 232 N Wallace St ; ⏰8h-17h lun-ven, 8h-14h sam), qui travaille pour A&W et Dairy Queen, vous aurez l'occasion de déguster le produit tout frais (venez de préférence à 11h).

De retour au bord du fleuve sur la Hwy 35, dans le Wisconsin, un beau tronçon de route passe par des escarpements rocheux près de **Maiden Rock**, **Stockholm** et **Pepin**. Laissez votre nez vous guider jusqu'aux boulangeries et cafés du secteur.

En continuant vers le sud, franchissez à nouveau le fleuve jusqu'à **Wabasha** (Minnesota), caractérisée par son centre-ville ancien et sa vaste colonie de pygargues à tête blanche en hiver. Le **National Eagle Center** (☎651-565-4989 ; www.nationaleaglecenter.org ; 50 Pembroke Ave ; adulte/enfant 8/5 $; ⏰10h-17h dim-jeu, 9h-18h ven et sam) vous en apprendra davantage sur ce rapace.

LES CONSERVES SPAM

Dans le sud du Minnesota, près de l'intersection de l'I-35 et l'I-90, la ville isolée d'Austin recèle le **Spam Museum** (☎800-588-7726 ; www.spam.com ; 1101 N Main St ; entrée libre ; ◉10h-17h lun-sam, 12h-17h dim ; ♿), entièrement dédié à la fameuse marque de viande de porc en conserve. On y apprend comment la petite boîte bleue nourrit des armées, devint un aliment de base à Hawaï et inspira des légions de poètes. Mieux encore, vous pourriez discuter avec les employés (ou "spambassadors"), faire des dégustations gratuites et vous essayer au conditionnement du produit.

Toujours au sud, à l'intérieur des terres, le Bluff Country est ponctué de reliefs calcaires typiques du sud-est du Minnesota. **Lanesboro** séduit les amateurs de cyclotourisme et de canoë. À 11 km à l'ouest sur la County Rd 8, vous atteindrez l'**Old Barn Resort** (☎507-467-2512 ; www.barnresort.com ; dort/ch 25/50 $, empl tente/camping-car 28/36 $; ◉avr à mi-nov ; ▨), une auberge de jeunesse rurale, avec un camping et un restaurant ; demandez le chemin par téléphone. Au sud de Lanesboro, l'accueillante **Harmony** abrite une communauté amish.

Duluth
et le nord du Minnesota

À en croire l'un de ses habitants, le nord du Minnesota est l'endroit où l'on va "pour pêcher et boire des coups".

DULUTH

À l'extrémité ouest des Grands Lacs, Duluth compte parmi les ports les plus actifs du pays, avec Superior, sa voisine du Wisconsin. Sa situation spectaculaire à flanc de falaise en fait un site formidable pour contempler le lac Supérieur changeant. Grâce à l'élément liquide, ainsi qu'aux sentiers et splendeurs naturelles de la région, il s'agit d'un haut lieu des activités de plein air.

◉ À voir et à faire

Duluth possède un front de lac caractéristique. Baladez-vous le long du Lakewalk et autour du Canal Park, qui concentrent la plupart des sites. Le pont Aerial Lift Bridge

se soulève pour laisser un millier de navires pénétrer dans le port chaque année.

Maritime Visitors Center   MUSÉE
(☎218-720-5260 ; www.lsmma.com ; 600 Lake Ave S ; entrée libre ; ◉10h-21h juin-août, horaires limités sept-mai). Ce centre des visiteurs de premier ordre accueille des expositions traitant de la navigation et des épaves dans les Grands Lacs. Consultez l'ordinateur sur place pour savoir à quelle heure des bateaux d'envergure entrent dans le port.

William A Irvin   MUSÉE
(☎218-722-7876 ; www.williamairvin.com ; 350 Harbor Dr ; adulte/enfant 10/8 $; ◉9h-18h juin-août, 10h-16h mai, sept et oct). Abrite un cargo des Grands Lacs de 186 m construit en 1937.

Great Lakes Aquarium   AQUARIUM
(☎218-740-3474 ; www.glaquarium.org ; 353 Harbor Dr ; adulte/enfant 14,50/8,50 $; ◉10h-18h ; ♿). L'un des rares aquariums d'eau douce du pays. Ne manquez pas le repas des raies à 14h et le bassin aux loutres.

Vista Fleet   EXCURSION EN BATEAU
(☎218-722-6218 ; www.vistafleet.com ; 323 Harbor Dr ; adulte/enfant 16/8 $; ◉mi-mai à oct). Cette balade de 2 heures dans la baie part du quai qui jouxte le cargo *William A Irvin* à Canal Park.

Leif Erikson Park   PARC
(Angle London Rd et 14th Ave E). Ce charmant espace vert au bord du lac comprend une roseraie et une réplique du drakkar de l'explorateur islandais Leif Erikson. Une séance de cinéma gratuite s'y déroule en plein air les vendredis en été. Suivez le Lakewalk depuis Canal Park (2,5 km environ) et vous pourrez dire que vous avez parcouru le Superior Trail (p. 553), qui emprunte ce tronçon.

**University of Minnesota
Duluth's Outdoor Program**   PLEIN AIR
(☎218-726-6134, 218-726-7128 ; www.umdrsop. org ; 154 Sports & Health Center ; location 20-40 $/j). L'université loue des kayaks, du matériel de camping et autres équipements de plein air. Elle organise également des programmes d'escalade, de paddleboard et de snow-kite où les débutants sont les bienvenus.

Spirit Mountain   SKI
(☎218-628-2891 ; www.spiritmt.com ; 9500 Spirit Mountain Pl ; adulte/enfant 47/37 $ par jour ; ◉9h-20h dim-jeu, 9h-21h ven-sam mi-nov à mars). Ski et snowboard se pratiquent intensément l'hiver sur cette montagne à 16 km au sud de Duluth.

Enger Park

PARC

(Skyline Pkwy). Pour profiter d'une vue spectaculaire sur la ville et le port, montez au sommet de la tour en pierre octogonale d'Enger Park, à environ 3 km au sud-ouest à côté du terrain de golf.

🛏 Où se loger

Duluth possède plusieurs B&B qui facturent au moins 125 $ la chambre en période estivale. **Duluth Historic Inns** (www.duluthbandb.com) répertorie les adresses. Les hébergements affichent rapidement complet en été, ce qui oblige parfois à tenter sa chance en face à Superior, dans le Wisconsin, qui pratique en outre des tarifs plus bas.

Fitger's Inn

HÔTEL

(☎218-722-8826 ; www.fitgers.com ; 600 E Superior St ; ch petit-déj inclus 99-209 $; ⊜@⊜). Ces 62 chambres de vastes dimensions, dont le décor varie légèrement, occupent une vieille brasserie. Les plus onéreuses jouissent d'une belle vue sur l'eau. Une navette pratique dessert gratuitement les sites.

Willard Munger Inn

HÔTEL

(☎218-624-4814, 800-982-2453 ; www.mungerinn.com ; 7408 Grand Ave ; ch petit-déj inclus 70-136 $; ⊜@⊜). Proche de Spirit Mountain, cet établissement familial loue une gamme de chambres allant de l'option économique à la suite avec Jacuzzi. Les amateurs de plein air apprécieront les sentiers pédestres et cyclables qui partent au pied de l'hôtel, ainsi que les vélos, les canoës et l'espace pour faire du feu mis gracieusement à disposition.

BOB DYLAN À DULUTH

Si on l'associe plus souvent à Hibbing et à l'Iron Range, Bob Dylan a vu le jour à Duluth. Dans Superior St et London St, des panneaux bicolores indiquent les sites qui jalonnent la **Bob Dylan Way** (www.bobdylanway.com), notamment l'arsenal où un concert de Buddy Holly le décida à devenir musicien. Il vous faudra en revanche chercher seul la **maison natale de Dylan** (519 3rd Ave E), non signalée, en amont à quelques blocs au nord-est du centre. La star vécut au dernier étage jusqu'à l'âge de six ans, avant de déménager avec sa famille à Hibbing. La maison appartenant aujourd'hui à des particuliers, vous devrez vous contenter de la regarder depuis la rue.

✗ Où se restaurer et prendre un verre

La plupart des restaurants et des bars ont des horaires plus limités en hiver. Des tables pour toutes les bourses vous attendent dans la zone de Canal Park au bord de l'eau.

DeWitt-Seitz Marketplace

ÉCLECTIQUE $$

(www.dewittseitz.com ; 394 Lake Ave S). Cet immeuble de Canal Park contient plusieurs enseignes, dont le **Taste of Saigon** (⊙11h-20h30 dim-jeu, 11h-21h30 ven et sam ; ⊘), qu'apprécient les végétariens, le café-pâtisserie **Amazing Grace** (⊙7h-22h) et le **Northern Waters Smokehaus** (⊙10h-21h lun-sam, 11h-17h dim) qui vend du saumon et du doré jaune fumés issus de la pêche durable.

Chester Creek Cafe

CAFÉ $$

(☎218-723-8569 ; www.astccc.net ; 1902 E 8th St ; plat 7-14 $; ⊙7h-21h lun-sam, 7h30-20h dim ; ⊘). Dans le secteur de l'université, à environ 3 km du centre, ce café au mobilier en pin prépare omelettes, *tempeh Reubens*, curry de tofu thaï, poissons et viandes.

Pizza Luce

PIZZERIA $$

(☎218-727-7400 ; www.pizzaluce.com ; 11 E Superior St ; grande pizza 20-22 $; ⊙8h-1h30 dim-jeu, 8h-2h30 ven-sam ; ⊘). Petits-déjeuners à base d'ingrédients du cru, pizzas gourmandes et alcools, le tout sur fond de musique jouée par des groupes locaux.

Fitger's Brewhouse

BRASSERIE

(www.fitgersbrewhouse.net ; 600 E Superior St ; ⊙à partir de 11h). Dans le complexe hôtelier éponyme, cette brasserie vibre au son de la musique live. Goûtez l'assortiment de 7 bières.

♥ Thirsty Pagan

BRASSERIE

(www.thirstypaganbrewing.com ; 1623 Broadway St ; ⊙à partir de 16h). Les 10 minutes de voiture par le pont jusqu'à Superior, dans le Wisconsin, se justifient pour boire les bières relevées qui accompagnent ici les pizzas maison.

🛍 Achats

Electric Fetus

MUSIQUE

(☎218-722-9970 ; www.electricfetus.com ; 12 E Superior St ; ⊙9h-21h lun-ven, 9h-20h sam, 11h-18h dim). Un énorme choix de CD, vinyles et cadeaux, dont des albums et T-shirts de Bob Dylan, en face de Pizza Luce.

ⓘ Renseignements

Duluth Visitors Center (☎800-438-5884 ; www.visitduluth.com ; Harbor Dr ; ⊙9h30-

ROUTE PANORAMIQUE : LA HIGHWAY 61

La Hwy 61 évoque pour les Américains une foule d'images. Bob Dylan, l'enfant du pays, en a fait un mythe dans son album *Highway 61 Revisited* (1965) et il s'agit de la fameuse "Blues Highway" qui embrasse le Mississippi en direction de La Nouvelle-Orléans (voir p. 37). Dans le nord du Minnesota, elle suit le rivage du lac Supérieur, rimant avec falaises teintées de rouge et plages boisées.

La Blues Highway correspond en réalité à l'US 61 qui débute juste au nord des Twin Cities. La Hwy 61, une route d'État panoramique, commence quant à elle à Duluth. Pour embrouiller les esprits encore un peu plus, il existe deux axes "61" entre Duluth et Two Harbors : une autoroute à quatre voies et la "Old Hwy 61" à deux voies, également appelée North Shore Scenic Drive, qui prolonge London Rd depuis Duluth. Quel que soit le nom de la route, prenez-la. Après Two Harbors, vous traversez un paysage splendide jusqu'à la frontière canadienne. Pour de plus amples détails, consultez le site www. superiorbyways.com.

19h30 en été). Centre ouvert en saison, dans les locaux de Vista Fleet.

❶ Comment s'y rendre et circuler

Greyhound (☎218-722-5591 ; 4426 Grand Ave) propose deux bus quotidiens à destination de Minneapolis (20-36 $, 3 heures).

NORTH SHORE

Principal axe du North Shore, la Hwy 61 (voir ci-dessus) longe le lac Supérieur et passe par de nombreux parcs d'État, chutes d'eau, sentiers de randonnée et villes provinciales en direction du Canada. Réservations indispensables le week-end, en été et en automne.

Two Harbors (www.twoharborschamber. com) abrite un musée et le **Lighthouse B&B** (☎218-834-4814 ; www.lighthousebb. org ; ch petit-déj inclus 135-155 $) offre 4 chambres aménagées dans un phare. Tout près, **Betty's Pies** (www.bettyspies.com ; 1633 Hwy 61 ; sandwich 5-9 $; ◷7h-21h, horaires réduits oct-mai) confectionne tartes aux fruits et gâteaux à la crème.

Au nord de Two Harbors, les Gooseberry Falls, Split Rock Lighthouse et Palisade Head méritent le coup d'œil. À 177 km de Duluth, le petit bourg de **Grand Marais** (www.grandmarais.com) constitue un excellent point de chute pour explorer les Boundary Waters. Le permis et les informations concernant ces derniers s'obtiennent à la **Gunflint Ranger Station** (☎218-387-1750 ; ◷7h-17h mai-sept), juste au sud de la ville.

Ceux qui aiment les activités manuelles pourront apprendre à construire un bateau, pêcher à la mouche ou brasser de la bière à la **North House Folk School** (☎218-387-9762 ; www.northhousefolkschool.com ; 500 Hwy 61), qui décline un nombre de cours phénoménal et organise des sorties de 2 heures à bord de

la goélette *Hjordis* (adulte/enfant 45/35 $). Il importe de réserver à l'avance.

L'hébergement à Grand Marais inclut camping, complexes hôteliers et motels comme le **Harbor Inn** (☎218-387-1191 ; www. bytheharbor.com ; 207 Wisconsin St ; ch 115-135 $; ☏) en ville ou le rustique **Naniboujou Lodge** (☎218-387-2688 ; www.naniboujou.com ; 20 Naniboujou ; ch 95-115 $) entouré de sentiers, à 22,5 km au nord. **Sven and Ole's** (☎218-387-1713 ; www.svenandoles.com ; 9 Wisconsin St ; sandwich 6-8 $; ◷11h-20h, 11h-21h jeu-sam) sert des sandwichs et des pizzas, tandis que la bière coule à flots au Pickled Herring Pub attenant. L'**Angry Trout Cafe** (☎218-387-1265 ; www.angrytroutcafe.com ; 416 Hwy 61 ; plat 19-25 $; ◷11h-20h30 mai à mi-oct) sert des poissons frais du lac grillés dans une baraque de pêche reconvertie.

La Hwy 61 continue jusqu'au **Grand Portage National Monument** (☎218-475-0123 ; www.nps.gov/grpo ; entrée libre ; ◷horaires variables, mi-mai à mi-oct), près du Canada, à l'endroit où les premiers "voyageurs" du commerce des fourrures devaient porter leurs canoës pour contourner les rapides de la Pigeon River. Cet ancien pôle commercial lointain comprend les reconstitutions d'un comptoir et d'un village ojibwé de 1788. De mai à octobre, des **ferries** (☎218-475-0024 ; www.isleroyaleboats.com ; excursion adulte/enfant 53/30 $) desservent quotidiennement l'**Isle Royale National Park**, sur le lac Supérieur, également accessible depuis le Michigan (voir p. 526).

BOUNDARY WATERS

De Two Harbors, la Hwy 2 s'enfonce dans les terres jusqu'à la légendaire **Boundary Waters Canoe Area Wilderness (BWCAW)**, une région préservée riche de plus de 1 000 lacs et cours d'eau propices à la baignade. On peut s'y rendre pour la journée seulement, mais la plupart des visiteurs campent au moins une nuit. Il suffit de s'éloigner en canoë pour semer la foule. Bivouaquer devient alors une expérience formidable quand la lueur verte de l'aurore boréale éclaire le ciel nocturne, que les loups hurlent et qu'un élan vient renifler votre tente. Les lodges et prestataires du coin louent des équipements, et même les novices sont les bienvenus. Les excursions avec nuit sur place requièrent un **permis payant** (☎877-550-6777 ; www. recreation.gov ; adulte/enfant 16/8 $, plus 6 $ de réservation). Autrement, procurez-vous un permis gratuit dans un kiosque d'entrée ou une station de rangers du BWCAW. Appelez la **Superior National Forest** (☎218-626-4300 ; www.fs.fed.us/r9/forests/superior/bwcaw) qui vous renseignera ; son site Internet comporte un guide utile pour planifier votre circuit. Mieux vaut s'organiser à l'avance, car il arrive que le quota de permis soit épuisé.

Beaucoup considèrent la charmante ville d'**Ely** (www.ely.org), au nord-est de la chaîne montagneuse de l'Iron Range, comme le meilleur point d'accès au BWCAW. On y trouve le gîte, le couvert et tout le matériel. L'**International Wolf Center** (☎218-365-4695 ; www.wolf.org ; 1369 Hwy 169 ; adulte/enfant 8,50/4,50 $; ☉10h-17h, fermé dim-jeu mi-oct à mi-mai) rend hommage au loup, avec des expositions et des sorties à la rencontre de l'animal. De l'autre côté de la route, la **Kawishiwi Ranger Station** (☎218-365-7600 ; 1393 Hwy 169 $; ☉7h-16h30 mai-sept) dispense des conseils d'experts sur le camping et le canoë, des suggestions d'itinéraires et les permis requis.

En hiver, Ely s'assoupit, mais s'affiche comme un lieu réputé pour la pratique du traîneau à chiens. Dans ce domaine, des tour-opérateurs comme **Wintergreen**

Dogsled Lodge (☎218-365-6022 ; www.dogsledding.com ; circuit de 4 heures 125 $) proposent différentes formules.

IRON RANGE DISTRICT

Région de collines rougeâtres tapissées de broussailles plutôt que véritables montagnes, l'Iron Range District englobe la Mesabi Range et la Vermilion Range, qui s'étendent au nord et au sud de la Hwy 169, approximativement de Grand Rapids jusqu'à Ely, au nord-est. Il fut un temps où les trois quarts du minerai de fer extrait aux États-Unis provenaient des mines à ciel ouvert exploitant les gisements du secteur découverts dans les années 1850. Le Hwy 169 dévoile un rude paysage à la végétation clairsemée où subsistent des activités minières.

Avec ses visites de mines et son centre d'exposition, le **Hill Annex Mine State Park** (☎218-247-7215 ; www.mnstateparks.info ; 880 Gary St ; adulte/enfant 10/6 $; ☉9h-17h mer-sam) de **Calumet** constitue une bonne introduction. Les circuits n'ont lieu que l'été, à 10h (découverte des fossiles), 12h30 et 15h du mercredi au samedi.

À **Hibbing**, un **point de vue** (entrée libre ; ☉9h-17h mi-mai à mi-sept) au nord de la ville domine la Hull-Rust Mahoning Mine longue de 5 km. Bob Dylan vécut son enfance et son adolescence au 2425 E 7th Ave. La **Hibbing Public Library** (☎218-362-5959 ; www.hibbing.lib.mn.us ; 2020 E 5th Ave ; ☉9h-20h lun-jeu, 9h-17h ven) lui consacre une exposition bien conçue et fournit un plan des sites en relation avec l'artiste, comme le lieu où il célébra sa Bar Mitzvah. D'autres souvenirs agrémentent le pub **Zimmy's** (www.zimmys.com ; 531 E Howard St ; plat 14-20 $; ☉11h-1h). Pour loger, essayez le **Hibbing Park Hotel** (☎218-262-3481 ; www.hibbingparkhotel.com ; 1402 E Howard St ; ch 60-95 $; ❄🛜📶).

Soudan abrite la seule **mine souterraine** (☎218-753-2245 ; www.soudan.umn.edu ;

LE SUPERIOR HIKING TRAIL

Long de 330 km, le **Superior Hiking Trail** (www.shta.org) suit la corniche qui étreint le lac entre Two Harbors et la frontière canadienne, croisant au passage des falaises de roche rouge et parfois un élan ou un ours noir. Des départs de sentiers flanqués de parking surgissent tous les 8 à 16 km, ce qui facilite les randonnées dans la journée. La **Superior Shuttle** (☎218-834-5511 ; www.superiorhikingshuttle.com ; à partir de 17 $; ☉ven-dim mi-mai à mi-oct), encore plus pratique, ramasse les marcheurs aux 17 arrêts du parcours. Plusieurs lodges et 81 aires de camping en pleine nature assurent le logement (voir site Internet). Gratuit, l'accès au Superior Hiking Trail ne nécessite ni réservation, ni permis. Duluth possède un tronçon du sentier de 63 km, qui devrait être relié à Two Harbors en 2012.

1379 Stuntz Bay Rd ; adulte/enfant 10/6 $; ⏰10h-16h fin mai-début sept) de la région. Prévoir des vêtements chauds pour la visite.

VOYAGEURS NATIONAL PARK

Au XVIIe siècle, les marchands de fourrures franco-canadiens appelés "voyageurs" commencèrent à explorer en canoë les Grand Lacs et les rivières du Nord. Le **Voyageurs National Park** (www.nps.gov/voya) couvre en partie les voies d'eau qu'ils avaient l'habitude de sillonner, à la frontière actuelle entre les États-Unis et le Canada.

L'accès au parc se fait essentiellement à pied et en bateau à moteur. Si les plans d'eau sont le plus souvent trop larges et trop agités pour la pratique du canoë, le kayak se popularise. Quelques routes conduisent à des campings et des lodges sur le lac Supérieur ou à proximité, mais ceux-ci logent surtout des personnes disposant de leur propre embarcation.

Les centres des visiteurs, accessible en voiture, constituent de bons points de départ. Le principal, le **Rainy Lake Visitors Center** (📞218-286-5258 ; ⏰9h-17h fin mai-sept, fermé lun et mar le reste de l'année), se situe à 19 km à l'est des International Falls, sur la Hwy 11. Les rangers y organisent des randonnées guidées et des excursions en bateau. Des centres saisonniers fonctionnent à **Ash River** (📞218-374-3221 ; ⏰9h-17h fin mai-sept) et à **Kabetogama Lake** (📞218-875-2111 ; ⏰9h-17h fin mai-sept), où l'on trouve services, matériel à louer et tour-opérateurs. De petites baies sont praticables en canoë.

Les **house-boats** ont un grand succès. Adressez-vous à des compagnies comme **Ebel's** (📞888-883-2357 ; www.ebels.com ; 10326 Ash River Trail, Orr) et **Voyagaire Houseboats** (📞800-882-6287 ; www.voyagaire.com ; 7576 Gold Coast Rd, Crane Lake). Les prix vont de 275 à 700 $ par jour selon la taille du bateau. Possibilité de prendre des cours pour apprendre à manœuvrer.

Côté logement, le choix se résume au camping et aux *resorts*. Au cœur du parc et accessible uniquement en bateau, le **Kettle Falls Hotel** (📞218-240-1724 ; www.kettlefallshotel.com ; ch/cottage petit-déj inclus 80/160 $; ⏰mai à mi-oct) doté de 12 chambres avec sdb commune fait exception à la règle. Les propriétaires peuvent venir vous chercher (aller-retour 45 $/pers). Sinon, il n'y a pas mieux que le **Nelson's Resort**

ⓘ **TOURISME VERT ET ÉQUITABLE**

Green Routes (www.greenroutes.org) dresse la liste des restaurants, hébergements, magasins et tour-opérateurs équitables, dont beaucoup sont gérés par des Amérindiens. La plupart des adresses sont dans le Minnesota, avec quelques-unes dans le Wisconsin et le Dakota du Sud.

(📞800-433-0743 ; www.nelsonsresort.com ; 7632 Nelson Rd ; bungalows à partir de 180 $), au Crane Lake, pour randonner ou pêcher.

Bien que le Voyageurs National Park soit un lieu sauvage et retiré, les vrais amoureux de la nature, du canoë et du camping préféreront à n'en pas douter Boundary Waters.

BEMIDJI ET LA CHIPPEWA NATIONAL FOREST

L'endroit est idéal pour les activités de plein air et les divertissements estivaux. Les campings et cottages abondent et on s'adonne à la pêche avec frénésie.

À l'**Itasca State Park** (📞218-266-2100 ; www.mnstateparks.info ; près de la Hwy 71 N ; véhicule 5 $, empl tente et camping-car 16-25 $), vous pourrez traverser à pied la petite source du puissant Mississippi, louer des canoës ou des vélos, arpenter les sentiers de randonnée et camper. L'auberge de jeunesse **HI Mississippi Headwaters Hostel** (📞218-266-3415 ; www.mississippiheadwatershostel.org ; dort 24-27 $, ch 80-130 $; 🖥🕿) en rondins se trouve dans le parc ; téléphonez avant de vous y rendre, car les horaires varient en hiver. Si vous préférez le luxe rustique, essayez le vénérable **Douglas Lodge** (📞866-857-2757 ; ch 75-130 $; 🕿), géré par le parc, avec bungalows et deux bons restaurants.

À la lisière ouest de la forêt, à 48 km d'Itasca, **Bemidji** est une ancienne ville de bûcherons où se dresse une statue géante de Paul Bunyan, le bûcheron géant du folklore américain, et de Babe, son fidèle bœuf bleu. Le **Visitor Center** (📞800-458-2223 ; www.visitbemidji.com ; 300 Bemidji Ave N ; ⏰8h-17h lun-ven, 10h-16h sam, 11h-14h dim juin-août, fermé sam-dim sept-mai) expose la brosse à dent de Bunyan. Loger aux **Taber's Log Cabins** (📞218-751-5781 ; www.taberslogcabins.com ; 2404 Bemidji Ave N ; cabins 69-79 $; ⏰mai-oct ; 🕿) permet de pêcher au bord du lac.

Comprendre
> l'Est américain

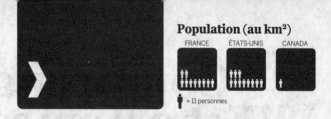

L'Est américain aujourd'hui

Difficultés économiques

Les États-Unis font face à la plus importante crise financière du pays depuis la Grande Dépression. L'effondrement du marché immobilier américain en 2007 a provoqué une crise économique majeure qui s'est propagée au secteur bancaire, entraînant la faillite de grandes institutions. En 2009, le Congrès a adopté un ambitieux plan de relance économique de 800 milliards de dollars, qui n'a pas eu le succès escompté.

Si les problèmes économiques ont touché tout le pays, certains États de l'Est l'ont été particulièrement durement. Ainsi, le Michigan n'arrive-t-il pas à juguler l'un des taux de chômage les plus élevés du pays (plus de 11%), dû à sa dépendance économique envers l'industrie automobile, secteur en difficulté. Beaucoup d'autres économies de la *Rust Belt* (région désindustrialisée) du Middle West –le nord de l'Ohio, l'Indiana et l'Illinois – ont également souffert du déclin industriel.

Fracture politique

Avec la hausse du chômage, les prêts hypothécaires surévalués et le peu d'espoir d'amélioration à l'horizon, les conditions étaient réunies pour l'ascension du Tea Party. Tirant son nom des événements qui se déroulèrent à Boston en 1773, lorsque des patriotes jetèrent une cargaison de thé britannique par-dessus bord pour protester contre la taxe du gouvernement sur ce produit, le Tea Party est un mouvement populiste de républicains conservateurs qui dénoncent des impôts et des dépenses fédérales élevés. Les aides financières accordées par le gouvernement (aux secteurs bancaire et automobile) et la réforme du système de santé du président Obama suscitent particulièrement leur colère.

Le Tea Party et ses amis républicains ont fait une percée dans les régions traditionnellement progressistes de l'est des États-Unis. L'exemple le plus spectaculaire est la conquête d'un siège de sénateur

» Revenu des ménages du New Hampshire (2008-2010) : 66 300 $

» Revenu des ménages du Mississippi (2008-2010) : 36 850 $

» Densité de la population de New York : 10 194 habitants/km²

» Densité de la population du Maine : 17,7 habitants/km²

» Production annuelle de fromage du Wisconsin : 1 million de tonnes

Les classiques de la littérature

Walden (Henri D. Thoreau, 1854)
Gatsby le Magnifique (Francis S. Fitzgerald, 1925).
Ne tirez pas sur l'oiseau moqueur (Harper Lee, 1960)

La Conjuration des imbéciles (John Kennedy Toole, 1980)
Incroyablement fort et extrêmement près (Jonathan Safran Foer, 2005)

Playlist de rock

Highway 61 Revisited Bob Dylan
My City was Gone Pretenders
Atlantic City Bruce Springsteen
Sweet Home Alabama Lynyrd Skynard
No Sleep till Brooklyn Beastie Boys

Religion
(% de la population)

52
Protestants

24
Catholiques

2
Mormons

2
Juifs

20
Autres

Sur 100 personnes aux États-Unis

65 sont des Blancs américains
15 sont des Hispano-Américains
13 sont des Noirs américains
4 sont des Asio-Américains
3 sont d'une autre origine

du Massachusetts en 2010. Occupé par Ted Kennedy jusqu'à sa mort, le siège était considéré comme acquis par les démocrates – jusqu'à ce que le soutien du Tea Party mène le républicain Scott Brown à la victoire.

Les États-Unis sont donc de plus en plus divisés. En 2011, le Wisconsin a occupé le devant de la scène lors de la bataille entre le gouverneur républicain Scott Walker (soutenu par le Tea Party) et les syndicats de la fonction publique luttant pour préserver leurs salaires et leur droit à la négociation collective. Malgré d'importantes manifestations, Walker a campé sur ses positions, ce qui a été très mal perçu et a entraîné une procédure de révocation (autorisée dans le Wisconsin) contre plusieurs membres du corps législatif. Walker devrait être soumis à un plébiscite de révocation en 2012, année des élections présidentielles.

Reconstruction des zones dévastées

L'ouragan Katrina a frappé de plein fouet la Gulf Coast (côte américaine du golfe du Mexique). Les habitants ont su emprunter la voie de la reconstruction, gérant le retour des personnes déplacées, la restauration des zones humides et les aides extérieures. Bien que la reconstruction ait été menée à bien en différents endroits – dont certains quartiers de La Nouvelle-Orléans, devenue un laboratoire de l'urbanisme du futur – elle est douloureusement lente dans d'autres zones de la ville et de la côte, surtout les plus pauvres.

En avril 2010, la Gulf Coast a subi un nouveau coup dur : la marée noire provoquée par l'explosion de la plate-forme pétrolière Deepwater Horizon dans le golfe du Mexique. Environ cinq millions de barils de pétrole brut se sont déversés dans l'océan avant que British Petroleum ne colmate la fuite. L'étendue des dommages causés à la biodiversité locale et aux pêcheries est toujours en train d'être évaluée, mais la région tient bon, comme toujours.

Les classiques du cinéma

Autant en emporte le vent (1939)

Monsieur Smith au Sénat (1939)

Les Incorruptibles(1987)

Do the Right Thing (1989)

Shutter Island (2010)

Playlist de blues

Take the A Train Ella Fitzgerald

Georgia on My Mind Ray Charles

Cross Road Blues Robert Johnson

Potato Head Blues Louis Armstrong

Histoire

Avant d'attirer la convoitise des Européens, le Nouveau Monde était peuplé d'une multitude de tribus amérindiennes. Elles furent décimées par les maladies introduites sur le continent par les nouveaux venus et plusieurs siècles de guerres visant à les déposséder de leurs territoires ancestraux.

Les premières colonies britanniques durent lutter pour survivre, mais dès le XVIIe siècle, certaines réussirent à s'implanter durablement dans les actuels États de Virginie et du Massachusetts. Elles se développèrent progressivement grâce à une économie basée sur le système des plantations et de l'esclavage.

La guerre d'Indépendance (1776-1783) aboutit à la naissance des États-Unis et à la mise en place d'une forme de gouvernement originale, avec pour premier président George Washington.

Un siècle plus tard, la sanglante guerre de Sécession (1861-1865) opposant le Sud au Nord sur la question de l'esclavage menaça la jeune nation conduite par Abraham Lincoln. Celle-ci survécut et le système esclavagiste fut aboli. Le Nord contribua à la reconstruction du Sud, sans pour autant mettre fin aux antagonismes. Bien que désormais libres, les Noirs restèrent privés du droit électoral et le principe de "séparés mais égaux" servit à justifier une discrimination manifeste. Les États-Unis devinrent un pays de forte ségrégation.

La Première Guerre mondiale éclipsa un temps les luttes raciales. Elle fut suivie par les *Roaring Twenties* ("années folles") auxquelles mit fin la Grande Dépression de 1929, qui fit des millions de chômeurs. La politique du New Deal menée par Franklin D. Roosevelt entre 1933 et 1938 parvint à redresser ll'économie. C'est alors qu'éclata la Seconde Guerre mondiale dans laquelle les Américains s'impliquèrent militairement à partir de 1942 jusqu'à la capitulation du Japon.

Sites coloniaux

» Williamsburg, Virginie

» Jamestown, Virginie

» Plymouth, Massachusetts

» North End, Boston

» Philadelphie, Pennsylvanie

» Annapolis, Maryland

» Charleston, Caroline du Sud

CHRONOLOGIE	7 000 av. J.-C.-100	1492	1620
	"Période archaïque" marquée par le mode de vie des chasseurs-cueilleurs nomades. Vers la fin, la culture du maïs, des haricots et de la courge se développe en même temps que la sédentarisation.	Christophe Colomb "découvre" l'Amérique en cherchant la route des Indes, d'où le nom d'"Indiens" donné aux autochtones.	Le *Mayflower* débarque à Plymouth avec à son bord 102 puritains anglais fuyant les persécutions religieuses, qui sont sauvés de la famine par la tribu des Wampanoag.

Le nouveau boom économique des années 1950 se traduisit par la floraison des pavillons de banlieue et des autoroutes sur fond de guerre froide. Les tensions avec l'URSS débouchèrent sur la guerre de Corée.

Les tumultueuses années 1960 et 1970 furent marquées par une série d'assassinats (John F. Kennedy, Martin Luther King Jr, Robert F. Kennedy) et d'émeutes, par la guerre du Vietnam, impopulaire et dévastatrice, et par la corruption politique, incarnée par l'affaire du Watergate. Ce fut également une période de libération des mœurs et de victoires capitales pour les Noirs dans le domaine des droits civiques.

Dans les années 1980, on assista au déclin des villes et à l'émergence d'une société stratifiée, les Blancs fuyant vers la périphérie urbaine. La décennie suivante annonça le retour d'une certaine prospérité et l'essor du secteur des hautes technologies. Les attaques terroristes du 11 septembre 2001 à New York et à Washington ont inauguré de manière tragique le XXIe siècle, entraînant deux guerres coûteuses en Afghanistan et en Irak. Enfin, les effets du krach de 2008 en partie déclenché par la crise des *subprimes* se font toujours sentir.

Premiers habitants

Parmi les cultures préhistoriques significatives des actuels États-Unis figurent les Mound Builders ("bâtisseurs de tumulus"), qui peuplèrent les vallées de l'Ohio et du Mississippi entre 3 000 av. J.-C. et 1 200 de notre ère. Dans l'Illinois, Cahokia (p. 488) fut jadis la plus grande cité précolombienne d'Amérique du Nord, avec 20 000 habitants. Des tumulus similaires se dressent un peu partout dans l'est du pays, notamment le long de la Natchez Trace (p. 40), dans le Mississippi.

Lorsque les premiers Européens débarquèrent, plusieurs groupes amérindiens distincts occupaient le territoire, comme les Wampanoag en Nouvelle-Angleterre et les Shawnee dans le Middle West. Deux siècles plus tard, ils avaient pratiquement disparu. Plus que d'autres facteurs – guerre, esclavage et famine –, les maladies infectieuses transmises par les explorateurs à des autochtones non immunisés causèrent la mort de 50 à 90% de la population amérindienne.

L'arrivée des Européens

En 1492, Christophe Colomb, missionné par la Couronne d'Espagne pour trouver une route vers l'Asie, débarqua dans les Caraïbes et, croyant avoir atteint les Indes orientales, donna le nom d'Indiens aux habitants, créant ainsi une confusion linguistique qui perdura par la suite. La présence d'or et d'argent sur le continent suscita bientôt des désirs de conquête : Hernan Cortés s'empara du Mexique en 1519, Francisco Pizarro du Pérou en 1528 et Juan Ponce de León, en quête de la fontaine de Jouvence, explora les côtes de la Floride en 1513. De

En 1587, avant même la fondation de Jamestown ou de Plymouth, 116 Britanniques, hommes et femmes, s'implantèrent sur l'île de Roanoke, en Caroline du Nord. Quand un navire de ravitaillement revint trois ans plus tard, les colons avaient disparu sans laisser de traces. Le sort de la "colonie perdue" (*Lost Colony*) demeure l'un des grands mystères de l'histoire américaine.

"COLONIE PERDUE"

1675	**1773**	**1775**	**1776**
Après des décennies de coopération, la guerre du roi Philip éclate entre les colons et les tribus locales. Elle dure 14 mois et tue 5 000 personnes, essentiellement parmi les Amérindiens.	Boston Tea Party : des patriotes américains jettent une cargaison de thé par-dessus bord, pour protester contre la taxe britannique sur ce produit.	Paul Revere avertit les miliciens coloniaux de l'arrivée de l'armée britannique avant les batailles de Lexington et Concord qui marquent le début de la guerre d'Indépendance.	Le 4 juillet, les 13 colonies américaines signent la déclaration d'Indépendance élaborée, entre autres, par Benjamin Franklin et Thomas Jefferson.

Au XVIIIᵉ siècle, l'industrie baleinière prospéra en Nouvelle-Angleterre, en particulier dans le Massachusetts, à Buzzards Bay, sur l'île de Nantucket et à New Bedford. Cette dernière finit par posséder une flottille de pêche de plus de 300 navires et la chasse aux cétacés y employa, directement ou non, jusqu'à 10 000 personnes pour un bénéfice de plus de 12 millions de dollars.

leur côté, les Français mirent pied au Canada et dans le Middle West, tandis que Britanniques et Hollandais s'implantèrent sur la côte est de l'Amérique du Nord.

Fondée en Floride par les Espagnols en 1565, St Augustine fut la première colonie européenne sur le territoire des futurs États-Unis. En Virginie, un groupe d'aristocrates anglais établit en 1607 la première colonie anglaise durable, Jamestown (p. 305). Comme d'autres avant elle, celle-ci échappa de peu à un destin funeste, l'aide des tribus amérindiennes locales permettant à ses habitants de survivre à la famine et aux maladies.

En 1619, la Chambre des Bourgeois de Virginie, première assemblée législative des colonies britanniques d'Amérique du Nord, vit le jour. Cette date marqua aussi l'arrivée du premier contingent d'esclaves africains.

L'année suivante, fuyant les persécutions de l'Église anglicane jugée corrompue, une centaine de puritains, les *Pilgrim Fathers* (Pères pèlerins), embarquèrent à bord du *Mayflower*. Ils atteignirent la côte de la Nouvelle-Angleterre et fondèrent la ville de Plymouth, dans le Massachusetts (p. 181). Ils signèrent entre eux un accord de gouvernement par consensus, le Mayflower Compact Act, considéré comme la base de la Constitution des États-Unis.

Naissance d'une nation

Au cours des XVIIᵉ et XVIIIᵉ siècles, les puissances européennes se disputèrent le Nouveau Monde et étendirent leur emprise politique. Maîtresse de l'Atlantique grâce à la Royal Navy, l'Angleterre tira un profit accru de ses colonies dont elle consommait le fruit du labeur, du tabac de Virginie au sucre et au café des Caraïbes.

Le système esclavagiste se légalisa progressivement pour soutenir l'économie de plantations, si bien que vers 1800, une personne sur cinq dans le pays était un esclave.

La Couronne britannique laissa largement les colons américains se gouverner eux-mêmes. Les assemblées, au cours desquelles les citoyens – les propriétaires blancs s'entend – discutaient des problèmes de la communauté et votaient lois ou impôts, se multiplièrent.

D'après la légende, George Washington faisait preuve d'une telle honnêteté qu'après avoir abattu, enfant, un cerisier de son père, il aurait dit : "Je ne peux pas mentir. C'est moi qui ai fait ça avec ma hachette."

Mais à l'issue de la coûteuse guerre de Sept Ans (1755-1763) contre la France, les Britanniques décidèrent de renflouer les caisses en taxant lourdement leurs colonies. L'indignation des colons culmina en 1773, lorsque plusieurs colonies interdirent aux navires britanniques de décharger leurs cargaisons de thé ou refusèrent de les distribuer. Lors de la fameuse "Tea Party" de Boston, une cargaison de thé fut jetée par-dessus bord. Cet épisode entraîna la fermeture du port de Boston et un renforcement de la présence militaire britannique.

1787	1791	1803-1806	1812
Les Pères fondateurs rédigent la Constitution américaine qui prévoit un équilibre des pouvoirs entre l'exécutif, le législatif et le judiciaire.	Adoption des dix amendements constitutionnels du Bill of Rights (Déclaration des droits), instaurant notamment la liberté d'expression et de culte.	Thomas Jefferson est à l'origine de l'expédition de Lewis et Clark qui, guidés par l'Amérindienne Sacajawea, effectuent l'aller-retour entre St Louis (Missouri) et le Pacifique.	Guerre entre les Britanniques et les Amérindiens dans la région des Grands Lacs. Après le traité de Gant (1815), les combats continuent sur la Gulf Coast.

En 1774, le premier Congrès continental réunit les représentants de douze des treize colonies dans l'Independence Hall de Philadelphie (p. 133).

La guerre d'Indépendance et la Constitution

C'est en avril 1775, dans le Massachusetts, qu'eut lieu la première confrontation armée entre les troupes britanniques et des colons en armes, avertis grâce à la fameuse *Midnight Ride* ("chevauchée de minuit") du patriote Paul Revere. George Washington, un riche planteur de Virginie, fut nommé au poste de commandant en chef de l'armée américaine, un ensemble hétérogène de paysans, de chasseurs et de marchands mal équipés. Face à eux, les *red coats* ("tuniques rouges") constituaient la première force militaire du monde. Sans expérience, le général Washington dut sans cesse improviser, battant sagement en retraite ou se lançant dans des attaques sournoises. Durant l'hiver 1777-1778, 2 000 hommes de l'armée américaine périrent de faim et de froid à Valley Forge, en Pennsylvanie (p. 146).

En pleine guerre, le deuxième Congrès continental commença l'ébauche des articles de la Confédération, qui devait unir les États. En juillet 1776, il adopta la déclaration d'Indépendance, en grande partie rédigée par Thomas Jefferson, qui citait les griefs des colonies envers la Couronne britannique. Le document fut signé par des représentants des treize colonies le 4 juillet, célébré depuis comme le jour de naissance de la nation.

Mais pour l'emporter sur le champ de bataille, Washington ne pouvait se contenter de l'élan patriotique de ces concitoyens. En 1778, Benjamin Franklin réussit à convaincre la France de s'allier aux révolutionnaires. Grâce aux troupes de La Fayette et à la puissance navale française, la guerre se solda par la victoire des Américains. Les Britanniques capitulèrent à Yorktown, en Virginie, le 19 octobre 1781. Deux ans plus tard, le traité de Paris reconnut l'indépendance des États américains.

Au départ, cette confédération d'États bénéficiant d'une grande autonomie ne favorisa guère l'unité. Pour y remédier, des délégués de chaque État, reconnus plus tard comme les Pères fondateurs (*Founding Fathers*) de la nation, se réunirent de nouveau à Philadelphie en 1787 pour élaborer une nouvelle Constitution : le pays se dota d'un gouvernement fédéral plus fort et de trois pouvoirs – exécutif, législatif et judiciaire – équilibrés. En 1791 vint s'y ajouter le Bill of Rights (Déclaration des droits), un ensemble de dix amendements limitant le pouvoir fédéral et garantissant notamment la liberté de culte et d'expression.

Grands musées d'histoire

» Henry Ford Museum/ Greenfield Village, Détroit

» National Civil Rights Museum, Memphis

» New Bedford Whaling Museum, Massachusetts

» National Museum of the American Indian, Washington.

HISTOIRE LA GUERRE D'INDÉPENDANCE ET LA CONSTITUTION

1861-1865

La guerre de Sécession éclate entre le Nord et le Sud, délimités par la ligne Mason-Dixon. Elle s'achève le 9 avril 1865, cinq jours avant l'assassinat du président Abraham Lincoln.

RICHARD CUMMINS/LONELY PLANET IMAGES ©

1870

Les Noirs libérés de l'esclavage obtiennent le droit de vote, mais les lois Jim Crow du Sud, en vigueur jusque dans les années 1960, instaurent la ségrégation raciale.

» Lincoln Memorial (p. 256), Washington

En dépit de ces avancées, la Constitution maintint le statu quo économique et social. Les riches propriétaires terriens conservèrent leurs biens et leurs esclaves. Les Amérindiens ne faisaient pas partie de la nation et les femmes étaient exclues de la vie politique. Ces inégalités et injustices criantes résultèrent en partie d'une volonté de compromis pragmatique (pour ne pas s'aliéner les États esclavagistes du Sud, par exemple), mais aussi d'une croyance dans la vertu du système en place.

L'achat de la Louisiane et la conquête de l'Ouest

À l'aube du XIXe siècle, la jeune nation américaine manifesta un optimisme à toute épreuve. L'agriculture s'industrialisa et le commerce prit son essor. En 1803, Thomas Jefferson acheta la colonie française de Louisiane à Napoléon, un territoire qui correspond à La Nouvelle-Orléans et à environ 15 États actuels à l'ouest du Mississippi. L'expansion vers l'ouest pouvait véritablement commencer.

Au-delà du dynamisme des échanges commerciaux, les relations économiques avec la Grande-Bretagne restèrent tendues, si bien qu'en 1812, les États-Unis lui déclarèrent la guerre. Le conflit dura deux ans et s'acheva sans grand bénéfice de part et d'autre, les Anglais abandonnant leurs forts et les Américains faisant vœu de ne plus se mêler au jeu complexe des alliances européennes.

Dans les années 1830 et 1840, la notion de "destinée manifeste" traduisit une ferveur nationaliste grandissante et une idéologie expansionniste partagée par nombre d'Américains. L'Indian Removal Act (1830) ordonna la déportation de la majorité des Amérindiens vers le "territoire indien". Des milliers d'entre eux moururent au cours de ce périple, le long de l'horrible "sentier des Larmes". Sur les nouvelles terres, la population indienne fut décimée par les maladies, la faim (manque de gibier) et par de nombreux conflits. Malgré une résistance longue et farouche, les Indiens furent contraints de vivre dans des réserves, dans des conditions de pauvreté et de dépendance extrêmes.

Dans le même temps, la construction de voies ferrées relia les terres de l'Ouest et du Middle West aux centres économiques de la côte Est. Au moment où de nouveaux États intégrèrent l'Union se posa la question de leur statut par rapport à l'esclavage, une question dont dépendait l'avenir du pays.

La guerre de Sécession

La Constitution américaine ne mettait pas fin à l'esclavage, mais conférait au Congrès le pouvoir de l'approuver ou non dans les États

La guerre de Sécession au cinéma

» *Autant en emporte le vent*, Victor Fleming (1939)

» *The Civil War - La guerre de Sécession* (documentaire TV), Ken Burns (1989)

» *Glory*, Edward Zwick (1989)

» *Gettysburg*, Ronald Maxwell (1994)

1880-1920	1896	1908	1917
Des millions d'immigrants originaires d'Europe et d'Asie viennent grossir les populations urbaines. New York, Chicago et Philadelphie deviennent de véritables métropoles industrielles et commerciales.	La Cour suprême officialise la ségrégation dans les lieux publics, arguant que l'égalité mentionnée dans la Constitution ne concerne que les droits politiques et non sociaux.	Production à Detroit de la Ford T (alias "Tin Lizzie"), première automobile de grande série accessible à l'Américain moyen.	Le président Woodrow Wilson décide de l'entrée des États-Unis dans la Première Guerre mondiale, qui fait 110 000 morts parmi les 4,7 millions de soldats américains mobilisés.

LA LUTTE DES AFRO-AMÉRICAINS POUR L'ÉGALITÉ

Impossible d'appréhender l'histoire des États-Unis sans prendre en compte les grandes luttes menées par les Afro-Américains pour conquérir leurs droits.

L'esclavage

Entre le début du XVIIe siècle et le XIXe siècle, on estime à 600 000 le nombre d'Africains acheminés vers les États-Unis dans des conditions inhumaines à bord de bateaux négriers, puis vendus sur des marchés aux esclaves (un homme valait 27 $ en 1638). La majorité d'entre eux se retrouvaient dans les plantations du Sud, subissant couramment coups de fouet et marquage au fer rouge.

Tous les hommes (blancs) naissent égaux…

Nombre des Pères fondateurs – George Washington, Thomas Jefferson et Benjamin Franklin en tête – possédaient des esclaves, tout en condamnant en privé cette pratique abominable. Le mouvement abolitionniste n'apparut toutefois que dans les années 1830, longtemps après la déclaration d'Indépendance et sa fameuse phrase restée lettre morte : "Tous les hommes naissent égaux".

Enfin libres

La plupart des spécialistes s'accordent à dire que la question de l'esclavage était le principal sujet d'antagonisme entre le Nord et le Sud au moment de la guerre de Sécession. À l'issue de la victoire de l'Union à la bataille d'Antietam, le président Lincoln rédigea une proclamation d'émancipation libérant tous les esclaves des territoires occupés. Les Afro-Américains se rangèrent en masse du côté de l'Union.

Lois Jim Crow

La période de reconstruction (1865-1877) fut marquée par des lois fédérales protégeant les droits des esclaves libérés. Le ressentiment du Sud et des siècles de préjugés raciaux provoquèrent cependant des réactions brutales. Au cours des années 1890, les lois Jim Crow instaurant une profonde ségrégation firent ainsi leur apparition.

Mouvement des droits civiques

À partir des années 1950, un mouvement de lutte pour l'égalité des droits apparut au sein de la communauté noire. En refusant de céder sa place à un passager blanc dans un bus, Rosa Parks déclencha en 1955 le boycott des bus de Montgomery, en Alabama. Des sit-in dans les restaurants interdits aux Noirs, des manifestations massives conduites par Martin Luther King Jr à Washington et les "*freedom riders*" (voyageurs de la liberté) œuvrant pour mettre fin à la ségrégation dans les bus s'ensuivirent. L'action militante aboutit en 1964 à la signature par le président Lyndon Johnson du Civil Rights Act, rendant illégales la discrimination et la ségrégation raciales.

1919-1933	Années 1920	1933-1938	1941-1945
Prohibition. Défendu par le mouvement pour la tempérance, le 18e amendement interdisant l'alcool encourage malgré lui la contrebande et le crime organisé.	Stimulée par l'afflux massif des Noirs dans les villes du Nord, la "Renaissance de Harlem" illustre un renouveau de la culture afro-américaine, notamment littéraire.	Le New Deal de Roosevelt introduit une "sécurité sociale", le Fair Labor Standards Act ("loi sur les normes du travail équitable") et des programmes d'emploi massifs.	Seconde Guerre mondiale : les États-Unis déploient 16 millions de soldats, dont 400 000 seront tués.

Le formidable documentaire *La guerre en couleurs : les images américaines* (*The Perilous Fight: America's World War II in Color*, 2003) rassemble des séquences inédites du second conflit mondial côté américain, qui mettent l'accent sur le front Pacifique et les efforts de guerre sur le territoire des États-Unis.

LA GUERRE EN COULEURS

nouvellement créés. Le débat public fit rage car la question conditionna l'équilibre du pouvoir entre le Nord industriel et le Sud agricole.

Depuis le début, les politiciens sudistes qui dominaient au sein du gouvernement défendaient l'esclavage comme un système "naturel et normal", ce qu'un éditorial du *New York Times* qualifia en 1856 de "folie". De leur côté, nombre de politiciens abolitionnistes du Nord craignaient qu'une fin brutale de l'esclavage ne s'avère ruineuse. Pour eux, il suffisait d'en limiter la pratique pour que, confronté à la concurrence de l'industrie et de la main d'œuvre libre, le système esclavagiste disparaisse de lui-même sans provoquer une révolte violente comme la vaine tentative d'insurrection menée en 1859 par l'activiste John Brown à Harpers Ferry (p. 320).

L'enjeu économique de l'esclavage était indéniable. En 1860, les États-Unis comptaient plus de 4 millions d'esclaves, la plupart appartenant à des planteurs sudistes qui cultivaient 75% du coton mondial, soit plus de la moitié des exportations américaines. On peut donc affirmer que le Sud faisait vivre le pays. Les élections présidentielles de 1860, qui eurent valeur de référendum, furent remportées par un jeune politicien de l'Illinois favorable à la limitation de l'esclavage : Abraham Lincoln.

Dans le Sud, 11 États firent sécession et formèrent les États conférés d'Amérique. Lincoln se trouva face à une crise sans précédent qui le plaça devant une alternative : accepter la dissolution de l'Union ou la défendre militairement.

La guerre de Sécession débuta en avril 1861 par l'attaque de Fort Sumter à Charleston, en Caroline du Sud, et donna lieu à 6 années de combats épouvantables. Elle se solda par la mort de plus de 600 000 soldats, c'est-à-dire la presque totalité d'une génération. Les plantations et villes du Sud, en particulier Atlanta, furent mises à sac et incendiées. Malgré l'avantage que lui conférait sa puissance industrielle, le Nord dut lutter pied à pied au prix de batailles sanglantes.

Tandis que les combats se poursuivaient, Lincoln comprit que si la guerre ne mettait pas fin à l'esclavage, la victoire n'aurait aucun sens. En 1863, sa proclamation d'émancipation libéra tous les esclaves. En avril 1865, le général confédéré Robert E. Lee capitula devant le général Ulysses S. Grant à Appomattox, en Virginie. L'Union avait survécu, mais le coût fut élevé.

Grande Dépression, New Deal et Seconde Guerre mondiale

Le 24 octobre 1929, le krach de la Bourse de New York vit l'économie des États-Unis s'effondrer comme un château de cartes, marquant le début de la Grande Dépression. Des millions de personnes perdirent

1948-1951	1954	1963	1965-1975
Le plan Marshall débloque 12 milliards de dollars pour la reconstruction de l'Europe après la Seconde Guerre mondiale. Il vise aussi à contenir l'influence soviétique et à doper l'économie américaine.	La Cour suprême ordonne la déségrégation scolaire, stimulant ainsi le mouvement de lutte pour les droits civiques.	Assassinat du président John F. Kennedy le 22 novembre à Dallas, au Texas, par Lee Harvey Oswald.	La guerre du Vietnam divise l'opinion américaine. Elle se solde par la mort de 58 000 GI et de 4 millions de Vietnamiens.

LE NEW DEAL À LA RESCOUSSE DE L'ÉCONOMIE AMÉRICAINE

Avec la Grande Dépression, ou crise de 1929, les États-Unis touchent le fond. En 1932, près d'un tiers de la population active est privée d'emploi. La production nationale chute de 50%, des centaines de banques font faillite et des régions entières sont sinistrées.

Franklin D. Roosevelt remporte haut la main les élections de 1932 et promet de mettre en place un programme baptisé New Deal ("Nouvelle Donne") pour redresser la situation économique désastreuse. C'est ainsi que débute l'une des périodes les plus progressistes de l'histoire américaine sous la férule d'un président éminemment populaire. Durant les cent premiers jours de son mandat, il entreprend le sauvetage du système bancaire par la création d'un fonds de garantie des dépôts, attribut 500 millions de dollars aux États pour des mesures d'urgence et évite la saisie à un cinquième des propriétaires.

Roosevelt crée également des emplois à grande échelle. Grâce au Civilian Conservation Corps, jusqu'à 250 000 jeunes hommes travaillent dans les parcs et forêts, où ils planteront 2 milliards d'arbres. On lui doit de même la Works Progress Administration (WPA) qui engage 600 000 personnes sur différents projets de construction de routes, ponts, écoles, barrages, usines, etc.

Le New Deal n'oublie pas la culture. Dans ce cadre, 5 000 artistes, dont le célèbre peintre mexicain Diego Rivera, réalisent des fresques et sculptures destinées aux bâtiments publics, dont beaucoup subsistent aujourd'hui. Plus de 6 000 écrivains sillonnent le pays pour enregistrer des traditions orales ou contes populaires et mener des études ethnographiques.

alors leurs économies, leur maison, leur ferme ou leur commerce, jusqu'à 33% de la population active se retrouvant au chômage. Les files d'attente s'allongèrent devant les soupes populaires et des campements de fortune fleurirent dans les villes, notamment à Central Park.

En 1932, le démocrate Franklin D. Roosevelt fut réélu sur le programme du New Deal qui parvint à sauver les États-Unis de la crise avec un succès retentissant. Lorsque la guerre éclata en Europe en 1939, l'isolationnisme du pays se révéla plus fort que jamais. Le président, qui entama un troisième mandat en 1940, comprit toutefois que son pays ne pouvait rester les bras croisés à attendre le triomphe des régimes totalitaires. Il persuada alors un Congrès récalcitrant de soutenir l'Angleterre.

L'attaque surprise de la flotte américaine par les Japonais à Pearl Harbor le 7 décembre 1941 décida finalement de l'entrée en guerre des États-Unis aux côtés des Alliés contre Hitler et les puissances de l'Axe.

1969	1973	Années 1980	1989
Deux Américains posent le pied sur la Lune dans le cadre du programme Apollo et donnent au pays une longueur d'avance dans sa course spatiale avec l'URSS.	Légalisation de l'avortement par la Cour suprême. Le sujet reste aujourd'hui encore très polémique.	Les institutions financières de l'époque du New Deal, déréglementées par le gouvernement Reagan, jouent avec l'épargne et les plans d'emprunts de leurs clients, obligeant l'État à payer la note.	La chute du mur de Berlin met fin à la guerre froide entre les États-Unis et l'URSS, bientôt démantelée.

Au terme de deux ans de conflit dans le Pacifique et en Europe, le débarquement de l'armée américaine en Normandie le 6 juin 1944 porta le coup fatal à l'Allemagne nazie, qui capitula en mai 1945.

Mais le pays du Soleil levant ne désarma pas. Harry Truman, le président nouvellement élu – qui disait craindre qu'une invasion du territoire nippon ne dégénère en carnage –, décida en août 1945 de lâcher deux bombes atomiques expérimentales, fruits du programme secret appelé "projet Manhattan", sur les villes d'Hiroshima et de Nagasaki. Plus de 200 000 personnes périrent et le Japon se rendit quelques jours plus tard.

Guerre froide, mouvement pour les droits civiques et guerre du Vietnam

Durant les décennies qui suivirent le deuxième conflit mondial, les États-Unis s'engagèrent contre leur ancien allié soviétique dans une course pour l'hégémonie mondiale. Seule la menace d'une destruction mutuelle par la bombe atomique empêcha les deux superpuissances d'entrer en guerre ouverte, les poussant à un affrontement par pays interposés, notamment lors de la guerre de Corée (1950-1953) et de la guerre du Vietnam (1959-1975).

Son territoire ayant été préservé et son industrie stimulée par l'effort de guerre, l'Amérique connut une période de prospérité sans précédent. Dans les années 1950, on assista à une migration massive des classes moyennes vers les banlieues où les maisons familiales individuelles fleurirent. Le faible coût des voitures et du carburant, ainsi que le réseau routier tout neuf, les encourageaient dans cette nouvelle vie. Ils profitaient du confort qu'apportait la technologie moderne et se pâmaient devant la télévision. Sur le plan démographique, ce fut le "baby boom".

Ce nouveau bien-être ne concerna toutefois que les Blancs. Pendant ce temps, les Noirs restaient pauvres et subissaient la ségrégation. Dans la lignée de l'abolitionniste noir Frederick Douglass (1818-1895), le pasteur afro-américain Martin Luther King Jr (p. 393) s'engagea dans un combat en faveur de l'égalité raciale à la tête de la Southern Christian Leadership Coalition (SCLC), organisation des droits civiques créée en 1957. King prêcha et organisa une résistance non-violente sous la forme de boycotts de bus, de marches et de sit-in, principalement dans le Sud. Les autorités répondaient souvent par la répression, si bien que certaines manifestations dégénérèrent en émeutes. Mais l'action militante finit par porter ses fruits. En 1964, la signature du Civil Rights Act (loi des droits civiques) mit un terme aux anciennes lois racistes, annonçant l'avènement d'une société américaine plus juste et plus égalitaire.

Bien que la ville de Woodstock, dans l'État de New York, ait donné son nom au mythique festival de musique qui se déroula en 1969, l'événement eut lieu en réalité près du village de Bethel, où le producteur laitier Max Yasgur avait loué son champ de luzerne aux organisateurs. Le forfait de trois jours devait coûter 18 $ (24 $ à l'entrée). À la fin de la première journée, les organisateurs décidèrent de le rendre gratuit.

Années 1990

La révolution Internet initiée dans la Silicon Valley redessine le paysage des technologies de la communication et crée une bulle spéculative.

2001

Les attaques terroristes du 11-Septembre conduites par Al-Qaïda contre le World Trade Center et le Pentagone font près de 3 000 victimes.

2003

Le 20 mars, début de la guerre contre l'Irak.

STEVEN GREAVES/LONELY PLANET IMAGES ©

» Commémoration du 11-Septembre

Les années 1960 furent le théâtre d'autres bouleversements sociaux : à travers le rock'n'roll et la drogue, la jeunesse exprima sa rébellion. Les assassinats du président John F. Kennedy (1963), de son frère le sénateur Robert Kennedy (1968) et de Martin Luther King Jr (1968) donnèrent une couleur tragique aux luttes politiques de cette période. Les bombardements et atrocités de la guerre du Vietnam, couverte par les médias, traumatisèrent l'opinion publique et provoquèrent des protestations étudiantes de grande ampleur.

Pourtant élu en 1968 sur sa promesse de trouver une "fin honorable à la guerre", le président Richard Nixon intensifia la participation militaire des États-Unis et ordonna secrètement des bombardements sur le Laos et le Cambodge. En 1972 éclata le scandale du Watergate, un "cambriolage" des bureaux du Parti démocrate à Washington, qu'une enquête journalistique tenace imputa à la présidence. Deux ans plus tard, Richard Nixon devint le premier président américain à démissionner.

Les tumultueuses années 1960 et 1970 furent aussi celles de la révolution sexuelle, du féminisme et d'une remise en question globale du statu quo social. Les émeutes de Milestones en 1969 dans le quartier new-yorkais de Greenwich Village galvanisèrent le mouvement pour le droit des homosexuels. Quelques mois plus tard, le festival rock de Woodstock incarna les aspirations de la génération hippie.

Pax Americana et guerre contre la terreur

En 1980, Ronald Reagan, gouverneur républicain de Californie et ancien acteur, fit campagne pour la présidence en promettant aux Américains qu'ils seraient à nouveau fiers de leur pays. Il l'emporta haut la main et son élection marqua le début d'un retour à une politique conservatrice.

Les dépenses militaires et les réductions d'impôts entraînèrent un énorme déficit du budget fédéral, qui handicapa son successeur George Bush senior. La victoire américaine dans la guerre du Golfe (1990-1991), déclenchée par l'invasion irakienne du Koweït, n'empêcha pas en 1992 la défaite retentissante du président sortant face au démocrate Bill Clinton. Celui-ci bénéficia du contexte favorable du boom technologique de l'Internet et des nouveaux moyens de communication. Durant ses deux mandats, l'économie américaine connut l'une de ses plus longues périodes de prospérité.

En 2000, George W. Bush, fils de l'ancien président Bush, remporta de justesse les élections sur un scrutin entaché d'irrégularités – urnes défectueuses, listes électorales trafiquées et mystérieux blocages routiers – commises sous le contrôle de Jeb Bush, gouverneur de Floride et frère du précédent. George W. Bush fut néanmoins réélu une seconde fois en 2004. Son administration réduisit les impôts, ce qui creusa le

La lutte pour les droits civiques au cinéma

» *Mississippi Burning*, Alan Parker (1988)

» *Le Chemin de la liberté*, Richard Pearce (1990)

» *Malcolm X*, Spike Lee (1993)

» *Les Fantômes du passé*, Rob Reiner (1996)

2005	2008-2009	2010	2011
Le 29 août, l'ouragan Katrina dévaste les côtes du Mississippi et de la Louisiane, inondant La Nouvelle-Orléans et tuant plus de 1 800 habitants. Le coût de la catastrophe est estimé à plus de 110 milliards de dollars.	Le krach boursier dû à la mauvaise gestion des institutions financières américaines provoque une crise mondiale. Les États-Unis sont confrontés à la pire récession économique depuis la Grande Dépression.	L'explosion d'une plate-forme pétrolière au large de la Louisiane cause un désastre écologique sans précédent dans le golfe du Mexique.	Face au chômage et à la baisse du revenu des ménages, le mouvement "Occupy Wall Street" lancé à New York dénonce les abus du capitalisme financier. Il se répand rapidement dans d'autres pays.

Ronald Reagan a brisé la "malédiction de Tecumseh". Ce dernier était un guerrier shawnee de l'Ohio vaincu par William Henry Harrison à la bataille de Tippecanoe (1811) et qui, en représailles, aurait prédit l'élection de Harrison en 1840 et sa mort en cours de mandat, de même que celle, tous les 20 ans, de ses successeurs élus lors d'une année se terminant par zéro. Harrison mourut effectivement, suivi de Lincoln, Roosevelt et Kennedy, pour ne citer que les plus connus.

déficit fédéral, tout en prônant des valeurs ultraconservatrices sur le plan moral et religieux.

Le dramatique attentat du 11 septembre 2001 unit les Américains derrière leur président, qui promit vengeance et décréta la "guerre contre la terreur". Les États-Unis attaquèrent l'Afghanistan et renversèrent le régime des talibans sans toutefois parvenir à détruire les cellules d'Al-Qaïda. En 2003, leur intervention militaire en Irak sous le faux prétexte que le pays détenait des armes de destruction massive fit tomber la dictature mais plongea le pays dans la guerre civile.

Après une série de scandales et d'échecs – tortures perpétrées dans la prison d'Abou Ghraib à Bagdad, inertie face aux dégâts considérables de l'ouragan Katrina à La Nouvelle-Orléans et incapacité à mettre un terme à la guerre en Irak –, l'impopularité de Bush atteignit un niveau record. En 2008, des Américains avides de changement firent de Barack Obama le premier président noir des États-Unis.

Depuis son élection en pleine crise des *subprimes*, le président Obama a promulgué un immense plan de relance de l'économie et a réussi à faire adopter une réforme historique du système de santé. Récompensé en octobre 2009 par l'attribution du prix Nobel de la paix "pour ses efforts extraordinaires en faveur du renforcement de la coopération entre les peuples", il a initié une diplomatie visant à restaurer la confiance à l'égard de l'Amérique, y compris dans les pays islamiques. Mais malgré les réformes, le pays n'a pas atteint une reprise durable et le président doit faire face au profond mécontentement des Américains, inquiets devant la situation économique. Les prochaines élections présidentielles sont prévues en novembre 2012. Candidat à un second mandat, Barack Obama devrait affronter comme adversaire Mitt Romney, ancien gouverneur du Massachusetts et favori dans la course à l'investiture républicaine au moment où nous rédigions ces lignes.

15 décembre 2011	6 novembre 2012
Le président Obama annonce le retrait des dernières troupes américaines en Irak. Il met ainsi fin à une guerre controversée qui a duré près de neuf ans.	Élections présidentielles. Le président élu prendra ses fonctions, comme le veut la tradition, le 20 janvier 2013.

Culture et société

L'est des États-Unis présente un fascinant mélange d'accents et de modes de vie. On croise une population très diversifiée, composée de citadins et de petits fermiers, d'étudiants et de retraités, de "Yankees" et d'habitants du Sud.

Multiculturalisme

Terre d'accueil historique des immigrants du monde entier, les villes de l'Est constituent de véritables melting-pots ethniques et sont fières de cet héritage culturel.

Au nord-est, Irlandais et Italiens se sont massivement implantés au XIXᵉ siècle dans les zones urbaines. À Chicago, les Latinos (essentiellement des Mexicains) composent environ un quart de la population. Du fait de leur longue tradition d'accueil des réfugiés, les États septentrionaux des Grands Lacs abritent les enclaves hmong (originaires des montagnes du sud de la Chine) et somaliennes les plus importantes du pays. Plus que tout autre région des États-Unis, le Sud possède une culture très distincte ; il concentre plus de la moitié de la population noire américaine. Ces données ne présentent toutefois qu'un aperçu schématique de la complexité du panorama.

Comme dans le reste du pays, la question de savoir si l'afflux constant de nouveaux arrivants est une bénédiction ou risque au contraire de conduire la société au point de rupture divise l'opinion publique dans l'Est. La "réforme de l'immigration" est le mot à la mode à Washington depuis plus d'une décennie. Certains pensent que les autorités compétentes traitent trop à la légère le problème des immigrés clandestins (11 millions contre 470 000 immigrés légaux), préconisant de les renvoyer chez eux et d'infliger des amendes à ceux qui les emploient. D'autres dénoncent des lois trop dures et considèrent que les personnes qui travaillent aux États-Unis depuis des années, contribuent à la vie de la société et respectent la loi, devraient être régularisées. Malgré plusieurs tentatives, le Congrès n'a pas été en mesure jusqu'à présent de faire passer un ensemble cohérent de mesures dans ce domaine.

États-Unis, peuple et culture (John Atherton et Nicole Bernheim, La Découverte, 2004) permet de comprendre ce qui fait la spécificité de la population américaine.

Religion

La séparation de l'Église et de l'État est en vigueur depuis l'arrivée des *Pilgrims* sur la côte du Massachusetts au début du XVIIᵉ siècle. Leur religion, le protestantisme, continue toutefois d'être la foi dominante dans l'est du pays.

Le protestantisme se divise en deux principaux courants : le protestantisme traditionnel (incluant les luthériens, méthodistes, presbytériens...) et le protestantisme évangélique. Ce dernier compte le plus grand nombre de fidèles et ses membres augmentent. En son sein, les baptistes constituent le groupe le plus important et le plus actif, surtout dans le Sud ; ils représentent un tiers des protestants et un cinquième de la population adulte totale des États-Unis.

Par comparaison, la proportion des luthériens (concentrés dans le Minnesota, le Wisconsin et les deux Dakota) et des membres des autres courants non évangéliques décline.

Le catholicisme constitue la deuxième religion pratiquée dans l'Est. La Nouvelle-Angleterre s'illustre comme la région la plus catholique à l'échelle nationale, et le nombre de catholiques chute à mesure que l'on se rapproche des États du Mid-Atlantic. Le Rhode Island se classe en tête des États catholiques (64% de sa population). Baltimore constitue le plus vieil archidiocèse, fondé en 1789. Les États abritant une vaste communauté de Latinos (comme l'Illinois) sont eux aussi fortement catholiques.

Le judaïsme est implanté dans l'Est de manière significative. Les juifs représentent environ 12% de la population de l'agglomération new-yorkaise. C'est d'ailleurs un foyer majeur du judaïsme orthodoxe et on y recense la plus importante communauté juive en dehors d'Israël.

Les musulmans se concentrent dans les agglomérations de New York, Chicago et Détroit. Enfin, on trouve des hindous essentiellement à New York et dans le New Jersey, ainsi que dans des grandes villes comme Chicago, Washington et Atlanta.

Mode de vie

Si l'est des États-Unis possède l'un des niveaux de vie les plus élevés du monde, il existe des différences criantes d'une région à une autre. Le New Hampshire, avec un revenu moyen par ménage de 66 300 $ (moyenne calculée entre 2009 et 2011) arrive en tête, le Mississipi (36 850 $) en queue de peloton. Ce classement vaut également à l'échelle du pays. Au niveau régional, les habitants du Nord-Est gagnent davantage que ceux du Middle West, qui devancent quant à eux leurs compatriotes du Sud. Les revenus varient aussi selon l'appartenance ethnique : ils s'avèrent plus bas pour les Afro-Américains (34 000 $) et les Latinos (38 000 $) que pour les Blancs (52 000 $) et les Asiatiques (66 000 $).

Près de 87% des Américains ont étudié au moins jusqu'au lycée et 30% ont obtenu un diplôme de premier cycle. La vie universitaire sur les campus, berceaux des idées progressistes, prévaut surtout dans le Nord-Est, qui regroupe les huit établissements prestigieux de l'Ivy League et les Seven Sisters, sept universités réputées, autrefois réservées aux femmes. On dénombre rien qu'à Boston une cinquantaine d'institutions d'enseignement supérieur.

Le couple avec deux enfants constitue le foyer type. Généralement, les deux parents travaillent, dont 28% plus de 40 heures par semaine.

PRAIRIE HOME

Quatre millions d'Américains écoutent chaque samedi la célèbre émission de radio *A Prairie Home Companion* animée par Garrison Keillor, qui alterne musique live, sketches et contes (http://prairiehome.publicradio.org).

LA PERSONNALITÉ DES ÉTATS

Grâce à une étude de 2008 intitulée *The Geography of Personality*, les stéréotypes régionaux américains sont désormais étayés par des données scientifiques. Des chercheurs ont traité pour cela plus de 500 000 questionnaires de personnalité qui ont mis en évidence des traits marquants en fonction des zones géographiques. Il apparaît que la gentillesse attribuée aux habitants du Minnesota correspond bien à la réalité – les États les plus chaleureux et solidaires se concentrent d'ailleurs dans le Middle West, les Grandes Plaines et le Sud. Quant aux États les plus névrotiques, on les trouve dans le nord-est. Contre toute attente, l'État de New York ne remporte pas la palme en la matière, cet honneur revenant à la Virginie-Occidentale. L'ouverture d'esprit semble se situer plutôt à l'ouest, où la Californie, le Nevada, l'Oregon et l'État de Washington se montrent particulièrement réceptifs aux idées nouvelles, sans égaler toutefois Washington, D.C. et la ville de New York.

Le divorce est un phénomène courant qui touche 40% des premières unions. Il a toutefois décliné ces trente dernières années en même temps que le taux de mariages. Les foyers monoparentaux représentent 9% des ménages.

Si beaucoup d'Américains pratiquent régulièrement un sport, plus de 50% ne font aucun exercice durant leur temps libre d'après les Centers for Disease Control (CDC ; centres pour le contrôle et la prévention des maladies). Cette absence d'activité physique associée à un goût pour les aliments gras et sucrés a provoqué une augmentation des taux d'obésité et de diabète, en particulier dans le Sud. Le Mississippi, l'Alabama, la Virginie-Occidentale, le Tennessee et la Louisiane détiennent le record, avec un tiers d'habitants obèses.

Environ 26% de la population américaine fait du bénévolat. Les bénévoles sont très nombreux dans le Middle West, suivi de l'Ouest, du Sud et du Nord-Est. La conscience écologique est désormais largement partagée : plus de 75% des Américains recyclent chez eux et la plupart des grandes chaînes de supermarché, dont Wal-Mart, vendent des produits bio.

Sports

Aucun lien social ne rassemble les individus autant que le sport, qui les conduit même parfois à s'enduire de peinture bleue ou à porter sur la tête un morceau de fromage en mousse. Au printemps et en été, il y a du base-ball presque tous les jours. En automne et en hiver, le football américain prend le relais. Durant les longues soirées hivernales, les rencontres de basket enflamment les spectateurs. Ce sont les trois disciplines sportives qui se partagent la vedette. La course automobile a aussi ses adeptes, principalement dans le Sud, et le football (*soccer*) gagne du terrain. Jadis l'apanage des froides contrées du Nord, le hockey sur glace a désormais des fans dans toute la région.

Base-ball

En dépit des salaires scandaleux et des problèmes de dopage de ses champions, le base-ball demeure l'un des passe-temps favoris des Américains. S'il ne réunit pas autant de spectateurs devant leur écran

Sites Internet officiels des principaux sports

» Base-ball : www.mlb.com
» Basket-ball : www.nba.com
» Football américain : www.nfl.com
» Football (*soccer*) : www.mlssoccer.com
» Hockey : www.nhl.com
» Stock-car : www.nascar.com

HAUTS LIEUX DU SPORT

» **Yankee Stadium, New York** Le terrain de base-ball historique du Bronx, où plane le fantôme du célèbre joueur Babe Ruth.

» **Lambeau Field, Green Bay** Le stade des Packers de la NFL est surnommé la "toundra gelée" en raison du climat glacial qui y règne.

» **Fenway Park, Boston** Le plus vieux stade de base-ball (1912), siège du fameux "Green Monster" ("monstre vert"), un mur de 11,3 m dans le champ gauche.

» **Wrigley Field, Chicago** Un autre stade de base-ball d'antan (1914), avec des murs extérieurs tapissés de lierre, une enseigne lumineuse rétro et un voisinage plein de bars sympathiques.

» **Madison Square Garden, New York** La Mecque du basket où jouent les Knicks a aussi accueilli dans le passé des combats de boxe de Mohamed Ali et des concerts d'Elvis.

» **Joe Louis Arena, Détroit** La patinoire de l'équipe de hockey des Red Wings qui pratique le curieux rituel du lancer de poulpe.

» **Churchill Downs, Louisville** L'hippodrome où a lieu en mai le Kentucky Derby, plus grande course hippique du pays.

» **Indianapolis Motor Speedway, Indianapolis** Le circuit de la course automobile 500 Miles d'Indianapolis.

Le Super Bowl coûte aux États-Unis 800 millions de dollars en perte de productivité car les employés regardent les matchs en ligne, font des paris et discutent football pendant les heures de travail.

de télévision que le football américain (et par conséquent engrange moins de dollars via la publicité), il totalise 162 matchs par saison, contre 16 pour son grand rival.

Par ailleurs, beaucoup de gens fréquentent les stades, communiant dans les gradins en mangeant des hot dogs et en buvant de la bière avant d'entonner l'hymne "Take Me Out to the Ballgame". Les *play-offs* (éliminatoires), en octobre, promettent toujours des émotions fortes et peuvent révéler des champions inattendus. Les New York Yankees, les Boston Red Sox et les Chicago Cubs restent les équipes préférées, même lorsqu'elles affichent des résultats catastrophiques (les Cubs n'ont pas remporté de *World series* depuis 100 ans).

Les places sont relativement bon marché, environ 25 $ dans la plupart des stades, et faciles à obtenir en général. Les rencontres de ligues mineures coûtent moins cher et peuvent se révéler plus amusantes, avec une grande participation du public, des poulets ou chiens errants sur le terrain et des lancers incontrôlés. Pour en savoir plus, consultez le site www.minorleaguebaseball.com.

Football américain

Physique et extrêmement populaire, le football américain (à ne pas confondre avec notre football, appelé *soccer*) brasse beaucoup d'argent. Doté de la saison sportive la plus courte et du nombre de matchs le plus limité, il revêt à chaque rencontre l'intensité émotionnelle d'une bataille épique où chaque résultat importe et où la moindre blessure malencontreuse peut être fatale à l'équipe.

Il s'agit d'un des sports les plus rudes, car il se pratique en automne et en hiver, quelles que soient les conditions météo. Certaines rencontres historiques se sont ainsi déroulées par des températures inférieures à 0°C. Les supporters des Green Bay Packers, notamment, ont l'habitude de braver les rigueurs du climat. Leur stade de Lambeau Field, dans le Wisconsin, a accueilli en 1967 le terrible Ice Bowl contre les Dallas Cowboys au cours duquel le thermomètre est descendu jusqu'à -10°C, sans compter le vent glacial.

Le Super Bowl, finale du championnat américain fin janvier ou début février, connaît un succès monstre. Citons enfin les Bowl Games universitaires, comme le Sugar Bowl à La Nouvelle-Orléans, qui ont lieu autour du Nouvel An.

Basket-ball

Parmi les équipes professionnelles qui suscitent le plus d'engouement figurent les Chicago Bulls (grâce à l'effet persistant du phénomène Michael Jordan), les Detroit Pistons (dont les supporters agités ont provoqué des émeutes), le Miami Heat (club de Lebron James, joueur à la fois le plus aimé et le plus détesté de la ligue) et les New York Knicks (leurs matchs attirent un parterre de célébrités, dont Woody Allen).

Le basket universitaire rassemble également des millions de fans, surtout en mars lors du *March Madness* ("folie de mars"), une succession de séries éliminatoires qui culminent avec le *Final Four* (les quatre équipes restantes s'affrontent pour une place dans le championnat national). Le suspense et les victoires inespérées rendent ces matchs aussi excitants que ceux de la NBA. Les rencontres bénéficient d'une large diffusion télévisée et les bookmakers de Las Vegas font leur beurre.

Même les rencontres de football américain entre équipes universitaires ou lycéennes se déroulent en grande pompe, avec *pom-pom girls*, fanfares, mascottes et chants. Elles font aussi l'objet de rituels incontournables d'avant et d'après-match, comme le fameux *tailgate*, une grande fête avec barbecue et bière qui se déroule sur le parking du stade.

TAILGATE

Cuisine de l'Est américain

La cuisine de l'est des États-Unis brasse d'emblée des myriades de cultures et, dans ce cadre, chaque entité régionale a, en outre, développé son propre éventail de saveurs. Ceux que l'alcool ne laisse pas indifférents trouveront de ce côté du pays une culture plus épicurienne qu'ailleurs en matière de spiritueux.

Spécialités
New York : le paradis des gourmets

On dit qu'à New York, il est possible de dîner chaque soir de sa vie dans un restaurant différent sans épuiser les possibilités de la ville. Ce qui est certainement vrai, puisque selon le **guide Zagat** (www.zagat. com), les cinq *boroughs* de la ville comptent plus de 23 000 restaurants (faites le calcul). Grâce à son importante population immigrée et ses 49 millions de touristes par an, New York est la ville des États-Unis qui compte le plus grand nombre de restaurants. Ses différents quartiers proposent de l'authentique cuisine italienne et des pizzas à pâte fine et croustillante, toutes sortes de plats asiatiques, de la haute cuisine française, ainsi que tous les classiques de la cuisine juive, des *bagels* aux sandwichs débordant de *pastrami*. On y trouve aussi des cuisines plus exotiques (éthiopienne, slave, etc.).

Ne vous laissez pas décourager par l'image de ville chère que possède New York : d'après le guide *Zagat*, le prix moyen d'un repas (boisson, taxe et pourboire inclus) est de 42 $. Ce n'est évidemment pas donné, mais cela reste plus abordable que dans d'autres grandes villes du monde.

Nouvelle-Angleterre : clambakes et festins de homards

La Nouvelle-Angleterre se vante d'avoir les meilleurs fruits de mer du pays... Et qui ira la contredire ? L'Atlantique nord offre palourdes, moules, huîtres et énormes homards, ainsi qu'aloses, tassergals et cabillauds. Ils peuvent entrer dans la composition d'une délicieuse soupe veloutée (*chowder*), dont chaque petit restaurant de fruits de mer côtier possède sa propre recette, tenue secrète et testée lors des concours culinaires et festivals de *chowder* estivaux. Le *clambake* est un autre plat traditionnel, où les crustacés sont enfouis sous des braises avec des épis de maïs, du poulet et des saucisses enveloppés de papier aluminium. *Fried clam fritters* (beignets de palourdes sautées) et *lobster rolls* (petit pain garni de chair de homard et de mayonnaise) sont servis dans toute la région. Le Vermont produit d'excellents fromages, le Massachusetts récolte des canneberges

Si vous souhaitez dîner dans un restaurant chic, appelez toujours pour réserver, renseignez-vous sur le code vestimentaire et soyez prêt à accepter une table très tôt ou assez tard dans les restaurants courus des chefs étoilés.

Festivals gourmands

» Maine Lobster Festival, à Rockland, dans le Maine : le homard est à l'honneur

» Kentucky Bourbon Festival, à Bardstown, dans le Kentucky : festival célébrant le bourbon

» National Buffalo Wing Festival, à Buffalo, dans l'État de New York : on se régale d'ailes de poulet

» Crawfish Festival, à Breaux Bridge, en Louisiane : festival des écrevisses

Thanksgiving est sans doute la seule fête (dernier jeudi de novembre) où la plupart des Américains s'accordent sur le menu – dinde rôtie, farce, purée de pommes de terre, sauce aux airelles et tarte au potiron. Toutefois, les entrées, garnitures et desserts peuvent prendre des saveurs sud-américaines, africaines ou hawaïennes...

(incontournables dans les repas de Thanksgiving) et les forêts de Nouvelle-Angleterre ruissellent de sirop d'érable. Vous avez encore faim ? Des restaurants de homard bordent la côte du Maine, Boston est spécialisé dans les *baked beans* (haricots blancs à la sauce tomate) et le pain noir, et les habitants du Rhode Island aromatisent le lait avec du sirop de café et raffolent des *johnnycakes* (sorte de galettes à la farine de maïs).

États du Mid-Atlantic : sandwich au steak, crabe et pain de viande

De l'État de New York à la Virginie, les États du Mid-Atlantic se partagent un long littoral et une profusion de vergers où l'on récolte des pommes, des poires ou des baies. Le New Jersey est réputé pour ses tomates, et Long Island pour ses pommes de terre. Les crabes bleus de la Chesapeake Bay font le bonheur des amateurs, tout comme les tourtes au poulet et légumes, les nouilles et *scrapples* (un mélange assaisonné de viande de porc et de farine de maïs servi en tranche frite) de la Pennsylvanie hollandaise. À Philadelphie, vous pouvez vous régaler de "*Philly*" *cheesesteaks* (sandwich garni de fines tranches de bœuf sauté, d'oignons et de fromage fondu). La Virginie sert son jambon salé "de campagne" avec des *biscuits* (sorte de petits pains typiquement américains). Dans la région des Finger Lakes, dans la Hudson Valley et à Long Island, dans l'État de New York, des vins renommés accompagnent à merveille vos plats.

Le Sud : barbecue, gumbo et petits pains

Aucune région n'est aussi fière de sa cuisine que le Sud, où se mélangent depuis longtemps les cuisines anglaise, française, africaine, espagnole et indienne. Le *slow-cooked barbecue* (barbecue à cuisson lente) est l'une des plus grandes fiertés régionales ; il y a autant de viandes et de sauces différentes que de villes dans le Sud. Poulet et poisson-chat (*catfish*) frits sortent de la poêle croustillants à l'extérieur et fondants à l'intérieur. Les *biscuits* (des petits pains, semblables aux *scones* britanniques) chauds et moelleux, le *cornbread* (pain de maïs), les patates douces, le chou cavalier et les fameux *grits* (gruau de maïs) accompagnent les plats du Sud. De précieuses recettes de desserts donnent des gâteaux constitués de plusieurs couches (*layered cakes*) ou des *Pecan Pies* (tartes aux noix de pécan) et autres tartes à base de bananes et d'agrumes. Pour les accompagner : du thé glacé sucré ou un *mint julep* (cocktail bourbon-menthe) bien frais.

La cuisine de la Louisiane est considérée comme le fleuron de la gastronomie du Sud. Cet État se démarque par ses deux principales traditions culinaires : la cuisine cajun, que l'on trouve dans les bayous et qui marie des épices indigènes, telles que sassafras et piment, à la cuisine française traditionnelle. La cuisine créole, plus urbaine, est typique de La Nouvelle-Orléans, où l'on savoure des plats roboratifs et très relevés tels que rémoulade de crevettes, chair de crabe sauce ravigote et *gumbo* (épais ragoût de poulet, crustacés et/ou saucisse et *okras*, ou gombo).

Middle West : hamburgers, bacon et bière

Les habitants de la région mangent beaucoup et avec enthousiasme. Les portions sont copieuses : après tout, c'est une région agricole où l'on a besoin de force pour travailler. Le Middle West excelle dans les classiques de la cuisine américaine tels que rôti de bœuf braisé (*pot roast*), pain de viande, steak et côtelettes de porc. Dans les villes proches des Grands Lacs, doré jaune, perche et autres poissons d'eau douce figurent aussi au menu. Une bière bien fraîche complétera le tout.

Le lieu rêvé pour faire la tournée des restaurants est Chicago, où de petits restaurants de cuisine du monde côtoient des tables parmi les plus réputées du pays. Les foires agricoles (*county fair*) sont aussi un endroit idéal pour goûter à la cuisine du Middle West, car on y trouve de quoi se régaler : de la *bratwurst* (saucisse grillée) au *fried dough* (grand beignet) en passant par les épis de maïs grillés... Dans les *diners* et restaurants familiaux des autres villes, vous découvrirez l'influence des immigrations asiatique, sud-américaine, scandinave et d'Europe de l'Est sur la gastronomie locale.

Boissons
Bière

Après avoir fondé l'industrie de la bière américaine dans le Milwaukee, les immigrants allemands du XIXᵉ siècle mirent au point des procédés permettant de fabriquer la bière en quantité importante et de la diffuser sur tout le territoire. Aujourd'hui, environ 80% de la bière américaine provient toujours du Middle West.

Malgré leur omniprésence, les marques populaires de bière américaine font depuis longtemps l'objet de railleries à l'étranger en raison de leur faible taux d'alcool et de leur goût "léger". Antithèse des bières fortes européennes, la bière blonde américaine (de loin la plus populaire) a un taux d'alcool relativement bas compris entre 3 et 5%. En dépit des critiques, les ventes indiquent qu'elle est plus en vogue que jamais, loin devant le vin et les spiritueux.

Grâce à l'essor fulgurant des microbrasseries et de la production artisanale, le marché de la bière est en train de se réinventer – et, selon beaucoup, de s'améliorer. Les 1 500 brasseries artisanales du pays représentaient 11% des ventes sur le marché intérieur en 2010. Il est devenu possible de "boire local" dans toute la région puisque des microbrasseries apparaissent dans les centres urbains et les petites villes. Certains restaurants ont désormais des "sommeliers" ès bières, et d'autres organisent des dîners à la bière, où l'on peut faire des dégustations avec différents plats. Le Vermont détient le plus grand nombre de microbrasseries par habitant.

Vin

Environ 20% des Américains boivent du vin régulièrement. Les États de la côte Ouest, Californie en tête, produisent la majorité des crus américains. Dans l'Est, c'est l'État de New York qui a le plus grand rendement – 4ᵉ au niveau national en nombre de producteurs. La région des Finger Lakes, haut lieu de la viticulture, est couverte de cépages riesling et idéale pour déguster un bon chardonnay, gewürztraminer ou vin de glace. La Virginie est le 5ᵉ plus grand État producteur avec 192 vignobles, dont beaucoup sont situés sur les jolies collines autour de Charlottesville. Le viognier de Virginie (un cépage blanc originaire de France) est particulièrement remarquable. La côte ouest du Michigan offre aussi un paysage viticole. Ses vignobles sont réputés pour leur production allant du riche cabernet franc aux vins mousseux haut de gamme. Le tourisme s'est beaucoup développé dans ces régions bucoliques, notamment dans des secteurs comme la dégustation de vin et les B&B.

En général, le vin est plutôt cher aux États-Unis, où il est considéré comme un produit de luxe et non de consommation courante. Il est

Spécialités régionales

» *Scrapple* (Pennsylvanie rurale) : pain de viande à base de porc haché

» *Lutefisk* (Minnesota) : poisson blanc séché puis trempé pendant plusieurs jours dans de l'eau froide et dans une solution d'hydroxyde de sodium.

» *Deep fried cheese curds* (Wisconsin) : morceaux de fromage panés et frits

» *Beef on Weck* (ouest de l'État de New York) : sorte de sandwich au steak de bœuf

» *Horseshoe Sandwich* (Illinois) : viande de hamburger posée sur deux tranches de pain côte à côte et recouverte de frites et d'une sauce au fromage

» *Spiedie* (Binghamton, État de New York) : petit pain garni de cubes de viande marinée puis grillée

POUR LES VÉGÉTARIENS

Les restaurants végétariens et végétaliens abondent dans les grandes villes américaines, ce qui n'est pas toujours le cas dans les petites villes et les zones rurales éloignées des côtes. Dans ce guide, l'icône ✷ distingue les restaurants qui accordent une grande place dans leur menu aux plats végétariens ou végétaliens. Pour plus d'adresses, consultez l'annuaire en ligne de www.happycow.net. Voici quelques-unes de nos adresses préférées :

» **Green Elephant**, Portland, Maine (p. 234)

» **Veggie Planet**, Cambridge, Massachusetts (p. 177)

» **Counter**, New York (p. 92)

» **Blossom**, New York (p. 93)

» **Moosewood Restaurant**, Ithaca, État de New York (p. 114)

» **Mama's Vegetarian**, Philadelphie (p. 141)

» **Café Zenith**, Pittsburgh (p. 154)

» **Grit**, Athens, Géorgie (p. 400)

cependant possible d'obtenir une bouteille de vin américain tout à fait correct pour 10 ou 20 $ dans les magasins de vins et spiritueux.

Spiritueux

C'est de l'Est que viennent les meilleurs alcools. Jack Daniel's est la marque de whisky américaine la plus connue dans le monde et aussi la plus ancienne distillerie américaine encore en activité, puisqu'elle existe depuis 1870, à Lynchburg, dans le Tennessee. Le bourbon, fabriqué à partir de maïs, est le seul alcool d'origine américaine. Le Kentucky produit 95% de l'offre mondiale, dont la majeure partie provient de sept distilleries du centre de l'État. L'itinéraire de 360 km reliant ces dernières est appelé *Bourbon Trail* (route du Bourbon) et on le parcourt pour visiter les distilleries et déguster leurs produits, à l'instar de ce qui se fait dans la Napa Valley californienne.

Les cocktails furent inventés à La Nouvelle-Orléans avant la guerre de Sécession. Le premier cocktail fut le sazerac, un mélange de whisky de seigle ou de brandy, de sirop de sucre, d'amer et d'un trait d'absinthe. Les cocktails américains créés dans les bars à la fin du XIXe siècle et au début du XXe siècle comprennent des classiques comme le martini, le manhattan et l'*old-fashioned*.

Bars à cocktails rétro

» The Aviary, Chicago

» Tonique, La Nouvelle-Orléans

» Franklin Mortgage & Investment Co, Philadelphie

» Weather Up, New York

» Mulberry Project, New York

» On the Rocks, New York

» Alibi, Boston

Le retour en force des cocktails vintage

Dans les villes américaines, faire la fête comme en 1929, en buvant des cocktails rétro datant de l'époque (il y a moins d'un siècle) où l'alcool était interdit, est très en vogue. Bonne vieille Prohibition, qui, au lieu d'engendrer une nation d'abstinents, a sans doute consolidé une culture de transgression de l'interdit – ah ! la belle époque, où les citoyens soi-disant respectables se réunissaient dans des bars clandestins pour boire de l'alcool de contrebande et danser sur du jazz.

Retour au XXIe siècle : bien que la Prohibition ne risque pas d'être rétablie, vous trouverez dans la région de nombreux bars où l'esprit des années 1920 (années folles) et 1930 (clandestinité) se perpétue. Inspirés de recettes d'époque qui exigent des élixirs naturels faits maison, ces cocktails – composés d'ingrédients tels que liqueurs artisanales, blancs d'œufs montés en neige, glace pilée à la main et fruits frais – sont concoctés avec amour par d'élégants barmen pour qui leur métier tient de l'art et de la science.

Arts et architecture

Musique
Blues

Comme le disait Willie Dixon : "le blues est la racine, tout le reste en est le fruit". Il voulait dire par là que toute la musique des États-Unis est née du blues. Et le blues est né dans le Sud. Ce genre musical dérive des chants de travail des esclaves et des chants religieux noirs, adaptés tous deux de la musique africaine, qui se développent dans un échange d'appels et de réponses.

Dans les années 1920, le blues du Delta donna ses principales caractéristiques au genre. Simplement accompagnés d'une guitare *slide*, des musiciens de Memphis et du Mississippi chantaient des mélodies passionnées et plaintives. À travers le Sud, les musiciens itinérants, et en particulier des chanteuses de blues, devinrent célèbres et obtinrent du travail. Parmi les pionniers du genre, on compte Robert Johnson, W.C. Handy, Ma Rainey, Huddie Ledbetter (Lead Belly) et Bessie Smith, que certains considèrent comme la meilleure chanteuse de blues qui ait jamais existé.

Après la Seconde Guerre mondiale, de nombreux musiciens se dirigèrent vers Chicago, au nord, qui était devenu le centre de la culture noire américaine. Le genre musical prit alors une autre tournure : il devint électrique. Une nouvelle génération de musiciens tels que Muddy Waters, Buddy Guy, BB King et John Lee Hooker utilisèrent des amplificateurs, et leurs guitares hurlantes jetèrent les bases du rock'n'roll.

Jazz

À La Nouvelle-Orléans, Congo Square, où les esclaves se réunissaient pour chanter et danser dès la fin du XVIIIe siècle, est considéré comme le lieu de naissance du jazz. Les esclaves affranchis adaptèrent les instruments à anche, à cordes et les cors utilisés par les créoles de la ville (qui, eux, préféraient la musique européenne), pour jouer leur propre musique aux influences africaines. Cet échange fertile encouragea une innovation musicale constante.

La première variation fut le ragtime aux rythmes africains syncopés. Puis vint le jazz dixieland, né à Storyville, le quartier de la prostitution de La Nouvelle-Orléans. En 1917, Storyville ferma et les musiciens se dispersèrent. Le grand Louis Armstrong se rendit à Chicago pour jouer de la trompette, et donna le ton pour les décennies à venir.

Les années 1920 et 1930 sont connues comme l'âge d'or du jazz et le quartier de Harlem, à New York, en fut le haut lieu. Duke Ellington et Count Basie y avaient leur grand orchestre de swing. Dans les années 1950 et 1960, Miles Davis, John Coltrane et d'autres déconstruisirent le style et en inventèrent un nouveau, cool, libre et

Lieux mythiques pour les fans de musique

» Sun Studio, Memphis

» Rock and Roll Hall of Fame, Cleveland

» Preservation Hall, La Nouvelle-Orléans

» BB King Museum, Indianola, Mississippi

avant-gardiste. Aujourd'hui, New York, La Nouvelle-Orléans et Chicago restent le cœur de la scène jazz.

Musique country

Les premiers immigrants écossais, irlandais et anglais ont apporté leurs instruments et leur musique folklorique en Amérique. Avec le temps, dans les montagnes reculées des Appalaches, émergea le hillbilly, joué au violon et au banjo, que l'on qualifia de musique "country". Dans le Sud-Ouest, les guitares steel et de plus grands groupes donnèrent ses caractéristiques à la musique "western". Dans les années 1920, ces styles fusionnèrent pour former la musique "country and western" et Nashville en devint le haut lieu, en particulier à partir du moment où le *Grand Ole Opry* fut diffusé à la radio en 1925.

Les accords mélancoliques et entraînants touchèrent le public pour longtemps. D'ailleurs, la musique country reste aujourd'hui un marché important. Des chanteurs-compositeurs tels que Shania Twain, Tim McGraw et Taylor Swift vendent des millions d'albums. Le bluegrass, le rockabilly et l'alt country (country "alternative") sont des formes issues de la country dont le Sud reste le fief.

Rock

Pour beaucoup, le rock'n'roll est né en 1954, le jour où Elvis Presley pénétra dans les Sun Studios de Sam Philips et enregistra "That's All Right". Au départ, les stations de radio ne savaient pas pourquoi un Blanc de la campagne chantait de la musique noire, ni si elles devaient le diffuser sur les ondes. Ce n'est qu'en 1956 qu'Elvis obtint son premier grand succès avec "Heartbreak Hotel" et d'une certaine manière, l'Amérique ne s'est jamais remise du rock'n'roll.

Musicalement, le rock était un mélange de blues mené à la guitare, de rhythm and blues (R&B) noir et de musique country et western blanche. Le R&B évolua dans les années 1940 à partir du swing et du blues, et fut connu ensuite sous le nom de "musique raciale". Avec le rock'n'roll, les musiciens blancs (et certains musiciens noirs) transformèrent cette "musique raciale" en un style auquel les jeunes Blancs pouvaient adhérer librement. Le cocktail fut sans aucun doute une complète réussite !

Le rock se transforma en accords psychédéliques avec les Grateful Dead et les Jefferson Airplane, et en sons électriques plaintifs avec Janis Joplin, Jimi Hendrix, Bob Dylan et Patti Smith. Depuis, le rock est un style de musique et de vie. En 1969, la scène rock se réunit au festival de Woodstock, à Bethel, faisant de ce petit coin au nord de l'État de New York une véritable légende.

Le punk, dont les Ramones et les Dead Kennedys furent les pionniers, apparut à la fin des années 1970, tout comme le rock de la classe ouvrière de Bruce Springsteen (la fierté du New Jersey). Mais il ne fallut pas attendre longtemps avant l'arrivée d'un nouveau style : le rap. À l'est, New York et Détroit sont devenus les berceaux du rap, dont Jay Z et Eminem sont les représentants actuels.

Littérature

Depuis plus de 150 ans, le "grand roman américain" stimule notre imagination. Edgar Allan Poe écrivait d'inquiétantes nouvelles dans les années 1840, et on lui attribue l'invention des récits policiers, d'épouvante et de science-fiction. Quatre décennies plus tard, Samuel Clemens, alias Mark Twain, fit également sensation dans le monde de la littérature. Il savait utiliser le langage parlé, adorait les histoires incroyables et l'absurde. Cela lui valut d'être apprécié par de nombreux lecteurs. Son grand roman, *Les Aventures de Huckleberry Finn* (1884), devint le récit américain par excellence : dans un élan de révolte contre son père, Huck se lance, le long du Mississippi, dans une quête d'authenticité qui l'amène à se découvrir lui-même.

Les meilleurs festivals musicaux

» New Orleans Jazz & Heritage Festival, avril

» Festival Bonnaroo, Manchester, Tennessee, juin

» Festival de Lollapalooza, Chicago, août

La Lost Génération (Génération perdue) permit à la littérature américaine de s'imposer au début du XXᵉ siècle. Ces écrivains, expatriés en Europe au lendemain de la Première Guerre mondiale, décrivaient un sentiment croissant d'aliénation. Originaire du Middle West, Ernest Hemingway, avec son réalisme sobre et stylisé, illustra cette époque. Francis Scott Fitzgerald, écrivain du Minnesota, décortiqua la société de la côte Est dans ses fictions. De retour en Amérique, William Faulkner analysa les ruptures sociales du Sud dans une prose dense et caustique, et des auteurs noirs tels que le poète Langston Hughes et la romancière Zora Neale Hurston ébranlèrent les stéréotypes racistes durant la renaissance de Harlem à New York.

Après la Seconde Guerre mondiale, les écrivains américains commencèrent à dépeindre les divisions régionales et ethniques, ils s'adonnèrent aux exercices de style et critiquèrent fréquemment les valeurs de la classe moyenne. La Beat Generation des années 1950, dont les pionniers furent Jack Kerouac, Allen Ginsberg et William S. Burroughs, adopta un ton particulièrement incisif.

La littérature d'aujourd'hui est un ensemble de voix encore plus diverses. Toni Morrison, Amy Tan, Ana Castillo et Sherman Alexie, pour ne citer qu'eux, sont tous auteurs de best-sellers exprimant les problèmes liés respectivement aux Afro-Américains, aux Américains d'origine asiatique et mexicaine et aux Amérindiens.

Cinéma et télévision

Le *studio system* est en réalité né à Manhattan, où Thomas Edison, inventeur de la toute première technologie de l'industrie du cinéma, tenta de créer un monopole à l'aide de ses brevets. Ceci poussa de nombreux indépendants à s'installer dans une banlieue de Los Angeles, d'où ils pourraient facilement fuir au Mexique en cas de problème avec la justice. Hollywood était né.

Bien que la majeure partie du monde du cinéma soit sur la côte Ouest, New York conserve sa juste part de studios cinématographiques et de télévision. ABC, CBS, NBC, CNN, MTV et HBO comptent parmi les plus importants de la Grande Pomme, et nombreux sont les visiteurs qui viennent spécialement pour voir David Letterman, le docteur Oz ou pour assister à l'enregistrement de leur *talk-show* préféré. De nombreux réalisateurs et acteurs préfèrent New York à la côte Ouest (Robert De Niro, Spike Lee et Woody Allen, parmi les plus connus), alors ouvrez l'œil dans les rues. Parmi les autres villes accueillant l'industrie du cinéma figurent Chicago et une autre à laquelle on ne pense pas automatiquement : Wilmington, en Caroline du Nord, qui est dotée d'assez de studios pour mériter le surnom de "Wilmywood".

Théâtre

Eugene O'Neill rendit célèbre le théâtre américain avec sa trilogie *Le deuil sied à Électre* (1931), qui transpose le mythe grec tragique du meurtre d'Agamemnon en Nouvelle-Angleterre au lendemain de la guerre de Sécession. O'Neill fut le premier grand dramaturge américain, et il est toujours largement considéré comme le meilleur.

Après la Seconde Guerre mondiale, deux auteurs occupèrent le devant de la scène : Arthur Miller, qui épousa Marilyn Monroe et écrivit à propos de tout, de la désillusion d'un homme de classe moyenne (*Mort d'un commis voyageur*, 1949) à l'influence collective qui entraîna les procès des sorcières de Salem (*Les Sorcières de Salem*, 1953) ; et Tennessee Williams, dont les œuvres poignantes, *La Ménagerie de verre* (1945), *Un tramway nommé désir* (1947) et *La Chatte sur un toit brûlant* (1955), explorent le psychisme du Sud.

Grands romans américains

» *Gatsby le Magnifique (The Great Gatsby, 1925)*, F. Scott Fitzgerald

» *Le soleil se lève aussi (The Sun also Rises, 1926)*, Ernest Hemingway

» *Le Bruit et la Fureur (The Sound and the Fury, 1929)*, William Faulkner

» *Beloved (1987)*, Toni Morrison

Edward Albee apporta aux années 1960 une bonne dose d'absurde, notamment avec *Qui a peur de Virginia Woolf* (1962), et les années 1970 et 1980 virent apparaître les personnages durs à cuire des auteurs David Mamet (*American Buffalo*, 1975) et Sam Shepard (*L'Enfant enfoui*, 1978). Aujourd'hui, les pièces de Tracy Letts, lauréat du prix Pulitzer, traitent de la famille et sont souvent comparées à celles d'O'Neill, ramenant ainsi le théâtre à ses origines.

À Broadway, les spectacles sont rois. Pendant la saison 2010/2011, le célèbre quartier de New York a vendu pour plus d'un milliard de dollars de billets, un nouveau record alors même que de coûteuses productions comme "Spiderman : Turn Off the Dark'" ont cessé puis repris malgré les mauvaises critiques. Mais c'est à l'écart de Broadway, dans des théâtres régionaux comme le Steppenwolf de Chicago, le Guthrie de Minneapolis et une centaine d'autres, que de nouvelles pièces et de nouveaux dramaturges émergent et font vivre cet art.

Peinture

Au sortir de la Seconde Guerre mondiale, l'expressionnisme abstrait, sous l'influence de peintres de l'école de New York, tels Jackson Pollock, Franz Kline et Mark Rothko, imprégna tous les centres artistiques du pays. Sensibles à l'engouement surréaliste pour la spontanéité et l'inconscient, ces artistes explorèrent la puissance psychologique de l'abstraction à travers les grands formats de leurs toiles et le geste même de peindre. Pollock, par exemple, pratiqua le *dripping* en laissant couler et en faisant gicler la peinture sur ses toiles.

Le boom économique que connut l'Amérique après-guerre influença également le pop art. Les artistes, qui se tournaient de nouveau vers l'art figuratif, s'inspirèrent des grandes publicités colorées produites par la société de consommation. Andy Warhol en est le roi (ou le pape, comme on le surnomme parfois). Ensuite, le mouvement du minimalisme prit place. Dans les années 1980 et 1990, cependant, plus aucun style ne prédominait, laissant les voies largement ouvertes à toutes les explorations. Aujourd'hui, New York reste le cœur du monde artistique, l'endroit où se font et se défont les tendances américaines et mondiales.

Architecture

En 1885, un groupe d'architectes de Chicago érigea le tout premier gratte-ciel. Il n'atteignait pas vraiment les nuages, mais l'utilisation d'une telle ossature d'acier lança l'architecture moderne.

À peu près à la même époque, un autre architecte de Chicago travaillait plus près du sol. Rompant avec la longue tradition des références et éléments historiques, Frank Lloyd Wright créa un style en harmonie avec la nature. Il réalisait des immeubles en lien avec le paysage qui, dans le Middle West, était constitué des lignes horizontales des prairies environnantes. Un mouvement entier naquit du Prairie Style de Wright.

Lorsque les adeptes du Bauhaus, tels Walter Gropius et Ludwig Mies van der Rohe, fuyant l'Allemagne nazie, débarquèrent aux États-Unis, ils apportaient avec eux des conceptions avant-gardistes. Un style d'architecture simplifié, où "la forme suivait toujours la fonction", vit le jour et se fit connaître sous le nom de "style International". Les énormes édifices carrés de verre et de métal de Van der Rohe se détachaient sur l'horizon urbain, en particulier à Chicago et à New York.

Plus tard au XXᵉ siècle, le postmodernisme remit la décoration, la couleur, les références historiques au goût du jour, non sans une touche de fantaisie.

Aujourd'hui, le défi pour les architectes est de construire "écologique". Leur créativité surprenante transforme la ligne d'horizon et change la perception qu'ont les Américains des constructions qui les entourent.

Les meilleurs musées d'art moderne

» Museum of Modern Art, New York

» Whitney Museum of American Art, New York

» Andy Warhol Museum, Pittsburgh

La Willis Tower (anciennement Sears Tower), à Chicago, est le plus haut gratte-ciel depuis 1972, mais en 2014, la tour One World Trade Center à New York devrait le dépasser.

Environnement

Que vous soyez venu pour voir des alligators, des baleines, des lamantins ou des élans, l'est des États-Unis tient ses promesses. Ses côtes, ses montagnes, ses marais et ses forêts sont autant de sites idéaux pour l'observation de la flore et de la faune.

Géographie et géologie

Le paysage naturel de l'est des États-Unis est caractérisé par des forêts tempérées décidues et les Appalaches, une chaîne de montagnes basses anciennes, véritable colonne vertébrale de l'Est américain, parallèle à la côte. La zone urbanisée la plus peuplée du pays se situe entre les montagnes et la côte, et plus particulièrement entre Washington et Boston, dans le Massachusetts.

Au nord se trouvent les Grands Lacs, que les États-Unis partagent avec le Canada. Ces cinq lacs, qui font partie du Bouclier canadien, représentent la plus grande étendue d'eau douce de la planète, constituant presque 20% des réserves mondiales.

En longeant la côte Est vers le sud, le climat devient de plus en plus chaud et humide jusqu'au renfoncement du golfe du Mexique, qui dote les États-Unis d'un littoral sud.

À l'ouest des Appalaches, les vastes plaines intérieures s'étendent jusqu'aux Rocheuses. Les plaines de l'Est, grossièrement réparties entre la *corn belt* ("ceinture de maïs") au nord et la *cotton belt* ("ceinture de coton") au sud, constituent le grenier du pays. Ancien fond marin, ces plaines sont drainées par le puissant fleuve Mississippi, qui forme avec le Missouri le 4e plus long système fluvial de la planète, après le Nil, l'Amazone et le Yangzi Jiang.

Vers l'ouest, les Rocheuses et les déserts du Sud-Ouest laissent place à l'océan Pacifique.

D'après les géologues, il y a environ 460 millions d'années, les Appalaches étaient les plus hautes montagnes de la Terre – plus hautes même que l'Himalaya aujourd'hui.

Mammifères terrestres
Élans

L'élan (ou *moose*) broute des arbustes dans tout le nord-est des États-Unis, en particulier dans le Maine, le New Hampshire, le Vermont, le nord de l'État de New York et les forêts septentrionales de la région Michigan-Minnesota-Wisconsin. Il fait partie de la famille des cervidés, dont il est la plus grande espèce. Ses longues pattes fines portent un corps massif. Les mâles pèsent jusqu'à 550 kg et ce alors qu'ils sont herbivores et se nourrissent de brindilles et de feuilles. Malgré son physique particulier, l'élan peut courir jusqu'à 55 km/h et, dans l'eau, il peut avancer aussi vite que deux hommes en canoë.

Les bois des mâles, spectaculaires, poussent tous les étés, et tombent en novembre. Vous pourrez voir des élans chercher de la nourriture près des lacs et cours d'eau. Ils ne sont généralement pas agressifs (mais peuvent le devenir pendant la saison des amours, en septembre ; gardez

CATASTROPHES NATURELLES DANS L'EST AMÉRICAIN

Tremblements de terre, feux de forêt, tornades, ouragans et blizzards : les États-Unis ont leur part de catastrophes naturelles. Voici quelques-uns des événements récents qui ont le plus marqué la conscience nationale :

Ouragan Katrina Le 29 août 2005 n'est pas près d'être oublié à La Nouvelle-Orléans. Un puissant ouragan a balayé le golfe du Mexique et s'est abattu sur la Louisiane. Les digues se sont rompues et les eaux ont inondé plus de 80% de la ville. Le bilan humain a atteint 1 836 morts et les dégâts sont estimés à plus de 100 milliards de dollars – ce qui en fait la catastrophe naturelle la plus coûteuse de l'histoire des États-Unis. Les images déchirantes de la ville détruite et la colère face à la gestion désastreuse du gouvernement sont toujours dans les esprits.

"Allée des Tornades" En avril 2011, les États-Unis ont connu la plus importante éruption de tornades jamais enregistrée. Plus de 300 tornades ont fait rage dans 21 États pendant trois terribles jours. Fait incroyable, cela s'est produit quelques semaines seulement après la 2e plus importante éruption de tornades de l'histoire américaine. Les tempêtes ont fait plus de 300 morts et causé 10 milliards de dollars de dégâts.

Ouragan Irène Les 27 et 28 août 2011, une gigantesque tempête a soufflé sur le littoral est, ravageant 15 États de la Floride à la Nouvelle-Angleterre, et pénétrant à l'intérieur des terres jusqu'en Pennsylvanie. À New York, de nombreux habitants ont été évacués et, fait sans précédent, tous les transports en commun ont été fermés. Plus de 7,4 millions de foyers ont été privés d'électricité, les rivières ont débordé, et au moins 45 personnes sont décédées. Les dégâts ont été estimés à 7 milliards de dollars.

Séisme sur la côte Est Le 23 août 2011, un fort séisme a secoué l'est des États-Unis. La secousse de magnitude 5,8 avec pour épicentre Mineral, en Virginie, a été ressentie du Maine à la Caroline du Sud. C'était le séisme le plus fort depuis 1897. Il n'y a eu aucun dégât sérieux, bien que trois pitons de la flèche centrale de la cathédrale nationale de Washington se soient tout de même effondrés.

---

alors vos distances), et prendront souvent la pose pour la photo. Ils peuvent cependant être imprévisibles, il ne faut donc pas les effrayer.

Ours noirs

Malgré une diminution de leur population, les ours noirs rôdent dans la majeure partie de l'est des États-Unis, en particulier dans les Adirondacks, les Great Smoky Mountains et les forêts du nord du Middle West. Les mâles peuvent mesurer 2 mètres et peser 250 kg – mais cela dépend de la saison. En automne, ils pèsent jusqu'à 30% de plus qu'à la fin de l'hibernation, au printemps. Bien qu'ils apprécient un morceau de viande de temps en temps, les ours noirs se nourrissent généralement de baies et autres végétaux. Ce sont des animaux habiles, curieux, qui s'adaptent facilement et peuvent survivre sur de très petits territoires. Comme les forêts régressent, on les voit parfois s'aventurer à proximité des zones habitées.

Meilleurs sites pour observer la vie sauvage

» **Élans** Baxter State Park, dans le Maine

» **Baleines** Provincetown, dans le Massachusetts

» **Aigles** Wabasha, dans le Minnesota

Loups et coyotes

Les loups sont rares dans l'est des États-Unis. Ils se trouvent surtout dans le nord du Minnesota, en particulier à proximité des eaux limitrophes entre le Canada et les États-Unis. La froide forêt boréale de cette zone est leur principal territoire. Elle abrite par ailleurs l'**International Wolf Center** (Centre international du loup ; www.wolfcenter.org) à Ely, dans le Minnesota. Une autre petite meute vit dans l'Isle Royale National Park, dans le Michigan. Le loup peut être aussi féroce et rusé que son homologue des contes, mais il attaque rarement les humains. Si vous êtes en pleine nature, vous l'entendrez hurler à la lune.

Le coyote ressemble au loup, mais est deux fois plus petit. Il pèse entre 7 et 20 kg. Symbole du Sud-Ouest américain, le coyote se trouve aussi dans l'Est, et même dans les villes – à Chicago, un coyote a fait irruption dans une sandwicherie à l'heure du déjeuner !

Reptiles
Alligators et crocodiles

L'alligator américain est présent dans les marais du Sud-Est, principalement en Louisiane et en Floride. Avec son museau, ses yeux et son dos (qu'on dirait orné de galets) si immobiles qu'ils rident à peine la surface de l'eau, l'alligator veille sur les marais depuis plus de 200 millions d'années.

La Louisiane compte près de deux millions d'alligators. Ces prédateurs figurent en haut de la chaîne alimentaire, et pendant la saison sèche et les sécheresses, les "trous" qu'ils creusent deviennent des points d'eau vitaux, qui aident tout l'écosystème des zones humides. Ils vivent environ 30 ans, peuvent atteindre 4 mètres de longueur et peser 450 kg. Les alligators, qui ne sont officiellement plus en voie de disparition, demeurent protégés en raison de leur ressemblance avec le crocodile américain, qui est lui toujours menacé d'extinction.

Serpents

D'abord, la mauvaise nouvelle : quatre espèces de crotales (crotale diamantin, crotale pygmée et deux sous-espèces de crotale des bois) vivent à l'est du Mississippi. D'une longueur de plus de deux mètres, le crotale diamantin est le plus grand et le plus agressif. Les mocassins à tête cuivrée, mocassins d'eau et serpents corail sont d'autres espèces venimeuses de la région. On les trouve essentiellement dans les États du Mid-Atlantic et du Sud.

À présent, la bonne nouvelle : il est rare de tomber sur un serpent venimeux. Pour preuve, le parc national des Great Smoky Mountains, avec 10 millions de visiteurs par an, n'a jamais recensé de morsure mortelle en plus de 70 ans d'existence.

Mammifères marins
Baleines

Le meilleur site d'observation des baleines de l'Est américain se situe au large de la côte du Massachusetts, au **Stellwagen Bank National Marine Sanctuary** (sanctuaire marin national du banc de Stellwagen), zone d'alimentation pour les baleines à bosse en été. Ces créatures impressionnantes pèsent en moyenne 36 tonnes et mesurent 15 mètres – un sérieux poids à soulever lors de leurs sauts au-dessus de l'eau. Elles s'approchent étonnamment près des bateaux, offrant de superbes possibilités de photos. Une grande partie des 300 baleines franches de l'Atlantique Nord, le colosse le plus menacé au monde, fréquente les mêmes eaux. Les croisières d'observation se font au départ de Boston, Plymouth, Provincetown et Gloucester, dans le Massachusetts.

Lamantins

En été, les lamantins quittent les eaux douces de la Floride pour revenir vers l'océan. On peut alors en apercevoir sur les côtes de l'Alabama, de la Géorgie et de la Caroline du Sud.

Les lamantins ont été plus ou moins protégés depuis 1893, et ils sont apparus dans la première liste fédérale des espèces menacées en 1967. Autrefois chassés pour leur chair succulente – d'un goût plus fin, dit-on,

---

L'Est américain compte 12 parcs nationaux, 3 réserves nationales (semblables aux parcs nationaux, mais la chasse et l'exploitation minière y sont autorisées) et 27 parcs historiques (vastes zones d'importance historique nationale). Consultez le **National Park Service** (www. nps.gov) pour plus d'informations.

ENVIRONNEMENT REPTILES

Les plus beaux paysages hors des sentiers battus

» Congaree National Park, Caroline du Sud : marécages

» Ouachita National Forest, Arkansas : montagnes et sources

» Cape Henlopen State Park, Delaware : dunes, zones humides

» Monongahela National Forest, Virginie-Occidentale : rivières

que le filet mignon –, ils sont désormais à la merci des collisions avec les bateaux, responsables chaque année de 20% des décès. On compte aujourd'hui plus de 3 800 individus.

Oiseaux

Le pygargue à tête blanche, symbole des États-Unis depuis 1782, est le seul aigle qu'on ne voit qu'en Amérique du Nord. Son envergure peut dépasser les deux mètres. On trouve de bons sites d'observation le long du fleuve Mississippi, dans le Minnesota, le Wisconsin et l'Illinois. Le pygargue à tête blanche a été retiré de la liste des espèces en danger, après être passé de 417 couples reproducteurs en 1963 à plus de 9 750 aujourd'hui (chiffre pour les États-Unis contigus ; plus de 30 000 vivent en Alaska).

Le pélican blanc, l'un des plus grands oiseaux de la région, arrive en hiver (octobre à avril), tandis que le pélican brun, la seule espèce qui plonge pour se nourrir, vit ici toute l'année. On les trouve notamment aux environs de la côte du golfe du Mexique.

Plantes et arbres

Au printemps, la Nouvelle-Angleterre se couvre de fleurs sauvages et, à l'automne, elle prend des tons flamboyants. Les cinq types de forêts de l'est des États-Unis sont représentés dans le parc national des Great Smoky Mountains – épinettes d'Engelmann et sapins subalpins, tsugas, pins-chênes, bois de feuillus du Nord et forêts mésophytiques – qui abrite plus de 100 espèces d'arbres indigènes.

Les pygargues à tête blanche s'accouplent dans des nids larges de 3 m et susceptibles de peser plus de 450 kg, qu'ils réutilisent chaque année.

L'Est américain pratique

Carnet pratique

Activités

Randonnée, vélo, kayak, rafting, surf et ski : l'Est américain se prête idéalement à la pratique de toutes ces activités. Pour plus d'informations sur les sites d'activités de plein air, la location de matériel et les organismes, consultez les chapitres régionaux.

Sur Internet, le site **Great Outdoor Recreation Pages** (GORP ; http://gorp.away.com) est sans doute le plus complet. **Outside** (http://outside.away.com) est également un bon magazine général pour les férus d'activités en plein air. Pour le matériel, les magasins **REI** (☎253-891-2500, 800-426-4840 ; www.rei.com) et **Sports Authority** (☎888-801-9164 ; www.thesportsauthority.com) sont présents dans tout le pays. Ces sites sont en anglais.

La **National Outdoor Leadership School** (☎800-710-6657 ; www.nols.edu) vous donnera des informations très complètes sur toutes les possibilités de pratiquer les sports d'extérieur. **Outward Bound** (☎866-467-7651 ; www.outwardbound.org ; 100 Mystery Point Rd, Garrison, NY 10524) est également reconnu pour ses cours mettant l'accent sur les compétences personnelles en plein air.

Quantité d'espaces naturels sont ouverts au public. **Wilderness.net** (www.wilderness.net) fournit descriptifs, cartes, coordonnées et liens utiles pour chaque étendue sauvage du pays. **Recreation.gov** (www.recreation.gov) met à disposition sa base de données sur toutes les possibilités de loisirs qu'offrent les terres gérées par les agences fédérales.

Bureau of Land Management (BLM ; www.blm.gov)

Fish & Wildlife Management Offices (www.fws.gov/offices/statelinks.html). Liens vers la Fish and Wildlife Agency de chaque État, pour connaître les règlements et permis de pêche locale.

National Park Service (NPS ; www.nps.gov) Infos et cartes des activités des parcs du pays.

US Forest Service (USFS ; www.fs.fed.us)

Cyclotourisme et VTT

Les agences de location de vélos sont nombreuses ; reportez-vous aux différents chapitres régionaux pour connaître les adresses locales. Voir p. 617 pour plus d'informations sur le cyclotourisme, l'achat, la location et la revente de vélos et pour savoir comment emporter et rapporter son vélo avec vous aux États-Unis. Si vous venez avec votre propre vélo, prévoyez aussi un antivol solide, car les vols sont fréquents.

Certains parcs nationaux ou d'État possèdent des pistes cyclables ou polyvalentes mais les vélos sont presque toujours interdits sur les sentiers de randonnée. On peut en faire sur les pistes et les routes goudronnées qui traversent les parcs, mais il vaut mieux demander aux rangers quels

---

CONSEILS AUX VOYAGEURS

La plupart des gouvernements mettent en ligne les dernières informations sur votre destination. Consultez notamment les sites suivants :

Ministère des Affaires étrangères français (www.france.diplomatie.fr)

Ministère des Affaires étrangères de Belgique (http://diplomatie.belgium.be/fr/)

Ministère des Affaires étrangères du Canada (www.voyage.gc.ca)

Département fédéral des affaires étrangères suisse (www.eda.admin.ch/eda/fr)

sont les règlements locaux en premier lieu. L'usage dans les parcs veut que les cyclistes cèdent le passage aux autres personnes ; autrement, les vélos sont soumis au même code de la route que les automobiles. Consultez les sites www.mtbr.com ou www.dirtworld.com pour obtenir gratuitement des infos sur les centaines de pistes cyclables pour VTT.

Voici quelques adresses utiles pour les cyclistes :

Adventure Cycling Association (www.adventurecycling.org). Organise des circuits, vend des itinéraires et des cartes, propose des pages jaunes pour cyclistes et publie le magazine *Adventure Cyclist*.

Backroads (www.backroads.com). Grand choix de circuits cyclistes ou multisports, de tous niveaux, dans tous le pays.

Bicycling (www.bicycling.com). Initialement destiné aux cyclistes sur route, le magazine *Bicycling* présente les circuits dans tout le pays et donne des conseils sur le matériel et l'entraînement à suivre.

Bike (www.bikemag.com). Magazine publiant des informations en ligne, avec des liens vers une base de données présentant toutes les pistes de VTT du pays.

Cycle America (www.cycleamerica.com). Organise des circuits à vélo à travers le pays.

League of American Bicyclists (www.bikeleague.org). Ce groupe militant agissant au niveau national publie le magazine *American Bicyclist*. Excellent site Web : liens utiles, conseils touristiques et base de données contenant les adresses des clubs de vélo locaux et des réparateurs.

Randonnée

À de rares exceptions près, toutes les zones de nature sauvage sont ouvertes aux randonneurs. Les chemins les mieux entretenus se trouvent dans les parcs nationaux et régionaux. Ils vont de la route goudronnée accessible en fauteuil roulant aux sentiers de randonnée où l'on peut s'aventurer plusieurs jours durant.

Dans les parcs nationaux et régionaux, les cartes gratuites suffisent généralement pour des marches d'une journée. En revanche, pour des randonnées plus longues, des cartes topographiques sont recommandées, voire nécessaires. Avant de partir, renseignez-vous toujours auprès d'un ranger ou d'un centre de visiteurs sur la météo et sur l'état des sentiers. On vous demandera généralement de prendre un permis, ou au moins de vous enregistrer auprès des rangers du parc avant d'entamer une marche de plusieurs jours. Les permis de camper (*backcountry permits*), qu'ils soient gratuits ou qu'ils coûtent quelques dollars, sont délivrés avec parcimonie ; ils sont parfois tous réservés des mois à l'avance dans certains parcs très prisés, et peuvent être excessivement restrictifs dans certaines zones protégées.

Quoi qu'il en soit, une bonne préparation est indispensable pour faire face en cas de difficultés. Le site en anglais de **Survive Outdoors** (www.surviveoutdoors.com) dispense une foule de conseils tels que les premiers soins ou comment

---

LES ÉTATS-UNIS PRATIQUE

Journaux et magazines
Journaux de l'Est *Washington Post, Boston Globe, Miami Herald, Chicago Tribune*
Journaux nationaux *New York Times, Wall Street Journal, USA Today*
Magazines grand public *Time, Newsweek, US News & World Report*

Radio et Télévision
Radio d'information National Public Radio (NPR), au début de la bande FM
Télévision hertzienne ABC, CBS, NBC, FOX, PBS (chaîne publique)
Principales chaînes câblées CNN (informations), ESPN (sport), HBO (cinéma), Weather Channel (météo)

Vidéo
» Standard NTSC (incompatible avec les systèmes PAL ou SECAM)
» Les DVD sont codés pour la région 1 (États-Unis et Canada uniquement)

Poids et mesures
Poids 1 ounce ou oz (once) = 28,35 g ; 1 pound ou lb (livre) = 454 g ; 1 ton (tonne)
Liquide 1 fluid ounce (fl oz) = 0,03 l ; 1 pinte = 0,47 l ; 1 quart (qt) = 0,95 l ; 1 gallon = 3,79 l
Distance 1 foot ou ft (pied) = 30,5 cm ; 1 yard (yd) = 91,4 cm ; 1 mile (mi) = 1,6 km

se protéger, ainsi que des photos pour reconnaître les insectes dangereux.

Voici quelques sources d'informations utiles :

American Hiking Society (www.americanhiking. org). Recense les clubs de randonnée locaux et organise des chantiers (*volunteer vacations*) pour baliser et construire des sentiers.

Appalachian Trail Conservancy (www. appalachiantrail.org). Renseigne sur l'itinéraire du célèbre sentier de randonnée des Appalaches.

Backpacker (www. backpacker.com). Meilleur magazine du pays pour les randonneurs, débutants ou confirmés.

Rails-to-Trails Conservancy (www. railtrails.org). Transforme des voies de chemin de fer désaffectées en pistes cyclables et en sentiers, vend un guide national des chemins de randonnée. Certains itinéraires sont répertoriés et évalués sur www.traillink.com.

Trails.com (www.trails.com). Base de données contenant plus de 45 000 pistes à travers tout le pays. Cartes topographiques et guides imprimables. Inscription payante obligatoire.

Rafting, kayak et canoë

Une rivière, un plan d'eau capable d'accueillir des embarcations, et vous êtes certain de trouver une boutique pour vous louer ou vous fournir du matériel. Dans les parcs nationaux, la pratique du rafting, du kayak ou du canoë nécessite un permis. Réservez en passant par des organismes spécialisés (se reporter aux chapitres régionaux pour plus de détails).

Les sites suivants sont utiles :

American Canoe Association (www.

americancanoe.org). Association de canoë-kayak qui publie le magazine *Paddler* (www. paddlermagazine.com), dispose d'une base de données des cours d'eau navigables et propose des cours.

American Whitewater (www.americanwhitewater. org). Groupe travaillant à préserver les rivières sauvages du pays : liens vers des clubs de canoë-kayak locaux.

Canoe & Kayak (www. canoekayak.com). Magazine spécialisé pour les pagayeurs.

Kayak Online (www. kayakonline.com). Informations pour acheter du matériel et liens vers des points de vente, des écoles et des associations.

Ski et snowboard

La plupart des stations ont tout prévu : location de matériel, cours de ski, restaurants, animations pour les enfants, logements et garderie... La saison s'étend de mi-décembre à avril, et peut parfois se prolonger. En été, les mêmes stations se remplissent de randonneurs et de vététistes. Les stations et les agences de voyages proposent des forfaits sur leurs sites Internet intéressants pour les séjours à la neige (billet d'avion, hôtel et forfait remontées inclus). La plupart des stations ont aussi des aires réservées au snowboard et certaines possèdent des pistes de ski de fond (*cross-country skiing* ou *Nordic skiing*). En hiver, les parties très fréquentées des parcs nationaux, des forêts nationales et des parcs urbains proposent souvent des pistes de ski de fond, de raquette et des patinoires.

Voici quelques sources d'information utiles pour skieurs et snowboardeurs :

Cross-Country Ski Areas Association (www.xcski.org). Informations très complètes

sur le matériel, le ski et le snowboard en Amérique du Nord.

Cross Country Skier (www.crosscountryskier.com). Magazine avec des articles sur le ski de fond et des infos en ligne sur les pistes.

Powder (www.powdermag. com). Version en ligne du magazine de ski *Powder*.

SkiNet (www.skinet.com). Versions en ligne des magazines *Ski* et *Skiing*.

Ski Resorts Guide (www. skiresortsguide.com). Guide complet des stations, avec cartes téléchargeables des pistes, infos sur les hébergements, etc.

SnoCountry Mountain Reports (www. snocountry.com). Bulletins d'enneigement pour l'Amérique du Nord et liens vers les stations de ski et certains événements.

Snowboarder (www. snowboardermag.com). Un site pour les amateurs de snowboard ; nombreux conseils.

Surf, kitesurf et planche à voile

Le magazine **Surfer** (www. surfermag.com) propose un calendrier des différents événements ainsi que des récits de voyage qui couvrent le littoral Est et tous les spots des États-Unis, ainsi qu'un forum en ligne. Pour un tour complet du monde du surf, procurez-vous *Stormrider Guide: North America*. L'**US Kitesurfing Association** (www.uskite. org) a de nombreux liens vers des écoles de kitesurf dans tout le pays et le site www. ikiteboarding.com consacre beaucoup d'articles sur ce sport. Les véliplanchistes auront réponse à leurs questions auprès de l'**US Windsurfing Association** (www.uswindsurfing. org). Enfin, la **Surfrider Foundation** (www.surfrider. org), organisation à but non lucratif, lutte pour préserver la biodiversité côtière et l'intégrité écologique dans le monde entier.

Alimentation

Dans ce guide, les restaurants sont présentés par ordre de préférence des auteurs et les coups de cœur sont signalés par le symbole ♥. Les prix indiqués représentent une moyenne basée sur le prix d'un plat principal le soir. Le même plat est souvent moins cher, parfois de moitié, le midi.

La catégorie petits budgets, signalée par le symbole $, indique des restaurants où il est possible de manger pour moins de 10 $, la catégorie moyenne (indiquée par le symbole $$) signifie que la plupart des plats coûtent entre 10 et 20 $, et la catégorie supérieure ($$$), qu'il faudra compter au moins 20 $. Ces prix n'incluent pas les boissons, amuse-gueule, desserts, taxes et pourboires.

Pour en savoir plus sur la cuisine aux États-Unis, et notamment dans l'Est, lire le chapitre *Cuisine*, p. 573.

Ambassades et consulats

Ambassades et consulats des États-Unis

Vous pouvez consulter la liste complète des ambassades et consulats des États-Unis à l'étranger sur le **site de l'ambassade américaine** (http://usembassy.state.gov).

France Ambassade (☎01 43 12 22 22 ; http://france. usembassy.gov/; 2 av. Gabriel, 75382 Paris Cedex 08) ; Consulat (☎0 810 26 46 26 ou www.usvisa-france.com pour prendre rendez-vous pour la demande de visa (14 € l'appel, payable par carte de crédit) ; adresse postale : 18 av. Gabriel, 75008 Paris ; dépôt des dossiers : 2 rue

Saint-Florentin 75382 Paris Cedex 08)

Belgique Ambassade (☎ (32-2) 508-2111 ; http://belgium.usembassy.gov ; 27 bd du Régent, B-1000, Bruxelles) ; Consulat (☎32-788-1200 ; 25 bd du Régent, B-1000, Bruxelles)

Canada Consulat Montréal (☎514-398-9695 ; http://montreal.usconsulate.gov ; 1155 rue St-Alexandre, Montréal, Québec H3B 3Z1) ; Toronto (☎416-595-1700 ; http://toronto.usconsulate.gov ; 360 University Ave, Toronto, Ontario M5G 1S4)

Suisse Ambassade (☎031-357-70-11 ; http://bern.usembassy.gov ; Sulgeneckstrasse 19, CH-3007 Berne) ; Consulat (☎informations visas 0 900-87-84-72, 2,50 CHF/min, Jubilaumsstrasse 95, CH-3005 Berne)

Ambassades et consulats étrangers aux États-Unis

Les voyageurs étrangers cherchant à contacter leur ambassade pendant leur séjour peuvent se rendre sur le site **Embassy.org** (www.embassy.org), qui recense toutes les représentations diplomatiques présentes à Washington (presque tous les pays y ont une ambassade) ou appeler le ☎202-555-1212 pour obtenir son numéro. La plupart des pays ont en outre un ambassadeur auprès de l'ONU à New York. Certains pays ont aussi des consulats dans les grandes villes de l'Est :

France Atlanta (☎404-495-1660 ; www.consulfrance-atlanta.org) ; Boston (☎617-832-44-00 ; www.consulfrance-boston.org) ; Chicago (☎312-327-5200 ; www.consulfrance-chicago.org) ; New York (☎212-606-3688/89 ; www.consulfrance-newyork.org) ; La Nouvelle-Orléans (☎504-569-2870 ; www.consulfrance-atlanta.org) ; Washington

(☎202-944-6000 ; www.info-france-usa.org ; 4101 Reservoir Rd NW)

Belgique Atlanta (☎404-659-2150 ; 230 Peachtree Street NW, Suite 2710 - Georgia, 30303 Atlanta) ; New York (☎212-586-5110 ; www.diplomatie.be/newyorkfr ; 1065 Avenue of the Americas, 22nd floor, New York, NY 10018) ; Washington (☎202-333-6900 ; www.diplobel.be ; 3330 Garfield Street N.W. , 20008 Washington)

Canada Atlanta (☎404-532-2000 ; www.canadainternational.gc.ca/atlanta/ ; 1175 Peachtree Street, 100 Colony Square Suite 1700 Atlanta, GA 30361-6205) ; Boston (☎617-262-3760 ; www.canadainternational.gc.ca/boston/ ; Three Copley Place, Suite 400, Boston, MA 02116) ; Chicago (☎312-616-1860 ; www.canadainternational.gc.ca/chicago/ ; Two Prudential Plaza, 180 North Stetson Avenue, Suite 2400, Chicago, IL 60601) ; Détroit (☎313-567-2340 ; www.canadainternational.gc.ca/detroit/ ; 600 Renaissance Center, Suite 1100, Detroit, MI 482-43-1798) ; New York (☎212-596-1628 ; www.canadainternational.gc.ca/newyork/; 1251 Avenue of the Americas, New York, NY 10020-1175) ; Washington (☎202-682-1740; www.canadainternational.gc.ca/washington/ ; 501 Pennsylvania Avenue, N.W.Washington, D.C. 20001-2114)

Suisse Atlanta (☎404-870-2000 ; www.eda.admin.ch/atlanta ; 1349 W Peachtree Street NW, Suite 1000, Atlanta, GA 30309) ; Boston (☎617-876-3076 ; http://www.swissnexboston.org/; swissnex Boston,420 Broadway, Cambridge, MA 02138-4231) ; New York (☎212-286-1540 ; www.eda.admin.ch/missny ; 633, Third Avenue, 29th floor, New York, NY 10017-6706) ; Washington (☎202-745-7900 ; www.eda.admin.ch/washington ; 2900 Cathedral

Avenue N.W., Washington, DC 20008-3499)

Argent

Le dollar américain, familièrement appelé *buck*, est la seule monnaie légale dans le pays ; à la frontière avec le Canada, cependant, les dollars canadiens sont parfois acceptés.

Un dollar équivaut à 100 cents (¢). Les pièces ont toutes un nom : 1 ¢ (penny), 5 ¢ (nickel), 10 ¢ (dime), 25 ¢ (quarter), celles de 50 ¢ (half-dollar) et de 1 $ sont très rares. Les quarters sont les pièces utilisées pour les distributeurs et les parcmètres. Il y a des billets de 1 $, 2 $ (rares), 5 $, 10 $, 20 $, 50 $ et 100 $.

Rares sont ceux qui se promènent avec beaucoup d'argent liquide pour leurs achats quotidiens. On préfère nettement la carte de crédit. Ne prévoyez cependant pas de dépendre exclusivement des cartes de crédit, car certaines machines (notamment dans quantité de stations-service) n'acceptent pas les cartes étrangères. Les petits commerces refusent parfois les billets de plus de 20 $.

Les prix indiqués dans ce guide sont en dollars américains et hors taxe, sauf mention contraire.

Voir le chapitre *L'essentiel* p. 18 pour connaître le taux de change du dollar et votre budget prévisionnel.

Bureaux de change

» Les banques restent le meilleur endroit pour changer des devises étrangères. Dans les grandes villes, la plupart des banques proposent ce service, ce qui n'est pas toujours le cas dans les zones rurales.

» Les bureaux de change des aéroports et des offices du tourisme proposent les taux les moins avantageux ; renseignez-vous sur les commissions et les frais supplémentaires.

» **Travelex** (☎877-414-6359 ; www.travelex.com) est une importante société de change, mais les agences **American Express** (☎800-528-4800 ; www.americanexpress.com) offrent souvent des meilleurs taux.

Cartes de crédit

Il est souhaitable d'avoir avec soi au moins une carte de crédit, de préférence Visa, American Express ou MasterCard, acceptées presque partout. Il vous sera difficile de louer une voiture ou de réserver une chambre par téléphone sans carte bancaire. Avant de partir en voyage, prévenez votre banque et la société qui a émis votre carte. En cas de perte ou de vol, faites une déclaration immédiatement auprès de la compagnie :

American Express (☎800-528-4800 ; www.americanexpress.com)
MasterCard (☎800-627-8372 ; www.mastercard.com)
Visa (☎800-847-2911 ; www.visa.com)

Chèques de voyage

Les chèques de voyage ne sont guère plus utilisés. Les grands restaurants et hôtels, les grands magasins, les acceptent encore souvent (en dollars US uniquement), mais les petits commerces, les marchés et les chaînes de restauration rapide risquent de les refuser. Les Travelers Cheques de Visa et d'American Express sont les plus acceptés.

Distributeurs automatiques de billets (DAB)

» Les distributeurs automatiques de billets (DAB) sont accessibles 24h/24 et 7j/7 dans la plupart des banques ainsi que dans presque tous les centres commerciaux, aéroports et supermarchés.

» La plupart des DAB prennent une commission de 2 à 3 $ par opération et il se peut que votre banque rajoute des frais. Renseignez-vous auprès de votre banque.

» La plupart des DAB sont reliés aux réseaux internationaux et offrent un taux de change correct.

Pourboires

Laisser un pourboire est pour ainsi dire obligatoire, sauf en cas de service réellement mauvais.

Barmen : 10 à 15% sur l'addition, 1 $ minimum par consommation

Concierges : rien pour un renseignement, jusqu'à 20 $ pour une réservation de dernière minute dans un restaurant, des places pour un spectacle affichant complet, etc.

Chauffeurs de taxi : 10 à 15% du prix de la course, arrondis au dollar supérieur

Femmes de chambre : 2 à 4 $ par jour, à laisser sous la carte fournie à cet effet

Porteurs dans les aéroports et les hôtels : 2 $ par bagage, 5 $ minimum pour un chariot

Serveurs : 15-20%, sauf si le pourboire est inclus dans l'addition

Voituriers : au moins 2 $, sur remise des clés.

Taxes

» Aux États-Unis, tous les prix sont affichés sans taxe, qui est ajoutée à la caisse.

» Les États et comtés sont libres d'imposer leur propre taxe ; pour plus de détails, voir les encadrés *En bref* placés en introduction de chaque État dans les chapitres régionaux.

» La taxe de séjour varie selon les villes.

Assurance

Aux États-Unis, tomber malade, avoir un accident de voiture ou être victime d'un vol peut coûter cher. Que vous partiez longtemps ou non, nous vous conseillons vivement de souscrire une assurance avant votre départ qui vous couvrira en cas d'annulation de votre voyage, de vol ou de perte de vos affaires, mais vous devez aussi envisager une couverture médicale pour les urgences et les soins ou les hospitalisations, ainsi qu'une garantie rapatriement. Les soins aux États-Unis sont excellents mais les coûts exorbitants. L'assurance réglera directement les hôpitaux et les médecins, vous évitant ainsi d'avancer des sommes qui ne vous seront remboursées qu'à votre retour. Dans ce dernier cas, conservez avec vous tous les documents nécessaires. Voir p. 602 pour les assurances santé.

Lisez avec la plus grande attention les clauses en petits caractères : c'est là que se cachent les restrictions. Vérifiez notamment que les "activités à risque", comme la moto ou même la randonnée, ne sont pas exclues de votre contrat, ou encore que le rapatriement médical d'urgence est couvert.

Attention ! Avant de souscrire une police d'assurance, vérifiez bien que vous ne bénéficiez pas déjà d'une assistance par votre carte de crédit, votre mutuelle ou votre assurance automobile. C'est bien souvent le cas.

Si vous comptez conduire, il est indispensable d'avoir une assurance responsabilité civile. Les agences de location proposent des assurances tous risques et des assurances responsabilité distinctes qui couvrent les dommages aux personnes et aux véhicules. Pour vous assurer contre le vol d'objets à l'intérieur de votre véhicule, consultez votre police d'assurance habitation ou pensez à contracter une assurance de voyage. Voir p. 618 pour plus de détails sur les assurances automobiles.

Bénévolat

En France, quelques organismes offrent des opportunités de travail bénévole, parfois sur des périodes courtes, de une à quatre semaines. Certaines associations s'adressent plus spécifiquement aux jeunes. Les chantiers proposés vont de la réfection d'une école aux travaux liés à l'environnement. Il s'agit d'une bonne formule pour s'immerger dans le pays, connaître l'envers du décor touristique, et bénéficier d'une ambiance internationale (les volontaires viennent de divers pays en général).
Association Rempart (☎01 42 71 96 55 ; www.rempart. com ; 1 rue des Guillemites 75004 Paris)
Comité de coordination pour le service volontaire international (CCVIS ; ☎01 45 68 49 36, fax 01 42 73 05 21 ; ccivs@unesco.org, www. unesco.org/ccivs)
Concordia (SCI, branche française ; ☎01 45 23 00 23 ; www.concordia-association. org ; 17-19, rue Etex 75019 Paris).
Jeunesse et reconstruction (☎01 47 70 15 88 ; www.volontariat.org : 10 rue de Trévise 75009 Paris)

Les occasions de s'investir bénévolement sont pléthoriques dans les grandes villes américaines, où il est facile de créer des liens avec les habitants tout en aidant les organisations à but non lucratif. Consultez la presse hebdomadaire locale ou le site **Craigslist** (www.craigslist.org) pour les petites annonces gratuites en ligne. Le site public **Serve.gov** (www.serve.gov), ainsi que les sites privés **Idealist.org** (www.idealist. org) et **VolunteerMatch** (www.volunteermatch.org), permettent de consulter gratuitement des bases de données regroupant les programmes de bénévolat

de courte et de longue durée dans tout le pays.

Les programmes de bénévolat plus conventionnels, en particulier ceux conçus pour les voyageurs étrangers, impliquent généralement une contribution de 250 à 1 000 $, en fonction de la durée du programme et des services inclus (notamment l'hébergement et les repas). Aucun ne couvre les frais de voyage.

Organisations bénévoles recommandées :
Green Project (☎504-945-0240 ; www. thegreenproject.org). Travaille à la reconstruction de La Nouvelle-Orléans après Katrina de façon écologique et durable.
Habitat for Humanity (☎800-422-4828 ; www. habitat.org). Axé sur la construction de logements abordables pour les personnes dans le besoin ; travaille beaucoup dans le Sud.
Sierra Club (☎415-977-5500 ; www.sierraclub. org). Programme de "vacances bénévoles" pour la restauration des zones naturelles et l'entretien des chemins, notamment dans les parcs nationaux et les réserves naturelles.
Volunteers for Peace (☎802-540-3060 ; www.vfp. org). Projets de volontariat au niveau local de plusieurs semaines, qui mettent l'accent sur le travail manuel et les échanges internationaux.
Wilderness Volunteers (☎928-556-0038 ; www. wildernessvolunteers.org). Séjours d'une semaine pour aider à l'entretien des parcs nationaux et des aires de loisirs en plein air. Parmi les destinations à l'est du pays : le Minnesota, le Vermont, le Maine et l'Arkansas.
World Wide Opportunities on Organic Farms, USA (☎949-715-9500 ; www. wwoofusa.org). Regroupe plus de 1 000 fermes bio,

réparties dans tout le pays, qui hébergent des bénévoles en échange du gîte et du couvert, avec possibilité de séjours de courte et de longue durée.

Cartes de réduction

L'**America the Beautiful Interagency Annual Pass** (http://store.usgs.gov/pass ; 80 $) permet l'accès gratuit pour 4 adultes et leurs enfants de moins de 16 ans à tous les parcs nationaux et les territoires de loisirs fédéraux durant un an. Ce pass peut s'acheter en ligne ou dans n'importe quel bureau d'accueil à l'entrée des parcs nationaux. À partir de 62 ans, un citoyen américain ou un résident permanent peut faire la demande d'un **Senior Pass** (10 $), valable à vie : il donne accès aux parcs gratuitement et droit à 50% de réduction sur les activités de loisirs comme le camping. L'**Access Pass** (gratuit pour le citoyen américain et le résident handicapé), également valable à vie, procure les mêmes avantages. Le destinataire peut retirer ce pass en personne ou le recevoir par courrier.

L'**American Association of Retired Persons** (AARP ; ☎888-687-2277 ; www.aarp. org ; cotisation annuelle 16 $), une association de défense des Américains de 50 ans et plus, fait bénéficier ses membres d'une réduction (habituellement de 10%) sur les hôtels, la location de voiture, etc.

Les membres de l'**American Automobile Association** (AAA ; ☎877-428-2277 ; www.aaa.com ; cotisation annuelle à partir de 48 $), AAA, ou des associations étrangères affiliées (comme CAA, AA) bénéficient de légères remises (en principe 10%) sur les billets de trains Amtrak, la location

de voitures, les motels et hôtels, les restaurants franchisés, certains magasins, les circuits organisés et les parcs à thème.

Les **seniors**, au-dessus de 65 ans (mais parfois moins), ont droit aux mêmes réductions que les étudiants ; il suffit généralement de montrer sa carte d'identité.

L'**International Student Identity Card** (ISIC ; www.isic.fr ; 13 €) permet à un étudiant d'économiser sur les billets d'avion, les assurances de voyage et les attractions touristiques locales. Pour les moins de 26 ans non étudiants, l'**International Youth Travel Card** (IYTC ; www.isic.fr ; 13 €) procure des bénéfices similaires. Ces cartes sont délivrées par les associations étudiantes, les fédérations d'auberges de jeunesse et les agences de voyage.

La **Student Advantage Card** (☎877-256-4672 ; www. studentadvantage.com ; 23 $), destinée aux étudiants étrangers et américains, permet d'économiser 15% sur le réseau Amtrak et Greyhound, et de 10% à 20% sur certaines compagnies aériennes et des magasins, hôtels et motels franchisés.

Des bons de réduction sont distribués dans les endroits touristiques. Certains ne valent pas la peine de s'y intéresser, mais en feuilletant un peu, dans les agences de voyages et les stations-service, les brochures et prospectus, vous pourrez tomber sur de bonnes affaires. Consultez également les journaux du dimanche. Lisez toujours les petites lignes, elles donnent souvent les conditions nécessaires pour recevoir la réduction en question.

Avis aux amateurs de bons de réduction : ne négligez pas Internet ! Vous trouverez notamment des

bons de réduction pour des produits divers, des locations de voiture, etc. sur eDealinfo (www.edealinfo.com). Pour les hôtels, préférez HotelCoupons.com (www. hotelcoupons.com).

Cartes et plans

Un bon atlas routier est nécessaire pour circuler en voiture. En France, l'**IGN** (www.ign.fr) propose une carte *États-Unis Est* (1/2 000 000) ainsi que des plans des villes de Boston, Chicago, New York/Manhattan et Washington (1/15 000). Michelin édite les cartes *Northeastern USA*, *Eastern Canada* (1/2 400 000), *Mid-Atlantic, Allegheny, Highlands* (1/500 000) et *Southeastern USA* (1/2 400 000).

Aux États-Unis, les atlas routiers et les cartes **Rand McNally** (www.randmcnally. com) ainsi que les guides **Thomas Brothers**, pour les villes, sont parfaits. On les trouve dans de nombreuses librairies et stations-service. Les membres d'automobiles clubs (p. 618) peuvent se procurer des cartes gratuites de très bonne qualité dans les agences régionales de leur club ; l'AAA a des accords avec quelques clubs internationaux. Itinéraires en ligne et cartes téléchargeables sont sur **Google Maps** (http://maps. google.com).

Pour les randonneurs qui partent camper dans la nature, une bonne carte topographique est de mise. On en trouve dans les Visitor Centers des parcs et dans les magasins d'équipements de plein air. Les meilleures cartes sont celles de l'**US Geological Survey** (USGS ; ☎877-275-8747 ; http:// store.usgs.gov), qui permet de les télécharger et de les commander en ligne ; le site fournit la liste complète des détaillants. **Trails.com** (www.trails.com) propose des cartes topographiques payantes, personnalisables et téléchargeables, mais on peut aussi acheter le logiciel de création de carte topographique au **National Geographic** (www.nationalgeographic.com) qui vend en ligne tout le matériel de cartographie.

Pour ceux qui veulent jongler entre voiture, randonnée et vélo, **Garmin** (www.garmin.com) et **Magellan** (www.magellangps.com) proposent GPS et logiciels de cartographie. Attention toutefois aux GPS qui tombent en panne ou ne fonctionnent pas bien dans certaines zones, comme dans les forêts épaisses.

Désagréments et dangers

Malgré la somme impressionnante de crimes violents, d'émeutes, de tremblements de terre, de tornades rapportés par les médias, les États-Unis demeurent un pays sûr. Le danger le plus réel reste sûrement l'accident de voiture (port de la ceinture obligatoire) et les principaux désagréments résident principalement dans les embouteillages et la foule qui se presse dans les grands sites touristiques.

Arnaques

Il n'existe pas, à proprement parler, d'arnaque typique aux États-Unis. Les voyageurs sont confrontés aux pros du bonneteau, où les trois cartes sont toujours truquées, et aux vendeurs à la sauvette présentant des montres électroniques ou des articles de marque à un prix ridicule. Ce sont évidemment des contrefaçons ou des objets volés. Afficher votre scepticisme sera votre meilleure défense. Pour connaître les dernières arnaques et fraudes (qui visent surtout les utilisateurs de cartes de crédits, les propriétaires immobiliers et

les investisseurs), consultez la rubrique "Consumer Guides" du site Internet du gouvernement, www.usa.gov.

Criminalité

Les touristes risquent davantage de se faire détrousser que de se faire attaquer. Lorsque vous retirez de l'argent à un distributeur, faites-le en plein jour, ou dans des zones bien éclairées et très fréquentées la nuit. En voiture, ne prenez pas d'auto-stoppeurs et enfermez les objets de valeur dans le coffre, hors de vue. Dans les hôtels, mettez vos objets de valeur au coffre et n'ouvrez pas votre porte à des inconnus (en cas de doute, n'hésitez pas à appeler la réception pour vérifier de qui il s'agit). Les armes à feu, qui font les gros titres des journaux, semblent être partout, mais on en voit rarement en dehors des périodes de chasse. Avant de partir vous promener dans les bois, vérifiez si la saison de la chasse est ouverte.

Catastrophes naturelles

Si une catastrophe naturelle survient pendant votre séjour, sachez que pour la plupart des catastrophes prévisibles, les dangers imminents sont annoncés par un système d'alarme. Des tests sont régulièrement effectués à midi, mais si vous entendez une sirène et avez des doutes, allumez la télé ou la radio qui diffuseront des consignes de sécurité en cas d'alerte réelle. Pour plus d'informations sur les tempêtes et comment s'y préparer, contactez le **service météorologique national** (www.nws.noaa.gov).

Le **US Department of Health & Human Services** (www.dhhs.gov/disasters) conseille et informe sur tous les types de catastrophes pouvant survenir lors de votre voyage. La saison des

ouragans le long du littoral atlantique et du golfe du Mexique s'étend de juin à novembre, mais la haute saison a lieu de fin août à octobre. Toutes proportions gardées, rares sont les tempêtes qui deviennent des ouragans sur la côte Est, mais dans le cas contraire, les ravages qu'ils provoquent peuvent être énormes. Les voyageurs doivent prendre au sérieux toutes les alertes d'ouragans, les avertissements et les ordres d'évacuation.

À l'intérieur des terres, dans le Middle West et le Sud, la saison des tornades a lieu de mars à juillet environ. De même, les risques d'en voir une sont minces.

Quand les catastrophes naturelles menacent vraiment, écoutez les informations télévisuelles et radiophoniques.

Douanes

Pour connaître la réglementation douanière des États-Unis et être averti des changements (fréquents) en la matière, consultez le site officiel de l'administration des douanes, la **US Customs and Border Protection** (www.cbp.gov). Une brochure téléchargeable "Know Before You Go" à l'attention des voyageurs étrangers indique les informations de base.

Les douanes américaines autorisent toute personne à entrer aux États-Unis avec :

» 1 litre de vin ou d'alcool (à condition d'avoir 21 ans révolus)

» 200 cigarettes ou 50 cigares ou 2 kg de tabac (si vous avez plus de 18 ans)

» Cadeaux et achats d'une valeur totale ne dépassant pas 100 $ hors taxes (800 $ pour les citoyens américains)

» Si vous arrivez avec l'équivalent de 10 000 $ ou plus en espèces, chèques de voyage, mandats-poste ou autres, il est obligatoire de le déclarer.

Toute tentative d'importer des substances illicites est punie de lourdes sanctions. Il est également interdit d'introduire dans le pays du matériel permettant de consommer des drogues, des billets de loteries, des objets de contrefaçon et des biens manufacturés à Cuba, en Iran, en Corée du Nord, au Myanmar, en Angola et au Soudan. Les fruits, légumes et tous aliments ou végétaux doivent être déclarés (sinon, vous risquez une fouille en règle) ou jetés dans les poubelles de la zone d'arrivée. L'importation de tout aliment est interdite pour éviter l'introduction de parasites et de maladies. Si vous prenez des médicaments, emportez-les dans leurs emballages clairement étiquetés, ainsi que l'ordonnance correspondante.

Les États-Unis sont, avec 170 autres nations, signataires de la Convention sur le commerce international des espèces menacées (CITES). L'importation et l'exportation d'animaux susceptibles d'être menacés sont interdites. L'ivoire, les carapaces de tortue, les coraux, les fourrures et certains cuirs bénéficient des clauses de la convention. Si vous apportez ou achetez manteaux de fourrure, objets en plume, ceintures en peau de serpent, bottes en alligator ou os sculptés, vous devrez présenter aux douaniers un certificat attestant que ces objets n'ont pas été fabriqués à partir d'espèces menacées. Pour plus de renseignements sur la question, consultez le site du **US Fish & Wildlife Service** (☎800-358-2104 ; www.fws.gov).

Électricité

Les États-Unis utilisent le courant alternatif 110/120 V ; prévoyez des transformateurs pour tout le matériel électronique non américain.

120V/60Hz

120V/60Hz

Formalités et visas

Les conditions d'entrée sur le territoire américain sont susceptibles de changer rapidement. Tous les voyageurs sont invités à vérifier la législation relative aux visas et passeports *avant* de partir aux États-Unis.

Vous pouvez consulter le site du **Département d'État américain** (US State Department ; www.travel.state. gov/visa) pour obtenir des renseignements, notamment la liste des consulats américains à l'étranger et les délais d'attente pour l'obtention d'un visa, pays par pays, et télécharger des formulaires. Renseignez-vous également auprès du consulat des États-Unis de votre pays d'origine.

Visas
PROGRAMME D'EXEMPTION DE VISA ET ESTA

Le programme d'exemption de visa (Visa Waiver Program, ou VWP) des États-Unis permet à l'heure actuelle aux ressortissants de 36 pays (dont la France, la Belgique, le Luxembourg et la Suisse) de se rendre aux États-Unis sans visa pour des séjours touristiques ou d'affaires d'une durée maximale de 90 jours (aucune prorogation n'est autorisée).

Pour bénéficier de l'exemption de visa, il faut obligatoirement détenir un passeport individuel (les autorités américaines ne reconnaissent pas l'inscription des enfants sur le passeport de l'un des parents) remplissant l'une des trois conditions suivantes :

- délivré avant le 26 octobre 2005 et à lecture optique (dit modèle DELPHINE, avec deux lignes de lettres et de chiffres suivies de <<< en bas) ou ;
- délivré entre le 26 octobre 2005 et le 25 octobre 2006 inclus, à lecture optique et comportant une photo numérisée ou une puce électronique sur la couverture du passeport, ou ;
- délivré à partir du 26 octobre 2006, à lecture

optique et comportant une photo numérisée et une puce électronique («e-passeports»).

Vérifiez impérativement que votre passeport correspond aux stipulations en vigueur, sinon vous vous verriez refoulé à la frontière, même si vous être citoyen d'un pays signataire de la convention d'exemption de visa.

Les ressortissants des pays signataires du VWP doivent en outre obligatoirement solliciter via Internet une **autorisation électronique de voyage** (ESTA, ou Electronic System for Travel Authorization ; www. esta.cbp.dhs.gov) et ce, au moins 72 heures avant leur départ. Il leur faudra alors s'acquitter d'un montant fixé à 14 $ (paiement en ligne par carte bancaire). Il vous faudra remplir un formulaire (nom, adresse, numéro de passeport, etc) en ligne. Vous recevrez l'une de ces trois réponses : "Autorisation accordée" (arrive généralement en quelques minutes ; la plupart des demandeurs peuvent s'attendre à recevoir cette réponse) ; "Autorisation en instance", auquel cas vous pouvez vérifier l'état de votre statut sur le site dans les 72 heures ; ou "Voyage non autorisé", signifiant que votre demande n'est pas accordée et qu'il vous faudra faire une demande de visa.

Une fois accordée, l'autorisation est valable pendant deux ans, mais vous devrez effectuer une nouvelle demande en cas de renouvellement de passeport ou de changement de situation. Pour tout nouveau voyage pendant la période de validité, il vous faudra mettre à jour certaines informations (numéro de vol, adresse de destination, etc.) L'ensemble des renseignements fournis est stocké sous forme électronique et relié à votre passeport mais par

précaution, il est conseillé d'imprimer et d'apporter l'autorisation ESTA.

Les bénéficiaires du programme d'exemption de visa sont toutefois tenus de produire les mêmes documents que pour un visa de tourisme au service de l'immigration, à leur entrée dans le pays. Ils doivent ainsi faire la preuve de la durée limitée de leur séjour, montrer leur billet de retour ou un aller simple pour une prochaine destination, établir que leurs ressources financières sont suffisantes pour couvrir les coûts du voyage et qu'ils ont des obligations les rappelant dans leur pays.

Les Canadiens n'ont pas besoin de visa mais doivent être en possession d'un passeport ou d'un document approuvé par l'**Initiative relative aux voyages dans l'hémisphère occidental** (en anglais WHTI, Western Hemisphere Travel Inititive ; www.getyouhome.gov).

DEMANDE DE VISA
Formalités
Hormis les Canadiens et les ressortissants des pays signataires d'un programme d'exemption de visa munis du passeport adéquat (voir p. 607), tous les étrangers doivent déposer une demande de visa auprès d'un consulat ou d'une ambassade américaine Il faut pour cela remplir en ligne un formulaire de demande de visa de non-immigrants (DS-160) et constituer un dossier.

La procédure actuelle prévoit un rendez-vous pour un entretien individuel lors duquel il faut présenter tous ses papiers et faire la preuve de ses ressources. Prise de **rendez-vous sur Internet** (www.usvisa-france.com) ou par téléphone au ☎0 810 26 46 26, moyennant 14 € (payable par carte bancaire). Les délais d'attente varient, mais si tout se passe bien, le visa est délivré quelques jours ou quelques semaines après l'entretien.

Votre passeport doit être valable au moins six mois après la date prévue pour la fin de votre séjour aux États-Unis. Il faut fournir une photo récente (5x5 cm) avec votre demande et régler 140 $ pour les frais administratifs, et des frais de chancellerie, mais les ressortissants français en sont exemptés (se reporter au site pour plus de détails).

Les demandeurs de visa doivent faire la preuve de leur solvabilité (ou qu'ils connaissent une personne résidante en mesure de subvenir à leurs besoins), présenter un billet de retour ou, à défaut, faire valoir des obligations de nature à les faire revenir chez eux (liens familiaux, titres de propriété, emplois, etc.).

En raison de ces exigences, il est préférable, si l'on voyage dans plusieurs pays avant d'entrer aux États-Unis, d'obtenir son visa avant le départ et non le demander depuis un pays étranger.

Entrer aux États-Unis
Les voyageurs étrangers doivent remplir, en arrivant et en repartant, le formulaire vert I-94 avant de se présenter au bureau de l'immigration. Il est normalement distribué dans l'avion avec les formulaires de déclaration en douanes. À la question Address *While in the United States* (adresse lors de votre séjour), donnez l'adresse du lieu où vous passerez votre première nuit (celle de votre hôtel par exemple).

Indépendamment de ce que votre visa stipule, l'officier de l'immigration est habilité à vous refuser le droit d'entrer aux États-Unis et à mettre des conditions à votre séjour. Il vous demandera quels sont vos projets et si vous avez assez d'argent. Produire un itinéraire, un billet de retour ou vers une autre destination et au moins une carte de crédit est utile. Montrer que vous disposez d'un budget de 400 $ par semaine de séjour suffit normalement. N'insistez pas trop sur le fait que vous avez des amis, de la famille ou des contacts professionnels aux États-Unis, l'agent de l'immigration pourrait en conclure que vous serez tenté de prolonger votre séjour. Être correctement habillé et courtois ne fait pas de mal.

L'**US-VISIT** (www.dhs.gov/us-visit) est un programme d'enregistrement du département de la Sécurité intérieure qui concerne tous les points d'entrée et presque tous les visiteurs étrangers. Pour la plupart des visiteurs (à l'exception, pour l'instant, de la plupart des Canadiens et de certains Mexicains), le recueil des données consiste en la prise d'une photo numérique et d'une prise d'empreinte électronique (sans encre) des empreintes digitales de chaque index ; cela prend moins d'une minute.

Quitter le pays et y revenir

Aller faire un petit tour au Canada ou au Mexique est assez facile, mais au retour, les non-Américains sont soumis à l'intégralité des formalités d'immigration. Ayez toujours votre passeport sur vous pour passer la frontière. S'il vous reste beaucoup de temps sur votre précédente carte d'immigration, vous pourrez probablement y revenir en la conservant mais si la date est d'expiration est proche, il faudra en demander une nouvelle. Les agents de contrôle à la frontière voudront voir un billet d'avion, des preuves de ressources, etc.

Les ressortissants de la plupart des pays occidentaux n'ont pas besoin de visa pour se rendre au Canada, il est donc tout à fait possible d'aller du côté canadien des Chutes du Niagara ou de faire un détour par le Québec. Les voyageurs arrivant en bus du Canada peuvent subir un contrôle minutieux. Un billet aller-retour calme les craintes des services d'immigration. Pour plus d'informations, voir p. 610. Le Mexique n'exige pas de visa dans la zone frontalière avec les États-UNis. Au-delà, il vous faut un visa ou une carte de touriste.

Avant le départ, il est impératif de contacter les ambassades et les consulats pour s'assurer que les modalités d'entrée sur le territoire n'ont pas changé. Nous vous conseillons de photocopier tous vos documents importants (pages d'introduction de votre passeport, cartes de crédit, numéros de chèques de voyage, police d'assurance, billets de train/d'avion/de bus, permis de conduire, etc.). Emportez un jeu de ces copies, que vous conserverez à part des originaux. Vous remplacerez ainsi plus aisément ces documents en cas de perte ou de vol.

Handicapés

Les handicapés rencontreront moins de difficultés qu'ailleurs en visitant les États-Unis. L'Americans with Disabilities Act (ADA) impose à chaque édifice public ou privé construit après 1993 (notamment les hôtels, restaurants, théâtres et musées) et transports en commun d'être accessible en fauteuil roulant. Vérifiez au préalable ce qu'il en est par téléphone. Certains offices du tourisme publient des guides détaillés faisant état des zones aménagées.

Les compagnies de télécommunication fournissent des opérateurs relais, accessibles par des numéros téléimprimeurs (*TTY numbers*) pour les malentendants. La plupart des banques disposent de DAB avec les consignes d'utilisation en braille, ou possédant une prise écouteurs pour les malentendants. Les rampes d'accès sont courantes et de nombreux carrefours surchargés sont équipés de signaux sonores clairement audibles. La plupart des chaînes hôtelières ont des suites pour les clients handicapés. Mieux vaut tout de même appeler pour connaître les disponibilités. Toutes les grandes lignes aériennes, les bus Greyhound et les trains Amtrak fournissent une assistance aux handicapés. Il suffit d'expliquer ce dont on a besoin en réservant 48 heures à l'avance pour que le nécessaire soit fait. Les chiens guides d'aveugles sont acceptés à bord ; n'oubliez pas leurs papiers.

Certaines agences de location de véhicules, comme Budget et Hertz, proposent des véhicules aménagés et des fourgon-nettes avec élévateur de fauteuil roulant sans surcoût, mais il faut les réserver à l'avance. **Wheelchair Getaways** (☎800-642-2042 ; www.wheelchairgetaways. com) loue ce genre de véhicule dans tous les États-Unis. Dans beaucoup de grandes villes, les bus sont accessibles aux personnes en fauteuil roulant et peuvent "s'incliner" si elles n'arrivent pas à monter la marche. Il suffit d'indiquer au chauffeur que l'on a besoin de l'élévateur ou du plan incliné.

Dans de nombreux parcs nationaux, certains parcs d'État et domaines de loisirs, les chemins sont aménagés pour les fauteuils roulants, soit pavés, goudronnés ou recouverts de planches.

Un certain nombre d'organismes sont spécialisés dans les besoins des voyageurs handicapés :

Access-Able Travel Source (www.access-able. com). Conseils utiles sur les voyages et liens vers d'autres sites.

Disabled Sports USA (☎301-217-0960 ; www.dsusa.org). Propose activités sportives et séjours pour handicapés, et publie le magazine *Challenge*.

Flying Wheels Travel (☎507-451-5005 ; http://flyingwheelstravel.com). Agence de voyages consacrée aux voyageurs handicapés proposant toute une gamme de services.

Mobility International USA (www.miusa.org). Informe les voyageurs handicapés sur les difficultés d'accès et gère un programme d'échanges culturels.

Moss Rehabilitation Hospital (☎800-225-5667 ; www.mossresourcenet.org/travel.htm). Innombrables liens et conseils sur les endroits accessibles aux handicapés.

Travelin' Talk Network (www.travelintalk.net). Géré par la même équipe que Access-Able Travel Source ; réseau mondial d'échange d'informations.

Wheelchair Getaways (☎800-642-2042 ; www.wheelchairgetaways.com). Loue des minibus à prix abordable aux États-Unis.

En France, l'**APF** (Association des paralysés de France ; ☎01 40 78 69 00, fax 01 45 89 40 57 ; www.apf.asso.fr ; 17 bd Auguste-Blanqui, 75013 Paris) peut vous fournir des informations sur les voyages accessibles. Deux sites Internet, dédiés aux personnes handicapées, mettent régulièrement à jour une rubrique Voyages et constituent une bonne source d'information. Il s'agit de **Yanous** (www.yanous.com) et de **Handicap.fr** (www.handicap.fr). Il existe également des agences de voyages spécialisées, parmi lesquelles :

Access Tourisme Service (☎02 38 74 28 40 ; www.access-tourisme.com ; 8 rue Saint-Loup, 45130 Charsonville)

Hébergement

Dans ce guide, les adresses coup de cœur sont signalées par l'icône ♥, mais tous les établissements recommandés satisfont à un degré de confort minimum selon leur catégorie. Les hébergements sont présentés par ordre de préférence de l'auteur. Il est conseillé de réserver, hormis en basse saison.

Tarifs spéciaux et réductions

Consultez le site Internet des hôtels cités dans ce guide pour connaître les offres spéciales en ligne. Vous trouverez aussi des réductions pour des hébergements sur les sites habituels :

Expedia (www.expedia.com)
Hotels.com (www.hotels.com)
Hotwire (www.hotwire.com)
Priceline (www.priceline.com)
Travelocity (www.travelocity.com)

Bed & Breakfasts et auberges

Les B&B américains sont des petites maisons confortables avec sdb commune (option la moins chère) ou des adresses romantiques installées dans des demeures historiques restaurées et meublées avec goût et avec sdb privative (option la plus onéreuse), tenues par des propriétaires aimables préparant de bons petits-déjeuners. La décoration illustre souvent un thème (époque victorienne, rustique, style Cape Cod...) et les chambres vont du confortable au très très confortable. Les prix dépassent habituellement les 100 $, pour se situer, dans les plus beaux B&B, entre 200 et 300 $ ou plus par nuit. Le week-end, une durée de séjour minimum de deux ou trois jours est parfois exigée. Certains établissements de charme haut de gamme n'acceptent pas les enfants.

Les B&B peuvent fermer hors saison et la réservation est essentielle pour les établissements les plus luxueux. Pour éviter les surprises, mieux vaut appeler à l'avance pour connaître le règlement (concernant les enfants, les animaux de compagnie et le tabac) et savoir si la salle de bains est commune ou privative. Vous trouverez tout au long de ce guide des sites de réservation de Bed and Breakfast. Vous pouvez également consulter les sites suivants :

Bed & Breakfast Inns Online (www.bbonline.com)
BedandBreakfast.com (www.bedandbreakfast.com)

GUIDE DES TARIFS D'HÉBERGEMENT

Les tarifs indiqués dans ce guide (généralement, ceux d'une chambre double occupée par deux personnes en haute saison) le sont uniquement à titre indicatif. Des manifestations ponctuelles, des week-ends chargés, des congrès ou des vacances sont autant d'événements qui font monter les prix. Presque partout, les tarifs en basse saison sont très inférieurs. En outre, ces tarifs n'incluent pas la taxe de séjour, qui s'élève entre 10% et 15% selon les endroits, voire plus. Demandez toujours le prix taxe incluse lorsque vous réservez.

Les catégories de prix sont les suivantes : $ (moins de 100 $), $$ (100 à 200 $) ou $$$ (plus de 200 $).

BnB Finder (www.bnbfinder.com)

Pamela Lanier's Bed & Breakfast Inns (www.lanierbb.com)

Select Registry (www.selectregistry.com)

Camping

La plupart des parcs nationaux et des parcs d'État disposent de campings. Les plus rudimentaires n'offrent aucune infrastructure et fonctionnent selon le système du premier arrivé, premier servi ; ils peuvent être gratuits ou coûter moins de 10 $ la nuit. Un camping basique dispose de sanitaires, d'eau potable, d'espaces pour faire un feu et de tables de pique-nique. La nuit revient entre 10 $ et 20 $ et il est souvent possible de réserver. Les campings plus élaborés, généralement installés dans les parcs nationaux et d'État, sont mieux équipés et disposent de sanitaires plus complets : douches avec eau chaude, branchement camping-car, laverie automatique, barbecues, etc. Ils coûtent à partir de 20 $ la nuit et la plupart peuvent être réservés jusqu'à 6 mois à l'avance.

Pour camper sur la plupart des terres fédérales (parcs nationaux, forêts nationales, zones protégées du BLM, etc.), il est possible de réserver via **Recreation.gov** (☎518-885-3639, 877-444-6777 ; www.recreation.gov). Les places de camping sont généralement limitées à 14 jours et peuvent être réservées jusqu'à six mois à l'avance. Pour les campings d'État, les réservations peuvent se faire auprès de **ReserveAmerica** (www.reserveamerica.com). Ces deux sites permettent de localiser les terrains et infrastructures de campings, de vérifier les emplacements libres, de les réserver, de voir des cartes et d'obtenir des itinéraires en ligne.

Les campings privés sont souvent destinés aux camping-cars et aux familles (les emplacements pour tentes sont souvent rares et sans charme), ils sont souvent équipés de réseaux Wi-Fi, de terrains de jeu, de piscines, d'épiceries, de laverie, etc. Beaucoup proposent des bungalows, allant des plates-formes en bois entourées de toiles aux structures en rondins avec de vrais lits, du chauffage et une sdb particulière. **Kampgrounds of America** (KOA ; ☎406-248-7444; www.koa.com) est un réseau national de campings privés bien équipés. Leurs Kamping Kabins sont équipées de climatisation et de cuisine. On peut commander l'annuaire annuel gratuit (hors frais de port) du KOA, le consulter et faire des réservations en ligne.

Auberges de jeunesse

L'Est américain est bien pourvu en auberges de jeunesse. **Hostelling International USA** (HI-USA ; ☎301-495-1240 ; www.hiusa.org ; cotisation annuelle adulte/enfant /senior 28 $/ gratuit/18 $) gère plusieurs auberges de jeunesse dans l'est des États-Unis. La plupart possèdent des dortoirs non mixtes, quelques chambres privées, des sdb et une cuisine communes et la plupart fournissent les draps gratuitement ou pour une somme modique. Un lit en dortoir coûte de 21 à 45 $ la nuit. Pour les non-membres, le tarif est un peu plus élevé. Réservations acceptées.

La région compte aussi de nombreuses auberges indépendantes non-affiliées à HI-USA. Consultez-les sur :

Hostels.com (www.hostels.com)

Hostelworld.com (www.hostelworld.com)

Hostelz.com (www.hostelz.com)

Hôtels

En général, toutes les catégories d'hôtels proposent le téléphone dans la chambre, la TV câblée, un accès Internet, une sdb privative et le prix comprend un petit-déjeuner continental simple. De nombreux hôtels de catégorie moyenne sont équipés en outre de minibars, fours micro-ondes, sèche-cheveux et piscines, tandis que les hôtels de catégorie supérieure disposent en plus de services de conciergerie, salles de sport, centres d'affaires, spas, restaurants et bars.

Dans ce guide, nous nous efforçons de mettre en avant les hôtels indépendants, mais dans certaines villes, les chaînes hôtelières peuvent être la meilleure option, et parfois la seule. Les chaînes hôtelières les plus courantes sont les suivantes :

Best Western (☎800-780-7234 ; www.bestwestern.com)

Comfort Inn (☎877-424-6423 ; www.comfortinn.com)

Hampton Inn (☎800-426-7866 ; www.hamptoninn.com)

Hilton (☎800-445-8667 ; www.hilton.com)

Holiday Inn (☎888-465-4329 ; www.holidayinn.com)

Marriott (☎888-236-2427 ; www.marriott.com)

Super 8 (☎800-800-8000 ; www.super8.com)

Motels

À l'origine, les motels se situaient près des autoroutes. On y garait sa voiture devant sa chambre. Aujourd'hui, ils s'assimilent davantage à des hôtels, à la différence près que la porte de la chambre donnera sur un parking, plutôt que sur un couloir.

Les motels se trouvent aux sorties des grands axes reliant les villes entre elles. La plupart restent modestes et peu onéreux ; le petit-déjeuner est rarement inclus, mais vous aurez toujours de quoi vous faire un thé ou un café dans votre chambre, et souvent la TV (câblée ou non) et le téléphone. Certains motels disposent toutefois de chambres avec une kitchenette simple.

Ne vous fiez pas trop aux apparences. Une façade décrépie et peu engageante cache parfois des chambres d'une propreté irréprochable. Bien entendu, l'inverse est aussi vrai. Demandez à voir la chambre avant de prendre la clé si vous hésitez.

Heure locale

L'est des États-Unis est partagé entre les fuseaux horaires de l'Est (Eastern Standard Time) et du Centre (Central Standard Time), séparés d'une heure. La ligne de démarcation coupe l'Indiana, le Kentucky, le Tennessee et la Floride. La France a 6 heures d'avance par rapport à la côte Est. Quand il est midi sur la côte Est, il est 11h dans le Centre et 17h à Paris.

Les États-Unis observent presque partout l'heure d'été (*daylight savings time*, DST) : les horloges sont avancées d'une heure le deuxième dimanche de mars, puis reculées d'une heure le premier dimanche de novembre.

Pour connaître l'heure dans le monde entier en temps réel, consultez le site www.horlogeparlante.com.

Les étrangers ont parfois du mal avec la manière d'écrire les dates aux États-Unis : on commence par le mois, non par le jour. Ainsi, pour réserver une chambre du 8 au 9 juin, il faut écrire du 06/08 au 06/09 (et non du 08/06 au 09/06).

Heures d'ouvertures

Les heures d'ouverture ne sont indiquées dans les chapitres régionaux de ce guide que si elles diffèrent

des horaires standards suivants :

Banques 8h30-16h30 lun-jeu, 8h30-17h30 ven (et parfois 9h-12h sam)

Bars 17h-24h dim-jeu, 17h-2h ven-sam

Centres commerciaux 9h-21h

Discothèques 22h-2h jeu-sam

Magasins 10h-18h lun-sam, 12h-17h dim

Postes 9h-17h lun-ven

Supermarchés 8h-20h, certains ouvrent 24/24h

Homosexualité

Dans l'ensemble, le Nord-Est est la région la plus tolérante de l'est des États-Unis, tandis que le Sud l'est moins, bien que des communautés homosexuelles soient présentes et actives depuis longtemps dans les grandes villes de toutes les régions.

Destinations phares

Manhattan est trop bondée et cosmopolite pour se préoccuper de savoir qui se tient la main, et Fire Island est le paradis balnéaire homosexuel de Long Island. Les autres villes *gay-friendly* de la côte Est sont Boston, Philadelphie, Washington, Provincetown (Massachusetts) et Rehoboth Beach (Delaware). Même le Maine se targue d'une destination balnéaire gay : Ogunquit.

Dans le Sud, il y a toujours la torride "Hotlanta" (Atlanta). La Nouvelle-Orléans est le lieu où s'amuser. Dans le Middle West, explorez Chicago et Minneapolis.

Comportements

La communauté homosexuelle est présente et active dans la plupart des grandes villes de l'Est américain. Vous trouverez dans ce guide un encadré ou une section consacrée aux meilleures adresses gays

de chacune de ces villes. La tolérance varie beaucoup d'un endroit à l'autre. Dans certains endroits, l'intolérance s'exprime de manière très agressive. Dans d'autres, on accepte les homosexuels, bisexuels et transsexuels à condition qu'ils "n'affichent" pas leur préférence sexuelle ou leur identité. Dans les zones rurales et les enclaves très conservatrices, il est imprudent de s'afficher au grand jour car il arrive que surviennent agressions et injures. Le mariage homosexuel, un sujet très polémique, est actuellement légal dans quelques États (du Nord-Est pour la plupart).

Renseignements

Advocate (www.advocate. com). Site d'information destiné aux homosexuels traitant d'économie, de politique, d'art, de divertissements et de voyages.

Damron (www.damron.com). Publie le guide de voyage classique destiné aux homosexuels : un peu trop de publicité et parfois peu à jour.

Gay Travel (www.gaytravel. com). Guides en ligne de nombreuses destinations aux États-Unis.

Gay Yellow Network (www. gayyellow.com). Annuaire des Pages Jaunes "gays" pour plus de 30 villes américaines. Application smartphone (GLYP) également disponible.

GLBT National Help Center (📞888-843-4564 ; www.glbtnationalhelpcenter. org ; h16h-24h lun-ven, 12h-17h sam). Un numéro national où trouver écoute, conseils et informations.

OutTraveler (www. outtraveler.com). Propose des guides des villes utiles et des articles de voyage sur diverses destinations américaines et étrangères destinés aux homosexuels.

Purple Roofs (www.purpleroofs.com). Répertorie les hôtels et B&B tenus par et pour des homosexuels dans tout le pays.

Internet (accès)

» Vous n'aurez aucune difficulté à vous connecter aux États-Unis. Presque tous les hébergements et de nombreux restaurants disposent d'un accès Internet haut débit. Dans ce guide, le symbole @ indique les établissements qui mettent des terminaux Internet à disposition de leurs clients. Le symbole 🛜 indique que l'établissement dispose d'une connexion Wi-Fi, gratuite ou payante.

» La plupart des cafés proposent un accès Internet bon marché.

» La plupart des bibliothèques publiques ont des terminaux (mais le temps est limité) et certaines disposent d'un réseau Wi-Fi. Il arrive qu'elles facturent une somme modique aux personnes ne résidant pas dans l'État.

» Pour une liste des points d'accès Wi-Fi (ainsi que des liens et conseils techniques très utiles), consultez **Wi-Fi Alliance** (www.wi-fi.org) et **Wi-Fi Free Spot** (www.wififreespot.com).

» Si vous emportez votre ordinateur portable, vous aurez besoin d'un adaptateur AC pour votre ordinateur et d'un autre pour les prises de courant. Vous en trouverez facilement dans des magasins d'informatique comme Best Buy (☎888-237-8289 ; www.bestbuy.com). Vérifiez également que votre carte modem peut fonctionner.

Jours fériés

Durant les jours fériés nationaux (*national public holidays*), les banques, les écoles et les administrations (y compris les bureaux de poste) sont fermées.

Les transports, musées et autres services adoptent les horaires du dimanche. Quand le jour férié tombe un dimanche, le lundi suivant est généralement chômé.

Nouvel An 1er janvier

Anniversaire de Martin Luther King Jr (Martin Luther King Jr Day) 3e lundi de janvier

Jour du Président (Presidents' Day) 3e lundi de février

Pâques (Easter) Mars ou avril

Memorial Day Dernier lundi de mai

Fête nationale (Independence Day ou Fourth of July) 4 juillet

Fête du Travail (Labour Day) 1er lundi de septembre

Jour de Christophe Colomb (Columbus Day) 2e lundi d'octobre

Jour des Vétérans (Veterans' Day) 11 novembre

Thanksgiving 4e jeudi de novembre

Noël 25 décembre

Offices du tourisme
Aux États-Unis

Il n'existe pas d'office du tourisme national. Vous trouverez toutefois dans la rubrique "Tour the US" (www.usa.gov / visitors/ travel.shtml) du site officiel du gouvernement fédéral des liens vers les sites Internet consacrés au tourisme de tous les États de l'est des États-Unis, ainsi que des liens vers des activités d'intérieur et de plein air, des musées et monuments historiques aux petits chemins et parcs pittoresques.

Les offices du tourisme et centres d'information des visiteurs sont indiqués tout au long de ce guide, dans les chapitres régionaux. Voici quelques sites Internet pour commencer :

New York State Tourism (www.iloveny.com)

Washington, DC (www.washington.org)

Les offices du tourisme (*tourist office* ou *tourist bureau*) dignes de ce nom possèdent un site Internet où l'on peut télécharger des guides de voyage en ligne. Ils offrent aussi généralement de petits cadeaux promotionnels (uniquement expédiés à des adresses américaines). Ils répondent également par téléphone, certains tiennent la liste des hébergements disponibles à jour, mais rares sont ceux qui font les réservations. Il y a toujours des présentoirs pleins de brochures et de bons de réduction pour les attractions des environs et parfois cartes et livres sont en vente.

Les centres d'information des visiteurs, souvent financés par les États, s'appellent les Welcome Centers, au bord des autoroutes, ou les Visitor Centers. Leur compétence est plus large, ils dispensent plus de renseignements et restent ouverts plus longtemps, y compris le week-end et pendant les vacances.

De nombreuses villes possèdent un Convention and Visitors Bureau (CVB) qui peut parfois tenir lieu d'office du tourisme mais sa vocation première est commerciale. Ces bureaux sont donc moins utiles pour les voyageurs indépendants.

Il faut savoir que dans les petites villes, quand l'office du tourisme est géré par la chambre de commerce (*chamber of commerce*), les listes d'hébergements fournies n'incluent que les établissements membres de la chambre : tous les restaurants et hôtels de la ville ne sont donc pas mentionnés. Gardez à l'esprit que de bonnes options, indépendantes, peuvent faire défaut.

Concernant les grandes destinations touristiques, les offices du tourisme privés touchent en fait une commission sur les réservations effectuées. Ils peuvent vous obtenir d'excellents tarifs et de très bonnes prestations, mais uniquement dans les établissements avec lesquels ils travaillent.

Depuis l'étranger

Il n'existe pas à proprement parler d'office du tourisme des États-Unis chargé de la promotion du pays à l'étranger. Toutefois, les sites Internet du Visit USA Comittee (organisme privé) fournissent de nombreux renseignements pratiques.

France (www.office-tourisme-usa.com)

Belgique (www.visitusa.org)

Canada (www.visitusacanada.org)

Suisse (www.vusa.ch)

Photo et vidéo

On trouve facilement des cartes mémoires pour appareils photo numériques dans les chaînes de magasins comme Best Buy ou Target.

Lorsque vous photographiez des gens, l'essentiel est de faire preuve de politesse (mais les artistes de rue apprécient aussi les pourboires). Dans les communautés amish, vous pouvez généralement photographier les fermes et les carrioles (demandez tout de même avant), mais pas les gens.

L'ouvrage *La Photo de voyage*, de Richard l'Anson (Lonely Planet, avril 2011) est une mine de conseils pour réussir de superbes photos de voyage.

Poste

L'**US Postal Service** (USPS ; ☎800-275-8777 ; www.usps.com) est fiable et bon marché. Au moment

où nous rédigeons ce guide, le tarif d'affranchissement pour un courrier *first-class* jusqu'à 28,35 g (1 once) est de 44 ¢ (20 ¢ par once supplémentaire) à l'intérieur du pays et de 29 ¢ pour les cartes postales. Au-delà de 368,54 g (13 oz), le tarif *priority-mail* s'applique.

Les tarifs pour l'étranger sont de 98 ¢ pour une lettre de 28,35 g (1 once) ou une carte postale, sauf pour le Canada ou le Mexique (80 ¢).

Problèmes juridiques

Si vous vous faites arrêter sur la route, sachez qu'il n'y a pas de dispositif permettant de régler une contravention pour une infraction, quelle qu'elle soit, immédiatement. Essayer de la payer au fonctionnaire qui verbalise risque dans le meilleur des cas de vous valoir une remontrance et dans le pire une accusation de tentative de corruption. Le policier vous expliquera les procédures légales. On dispose généralement de trente jours pour s'acquitter d'une amende.

En cas d'arrestation, vous avez droit à un avocat et le droit de garder le silence. Il n'y a aucune raison de répondre à un officier de police si vous ne le voulez pas, mais ne tentez jamais de vous éloigner sans y avoir été autorisé. Toute personne arrêtée a le droit de passer un appel téléphonique.

Si vous n'avez pas les moyens de payer un avocat, un commis d'office vous défendra. Il est conseillé aux étrangers n'ayant ni avocat, parent ou ami pour les aider d'appeler leur ambassade. La police fournira le numéro sur demande.

Drogues et alcool

» Il est illégal de consommer de l'alcool dans la rue dans la plupart des endroits. La Nouvelle-Orléans et Beal Street à Memphis sont des exceptions notables.

» La demande de présentation d'une pièce d'identité avec photo pour prouver que vous êtes en âge légal de consommer de l'alcool est une pratique courante dans tout le pays.

» Les comtés de certains États, en particulier du Sud, interdisent totalement la vente d'alcool.

» Dans tous les États, le taux maximal d'alcool dans le sang autorisé est 0,08%. Conduire en état d'ébriété ou sous l'influence de drogues constitue un grave délit passible de lourdes amendes, voire d'emprisonnement.

» La possession de toute drogue, y compris la cocaïne, l'ecstasy, le LSD, l'héroïne, le haschisch, ou plus de 28,35 g (1 once) d'herbe est un délit punissable de longues peines de prison, selon les circonstances. Les étrangers coupables d'infraction à la législation sur les drogues peuvent être expulsés.

ÂGE LÉGAL POUR...

» Consommer de l'alcool : 21 ans

» Conduire : 16 ans

» Avoir des relations sexuelles : 16-18 ans (varie selon les États)

» Voter : 18 ans

» Sachez que l'on peut être poursuivi par la justice de son pays pour ce qui est de l'âge légal de la majorité sexuelle, même lorsque l'on est à l'étranger.

Avant de partir

ASSURANCE SANTÉ

Les États-Unis ont peut-être l'un des meilleurs services de santé du monde, mais le coût des soins est exorbitant et un séjour à l'hôpital peut vous coûter très cher. Si votre propre assurance ne couvre pas les dépenses médicales à l'étranger, il est donc indispensable de souscrire à une assurance santé voyage qui réglera directement les hôpitaux et les médecins, vous évitant ainsi d'avancer des sommes qui ne vous seront remboursées qu'à votre retour.

Attention ! Avant de souscrire une police d'assurance, vérifiez bien que vous ne bénéficiez pas déjà d'une assistance par votre carte de crédit, votre mutuelle ou votre assurance automobile. C'est bien souvent le cas.

Assurez-vous que vous êtes en bonne santé avant de partir. Emportez vos médicaments dans leur emballage d'origine, clairement étiquetés. Si vous suivez un traitement de façon régulière, avoir sur vous une lettre datée et signée de votre médecin indiquant vos pathologies et médicaments (avec leur nom générique) peut aussi être une bonne idée, ainsi qu'une copie de votre ordonnance. Sachez qu'une ordonnance française ne permet pas l'achat de médicaments aux États-Unis.

N'oubliez pas de prendre avec vous les documents relatifs à l'assurance ainsi que les numéros à appeler en cas d'urgence.

VACCINS

Aucun vaccin spécifique n'est exigé pour se rendre aux États-Unis. Veillez cependant à être à jour pour les vaccins habituellement recommandés (renseignez-vous auprès de l'Institut Pasteur : www.pasteur.fr).

Aux États-Unis

DISPONIBILITÉ ET COÛT DES SOINS

» En cas d'urgence médicale, rendez-vous aux urgences de l'hôpital le plus proche.

» Si ce n'est pas urgent, appelez un hôpital à proximité et demandez-lui de vous diriger vers un médecin ; cette solution est généralement moins coûteuse que les urgences.

» Les centres de soins d'urgence (*urgent care centers*) indépendants à but lucratif fournissent un bon service, mais peuvent être l'option la plus onéreuse.

» Les pharmacies sont très bien approvisionnées. Cependant, certains médicaments en vente libre dans d'autres pays sont délivrés uniquement sur ordonnance aux États-Unis.

» De même que les soins, l'achat de médicaments peut revenir très cher si vous n'avez pas d'assurance.

MALADIES INFECTIEUSES ET PARASITAIRES

La plupart des maladies infectieuses sont transmises par les piqûres de moustique ou de tique ou ou surviennent à la suite d'une exposition à l'environnement. Consultez le **Centre pour le contrôle et la prévention des**

TROUSSE MÉDICALE DE VOYAGE

Veillez à emporter avec vous une petite trousse à pharmacie contenant quelques produits indispensables. Certains ne sont délivrés que sur ordonnance médicale. Attention, les liquides et les objets contondants sont interdits en cabine.

» des **antibiotiques**, à utiliser uniquement aux doses et périodes prescrites. Il n'est pas absurde de demander à votre médecin traitant de vous en prescrire pour le voyage.

» un **antidiarrhéique**, en cas de forte diarrhée, surtout si vous voyagez avec des enfants

» un **antihistaminique** en cas de rhumes, allergies, piqûres d'insectes, mal des transports – évitez de boire de l'alcool

» un **antiseptique** ou un désinfectant pour les coupures, les égratignures superficielles et les brûlures, ainsi que des pansements gras pour les brûlures

» de l'**aspirine** ou du **paracétamol** (douleurs, fièvre)

» une bande Velpeau et des pansements pour les petites blessures

» une **paire de lunettes de secours** (si vous portez des lunettes ou des lentilles de contact) et la copie de votre ordonnance

» une **paire de ciseaux** à bouts ronds, une **pince à épiler** et un **thermomètre à alcool**

» une petite trousse de **matériel stérile** comprenant une seringue, des aiguilles, du fil à suture, une lame de scalpel et des compresses

» des **préservatifs**

maladies (Center for Disease Control ; www.cdc. gov) pour plus de détails.

Giardiase Infection intestinale. Évitez de boire directement l'eau des lacs, étangs, ruisseaux et rivières.

Maladie de Lyme Est principalement observée dans le Nord-Est. Se transmet par les tiques infectées à la fin du printemps et en été. À la fin d'une journée en extérieur, vérifiez que vous n'avez pas attrapé de tiques.

Virus du Nil occidental Transmis par les moustiques à la fin de l'été et au début de l'automne. Couvrez-vous (manches longues, pantalon long, chapeau et chaussures fermées) et appliquez un bon insecticide, contenant de préférence du DEET, sur la peau exposée et les vêtements.

Risques environnementaux

Exposition au froid

Problème pouvant s'avérer grave, notamment dans les régions du Nord. Couvrez tout votre corps, y compris la tête et le cou. Attention aux symptômes suivants, qui sont les signes précurseurs de l'hypothermie : fatigue, grelottements, vertiges, élocution difficile et déraison.

Coup de chaleur La déshydratation en est la principale cause. Symptômes : état fébrile, mal de tête, nausées et transpiration. Allongez le malade à plat en lui surélevant les jambes, appliquez des linges mouillés et froids sur sa peau et réhydratez-le.

Santé sur Internet

Il existe de très bons sites Internet consacrés à la santé en voyage. Avant de partir, vous pouvez consulter les conseils en ligne du **ministère des**

Affaires étrangères (www.diplomatie.gouv.fr/fr/ conseils-aux-voyageurs_909/ index.html) ou le site très complet du **ministère de la Santé** (www.sante.gouv. fr). Vous trouverez, d'autre part, plusieurs liens sur le site de **Lonely Planet** (www. lonelyplanet.fr), à la rubrique *Ressources*.

Téléphone

Les lignes sont partagées entre les opérateurs locaux, les opérateurs nationaux qui se livrent une concurrence féroce et des compagnies exploitant les portables et les appareils à pièces ou à cartes. C'est un système performant mais un peu complexe et parfois cher. Les appels passés depuis une ligne fixe ou un téléphone portable coûtent en général moins cher que depuis le téléphone d'un hôtel ou une cabine téléphonique.

Téléphoner depuis/vers les États-Unis

» Tous les numéros de téléphone à l'intérieur des États-Unis se composent d'un indicatif régional à trois chiffres suivi d'un numéro local à sept chiffres. En général, il ne faut pas composer l'indicatif régional pour les numéros situés dans la même zone. Cependant, à certains endroits, il faut composer le numéro à 10 chiffres même pour un appel local. Lorsqu'un numéro à sept chiffres ne fonctionne pas, essayez avec les dix chiffres.

» Composez toujours le ☎1 avant les numéros longue distance aux États-Unis et avant les numéros gratuits (800, 888, 877, 866). Certains numéros gratuits ne fonctionnent qu'aux États-Unis. Composez le ☎800-555-1212 pour les renseignements téléphoniques des numéros gratuits.

» Pour appeler les États-Unis depuis l'étranger, composez-le ☎00, suivi

du ☎1 (uniquement le ☎1 depuis le Canada ; les communications entre les deux pays sont toutefois facturées comme des appels internationaux).

» Pour appeler l'étranger depuis les États-Unis, composez le ☎011, puis le code du pays (33 pour la France, 32 pour la Belgique et 41 pour la Suisse) et le numéro (sans le 0 initial). Pour appeler en France, faites-le ☎0011-33, puis les neuf derniers chiffres du numéro de votre correspondant. Le Canada est l'exception : il suffit de composer le ☎1 suivi de l'indicatif régional et du numéro.

» Composez le ☎00 pour obtenir de l'aide pour les appels internationaux.

» Composez le ☎411 pour les renseignements téléphoniques locaux. Pour les renseignements en dehors de la zone d'appel, faites-le ☎1 et les trois chiffres correspondant à la zone de votre appel, suivi de 555-1212 ; l'appel sera facturé comme une communication longue distance. Pour une assistance-annuaire gratuite dans tout le pays, composez-le ☎800-466-4411.

Téléphones portables

Aux États-Unis, les mobiles fonctionnent sur le réseau GSM 1900 ou CDMA 800, qui exploite des fréquences différentes des compagnies étrangères. Si vous avez un GSM tri-bande, demandez à votre opérateur s'il fonctionne aux États-Unis. Méfiez-vous, avec certains contrats, un appel des États-Unis aux États-Unis sera facturé comme un appel international et sera donc hors de prix. Les téléphones 3G comme les iPhones fonctionnent très bien, mais attention aux frais d'itinérance, en particulier pour les données. Vérifiez avec votre opérateur de téléphonie les conditions d'utilisation de votre téléphone aux États-Unis.

Votre carte SIM peut être mise dans un mobile de location compatible avec le système américain. Vous vous en servirez comme du vôtre, en conservant votre numéro habituel et le même forfait. Renseignez-vous auprès de votre fournisseur.

Il peut être plus avantageux d'acheter une carte SIM prépayée pour les États-Unis, comme celle vendue par AT&T, que vous pourrez insérer dans votre téléphone portable international pour recevoir des appels locaux ou accéder à votre boîte vocale. **Planet Omni** (www.planetomni.com) et **Telestial** (www.telestial.com) fournissent les mêmes services et louent aussi des téléphones portables.

Vous pouvez aussi acheter des téléphones bon marché sans abonnement (carte prépayée) avec un numéro américain et un nombre de minutes donné, rechargeable à volonté. Virgin Mobile, T-Mobile, AT&T et d'autres prestataires proposent des téléphones à partir de 20 $, avec des crédits commençant autour de 40 $ pour 400 minutes. La chaîne de magasins d'électronique **Best Buy** (www.bestbuy.com) vend ce type de téléphones, ainsi que des cartes SIM internationales.

On peut louer des téléphones portables dans certains aéroports américains importants ou se le faire livrer aux États-Unis par **TripTel** (☏877-874-7835 ; www.triptel.com) ; les tarifs varient mais restent généralement élevés.
T-Mobile (www.t-mobile.com) loue aussi des téléphones avec un certain montant de communication prépayée.

Les zones rurales de l'Est, en particulier dans les montagnes et les divers parcs nationaux, ne captent pas. Vérifiez la zone de couverture de votre opérateur.

Cabines et cartes téléphoniques

» On trouve encore quelques cabines téléphoniques dans les grandes villes, mais elles se raréfient.

» Les appels locaux coûtent 50 ¢ pour les premières minutes, prolonger la conversation revient plus cher. Mettez la somme nécessaire dans le monnayeur mais pas plus car les cabines ne rendent pas la monnaie.

» Certains téléphones publics (dans les parcs nationaux par exemple) ne prennent que les cartes de crédit ou les cartes téléphoniques prépayées.

» Les cartes téléphoniques prépayées privées sont en vente dans les kiosques à journaux, les stations-service, supermarchés ou magasins.

» Les cartes téléphoniques AT&T vendues partout aux États-Unis sont fiables.

» Le service France Télécom permettant d'imputer les appels passés depuis n'importe quel poste sur sa facture de téléphone fonctionne depuis les États-Unis. Demandez les détails à votre agence locale.

Appels Internet

Avec les services tels que **Skype** (www.skype.com) et **Google Voice** (www.google.com/voice), vous pouvez passer des appels très bon marché, en particulier vers l'étranger.

Travailler aux États-Unis

Il est interdit à tout étranger en possession d'un simple visa de tourisme d'accepter un emploi rémunéré. Les contrevenants qui se font prendre sont expulsés. Les employeurs ont le devoir de vérifier le statut de leur personnel et sont passibles d'amendes s'ils ne le font pas.

Pour travailler légalement aux États-Unis, les étrangers ont besoin d'un permis et d'un visa de travail. Pour demander le visa correct à l'ambassade américaine, vous devez d'abord obtenir un permis de travail auprès de l'Immigration and Naturalization Service (INS). Votre futur employeur doit remplir pour vous auprès de l'INS une demande d'autorisation de travailler ; aussi votre première démarche consiste-t-elle à trouver une société disposée à vous employer et à remplir tous les papiers nécessaires. Renseignements sur le site Internet de l'**US Department of State** (www.travel.state.gov/visa).

Le visa J-1 est normalement délivré aux jeunes (les limites d'âge sont variables) allant étudier, faire un stage l'été, travailler dans une colonie de vacances (*summer camp*), ou pour de courts stages dans une entreprise précise. Les organismes suivants vous aideront à trouver un stage ou un programme d'échange et à obtenir un visa J-1 :
American Institute for Foreign Study (AIFS ; ☏866-906-2437 ; www.aifs.com)
Au Pair in America (☏800-928-7247 ; www.aupairinamerica.com)
BUNAC (☏020-7251-3472 ; www.bunac.org)
Camp America (☏020-7581-7373 ; www.campamerica.co.uk).
Council on International Educational Exchange (CIEE ; ☏800-407-8839 ; www.ciee.org)
InterExchange (☏212-924-0446 ; www.interexchange.org). Programmes de séjours au pair et de colonies de vacances.

Toute demande de visa pour un emploi autre qu'un stage doit obligatoirement être faite par l'employeur qui demandera un des visas de la catégorie H. Ils sont difficiles à obtenir car l'employeur doit faire la preuve qu'aucun citoyen américain n'a les qualifications requises pour le poste.

Il est possible de décrocher des emplois saisonniers dans les parcs nationaux, les parcs d'attractions et les sites touristiques, ainsi que dans les stations de ski. Ils sont souvent peu rémunérés. Adressez-vous aux gérants des parcs, aux chambres de commerce et à la direction des stations de ski.

Voyager en solo

Voyager seul aux États-Unis ne pose pas de problème particulier. Les hôtels proposent souvent des tarifs avantageux aux personnes seules, mais les chambres simples sont souvent petites et mal situées ; mieux vaut réserver une double pour plus de confort. En prenant vos repas au bar du restaurant, vous rencontrerez plus facilement du monde.

Il est déconseillé et potentiellement dangereux de faire de l'auto-stop pour tous, surtout seul. Prendre des auto-stoppeurs l'est également.

Évitez de dire à quel hôtel vous êtes descendu ou que vous voyagez seul si des personnes ne vous semblent pas dignes de confiance. Les Américains sont très amicaux et désireux de rendre service, y compris en hébergeant des voyageurs seuls chez eux. C'est un des

bons côtés des voyages en solo. Il faut tout de même se montrer prudent. Si vous acceptez une invitation, prenez la précaution de dire où vous allez, éventuellement au gérant de l'hôtel que vous quittez. Si vous entreprenez seul une randonnée, prenez la même précaution de sorte que si vous ne revenez pas comme prévu, quelqu'un s'en aperçoive et puisse donner l'alerte et des indications pour vous rechercher.

Femme seules

Les États-Unis ne présentent aucun problème particulier pour les femmes voyageant seules ou en groupe. De nombreuses voyageuses s'échangent des conseils de voyage sur le site Internet www.journeywoman.com qui compte aussi des liens très utiles vers d'autres sources d'information. Le livret "Her Own Way", publié par le gouvernement canadien, regorge de conseil d'ordre général pour voyager, utiles pour toute femme. Disponible au format PDF sur www.voyage.gc.ca/publications/menu-eng.asp.

Ces deux associations nationales peuvent aussi être d'un grand secours :

National Organization for Women (NOW ; ☎202-628-8669 ; www.now.org).

Planned Parenthood (☎800-230-7526 ; www.plannedparenthood.org). Des adresses de cliniques sur l'ensemble du territoire.

Les consignes pour voyager en solo s'appliquent évidemment aux voyageuses, plus susceptibles que d'autres d'être sollicitées ou importunées. Il peut être utile d'avoir un sifflet ou un spray dissuasif en cas d'attaque. Avant d'acheter un spray vérifiez la législation en vigueur dans l'État où vous vous trouvez et sachez que les lois fédérales vous interdisent de le prendre en cabine si vous voyagez en avion.

En cas d'agression sexuelle, appelez un service d'assistance aux victimes de viol avant d'appeler la **police**, à moins d'être réellement en danger, auquel cas il faut appeler le ☎911. Sachez toutefois que tous les services de police ne sont pas aussi réceptifs, qualifiés ou expérimentés lorsqu'il s'agit de s'occuper de victimes de viol, alors que le personnel des centres d'assistance à ces victimes les aideront sans relâche et les mettront en relation avec d'autres services publics tels que les hôpitaux ou la police. Vous trouverez les numéros de ces centres locaux d'assistance aux victimes de viol dans l'annuaire téléphonique. Sinon, vous pouvez contacter 24 h /24 la **National Sexual Assault Hotline** (☎800-656-4673 ; www.rainn.org) ou vous rendre directement aux urgences d'un hôpital.

Transports

DEPUIS/ VERS L'EST AMÉRICAIN

Entrer aux États-Unis

En dépit des procédures de sécurité renforcées après les attentats du 11-Septembre, entrer aux États-Unis n'est aujourd'hui pas plus fastidieux qu'avant. Cela dit, les officiers américains se montrent stricts et vigilants. : assurez-vous que vos papiers sont bien en règle et n'oubliez pas qu'une présentation soignée, une attitude courtoise et des documents en règle facilitent les démarches aux postes-frontières. Sachez que tout comportement inapproprié (refus d'obtempérer, propos critiques, etc.) peut être pris très au sérieux et est passible de peine pénale, voire d'une interdiction de revenir sur le sol américain. Pour des informations supplémentaires, consultez la rubrique "Conseils aux voyageurs" du site www. diplomatie.gouv.fr.

» Si vous arrivez en avion, le premier aéroport américain où vous atterrirez est celui où vous accomplirez les formalités d'immigration et de douane, même si vous reprenez un vol vers une autre destination.

» Les visiteurs étrangers doivent remplir une carte d'entrée et de sortie (formulaire I-94) avant d'arriver au guichet de l'immigration. En général, elle vous est remise dans l'avion ou le train avec le formulaire de déclaration en douane.

» L'officier d'immigration vérifiera votre passeport et les formulaires et procèdera à votre enregistrement conformément au programme **US-VISIT** (www.dhs.gov/us-visit) du Département de la Sécurité intérieure des États-Unis. Pour la plupart des visiteurs (à l'exception, actuellement, de la majorité des Canadiens et de certains Mexicains), cela consiste en un relevé d'empreintes digitales et une photo d'identité numériques ; cette opération prend moins d'une minute.

» Reportez-vous p. 594 pour plus de renseignements sur les conditions d'obtention d'un visa touristique pour les États-Unis et sur le système électronique d'autorisation de voyage ESTA (*Electronic System for Travel Authorization*), désormais applicable aux ressortissants de pays bénéficiant du programme d'exemption de visa (VWP).

» Une fois le service d'immigration franchi, vous récupérez vos bagages pour vous présenter à la douane (voir p. 595). Si vous n'avez rien à déclarer, la procédure est habituellement rapide et sans fouille de bagage.

» Si vous continuez sur le même vol pour prendre une correspondance, vous devez acheminer vous-même vos bagages à l'enregistrement. En principe, des agents de compagnies aériennes guident les voyageurs à la sortie de la douane.

» Il est préférable pour un parent, un grand-parent ou un tuteur voyageant seul avec un enfant de moins de 18 ans d'emporter un document certifié attestant qu'ils ont l'autorisation du ou des parents absents et la garde légale de l'enfant. Ce n'est pas obligatoire, mais les autorités américaines luttent farouchement contre

---

ℹ AVERTISSEMENT

Les informations contenues dans ce chapitre sont particulièrement susceptibles de changements. Vérifiez directement auprès de la compagnie aérienne ou de l'agence de voyages les modalités d'utilisation de votre billet d'avion. N'hésitez pas à comparer les prestations. Les détails fournis ici doivent être considérés à titre indicatif et ne remplacent en rien une recherche personnelle attentive.

Tous les moyens de transport fonctionnant à l'énergie fossile génèrent du CO_2 - la principale cause du changement climatique induit par l'homme. L'industrie du voyage est aujourd'hui dépendante des avions. Si ceux-ci ne consomment pas nécessairement plus de carburant par kilomètre et par personne que la plupart des voitures, ils parcourent en revanche des distances bien plus grandes et relâchent quantité de particules et de gaz à effet de serre dans les couches supérieures de l'atmosphère. De nombreux sites Internet utilisent des "compteurs de carbone" permettant aux voyageurs de compenser le niveau des gaz à effet de serre dont ils sont responsables par une contribution financière à des projets respectueux de l'environnement. Lonely Planet "compense" les émissions de tout son personnel et de ses auteurs.

les enlèvements d'enfants, et l'absence d'autorisation peut vous retarder à la frontière ou entraîner un refus d'entrer dans le pays.

Passeports

Tout visiteur étranger entrant sur le territoire américain doit être muni d'un passeport valide au moins six mois après la date de la fin du séjour aux États-Unis. Si votre passeport ne répond pas aux normes américaines, vous serez refoulé à la frontière. Si votre passeport a été émis avant le 26 octobre 2005, il doit être à lecture optique (dit modèle DELPHINE, avec deux lignes de lettres et de chiffres suivies de <<< en bas) ; si votre passeport a été délivré entre le 26 octobre 2005 et le 25 octobre 2006, il doit être à lecture optique et comporter une photo numérisée ; s'il a été délivré après le 26 octobre 2006, il doit être à lecture optique et comprendre une photo numérisée et une puce électronique. Voir p. 594 pour plus de détails.

AGENCES EN LIGNE ET COMPARATEURS DE VOLS

Vous pouvez réserver votre vol via une agence en ligne ou vous renseigner auprès d'un comparateur de vols :

www.anyway.com

www.bourse-des-vols.com

www.ebookers.fr

www.edreams.fr

www.expedia.fr

www.govoyages.com

www.illicotravel.com

www.fr.lastminute.com

www.liligo.fr

www.opodo.fr

www.sprice.fr

www.voyages-sncf.com

http://voyages.kelkoo.fr

Voie aérienne
Aéroports

Les États-Unis possèdent près de 375 aéroports nationaux ; beaucoup sont qualifiés d'"internationaux" alors qu'ils n'accueillent que quelques vols en provenance de l'étranger, essentiellement du Mexique et du Canada. Il est parfois nécessaire de prendre une correspondance pour accéder aux aéroports internationaux. Les principaux aéroports internationaux de l'Est américain sont les suivants :

Atlanta Hartsfield-Jackson International (ATL ; www.atlanta-airport.com)

Boston Logan International (BOS ; www.massport.com/logan)

Chicago O'Hare International (ORD ; www.flychicago.com)

Charlotte Charlotte/Douglas International (CLT ; www.charlotteairport.com)

Minneapolis-St Paul Minneapolis-St Paul International (MSP ; www.mspairport.com)

New York John F Kennedy International (JFK ; www.panynj.gov)

Newark Liberty International (EWR ; www.panynj.gov)

Washington, D.C. Dulles International (IAD ; www.metwashairports.com/dulles)

Compagnies aériennes

Les compagnies nationales de nombreux pays desservent les États-Unis et plusieurs transporteurs américains volent vers l'étranger. Les sites (en anglais) www.seatguru.com et www.seatexpert.com proposent des liens vers les compagnies internationales et offrent notamment des informations détaillées place par place pour chaque appareil.

Voici les principales compagnies aériennes proposant des vols à destination des États-Unis :

Aer Lingus (EI ; www.aerlingus.com)

Air Canada (AC ; www.aircanada.com)

Air France (AF ; www.airfrance.com)

Alitalia (AZ ; www.alitalia.com)

American Airlines (AA ; www.aa.com)

Traverser la frontière pour se rendre au Canada depuis l'est des États-Unis est simple et courant, surtout aux chutes du Niagara. Voici certaines choses à ne pas oublier :

» Les ressortissants des États-Unis, de la France et de la plupart des pays de l'Union européenne, ainsi que de la Suisse, peuvent entrer au Canada sans visa pour un séjour touristique allant jusqu'à six mois. Pour des informations à jour sur l'entrée dans le pays, consultez le site **Citoyenneté et Immigration Canada** (CIC ; www.cic.gc.ca).

» Que vous arriviez en avion, en voiture ou par voie maritime, vous devrez accomplir les formalités d'entrée et présenter votre passeport. Seule exception : les citoyens américains peuvent, plutôt que leur passeport, présenter un permis de conduire amélioré ou une carte-passeport. Renseignez-vous auprès de l'**Initiative relative aux voyages dans l'hémisphère occidental** (Western Hemisphere Travel Initiative, ou WHTI ; www.getyouhome.gov) pour connaître les documents d'identité acceptés.

» Lors du retour aux États-Unis, les visiteurs étrangers seront soumis à toutes les formalités d'immigration. Reportez-vous p. 610 pour des informations détaillées à ce sujet.

» Tous les visiteurs étrangers (à l'exception des Canadiens) sont soumis à un droit d'entrée de 6 $ lorsqu'ils entrent aux États-Unis par voie terrestre. Les cartes de crédit ne sont pas acceptées.

» Pour connaître les options d'hébergement et les restaurants du côté canadien des chutes du Niagara, voir l'encadré p. 123.

British Airways (BA ; www.britishairways.com)

Delta Air Lines (DL ; www.delta.com)

Iberia (IB ; www.iberia.com)

KLM (KL ; www.klm.com)

Lufthansa (LH ; www.lufthansa.com)

Northwest Airlines (NW ; www.nwa.com)

Scandinavian Airlines (SAS ; www.flysas.net)

United Airlines (UA ; www.united.com)

US Airways (US ; www.usairways.com)

Virgin Atlantic Airways (VS ; www.virgin-atlantic.com)

Depuis/vers la France

Pour obtenir un billet à petit prix, vous devrez faire des recherches, réserver tôt (au moins 3 à 4 semaines à l'avance, et jusqu'à six mois à l'avance pour un voyage en haute saison) et choisir le bon moment. Un vol en milieu de semaine (en particulier le mardi et le mercredi) et hors saison – de l'automne au printemps, hors vacances scolaires – revient toujours moins cher, même si la guerre des prix fait rage

toute l'année. De manière générale, les agences de voyages en ligne (voir l'encadré p. 607) proposent des tarifs inférieurs aux compagnies elles-mêmes, mais les agences de votre ville vous seront de très bon conseil pour organiser un voyage plus long et/ou compliqué.

Vous n'aurez aucune difficulté à trouver toute l'année des vols pour New York au départ de Paris-CDG. Air France, American Airlines, Delta Air Lines et United Airlines proposent plusieurs vols quotidiens directs ; il faut compter environ 8 heures 30 de vol et entre 500 et 900 € pour un billet aller-retour. Air Canada assure 2 vols quotidiens pour New York, avec escale à Montréal ou Toronto. US Airways relie également New York plusieurs fois par jour avec une ou deux escales.

Pour les autres grandes villes de l'Est américain, au départ de Paris-CDG : Air France (3 vols directs quotidiens), American Airlines et Iberia desservent Boston (à partir de 760 €) ; United Airlines, Lufthansa et Swiss Air desservent

Chicago (à partir de 920 €) et La Nouvelle-Orléans (à partir de 1 030 €) ; Air France (direct), Air Canada (escale à Toronto) et US Airways (direct) assurent 1 ou plusieurs vols quotidiens pour Philadelphie ; Air France (3 vols quotidiens directs), Air Canada (escale à Toronto), American Airlines et United Airlines desservent Washington quotidiennement (895 €). Il faut compter 8 heures 15 de trajet entre Paris et Washington.

Au départ de la province, plusieurs compagnies aériennes desservent les grandes villes de l'Est américain avec escale(s). Air France et Delta Airlines proposent ainsi des vols via Paris CDG (vols Air France ou correspondance en TGV) depuis Bordeaux, Lille, Lyon, Marseille, Montpellier, Mulhouse, Nice, Strasbourg, Toulon et Toulouse. Il existe un vol Delta Airlines direct reliant Nice et New York. Au départ de Bastia, Lyon, Marseille, Nice, Strasbourg et Toulouse, United Airlines, Lufthansa et Swiss Air desservent plusieurs villes américaines via Francfort ou Munich avec Lufthansa et via Zurich avec Swiss Air. American Airlines assure des vols au départ de Bordeaux, Lyon, Marseille, Montpellier, Nantes, Nice, Strasbourg et Toulouse via Madrid avec Iberia, et via Londres avec British Airways. Enfin, British Airways assure des vols via Londres au départ de Bordeaux, Grenoble, Lyon, Marseille, Nice et Toulouse.

Prévoyez l'ensemble de votre parcours avant d'acheter votre billet : certaines promotions sur les vols intérieurs sont parfois proposées en complément d'un billet international. De plus, il existe des réductions lorsque le vol et la location de voiture sont réservés en même temps.

Les agences et transporteurs ci-dessous sont susceptibles d'obtenir des vols secs intéressants (pour une liste de tour-opérateurs proposant des circuits et des séjours, voir la rubrique *Voyages organisés* p. 611).

Air France (www.airfrance.fr)
Air Canada (www.aircanada. com)
American Airlines (www. americanairlines.fr)
British Airways (www. britishairways.com)
Delta Air Lines (www.delta. com)
Les Connaisseurs du Voyage (www. connaisseursvoyage.fr)
Nouvelles Frontières (www.nouvelles-frontieres.fr)
Thomas Cook (www. thomascook.fr)
United Airlines (www. united.fr)
Voyageurs associés (www. bourse-des-voyages.com)
Voyageurs du Monde (www.vdm.com)

Depuis/vers la Belgique

American Airlines, Delta Air Lines, Jet Airways et United Airlines proposent plusieurs vols directs quotidiens à destination de New York

depuis Bruxelles. À partir de juin 2012, Brussels Airlines devrait également relier New York directement une fois par jour. Il faut compter environ 8 heures 30 de vol et entre 750 et 1 000 € en pleine saison pour un aller-retour. Il existe par ailleurs des vols avec ou sans escale(s) au départ de Bruxelles pour les autres grandes villes de l'Est américain. US Airways relie ainsi Philadelphie en vol direct six fois par semaine et United Airlines propose un vol direct par jour pour Chicago et Washington, Pour un aller-retour Bruxelles-Washington en basse/haute saison, il vous faudra débourser un minimum de 450/950 €.

Compagnies aériennes et agences recommandées :
Airstop (www.airstop.be)
American Airlines (www. americanairlines.fr)
Brussels Airlines (www. brusselsairlines.com)
Connections (www. connections.be)
Delta Air Lines (www.delta. com)
Gigatour Voyages Éole (www.voyageseole.be)
Jet Airways (www.jetairways. com)
United Airlines (www. unitedairlines.be)
US Airways (www.usairways. com)

Depuis/vers la Suisse

Swiss, American Airlines et United Airlines proposent un ou plusieurs vols directs quotidiens Genève-New York ou Zurich-New York (8 heures 50 et 9 heures 10 de vol respectivement), ainsi que des vols avec escale(s) vers d'autres villes de l'Est américain. Au départ de Zurich, United Airlines rallie également directement Washington cinq fois par semaine (compter 9 heures 15 de vol environ), Delta Air.Lines opère

cinq vols hebdomadaires à destination d'Atlanta (10 heures 30 de vol), Swiss propose un vol quotidien pour Boston (durée de vol. : 8 heures 20) et Chicago (9 heures 45 de vol) et US Airways rallie Philadelphie six fois par semaine (9 heures 15 de vol). Un aller-retour Genève-New York en basse/haute saison revient en moyenne à 800/ 1 200 CHF.

Quelques compagnies aériennes et agences utiles :
Swiss International Air Lines (www.swiss.com)
American Airlines (www. americanairlines.ch)
Delta Air Lines (www.delta. com)
STA Travel (www.statravel. ch)
United Airlines (www. united.ch)
US Airways (www.usairways. com)

Depuis/vers le Canada

Des vols quotidiens (notamment par Air Canada, American Airlines et United Airlines) relient Montréal, Vancouver, Toronto et nombre de petites villes canadiennes à toutes les grandes agglomérations des États-Unis. Toutefois, il revient moins cher de voyager par la route jusqu'à la première ville américaine, puis de prendre un vol intérieur.

Compagnies aériennes et agences recommandées :
Air Canada (www.aircanada. com)
Airlineticketsdirect.com (www.airlineticketsdirect.com)
American Airlines (www. americanairlines.fr)
Expedia (www.expedia.ca)
Travel Cuts (www.travelcuts. ca)
Travelocity (www.travelocity. ca)
United Airlines (www. unitedairlines.be)

TRAJETS INTERNATIONAUX DES BUS GREYHOUND

ITINÉRAIRE	TARIF ($)	DURÉE (H)	FRÉQUENCE (PAR JOUR)
Boston-Montréal	80-120	7-9½	jusqu'à 8
Détroit-Toronto	60-90	5-6	jusqu'à 5
New York-Montréal	75-105	8-9	jusqu'à 2

Voie terrestre

Canada

PASSAGE DE FRONTIÈRE

Il est relativement simple de passer la frontière pour se rendre au Canada depuis les États-Unis ; c'est dans le sens inverse que vous pouvez rencontrer des difficultés si vous n'êtes pas en possession de tous les documents nécessaires (voir l'encadré p. 608). Les exigences en termes de passeport (p. 607) et de visa (p. 594) changent continuellement, renseignez-vous auprès du **Département d'État américain** (http://travel.state. gov) avant de partir.

L'est des États-Unis compte plus de 30 passages frontaliers avec le Canada, accessible via le Maine, le New Hampshire, le Vermont, l'État de New York, le Michigan et le Minnesota. Le temps d'attente dépasse rarement 30 minutes, à l'exception des périodes de forte affluence (c'est-à-dire le week-end et pendant les vacances, surtout l'été). Pour connaître les temps d'attente aux postes-frontières (certains sont ouverts 24h/24, mais ce n'est pas le cas de la majorité), consultez le site de l'**Agence des services frontaliers du Canada** (www.cbsa-asfc. gc.ca/menu-fra.html) ou de l'**Agence américaine des douanes et de la protection des frontières** (US Border and Customs Protection ; http://apps.cbp. gov/bwt/).

Certains points d'accès sont particulièrement fréquentés :

» De Détroit (Michigan) à Windsor (Ontario)

» De Buffalo (État de New York) aux chutes du Niagara (Ontario)

» De Calais (Maine) à St Stephen (Nouveau-Brunswick)

Comme toujours, assurez-vous que vos papiers sont en règle, soyez courtois et évitez toute plaisanterie ou familiarité : les agents des douanes n'apprécient pas.

BUS

Greyhound (www.greyhound. com) et son équivalent canadien **Greyhound Canada** (www.greyhound.ca) exploitent le plus important réseau de bus d'Amérique du Nord. Il existe des liaisons directes entre les principales villes du Canada et du nord des États-Unis, mais vous aurez généralement à changer de bus à la frontière (où il faut compter une bonne heure pour que tous les passagers passent la douane et l'immigration). La plupart des bus internationaux proposent le Wi-Fi gratuit à bord. Le forfait Greyhound Discovery Pass (p. 615) permet un nombre de voyages illimité aussi bien aux États-Unis qu'au Canada.

Megabus (www.megabus. com) propose également des liaisons internationales (Toronto-New York et Toronto-Philadelphie), à des tarifs souvent moins chers que Greyhound. Billets vendus uniquement sur Internet.

TRAIN

Amtrak (www.amtrak. com) et **VIA Rail Canada** (www.viarail.ca) assurent des liaisons quotidiennes entre Montréal et New York (11 heures), et entre Toronto et New York via les chutes du Niagara (14 heures en tout). Les contrôles douaniers ont lieu à la frontière, et non lors de la montée dans le train.

VOITURE ET MOTO

» Si vous arrivez aux États-Unis par le Canada en voiture ou en moto, vous devez être muni du certificat d'immatriculation du véhicule, d'un document prouvant que vous possédez une assurance responsabilité civile et de votre permis de conduire national.

» Les voitures de location peuvent généralement traverser la frontière dans les deux sens, mais assurez-vous que votre contrat de location le stipule bien au cas où les agents frontaliers vous poseraient la question.

» Le permis de conduire canadien vaut aux États-

TRAJETS NATIONAUX DES BUS GREYHOUND

ROUTE	TARIF ($)	DURÉE (H)	FRÉQUENCE (PAR JOUR)
Boston-Philadelphie	30-55	7-10	9
Chicago-La Nouvelle-Orléans	120-155	25½-27	3
New York-Chicago	85-125	18-22½	5

Unis, même si un permis de conduire international est toujours préférable (p. 620).

» Avec des documents en règle, le passage de la frontière est aisé et rapide, sauf si les douaniers de l'un ou l'autre pays décident de procéder à une inspection minutieuse de votre voiture. Les files d'attente peuvent néanmoins être très longues aux postes-frontières pendant les week-ends et les vacances, surtout en été.

Voie maritime

Bateau

Plusieurs villes de la côte Est sont des plaques tournantes des bateaux de croisière, dont New York, Boston, La Nouvelle-Orléans et Charleston (Caroline du Sud). Si effectuer la traversée de l'Atlantique en bateau est rare aujourd'hui, cela reste possible, quoique coûteux, et certains organismes et tour-opérateurs (voir p. 612) proposent des croisières transatlantiques à destination de New York à bord du prestigieux *Queen Mary 2*.

Par ailleurs, il est possible de relier l'Ontario (Canada) aux États du Michigan, de l'Ohio, de New York ou du Maine en ferry : reportez-vous aux rubriques *Comment circuler* des chapitres régionaux correspondants pour plus de détails et lisez l'encadré p. 608 pour des informations sur les formalités d'entrée par voie maritime depuis le Canada.

Cargo

Vous pouvez également voyager depuis/vers les États-Unis en cargo, mais le trajet sera beaucoup plus lent qu'avec un bateau de croisière et le confort inférieur. L'aménagement des cargos est toutefois moins sommaire qu'il n'y paraît et leurs tarifs sont très inférieurs (parfois de moitié)

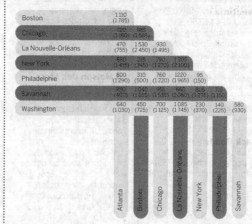

	Atlanta	Boston	Chicago	La Nouvelle-Orléans	New York	Philadelphie	Savannah
Boston	1 110 (1 785)						
Chicago	720 (1 160)	985 (1 585)					
La Nouvelle-Orléans	470 (755)	1 530 (2 450)	930 (1 495)				
New York	880 (1 415)	215 (345)	790 (1 270)	1 305 (2 100)			
Philadelphie	800 (1 290)	310 (500)	760 (1 220)	1 220 (1 965)	95 (150)		
Savannah	250 (400)	1 040 (1 655)	955 (1 535)	660 (1 060)	805 (1 295)	715 (1 150)	
Washington	640 (1 030)	450 (725)	700 (1 125)	1 085 (1 745)	230 (370)	140 (225)	580 (930)

aux bateaux de croisière. Les traversées peuvent durer d'une semaine à deux mois et les escales intermédiaires sont généralement rapides. Pour plus d'informations sur les compagnies et les routes empruntées par les cargos, consultez les sites suivants :
Cruise & Freighter Travel Association (www.travltips. com)
Freighter Cruises (www. freightercruises.com)

VOYAGES ORGANISÉS

En France, plusieurs tour-opérateurs et voyagistes proposent des séjours et circuits dans l'Est américain. Les circuits les plus fréquents sont des parcours itinérants à la découverte des grandes villes de la région, comme New York bien sûr, mais aussi Boston, Chicago, La Nouvelle-Orléans, Philadelphie et Washington. Il est possible de trouver des circuits combinant une visite du Nord-Est américain avec une partie de l'Est canadien, incluant les célèbres chutes du Niagara. Par ailleurs, l'Est américain, qui abrite de magnifiques parcs nationaux, se prête idéalement à la pratique de la randonnée.

Comptez en moyenne entre 1 500 € (7 jours) et 3 000 € (15 jours), pour un séjour tout compris, vol inclus.

Même s'il s'agit d'une destination où il est facile d'organiser soi-même son voyage, le recours à un voyagiste vous facilitera la vie, notamment si vous décidez d'axer vos vacances autour d'un thème particulier (par exemple, les grands musées de la région, les capitales de la musique américaine, etc.). Reportez-vous également à la rubrique *Circuits organisés locaux* (p. 620). D'autres agences figurent p. 609.

Spécialistes des circuits et séjours classiques

Afat Voyages (☎0892 230 141 ; www.afatvoyages. fr). Propose des séjours organisés à New York, des circuits à la découverte des grandes villes de l'Est américain qui ont écrit l'histoire du Nouveau Monde, ou des bayous et des plantations de la Louisiane. Également un itinéraire "Music Road" pour explorer les lieux emblématiques de la musique américaine.

Aventuria (☎0821 029 941, ☎01 44 10 50 50 ; www.aventuria.com ; 213 bd Raspail, 75014 PARIS). Spécialiste des voyages à la carte aux États-Unis : escapades à New York ou Philadelphie, découverte de Boston et de la Nouvelle-Angleterre, de la Louisiane des plantations, des capitales de l'Est, etc.

Back Roads (☎01 43 22 65 65 ; www.backroads.fr ; 14 pl. Denfert-Rochereau, 75014 Paris). Location de voitures et de campings-cars, circuits "l'Est américain au volant" : la Nouvelle-Angleterre, l'Est colonial, les Grands musées, les Grands Lacs.

Compagnie du Monde (☎0892 234 432 ; www. compagniesdumonde.com ; 5. av. de l'Opéra, 75001 Paris). Propose des circuits à la découverte du Sud authentique et de ses plantations, du charme pittoresque de la Nouvelle-Angleterre ou encore un itinéraire de Chicago à La Nouvelle-Orléans, sur fond de rythmes jazz, blues, soul ou rock.

Comptoir des Voyages (☎0892 239 339 ; www. comptoir.fr ; 2-18 rue Saint-Victor, 75005 Paris). Propose des séjours découverte des grandes villes et différents circuits dans l'Est américain (Nouvelle-Angleterre, États du Sud-Est), dont la découverte des grandes villes en train.

Jet Tours/Au Cœur du monde (☎0825 700 003 ; http://aucoeurdumonde. jettours.com/). Propose des voyages sur mesure : Évasion à New York, Couleurs de la Nouvelle-Angleterre, Du Nord au Sud en musique, L'Est et ses capitales, Le Sud mythique, etc.

Jet-Set Voyages (☎01 53 67 13 00 ; www.jetset-voyages. fr ; 41-45 rue Galilée, 75116 Paris). Séjours à New York, circuits à la découverte

des villes incontournables de l'Est, de la Nouvelle-Angleterre ou encore de la région des Grands Lacs, circuits en train et itinéraires à travers le Sud mythique et les plantations *antebellum*.

La Maison des États-Unis (☎01 53 63 13 43, fax 01 42 84 23 28 ; www. maisondesetatsunis.com. ; 3 rue Cassette 75006 Paris). Différents circuits accompagnés, ainsi que des circuits individuels en voiture, avec carnet de route préétabli. Découvrez New York, Washington, Philadelphie ou Boston, les grands sites de la musique américaine ou la Nouvelle-Angleterre. Organise également des croisières au départ de New York à bord du *Queen Mary 2*, prestigieux paquebot qui demeure le seul à effectuer régulièrement la liaison États-Unis – Europe sans escale.

Voyageurs du Monde (☎01 42 86 16 00 ; www. vdm.com ; 55 rue Sainte-Anne, 75002 Paris). Courts séjours thématiques (art et architecture) à la découverte des grandes villes de l'Est, et voyages itinérants originaux (phares et clochers de la Nouvelle-Angleterre, lacs et forêts du Minnesota, voyage en train dans l'Est urbain, etc.). Propose aussi une traversée transatlantique à bord d'un cargo pour rejoindre New York.

Spécialistes des activités culturelles ou sportives

Clio (☎0 826 10 10 82 ; fax 01 53 68 82 60 ; www.clio. fr. ; 27. rue du Hameau, Paris 75015). Propose un circuit culturel à la découverte des grands musées et de l'architecture de la côte Est.

Terres d'Aventure (☎0825 700 825 ; www.

terdav.com ; 30 rue Saint-Augustin, 75002 Paris). Divers circuits : découverte originale de New. York à vélo, randonnées itinérantes le long de la côte de la Nouvelle-Angleterre et découverte des plus beaux parcs de la région, etc.

West Forever (www. westforever.com). Spécialiste des circuits guidés en Harley-Davidson. Propose notamment un périple "East Side Story" de plus de 4 000 km au départ de Boston, réservé aux motards aguerris, et un circuit "Les Racines du blues", pour plonger au cœur de la musique américaine.

COMMENT CIRCULER

Auto-stop

Quel que soit le pays, faire du stop présente toujours des dangers, et nous ne le recommandons jamais. Devant la multiplication de faits divers sordides, la plupart des automobilistes sont aujourd'hui aussi effrayés que les auto-stoppeurs. Les voyageurs qui optent pour ce mode de déplacement doivent savoir qu'ils prennent des risques potentiellement sérieux. Mieux vaut toujours faire du stop à deux et informer une tierce personne de l'itinéraire prévu.

Le stop est plus répandu dans les zones rurales, mais la sécurité n'est pas meilleure que dans le reste du pays. Même si les voitures s'arrêtent plus facilement, le passage est peu fréquent et vous risquez d'attendre longtemps. Il est par ailleurs interdit de faire du stop sur les autoroutes.

Dans et autour des parcs nationaux, l'auto-stop est très pratiqué aux points de départ et d'arrivée de randonnées, mais il est plus sûr de consulter les propositions de covoiturage affichées dans les auberges de jeunesse et les centres de visiteurs des parcs ou les centres d'information sur la flore et la faune.

Avion

Si le temps vous est compté, prenez l'avion. Avec ses dizaines de compagnies aériennes concurrentes, ses centaines d'aéroports et ses milliers de vols quotidiens, le réseau national est étendu et fiable. Le voyage aérien revient habituellement plus cher que le bus, le train ou la voiture, quoique certaines offres spéciales le rendent très compétitif.

Les principaux aéroports se trouvent dans les villes desservies par les lignes internationales et dans certaines grandes agglomérations. La plupart des moyennes et grandes villes possèdent un aéroport local ou de comté, mais il faut généralement passer par un aéroport national pour y accéder.

Pour garer votre voiture pendant un voyage, consultez le site www.parkingaccess.com, qui propose des informations, des réservations et des réductions dans les parkings des principaux aéroports.

Compagnies aériennes

Plusieurs compagnies aériennes nationales ont récemment frôlé la faillite mais continuent malgré tout de voler, suite aux différentes fusions et autres restructurations. Les repas gratuits ont laissé place aux sandwichs payants et le personnel réduit implique qu'en cas d'imprévus (tempête par exemple), les vols sont retardés de plusieurs heures, voire de quelques jours.

Dans l'ensemble, voyager en avion aux États-Unis est très sûr (bien plus que de conduire sur les autoroutes du pays). Pour avoir des informations complètes

ROUTE	TARIF ALLER SIMPLE ($)	DURÉE (H)	FRÉQUENCE (PAR JOUR)
Chicago-La Nouvelle-Orléans	115	19½	1
New York-Chicago	120	20½	1
Boston-New York	68	3½-4	11-19

par compagnie aérienne, consultez le site **Airsafe.com** (www.airsafe.com), en anglais, qui se révèle également de bon conseil en matière de procédures de sécurité dans les aéroports, ou **Securvol** (www.securvol.fr, en français).

Voici une liste des principaux transporteurs intérieurs :

AirTran Airways (☎800-247-8726 ; www.airtran.com). Transporteur basé à Atlanta ; dessert essentiellement le Sud, le Middle West et l'est des États-Unis.

American Airlines (☎800-433-7300 ; www.aa.com). Dessert tout le pays.

Delta Air Lines (☎800-221-1212 ; www.delta.com). Dessert tout le pays.

Frontier Airlines (☎800-432-1359 ; www.frontierairlines.com). Transporteur basé à Denver desservant tout le pays.

JetBlue Airways (☎800-538-2583 ; www.jetblue.com). Liaisons directes entre les villes de l'est et de l'ouest des États-Unis, ainsi que La Nouvelle-Orléans.

Southwest Airlines (☎800-435-9792 ; www.southwest.com). Dessert la partie continentale des États-Unis.

United Airlines (☎800-864-8331 ; www.united.com). Dessert tout le pays.

US Airways (☎800-428-4322 ; www.usairways.com). Dessert tout le pays.

Virgin America (☎877-359-8474 ; www.virginamerica.com). Vols entre les villes des côtes Est et Ouest et Las Vegas.

Certaines compagnies aériennes assurent aussi des liaisons régionales :

Cape Air (☎866-227-3247 ; www.flycapeair.com). Dessert plusieurs destinations de Nouvelle-Angleterre, dont Cap Cod, Martha's Vineyard et Nantucket.

Nantucket Air (☎800-635-8787 ; www.nantucketairlines.com). Vols pour Nantucket depuis Cap Cod.

New England Airlines (☎800-243-2460 ; www.block-island.com/nea). Vols pour Block Island depuis Westerly (Rhode Island).

Royale Air Service (☎877-359-4753 ; www.royaleairservice.com). Vols pour Rock Harbor dans le parc national de l'Isle Royale depuis l'aéroport Houghton County dans la péninsule supérieure du Michigan.

Forfaits aériens

Les voyageurs planifiant de nombreux vols intérieurs aux États-Unis peuvent envisager d'acheter un forfait aérien (*Airpass*). Seuls les étrangers ont accès à ces forfaits, et uniquement en combinaison avec un vol international. Les conditions rattachées aux billets et les grilles de tarifs sont parfois très complexes, mais tous les forfaits incluent un certain nombre de vols intérieurs (de 2 à 10) à effectuer généralement dans un délai de 60 jours. S'il est parfois nécessaire de programmer son itinéraire à l'avance, il arrive également que les dates – et même les destinations – restent indéterminées. Consultez un agent de voyages afin de savoir si ce type de forfait convient à votre projet. Les forfaits s'appliquent à des réseaux aériens particuliers, comme **Star Alliance** (www.staralliance.com) et **One World** (www.oneworld.com).

Bateau

Plusieurs compagnies de ferries assurent des liaisons pittoresques et pratiques le long de la côte Est des États-Unis. La plupart des ferries transportent les voitures, mais il faut réserver longtemps à l'avance. Pour connaître les tarifs et obtenir des informations sur les liaisons maritimes, reportez-vous aux rubriques *Comment circuler* des chapitres régionaux de ce guide.

Parmi les compagnies les plus importantes de l'est des États-Unis, citons :

Le Nord-Est

Bay State Cruise Company (☏877-783-3779 ; www.baystatecruises.com). Ferries entre Boston et Provincetown.

Block Island Ferry (☏866-783-7996 ; www.blockislandferry.com). Ferries pour Block Island depuis Narragansett et Newport (Rhode Island).

Lake Champlain Ferries (☏802-864-9804 ; www.ferries.com). Ferries entre Burlington (Vermont) et Port Kent (État de New York).

Staten Island Ferry (☏718-876-8441 ; www.siferry.com). Navettes entre Staten Island et Manhattan (État de New York).

Steamship Authority (☏508-477-8600 ; www.steamshipauthority.com). Ferries pour Martha's Vineyard et Nantucket depuis Cap Cod (Massachusetts).

Les Grands Lacs

Pour rallier l'île Mackinac (Michigan), trois compagnies de ferries – **Arnold Line** (☏800-542-8528 ; www.arnoldline.com), **Shepler's** (☏800-828-6157 ; www.sheplersferry.com) et **Star Line** (☏800-638-9892 ; www.mackinacferry.com) – organisent des départs depuis Mackinaw City et St Ignace (Michigan).

Lake Express (www.lake-express.com). Traverse le lac Michigan entre Milwaukee (Wisconsin) et Muskegon (Michigan).

SS Badger (www.ssbadger.com). Traverse le lac Michigan entre Manitowoc (Wisconsin) et Ludington (Michigan).

Le Sud

North Carolina Ferry System (☏800-293-3779 ; www.outer-banks.com/ferry). Ferries dans les Outer Banks (Caroline du Nord).

Bus

Le bus est le moyen de transport le plus économique, notamment entre les grandes villes. Les Américains de la classe moyenne privilégient l'avion ou la voiture, mais les bus vous permettront de voir du paysage et de rencontrer d'autres voyageurs. Les véhicules sont en général fiables, propres, confortables (climatisation, sièges inclinables et toilettes) et non-fumeurs. De nombreux bus ont le Wi-Fi. Tandis que certains bus effectuant de courts trajets ne marquent pas d'arrêt, la plupart des bus longue distance font des pauses pour les repas et lors du changement de chauffeurs.

Greyhound (☏800-231-2222 ; www.greyhound.com). La principale compagnie de bus longue distance possède un vaste réseau à travers les États-Unis, ainsi que vers/depuis le Canada.

Bolt Bus (☏877-265-8287 ; www.boltbus.com). Bus rapides et bon marché entre les principales villes du Nord-Est, dont New York, Boston, Philadelphie, Baltimore, Newark et Washington, D.C. ; Wi-Fi dans les bus.

Megabus (☏877-462-6342 ; www.megabus.com). Principal concurrent de Bolt Bus, proposant des liaisons entre les principales villes du Nord-Est ainsi que du Middle West, qui rayonnent à partir des grandes villes comme New York ou Chicago. Tarifs assez bas ; billets vendus sur Internet uniquement.

Peter Pan Buslines (☏800-343-9999 ; www.peterpanbus.com). Dessert 54 destinations dans le Nord-Est, Concord (New Hampshire) étant la destination la plus au nord et Washington, D.C., la plus au sud.

Trailways (☏703-691-3052 ; www.trailways.com). Dessert principalement les États du Mid-Atlantic et du Middle West ; pas aussi pratique que Greyhound pour les longs trajets, mais propose des tarifs compétitifs sur les plus courts.

La plupart des bagages devant être enregistrés, n'oubliez pas de fixer une étiquette indiquant lisiblement vos coordonnées. Les objets volumineux, tels que les skis, les planches de surf et les vélos, sont parfois admis, moyennant un supplément. Renseignez-vous auprès de la compagnie.

Nombre de gares routières sont propres et sûres, mais certaines sont situées dans des coins douteux ; si vous arrivez de nuit, n'hésitez pas à prendre un taxi. Certaines localités ne disposent que d'un simple arrêt. Si vous prenez le bus à l'un de ces arrêts, prévoyez d'avoir la somme exacte sur vous pour payer le conducteur.

Forfaits

Les forfaits Greyhound permettent de parcourir le pays à un prix très compétitif. Un passeport découverte, le **Discovery Pass** (www.discoverypass.com), couvre aussi bien les longs trajets que les trajets plus courts et permet de voyager sans restrictions sur des périodes de 7 (246 $), 15 (356 $), 30 (456 $) ou 60 (556 $) jours consécutifs, aussi bien aux États-Unis qu'au Canada. De nombreuses compagnies de bus régionales acceptent ce forfait. Vérifiez-en la liste auprès de Greyhound.

Vous pourrez acheter ces forfaits dans certains terminaux Greyhound jusqu'à 2 heures avant le départ, ou en ligne au moins 14 jours à l'avance ; pour retirer vos billets, il vous faudra utiliser la même carte de crédit que celle ayant servi au paiement en ligne, et présenter une pièce d'identité, et ce au moins une heure avant l'embarquement.

Réservations

Vous pouvez acheter vos billets Greyhound et Bolt Bus par téléphone ou en ligne, ainsi qu'aux terminaux. Les billets Megabus s'achètent uniquement en ligne à l'avance. Les cartes de crédit internationales sont acceptées pour les achats directs sur place, en appelant le ☑214-849-8100, ou pour les achats en ligne par avance pour les billets Will Call, qui se retirent ensuite au terminal (apportez une pièce d'identité). Les terminaux Greyhound acceptent aussi les chèques de voyage et les espèces.

Le placement se fait selon le système du premier arrivé, premier servi. Pour les bus Greyhound, un billet acheté à l'avance ne garantit pas une place. Il est donc recommandé de se présenter une heure avant le départ pour avoir de bonnes chances d'avoir une place, voire plus

tôt le week-end ou pendant les vacances. Dans certaines villes, un supplément de 5. $ vous assure une place et un embarquement avant les autres passagers.

Tarifs

» D'une façon générale, plus vous réservez tôt, moins c'est cher.

» Avec Bolt Bus et Megabus, les premiers billets vendus pour un trajet coûtent 1 $.

» Pour bénéficier de réductions sur les billets Greyhound, achetez-les au moins 7. jours à l'avance (les acheter 14 jours à l'avance vous coûtera encore moins cher). Les allers-retours sont aussi moins chers.

» Le site Internet de Greyhound affiche régulièrement des promotions, surtout pour les réservations en ligne. Si vous ne voyagez pas seul, le tarif "accompagnant" (*companion fare*) de Greyhound permet à trois personnes vous accompagnant de bénéficier de 50% de réduction en achetant vos billets au moins trois jours à l'avance. Voici les autres promotions proposées par Greyhound : 40% de réduction pour les enfants âgés de 2 à 11 ans ; 5% pour les seniors de plus de 62 ans ; 15% pour les étudiants en possession de la carte Student Advantage Discount Card, et 10% pour ceux qui ont une carte d'étudiant valable.

Train

La compagnie **Amtrak** (☑800-872-7245 ; www.amtrak.com) gère un vaste réseau ferroviaire à travers les États-Unis, avec plusieurs lignes longue distance traversant le pays d'est en ouest, et davantage encore le parcourant du nord au sud. Ces lignes relient toutes les grandes agglomérations américaines et de nombreuses villes

plus modestes. À certains endroits, les bus Amtrak Thruway assurent une liaison commode entre les gares ferroviaires et les petites localités ou les parcs nationaux.

» Comparé à d'autres modes de transport, le train est rarement l'option la plus rapide, la moins chère ou la plus pratique, mais il offre une manière de voyager confortable, pittoresque et riche en contacts humains, typiquement américaine.

» La ligne ferroviaire la plus fréquentée est le corridor nord-est, où les trains rapides de la société Amtrak, les Acela Express, relient Boston (Massachusetts) à Washington (via New York, Philadelphie et Baltimore).

» Parmi les autres itinéraires fréquentés se trouvent New York-chutes du Niagara, Chicago-Milwaukee et Chicago-St Louis.

» Les trains ne proposent pas le Wi-Fi gratuit, à l'exception du train rapide Acela Express.

» Tous les trains sont non-fumeurs.

» De nombreuses grandes villes, dont New York et Chicago, possèdent également leur propre réseau de trains de banlieue. Ces trains assurent un service plus rapide et plus fréquent sur des itinéraires plus courts.

Classes

» La classe économique ("*Coach Class*") offre des sièges inclinables basiques mais très confortables, avec repose-tête. Il est possible de réserver sa place sur certains itinéraires.

» La classe affaires ("*Business Class*") est disponible dans de nombreux trains, en particulier sur les trajets courts dans le Nord-Est. Les sièges sont plus spacieux et équipés de prises pour brancher les ordinateurs portables. Vous pouvez aussi réserver vos places et choisir des voitures calmes (sans téléphones portables, etc).

» La première classe ("*First Class*") est une exclusivité des trains Acela Express, et donne droit en plus à un repas servi à votre place.

» Les couchettes ("*Sleeper Class*") sont disponibles sur les trajets de nuit. Les wagons-lits comprennent des lits superposés basiques, des cabines privées avec coin sdb et des cabines pour quatre personnes avec deux sdb. Les tarifs des wagons-lits comprennent les repas dans le wagon-restaurant, qui propose un service de restauration à la place (onéreux si non-inclus dans le prix du billet).

» Le service de restauration sur les lignes de banlieue, quand il existe, se limite à des sandwichs et des en-cas. Il est conseillé d'apporter ses propres provisions dans tous les trains.

Tarifs

Amtrak propose différents tarifs allers-retours, allers simples ou touristiques, avec des réductions de 15% pour les seniors de plus de 62 ans, pour les étudiants possédant la carte Student Advantage card ou une carte d'identité internationale d'étudiant (ISIC), et 50% pour les enfants de 2 à 15 ans accompagnés d'un adulte. Les membres de l'AAA (American Automobile Association) bénéficient de 10% de remise. On trouve des billets "Weekly-specials" (offres spéciales en semaine) à prix très réduits, uniquement en ligne, sur certains trajets peu empruntés.

Généralement, plus vous réserverez tôt, moins cher vous paierez. Pour bénéficier d'une des multiples réductions classiques, il faut s'y prendre au moins trois jours à l'avance. Évitez de prendre un Acela Express ou un train Metroliner aux heures de pointe et le week-end.

Amtrak Vacations (☎800-268-7252 ; www. amtrakvacations.com) propose des forfaits vacances comprenant la location d'une voiture, l'hôtel, les excursions et les visites. Les forfaits "Air and Rail" combinent un aller en train et un retour en avion (ou inversement).

Réservations

Les réservations peuvent se faire à partir de 11 mois à l'avance et jusqu'à la date du départ. Le nombre de places étant limité dans la plupart des trains et certaines lignes étant chargées, notamment en été et pendant les périodes de vacances, il est préférable de réserver le plus tôt possible, ce qui permet aussi de profiter des meilleurs tarifs.

Forfaits ferroviaires

» Le forfait ferroviaire d'Amtrak **USA Rail Pass** permet de voyager en classe économique pendant 15 (389 $), 30 (579 $) ou 45 (749 $) jours, les déplacements étant limités respectivement à 8, 12 ou 18 segments.

» Notez qu'un segment ne correspond pas à un aller simple. Si, pour atteindre votre destination, vous prenez plus d'un train (par exemple, si vous allez de New York à La Nouvelle-Orléans avec un changement à Washington), cet aller simple comptera comme deux segments sur votre forfait.

» Chaque segment de votre trajet doit être réservé. Dans certaines gares de campagne, les trains ne s'arrêtent que s'il y a des réservations. Les réservations se font par téléphone (appelez le ☎800-872-7245 ou le ☎215-856-7953 en dehors des États-Unis) le plus tôt possible. Présentez votre forfait à un guichet Amtrak pour récupérer vos billets pour chaque segment.

» Les billets ne correspondent pas à un siège particulier mais le contrôleur peut vous attribuer une place. Les 1res classes et les couchettes entraînent un supplément et doivent être réservées séparément.

» Tous les trajets doivent être effectués dans les 180 jours suivant l'achat du forfait.

» Les forfaits ne sont pas valables sur les trains Acela Express, Auto Train, pour les correspondances avec des bus Thruway motorcoach ou sur la portion canadienne du réseau Amtrak exploitées conjointement avec Via Rail Canada.

Transports urbains

À l'exception des grandes agglomérations, les transports publics sont rarement l'option la plus pratique pour les voyageurs et desservent mal les villes excentrées et les banlieues. Cependant, ils sont en général bon marché, sûrs et fiables. Pour des précisions sur les transports régionaux, reportez-vous à la rubrique *Comment circuler* des villes principales de chaque État. Le numéro ☎511, en service dans plus de la moitié des États, permet d'obtenir des informations sur les transports locaux.

Bus

La plupart des villes offrent un bon réseau de bus urbains. Ils sont principalement destinés aux habitants qui se rendent sur leur lieu de travail et le service est restreint en soirée et le week-end. Le coût du trajet varie : gratuit dans certains endroits, jusqu'à 1 ou 3 $ ailleurs.

Desserte des aéroports

Dans la plupart des villes, les navettes – généralement des minibus de 12 places – constituent un moyen de transport commode et bon marché vers/depuis l'aéroport. Certaines respectent des itinéraires et des arrêts précis (incluant les grands hôtels), tandis que d'autres offrent un service de porte à porte. Comptez entre 15 et 30 $ par personne.

Métro et train

Certaines agglomérations, telles New York, Chicago, Boston, Philadelphie et Washington, D.C., possèdent un métro ou un train aérien qui représentent le meilleur moyen de transport urbain. D'autres villes comptent une ou deux lignes de transport urbain sur rail desservant essentiellement le centre-ville.

Taxi

Les taxis sont équipés d'un compteur. Le montant de la prise en charge est de 2,50 $ environ, auquel s'ajoutent 1,50 à 2 $ par mile (soit 1,6 km). Un supplément pour l'attente et pour les bagages vous sera facturé. Les conducteurs s'attendent à recevoir un pourboire compris entre 10 et 15% du prix de la course. Les taxis parcourent les zones les plus fréquentées des grandes villes ; dans les autres quartiers, il est préférable de téléphoner pour en commander un.

Vélo

Certaines agglomérations favorisent davantage les déplacements à vélo. De manière générale, les magasins de location sont omniprésents – vous trouverez leurs coordonnées dans les chapitres régionaux de ce guide –, la plupart des villes sont dotées de pistes et de voies cyclables, et les transports publics acceptent les vélos. Voir ci-dessous pour des informations complémentaires sur le cyclisme aux États-Unis.

Vélo

Le vélo est un moyen apprécié pour visiter la région. Les petites routes sinueuses et le littoral pittoresque sont la promesse de superbes itinéraires. De nombreuses villes (dont New York, Chicago, Minneapolis et Boston) possèdent des voies cyclables. Il est facile de louer une bicyclette dans tout l'est des États-Unis ; voir les chapitres régionaux pour plus d'informations. À ne pas oublier :

» Les cyclistes sont soumis au même code de la route que les automobilistes, mais ne vous attendez pas à ce que les voitures vous cèdent facilement la priorité à droite.

» Les casques sont obligatoires pour les cyclistes dans certains États et villes (bien qu'aucune loi fédérale ne l'impose), et pour les moins de 18 ans. Le **Bicycle Helmet Safety Institute** (www.bhsi.org/mandator.htm) possède une liste complète des règlements, État par État.

» Le **Better World Club** (☎866-238-1137 ; www. betterworldclub.com) procure une assistance en cas d'urgence pour les cyclistes. L'adhésion coûte 40 $ par an, plus 12 $ de frais d'inscription, et donne droit à une assistance d'urgence, avec transport jusqu'au poste de réparation le plus proche ou à votre hôtel.

» La **League of American Bicyclists** (www.bikeleague. org) donne des infos d'ordre général, ainsi que la liste des clubs de vélo locaux et des ateliers de réparation.

Transport

Si vous venez aux États-Unis avec votre propre vélo, renseignez-vous auprès de l'**International Bicycle Fund** (www.ibike.org) pour connaître la réglementation des compagnies aériennes en matière de vélo et obtenir des conseils. La plupart des compagnies enregistrent les vélos comme des bagages sur les vols internationaux, sans frais supplémentaires

tant qu'ils sont dans une caisse. Sur les vols intérieurs, un supplément peut être facturé. Les trains Amtrak et les bus Greyhound transportent les vélos à travers les États-Unis, moyennant un supplément.

Location et achat

» On trouve des agences de location de vélos dans la plupart des villes touristiques ; de nombreuses boutiques de location sérieuses sont présentées tout au long de ce guide.

» Les locations coûtent généralement entre 20 et 30 $ par jour, casque et antivol inclus. Une autorisation de paiement par carte bancaire est généralement exigée comme dépôt de garantie pour les sommes importantes.

» Vous pouvez aussi facilement acheter un vélo sur place et le revendre avant votre retour. Pour cela, vous trouverez des magasins spécialisés dans toutes les villes. Les magasins de cycles sont ceux qui ont le meilleur choix et les meilleurs conseils pour les vélos neufs, mais les magasins de sport généralistes et les grandes surfaces peuvent proposer de meilleurs prix.

» Pour acheter un vélo d'occasion bon marché, faites les marchés aux puces locaux et les vide-greniers (garage sales) ou consultez les petites annonces dans les auberges de jeunesse, les universités ou sur le site de **Craigslist** (www.craigslist.org). Ce sont les meilleurs endroits pour revendre votre engin, avec les magasins proposant des vélos d'occasion.

Voiture et moto

La voiture est le moyen de locomotion le plus pratique et le plus flexible, surtout si vous prévoyez d'explorer les grands espaces de l'Amérique rurale. L'indépendance a toutefois un prix et le coût des locations et du carburant peut représenter une bonne partie de votre budget. Il n'y a que pour les séjours dans les grandes villes que vous pourrez facilement vous passer d'une voiture.

Vous trouverez des recommandations d'itinéraires sur le site du **National Scenic Byways** (www.byways.org).

Assurance

» Ne conduisez jamais sans assurance, au risque de vous retrouver ruiné en cas d'accident.

» Si vous disposez déjà d'une assurance dans votre pays ou si vous contractez une police pour le voyage, assurez-vous qu'elle couvre convenablement le véhicule que vous louerez sur place. C'est bien souvent le cas, mais il faut savoir que la plupart des États américains exigent un certain nombre de garanties.

» Les sociétés de location proposent une assurance responsabilité civile, mais le facturent généralement en sus. Renseignez-vous toujours pour savoir si elle est ou non comprise dans la location. Il est rare que cette assurance de base couvre les dégâts du véhicule en cas d'accident.

» Vous pourrez souscrire en option une assurance-collision sans franchise (*Collision Damage Waiver*, CDW) ou avec franchise (*Loss Damage Waiver*, LDW), dont le montant initial oscille habituellement entre 100 et 500 $. Une prime supplémentaire permet en principe de couvrir le montant de la franchise.

» Toutefois, la plupart des cartes de crédit incluent une assurance collision si vous louez un véhicule pendant 15 jours au maximum, à condition que vous régliez la totalité des frais de location avec la carte et que vous refusiez l'assurance proposée par l'agence de location. Il s'agit d'un bon moyen d'éviter des dépenses supplémentaires mais, en cas d'accident, vous pouvez être contraint de rembourser l'agence de location avant de demander le remboursement des frais par la société émettrice de votre carte. Renseignez-vous avant votre départ.

» Les frais d'assurance augmentent le coût de la location d'une voiture de 10 à 30 $ par jour en fonction des garanties souscrites. Il peut y avoir quelques exceptions non couvertes, comme les locations un peu originales (4x4 jeep, décapotables, etc.). Lisez attentivement la police de votre carte bancaire.

Automobile-clubs

» L'**American Automobile Association** (AAA ; ☎800-874-7532 ; www.aaa. com) a conclu des accords d'adhésion réciproques avec plusieurs associations internationales (renseignez-vous auprès de l'AAA en apportant votre carte d'adhérent). L'AAA propose à ses membres des assurances de voyage, des guides touristiques, des garages spécialisés pour les acheteurs de voitures d'occasion ainsi qu'un vaste réseau d'agences régionales.

» Option plus écologique, le **Better World Club** (☎866-238-1137 ; www. betterworldclub.com) reverse 1% de ses revenus annuels à des projets de préservation de l'environnement, propose des alternatives écologiques à tous ses services et défend les causes liées à l'environnement.

» Les deux organisations offrent à leurs membres une assistance d'urgence 24h/24 dans tout le pays, des conseils d'itinéraires, des cartes gratuites, une assurance auto, les services d'agence de voyages et diverses réductions (locations de voiture, hôtels, attractions touristiques, etc.).

Carburant

Les stations-service sont pléthoriques et souvent ouvertes 24/24h. Celles des petites villes peuvent n'être ouvertes que de 7h à 20h ou 21h. Prévoyez de payer entre 3,5 et 4 $ par gallon américain (3,8 l environ). Dans la majorité des stations-service, il faut payer avant de se servir.

Code de la route

» Les Américains conduisent à droite. Sur l'autoroute, utilisez la voie de gauche pour doubler.

» La vitesse maximale sur la plupart des autoroutes (*Interstates*) est de 65 miles/h (105 km/h) ou 70 miles/h (110 km/h) ; le Maine autorise jusqu'à 75 miles/h (120 km/h). En zone urbaine, la vitesse est limitée à 55 miles/h (90 km/h). Faites attention aux panneaux indicateurs de vitesse. En ville, la vitesse est limitée entre 15 et 45 miles/h (25 et 70 km/h).

» Le port de la ceinture de sécurité et les sièges pour enfants sont obligatoires dans tous les États. La plupart des agences de location de véhicules louent des sièges pour enfants pour environ 10 $, mais il faut en faire la demande lors de la réservation. Le port du casque est obligatoire en moto.

» Sauf si un panneau l'interdit formellement, on peut tourner à droite à un feu rouge après avoir marqué un arrêt, dans la mesure où l'on ne gêne pas les véhicules venant de la gauche, qui restent prioritaires (New York fait exception à cette règle).

» À un carrefour à quatre stops, la priorité suit l'ordre d'arrivée des véhicules. Si deux voitures arrivent en même temps, il y a alors priorité à droite. En cas de doute, faites poliment un signe de la main à l'autre conducteur.

» À l'approche d'un véhicule d'urgence (police, pompiers

ou ambulances), rabattez-vous prudemment et laissez-le passer.

» Dans de plus en plus d'États, il est interdit de téléphoner en conduisant si vous tenez votre portable à la main ; utilisez un kit mains libres ou arrêtez-vous pour répondre à un appel.

» Dans la plupart des États, des lois interdisent de jeter des déchets depuis son véhicule. Si vous êtes pris sur le fait, vous encourez une forte amende.

» L'alcoolémie maximum autorisée pour un conducteur est de 0,08%. La conduite en état d'ébriété (ou sous l'influence de drogue) est lourdement sanctionnée. La police peut vous faire descendre du véhicule et vous imposer divers tests visant à vérifier votre sobriété. Si vous échouez, vous devrez vous soumettre à un alcootest, un examen d'urine ou une analyse de sang. Refuser les tests est passible des mêmes amendes qu'en cas de résultat positif.

» Dans certains États, il est interdit de transporter des bouteilles (ou tout autre récipient) d'alcool ouvertes dans un véhicule, même si elles sont vides. Les bouteilles pleines et non scellées doivent être mises dans le coffre.

État des routes et sécurité

Les principaux dangers et désagréments sur la route sont les nids-de-poule, les embouteillages quotidiens aux abords des agglomérations, les animaux sauvages et, bien sûr, les personnes qui téléphonent en conduisant et ceux qui sont distraits par leurs enfants. Un peu de prudence, d'anticipation et de courtoisie permettent généralement de bien s'en tirer.

» D'une façon générale, conduire en hiver peut être dangereux en raison des fortes chutes de neige et

du verglas, qui peuvent entraîner la fermeture temporaire de routes ou de ponts. Consultez le site de l'Administration fédérale des autoroutes, la **Federal Highway Administration** (www.fhwa.dot.gov/trafficinfo/index.htm), pour obtenir des informations sur la circulation routière et les fermetures de routes.

» Si vous roulez en hiver ou dans des zones isolées, assurez-vous que votre véhicule est équipé de pneus radiaux toutes saisons ou de pneus neige, et de réserves de secours au cas où vous viendriez à être bloqué ; les chaînes sont parfois obligatoires sur les routes de montagne. Les agences de location interdisent souvent la conduite sur des chemins de terre ou hors des routes, qui peut d'ailleurs s'avérer très dangereuse sous la pluie.

» Vous verrez des panneaux de signalisation avec la silhouette d'un cerf en train de bondir aux endroits où cerfs et autres animaux sauvages apparaissent souvent sur le côté de la route. Prenez ces panneaux au sérieux, surtout la nuit.

Location
VOITURE
La plupart des agences de location exigent une carte de crédit (de type Visa ou Mastercard, par exemple), d'avoir au moins 25 ans et d'être titulaire d'un permis de conduire valide (celui de votre pays fera l'affaire). Certaines agences acceptent de louer des voitures aux conducteurs de 21 à 24 ans moyennant un supplément d'environ 25 $/jour. Les moins de 21 ans n'auront pas accès à la location.

Vous trouverez les coordonnées d'agences fiables au fil de ce guide, dans les pages jaunes locales et auprès de **Car Rental Express** (www.carrentalexpress.com), qui évalue et compare les différentes agences

indépendantes selon les villes américaines – une formule pratique pour trouver la location de longue durée la moins chère.

Voici les principales agences nationales de location de voitures :
Alamo (☎877-222-9075 ; www.alamo.com)
Avis (☎800-230-4898 ; www.avis.com)
Budget (☎800-527-0700 ; www.budget.com)
Dollar (☎800-800-3665 ; www.dollar.com)
Enterprise (☎800-261-7331 ; www.enterprise.com)
Hertz (☎800-654-3131 ; www.hertz.co**National** (☎877-222-9058 ; www.nationalcar.com)
Rent-a-Wreck (☎877-877-0700 ; www.rentawreck.com)
Thrifty (☎800-847-4389 ; www.thrifty.com)

Le prix des locations de voitures peut beaucoup varier ; comme pour les billets d'avion, n'hésitez donc pas à comparer les prix et à consulter plusieurs sites. Les agences des aéroports affichent parfois les tarifs les plus bas, mais aussi les plus fortes commissions. Celles du centre-ville peuvent proposer des services de navette. Changer les dates de location peut aussi influer sur les tarifs, géné-ralement moins élevés le week-end et pour les locations à la semaine. En moyenne, une petite voiture revient de 30 à 75 $ par jour, et de 200 à 500. $ par semaine. Si vous êtes inscrit à un club automobile ou à un programme grands voyageurs, vous bénéficierez peut-être d'une réduction (ou gagnerez des miles supplémentaires). Vous pouvez aussi trouver une formule "avion + voiture" bon marché avant votre départ. Bien que cela ne soit pas forcément plus rentable (un bon négociateur peut marchander de bons prix une fois sur place), réserver à l'avance permet toutefois d'arriver en toute tranquillité.

Sachez également que, si la plupart des agences nationales incluent d'office un "kilométrage illimité" à toutes leurs locations, les autres loueurs peuvent facturer cette option – et les formules avec kilométrage limité sont rarement intéressantes. Certaines agences demandent aussi aux clients de payer d'avance leur dernier plein de carburant, ce qui n'est pas une bonne affaire. Les taxes sur la location de véhicules varient en fonction des États et des endroits ; faites-vous toujours préciser le tarif taxes comprises. La plupart des agences appliquent un supplément qualifié de "frais d'acheminement" si vous empruntez un véhicule dans une ville et le rendez dans une autre. Enfin, méfiez-vous si vous prolongez ou abrégez la location de quelques jours. : dans le premier cas, vous paierez le prix fort pour les jours supplémentaires et dans le second, vous risquez de perdre le bénéfice d'une offre promotionnelle à la semaine ou au mois.

Les sièges enfant sont obligatoires (faites-en la demande lors de votre réservation) et coûtent environ 12 $ par jour.

Certaines sociétés américaines importantes comme Avis, Budget ou Hertz, proposent de nombreux véhicules hybrides "verts" (comme la Toyota Prius ou la Honda Civic) même s'il faut généralement payer nettement plus pour des véhicules moins gourmands en carburant.

On peut aussi partager les locations dans des villes à travers 25 États. En effet, **Zipcar** (☑866-494-7227. ; www.zipcar.com) propose un tarif horaire/journalier avec carburant gratuit et kilométrage limité. ; prépaiement obligatoire. Rendez-vous sur le site Internet pour consulter les locations et vous inscrire (certains conducteurs étrangers sont acceptés). Obligation de ramener le véhicule à l'agence de location.

MOTO ET CAMPING-CAR
Si vous rêvez de chevaucher une Harley, **EagleRider** (%888-900-9901 ; www.eaglerider.com) possède des agences dans les villes principales du pays et loue également d'autres véhicules. Attention au prix élevé des assurances et des locations de moto.

Quelques agences spécialisées en location de camping-cars (*recreational vehicles*, RV) ou de *campers* (camionnettes aménagées) :
Adventures on Wheels (☑866-787-3682 ; www.wheels9.com)
Cruise America (☑800-671-8042 ; www.cruiseamerica.com)
Recreational Vehicle Rental Association (www.rvra.org). Renseignements et conseils pour camping-cars ; aide à trouver des adresses d'agences de location.

Permis de conduire

Conformément à la loi, les visiteurs peuvent conduire pendant 12 mois aux États-Unis avec le permis délivré dans leur pays d'origine. Un permis international (International Driving Permit, IDP) s'avère cependant utile car il aura plus de poids aux yeux des policiers américains, surtout si votre permis ne comporte pas de photo ou est rédigé dans une langue autre que l'anglais. Votre automobile-club dans votre pays peut vous délivrer un IDP, valable un an, pour une somme modique. Conservez toujours sur vous votre permis de conduire national et votre permis international.

Pour conduire une moto aux États-Unis, il vous faudra soit un permis moto américain valide, soit un permis de conduire moto international.

Circuits organisés locaux

Un vaste choix de circuits, généralement axés sur une région ou une ville, sont proposés par des tour-opérateurs locaux. Reportez-vous à la rubrique *Circuits organisés* de chaque ville.

Parmi les agences réputées, citons notamment :
Backroads (☑510-527-1555, 800-462-2848 ; www.backroads.com). Propose des séjours de plein air, sportifs et dynamiques pour tous les niveaux et budgets.
Gray Line (☑800-966-8125 ; www.grayline.com). Pour ceux qui ne disposent pas de beaucoup de temps, Gray Line propose une gamme complète de circuits touristiques classiques dans tout le pays.
Green Tortoise (☑415-956-7500, 800-867-8647 ; www.greentortoise.com). Agence pourvoyeuse d'aventures pour les voyageurs indépendants au budget limité, réputée pour ses bus couchettes et sa convivialité. La plupart des excursions sillonnent l'Ouest, mais certains circuits traversant le pays couvrent des destinations dans l'Est.
Road Scholar (☑800-454-5768 ; www.roadscholar.org). Pour les personnes de 55 ans et plus, cette association réputée propose des circuits éducatifs dans tout le pays.
Trek America (☑800-873-5872 ; www.trekamerica.com). Pour les amateurs d'aventures en plein air ; destiné principalement aux personnes âgés de 18 à 38 ans, mais certains périples sont ouverts à tous ; petits groupes.

Langue

POUR ALLER PLUS LOIN

Indispensable pour mieux communiquer sur place : le **Guide de conversation anglais de Lonely Planet** (7,99 €). Pour réserver une chambre, lire un menu ou simplement faire connaissance, ce manuel permet d'acquérir des rudiments d'anglais. Inclus : un minidictionnaire bilingue.

En raison de leur histoire – les colonisations et les vagues d'immigration successives – et de la diversité de leurs populations, les Américains pratiquent, pour la plupart d'entre eux, plusieurs langues. L'anglais est parlé dans tout le pays, mais n'a pas été désigné comme langue officielle des États-Unis. D'aucuns pensent qu'il faudrait remédier à cette situation, notamment ceux qui s'inquiètent de l'utilisation croissante de l'espagnol.

Dans les zones touristiques, on rencontre peu de gens parlant entre eux une autre langue que l'anglais américain. Cependant, dans les parcs nationaux en particulier, les visiteurs n'auront aucun mal à trouver des brochures en espagnol, allemand, français et japonais.

LANGUES ETHNIQUES

L'anglais américain a emprunté des mots à toutes les langues des vagues d'immigrants, que ceux-ci soient originaires d'Allemagne, d'Europe centrale (en particulier, les juifs parlant le yiddish) ou d'Irlande.

En Louisiane, on trouve plusieurs dialectes dérivant du français, comme le français cadien, ou du créole, à l'instar du créole louisianais. Ils sont parlés surtout dans le Pays cajun, à l'ouest de La Nouvelle-Orléans. C'est également le créole qui est à l'origine de l'accent traînant si pittoresque caractéristique de l'anglais parlé dans le Sud du pays.

Par ailleurs, quelques communautés indiennes parlent encore leur propre langue, même si certains de ces idiomes ne comptent plus qu'une dizaine de locuteurs.

Plusieurs termes indiens, tels que *moccasin, moose, toboggan* et *kayak* ont enrichi le vocabulaire anglais. D'autres proviennent des langues européennes et furent importés par les immigrants. Ainsi, *loafer, hoodlum* et *kindergarten* sont issus de l'allemand ; *boss, stoop* (perron) et *nitwit* du néerlandais ; *schmuck, schmock* et *schmaltz* du yiddish ; *prairie* et *saloon* du français ; *pasta, pizza* et d'autres termes culinaires analogues de l'italien.

Néanmoins, la plupart des américanismes ont été créés par les Américains eux-mêmes. En effet, l'arrivée de nouveaux produits a entraîné la formation de nouveaux mots pour les désigner et d'un vocabulaire neuf pour les commercialiser. C'est de cette façon que sont nées des expressions comme *soda pop, root beer* et *sarsaparilla* (toutes d'origine américaine). Des noms de marques, tels que *Coca-Cola, Coke* et *Pepsi*, sont également passés dans le langage courant, de même que certains slogans publicitaires comme "the Pepsi Generation", ou de nouveaux concepts imaginatifs comme la "Coca-Colonization". Quantité de termes proviennent des entreprises, des nouvelles technologies, de l'industrie automobile, du cinéma, de l'armée et du sport.

FORMULES DE POLITESSE

Les formules d'accueil sont des plus simples, avec les standards "hello", "hi", "good morning", "good afternoon", "how are you ?". Plus familièrement, on s'interpelle par "hey", "hey there" ou "howdy". Les formules d'adieu sont, en comparaison plus variées, avec "bye", "goodbye", "bye-bye", "see-ya", "take it easy", "later", "take care", "don't work too hard" et l'éternel "have a nice day".

Si les Américains sont avares de "please", ils distribuent généreusement leurs "thank you". Vous entendrez souvent "excuse me" à la place de "sorry". Dans la conversation, l'interlocuteur émettra fréquemment des *mm-hmmm* ou *uh-huh* pour montrer qu'il ne dort pas, qu'il vous écoute et vous encourage ainsi à continuer. C'est un signe beaucoup plus encourageant que le circonspect *mmm*.

Certains locuteurs ne se satisfont pas de ces *uh-huh* enthousiastes et émaillent leur discours de "y'know" ou de "you hear what I'm saying ?". Ces expressions n'appellent pas forcément de réponse.

TERMES ET EXPRESSIONS UTILES

Tout le monde peut parler une langue étrangère, le tout est d'oser. La grammaire, au final, n'est pas essentielle pour se débrouiller sur place. Pour réserver une chambre, commander un plat ou simplement engager une conversation, voici 99 phrases essentielles qui vous aideront à ne pas rester muet, en toutes circonstances !

Premier contact

1 **Bonjour.**   *Hi.*

2 **Au revoir.**   *Bye.*

3 **Comment allez-vous ?/Comment vas-tu ?**
   How are you?

4 **Bien, merci. Et vous ?/Bien, merci. Et toi ?**
   Fine thanks, and you?

5 **Je m'appelle...** *My name is...*

6 **Enchanté(e).** *Nice to meet you.*

7 **Voici mon compagnon/ma compagne.**
   This is my partner.

À propos de vous

8 **D'où venez-vous ?**
   Where are you from?

9 **Je viens de...** *I'm from...*

10 **Je suis marié(e).**
   I'm married.

11 **Je suis célibataire.**
   I'm single.

12 **Quel est votre/ton numéro de téléphone ?**
   What's your phone number?

13 **Quelle est votre/ton adresse e-mail ?**
   What's your email address?

Engager la conversation

14 **Quel est votre/ton métier ?**
   What do you do for a living?

15 **Je suis employé(e) de bureau.**
   I'm an office worker.

16 **Je suis ouvrier/ouvrière.**
   I work in a factory.

17 **Je suis un homme d'affaires/
   Je suis une femme d'affaires.**
   I'm a businessperson.

18 **Je suis un(e) étudiant(e).**
   I'm a student.

19 **Je suis un(e) artiste.**
   I'm an artist.

20 **Quel âge avez-vous ?/Quel âge as-tu ?**
   How old are you?

21 **J'ai (25) ans.**
   I'm (25) years old.

22 **Aimes-tu l'art ?**
   Do you like art?

23 **Aimes-tu le sport ?**
   Do you like sports?

24 **Aimes-tu lire ?**
   Do you like to read?

25 **Aimes-tu danser ?**
   Do you like to dance?

26 **Aimes-tu voyager ?**
   Do you like travelling?

Sensations

27 **J'ai faim.**   *I'm hungry.*

28 **J'ai froid.**   *I'm cold.*

29 **J'ai chaud.**   *I'm hot.*

30 **J'ai soif.**   *I'm thirsty.*

31 **Comment te sens-tu ?**
   You okay?

Transports

32 **Est-ce le bus (pour Paris) ?**
   Is this the bus (to Paris)?

33 **Est-ce l'avion (pour Paris) ?**
   Is this the plane (to Paris)?

34 **Est-ce le train (pour Paris) ?**
   Is this the train (to Paris)?

35 **C'est combien pour aller à... ?**
   How much is it to ...?

36 **Ce taxi est-il libre ?**
   Is this taxi free?

37 **À quelle heure part-il ?**
   What time does it leave?

38 Où se trouve le centre-ville ?
Where is downtown?

39 Où puis-je trouver un hôtel ?
Where's a hotel?

40 Où se tient le marché ?
Where is a farmers' market?

Hébergement

41 Où puis-je trouver un terrain de camping ?
Where is a camp ground?

**42 Pouvez-vous me recommander
un logement pas cher ?**
Can you recommend somewhere cheap?

**43 Pouvez-vous me recommander
un logement de qualité ?**
Can you recommend somewhere good?

44 Quel est le prix par nuit ?
How much is it per night?

**45 Je voudrais réserver une chambre,
s'il vous plaît.**
I'd like to book a room, please.

Achats

46 Où est le supermarché ?
Where's the supermarket?

47 Où puis-je trouver une banque ?
Where's a bank?

48 Où puis-je acheter... ?
Where can I buy ...?

49 Est-ce que je peux le voir ?
Can I look at it?

50 Quel est votre meilleur prix ?
What's your lowest price?

51 Pouvez-vous écrire le prix ?
Can you write down the price?

52 Puis-je avoir un reçu, s'il vous plaît.
I'd like a receipt, please.

Photographie

**53 Je voudrais une carte mémoire
pour cet appareil.**
I'd like a memory card for this camera.

54 Avez-vous un câble pour cet appareil ?
Do you have a cable for this camera?

**55 Où puis-je trouver une batterie
pour cet appareil ?**
Where can I find a battery for this camera?

56 Je voudrais graver mes photos sur un CD.
I'd like to put my photos on a CD.

**57 Combien coûte le tirage papier des photos
de cette carte mémoire ?**
*How much is it to print out the photo
on this memory card?*

58 Quand cela sera-t-il prêt ?
When will it be ready?

Sortir

59 J'aimerais aller au cinéma.
I feel like going to the movies.

60 J'aimerais aller au théâtre.
I feel like going to the theatre.

61 J'aimerais aller à un concert.
I feel like going to a concert.

62 Où y a-t-il des discothèques ?
Where can I find clubs?

63 Où y a-t-il des lieux gay ?
Where can I find gay venues?

64 Où y a-t-il des pubs ?
Where can I find pubs?

Visites touristiques

**65 Quand a lieu la prochaine excursion
à la journée ?**
When's the next day trip?

66 L'excursion dure combien de temps ?
How long is the tour?

67 L'entrée est-elle comprise dans le prix ?
Is the admission charge included?

68 À quelle heure doit-on rentrer ?
What time should we be back?

Où se restaurer et prendre un verre

69 Pouvez-vous me conseiller un restaurant ?
Can you recommend a restaurant?

70 Pouvez-vous me conseiller un café ?
Can you recommend a cafe?

71 Servez-vous des plats végétariens ?
Do you have vegetarian food?

72 Y a-t-il un restaurant végétarien par ici ?
Is there a vegetarian restaurant near here?

**73 Je voudrais une table pour (5) personnes,
s'il vous plaît.**
I'd like a table for (five), please.

74 Y a-t-il un espace fumeur ?
Is there a smoking area?

75 Pouvez-vous me conseiller un bar ?
Can you recommend a bar?

Faire ses courses

76 Combien coûte (un kilo) ?
How much is (a kilo)?

77 J'en voudrais (200) grammes.
I'd like (200) grams.

78 **J'en voudrais (6) tranches.**
I'd like (six) slices.

79 **Quelle est la spécialité locale ?**
What's the local speciality?

Commander à manger/ à boire

80 **Puis-je avoir la carte des boissons, s'il vous plaît.**
I'd like to see the drinks list, please.

81 **Puis-je avoir le menu, s'il vous plaît.**
I'd like the menu, please.

82 **Qu'est-ce que vous me conseillez ?**
What would you recommend?

83 **Un café (avec du lait).**
Coffee with milk.

84 **Un thé (avec du lait).**
Tea with milk.

85 **L'addition, s'il vous plaît.**
The check, please.

Au bar

86 **Qu'est-ce que vous désirez ?**
What would you like?

87 **Je vous offre un verre.**
I'll buy you a drink.

88 **Une bière.**   *A beer.*

89 **Un verre de vin blanc.**
A glass of white wine.

90 **Un verre de vin rouge.**
A glass of red wine.

91 **Champagne.**
Champagne.

92 **Santé !**
Cheers!

Santé

93 **Au secours !**
Help!

94 **J'ai besoin d'un médecin qui parle français.**
I need a doctor who speaks French.

95 **Est-ce que je peux voir une femme médecin ?**
Could I see a female doctor?

96 **Je n'ai plus de médicaments.**
I've run out of my medicine.

97 **Où y a-t-il un dentiste par ici ?**
Where's the nearest dentist?

98 **Où est l'hôpital le plus proche ?**
Where's the nearest hospital?

99 **Où y a-t-il une pharmacie de garde par ici ?**
Where's a 24-hour pharmacy?

GLOSSAIRE

4WD – Four Wheel Drive ; véhicule 4x4.
9/11 –11 septembre 2001 (prononcer "nine, one, one") ; jour des attaques terroristes d'Al-Qaïda, où des avions détournés ont frappé le Pentagone et le World Trade Center de New York.
24/7 – 24h/24, 7 jours/7.

AAA – American Automobile Association, également appelée "Triple A".
Acela – trains à grande vitesse du nord-est des États-Unis.
aka – also known as : aussi connu pour/comme.
alien – terme officiel désignant un citoyen étranger aux États-Unis, qu'il soit visiteur ou résident.
Amtrak – compagnie nationale de chemins de fer consacrée au transport de voyageurs.
antebellum – adjectif désignant la période précédant la guerre civile, c'est-à-dire avant 1861.
Arts & Crafts – signifiant "arts et artisanat", cette expression désigne un courant qui s'est développé aux États-Unis dans l'architecture et le design dès le début du XXe siècle. Mettant l'accent sur le travail artisanal et la fonctionnalité, il s'est posé en réaction à la mauvaise qualité des objets fabriqués industriellement.
ATF – Bureau of Alcohol, Tobacco & Firearms, agence fédérale chargée de faire respecter la loi.
ATM – Automated Teller Machine ; distributeur automatique de billets (DAB).
ATV – All-Terrain Vehicles ; véhicules tout-terrain, utilisés pour le transport sur des routes non goudronnées ; voir aussi OHV.

backpacker – randonneur partant camper pour plusieurs jours ; plus rarement, un jeune voyageur à petit budget.
BLM – Bureau of Land Management ; service du département de l'Environnement qui gère de grandes superficies de terre appartenant à l'État.
blue book – abréviation de Kelley Blue Book, équivalent américain de l'Argus pour les voitures d'occasion.
booster – promoteur enthousiaste d'une ville ou d'une université ; prend parfois une connotation provinciale.
born again – personne ayant trouvé dans le christianisme une forme de renouveau personnel ; par extension, un baptisé.
brick-and-mortar – l'emplacement géographique d'une entreprise, par opposition à sa présence virtuelle sur Internet.

BYOB – "Bring Your Own Booze", amenez votre propre alcool ; mention figurant sur certaines invitations à des fêtes.

Cajun – déformation d'"Acadien" ; désigne les habitants de la Louisiane dont les ancêtres francophones ont émigré d'Acadie (Canada) au XVIIIe siècle.

camper – un type de caravane.

carded – adjectif signifiant que vous avez dû présenter votre carte d'identité pour entrer dans un bar, acheter de l'alcool ou des cigarettes.

carpetbaggers – opportunistes du Nord venus s'installer dans le Sud après la guerre de Sécession.

CCC – Civilian Conservation Corps ; programme fédéral instauré en 1933 consistant à embaucher des jeunes hommes non qualifiés.

CDW – Collision Damage Waiver ; assurances proposées avec la location d'une voiture.

cell – téléphone portable.

chamber of commerce – COC, chambre de commerce ; association d'entreprises locales qui fournit souvent des renseignements touristiques sur la région.

Civil War – guerre civile (ou guerre de Sécession) opposant, de 1861 à 1865, les États confédérés du Sud aux États du Nord et qui aboutit à l'abolition de l'esclavage en 1865.

CNN – Cable News Network ; chaîne d'information 24h/24 du câble.

coach class – classe économique dans les trains et les avions.

coed – coeducational ; terme désignant un endroit ouvert aux femmes et aux hommes. Il est utilisé, par exemple, pour les dortoirs des auberges de jeunesse.

Confédération – ensemble regroupant les 11 États du Sud (appelés les États confédérés) qui firent sécession en 1860 puis en 1861, entraînant la guerre civile.

contiguous states – tous les États américains à l'exception de l'Alaska et d'Hawaii ; on parle aussi des "lower 48".

cot – lit de camp.

country and western – un mélange de musique folk du sud et de l'ouest des États-Unis.

cracker – dans le sud des États-Unis, terme péjoratif désignant un Blanc sans le sou.

CVB – Convention and Visitors Bureau ; bureau instauré par de nombreuses municipalités afin de promouvoir le tourisme et d'assister les visiteurs.

DEA – Drug Enforcement Agency ; instance fédérale chargée de l'application des lois anti-drogues.

Deep South – dans ce guide, les États de la Louisiane, du Mississippi, de l'Alabama, de la Géorgie et de la Caroline du Sud.

Dixie – le sud des États-Unis ; les États au sud de la Mason-Dixon Line ; voir Mason-Dixon Line.

DIY – "Do It Yourself", bricolage, pratique d'amateur.

DMV – Dept of Motor Vehicles ; agence fédérale responsable de l'immatriculation des véhicules et de l'attribution des permis.

docent – guide ou gardien dans un musée ou une galerie.

dog, to ride the – voyager dans les bus de la société Greyhound.

downtown – le centre-ville, quartier central des affaires.

DUI – Driving Under the Influence of alcohol ; conduite en état d'ivresse (et/ou sous l'influence de drogues).

East – globalement, les États à l'est du fleuve Mississippi.

efficiency – petit appartement meublé doté d'une cuisine, souvent proposé pour des locations de courte durée.

Emancipation – en référence à l'Emancipation Proclamation, par laquelle Abraham Lincoln, en 1863, déclarait libres tous les esclaves de la Confédération ; en 1865, le 13e amendement de la Constitution des États-Unis abolissait officiellement l'esclavage.

entrée – plat principal d'un repas.

express bus/train – bus ou train qui ne marque que les arrêts principaux et non les arrêts "locaux".

express stop/station – station desservie par les "express buses/trains" ainsi que les "local buses/trains".

flag stop – endroit où les bus ne s'arrêtent que si vous leur faites signe.

foldaway – lit de camp dans un hôtel.

funnel cake – spécialité des Pennsylvania Dutch (descendants des immigrés suisses et allemands de Pennsylvanie) ; pâtisseries en forme de spirales, frites et recouvertes de sucre glace, généralement disponibles sur les marchés.

general delivery – poste restante.

Generation X – la jeunesse désœuvrée des années 1980, à laquelle ont succédé les Générations Y et Z.

gimme cap – casquette promotionnelle ornée du logo d'une entreprise ; terme souvent péjoratif pour désigner la culture blanche des classes modestes.

GLBT – Gay, Lesbien, Bisexuel, Transgenre.

GOP – Grand Old Party ; surnom donné au Parti républicain.

graduate study – études postuniversitaires effectuées après le bachelor's degree (équivalent de la licence).

green card – carte attribuée aux détenteurs d'un visa d'immigrant. Elle permet à son possesseur de vivre et de travailler en toute légalité aux États-Unis.

Hispanic – d'origine latino-américaine (synonyme de Latino/Latina)

HI-USA – Hostelling International USA ; auberges de jeunesse américaines membres de Hostelling International, une association faisant elle-même partie de l'IYHF (International Youth Hostel Federation).

hookup – dans les campings, branchement qui permet aux caravanes de bénéficier de l'électricité, de l'eau courante, et du système d'évacuation des eaux usées ; dans certaines situations, désigne une rencontre romantique.

IMAX – salles de cinéma spécialisées avec écran géant.

INS – Immigration & Naturalization Service ; remplacé depuis 2002 par l'USCIS.

interstate – autoroute commune à plusieurs États, qui fait partie du système national des autoroutes.

IRS – Internal Revenue Service ; le service du département du Trésor américain chargé de la levée de l'impôt.

Jim Crow laws – lois instaurées dans le Sud, après la guerre de Sécession, qui visaient à limiter le droit de vote et les droits civils des Noirs ; "Jim Crow" : ancienne expression péjorative désignant un Noir.

KOA – Kampgrounds of America ; chaîne privée de terrains de camping présente dans tout le pays.

Latino/Latina – homme/femme originaire d'Amérique latine (synonyme d'Hispanic).

LDS – Latter-day Saints ; Église des Saints du Dernier Jour, dénomination officielle de l'Église mormone.

live oak – chêne vert à feuilles pérennes originaire du Sud. Le bois de chêne vert représente un excellent matériau pour la construction de bateaux.

local – un bus ou un train qui marque tous les arrêts ; voir aussi express bus/train.

lower 48 – Les 48 États contigus des États-Unis continentaux ; tous les États à l'exception de l'Alaska et d'Hawaii.

Mason-Dixon Line – la frontière entre la Pennsylvanie et le Maryland, datant de 1767, qui dans la période précédant la guerre civile a marqué la limite entre les états esclavagistes et non esclavagistes.

MLB – Major League Baseball ; fédération professionnelle de base-ball.

MLS – Major League Soccer ; fédération professionnelle de football.

mojito – cocktail à base de sucre, de rhum, de citron vert et de menthe écrasée.

moonshine – alcool illégal, généralement à base de bourbon, fabriqué dans les distilleries isolées des Appalaches.

Mother Road – surnom de la Route 66, autrefois la seule route reliant Chicago à Los Angeles.

NAACP – National Association for the Advancement of Colored People ; organisation de défense et de promotion des droits des Noirs, fondée en 1910 et qui a joué un rôle majeur dans le mouvement des droits civiques dans les années 1960.

National Guard – armée de réserve de chaque État placée sous la tutelle de l'État fédéral, entrant en action en cas d'urgence.

National Recreation Area – zones géographiques gérées par le National Park Service et présentant un intérêt écologique important. Elles ont été modifiées par l'action des hommes (barrages, par exemple).

National Register of Historic Places – liste de sites historiques établie par le National Park Service ; l'altération de ces sites est étroitement surveillée.

NBA – National Basketball Association ; fédération professionnelle de basket masculin.

NCAA – National Collegiate Athletic Association ; organe gérant le sport interuniversitaire.

New Deal – ensemble de mesures et de grands travaux entrepris par le président Franklin D. Roosevelt pour sortir de la Grande Dépression.

NFL – National Football League ; fédération professionnelle de football américain.

NHL – National Hockey League ; fédération professionnelle de hockey sur glace.

NHS – National Historic Site.

NM – National Monument.

NOW – National Organization for Women ; association de défense des droits des femmes.

NPR – National Public Radio ; société de radiodiffusion non commerciale, soutenue par les auditeurs, qui produit et distribue des informations et des programmes culturels.

NPS – National Park Service ; division du département de l'Environnement chargée de l'administration des parcs nationaux et de leurs monuments.

NRA – National Recreation Area. Également National Rifle Association, un important groupe de pression pro-armes, empêchant la mise en place de législations restrictives sur l'utilisation des armes à feu.

NWR – National Wildlife Refuge ; réserve naturelle de faune et de flore.

OHV/ORV – Off-Highway Vehicle/Off-Road Vehicle ; véhicule tout-terrain.

out west – globalement, tout ce qui est à l'ouest du fleuve Mississippi.

outfitter – société fournissant des équipements divers, assurant le transport ou employant des guides pour des activités sportives, telles que la pêche, le canoë, le rafting ou la randonnée.

panhandle – bande de terre étroite se dégageant du territoire principal d'un État. Désigne également l'action de faire l'aumône.

parking lot/garage – place de stationnement.

PBS – Public Broadcasting System, réseau télévisuel non commercial ; l'équivalent télé de la NPR.

PC – politiquement correct ; ordinateur.

pétroglyphe – roche sculptée ; cet art consiste à entailler, limer ou ébrécher la surface de la pierre pour créer un motif.

PGA – Professional Golfers' Association.

pick-up – camionnette ouverte à l'arrière.

pictographe– peinture sur roche.

po'boy – gros sandwich.

pound – monnaie représentée aux États-Unis par le symbole #, et non £.

raw bar – comptoir de restaurant où l'on sert des fruits de mer crus.

Reconstruction – période qui suivit la guerre civile, durant laquelle les États sécessionnistes ont été placés sous contrôle fédéral avant d'être à nouveau admis dans l'Union.

redneck – terme péjoratif désignant un membre de la classe ouvrière soutenant le Parti conservateur.

RV – Recreational Vehicle ; camping-car ou caravane.

scalawags – terme péjoratif désignant les sudistes blancs ayant soutenu les États du Nord durant la guerre de Sécession et ayant tenté de s'enrichir sur les ruines du Sud au moment de la Reconstruction.

shotgun shack – petite cabane en bois composée de trois ou quatre chambres attenantes aménagées de telle sorte que l'on pouvait tirer avec un fusil à travers toutes les portes, de l'avant jusqu'au fond ; à l'époque, demeure des pauvres (Blancs ou Noirs) dans le sud des États-Unis.

snail mail – lettre envoyée par courrier, par opposition aux e-mails, rapides (snail signifiant escargot).

snowbirds – terme désignant les riches retraités qui passent tous les hivers au soleil, dans le sud des États-Unis (région de la Sunbelt, Floride, Arizona, etc.).

soul food – cuisine traditionnelle des Noirs américains du Sud (l'andouille, le jarret de porc et le chou vert par exemple).

SSN – Social Security Number ; code à neuf chiffres sans lequel il est impossible de travailler.

stick, stick shift – boîte de vitesses manuelle/voiture à transmission manuelle.

strip mall – ensemble de sociétés ou de magasins installés autour d'un parking.

SUV – Sports Utility Vehicle ; 4x4 citadin.

swag – articles promotionnels délivrés gratuitement.

trailer – maison transportable ; un "trailer park" fournit des logements bon marché.

TTY, TDD – Telecommunications Devices for the Deaf ; dispositifs de télécommunication pour les sourds.

two-by-four – pièces de bois de dimension standard : 2 pouces (5 cm) d'épaisseur et 4 pouces (10 cm) de largeur.

Union, the – les États-Unis ; dans le contexte de la guerre civile, l'Union désignait les États du Nord en guerre avec la confédération des États du Sud.

USAF – United States Air Force ; armée de l'air américaine.

USCIS – US Citizenship & Immigration Services, service rattaché au département de la Sécurité intérieure, chargé de l'immigration, de l'attribution des visas et de la naturalisation des étrangers.

USFS – United States Forest Service ; département du ministère de l'Agriculture chargé des forêts fédérales.

USGS – United States Geological Survey ; agence du ministère de l'Intérieur responsable, notamment, de l'établissement des cartes topographiques de l'ensemble du pays.

USMC – United States Marine Corps ; corps de l'armée chargé de faire respecter les directives américaines en territoire étranger.

USN – United States Navy ; marine américaine.

Wasp – White Anglo-Saxon Protestant ; terme souvent utilisé pour désigner la classe moyenne blanche américaine.

well drinks – boissons peu chères à base d'alcools forts, par opposition aux "top-shelf drinks".

WNBA – Women's National Basketball Association.

wonk – terme généralement péjoratif désignant une personne obsédée par de petits détails ; personne qui rencontre des difficultés de sociabilité. Équivalent d'un *nerd* ou d'un *geek* de l'informatique.

WPA – Works Progress Administration (puis Works Project Administration) ; programme mis en œuvre à l'époque de la Grande Dépression, et visant à réduire le chômage en finançant des travaux publics.

zip code – code postal de cinq ou neuf chiffres, instauré dans le cadre du Zone Improvement Program.

En coulisses

VOS RÉACTIONS ?

Vos commentaires nous sont très précieux et nous permettent d'améliorer constamment nos guides. Notre équipe lit toutes vos lettres avec la plus grande attention. Nous ne pouvons pas répondre individuellement à tous ceux qui nous écrivent, mais vos commentaires sont transmis aux auteurs concernés. Tous les lecteurs qui prennent la peine de nous communiquer des informations sont remerciés dans l'édition suivante, et ceux qui nous fournissent les renseignements les plus utiles se voient offrir un guide.

Pour nous faire part de vos réactions, prendre connaissance de notre catalogue et vous abonner à Comète, notre lettre d'information, consultez notre site web : **www.lonelyplanet.fr**

Nous reprenons parfois des extraits de notre courrier pour le publier dans nos produits, guides ou sites web. Si vous ne souhaitez pas que vos commentaires soient repris ou que votre nom apparaisse, merci de nous le préciser. Pour connaître notre politique en matière de confidentialité, connectez-vous à : **www.lonelyplanet.fr/confidentialite/index.cfm**

UN MOT DES AUTEURS

Karla Zimmerman

Mille mercis à Denis Agar, Lisa Beran, Marie Bradshaw, Sarah Chandler, Sasha Chang, Lisa DiChiera, Jim DuFresne, Ruggero Fatica, Jill Hurwitz, Joe Kelley, Julie Lange, Katie Law, Kari Lydersen, au clan McCabe, à Amanda Powell, Kristin Reither, Betsy Riley, Tamara B Robinson, Jim et Susan Stephan, et aux offices du tourisme de Chicago et de Cleveland. Je remercie particulièrement Eric Markowitz, le meilleur compagnon pour la vie du monde, qui se prête à tous mes *road trips* farfelus et remplis de tartes.

Ned Friary et Glenda Bendure

Nous souhaitons remercier toutes les personnes qui nous ont donné des conseils et ont partagé avec nous leurs bonnes adresses, notamment Gretchen Grozier, Bob Prescott, Steve Howance, Julie Lipkin, Ken Merrill, Bill O'Neill et Bryan Lantz. Et bien sûr, merci à tous les voyageurs que nous avons croisés en chemin.

Michael Grosberg

Pour Rebecca Tessler qui est toujours dans mon cœur. Un merci particulier à Carly Neidorf pour sa présence et son soutien, sur la route comme ailleurs, et son sens de l'orientation. À Radie Kaighin-Shields et Annie Humphrey pour leur aide à Pittsburgh ; à Caitlin Larussa et Olwyn Conway pour leurs conseils sur West Philadelphia et à mes parents pour leurs suggestions sur Philadelphie ; et à tous mes amis new-yorkais qui se sont joints à moi pour la recherche de restaurants et de bars.

Emily Matchar

Merci à Suki Gear et à toute l'équipe de Lonely Planet. Merci à Kerry Crawford d'avoir partagé sa connaissance approfondie de Memphis, à Julie Montgomery pour ses recommandations parfaites sur Charleston, à Meg, Maggie, Daniel et tous mes autres amis et/ou compagnons de Twitter pour leurs excellents conseils. Un merci particulier à Leslie Jamison pour m'avoir aidée à affronter les discothèques de Memphis à minuit, et à Jamin Asay, mon compagnon de route et de vie, pour avoir inlassablement lu les cartes et pour tout le reste.

Kevin Raub

Un merci particulier à ma femme, Adriana Schmidt Raub, dont le deuxième avis en Géorgie et à La Nouvelle-Orléans fut inestimable. Merci à ceux que j'ai croisés sur la route : Jason et Jennifer Hatfield, Dave et Aynsley Corbett, Jeff Fenn, Adam Skolnick, Tracy et Jeff Knapp, Fran Raub, Americas Coffee Shop à Lafayette, Leah Simon, JR et

À PROPOS DE CET OUVRAGE

Cette première édition en français du guide *Est américain* est la traduction de la première édition du guide *Eastern USA* en anglais. Karla Zimmerman, auteur-coordinateur, s'est entourée de toute une équipe d'auteurs, dont Glenda Bendure, Ned Friary, Michael Grosberg, Emily Matchar, Kevin Raub et Regis St Louis (leur biographie figure à la fin de l'ouvrage).

Traduction
Aurélie Belle, Nathalie Berthet, Éric Bossin, Cécile Duteil, Sarah-Laura Farge, Frédérique Hélion-Guerrini et Nadège Moulineau

Direction éditoriale
Didier Férat

Adaptation française
Laure Tattevin

Responsable prépresse
Jean-Noël Doan

Maquette
Alexandre Marchand

Couverture
Adaptée par Annabelle Henry pour la version française.

Cartographie
Cartes originales de Mark Griffiths et Alison Lyall, adaptées en français par Nicolas Chauveau

Remerciements à :
Angélique Adagio, Michel MacLeod et Christiane Mouttet pour leur précieuse contribution au texte ; Sarah Arfaoui pour son travail de référencement ; Dominique Bovet, Dominique Spaety et Juliette Stephens pour leur aide et leur disponibilité. Merci à Clare Mercer, Tracey Kislingbury et Joe Revill du bureau de Londres, ainsi qu'à Darren O'Connell, Chris Love, Craig Kilburn et Carol Jackson du bureau australien.

Pam Rivera, Shack Up Inn, Liz Carroll, Marika Cackett, Heidi Flynn Barnett, Vickie Ashford, Rachel Rosenberg, Kelly Norris, Wendy James, Erica Backus, Jason et Bianca Raub, Tom McDermott et Grace Wilson.

Regis St Louis

Un merci à Suki et à mes co-auteurs qui ont fait un formidable travail pour donner vie à l'Amérique. Merci à Eve et ses amis pour leurs précieux conseils sur Washington et aux amis de Krishna à New Vrindaban pour une visite magique. J'embrasse chaleureusement Cassandra, Magdalena et Genevieve qui m'ont accompagné durant mon *road trip* dans le Sud. Enfin, je remercie les Kaufman de nous avoir permis de nous joindre à eux durant leurs vacances à Wrightsville Beach.

CRÉDITS

Les données de la carte du climat sont adaptées de l'ouvrage de Peel, M.C., Finlayson, B.L. et McMahon, T.A. (2007) "Updated World Map of the Köppen-Geiger Climate Classification", *Hydrology and Earth System Sciences*, 11, 163344.

Photo p. 8, en haut : Crown Fountain © Jaume Plensa

Crédits photographiques

Couverture : Lincoln Memorial, Washington, DC/© Dennis Johnson/LPI.
La plupart des images de ce guide sont disponibles auprès de Lonely Planet Images (www.lonelyplanetimages.com).

630

index

Références des cartes
Références des photos

INDEX DES ENCADRÉS

Nature, environnement et activités de plein air

Pratique

Randonnées, balades et routes panoramiques

Comment utiliser ce guide

Ces symboles vous aideront à identifier les différentes rubriques :

- 👁 À voir
- 🏃 Activités
- 🎓 Cours
- 👉 Circuits organisés
- 🎊 Fêtes et festivals
- 🛏 Où se loger
- 🍴 Où se restaurer
- 🍷 Où prendre un verre
- ⭐ Où sortir
- 🛍 Achats
- ℹ Renseignements/ transports

Ces symboles vous donneront des informations essentielles au sein de chaque rubrique :

- 📞 Numéro de téléphone
- ⏱ Horaires d'ouverture
- P Parking
- 🚭 Non-fumeurs
- ❄ Climatisation
- @ Accès Internet
- s Chambre simple
- f Chambre familiale
- 📶 Wi-Fi
- 🏊 Piscine
- 🥗 Végétarien
- 👪 Familles bienvenues
- 🐾 Animaux acceptés
- dort Dortoir
- d Chambre double
- app Appartement
- 🚌 Bus
- ⛴ Ferry
- M Métro
- 🚋 Tramway
- R Train
- ch Chambre
- tr Chambre triple
- ste Suite

Les adresses sont présentées par ordre de préférence de l'auteur.

Les pictos pour se repérer

- ❤ Les coups de cœur de l'auteur
- GRATUIT Des sites libre d'accès
- 🌿 Les adresses écoresponsables

Nos auteurs ont sélectionné ces adresses pour leur engagement dans le développement durable – par leur soutien envers des communautés ou des producteurs locaux, leur fonctionnement écologique ou leur investissement dans des projets de protection de l'environnement.

Légende des cartes

À voir
- Centre d'intérêt
- Château
- Église/cathédrale
- Monument
- Musée/galerie
- Mosquée
- Plage
- Ruines
- Synagogue
- Vignoble
- Zoo

Activités
- Plongée/snorkeling
- Canoë/kayak
- Ski
- Surf
- Piscine/baignade
- Randonnée
- Planche à voile
- Autres activités

Se loger
- Hébergement
- Camping

Se restaurer
- Restauration

Prendre un verre
- Bar
- Café

Sortir
- Spectacle

Achats
- Magasin

Renseignements
- Poste
- Point d'information

Transports
- Aéroport/aérodrome
- Poste frontière
- Bus
- Téléphérique/ funiculaire
- Piste cyclable
- Ferry
- Métro
- Monorail
- Parking
- Subway
- Taxi
- Train/rail
- Tramway
- Tube
- U-Bahn
- Autre moyen de transport

Routes
- Autoroute à péage
- Autoroute
- Nationale
- Départementale
- Cantonale
- Chemin
- Route non goudronnée
- Rue piétonne
- Escalier
- Tunnel
- Passerelle
- Promenade à pied
- Promenade à pied (variante)
- Sentier

Limites et frontières
- Pays
- Province/État
- Contestée
- Région/banlieue
- Parc maritime
- Falaise/escarpement
- Rempart

Population
- Capitale (pays)
- Capitale (État/province)
- Grande ville
- Petite ville/village

Géographie
- Refuge/gîte
- Phare
- Point de vue
- Montagne/volcan
- Oasis
- Parc
- Col
- Aire de pique-nique
- Cascade

Hydrographie
- Rivière
- Rivière intermittente
- Marais/mangrove
- Récif
- Canal
- Eau
- Lac asséché/salé/ intermittent
- Glacier

Topographie
- Plage/désert
- Cimetière (chrétien)
- Cimetière (autre religion)
- Parc/forêt
- Terrain de sport
- Site (édifice)
- Site incontournable (édifice)

Michael Grosberg

New York, New Jersey et Pennsylvanie Pendant son enfance, Michael a pas. ses vacances en famille à sillonner l'État de New York, le New Jersey et la Pennsylvanie, et a fini par connaître les quartiers de New York où résidaient de nombreux membres de sa famille aussi bien que s'il y avait vécu. Après plusieurs longs voyages à l'étranger et de nombreux métiers (dont certains exercés à l'étranger), Michael est rentré à New York pour préparer un troisième cycle universitaire, puis a enseigné la littérature dans des universités new-yorkaises. Il a vécu dans trois des cinq *boroughs* et profite de toutes les occasions pour prendre la route et explorer ces différents États.

Regis St Louis

Washington et sa région Né dans l'Indiana, Regis a grandi dans une ville paisible au bord de l'eau, où il rêvait de l'effervescence des grandes villes. En 2001, il s'est installé à New York. Il a aussi vécu à San Francisco et Los Angeles et a traversé le pays en train, bus et voiture en visitant les endroits reculés des États-Unis. Lors de son dernier voyage, il a sillonné le sud de la Virginie à la recherche de la scène *bluegrass*, psalmodié avec les dévots de Krishna en Virginie-Occidentale et s'est régalé de crabe dans tout le Maryland. Regis a contribué à plus de 30 guides Lonely Planet, notamment *Washington* et *New York*.

Ned Friary et Glenda Bendure

Nouvelle-Angleterre Ned et Glenda viennent de Cap Cod, où ils vivent depuis les années 1980. Baignades dans l'océan, longues balades à vélo et virées en voiture en Nouvelle-Angleterre sont leurs passe-temps favoris. Le temps fort de leur dernier voyage fut l'ascension du mont Acadia dans le parc national du même nom, où la vue époustouflante leur rappela l'extrême diversité des paysages de la Nouvelle-Angleterre. Ils ont beaucoup écrit sur la région et sont co-auteurs chez Lonely Planet des guides *New England* et *Discover USA's Best National Parks*.

LES GUIDES LONELY PLANET

Une vieille voiture déglinguée, quelques dollars en poche et le goût de l'aventure, c'est tout ce dont Tony et Maureen Wheeler eurent besoin pour réaliser, en 1972, le voyage d'une vie : rallier l'Australie par voie terrestre via l'Europe et l'Asie. De retour après un périple harassant de plusieurs mois, et forts de cette expérience formatrice, ils rédigèrent sur un coin de table leur premier guide, *Across Asia on the Cheap*, qui se vendit à 1 500 exemplaires en l'espace d'une semaine. Ainsi naquit Lonely Planet, qui possède aujourd'hui des bureaux à Melbourne, Londres et Oakland, et emploie plus de 600 personnes. Nous partageons l'opinion de Tony, pour qui un bon guide doit à la fois informer, éduquer et distraire.

LES AUTEURS

Karla Zimmerman

Auteur-coordinateur, Région des Grands Lacs Karla a toujours vécu à l'est du fleuve Mississippi, où terrains de base-ball, brasseries et magasins de tartes en tous genres règnent en maître. Quand elle n'est pas chez elle à Chicago en train de regarder un match des Cubs... enfin, d'écrire pour des magazines, livres et sites Web, elle est par monts et par vaux. Pour les besoins de cette édition, elle a joué au curling dans le Minnesota, a pris une vague dans le Michigan, a goûté aux *cheese curds* dans le Wisconsin et a bu un nombre embarrassant de milkshakes dans l'Ohio. Karla a contribué à plusieurs guides Lonely Planet sur les États-Unis, le Canada, les Caraïbes et l'Europe. Vous pouvez visiter son blog de voyage : www.mykindoftownandaround.blogspot.com.

Emily Matchar

Le Sud Originaire de Caroline du Nord, Emily vit et travaille à Chapel Hill (quand elle n'est pas en train de parcourir le globe). Bien qu'elle n'ait pas l'accent du Sud, elle sait fumer le porc, démarrer un pick-up en court-circuitant les fils et préparer un succulent gâteau à la noix de coco. Elle écrit sur la culture, la cuisine et les voyages pour divers magazines et journaux nationaux, et a contribué à une dizaine de guides Lonely Planet.

Kevin Raub

Le Sud Né dans l'Indiana, Kevin Raub a grandi à Atlanta et a débuté sa carrière en tant que journaliste musical à New York, pour les magazines *Men's Journal* et *Rolling Stone*. Las du mode de vie rock'n'roll, il a pris de longues vacances et s'est lancé dans le journalisme touristique alors qu'il quittait les États-Unis pour le Brésil. Son retour au pays, par la Géorgie, l'Alabama, le Mississippi, l'Arkansas et la Louisiane, n'a fait que réaffirmer le slogan qu'il avait en tête depuis des années pour un autocollant de voiture : "Habitant de l'Indiana par la naissance, Américain du Sud par la grâce de Dieu !" Retrouvez Kevin sur www.kevinraub.net.

PAGE 639 AUTEURS (suite)

Est américain
1re édition
Traduit, extrait et adapté de l'ouvrage *Eastern USA, 1st edition, April 2012*
© Lonely Planet Publications Pty Ltd 2012
© Lonely Planet 2012
Photographes © comme indiqué 2012

Dépôt légal Juin 2012
ISBN 978-2-81612-120-9
Imprimé par Grafica Veneta, Trebaseleghe, Italie

Bien que les auteurs et Lonely Planet aient préparé ce guide avec tout le soin nécessaire, nous ne pouvons garantir l'exhaustivité ni l'exactitude du contenu. Lonely Planet ne pourra être tenu responsable des dommages que pourraient subir les personnes utilisant cet ouvrage.

MIXTE
Issu de sources responsables
FSC® C003309

En Voyage Éditions | un département | place des éditeurs

Tous droits de traduction ou d'adaptation, même partiels, réservés pour tous pays. Aucune partie de ce livre ne peut être copiée, enregistrée dans un système de recherches documentaires ou de base de données, transmise sous quelque forme que ce soit, par des moyens audiovisuels, électroniques ou mécaniques, achetée, louée ou prêtée sans l'autorisation écrite de l'éditeur, à l'exception de brefs extraits utilisés dans le cadre d'une étude.
Lonely Planet et le logo de Lonely Planet sont des marques déposées de Lonely Planet Publications Pty Ltd.
Lonely Planet n'a cédé aucun droit d'utilisation commerciale de son nom ou de son logo à quiconque, ni hôtel ni restaurant ni boutique ni agence de voyages. En cas d'utilisation frauduleuse, merci de nous en informer : www.lonelyplanet.fr